國家圖書館藏敦煌遺書

中國國家圖書館編

第三冊　北敦〇〇一三五號——北敦〇〇二〇〇號

北京圖書館出版社

圖書在版編目(CIP)數據

國家圖書館藏敦煌遺書·第三册/中國國家圖書館編;任繼愈主編.—北京:北京圖書館出版社,2005.10

ISBN 7-5013-2945-1/K·1228

Ⅰ.圖…　Ⅱ.①中…②任…　Ⅲ.敦煌學—文獻　Ⅳ.K870.6

中國版本圖書館 CIP 數據核字(2005)第111253號

ISBN 7-5013-2945-1

9 787501 329458 >

書　　名　國家圖書館藏敦煌遺書·第三册
著　　者　中國國家圖書館　編　任繼愈　主編
責任編輯　徐　蜀　孫　彦
封面設計　李　璀

出　　版　北京圖書館出版社　(100034　北京西城區文津街7號)
發　　行　010-66139745　66151313　66175620　66126153
66174391(傳真)　66126156(門市部)
E-mail　cbs@nlc.gov.cn(投稿)　btsfxb@nlc.gov.cn(郵購)
Website　www.nlcpress.com
經　　銷　新華書店
印　　刷　北京文津閣印務有限責任公司

開　　本　八開
印　　張　63.5
版　　次　2005年10月第1版第1次印刷
印　　數　1-150册(套)

書　　號　ISBN 7-5013-2945-1/K·1228
定　　價　990.00圓

目錄

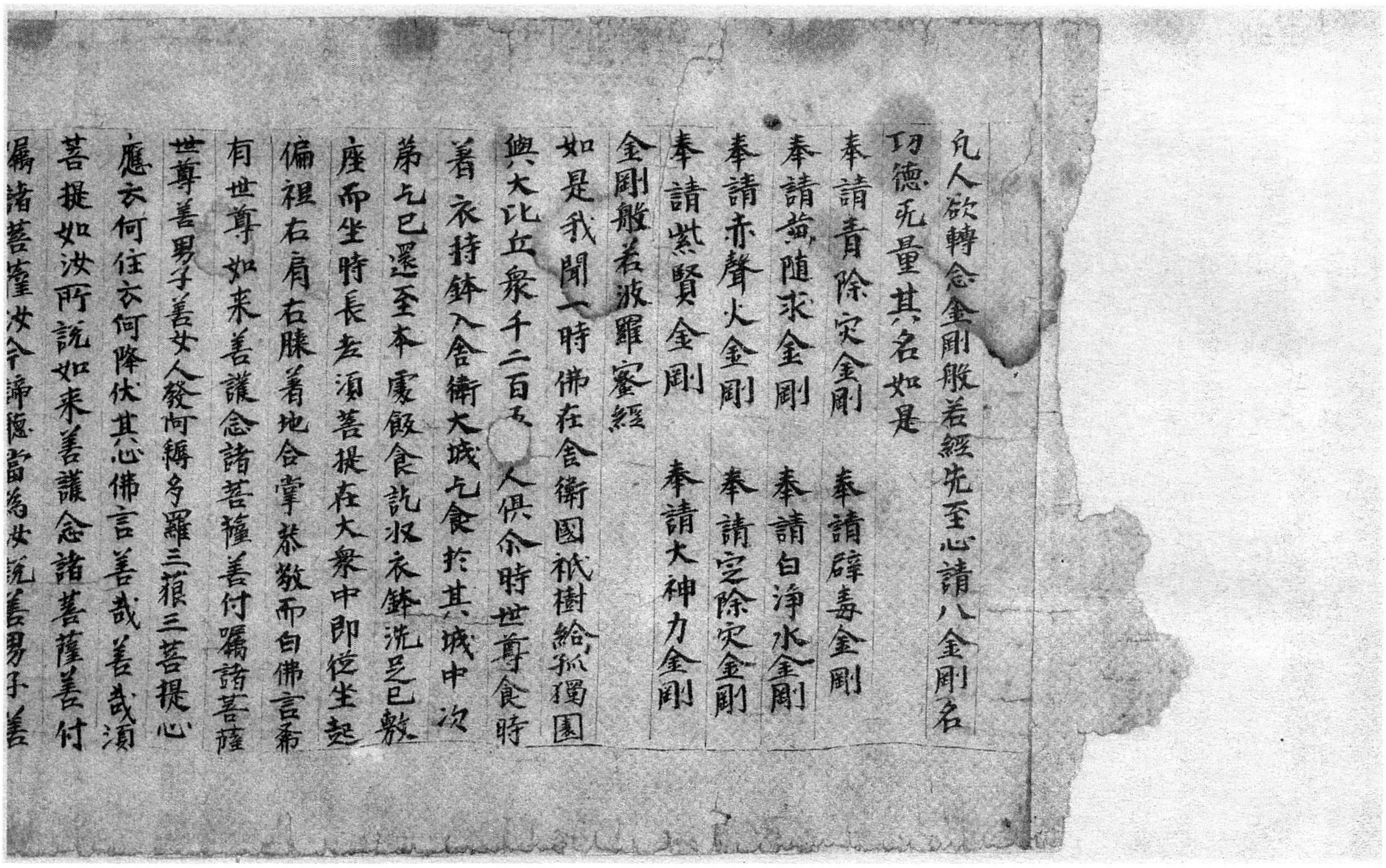

凡人欲轉念金剛般若經先至心請八金剛名
功德无量其名如是
奉請青除災金剛　奉請辟毒金剛
奉請黃隨求金剛　奉請白淨水金剛
奉請赤聲火金剛　奉請定除災金剛
奉請紫賢金剛　奉請大神力金剛
金剛般若波羅蜜經
如是我聞一時佛在舍衛國祇樹給孤獨園
與大比丘衆千二百五十人俱尒時世尊食時
著衣持鉢入舍衛大城乞食於其城中次
第乞已還至本處飯食訖收衣鉢洗足已敷
座而坐時長老須菩提在大衆中即從坐起
偏袒右肩右膝著地合掌恭敬而白佛言希
有世尊如來善護念諸菩薩善付囑諸菩薩
世尊善男子善女人發阿耨多羅三藐三菩提心
應云何住云何降伏其心佛言善哉善哉須
菩提如汝所說如來善護念諸菩薩善付
囑諸菩薩汝今諦聽當為汝說善男子善

BD00135號　金剛般若波羅蜜經　（6–1）

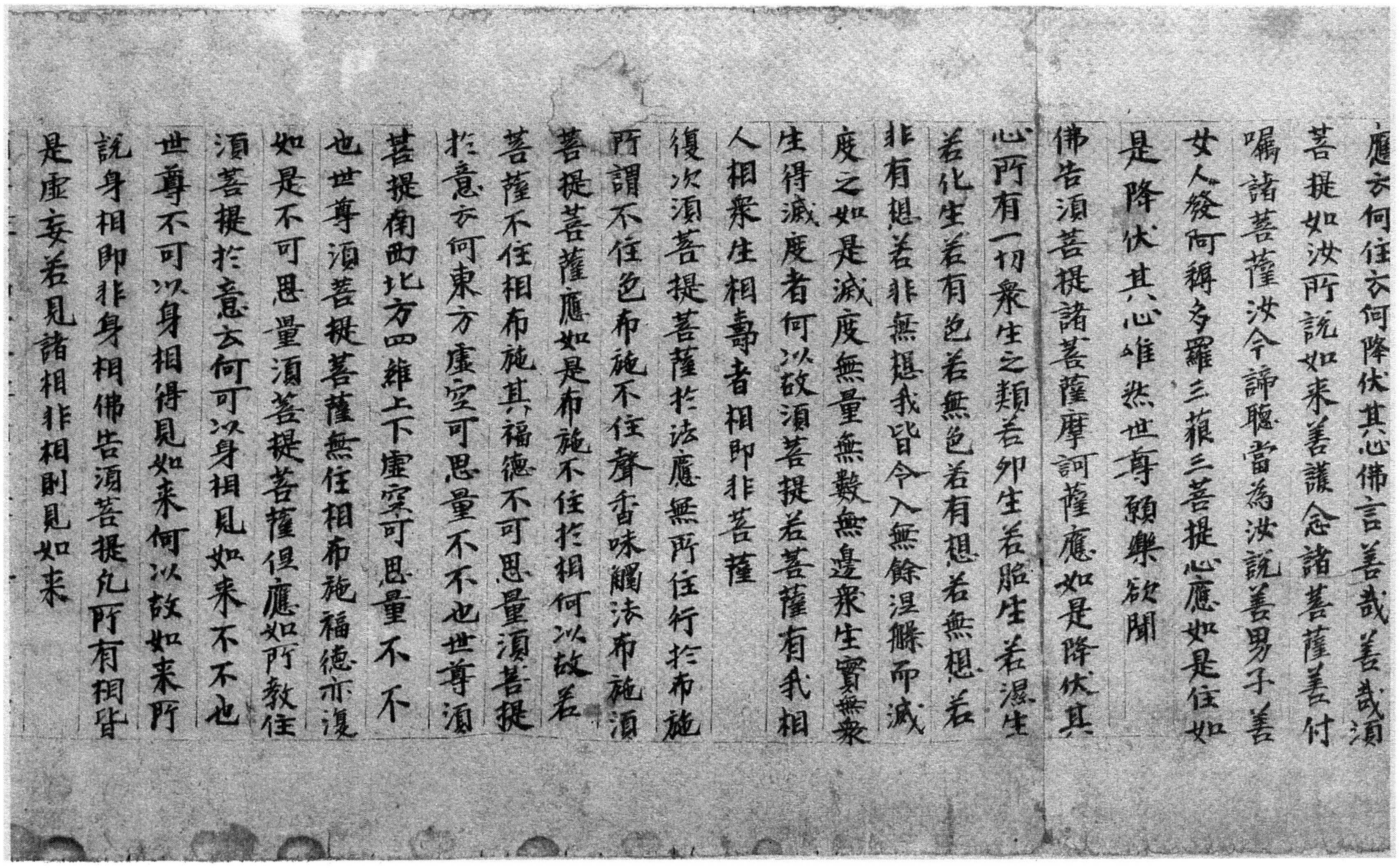

應云何住云何降伏其心佛言善哉善哉須
菩提如汝所說如來善護念諸菩薩善付
囑諸菩薩汝今諦聽當為汝說善男子善
女人發阿耨多羅三藐三菩提心應如是住如
是降伏其心唯然世尊願樂欲聞
佛告須菩提諸菩薩摩訶薩應如是降伏其
心所有一切衆生之類若卵生若胎生若濕生
若化生若有色若無色若有想若無想若
非有想若非無想我皆令入無餘涅槃而滅
度之如是滅度無量無數無邊衆生實無衆
生得滅度者何以故須菩提若菩薩有我相
人相衆生相壽者相即非菩薩
復次須菩提菩薩於法應無所住行於布施
所謂不住色布施不住聲香味觸法布施須
菩提菩薩應如是布施不住於相何以故若
菩薩不住相布施其福德不可思量須菩提
於意云何東方虛空可思量不不也世尊須
菩提南西北方四維上下虛空可思量不不
也世尊須菩提菩薩無住相布施福德亦復
如是不可思量須菩提菩薩但應如所教住
須菩提於意云何可以身相見如來不不也
世尊不可以身相得見如來何以故如來所
說身相即非身相佛告須菩提凡所有相皆
是虛妄若見諸相非相則見如來

BD00135號　金剛般若波羅蜜經　（6–2）

說身相即非身相佛告須菩提凡所有相皆
是虛妄若見諸相非相則見如来
須菩提白佛言世尊頗有衆生得聞如是言
說章句生實信不佛告須菩提莫作是說如
来滅後後五百歲有持戒脩福者於此章句
能生信心以此為實當知是人不於一佛二佛
三四五佛而種善根已於無量千万佛所
種諸善根聞是章句乃至一念生淨信者須
菩提如来悉知悉見是諸衆生得如是無量
福德何以故是諸衆生無復我相人相衆生
相壽者相無法相亦無非法相何以故是諸
衆生若心取相則為著我人衆生壽者若取
法相即著我人衆生壽者何以故若取非法
相即著我人衆生壽者是故不應取法不應
取非法以是義故如来常說汝等比丘知我
說法如筏喻者法尚應捨何況非法
須菩提於意云何如来得阿耨多羅三藐三
菩提耶如来有所說法耶須菩提言如我解
佛所說義無有定法名阿耨多羅三藐三菩
提亦無有定法如来可說何以故如来所說法
皆不可取不可說非法非非法所以者何一
切賢聖皆以無為法而有差別
須菩提於意云何若人滿三千大千世界七
寶以用布施是人所得福德寧為多不須菩提

BD00135 號　金剛般若波羅蜜經　（6–3）

須菩提於意云何若人滿三千大千世界七
寶以用布施是人所得福德寧為多不須菩提
言甚多世尊何以故是福德即非福德性是
故如来說福德多若復有人於此經中受持
乃至四句偈等為他人說其福勝彼何以故
須菩提一切諸佛及諸佛阿耨多羅三藐三
菩提法皆從此經出須菩提所謂佛法者
即非佛法
須菩提於意云何須陁洹能作是念我得須
陁洹果不須菩提言不也世尊何以故須陁洹
名為入流而無所入不入色聲香味觸法是
是名須陁洹須菩提於意云何斯陁含能作
是念我得斯陁含果不須菩提言不也世尊
何以故斯陁含名一往来而實無往来是名
斯陁含須菩提於意云何阿那含能作是念
我得阿那含果不須菩提言不也世尊何以故
阿那含名為不来而實無来是故名阿那
含須菩提於意云何阿羅漢能作是念我得
阿羅漢道不須菩提言不也世尊何以故實無
有法名阿羅漢世尊若阿羅漢作是念我
得阿羅漢道即為著我人衆生壽者世尊佛
說我得無諍三昧人中最為第一是第一離
欲阿羅漢我不作是念我是離欲阿羅漢世
尊我若作是念我得阿羅漢道世尊則不說
須菩提是樂阿蘭那行者以須菩提實無

BD00135 號　金剛般若波羅蜜經　（6–4）

欲阿羅漢我不作是念我是離欲阿羅漢世
尊我若作是念我得阿羅漢道世尊則不說
須菩提是樂阿蘭那行者以須菩提實無
所行而名須菩提是樂阿蘭那行
佛告須菩提於意云何如來昔在然燈佛所
於法有所得不世尊如來在然燈佛所於法
實無所得須菩提於意云何菩薩莊嚴佛土
不不也世尊何以故莊嚴佛土者則非莊嚴
是名莊嚴是故須菩提諸菩薩摩訶薩應如
是生清淨心不應住色生心不應住聲香味
觸法生心應無所住而生其心須菩提譬如有
人身如須彌山王於意云何是身為大不
須菩提言甚大世尊何以故佛說非身是名
大身
須菩提如恒河中所有沙數如是沙等恒河
於意云何是諸恒河沙寧為多不須菩提言
甚多世尊但諸恒河尚多無數何況其沙須
菩提我今實言告汝若有善男子善女人以
七寶滿爾所恒河沙數三千大千世界以用
布施得福多不須菩提言甚多世尊佛告須
菩提若善男子善女人於此經中乃至受持
四句偈等為他人說而此福德勝前福德復
次須菩提隨說是經乃至四句偈等當知此
處一切世間天人阿修羅皆應供養如佛塔
廟何況有人盡能受持讀誦須菩提當知是

BD00135號　金剛般若波羅蜜經　（6–5）

布施得福多不須菩提言甚多世尊佛告須
菩提若善男子善女人於此經中乃至受持
四句偈等為他人說而此福德勝前福德復
次須菩提隨說是經乃至四句偈等當知此
處一切世間天人阿修羅皆應供養如佛塔
廟何況有人盡能受持讀誦須菩提當知是
人成就最上第一希有之法若是經典所在
處則為有佛若尊重弟子
時須菩提白佛言世尊當何名此經我等
何奉持佛告須菩提是經名為金剛般若
以是名字汝當奉持所以者何須菩
若波羅蜜則非般若波羅蜜須菩
云何如來有所說法不須菩提白佛
尊如來無所說須菩提於意云何三千
世界所有微塵是為多不須菩提言甚
尊須菩提諸微塵如來說非微塵是名
微塵如來說世界非世界是名世界須菩提
意云何可以三十二相見如來不不也世尊
以三十二相得見如來何以故如來說三
相即是非相是名三十二相須菩提若
人以恒河沙等身命布
中乃至受持四句偈等

BD00135號　金剛般若波羅蜜經　（6–6）

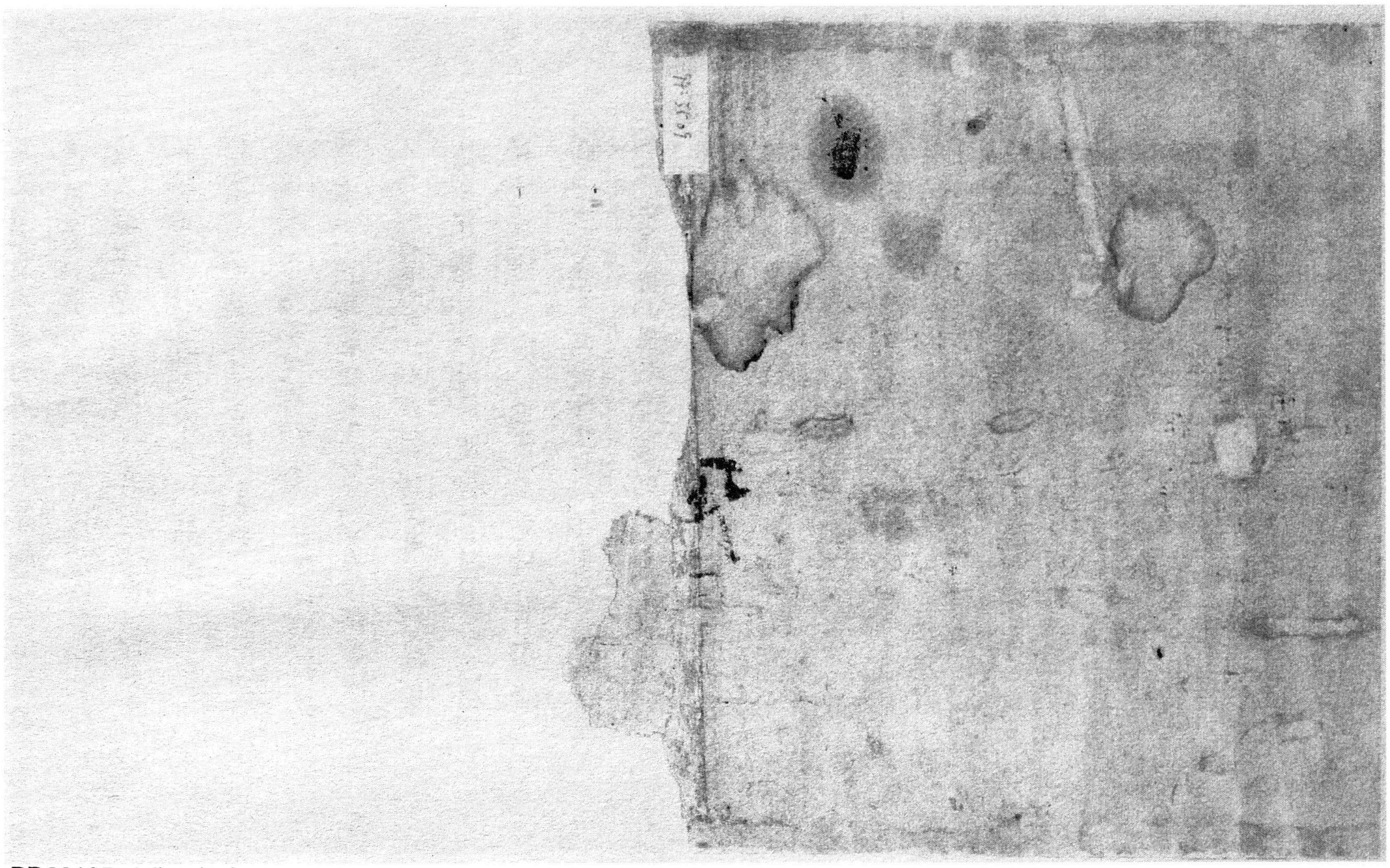

BD00135 號背　雜寫　　　　　（1–1）

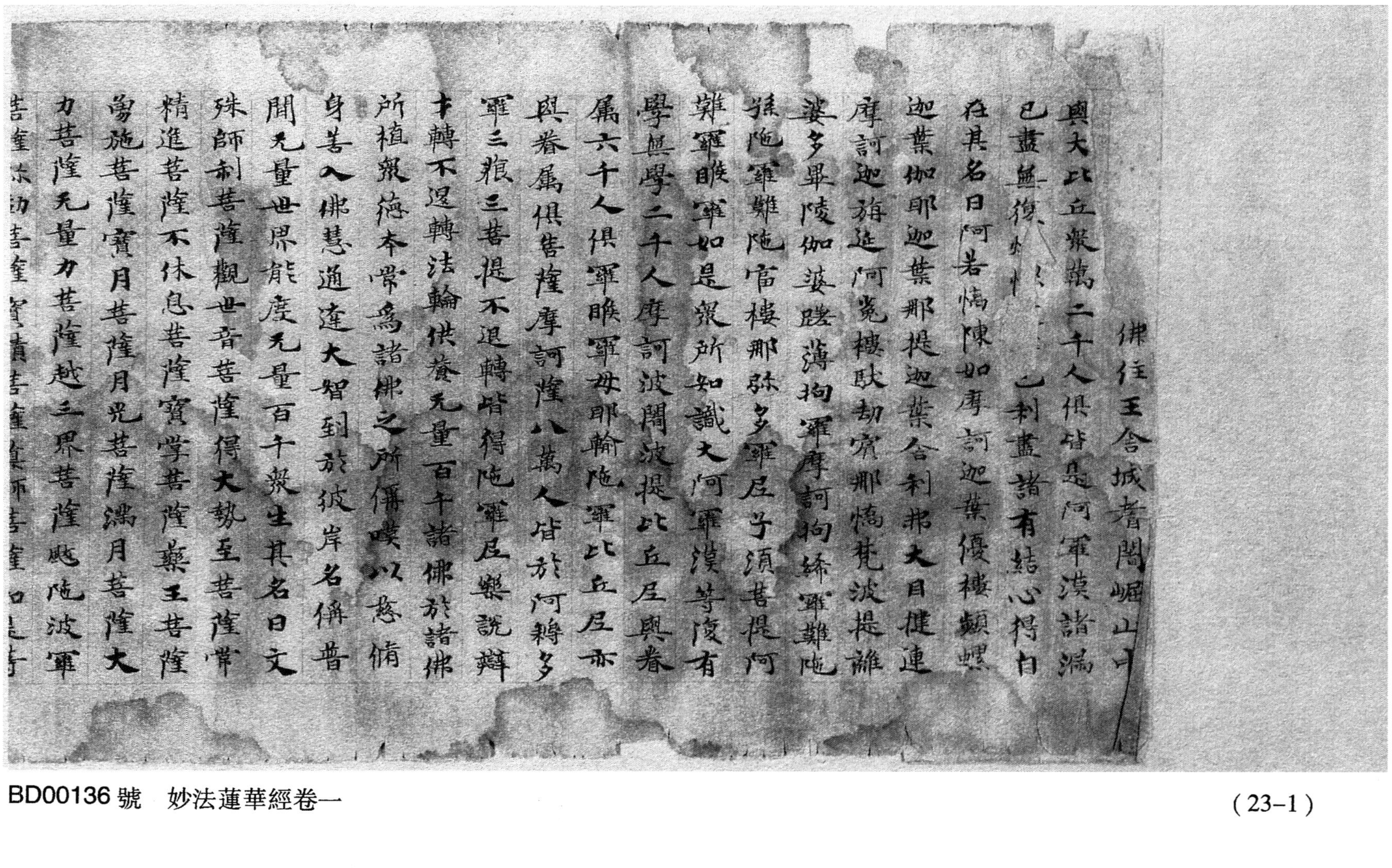

佛住王舍城耆闍崛山中
與大比丘眾萬二千人俱皆是阿羅漢諸漏
已盡無復煩惱逮得己利盡諸有結心得自
在其名曰阿若憍陳如摩訶迦葉優樓頻螺
迦葉伽耶迦葉那提迦葉舍利弗大目揵連
摩訶迦旃延阿㝹樓馱劫賓那憍梵波提離
婆多畢陵伽婆蹉薄拘羅摩訶拘絺羅難陀
孫陀羅難陀富樓那彌多羅尼子須菩提阿
難羅睺羅如是眾所知識大阿羅漢等復有
學無學二千人摩訶波闍波提比丘尼與眷
屬六千人俱羅睺羅母耶輸陀羅比丘尼亦
與眷屬俱菩薩摩訶薩八萬人皆於阿耨多
羅三藐三菩提不退轉皆得陀羅尼樂說辯
才轉不退轉法輪供養无量百千諸佛於諸佛
所植眾德本常為諸佛之所稱歎以慈脩
身善入佛慧通達大智到於彼岸名稱普
聞无量世界能度无量百千眾生其名曰文
殊師利菩薩觀世音菩薩得大勢菩薩常
精進菩薩不休息菩薩寶掌菩薩藥王菩薩
勇施菩薩寶月菩薩月光菩薩滿月菩薩大
力菩薩无量力菩薩越三界菩薩䟦陀婆羅
菩薩彌勒菩薩寶積菩薩導師菩薩如是等

BD00136 號　妙法蓮華經卷一　　　　　（23–1）

勇施菩薩寶月菩薩月光菩薩滿月菩薩大
力菩薩无量力菩薩越三界菩薩颰陁波羅
菩薩弥勒菩薩寶積菩薩導師菩薩如是等
菩薩摩訶薩八萬人俱尒時釋提桓因與其
眷屬二萬天子俱復有名月天子普香天子
寶光天子四大天王與其眷屬萬天子俱自
在天子大自在天子與其眷屬三萬天子俱娑
婆世界主梵天王尸棄大梵光明大梵等與其
眷屬萬二千天子俱有八龍王難陁龍王跋
難陁龍王娑伽羅龍王和脩吉龍王德叉迦
龍王阿那婆達多龍王摩那斯龍王優鉢羅
龍王等各與若干百千眷屬俱有四緊那羅
王法緊那羅王妙法緊那羅王大法緊那羅
王持法緊那羅王各與若干百千眷屬俱有
四乾闥婆王樂乾闥婆王樂音乾闥婆王美
乾闥婆王美音乾闥婆王各與若干百千眷
屬俱有四阿脩羅王婆稚阿脩羅王佉羅騫
馱阿脩羅王毗摩質多羅阿脩羅王羅睺羅
阿脩羅王各與若干百千眷屬俱有四迦樓
羅王大威德迦樓羅王大身迦樓羅王大滿
迦樓羅王如意迦樓羅王各與若干百千眷
屬俱韋提希子阿闍世王與若干百千眷屬
俱各礼佛足退坐一面尒時世尊四衆圍遶供
養恭敬尊重讚嘆為諸菩薩說大乘經名无
量義教菩薩法佛所護念佛說此經已結

俱各礼佛足退坐一面尒時世尊四衆圍遶供
養恭敬尊重讚嘆為諸菩薩說大乘經名无
量義教菩薩法佛所護念佛說此經已結
加趺坐入於无量義處三昧身心不動是
時天雨曼陁羅華摩訶曼陁羅華曼殊沙華
摩訶曼殊沙華而散佛上及諸大衆普佛世
界六種震動尒時會中比丘比丘尼優婆塞
優婆夷天龍夜叉乾闥婆阿脩羅迦樓羅緊
那羅摩睺羅伽人非人及諸小王轉輪聖王等
是諸大衆得未曾有歡喜合掌一心觀佛尒
時佛放眉間白豪相光照東方萬八千世界
靡不周遍下至阿鼻地獄上至阿迦膩吒天
於此世界盡見彼土六趣衆生又見彼土現
在諸佛及聞諸佛所說經法并見彼諸比丘
比丘尼優婆塞優婆夷諸脩行得道者復見
諸菩薩摩訶薩種種因緣種種信解種種相
貌行菩薩道復見諸佛般涅槃者復見諸佛
般涅槃後以佛舍利起七寶塔尒時弥勒菩
薩作是念今者世尊現神變相以何因緣而
有此瑞今佛世尊入于三昧是不可思議現
希有事當以問誰誰能答者復作是念此文
殊師利法王之子已曾親覲供養過去无量
諸佛必應見此希有之相我今當問尒時比
丘比丘尼優婆塞優婆夷及諸天龍鬼神等
咸作此念是佛光明神通之相今當問誰尒

[illegible]
咸作此念是佛光明神通之相今當問誰尒
時弥勒菩薩欲自決疑又觀四衆比丘比丘
尼優婆塞優婆夷及諸天龍鬼神等衆會之
心而問文殊師利言以何因緣而有此瑞神
通之相放大光明照于東方萬八千土悉見
彼佛國界莊嚴於是弥勒菩薩欲重宣此
義以偈問曰
文殊師利　導師何故　眉間白毫　大光普照
雨曼陁羅　曼殊沙華　旃檀香風　悅可衆心
以是因緣　地皆嚴淨　而此世界　六種震動
時四部衆　咸皆歡喜　身意快然　得未曾有
眉間光明　照于東方　萬八千土　皆如金色
從阿鼻獄　上至有頂　諸世界中　六道衆生
生死所趣　善惡業緣　受報好醜　於此悉見
又覩諸佛　聖主師子　演說經典　微妙第一
其聲清淨　出柔軟音　教諸菩薩　无數億萬
梵音深妙　令人樂聞　各於世界　講說正法
種種因緣　以无量喻　照明佛法　開悟衆生
若人遭苦　猒老病死　爲說涅槃　盡諸苦際
若人有福　曾供養佛　志求勝法　爲說緣覺
若有佛子　脩種種行　求无上慧　爲說淨道
文殊師利　我住於此　見聞若斯　及千億事
如是衆多　今當略說　我見彼土　恒沙菩薩
種種因緣　而求佛道　或有行施　金銀珊瑚
真珠摩尼　硨磲馬瑙　金剛諸珍　奴婢車乘

BD00136號　妙法蓮華經卷一　　（23–4）

如是衆多　今當略說　我見彼土　恒沙菩薩
種種因緣　而求佛道　或有行施　金銀珊瑚
真珠摩尼　硨磲馬瑙　金剛諸珍　奴婢車乘
寶飾輦轝　歡喜布施　迴向佛道　願得是乘
三界第一　諸佛所歎　或有菩薩　駟馬寶車
欄楯華蓋　軒飾布施　復見菩薩　身肉手足
及妻子施　求无上道　又見菩薩　頭目身體
欣樂施与　求佛智慧　文殊師利　我見諸王
往詣佛所　問无上道　便捨樂土　宮殿臣妾
剃除鬚髮　而被法服　或見菩薩　而作比丘
獨處閑靜　樂誦經典　又見菩薩　勇猛精進
入於深山　思惟佛道　又見離欲　常處空閑
深脩禪定　得五神通　又見菩薩　安禪合掌
以千萬偈　讚諸法王　復見菩薩　智深志固
能問諸佛　聞悉受持　又見佛子　定慧具足
以无量喻　爲衆講法　欣樂說法　化諸菩薩
破魔兵衆　而擊法鼓　又見菩薩　寂然宴默
天龍恭敬　不以爲喜　又見菩薩　處林放光
濟地獄苦　令入佛道　又見佛子　未甞睡眠
經行林中　懃求佛道　又見具戒　威儀無缺
淨如寶珠　以求佛道　又見佛子　住忍辱力
增上慢人　惡罵捶打　皆悉能忍　以求佛道
又見菩薩　離諸戲笑　及癡眷屬　親近智者
一心除亂　攝念山林　億千萬歲　以求佛道
或見菩薩　肴饍飲食　百種湯藥　施佛及僧
名衣上服　價直千萬　或无價衣　施佛及僧

BD00136號　妙法蓮華經卷一　　（23–5）

一心除亂　攝念山林　億千萬歲　以求佛道
或見菩薩　肴饍飲食　百種湯藥　施佛及僧
名衣上服　價直千萬　或無價衣　施佛及僧
千萬億種　栴檀寶舍　衆妙卧具　施佛及僧
清淨園林　華菓茂盛　流泉浴池　施佛及僧
如是等施　種種微妙　歡喜無猒　求无上道
或有菩薩　說寂滅法　種種教詔　无數衆生
或見菩薩　觀諸法性　無有二相　猶如虛空
又見佛子　心無所著　以此妙慧　求无上道
文殊師利　又有菩薩　佛滅度後　供養舍利
又見佛子　造諸塔廟　无數恒沙　嚴飾國界
寶塔高妙　五千由旬　縱廣正等　二千由旬
一一塔廟　各千幢幡　珠交露幔　寶鈴和鳴
諸天龍神　人及非人　香華伎樂　常以供養
文殊師利　諸佛子等　為供舍利　嚴飾塔廟
國界自然　殊特妙好　如天樹王　其華開敷
佛放一光　我及衆會　見此國界　種種殊妙
諸佛神力　智慧希有　放一淨光　照无量國
我等見此　得未曾有　佛子文殊　願決衆疑
四衆欣仰　瞻仁及我　世尊何故　放斯光明
佛子時荅　決疑令喜　何所饒益　演斯光明
佛坐道場　所得妙法　為欲說此　為當授記
示諸佛土　衆寶嚴淨　及見諸佛　此非小緣
文殊當知　四衆龍神　瞻察仁者　為說何等
是時文殊師利語彌勒菩薩摩訶薩及諸大
士善男子等如我惟忖今佛世尊欲說大法

文殊當知　四衆龍神　瞻察仁者　為說何等
是時文殊師利語彌勒菩薩摩訶薩及諸大
士善男子等如我惟忖今佛世尊欲說大法
雨大法雨吹大法螺擊大法鼓演大法義諸
善男子我於過去諸佛曾見此瑞放斯光
已即說大法是故當知今佛現光亦復如是
欲令衆生咸得聞知一切世間難信之法故現
斯瑞諸善男子如過去无量无邊不可思議
阿僧祇劫尒時有佛号日月燈明如來應供
正遍知明行足善逝世間解无上士調御丈
夫天人師佛世尊演說正法初善中善後善
其義深遠其語巧妙純一无雜具足清白梵
行之相為求聲聞者說應四諦法度生老病
死究竟涅槃為求辟支佛者說應十二因緣
法為諸菩薩說應六波羅蜜令得阿耨多羅
三藐三菩提成一切種智次復有佛亦名日月
燈明次復有佛亦名日月燈明如是二萬佛
皆同一字号日月燈明又同一姓姓頗羅墮
彌勒當知初佛後佛皆同一字名日月燈明
十号具足所可說法初中後善其最後佛未
出家時有八王子一名有意二名善意三名无
量意四名寶意五名增意六名除疑意七名
響意八名法意是八王子威德自在各領四
天下是諸王子聞父出家得阿耨多羅三
藐三菩提悉捨王位亦隨出家發大乘意常
脩梵行皆為法師已於千萬佛所植諸善本

天下是諸王子聞父出家得阿耨多羅三
藐三菩提悉捨王位亦隨出家發大乘意常
脩梵行皆為法師已於千萬佛所植諸善本
是時日月燈明佛說大乘經名无量義教菩
薩法佛所護念說是經已即於大衆中結加
趺坐入於无量義處三昧身心不動是時天
雨曼陁羅華摩訶曼陁羅華曼殊沙華摩訶
曼殊沙華而散佛上及諸大衆普佛世界六種
震動尒時會中比丘比丘尼優婆塞優婆夷
天龍夜叉乾闥婆阿脩羅迦樓羅緊那羅摩
睺羅伽人非人等及諸小王轉輪聖王等是
諸大衆得未曾有歡喜合掌一心觀佛尒時
如來放眉間白毫相光照東方萬八千佛土
靡不周遍如今所見是諸佛土彌勒當知尒
時會中有二十億菩薩樂欲聽法是諸菩薩
見此光明普照佛土得未曾有欲知此光所
為因緣時有菩薩名曰妙光有八百弟子是
時日月燈明佛從三昧起因妙光菩薩說大
乘經名妙法蓮華教菩薩法佛所護念六十
小劫不起于座時會聽者亦坐一處六十小
劫身心不動聽佛所說謂如食頃是時衆中
無有一人若身若心而生懈惓日月燈明佛於
六十小劫說是經已即於梵魔沙門婆羅門
及天人阿脩羅衆中而宣此言如來於今
日中夜當入无餘涅槃時有菩薩名曰德藏
日月燈明佛即授其記告諸比丘是德藏菩

BD00136號　妙法蓮華經卷一　（23-8）

及天人阿脩羅衆中而宣此言如來於今
日中夜當入无餘涅槃時有菩薩名曰德藏
日月燈明佛即授其記告諸比丘是德藏菩
薩次當作佛號曰淨身多陁阿伽度阿羅訶
三藐三佛陁佛授記已便於中夜入无餘涅
槃佛滅度後妙光菩薩持妙法蓮華經滿八
十小劫為人演說日月燈明佛八子皆師妙
光妙光教化令其堅固阿耨多羅三藐三菩
提是諸王子供養无量百千萬億佛已皆成
佛道其最後成佛者名曰然燈八百弟子中
有一人號曰求名貪著利養雖復讀誦衆經
而不通利多所忘失故號求名是人亦以種
諸善根因緣故得值无量百千萬億諸佛
供養恭敬尊重讚歎彌勒當知尒時妙光
菩薩豈異人乎我身是也求名菩薩汝身是
也今見此瑞與本無異是故惟忖今日如來
當說大乘經名妙法蓮華教菩薩法佛所護
念尒時文殊師利於大衆中欲重宣此義而
說偈言

我念過去世　无量无數劫　有佛人中尊　號日月燈明
世尊演說法　度无量衆生　无數億菩薩　令入佛智慧
佛未出家時　所生八王子　見大聖出家　亦隨脩梵行
時佛說大乘　經名无量義　於諸大衆中　而為廣分別
佛說此經已　即於法座上　加趺坐三昧　名无量義處
天雨曼陁華　天鼓自然鳴　諸天龍鬼神　供養人中尊

BD00136號　妙法蓮華經卷一　（23-9）

佛說此經已　即於法座上　加趺坐三昧　名无量義處
天雨曼陁華　天鼓自然鳴　諸天龍鬼神　供養人中尊
一切諸佛土　即時大震動　佛放眉間光　現諸希有事
此光照東方　萬八千佛土　示一切衆生　生死業報處
有見諸佛土　以衆寶莊嚴　瑠璃頗梨色　斯由佛光照
及見諸天人　龍神夜叉衆　乾闥緊那羅　各供養其佛
又見諸如來　自然成佛道　身色如金山　端嚴甚微妙
如淨瑠璃中　内現真金像　世尊在大衆　敷演深法義
一一諸佛土　聲聞衆无數　因佛光所照　悉見彼大衆
或有諸比丘　在於山林中　精進持淨戒　猶如護明珠
又見諸菩薩　行施忍辱等　其數如恒沙　斯由佛光照
又見諸菩薩　深入諸禪定　身心寂不動　以求无上道
又見諸菩薩　知法寂滅相　各於其國土　說法求佛道
尒時四部衆　見日月燈佛　現大神通力　其心皆歡喜
各各自相問　是事何因緣　天人所奉尊　適從三昧起
讚妙光菩薩　汝為世間眼　一切所歸信　能奉持法藏
如我所說法　唯汝能證知　世尊既讚歎　令妙光歡喜
說是法華經　滿六十小劫　不起於此座　所說上妙法
是妙光法師　悉皆能受持　佛說是法華　令衆歡喜已
尋即於是日　告於天人衆　諸法實相義　已為汝等說
我今於中夜　當入於涅槃　汝一心精進　當離於放逸
諸佛甚難值　億劫時一遇　世尊諸子等　聞佛入涅槃
各各懷悲惱　佛滅一何速　聖主法之王　安慰无量衆
我若滅度時　汝等勿憂怖　是德藏菩薩　於无漏實相
心已得通達　其次當作佛　号曰為淨身　亦度无量衆

BD00136號　妙法蓮華經卷一　（23–10）

各各懷悲惱　佛滅一何速　聖主法之王　安慰无量衆
我若滅度時　汝等勿憂怖　是德藏菩薩　於无漏實相
心已得通達　其次當作佛　号曰為淨身　亦度无量衆
佛此夜滅度　如薪盡火滅　分布諸舍利　而起无量塔
比丘比丘尼　其數如恒沙　倍復加精進　以求无上道
是妙光法師　奉持佛法藏　八十小劫中　廣宣法華經
是諸八王子　妙光所開化　堅固无上道　當見无數佛
供養諸佛已　隨順行大道　相繼得成佛　轉次而授記
㝡後天中天　号曰然燈佛　諸仙之導師　度脫无量衆
是妙光法師　時有一弟子　心常懷懈怠　貪著於名利
求名利無猒　多遊族姓家　棄捨所習誦　廢忘不通利
以是因緣故　号之為求名　亦行衆善業　得見无數佛
供養於諸佛　隨順行大道　具六波羅蜜　今見釋師子
其後當作佛　号名曰弥勒　廣度諸衆生　其數无有量
彼佛滅度後　懈怠者汝是　妙光法師者　今則我身是
我見燈明佛　本光瑞如此　以是知今佛　欲說法華經
今相如本瑞　是諸佛方便　今佛放光明　助發實相義
諸人今當知　合掌一心待　佛當雨法雨　充足求道者
諸求三乘人　若有疑悔者　佛當為除斷　令盡無有餘

妙法蓮華經方便品第二

尒時世尊從三昧安詳而起告舍利弗諸佛
智慧甚深无量其智慧門難解難入一切聲
聞辟支佛所不能知所以者何佛曾親近百
千萬億无數諸佛盡行諸佛无量道法勇猛
精進名稱普聞成就甚深未曾有法隨宜所
說意趣難解舍利弗吾從成佛已來種種因

BD00136號　妙法蓮華經卷一　（23–11）

千萬億[illegible]无數諸佛盡行諸佛无量道法勇猛

精進名稱普聞成就甚深未曾有法隨宜所
說意趣難解舍利弗吾從成佛已來種種因
緣種種譬喻廣演言教无數方便引導衆生
令離諸著所以者何如來方便知見波羅蜜
皆已具足舍利弗如來知見廣大深遠无量
无礙力无所畏禪定解脫三昧深入无際成
就一切未曾有法舍利弗如來能種種分別
巧說諸法言辭柔軟悅可衆心舍利弗取要
言之无量无邊未曾有法佛悉成就止舍利
弗不須復說所以者何佛所成就第一希有
難解之法唯佛與佛乃能究盡諸法實相所
謂諸法如是相如是性如是體如是力如是
作如是因如是緣如是果如是報如是本末
究竟等尒時世尊欲重宣此義而說偈言
世雄不可量　諸天及世人　一切衆生類　無能知佛者
佛力无所畏　解脫諸三昧　及佛諸餘法　無能測量者
本從无數佛　具足行諸道　甚深微妙法　難見難可了
於无量億劫　行此諸道已　道場得成果　我已悉知見
如是大果報　種種性相義　我及十方佛　乃能知是事
是法不可示　言辭相寂滅　諸餘衆生類　無有能得解
除諸菩薩衆　信力堅固者　諸佛弟子衆　曾供養諸佛
一切漏已盡　住是最後身　如是諸人等　其力所不堪
假使滿世間　皆如舍利弗　盡思共度量　不能測佛智
正使滿十方　皆如舍利弗　及餘諸弟子　亦滿十方剎
盡思共度量　亦復不能知　辟支佛利智　无漏最後身

BD00136 號　妙法蓮華經卷一　（23–12）

假使滿世間　皆如舍利弗　盡思共度量　不能測佛智
正使滿十方　皆如舍利弗　及餘諸弟子　亦滿十方剎
盡思共度量　亦復不能知　辟支佛利智　无漏最後身
亦滿十方界　其數如竹林　斯等共一心　於億无量劫
欲思佛實智　莫能知少分　新發意菩薩　供養无數佛
了達諸義趣　又能善說法　如稻麻竹葦　充滿十方剎
一心以妙智　於恒河沙劫　咸皆共思量　不能知佛智
不退諸菩薩　其數如恒沙　一心共思求　亦復不能知
又告舍利弗　无漏不思議　甚深微妙法　我今已具得
唯我知是相　十方佛亦然　舍利弗當知　諸佛語無異
於佛所說法　當生大信力　世尊法久後　要當說真實
告諸聲聞衆　及求緣覺乘　我令脫苦縛　逮得涅槃者
佛以方便力　示以三乘教　衆生處處著　引之令得出
尒時大衆中有諸聲聞漏盡阿羅漢阿若
憍陳如等千二百人及發聲聞辟支佛心比
丘比丘尼優婆塞優婆夷各作是念今者世尊
何故慇懃稱歎方便而作是言佛所得法甚
深難解有所言說意趣難知一切聲聞辟支
佛所不能及佛說一解脫義我等亦得此法
到於涅槃而今不知是義所趣尒時舍利弗
知四衆心疑自亦未了而白佛言世尊何因
何緣慇懃稱歎諸佛第一方便甚深微妙難
解之法我自昔來未曾從佛聞如是說今者
四衆咸皆有疑唯願世尊敷演斯事世尊何
故慇懃稱歎甚深微妙難解之法尒時舍利
弗欲重宣此義而說偈言

BD00136 號　妙法蓮華經卷一　（23–13）

四眾咸皆有疑唯願世尊敷演斯事世尊何
故慇懃稱歎甚深微妙難解之法尒時舍利
弗欲重宣此義而說偈言
慧日大聖尊　久乃說是法　自說得如是　力无畏三昧
禪定解脫等　不可思議法　道場所得法　無能發問者
我意難可測　亦無能問者　無問而自說　稱歎所行道
智慧甚微妙　諸佛之所得　无漏諸羅漢　及求涅槃者
今皆墮疑網　佛何故說是　其求緣覺者　比丘比丘尼
諸天龍鬼神　及乾闥婆等　相視懷猶豫　瞻仰兩足尊
是事為云何　願佛為解說　於諸聲聞眾　佛說我第一
我今自於智　疑惑不能了　為是究竟法　為是所行道
佛口所生子　合掌瞻仰待　願出微妙音　時為如實說
諸天龍神等　其數如恒沙　求佛諸菩薩　大數有八萬
又諸萬億國　轉輪聖王至　合掌以敬心　欲聞具足道
尒時佛告舍利弗止止不須復說若說是事
一切世間諸天及人皆當驚疑舍利弗重白
佛言世尊唯願說之唯願說之所以者何是
會无數百千萬億阿僧祇眾生曾見諸佛諸
根猛利智慧明了聞佛所說則能敬信尒時
舍利弗欲重宣此義而說偈言
法王無上尊　唯說願勿慮　是會无量眾　有能敬信者
佛復止舍利弗若說是事一切世間天人阿
脩羅皆當驚疑增上慢比丘將墜於大坑尒
時世尊重說偈言
止止不須說　我法妙難思　諸增上慢者　聞必不敬信

BD00136號　妙法蓮華經卷一　（23–14）

脩羅皆當驚疑增上慢比丘將墜於大坑尒
時世尊重說偈言
止止不須說　我法妙難思　諸增上慢者　聞必不敬信
尒時舍利弗重白佛言世尊唯願說之唯願
說之今此會中如我等比百千萬億世世已
曾從佛受化如此人等必能敬信長夜安隱
多所饒益尒時舍利弗欲重宣此義而說偈
言
无上兩足尊　願說第一法　我為佛長子　唯垂分別說
是會无量眾　能敬信此法　佛已曾世世　教化如是等
皆一心合掌　欲聽受佛語　我等千二百　及餘求佛者
願為此眾故　唯垂分別說　是等聞此法　則生大歡喜
尒時世尊告舍利弗汝已慇懃三請豈得不
說汝今諦聽善思念之吾當為汝分別解說
說此語時會中有比丘比丘尼優婆塞優婆
夷五千人等即從座起禮佛而退所以者何
此輩罪根深重及增上慢未得謂得未證謂
證有如此失是以不住世尊默然而不制止
尒時佛告舍利弗我今此眾無復枝葉純有
貞實舍利弗如是增上慢人退亦佳矣汝今
善聽當為汝說舍利弗言唯然世尊願樂欲
聞佛告舍利弗如是妙法諸佛如來時乃說
之如優曇鉢華時一現耳舍利弗汝等當信
佛之所說言不虛妄舍利弗諸佛隨宜說法
意趣難解所以者何我以无數方便種種因
緣譬喻言詞演說諸法是法非思量分別之

BD00136號　妙法蓮華經卷一　（23–15）

佛之所說言不虛妄舍利弗諸佛隨宜說法
意趣難解所以者何我以无數方便種種因
緣譬喻言詞演說諸法是法非思量分別之
所能解唯有諸佛乃能知之所以者何諸佛
世尊唯以一大事因緣故出現於世舍利弗
云何名諸佛世尊唯以一大事因緣故出現
於世諸佛世尊欲令衆生開佛如見使得清
淨故出現於世欲示衆生佛之如見故出現
於世欲令衆生悟佛如見故出現於世欲令
衆生入佛如見道故出現於世舍利弗是為
諸佛唯以一大事因緣故出現於世佛告舍利
弗諸佛如來但教化菩薩諸有所作常為一
事唯以佛之如見示悟衆生舍利弗如來但
以一佛乘故為衆生說法無有餘乘若二若
三舍利弗一切十方諸佛法亦如是舍利弗
過去諸佛以无量无數方便種種因緣譬喻
言詞而為衆生演說諸法是法皆為一佛乘
故是諸衆生從諸佛聞法究竟皆得一切種
智舍利弗未來諸佛當出於世亦以无量无
數方便種種因緣譬喻言詞而為衆生演說
諸法是法皆為一佛乘故是諸衆生從佛聞
法究竟皆得一切種智舍利弗現在十方无
量百千萬億佛土中諸佛世尊多所饒益安
樂衆生是諸佛亦以无量无數方便種種因
緣譬喻言詞而為衆生演說諸法是法皆為

BD00136 號　妙法蓮華經卷一　（23–16）

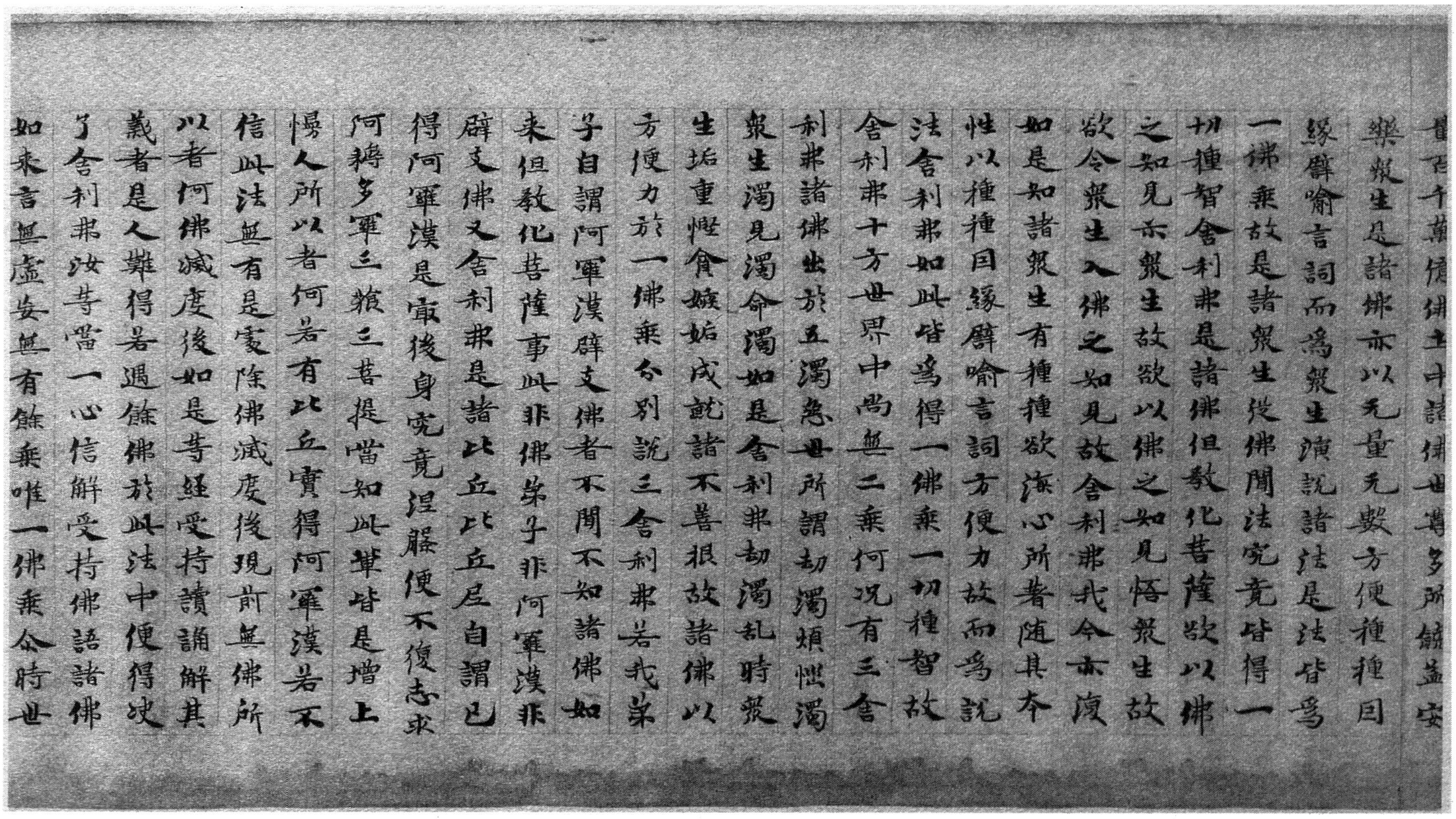
量百千萬億佛土中諸佛世尊多所饒益安
樂衆生是諸佛亦以无量无數方便種種因
緣譬喻言詞而為衆生演說諸法是法皆為
一佛乘故是諸衆生從佛聞法究竟皆得一
切種智舍利弗是諸佛但教化菩薩欲以佛
之如見示衆生故欲以佛之如見悟衆生故
欲令衆生入佛之如見故舍利弗我今亦復
如是知諸衆生有種種欲深心所著隨其本
性以種種因緣譬喻言詞方便力故而為說
法舍利弗如此皆為得一佛乘一切種智故
舍利弗十方世界中尚無二乘何況有三舍
利弗諸佛出於五濁惡世所謂劫濁煩惱濁
衆生濁見濁命濁如是舍利弗劫濁亂時衆
生垢重慳貪嫉妬成就諸不善根故諸佛以
方便力於一佛乘分別說三舍利弗若我弟
子自謂阿羅漢辟支佛者不聞不知諸佛如
來但教化菩薩事此非佛弟子非阿羅漢非
辟支佛又舍利弗是諸比丘比丘尼自謂已
得阿羅漢是最後身究竟涅槃便不復志求
阿耨多羅三藐三菩提當知此輩皆是增上
慢人所以者何若有比丘實得阿羅漢若不
信此法無有是處除佛滅度後現前無佛所
以者何佛滅度後如是等經受持讀誦解其
義者是人難得若遇餘佛於此法中便得決
了舍利弗汝等當一心信解受持佛語諸佛
如來言無虛妄無有餘乘唯一佛乘尒時世

BD00136 號　妙法蓮華經卷一　（23–17）

以者何佛滅度後如是等經受持讀誦解其
義者是人難得若遇餘佛於此法中便得決
了舍利弗汝等當一心信解受持佛語諸佛
如來言無虛妄無有餘乘唯一佛乘爾時世
尊欲重宣此義而說偈言
比丘比丘尼　有懷增上慢　優婆塞我慢　優婆夷不信
如是四衆等　其數有五千　不自見其過　於戒有缺漏
護惜其瑕疵　是小智已出　衆中之糟糠　佛威德故去
斯人尠福德　不堪受是法　此衆無枝葉　唯有諸貞實
舍利弗善聽　諸佛所得法　无量方便力　而為衆生說
衆生心所念　種種所行道　若干諸欲性　先世善惡業
佛悉知是已　以諸緣譬喻　言詞方便力　令一切歡喜
或說脩多羅　伽陀及本事　本生未曾有　亦說於因緣
譬喻并祇夜　優波提舍經　鈍根樂小法　貪著於生死
於諸无量佛　不行深妙道　衆苦所惱亂　為是說涅槃
我設是方便　令得入佛慧　未曾說汝等　當得成佛道
所以未曾說　說時未至故　今正是其時　決定說大乘
我此九部法　隨順衆生說　入大乘為本　以故說是經
有佛子心淨　柔軟亦利根　无量諸佛所　而行深妙道
為此諸佛子　說是大乘經　我記如是人　來世成佛道
以深心念佛　脩持淨戒故　此等聞得佛　大喜充遍身
佛知彼心行　故為說大乘　聲聞若菩薩　聞我所說法
乃至於一偈　皆成佛無疑　十方佛土中　唯有一乘法
無二亦無三　除佛方便說　但以假名字　引導於衆生
說佛智慧故　諸佛出於世　唯此一事實　餘二則非真
終不以小乘　濟度於衆生　佛自住大乘　如其所得法

BD00136號　妙法蓮華經卷一　(23-18)

乃至於一偈　皆成佛無疑　十方佛土中　唯有一乘法
無二亦無三　除佛方便說　但以假名字　引導於衆生
說佛智慧故　諸佛出於世　唯此一事實　餘二則非真
終不以小乘　濟度於衆生　佛自住大乘　如其所得法
定慧力莊嚴　以此度衆生　自證无上道　大乘平等法
若以小乘化　乃至於一人　我則墮慳貪　此事為不可
若人信歸佛　如來不欺誑　亦無貪嫉意　斷諸法中惡
故佛於十方　而獨無所畏　我以相嚴身　光明照世間
无量衆所尊　為說實相印　舍利弗當知　我本立誓願
欲令一切衆　如我等無異　如我昔所願　今者已滿足
化一切衆生　皆令入佛道　若我遇衆生　盡教以佛道
無智者錯亂　迷惑不受教　我知此衆生　未曾脩善本
堅著於五欲　癡愛故生惱　以諸欲因緣　墜墮三惡道
輪迴六趣中　備受諸苦毒　受胎之微形　世世常增長
薄德少福人　衆苦所逼迫　入邪見稠林　若有若無等
依止此諸見　具足六十二　深著虛妄法　堅受不可捨
我慢自矜高　諂曲心不實　於千萬億劫　不聞佛名字
亦不聞正法　如是人難度　是故舍利弗　我為設方便
說諸盡苦道　示之以涅槃　我雖說涅槃　是亦非真滅
諸法從本來　常自寂滅相　佛子行道已　來世得作佛
我有方便力　開示三乘法　一切諸世尊　皆說一乘道
今此諸大衆　皆應除疑惑　諸佛語無異　唯一無二乘
過去无數劫　无量滅度佛　百千萬億種　其數不可量
如是諸世尊　種種緣譬喻　无數方便力　演說諸法相
是諸世尊等　皆說一乘法　化无量衆生　令入於佛道
又諸大聖主　知一切世間　天人群生類　深心之所欲

BD00136號　妙法蓮華經卷一　(23-19)

過去无數劫 无量滅度佛 百千萬億種 其數不可量
如是諸世尊 種種緣譬喻 无數方便力 演說諸法相
是諸世尊等 皆說一乘法 化无量衆生 令入於佛道
又諸大聖主 知一切世間 天人群生類 深心之所欲
更以異方便 助顯第一義 若有衆生類 值諸過去佛
若聞法布施 或持戒忍辱 精進禪智等 種種脩福德
如是諸人等 皆已成佛道 諸佛滅度已 若人善軟心
如是諸衆生 皆已成佛道 諸佛滅度已 供養舍利者
起萬億種塔 金銀及頗梨 車𤦲與馬瑙 玫瑰琉璃珠
清淨廣嚴飾 莊校於諸塔 或有起石廟 栴檀及沉水
木樒并餘材 甎瓦泥土等 若於曠野中 積土成佛廟
乃至童子戲 聚沙為佛塔 如是諸人等 皆已成佛道
若人為佛故 建立諸形像 刻彫成衆相 皆已成佛道
或以七寶成 鍮石赤白銅 白鑞及鉛錫 鐵木及與泥
或以膠漆布 嚴飾作佛像 如是諸人等 皆已成佛道
綵畫作佛像 百福莊嚴相 自作若使人 皆已成佛道
乃至童子戲 若草木及筆 或以指爪甲 而畫作佛像
如是諸人等 漸漸積功德 具足大悲心 皆已成佛道
但化諸菩薩 度脫无量衆 若人於塔廟 寶像及畫像
以華香幡蓋 敬心而供養 若使人作樂 擊鼓吹角貝
簫笛琴箜篌 琵琶鐃銅鈸 如是衆妙音 盡持以供養
或以歡喜心 歌唄頌佛德 乃至一小音 皆已成佛道
若人散亂心 乃至以一華 供養於畫像 漸見无數佛
或有人礼拜 或復但合掌 乃至舉一手 或復小低頭
以此供養像 漸見无量佛 自成无上道 廣度无數衆
入无餘涅槃 如薪盡火滅 若人散亂心 入於塔廟中

BD00136號　妙法蓮華經卷一　(23–20)

或有人礼拜 或復但合掌 乃至舉一手 或復小低頭
以此供養像 漸見无量佛 自成无上道 廣度无數衆
入无餘涅槃 如薪盡火滅 若人散乱心 入於塔廟中
一稱南无佛 皆已成佛道 於諸過去佛 在世或滅後
若有聞是法 皆已成佛道 未來諸世尊 其數无有量
是諸如來等 亦方便說法 一切諸如來 以无量方便
度脫諸衆生 入佛无漏智 若有聞法者 無一不成佛
諸佛本誓願 我所行佛道 普欲令衆生 亦同得此道
未來世諸佛 雖說百千億 无數諸法門 其實為一乘
諸佛兩足尊 知法常無性 佛種從緣起 是故說一乘
是法住法位 世間相常住 於道場知已 導師方便說
天人所供養 現在十方佛 其數如恒沙 出現於世間
安隱衆生故 亦說如是法 知第一寂滅 以方便力故
雖示種種道 其實為佛乘 知衆生諸行 深心之所念
過去所習業 欲性精進力 及諸根利鈍 以種種因緣
譬喻亦言詞 隨應方便說 今我亦如是 安隱衆生故
以種種法門 宣示於佛道 我以智慧力 知衆生性欲
方便說諸法 皆令得歡喜 舍利弗當知 我以佛眼觀
見六道衆生 貧窮無福慧 入生死險道 相續苦不斷
深著於五欲 如犛牛愛尾 以貪愛自蔽 盲瞑無所見
不求大勢佛 及與斷苦法 深入諸邪見 以苦欲捨苦
為是衆生故 而起大悲心 我始坐道場 觀樹亦經行
於三七日中 思惟如是事 我所得智慧 微妙最第一
衆生諸根鈍 著樂癡所盲 如斯之等類 云何而可度
爾時諸梵王 及諸天帝釋 護世四天王 及大自在天
并餘諸天衆 眷屬百千萬 恭敬合掌礼 請我轉法輪

BD00136號　妙法蓮華經卷一　(23–21)

衆生諸根鈍　著樂癡所盲　如斯之等類　云何而可度
尒時諸梵王　及諸天帝釋　護世四天王　及大自在天
并餘諸天衆　眷屬百千萬　恭敬合掌礼　請我轉法輪
我即自思惟　若但讚佛乘　衆生沒在苦　不能信是法
破法不信故　墜於三惡道　我寧不說法　疾入於涅槃
尋念過去佛　所行方便力　我今所得道　亦應說三乘
作是思惟時　十方佛皆現　梵音慰喻我　善哉釋迦文
苐一之導師　得是无上法　隨諸一切佛　而用方便力
我等亦皆得　最妙苐一法　為諸衆生類　分別說三乘
少智樂小法　不自信作佛　是故以方便　分別說諸果
雖復說三乘　但為教菩薩　舍利弗當知　我聞聖師子
深淨微妙音　喜稱南无佛　復作如是念　我出濁惡世
如諸佛所說　我亦隨順行　思惟是事已　即趣波羅奈
諸法寂滅相　不可以言宣　以方便力故　為五比丘說
是名轉法輪　便有涅槃音　及以阿羅漢　法僧差別名
從久遠劫來　讚示涅槃法　生死苦永盡　我常如是說
舍利弗當知　我見佛子等　志求佛道者　无量千萬億
咸以恭敬心　皆來至佛所　曾從諸佛聞　方便所說法
我即作是念　如來所以出　為說佛慧故　今正是其時
舍利弗當知　鈍根小智人　著相憍慢者　不能信是法
今我喜无畏　於諸菩薩中　正直捨方便　但說无上道
菩薩聞是法　疑網皆已除　千二百羅漢　悉亦當作佛
如三世諸佛　說法之儀式　我今亦如是　說无分別法
諸佛興出世　懸遠值遇難　正使出于世　說是法復難
无量无數劫　聞是法亦難　能聽是法者　斯人亦復難

BD00136 號　妙法蓮華經卷一　（23–22）

菩…聞是法　疑網皆…　千二百羅漢　悉亦當作佛
如三世諸佛　說法之儀式　我今亦如是　說无分別法
諸佛興出世　懸遠值遇難　正使出于世　說是法復難
无量无數劫　聞是法亦難　能聽是法者　斯人亦復難
譬如優曇華　一切皆愛樂　天人所希有　時時乃一出
聞法歡喜讚　乃至發一言　則為已供養　一切三世佛
是人甚希有　過於優曇華　汝等勿有疑　我為諸法王
普告諸大衆　但以一乘道　教化諸菩薩　無聲聞弟子
汝等舍利弗　聲聞及菩薩　當知是妙法　諸佛之秘要
以五濁惡世　但樂著諸欲　如是等衆生　終不求佛道
當來世惡人　聞佛說一乘　迷惑不信受　破法墮惡道
有慚愧清淨　志求佛道者　當為如是等　廣讚一乘道
舍利弗當知　諸佛法如是　以萬億方便　隨宜而說法
其不習學者　不能曉了此　汝等既已知　諸佛世之師
隨宜方便事　無復諸疑惑　心生大歡喜　自知當作佛

妙法蓮華經卷苐一

BD00136 號　妙法蓮華經卷一　（23–23）

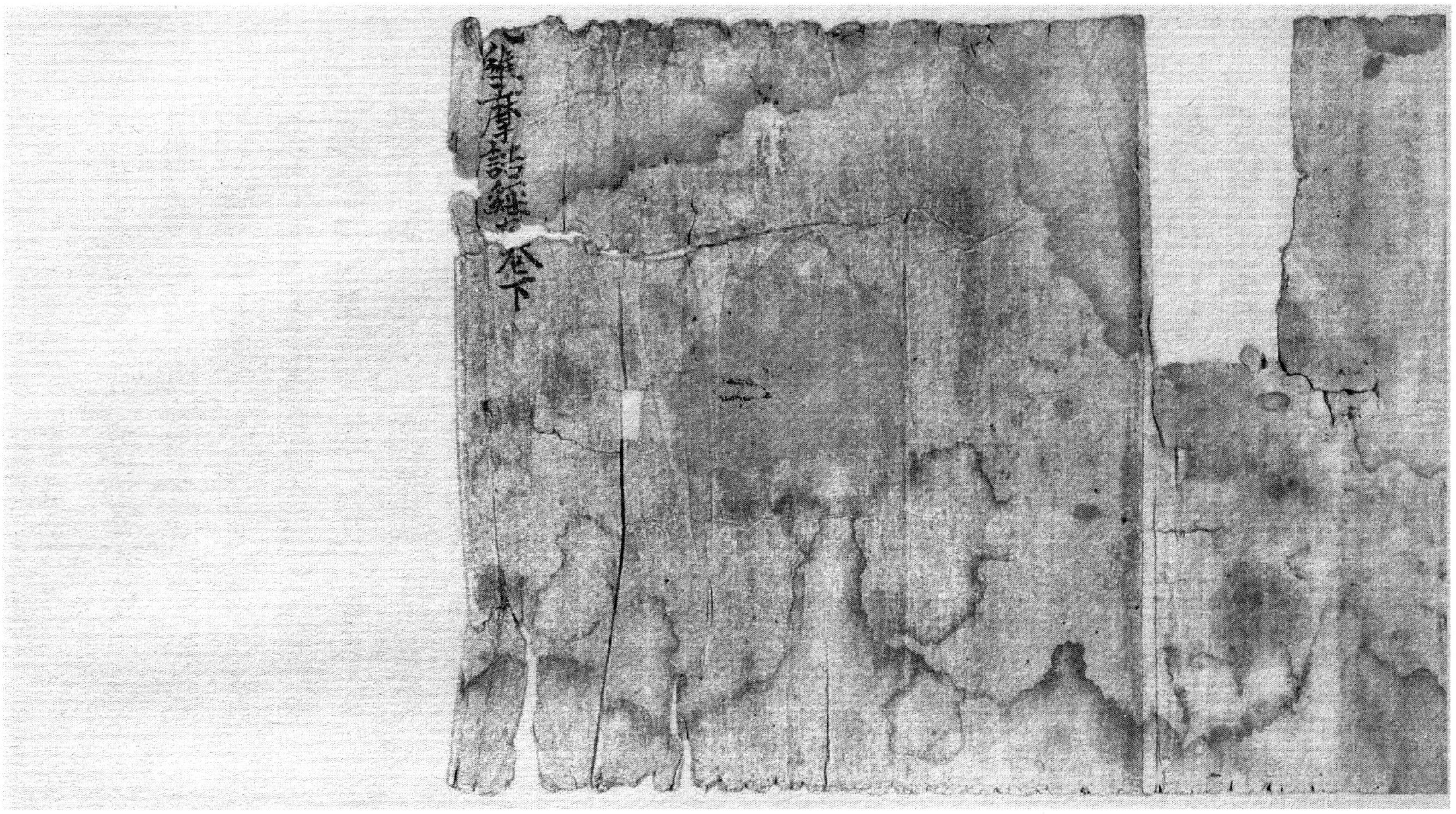

BD00137 號背　維摩詰所說經卷下護首　　（1–1）

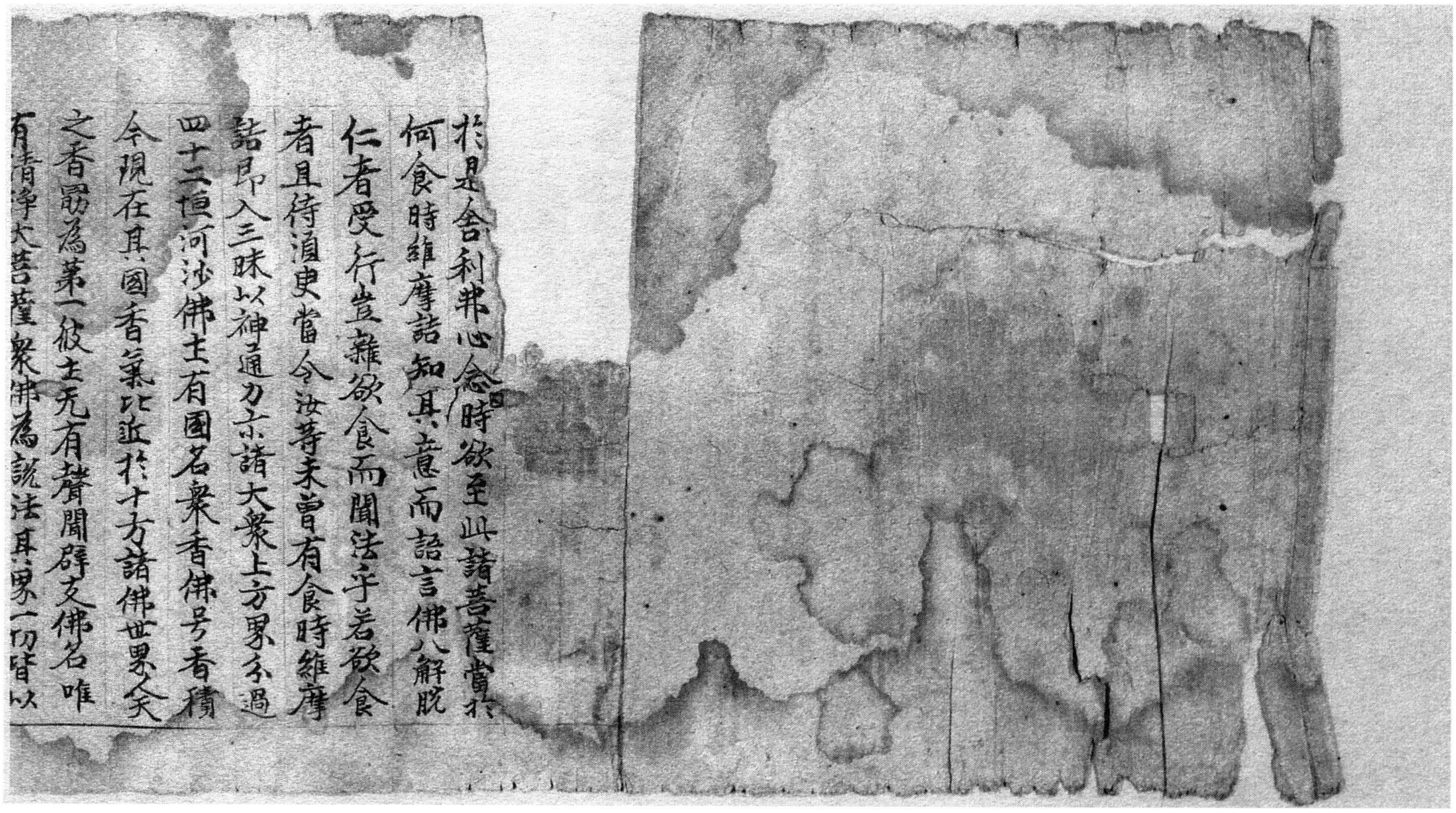
於是舍利弗心念時欲至此諸菩薩當於
何食時維摩詰知其意而語言佛八解脱
仁者受行豈雜欲食而聞法乎若欲食
者且待須臾當令汝等未曾有食時維摩
詰即入三昧以神通力示諸大衆上方界分過
四十二恒河沙佛土有國名衆香佛号香積
今現在其國香氣比於十方諸佛世界人天
之香最爲第一彼土无有聲聞辟支佛名唯
有清淨大菩薩衆佛爲說法其界一切皆以

BD00137 號　維摩詰所說經卷下　　（9–1）

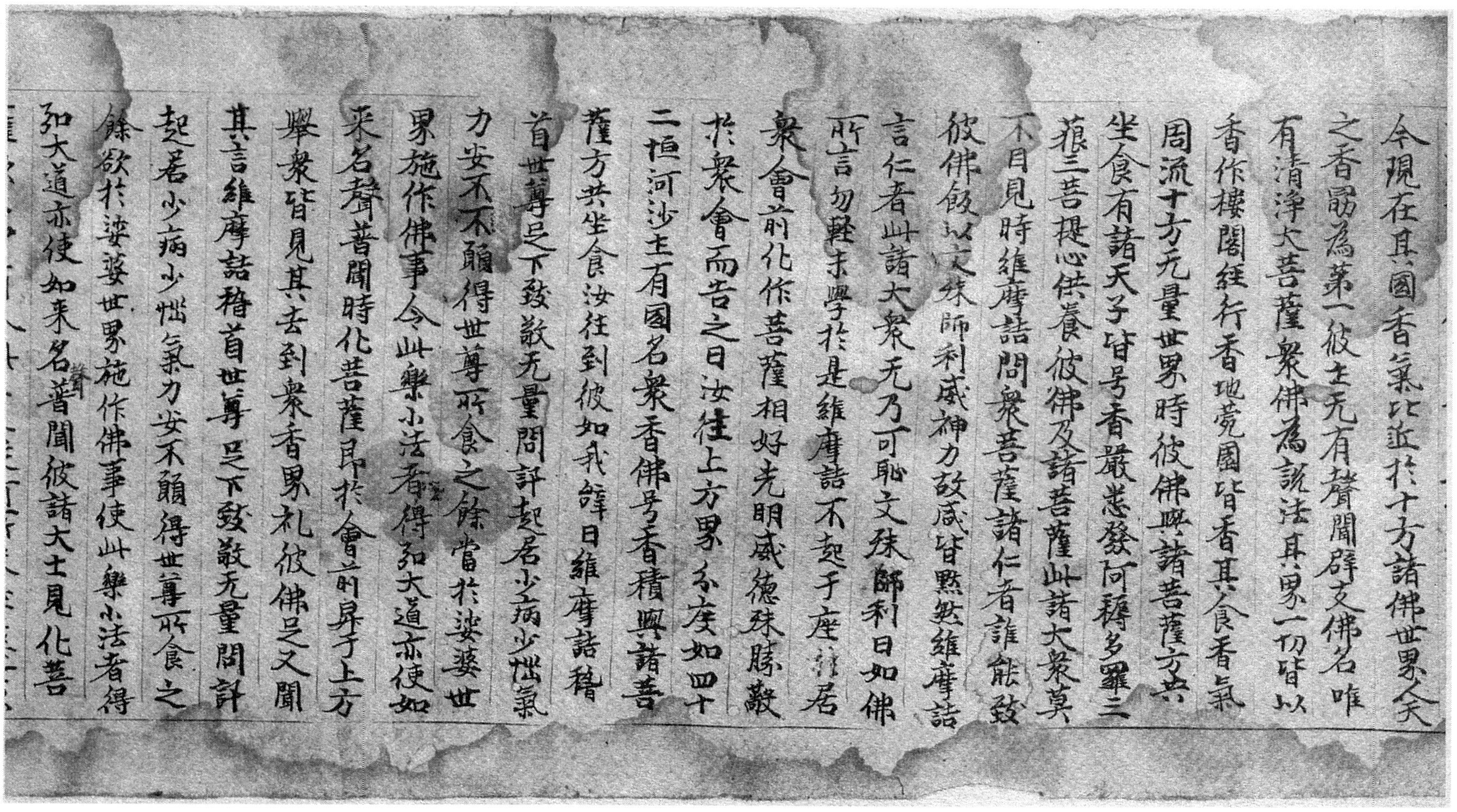
今現在其國香氣比於十方諸佛世界人天
之香最為第一彼土无有聲聞辟支佛名唯
有清淨大菩薩衆佛為說法其界一切皆以
香作樓閣經行香地苑園皆香其食香氣
周流十方无量世界時彼佛與諸菩薩方共
坐食有諸天子皆号香嚴悉發阿耨多羅三
藐三菩提心供養彼佛及諸菩薩此諸大衆莫
不目見時維摩詰問衆菩薩諸仁者誰能致
彼佛飯以文殊師利威神力故咸皆默然維摩詰
言仁者此諸大衆无乃可恥文殊師利曰如佛
所言勿輕未學於是維摩詰不起于座居
衆會前化作菩薩相好光明威德殊勝蔽
於衆會而告之曰汝往上方界分度如四十
二恒河沙土有國名衆香佛号香積與諸菩
薩方共坐食汝往到彼如我辭曰維摩詰稽
首世尊足下致敬无量問訊起居少病少惱氣
力安不不願得世尊所食之餘當於娑婆世
界施作佛事令此樂小法者得弘大道亦使如
來名聲普聞時化菩薩即於會前昇于上方
舉衆皆見其去到衆香界礼彼佛足又聞
其言維摩詰稽首世尊足下致敬无量問訊
起居少病少惱氣力安不願得世尊所食之
餘欲於娑婆世界施作佛事使此樂小法者得
弘大道亦使如來名聲普聞彼諸大士見化菩

BD00137 號　維摩詰所說經卷下　（9–2）

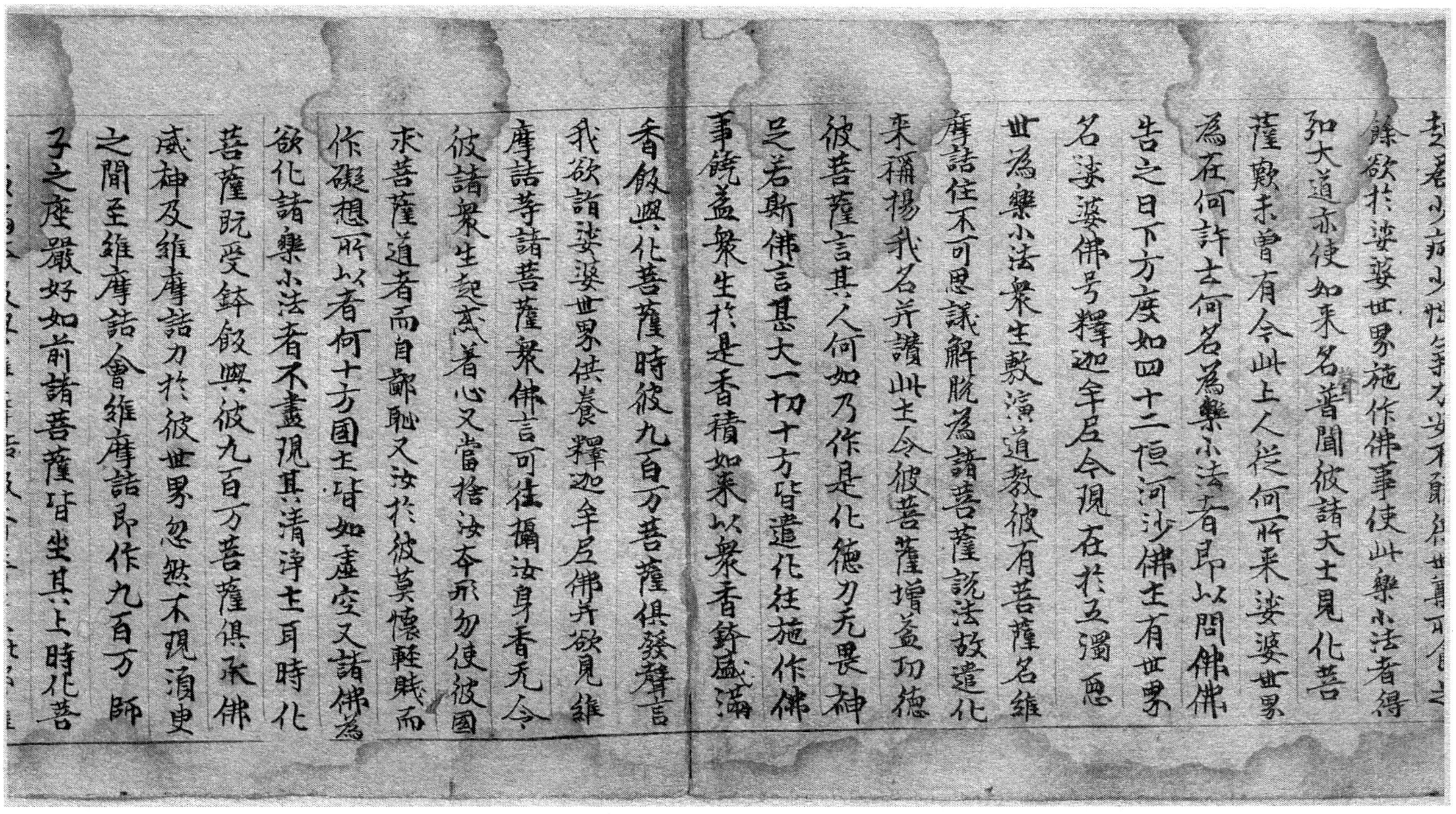
起居少病少惱氣力安不願得世尊所食之
餘欲於娑婆世界施作佛事使此樂小法者得
弘大道亦使如來名聲普聞彼諸大士見化菩
薩歎未曾有今此上人從何所來娑婆世界
為在何許云何名為樂小法者即以問佛佛
告之曰下方度如四十二恒河沙佛土有世界
名娑婆佛号釋迦牟尼今現在於五濁惡
世為樂小法衆生敷演道教彼有菩薩名維
摩詰住不可思議解脫為諸菩薩說法故遣化
來稱揚我名并讚此土令彼菩薩增益功德
彼菩薩言其人何如乃作是化德力无畏神
足若斯佛言甚大一切十方皆遣化往施作佛
事饒益衆生於是香積如來以衆香鉢盛滿
香飯與化菩薩時彼九百万菩薩俱發聲言
我欲詣娑婆世界供養釋迦牟尼佛并欲見維
摩詰等諸菩薩衆佛言可往攝汝身香无令
彼諸衆生起惑著心又當捨汝本形勿使彼國
求菩薩道者而自鄙恥又汝於彼莫懷輕賤而
作礙想所以者何十方國土皆如虛空又諸佛為
欲化諸樂小法者不盡現其清淨土耳時化
菩薩既受鉢飯與彼九百万菩薩俱承佛
威神及維摩詰力於彼世界忽然不現須臾
之間至維摩詰舍維摩詰即作九百万師
子之座嚴好如前諸菩薩皆坐其上時化菩

BD00137 號　維摩詰所說經卷下　（9–3）

之間至維摩詰舍維摩詰即作九百万師
子之座嚴好如前諸菩薩皆坐其上時化菩
薩以滿鉢飯與維摩詰飯香普薰毗耶離
城及三千大千世界時毗耶離婆羅門居士等
聞是香氣身意快然嘆未曾有於是長者
主月盖從八万四千人來入維摩詰舍見其室
中菩薩甚多諸師子座高廣嚴好皆大歡
喜礼衆菩薩及大弟子却住一面諸地神虛
空神及欲色界諸天聞此香氣亦皆來入維
摩詰舍時維摩詰語舍利弗等諸大聲聞
仁者可食如來甘露味飯大悲所薰无以限
意食之使不消也有異聲聞念是飯少而此大
衆人人當食化菩薩曰勿以聲聞小德小智
稱量如來无量福慧四海有竭此飯无
量使一切人食揣若須弥乃至一劫猶不能
盡所以者何无盡戒定智慧解脫解脫知
見功德具足者所食之餘終不可盡於是鉢
飯悉飽衆會猶故不賜其諸菩薩聲聞天人食
此飯者身安快樂譬如一切樂莊嚴國土諸菩薩
也又諸毛孔皆出妙香亦如衆香國土諸樹
之香尒時維摩詰問衆香菩薩香積如來以
何說法彼菩薩曰我土如來无文字說但以衆
香令諸天人得入律行菩薩各各坐香樹下
聞斯妙香即獲一切德藏三昧得是三昧者

BD00137 號　維摩詰所說經卷下　（9–4）

香令諸天人得入律行菩薩各各坐香樹下
聞斯妙香即獲一切德藏三昧得是三昧者
菩薩所有功德皆悉具足彼諸菩薩問維摩
詰今世尊釋迦牟尼以何說法維摩詰言此土衆生
剛强難化故佛為說剛强之語以調伏之言
是地獄是畜生是餓鬼是諸難處是愚人
生處是身邪行是身邪行報是口邪行是
口邪行報是意邪行是意邪行報是煞生
是煞生報是不與取是不與取報是邪婬是
邪婬報是妄語是妄語報是兩舌是兩舌報
是惡口是惡口報是无義是无義報是貪
嫉是貪嫉報是瞋惱是瞋惱報是邪見
是邪見報是慳悋是慳悋報是毀戒是毀
戒報是瞋恚是瞋恚報是懈怠是懈怠報是
亂意是乱意報是愚癡是愚癡報是結戒
是持戒報是犯戒是應作是不應作是鄣礙是不
鄣礙是得罪是離罪是淨是垢是有漏是无
漏是邪道是正道是有為是无為是世間是涅槃
以難化之人心如猨猴故以若干種法制御其心
乃可調伏譬如象馬惟悷不調加諸楚毒乃
至徹骨然後調伏如是剛强難化衆生故以
一切苦切之言乃可入律彼諸菩薩聞說是
以皆曰未曾有也如世尊釋迦牟尼佛隱其
无量自在之力乃以貧所樂法度脫衆生

BD00137 號　維摩詰所說經卷下　（9–5）

一切苦切之言乃可入律彼諸菩薩聞說是
以皆曰未曾有也如世尊釋加牟尼佛隱其
无量自在之力乃以貧所樂法度脫衆生
斯諸菩薩亦能勞謙以无量大悲生是佛
土維摩詰言此土菩薩於諸衆生大悲堅固
誠如所言然其一世饒益衆生多於彼國百
千劫行所以者何此娑婆世界有十事善法
諸餘淨土之所无有何等為十以布施攝貧
窮以淨戒攝毀禁以忍辱攝瞋恚以精進攝
懈怠以禪定攝亂意以智慧攝愚癡說除
難法度八難者以大乘法度樂小乘者以諸
善根濟无德者常以四攝成就衆生是為
十彼菩薩曰菩薩成就幾法於此世界行无
瘡疣生于淨土維摩詰言菩薩成就八法於
此世界行无瘡疣生于淨土何等為八饒益
衆生而不望報代一切衆生受諸苦惱所作
功德盡以施之等心衆生謙下无礙於諸菩薩
視之如佛所未聞經聞之不疑不與聲聞而相
違背不嫉彼供不高己利而於其中調伏其
心常省己過不訟彼短恒以一心求諸功德是
為八維摩詰文殊師利於大衆中說是法
時百千天人皆發阿耨多羅三藐三菩提
心十千菩薩得无生法忍
菩薩行品第十一

時百千天人皆發阿耨多羅三藐三菩提
心十千菩薩得无生法忍
菩薩行品第十一
是時佛說法於菴羅樹園其地忽然廣博嚴
事一切衆會皆作金色阿難白佛言世尊
以何因緣有此瑞應是處忽然廣博嚴事一切
衆會皆作金色佛告阿難是維摩詰文殊師
利與諸大衆恭敬圍遶發意欲來故先為
此瑞應於是維摩詰語文殊師利可共見佛與
諸菩薩礼事供養文殊師利言善哉行矣今
正是時維摩詰即以神力持諸大衆并師子座
置於右掌往詣佛所到已著地稽首佛足右
遶七匝一心合掌在一面立其諸菩薩即皆
避座稽首佛足亦遶七匝於一面立諸大弟子
釋梵四天王等亦皆避座稽首佛足在一面立
於是世尊如法慰問諸菩薩已各令復座即
皆受教衆座已定佛語舍利弗汝見菩薩
大士自在神力之所為乎唯然已見於汝意
云何世尊我覩其為不可思議非意所圖非
度所測尒時阿難白佛言世尊今所聞香自
昔未有是為何香佛告阿難是彼菩薩毛
孔之香於是舍利弗語阿難言我等毛孔亦
出是香阿難言此所從來曰是長者維摩詰
從衆香國取佛餘飯於舍食者一切毛孔皆

孔之香於是舍利弗語阿難言我等毛孔亦
出是香阿難言此所從來日是長者維摩詰
從衆香國取佛飯於舍食者一切毛孔皆
香若此阿難問維摩詰是香氣住當久如
維摩詰言至此飯消日此飯久如當消日此飯
勢力至于七日然後乃消又阿難若聲聞人未入
正位食此飯者得入正位然後乃消已入正位
食此飯者得心解脫然後乃消若未發大乘
意食此飯者至發意乃消已發意食此飯者
得无生忍然後乃消已得无生忍食此飯者
至一生補處然後乃消譬如有藥名日上味
其有服者身諸毒滅然後乃消此飯如是
滅除一切諸煩惱毒然後乃消阿難白佛
言未曾有也世尊如此香飯能作佛事佛
言如是如是阿難或有佛土以佛光明而作佛
事有以諸菩薩而作佛事有以佛所化人而作
佛事有以菩提樹而作佛事有以佛衣服臥
具而作佛事有以飯食而作佛事有以園林
臺觀而作佛事有以三十二相八十隨形好
而作佛事有以佛身而作佛事有以虛空而
作佛事衆生應以此緣得入律行有以夢幻
影響鏡中像水中月熱時焰如是等喻而
作佛事又以音聲語言文字而作佛事或
有清淨佛土寂漠无言无說无示无識无作

BD00137號　維摩詰所說經卷下　（9–8）

而作佛事有以佛身而作佛事有以虛空而
作佛事衆生應以此緣得入律行有以夢幻
影響鏡中像水中月熱時焰如是等喻而
作佛事又以音聲語言文字而作佛事或
有清淨佛土寂漠无言无說无示无識无作
无為而作佛事如是阿難諸佛威儀進止諸
所施為无非佛事阿難有此四魔八万四千諸
煩惱門而諸衆生為之疲勞諸佛即以此法
而作佛事是名一切諸佛法門菩薩入此門者
若見一切淨妙佛土不以為喜不貪不高若見
一切不淨佛土不以為憂不礙不沒但於諸
佛生清淨心歡喜恭敬未曾有也諸佛如來
功德平等為教化衆生故而現佛土不同
阿難汝見諸佛國土地有若干而虛空无
若干也如是見諸佛色身有若干耳其无
礙慧无若干也阿難諸佛色身威德種姓戒
定智慧解脫解脫知見力无所畏不共之法
壽命說法教化

BD00137號　維摩詰所說經卷下　（9–9）

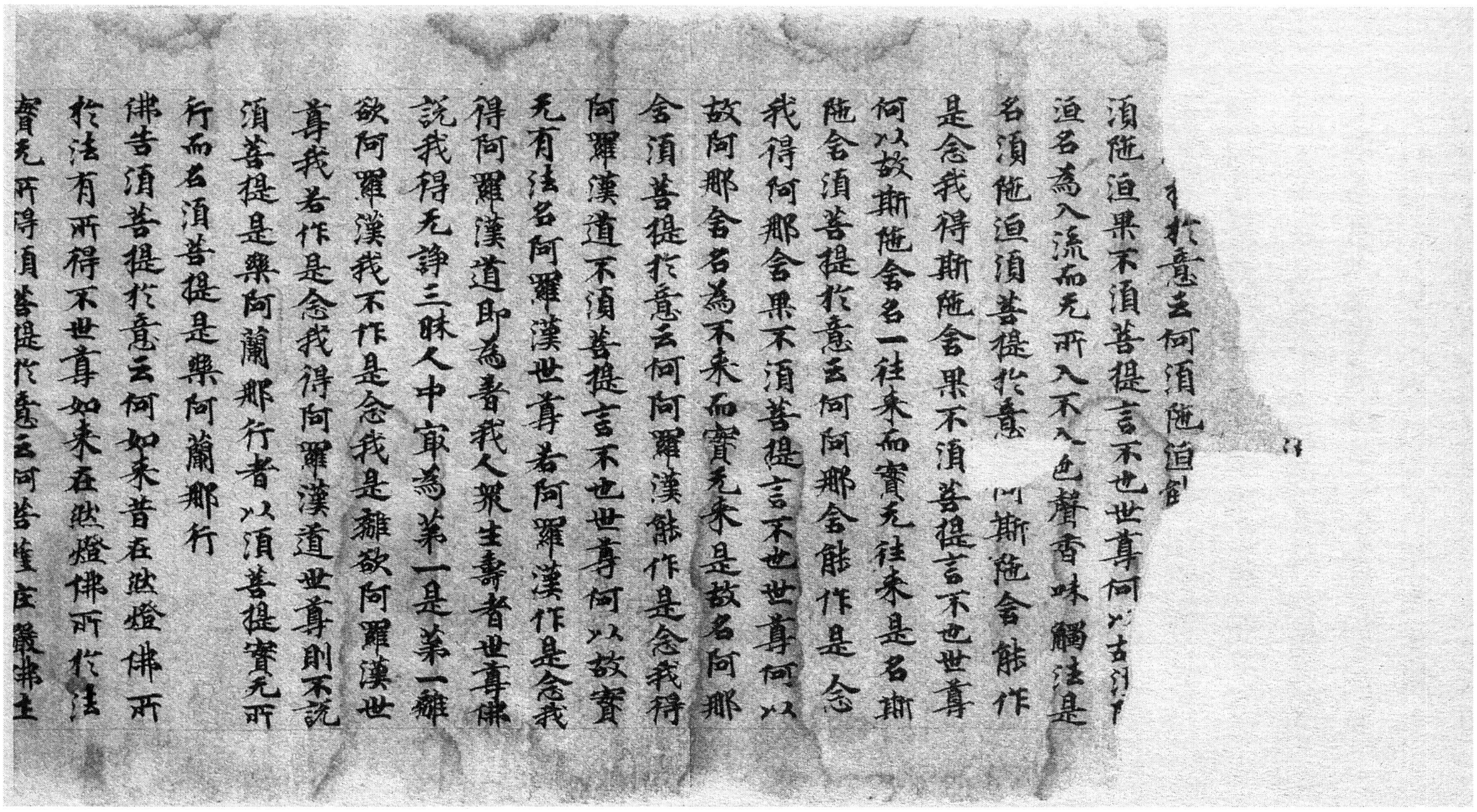

於意云何須陀洹能
須陀洹果不須菩提言不也世尊何以故…
洹名為入流而无所入不入色聲香味觸法是
名須陀洹須菩提於意云何斯陀含能作
是念我得斯陀含果不須菩提言不也世尊
何以故斯陀含名一往來而實无往來是名斯
陀含須菩提於意云何阿那含能作是念
我得阿那含果不須菩提言不也世尊何以
故阿那含名為不來而實无來是故名阿那
含須菩提於意云何阿羅漢能作是念我得
阿羅漢道不須菩提言不也世尊何以故實
无有法名阿羅漢世尊若阿羅漢作是念我
得阿羅漢道即為著我人眾生壽者世尊佛
說我得无諍三昧人中最為第一是第一離
欲阿羅漢我不作是念我是離欲阿羅漢世
尊我若作是念我得阿羅漢道世尊則不說
須菩提是樂阿蘭那行者以須菩提實无所
行而名須菩提是樂阿蘭那行
佛告須菩提於意云何如來昔在然燈佛所
於法有所得不世尊如來在然燈佛所於法
實无所得須菩提於意云何菩薩莊嚴佛土

BD00138 號　金剛般若波羅蜜經　（12–1）

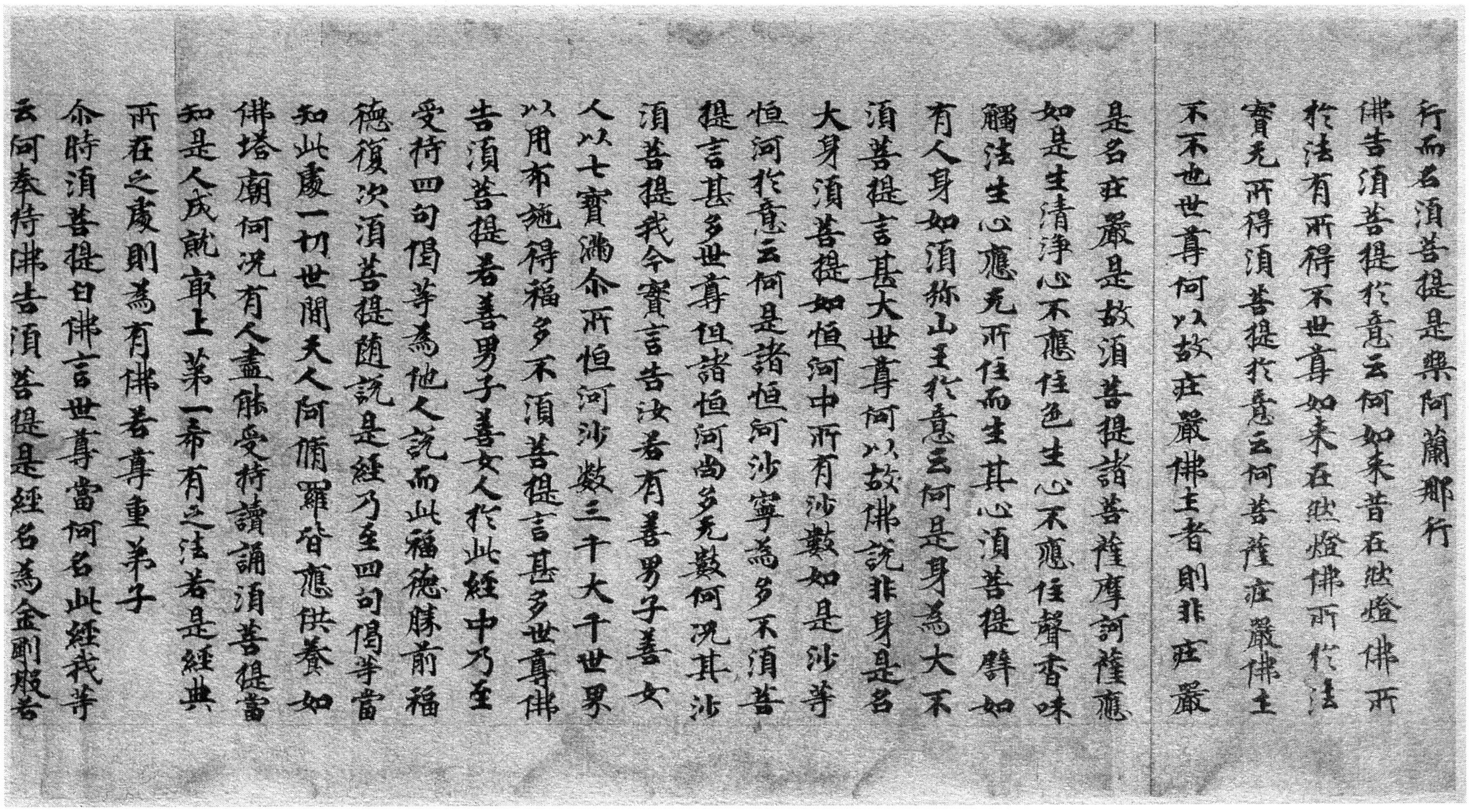

行而名須菩提是樂阿蘭那行
佛告須菩提於意云何如來昔在然燈佛所
於法有所得不世尊如來在然燈佛所於法
實无所得須菩提於意云何菩薩莊嚴佛土
不不也世尊何以故莊嚴佛土者則非莊嚴
是名莊嚴是故須菩提諸菩薩摩訶薩應
如是生清淨心不應住色生心不應住聲香味
觸法生心應无所住而生其心須菩提譬如
有人身如須弥山王於意云何是身為大不
須菩提言甚大世尊何以故佛說非身是名
大身須菩提如恒河中所有沙數如是沙等
恒河於意云何是諸恒河沙寧為多不須菩
提言甚多世尊但諸恒河尚多无數何況其沙
須菩提我今實言告汝若有善男子善女
人以七寶滿尒所恒河沙數三千大千世界
以用布施得福多不須菩提言甚多世尊佛
告須菩提若善男子善女人於此經中乃至
受持四句偈等為他人說而此福德勝前福
德復次須菩提隨說是經乃至四句偈等當
知此處一切世間天人阿脩羅皆應供養如
佛塔廟何況有人盡能受持讀誦須菩提當
知是人成就最上第一希有之法若是經典
所在之處則為有佛若尊重弟子
尒時須菩提白佛言世尊當何名此經我等
云何奉持佛告須菩提是經名為金剛般若

BD00138 號　金剛般若波羅蜜經　（12–2）

尒時須菩提白佛言世尊當何名此經我等
云何奉持佛告須菩提是經名為金剛般若
波羅蜜以是名字汝當奉持所以者何須菩
提佛說般若波羅蜜則非般若波羅蜜須菩
提於意云何如來有所說法不須菩提白佛
言世尊如來无所說須菩提於意云何三千
大千世界所有微塵是為多不須菩提言甚
多世尊須菩提諸微塵如來說非微塵是名
微塵如來說世界非世界是名世界須菩提
於意云何可以三十二相見如來不不也世
尊何以故如來說三十二相即是非相是名
三十二相須菩提若有善男子善女人以恒
河沙等身命布施若復有人於此經中乃至
受持四句偈等為他人說其福甚多
尒時須菩提聞說是經深解義趣涕淚悲泣
而白佛言希有世尊佛說如是甚深經典我
從昔來所得慧眼未曾得聞如是之經世尊
若復有人得聞是經信心清淨則生實相當
知是人成就第一希有功德世尊是實相者
則是非相是故如來說名實相世尊我今得
聞如是經典信解受持不足為難若當來世
後五百歲其有衆生得聞是經信解受持是
人則為第一希有何以故此人无我相人相衆
生相壽者相所以者何我相即是非相人
相衆生相壽者相即是非相何以故離一切

BD00138 號　金剛般若波羅蜜經　（12–3）

人則為第一希有何以故此人无我相人相衆
生相壽者相所以者何我相即是非相人
相衆生相壽者相即是非相何以故離一切
諸相則名諸佛
佛告須菩提如是如是若復有人得聞是經
不驚不怖不畏當知是人甚為希有何以故
須菩提如來說第一波羅蜜非第一波羅蜜
是名第一波羅蜜
須菩提忍辱波羅蜜如來說非忍辱波羅蜜
何以故須菩提如我昔為歌利王割截身體
我於尒時无我相无人相无衆生相无壽者相
何以故我於往昔節節支解時若有我相
人相衆生相壽者相應生瞋恨須菩提又念
過去於五百世作忍辱仙人於尒所世无我
相无人相无衆生相无壽者相是故須菩提
菩薩應離一切相發阿耨多羅三藐三菩提
心不應住色生心不應住聲香味觸法生心
應生无所住心若心有住則為非住是故佛
說菩薩心不應住色布施須菩提菩薩為利
益一切衆生應如是布施如來說一切諸相
即是非相又說一切衆生則非衆生須菩提
如來是真語者實語者如語者不誑語者
不異語者須菩提如來所得法此法无實无虛
須菩提若菩薩心住於法而行布施如人入
闇則无所見若菩薩心不住法而行布施如
人有目日光明照見種種色須菩提當來之

BD00138 號　金剛般若波羅蜜經　（12–4）

須菩提若菩薩心住於法而行布施如人入
闇則無所見若菩薩心不住法而行布施如
人有目日光明照見種種色須菩提當來之
世若有善男子善女人能於此經受持讀誦
則為如來以佛智慧悉知是人悉見是人皆
得成就無量無邊功德
須菩提若有善男子善女人初日分以恒河
沙等身布施中日分復以恒河沙等身布施
後日分亦以恒河沙等身布施如是無量百
千萬億劫以身布施若復有人聞此經典信
心不逆其福勝彼何況書寫受持讀誦為人
解說須菩提以要言之是經有不可思議不
可稱量無邊功德如來為發大乘者說為發
最上乘者說若有人能受持讀誦廣為人說
如來悉知是人悉見是人皆得成就不可量
不可稱無有邊不可思議功德如是人等則
為荷擔如來阿耨多羅三藐三菩提何以故
須菩提若樂小法者著我見人見眾生見壽
者見則於此經不能聽受讀誦為人解說須
菩提在在處處若有此經一切世間天人阿
脩羅所應供養當知此處則為是塔皆
應恭敬作禮圍繞以諸華香而散其處
復次須菩提善男子善女人受持讀誦此經
若為人輕賤是人先世罪業應墮惡道以今
世人輕賤故先世罪業則為消滅當得阿耨

BD00138 號　金剛般若波羅蜜經　（12–5）

若為人輕賤是人先世罪業應墮惡道以今
世人輕賤故先世罪業則為消滅當得阿耨
多羅三藐三菩提須菩提我念過去無量阿
僧祇劫於然燈佛前得值八百四千萬億那
由他諸佛悉皆供養承事無空過者若復有
人於後末世能受持讀誦此經所得功德於
我所供養諸佛功德百分不及一千萬億分
乃至算數譬喻所不能及須菩提若善男
子善女人於後末世有受持讀誦此經所得功
德我若具說者或有人聞心則狂亂狐疑不
信須菩提當知是經義不可思議果報亦不
可思議
爾時須菩提白佛言世尊善男子善女人發
阿耨多羅三藐三菩提心云何應住云何降
伏其心佛告須菩提善男子善女人發阿耨
多羅三藐三菩提者當生如是心我應滅度
一切眾生滅度一切眾生已而無有一眾生
實滅度者何以故若菩薩有我相人相眾生
相壽者相則非菩薩所以者何須菩提實無
有法發阿耨多羅三藐三菩提者須菩提於
意云何如來於然燈佛所有法得阿耨多羅
三藐三菩提不不也世尊如我解佛所說義
佛於然燈佛所無有法得阿耨多羅三藐三
菩提佛言如是如是須菩提實無有法如來
得阿耨多羅三藐三菩提須菩提若有法如

BD00138 號　金剛般若波羅蜜經　（12–6）

菩提佛言如是如是湏菩提實无有法如來
得阿耨多羅三藐三菩提湏菩提若有法如
來得阿耨多羅三藐三菩提者然燈佛則不
與我受記汝扵來世當得作佛号釋迦牟尼
以實无有法得阿耨多羅三藐三菩提是故
然燈佛與我受記作是言汝扵來世當得作
佛号釋迦牟尼何以故如來者即諸法如義
若有人言如來得阿耨多羅三藐三菩提湏
菩提實无有法佛得阿耨多羅三藐三菩提
湏菩提如來所得阿耨多羅三藐三菩提扵
是中无實无虛是故如來說一切法皆是佛
法湏菩提所言一切法者即非一切法是故
名一切法湏菩提譬如人身長大湏菩提言
世尊如來說人身長大即為非大身是名大
身湏菩提菩薩亦如是若作是言我當滅
度无量衆生則不名菩薩何以故湏菩提實
无有法名為菩薩是故佛說一切法无我无人
无衆生无壽者湏菩提若菩薩作是言我當
莊嚴佛土是不名菩薩何以故如來說莊嚴
佛土者即非莊嚴是名莊嚴湏菩提若菩薩
通達无我法者如來說名真是菩薩
湏菩提扵意云何如來有肉眼不如是世尊
如來有肉眼湏菩提扵意云何如來有天眼
不如是世尊如來有天眼湏菩提扵意云何
如來有慧眼不如是世尊如來有慧眼湏

BD00138號　金剛般若波羅蜜經　（12–7）

如來有肉眼湏菩提扵意云何如來有天眼
不如是世尊如來有天眼湏菩提扵意云何
如來有慧眼不如是世尊如來有慧眼湏
菩提扵意云何如來有法眼不如是世尊如來
有法眼湏菩提扵意云何如來有佛眼不如
是世尊如來有佛眼湏菩提扵意云何恒河
中所有沙佛說是沙不如是世尊如來說是
沙湏菩提扵意云何如一恒河中所有沙有
如是等恒河是諸恒河所有沙數佛世界如
是寧為多不甚多世尊佛告湏菩提尒所國
土中所有衆生若干種心如來悉知何以故
如來說諸心皆為非心是名為心所以者何
湏菩提過去心不可得現在心不可得未來
心不可得湏菩提扵意云何若有人滿三千
大千世界七寶以用布施是人以是因緣得
福多不如是世尊此人以是因緣得福甚多
湏菩提若福德有實如來不說得福德多
以福德无故如來說得福德多
湏菩提扵意云何佛可以具足色身見不不
也世尊如來不應以色身見何以故如來說
具足色身即非具足色身是名具足色身
湏菩提扵意云何如來可以具足諸相見不不
也世尊如來不應以具足諸相見何以故如
來說諸相具足即非具足是名諸相具足湏
菩提汝勿謂如來作是念我當有所說法莫

BD00138號　金剛般若波羅蜜經　（12–8）

也世尊如来不應以具足諸相見何以故如
来說諸相具足即非具足是名諸相具足須
菩提汝勿謂如来作是念我當有所說法莫
作是念何以故若人言如来有所說法即為
謗佛不能解我所說故須菩提說法者无法
可說是名說法須菩提白佛言世尊佛得阿
耨多羅三藐三菩提為无所得耶如是如是
須菩提我於阿耨多羅三藐三菩提乃至无
有少法可得是名阿耨多羅三藐三菩提復
次須菩提是法平等无有高下是名阿耨多
羅三藐三菩提以无我无人无衆生无壽者
脩一切善法則得阿耨多羅三藐三菩提須
菩提所言善法者如来說非善法是名善法
須菩提若三千大千世界中所有諸須弥山
王如是等七寶聚有人持用布施若人以此
般若波羅蜜經乃至四句偈等受持為他人
說於前福德百分不及一百千萬億分乃至
筭數譬喻所不能及
須菩提於意云何汝等勿謂如来作是念
我當度衆生須菩提莫作是念何以故實无
有衆生如来度者若有衆生如来度者如来
則有我人衆生壽者須菩提如来說有我者則
非有我而凡夫之人以為有我須菩提凡夫
者如来說則非凡夫須菩提於意云何可以
三十二相觀如来不須菩提言如是如是以

BD00138號　金剛般若波羅蜜經　（12–9）

非有我而凡夫之人以為有我須菩提凡夫
者如来說則非凡夫須菩提於意云何可以
三十二相觀如来不須菩提言如是如是以
三十二相觀如来佛言須菩提若以三十二
相觀如来者轉輪聖王則是如来須菩提白
佛言世尊如我解佛所說義不應以三十二
相觀如来尒時世尊而說偈言
若以色見我　以音聲求我　是人行邪道　不能見如来
須菩提汝若作是念如来不以具足相故得
阿耨多羅三藐三菩提須菩提莫作是念如
来不以具足相故得阿耨多羅三藐三菩提
須菩提汝若作是念發阿耨多羅三藐三菩
提者說諸法斷滅相莫作是念何以故發阿
耨多羅三藐三菩提者於法不說斷滅相須
菩提若菩薩以滿恒河沙等世界七寶布施
若復有人知一切法无我得成於忍此菩薩
勝前菩薩所得功德須菩提以諸菩薩不受
福德故須菩提白佛言世尊云何菩薩不受
福德須菩提菩薩所作福德不應貪著是
故說不受福德須菩提若有人言如来若来
若去若坐若卧是人不解我所說義何以故如
来者无所從来亦无所去故名如来
須菩提若善男子善女人以三千大千世界
碎為微塵於意云何是微塵衆寧為多不甚
多世尊何以故若是微塵衆實有者佛則不
說是微塵衆所以者何佛說微塵衆則非微

BD00138號　金剛般若波羅蜜經　（12–10）

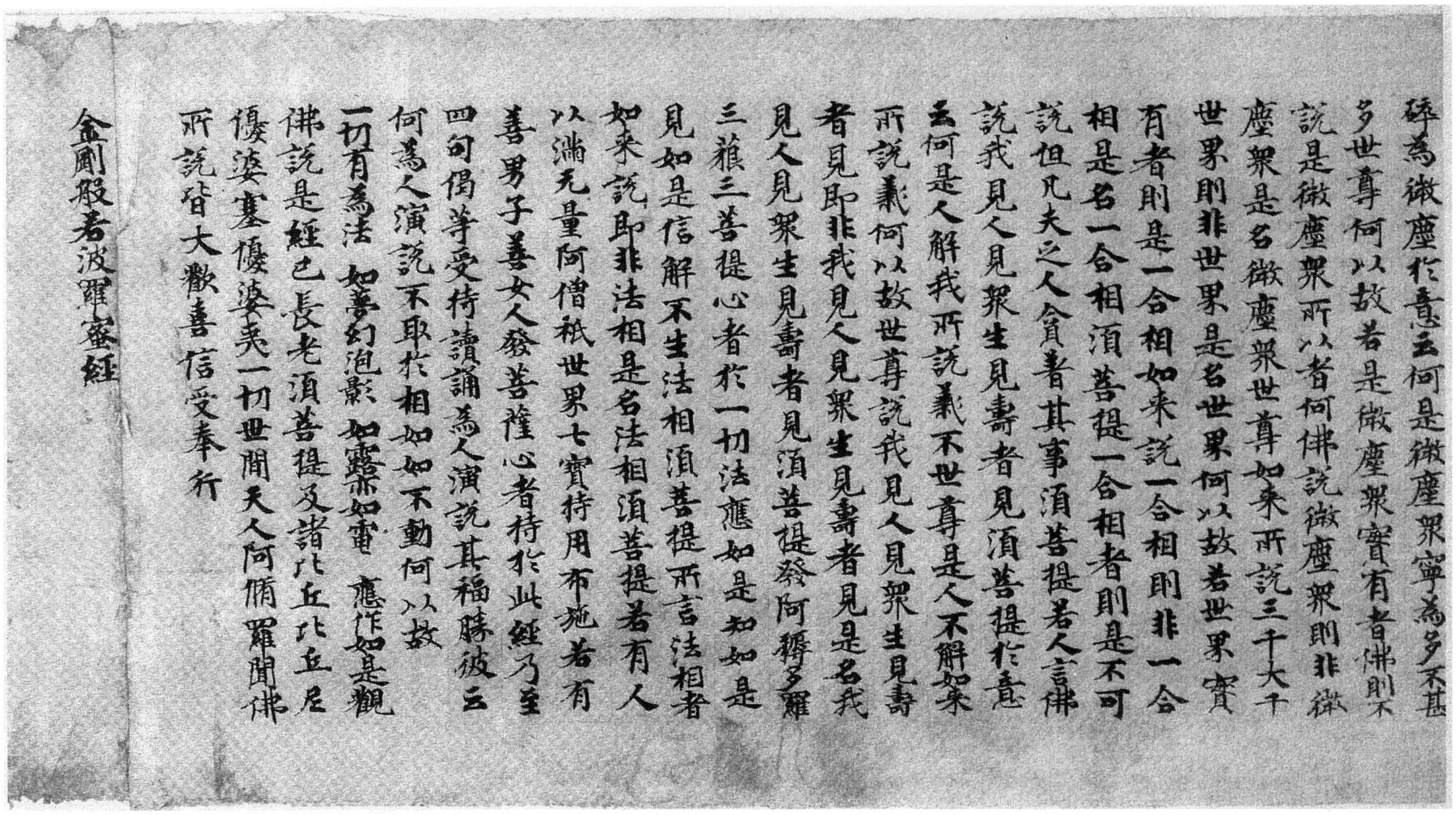
碎為微塵於意云何是微塵衆寧為多不甚
多世尊何以故若是微塵衆實有者佛則不
說是微塵衆所以者何佛說微塵衆則非微
塵衆是名微塵衆世尊如來所說三千大千
世界則非世界是名世界何以故若世界實
有者則是一合相如來說一合相則非一合
相是名一合相須菩提一合相者則是不可
說但凡夫之人貪著其事須菩提若人言佛
說我見人見衆生見壽者見須菩提於意
云何是人解我所說義不世尊是人不解如來
所說義何以故世尊說我見人見衆生見壽
者見即非我見人見衆生見壽者見是名我
見人見衆生見壽者見須菩提發阿耨多羅
三藐三菩提心者於一切法應如是知如是
見如是信解不生法相須菩提所言法相者
如來說即非法相是名法相須菩提若有人
以滿无量阿僧祇世界七寶持用布施若有
善男子善女人發菩薩心者持於此經乃至
四句偈等受持讀誦為人演說其福勝彼云
何為人演說不取於相如如不動何以故
一切有為法　如夢幻泡影　如露亦如電　應作如是觀
佛說是經已長老須菩提及諸比丘比丘尼
優婆塞優婆夷一切世間天人阿脩羅聞佛
所說皆大歡喜信受奉行
金剛般若波羅蜜經

BD00138 號　金剛般若波羅蜜經　（12–11）

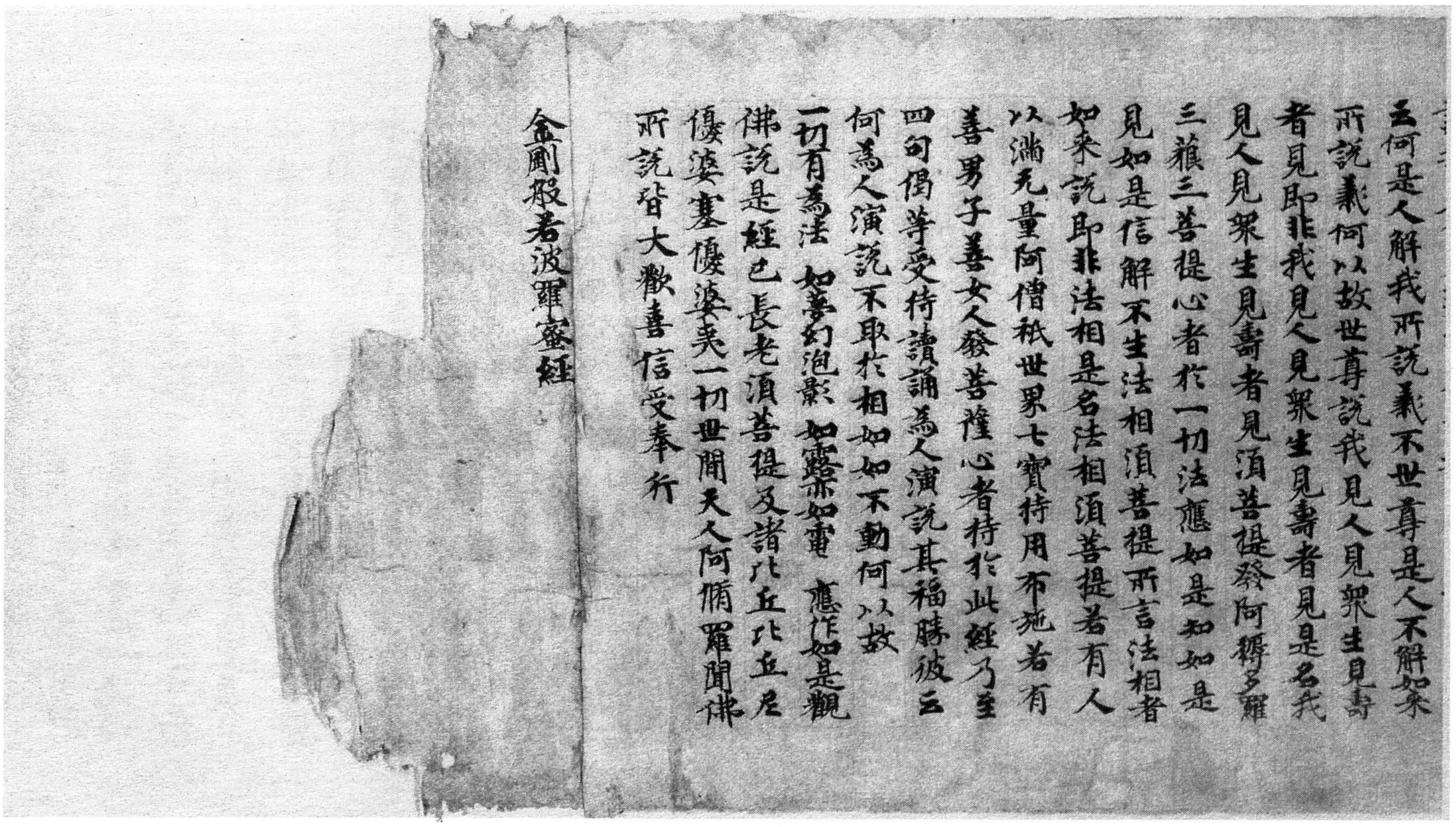
云何是人解我所說義不世尊是人不解如來
所說義何以故世尊說我見人見衆生見壽
者見即非我見人見衆生見壽者見是名我
見人見衆生見壽者見須菩提發阿耨多羅
三藐三菩提心者於一切法應如是知如是
見如是信解不生法相須菩提所言法相者
如來說即非法相是名法相須菩提若有人
以滿无量阿僧祇世界七寶持用布施若有
善男子善女人發菩薩心者持於此經乃至
四句偈等受持讀誦為人演說其福勝彼云
何為人演說不取於相如如不動何以故
一切有為法　如夢幻泡影　如露亦如電　應作如是觀
佛說是經已長老須菩提及諸比丘比丘尼
優婆塞優婆夷一切世間天人阿脩羅聞佛
所說皆大歡喜信受奉行
金剛般若波羅蜜經

BD00138 號　金剛般若波羅蜜經　（12–12）

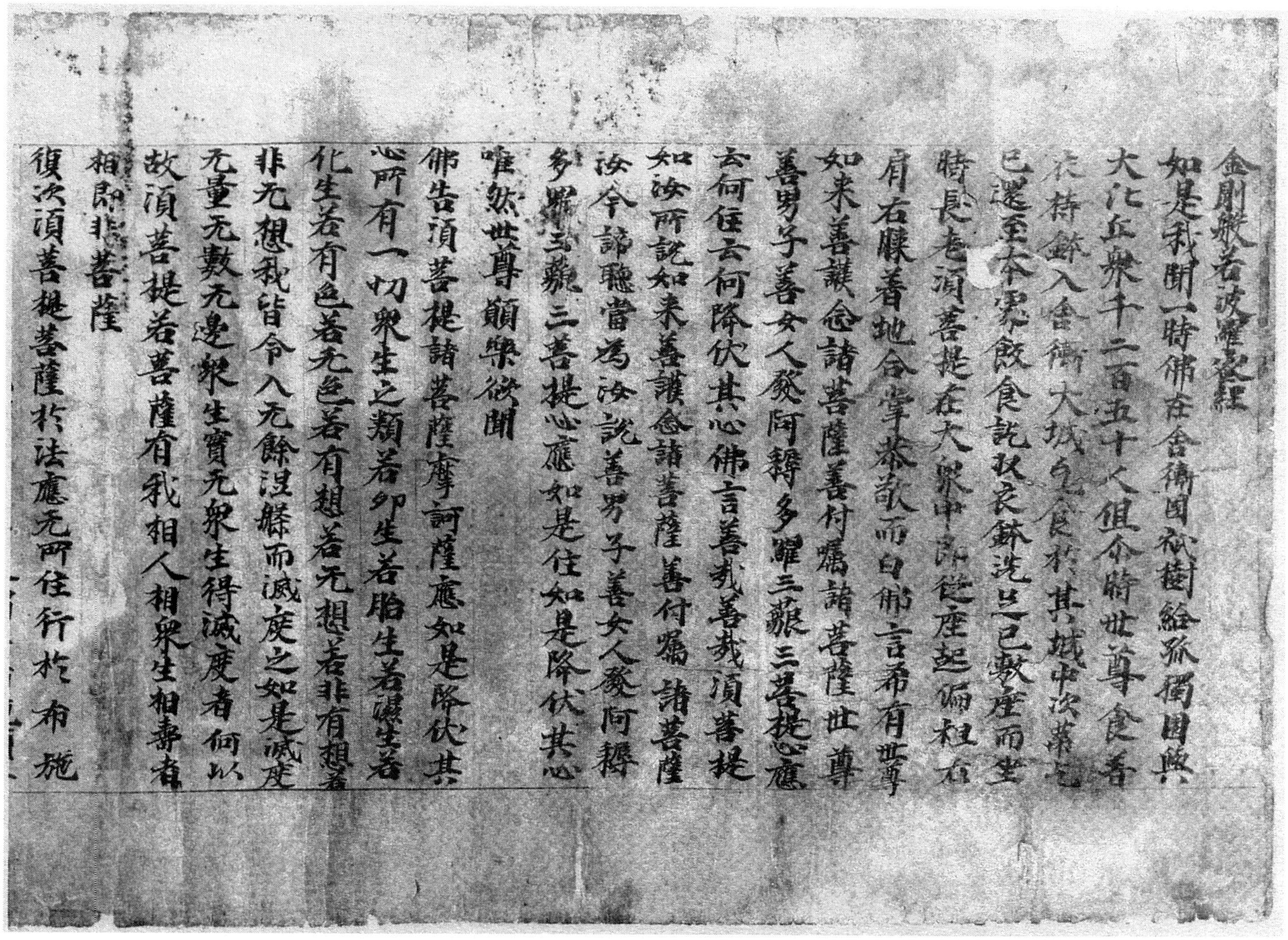

金剛般若波羅蜜經
如是我聞一時佛在舍衛國祇樹給孤獨園與
大比丘衆千二百五十人俱介時世尊食時著
衣持鉢入舍衛大城乞食於其城中次第乞
已還至本處飯食訖收衣鉢洗足已敷座而坐
時長老須菩提在大衆中即從座起偏袒右
肩右膝著地合掌恭敬而白佛言希有世尊
如來善護念諸菩薩善付囑諸菩薩世尊
善男子善女人發阿耨多羅三藐三菩提心應
云何住云何降伏其心佛言善哉善哉須菩提
如汝所說如來善護念諸菩薩善付囑諸菩薩
汝今諦聽當為汝說善男子善女人發阿耨
多羅三藐三菩提心應如是住如是降伏其心
唯然世尊願樂欲聞
佛告須菩提諸菩薩摩訶薩應如是降伏其
心所有一切衆生之類若卵生若胎生若濕生若
化生若有色若无色若有想若无想若非有想
非无想我皆令入无餘涅槃而滅度之如是滅度
无量无數无邊衆生實无衆生得滅度者何以
故須菩提若菩薩有我相人相衆生相壽者
相即非菩薩
復次須菩提菩薩於法應无所住行於布施

BD00139號　金剛般若波羅蜜經　（3–1）

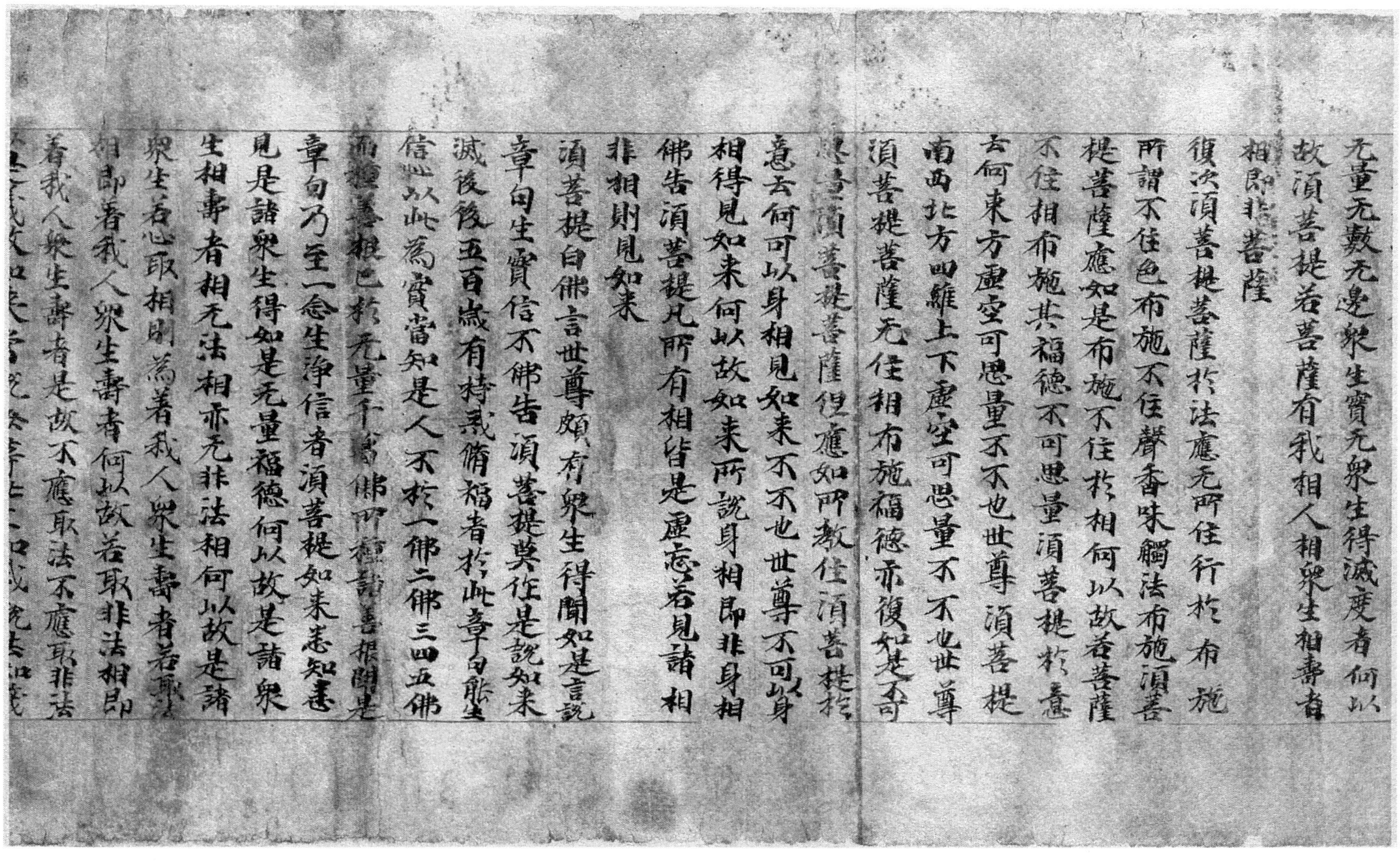

无量无數无邊衆生實无衆生得滅度者何以
故須菩提若菩薩有我相人相衆生相壽者
相即非菩薩
復次須菩提菩薩於法應无所住行於布施
所謂不住色布施不住聲香味觸法布施須菩
提菩薩應如是布施不住於相何以故若菩薩
不住相布施其福德不可思量須菩提於意
云何東方虛空可思量不不也世尊須菩提
南西北方四維上下虛空可思量不不也世尊
須菩提菩薩无住相布施福德亦復如是不可
思量須菩提菩薩但應如所教住須菩提於
意云何可以身相見如來不不也世尊不可以身
相得見如來何以故如來所說身相即非身相
佛告須菩提凡所有相皆是虛妄若見諸相
非相則見如來
須菩提白佛言世尊頗有衆生得聞如是言說
章句生實信不佛告須菩提莫作是說如來
滅後後五百歲有持戒脩福者於此章句能生
信心以此為實當知是人不於一佛二佛三四五佛
而種善根已於无量千萬佛所種諸善根聞是
章句乃至一念生淨信者須菩提如來悉知悉
見是諸衆生得如是无量福德何以故是諸衆
生相壽者相无法相亦无非法相何以故是諸
衆生若心取相則為著我人衆生壽者若取
法相即著我人衆生壽者何以故若取非法相即
著我人衆生壽者是故不應取法不應取非法

BD00139號　金剛般若波羅蜜經　（3–2）

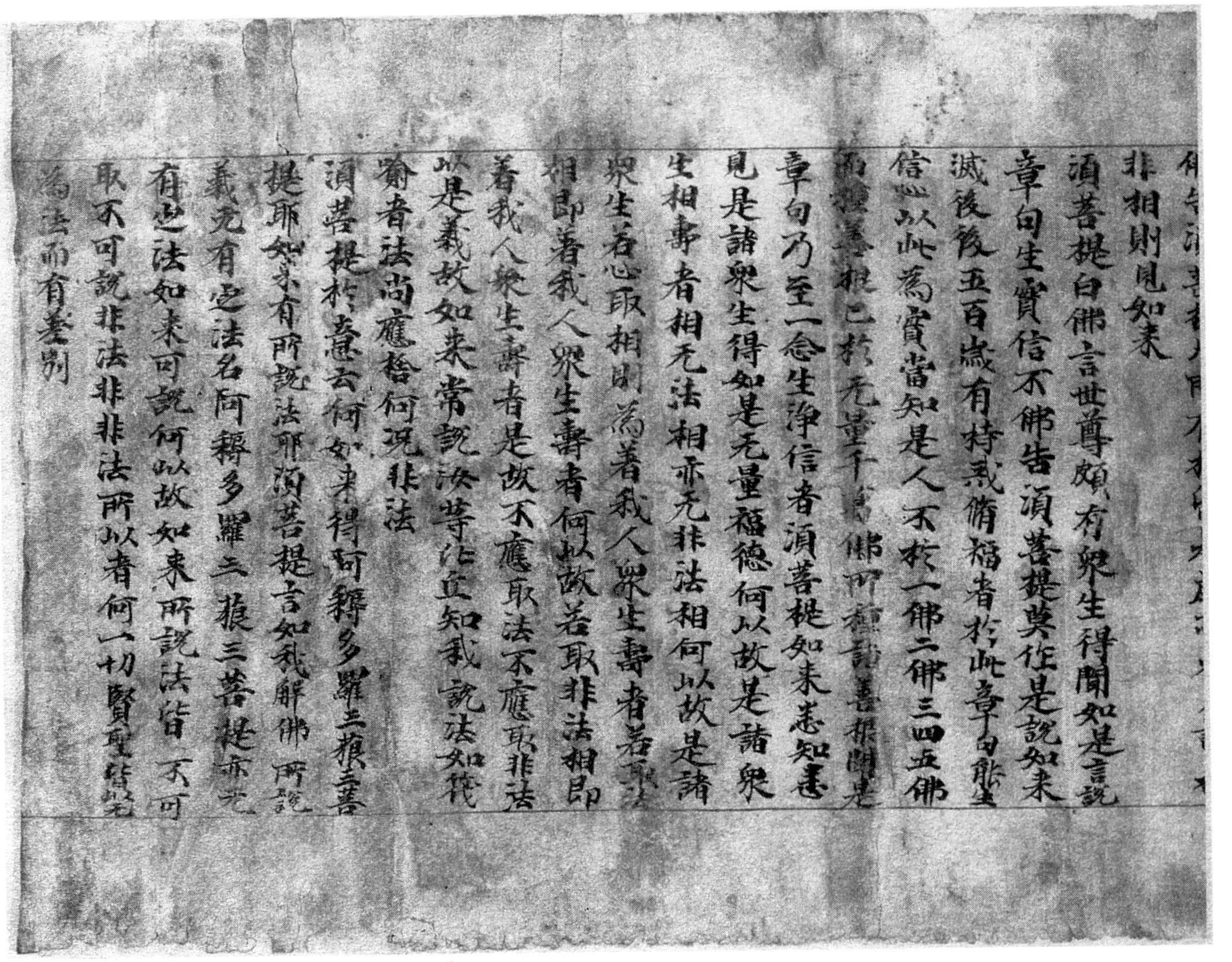
非相則見如来
須菩提白佛言世尊頗有衆生得聞如是言說
章句生實信不佛告須菩提莫作是說如来
滅後後五百歳有持戒脩福者於此章句能生
信心以此爲實當知是人不於一佛二佛三四五佛
而種善根已於无量千萬佛所種諸善根聞是
章句乃至一念生淨信者須菩提如来悉知悉
見是諸衆生得如是无量福德何以故是諸衆
生相壽者相无法相亦无非法相何以故是諸
衆生若心取相則爲著我人衆生壽者若取法
相即著我人衆生壽者何以故若取非法相即
著我人衆生壽者是故不應取法不應取非法
以是義故如来常說汝等比丘知我說法如筏
喻者法尚應捨何況非法
須菩提於意云何如来得阿耨多羅三藐三菩
提耶如来有所說法耶須菩提言如我解佛所說
義无有定法名阿耨多羅三藐三菩提亦无
有定法如来可說何以故如来所說法皆不可
取不可說非法非非法所以者何一切賢聖皆以无
爲法而有差別

BD00139號　金剛般若波羅蜜經　（3–3）

如汝少壯

BD00139號背　妙法蓮華經卷二　（1–1）

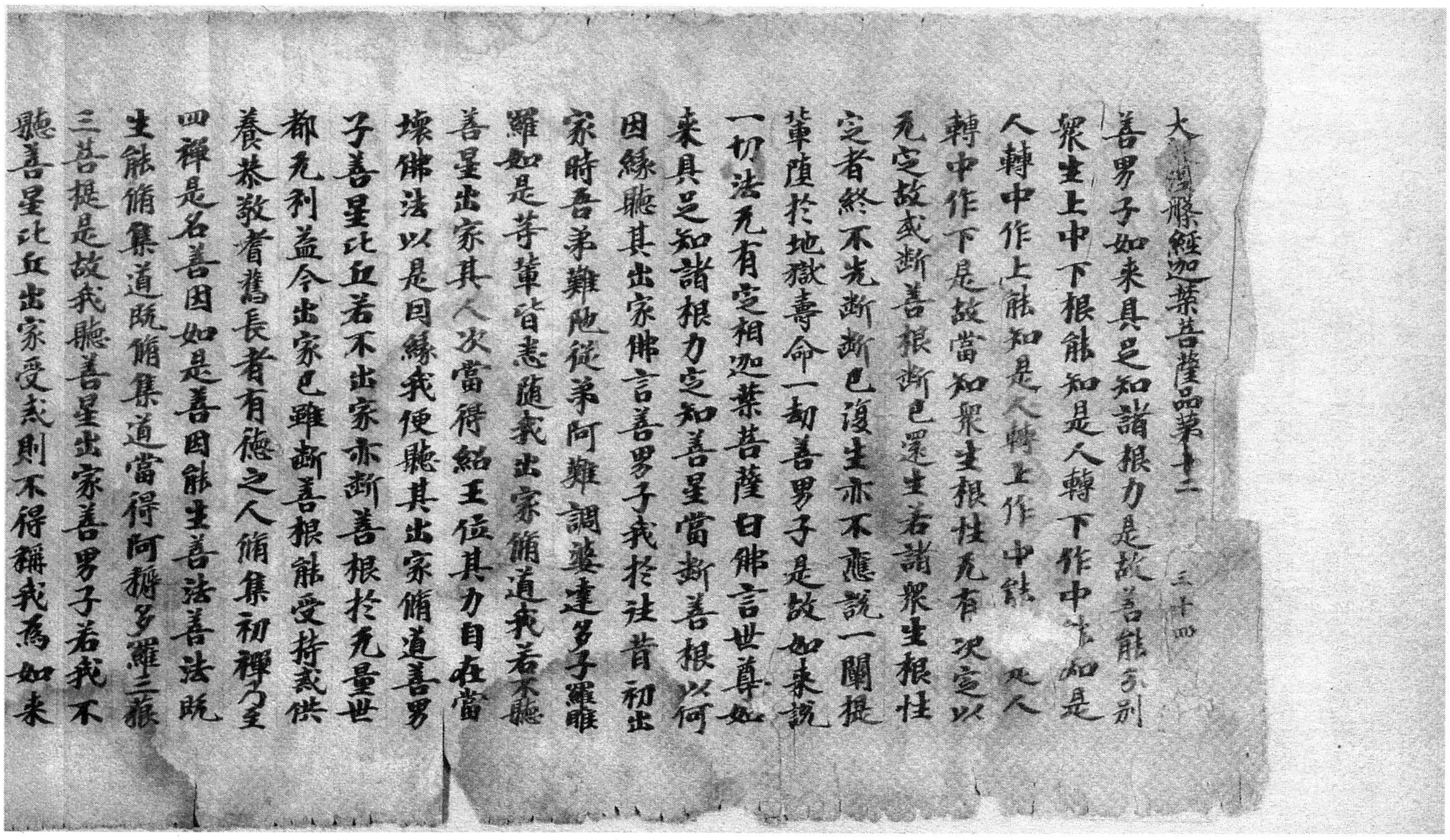
大般涅槃經迦葉菩薩品第十二　三十四
善男子如来具足知諸根力是故善能分別
衆生上中下根能知是人轉下作中能知是
人轉中作上能知是人轉上作中能　是人
轉中作下是故當知衆生根性无有決定以
无定故或斷善根斷已還生若諸衆生根性
定者終不先斷斷已復生亦不應說一闡提
輩墮於地獄壽命一劫善男子是故如来說
一切法无有定相迦葉菩薩白佛言世尊如
来具足知諸根力定知善星當斷善根以何
因緣聽其出家佛言善男子我於往昔初出
家時吾弟難陀從弟阿難調婆達多子羅睺
羅如是等輩皆悉隨我出家脩道我若不聽
善星出家其人次當得紹王位其力自在當
壞佛法以是因緣我便聽其出家脩道善男
子善星比丘若不出家亦斷善根於无量世
都无利益今出家已雖斷善根能受持戒供
養恭敬耆舊長者有德之人脩集初禪乃至
四禪是名善因如是善因能生善法善法既
生能脩集道既脩集道當得阿耨多羅三藐
三菩提是故我聽善星出家善男子若我不
聽善星比丘出家受戒則不得稱我為如来

BD00140 號　大般涅槃經（北本異卷）卷三四　（8–1）

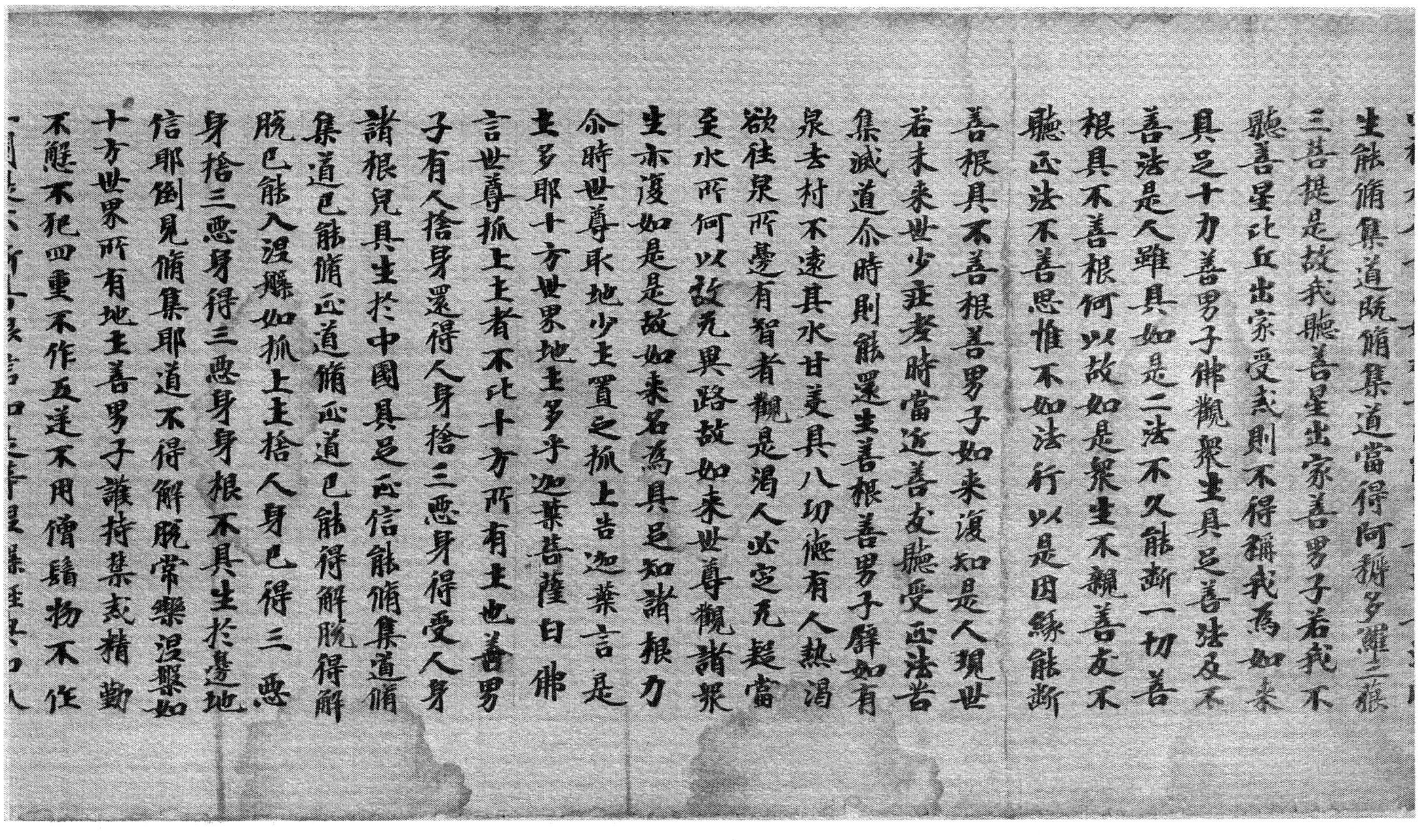
生能脩集道既脩集道當得阿耨多羅三藐
三菩提是故我聽善星出家善男子若我不
聽善星比丘出家受戒則不得稱我為如来
具足十力善男子佛觀衆生具足善法及不
善法是人雖具如是二法不久能斷一切善
根具不善根何以故如是衆生不親善友不
聽正法不善思惟不如法行以是因緣能斷
善根具不善根善男子如来復知是人現世
若未来世少壯老時當近善友聽受正法苦
集滅道尒時則能還生善根善男子譬如有
泉去村不遠其水甘美具八功德有人熱渴
欲往泉所邊有智者觀是渴人必定无疑當
至水所何以故无異路故如来世尊觀諸衆
生亦復如是是故如来名為具足知諸根力
尒時世尊取地少土置之爪上告迦葉言是
土多耶十方世界地土多乎迦葉菩薩白佛
言世尊爪上土者不比十方所有土也善男
子有人捨身還得人身捨三惡身得受人身
諸根完具生於中國具足正信能脩集道脩
集道已能脩正道脩正道已能得解脫得解
脫已能入涅槃如爪上土捨人身已得三惡
身捨三惡身得三惡身身根不具生於邊地
信邪倒見脩集邪道不得解脫常樂涅槃如
十方世界所有地土善男子護持禁戒精勤
不懈不犯四重不作五逆不用僧鬘物不作

BD00140 號　大般涅槃經（北本異卷）卷三四　（8–2）

十方世界所有地土善男子護持禁戒精勤
不懈不犯四重不作五逆不用僧鬘物不作
一闡提不斷善根信如是等涅槃經典如爪
上土毀戒懈怠犯四重禁作五逆罪用僧鬘
物作一闡提斷諸善根不信是經如十方界
所有地土善男子如來善知衆生如是上中
下根是故稱佛具知根力迦葉菩薩白佛言
世尊如來具足是知根力是故能知一切衆
生上中下根利鈍差別知現在世衆生諸根
亦知未來衆生諸根如是衆生於佛滅後作
如是說如來畢竟入於涅槃或不畢竟入於
涅槃或說有我或說无我或有中陰或无中
陰或說有退或說无退或說如來身是有爲
或言如來身是无爲或有說言十二因緣是有
爲法或說因緣是无爲法或說心是有常或說
心是无常或有說言受五欲樂能鄣聖道或說
不遮或說世第一法唯是欲界或說三界或
說布施唯是意業或有說言即是五陰或有
說言有三无爲或有說言无三无爲復有說
言或有造色復有說言或无造色或有說言
有无作色或有說言无无作色或有說言有
心數法或有說言无心數法或有說言有五
種有或有說言有六種有或有說言八戒齋
法優婆塞戒具足受得或有說言不具受得
或說比丘犯四重已比丘戒在或說不在或

BD00140 號　大般涅槃經（北本異卷）卷三四　（8–3）

法優婆塞戒具足受得或有說言不具受得
或說比丘犯四重已比丘戒在或說不在或
有說言須陁洹人斯陁含人阿那含人阿羅
漢人皆得佛道或言不得或說佛性即衆生
有或說佛性離衆生有或有說言犯四重禁
作五逆罪一闡提等皆有佛性或說言无或
有說言有十方佛或有說言无十方佛如其
如來具足成就知根力者何故今日不决定
說佛告迦葉菩薩善男子如是之義非眼識
知乃至非意識知乃是智慧之所能知若有
智者我於是人終不作二是亦謂我不作二
說於无智者作不定說而是无智亦復謂我
作不定說善男子如來所有一切善行悉爲
調伏諸衆生故譬如醫王所有醫方悉爲療
治一切病苦善男子如來世尊爲國土故爲
時節故爲他語故爲人說故爲衆根故於一
法中作二種說於一名法說无量名於一義
中說无量名於无量義說无量名云何一名
說无量名猶如涅槃亦名涅槃亦名无生亦
名无出亦名无作亦名无爲亦名歸依亦名
窟宅亦名解脫亦名光明亦名燈明亦名彼
岸亦名无畏亦名无退亦名安處亦名寂靜
亦名无相亦名无二亦名一行亦名清涼亦
名无闇亦名无㝵亦名无諍亦名无濁亦名
廣大亦名甘露亦名吉祥是名一名作无量
名云何一義說无量名猶如帝釋亦名帝

BD00140 號　大般涅槃經（北本異卷）卷三四　（8–4）

名无闇亦名无畏亦名无諍亦名无濁亦名
廣大亦名甘露亦名吉祥是名一名作无量
名云何一義說无量名猶如帝釋亦名帝
釋亦名憍尸迦亦名婆蹉婆亦名富蘭陀羅
亦名婆伽婆亦名因陀羅亦名千眼亦名舍
脂夫亦名金剛亦名寶頂亦名寶幢是名一
義說无量名云何於无量義說无量名如佛
如來亦名如來義異名異亦名阿羅呵義異
名異亦名三藐三佛陀義異名異亦名船師
亦名導師亦名正覺亦名明行足亦名大師
子王亦名沙門亦名婆羅門亦名寂靜亦名
施主亦名到彼岸亦名大醫王亦名大象王
亦名大龍王亦名施眼亦名大力士亦名大
无畏亦名寶聚亦名商主亦名得脫亦名大
丈夫亦名天人師亦名大分陀利亦名獨无
等侶亦名大福田亦名大智慧海亦名无相
亦名具足八智如是一切義異名異善男子
是名无量義中說无量名復有一義說无量
名所謂如陰亦名爲陰亦名顛倒亦名爲諦
亦名四念處亦名四食亦名四識住處亦名
爲有亦名爲道亦名爲時亦名衆生亦名爲
世亦名第一義亦名三脩謂身戒心亦名因
果亦名煩惱亦名解脫亦名十二因緣亦名
聲聞辟支佛佛亦名地獄餓鬼畜生人天亦
名過去現在未來是名一義說无量名善男
子如來世尊爲衆生故廣中說略略中說廣

BD00140號　大般涅槃經（北本異卷）卷三四　（8–5）

名過去現在未來是名一義說无量名善男
子如來世尊爲衆生故廣中說略略中說廣
第一義諦說爲世諦說世諦法爲第一義諦
云何名爲廣中說略如告比丘我今宣說十
二因緣云何名爲十二因緣所謂因果云何
名爲略中說廣如告比丘我今宣說苦集滅
道苦者所謂无量諸苦集者所謂无量煩惱
滅者所謂无量解脫道者所謂无量方便云
何名爲第一義諦說爲世諦如告比丘吾今
此身有老病死云何名爲說世諦法爲第一
義諦如告憍陳汝得法故名阿若憍陳如是
故隨人隨意隨時故名如來知諸根力善男
子我若當於如是等義作定說者則不得稱
我爲如來具知根力善男子有智之人當知
香象所負非驢所勝一切衆生所行无量是故
如來種種爲說无量之法何以故衆生多有
諸煩惱故若使如來說於一行不名如來具
足成就知諸根力是故我於餘經中說五種
衆生不應還爲說五種法爲不信者不讚正
信爲毀禁者不讚持戒爲慳貪者不讚布施
爲懈怠者不讚多聞爲愚癡者不讚智慧何
以故智者若爲是五種人說是五事當知說
者不得具足知諸根力亦不得名憐愍衆生
何以故是五種人聞是事已生不信心惡心瞋
心以是因緣於无量世受苦果報是故不
名憐愍衆生具足知諸根力是故我先於餘

BD00140號　大般涅槃經（北本異卷）卷三四　（8–6）

心以是因緣於无量世受苦果報是故不
名憐愍衆生具足知諸根力是故我先於餘
經中告舍利弗汝慎莫爲利根之人廣説法
語鈍根之人略説法也舍利弗言世尊我但
爲憐愍故説非是具足根力故説善男子廣
略説法是佛境界非諸聲聞緣覺所知善男
子如汝所言佛涅槃後諸弟子等各異説者
是人皆以顛倒因緣不得正見是故不能自
利利他善男子是諸衆生非唯一性一行一根
一種國土一善知識是故如來爲彼種種宣説
法要以是因緣十方三世諸佛如來爲衆生
故開示演説十二部經善男子如來説是十
二部經非爲自利但爲利他是故如來第五
力者名爲解力是二力故如來深知是人現
在能斷善根是人後世能斷善根是人現在
能得解脱是人後世能得解脱是故如來名
无上力士善男子若言如來畢竟涅槃不畢竟
涅槃是人不解如來意故作如是説善男子
是香山中有諸仙人五万三千皆於過去迦
葉佛所脩諸功德未得正道親近諸佛聽受
正法如來欲爲如是人故告阿難言過三月
已吾當涅槃諸天聞已其聲展轉乃至香山
諸仙聞已即生悔心作如是言云何我等得
生人中不親近佛諸佛如來出世甚難如優
曇華我今當往至世尊所聽受正法善男子
尒時五万三千諸仙即來我所我時即爲如

BD00140號　大般涅槃經（北本異卷）卷三四　（8–7）

故開示演説十二部經善男子如來説是十
二部經非爲自利但爲利他是故如來第五
力者名爲解力是二力故如來深知是人現
在能斷善根是人後世能斷善根是人現在
能得解脱是人後世能得解脱是故如來名
无上力士善男子若言如來畢竟涅槃不畢竟
涅槃是人不解如來意故作如是説善男子
是香山中有諸仙人五万三千皆於過去迦
葉佛所脩諸功德未得正道親近諸佛聽受
正法如來欲爲如是人故告阿難言過三月
已吾當涅槃諸天聞已其聲展轉乃至香山
諸仙聞已即生悔心作如是言云何我等得
生人中不親近佛諸佛如來出世甚難如優
曇華我今當往至世尊所聽受正法善男子
尒時五万三千諸仙即來我所我時即爲如
應説法諸大仙士色是无常何以故色之因
緣是无常故无常因生色云何常乃至識亦
如是尒時諸仙聞是法已即時獲得阿羅漢
果善男子拘尸那竭有諸力士三十万人无所

BD00140號　大般涅槃經（北本異卷）卷三四　（8–8）

若他反逆　抄劫竊盜　如是等罪　横羅其殃
如斯罪人　永不見佛　衆聖之王　說法教化
如斯罪人　常生難處　狂聾心亂　永不聞法
於无數劫　如恒河沙　生輒聾瘂　諸根不具
常處地獄　如遊園觀　在餘惡道　如己舍宅
駝驢猪狗　是其行處　謗斯經故　獲罪如是
若得為人　聾盲瘖瘂　貧窮諸衰　以自莊嚴
水腫乾痟　疥癩癰疽　如是等病　以為衣服
身常臭處　垢穢不淨　深著我見　增益瞋恚
婬欲熾盛　不擇禽獸　謗斯經故　獲罪如是
告舍利弗　謗斯經者　若說其罪　窮劫不盡
以是因緣　我故語汝　无智人中　莫說此經
若有利根　智慧明了　多聞强識　求佛道者
如是之人　乃可為說　若人曾見　億百千佛
殖諸善本　深心堅固　如是之人　乃可為說
若人精進　常脩慈心　不惜身命　乃可為說
若人恭敬　无有異心　離諸凡愚　獨處山澤
如是之人　乃可為說　又舍利弗　若見有人
捨惡知識　親近善友　如是之人　乃可為說
若見佛子　持戒清潔　如淨明珠　求大乘經
如是之人　乃可為說　若人无瞋　質直柔軟
常愍一切　恭敬諸佛　如是之人　乃可為說
復有佛子　於大衆中　以清淨心　種種因緣

BD00141號　妙法蓮華經卷二　（11–1）

若見佛子　持戒清潔　如淨明珠　求大乘經
如是之人　乃可為說　若人无瞋　質直柔軟
常愍一切　恭敬諸佛　如是之人　乃可為說
復有佛子　於大衆中　以清淨心　種種因緣
譬喻言辭　說法无礙　如是之人　乃可為說
若有比丘　為一切智　四方求法　合掌頂受
但樂受持　大乘經典　乃至不受　餘經一偈
如是之人　乃可為說　如人至心　求佛舍利
如是求經　得已頂受　其人不復　志求餘經
亦未曾念　外道典籍　如是之人　乃可為說
告舍利弗　我說是相　求佛道者　窮劫不盡
如是等人　則能信解　汝當為說　妙法華經

妙法蓮華經信解品第四

尒時慧命須菩提摩訶迦旃延摩訶迦葉摩訶目揵連從佛所聞未曾有法世尊授舍利弗阿耨多羅三藐三菩提記發希有心歡喜踊躍即從座起整衣服偏袒右肩右膝著地一心合掌曲躬恭敬瞻仰尊顔而白佛言我等居僧之首年並朽邁自謂已得涅槃无所堪任不復進求阿耨多羅三藐三菩提世尊往昔說法既久我時在座身體疲懈但念空无相无作於菩薩法遊戲神通淨佛國土成就衆生心不憙樂所以者何世尊令我等出於三界得涅槃證又今我等年已朽邁於佛教化菩薩阿耨多羅三藐三菩提不生一念

BD00141號　妙法蓮華經卷二　（11–2）

於三界得涅槃證又今我等年已朽邁於佛
教化菩薩阿耨多羅三藐三菩提不生一念
好樂之心我等今於佛前聞授聲聞阿耨多
羅三藐三菩提記心甚歡喜得未曾有不謂
於今忽然得聞希有之法深自慶幸獲大善
利无量珍寶不求自得世尊我等今者樂說
譬喻以明斯義譬若有人年既幼稚捨父逃
逝久住他國或十二十至五十歲年既長大
加復窮困馳騁四方以求衣食漸漸遊行遇
向本國其父先來求子不得中止一城其家
大富財寶无量金銀琉璃珊瑚虎珀頗梨珠
等其諸倉庫悉皆盈溢多有僮僕臣佐吏民
象馬車乘牛羊无數出入息利乃遍他國商
估賈客亦甚眾多時貧窮子遊諸聚落經歷
國邑遂到其父所止之城父每念子與子離
別五十餘年而未曾向人說如此事但自思
惟心懷悔恨自念老朽多有財物金銀珍寶
倉庫盈溢无有子息一旦終沒財物散失无
所委付是以慇懃每憶其子復作是念我若
得子委付財物坦然快樂无復憂慮世尊尒
時窮子傭賃展轉遇到父舍住立門側遙見
其父踞師子床寶几承足諸婆羅門剎利居
士皆恭敬圍繞以真珠瓔珞價直千萬莊嚴
其身吏民僮僕手執白拂侍立左右覆以寶
帳垂諸華幡香水灑地散眾名華羅列寶物

BD00141號　妙法蓮華經卷二　（11–3）

其身吏民僮僕手執白拂侍立左右覆以寶
帳垂諸華幡香水灑地散眾名華羅列寶物
出內取與有如是等種種嚴飾威德特尊窮
子見父有大力勢即懷恐怖悔來至此竊作
是念此或是王或是王等非我傭力得物之
處不如往至貧里肆力有地衣食易得若久
住此或見逼迫強使我作作是念已疾走而
去時富長者於師子座見子便識心大歡喜
即作是念我財物庫藏今有所付我常思念
此子无由見之而忽自來甚適我願我雖年
朽猶故貪惜即遣傍人急追將還尒時使者
疾走往捉窮子驚愕稱怨大喚我不相犯何
為見捉使者執之逾急強牽將還于時窮子
自念无罪而被囚執此必定死轉更惶怖悶絕
躃地父遙見之而語使言不須此人勿強將
來以冷水灑面令得醒悟莫復與語所以者
何父知其子志意下劣自知豪貴為子所
難審知是子而以方便不語他人云是我子
使者語之我今放汝隨意所趣窮子歡喜得
未曾有從地而起往至貧里以求衣食尒時
長者將欲誘引其子而設方便密遣二人形
色憔悴无威德者汝可詣彼徐語窮子此有
作處倍與汝直窮子若許將來使作若言欲
何所作便可語之雇汝除糞我等二人亦共
汝作時二使人即求窮子既已得之具陳上

BD00141號　妙法蓮華經卷二　（11–4）

何所作便可語之雇汝除糞我等二人亦共
汝作時二使人即求窮子既已得之具陳上
事尒時窮子先取其價尋與除糞其父見子
愍而怪之又以他日於窻牖中遥見子身羸
瘦憔悴糞土塵坌汙穢不淨即脫瓔珞細軟
上服嚴飾之具更著麤弊垢膩之衣塵土坌
身右手執持除糞之器狀有所畏語諸作人
汝等勤作勿得懈息以方便故得近其子後
復告言咄男子汝常此作勿復餘去當加汝
價諸有所須瓫器米麵塩酢之屬莫自疑難
亦有老弊使人須者相給好自安意我如汝
父勿復憂慮所以者何我年老大而汝少壯
汝常作時无有欺怠瞋恨怨言都不見汝有
此諸惡如餘作人自今已後如所生子即時
長者更與作字名之為兒尒時窮子雖欣此
遇猶故自謂客作賤人由是之故於二十年
中常令除糞過是已後心相體信入出无難
然其所止猶在本處世尊尒時長者有疾自
知將死不久語窮子言我今多有金銀珎寶
倉庫盈溢其中多少所應取與汝悉知之我
心如是當體此意所以者何今我與汝便為
不異宜加用心无令漏失尒時窮子即受教
勅領知衆物金銀珎寶及諸庫藏而无悕取
一飡之意然其所止故在本處下劣之心亦
未能捨復經少時父知子意漸已通泰成就

BD00141 號　妙法蓮華經卷二　（11–5）

一飡之意然其所止故在本處下劣之心亦
未能捨復經少時父知子意漸已通泰成就
大志自鄙先心臨欲終時而命其子并會親
族國王大臣刹利居士皆悉已集即自宣言
諸君當知此是我子我之所生於某城中捨
吾逃走跉跰辛苦五十餘年其本字某我名
某甲昔在本城懷憂推覓忽於此間遇會得
之此實我子我實其父今我所有一切財物
皆是子有先所出內是子所知世尊是時窮
子聞父此言即大歡喜得未曾有而作是念
我本无心有所悕求今此寶藏自然而至世
尊大富長者則是如來我等皆似佛子如來
常說我等為子世尊我等以三苦故於生死
中受諸熱惱迷惑无知樂著小法今日世尊
令我等思惟蠲除諸法戲論之糞我等於中
勤加精進得至涅槃一日之價既得此已心
大歡喜自以為足便自謂於佛法中勤精進
故所得弘多然世尊先知我等心著弊欲樂
於小法便見縱捨不為分別汝等當有如來
知見寶藏之分世尊以方便力說如來智慧
我等從佛得涅槃一日之價以為大得於此
大乘无有志求我等又因如來智慧為諸菩
薩開示演說而自於此无有志願所以者何
佛知我等心樂小法以方便力隨我等說而
我等不知真是佛子今我等方知世尊於佛

BD00141 號　妙法蓮華經卷二　（11–6）

佛知我等心樂小法以方便力隨我等說而
我等不知真是佛子今我等方知世尊於佛
智慧无所悋惜所以者何我等昔來真是佛
子而但樂小法若我等有樂大之心佛則為
我說大乘法於此經中唯說一乘而昔於菩薩
前毀呰聲聞樂小法者然佛實以大乘教化
是故我等說本无心有所悕求今法王大寶
自然而至如佛子所應得者皆已得之尒時
摩訶迦葉欲重宣此義而說偈言
我等今日　聞佛音教　歡喜踊躍　得未曾有
佛說聲聞　當得作佛　无上寶聚　不求自得
譬如童子　幼稚无識　捨父逃逝　遠到他土
周流諸國　五十餘年　其父憂念　四方推求
求之既疲　頓止一城　造立舍宅　五欲自娛
其家巨富　多諸金銀　車𤦲馬瑙　真珠琉璃
象馬牛羊　輦輿車乘　田業僮僕　人民衆多
出入息利　乃遍他國　商估賈人　无處不有
千万億衆　圍繞恭敬　常為王者　之所愛念
群臣豪族　皆共宗重　以諸緣故　往來者衆
豪富如是　有大力勢　而年朽邁　益憂念子
夙夜惟念　死時將至　癡子捨我　五十餘年
庫藏諸物　當如之何　尒時窮子　求索衣食
從邑至邑　從國至國　或有所得　或无所得
飢餓羸瘦　體生瘡癬　漸次經歷　到父住城
傭賃展轉　遂至父舍　尒時長者　於其門內

BD00141號　妙法蓮華經卷二　（11–7）

飢餓羸瘦　體生瘡癬　漸次經歷　到父住城
傭賃展轉　遂至父舍　尒時長者　於其門內
施大寶帳　處師子座　眷屬圍繞　諸人侍衛
或有計算　金銀寶物　出內財産　注記券疏
窮子見父　豪貴尊嚴　謂是國王　若是王等
驚怖自怪　何故至此　覆自念言　我若久住
或見逼迫　強驅使作　思惟是已　馳走而去
借問貧里　欲往傭作　長者是時　在師子座
遙見其子　嘿而識之　即勑使者　追捉將來
窮子驚喚　迷悶躄地　是人執我　必當見殺
何用衣食　使我至此　長者知子　愚癡狹劣
不信我言　不信是父　即以方便　更遣餘人
眇目座陋　无威德者　汝可語之　云當相雇
除諸糞穢　倍與汝價　窮子聞之　歡喜隨來
為除糞穢　淨諸房舍　長者於牖　常見其子
念子愚劣　樂為鄙事　於是長者　著弊垢衣
執除糞器　往到子所　方便附近　語令勤作
既益汝價　并塗足油　飲食充足　薦席厚暖
如是苦言　汝當勤作　又以軟語　若如我子
長者有智　漸令入出　經二十年　執作家事
示其金銀　真珠頗梨　諸物出入　皆使令知
猶處門外　止宿草菴　自念貧事　我无此物
父知子心　漸已曠大　欲與財物　即聚親族
國王大臣　剎利居士　於此大衆　說是我子

BD00141號　妙法蓮華經卷二　（11–8）

父知子心　漸已曠大　欲與財物　即聚親族
國王大臣　剎利居士　於此大衆　説是我子
捨我他行　經五十歲　自見子來　已二十年
昔於某城　而失是子　周行求索　遂來至此
凡我所有　舍宅人民　悉以付之　恣其所用
子念昔貧　志意下劣　今於父所　大獲珍寶
并及舍宅　一切財物　甚大歡喜　得未曾有
佛亦如是　知我樂小　未曾説言　汝等作佛
而説我等　得諸无漏　成就小乘　聲聞弟子
佛勅我等　説最上道　脩習此者　當得成佛
我承佛教　爲大菩薩　以諸因緣　種種譬喻
若干言辭　説无上道　諸佛子等　從我聞法
日夜思惟　精勤脩習　是時諸佛　即授其記
汝於來世　當得作佛　一切諸佛　秘藏之法
但爲菩薩　演其實事　而不爲我　説斯真要
如彼窮子　得近其父　雖知諸物　心不悕取
我等雖説　佛法寶藏　自无志願　亦復如是
我等内滅　自謂爲足　唯了此事　更无餘事
我等若聞　淨佛國土　教化衆生　都无欣樂
所以者何　一切諸法　皆悉空寂　无生无滅
无大无小　无漏无爲　如是思惟　不生憙樂
我等長夜　於佛智慧　无貪无著　无復志願
而自於法　謂是究竟　我等長夜　脩習空法
得脱三界　苦惱之患　住最後身　有餘涅槃
佛所教化　得道不虚　則爲已得　報佛之恩

BD00141號　妙法蓮華經卷二　（11–9）

得脱三界　苦惱之患　住最後身　有餘涅槃
佛所教化　得道不虚　則爲已得　報佛之恩
我等雖爲　諸佛子等　説菩薩法　以求佛道
而於是法　永无願樂　導師見捨　觀我心故
初不勸進　説有實利　如富長者　知子志劣
以方便力　柔伏其心　然後乃付　一切財物
佛亦如是　現希有事　知樂小者　以方便力
調伏其心　乃教大智　我等今日　得未曾有
非先所望　而今自得　如彼窮子　得无量寶
世尊我今　得道得果　於无漏法　得清淨眼
我等長夜　持佛淨戒　始於今日　得其果報
法王法中　久脩梵行　今得无漏　无上大果
我等今者　真是聲聞　以佛道聲　令一切聞
我等今者　真阿羅漢　於諸世間　天人魔梵
普於其中　應受供養　世尊大恩　以希有事
憐愍教化　利益我等　无量億劫　誰能報者
手足供給　頭頂礼敬　一切供養　皆不能報
若以頂戴　兩肩荷負　於恒沙劫　盡心恭敬
又以美饍　无量寶衣　及諸卧具　種種湯藥
牛頭栴檀　及諸珍寶　以起塔廟　寶衣布地
如斯等事　以用供養　於恒沙劫　亦不能報
諸佛希有　无量无邊　不可思議　大神通力
无漏无爲　諸法之王　能爲下劣　忍于斯事
取相凡夫　隨宜爲説　諸佛於法　得最自在
知諸衆生　種種欲樂　及其志力　隨所堪任

BD00141號　妙法蓮華經卷二　（11–10）

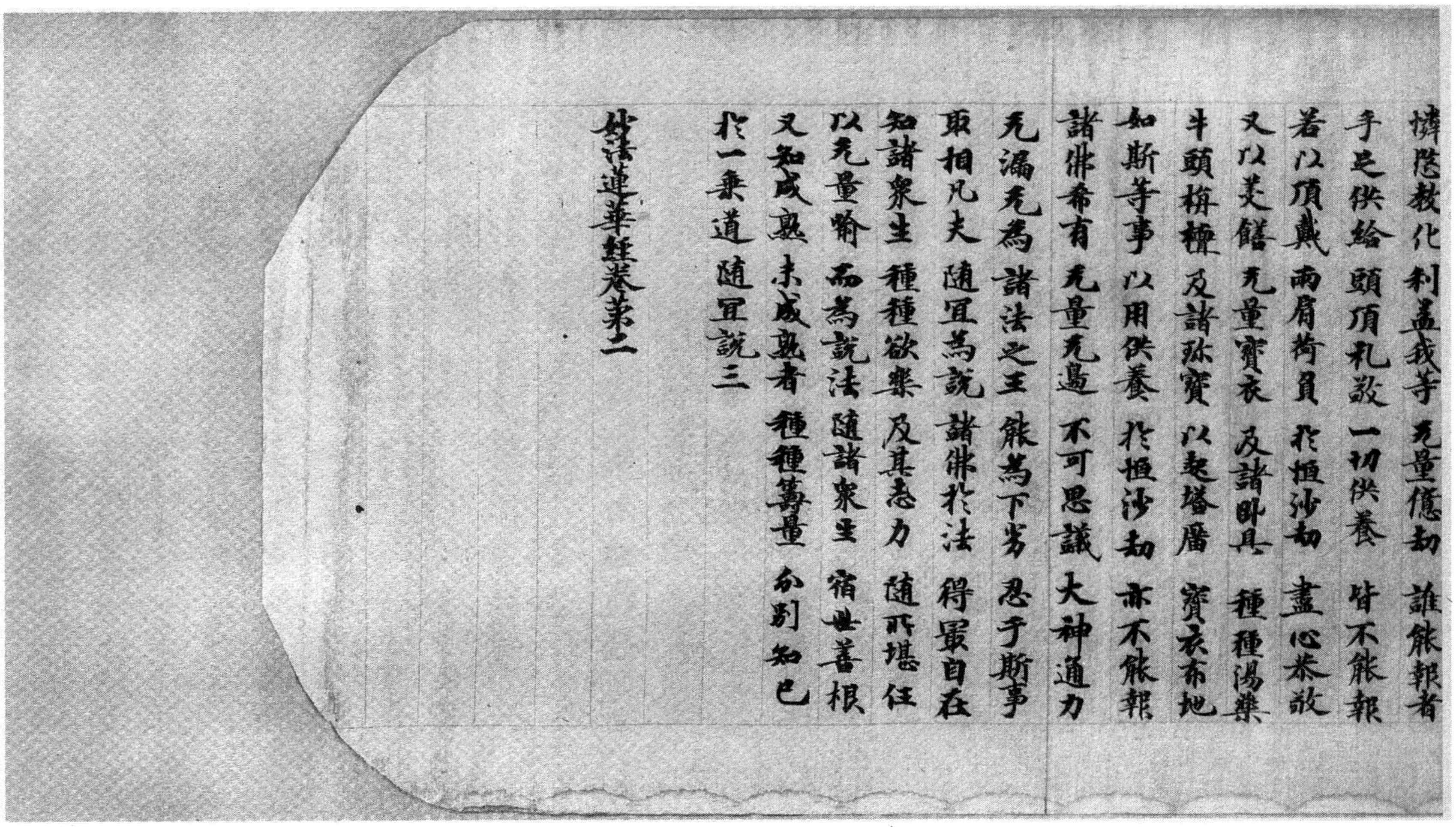

憐愍教化利益我等　无量億劫　誰能報者
手足供給　頭頂礼敬　一切供養　皆不能報
若以頂戴　兩肩荷負　於恒沙劫　盡心恭敬
又以美膳　无量寶衣　及諸臥具　種種湯藥
牛頭栴檀　及諸珍寶　以起塔廟　寶衣布地
如斯等事　以用供養　於恒沙劫　亦不能報
諸佛希有　无量无邊　不可思議　大神通力
无漏无為　諸法之王　能為下劣　忍于斯事
取相凡夫　隨宜為說　諸佛於法　得最自在
知諸衆生　種種欲樂　及其志力　隨所堪任
以无量喻　而為說法　隨諸衆生　宿世善根
又知成熟　未成熟者　種種籌量　分別知已
於一乘道　隨宜說三

妙法蓮華經卷第二

BD00141 號　妙法蓮華經卷二　　（11–11）

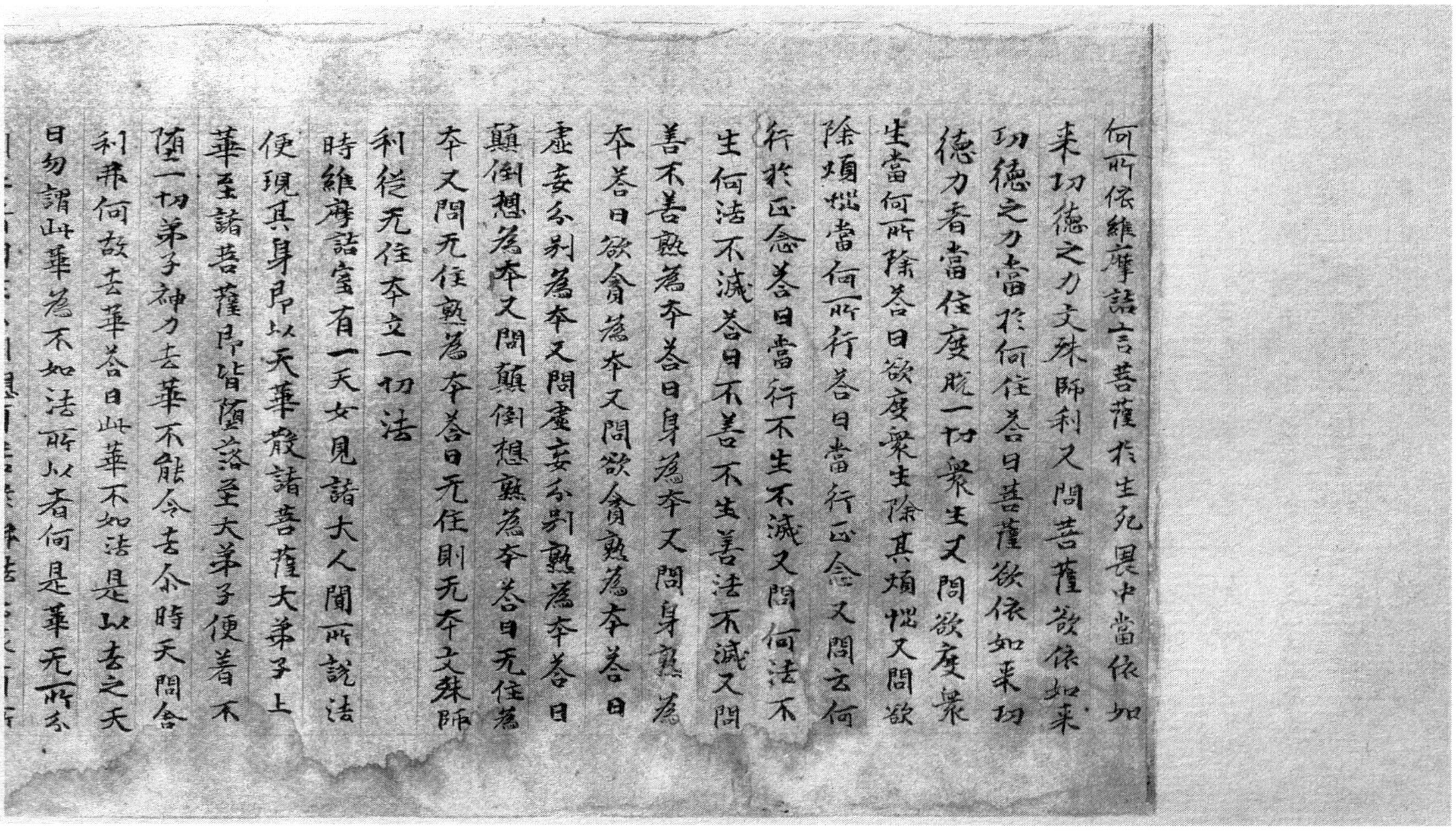

何所依維摩詰言菩薩於生死畏中當依如
来功德之力文殊師利又問菩薩欲依如来
功德之力當於何住荅曰菩薩欲依如来功
德力者當住度脫一切衆生又問欲度衆
生當何所除荅曰欲度衆生除其煩惱又問欲
除煩惱當何所行荅曰當行正念又問云何
行於正念荅曰當行不生不滅又問何法不
生何法不滅荅曰不善不生善法不滅又問
善不善孰為本荅曰身為本又問身孰為
本荅曰欲貪為本又問欲貪孰為本荅曰
虛妄分別為本又問虛妄分別孰為本荅曰
顛倒想為本又問顛倒想孰為本荅曰无住為
本又問无住孰為本荅曰无住則无本文殊師
利從无住本立一切法
時維摩詰室有一天女見諸大人聞所說法
便現其身即以天華散諸菩薩大弟子上
華至諸菩薩即皆墮落至大弟子便著不
墮一切弟子神力去華不能令去尒時天問舍
利弗何故去華荅曰此華不如法是以去之天
曰勿謂此華為不如法所以者何是華无所分

BD00142 號　維摩詰所說經卷中　　（14–1）

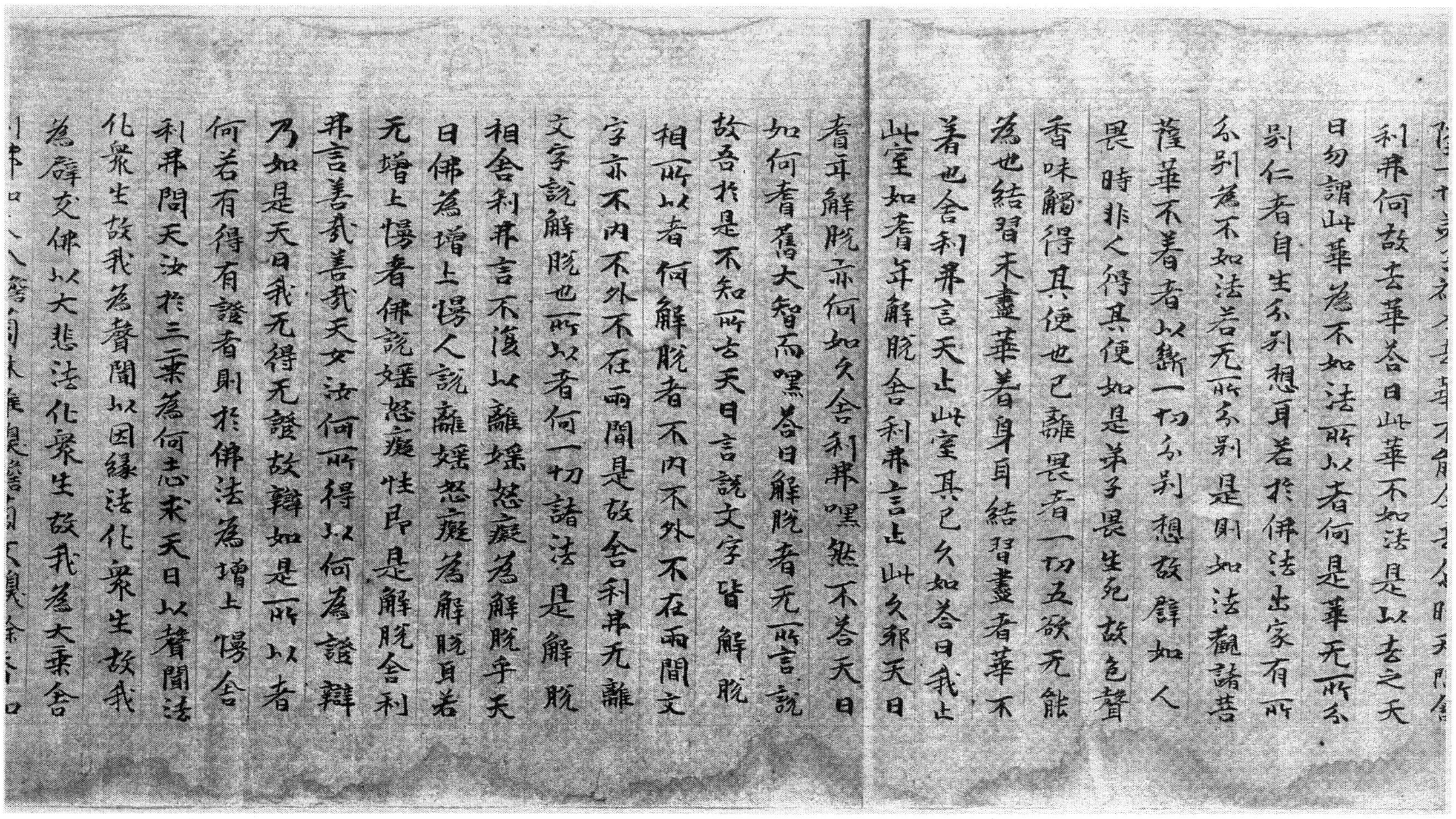
利弗何故去華答曰此華不如法是以去之天
曰勿謂此華為不如法所以者何是華无所分
别仁者自生分别想耳若於佛法出家有所
分别為不如法若无所分别是則如法觀諸菩
薩華不著者以斷一切分别想故譬如人
畏時非人得其便如是弟子畏生死故色聲
香味觸得其便也已離畏者一切五欲无能
為也結習未盡華著身耳結習盡者華不
著也舍利弗言天止此室其已久如答曰我止
此室如耆年解脫舍利弗言止此久耶天曰
耆年解脫亦何如久舍利弗嘿然不答天曰
如何耆舊大智而嘿答曰解脫者无所言說
故吾於是不知所云天曰言說文字皆解脫
相所以者何解脫者不內不外不在兩間文
字亦不內不外不在兩間是故舍利弗无離
文字說解脫也所以者何一切諸法是解脫
相舍利弗言不復以離婬怒癡為解脫乎天
曰佛為增上慢人說離婬怒癡為解脫耳若
无增上慢者佛說婬怒癡性即是解脫舍利
弗言善哉善哉天女汝何所得以何為證辯
乃如是天曰我无得无證故辯如是所以者
何若有得有證者則於佛法為增上慢舍
利弗問天汝於三乘為何志求天曰以聲聞法
化衆生故我為聲聞以因緣法化衆生故我
為辟支佛以大悲法化衆生故我為大乘舍

BD00142 號　維摩詰所說經卷中　（14–2）

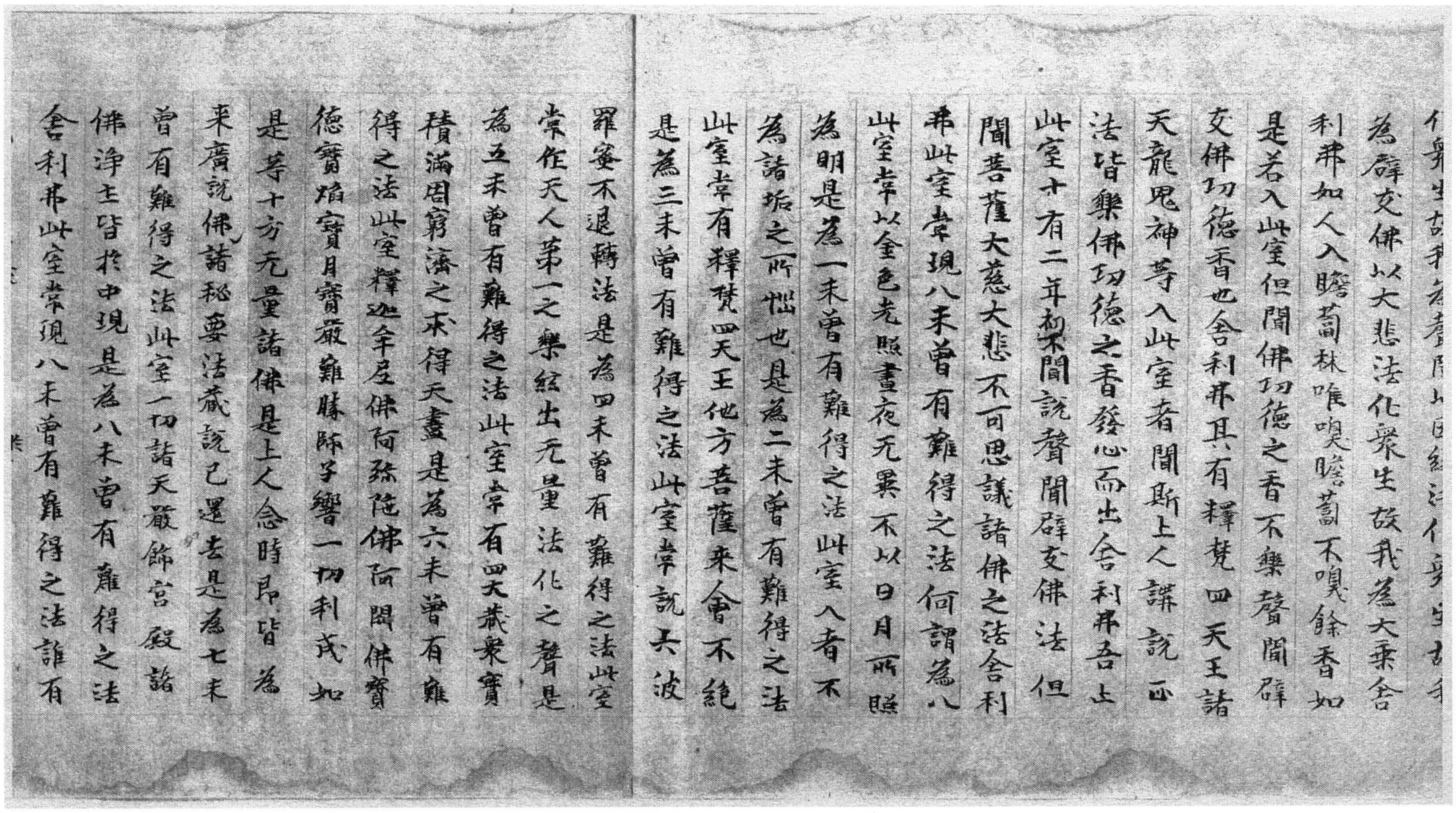
為辟支佛以大悲法化衆生故我為大乘舍
利弗如人入瞻蔔林唯嗅瞻蔔不嗅餘香如
是若入此室但聞佛功德之香不樂聲聞辟
支佛功德香也舍利弗其有釋梵四天王諸
天龍鬼神等入此室者聞斯上人講說正
法皆樂佛功德之香發心而出舍利弗吾止
此室十有二年初不聞說聲聞辟支佛法但
聞菩薩大慈大悲不可思議諸佛之法舍利
弗此室常現八未曾有難得之法何謂為八
此室常以金色光照晝夜无異不以日月所照
為明是為一未曾有難得之法此室入者不
為諸垢之所惱也是為二未曾有難得之法
此室常有釋梵四天王他方菩薩來會不絕
是為三未曾有難得之法此室常說六波
羅蜜不退轉法是為四未曾有難得之法此室
常作天人第一之樂絃出无量法化之聲是
為五未曾有難得之法此室常有四大藏衆寶
積滿賙窮濟乏求得无盡是為六未曾有難
得之法此室釋迦牟尼佛阿弥陀佛阿閦佛寶
德寶焰寶月寶嚴難勝師子響一切利成如
是等十方无量諸佛是上人念時即皆為
來廣說佛諸秘要法藏說已還去是為七未
曾有難得之法此室一切諸天嚴飾宮殿諸
佛淨土皆於中現是為八未曾有難得之法
舍利弗此室常現八未曾有難得之法誰有

BD00142 號　維摩詰所說經卷中　（14–3）

佛淨土皆於中現是爲八未曾有難得之法
舍利弗此室常現八未曾有難得之法誰有
見斯不思議事而復樂聲聞法乎
舍利弗言汝何以不轉女身天曰我從十二年
來求女人相了不可得當何所轉譬如幻師化
作幻女若有人問何以不轉女身是人爲
正問不舍利弗言不也幻无定相當何所
轉天曰一切諸法亦復如是无有定相云何
乃問不轉女身即時天女以神通力變舍
利弗令如天女天自化身如舍利弗而問言何
以不轉女身舍利弗以天女像而答曰我今
不知何轉而變爲女身天曰舍利弗若能轉
此女身則一切女人亦當能轉如舍利弗非女
而現女身一切女人亦復如是雖現女身而非
女也是故佛說一切諸法非男非女即時
天女還攝神力舍利弗身還復如故天問
舍利弗女身色相今何所在舍利弗言女
身色相无在无不在天曰一切諸法亦復如是
无在无不在夫无在无不在者佛所說也
舍利弗問天汝於此沒當生何所天曰佛化所
生吾如彼生曰佛化所生非沒生也天曰衆生
猶然無沒生也舍利弗問天汝久如當得
阿耨多羅三藐三菩提天曰如舍利弗還
爲凡夫我乃當成阿耨多羅三藐三菩提舍
利弗言我作凡夫无有是處天曰我得阿耨
多羅三藐三菩提亦无是處所以者何菩提

BD00142 號　維摩詰所說經卷中　（14–4）

爲凡夫我乃當成阿耨多羅三藐三菩提舍
利弗言我作凡夫无有是處天曰我得阿耨
多羅三藐三菩提亦无是處所以者何菩提
无住處是故无有得者舍利弗言今諸佛得
阿耨多羅三藐三菩提已得當得如恒
河沙皆謂何乎天曰皆以世俗文字數故說
有三世非謂菩提有去來今天曰舍利弗汝
得阿羅漢道耶曰无所得故而得天曰諸佛
菩薩亦復如是无所得故而得尒時維摩
詰語舍利弗是天女曾已供養九十二億佛已
能遊戲菩薩神通所願具足得无生忍住不
退轉以本願故隨意能現教化衆生

佛道品第八

尒時文殊師利問維摩詰言菩薩云何通達
佛道維摩詰言若菩薩行於非道是爲通
達佛道又問云何菩薩行於非道答曰若菩
薩行五无間而无惱恚至于地獄无諸罪垢至
于畜生无有无明憍慢等過至于餓鬼而具
足功德行色无色界道不以爲勝亦行貪欲
離諸染著亦行瞋恚於諸衆生无有恚閡亦
行愚癡而以智慧調伏其心亦行慳貪而捨
內外所有不惜身命亦行毀禁而安住淨戒
乃至小罪猶懷大懼亦行瞋恚而常慈忍亦
行懈怠而勤脩功德亦行亂意而常念定亦
行愚癡而通達世間出世間慧亦行諂僞而

BD00142 號　維摩詰所說經卷中　（14–5）

行愚癡而通達世間出世間慧示行諂偽而
善方便隨諸經義示行憍慢而於衆生猶
如橋梁示行諸煩惱而心常清淨示入於魔而
順佛慧智不隨他教示入聲聞而為衆生說
未聞法示入辟支佛而成就大悲教化衆生
示入貧窮而有寶手功德无盡示入形殘而
具諸相好以自莊嚴示入下賤而生佛種姓
中具諸功德示入羸劣醜陋而得那羅延身
一切衆生之所樂見示入老病而永斷病根
超越死畏示有資生而恒觀无常實无所
貪示有妻妾婇女而常遠離五欲淤泥現
於訥鈍而成就辯才揔持无失示入邪濟而以
正濟度諸衆生現遍入諸道而斷其因緣現
於涅槃而不斷生死文殊師利菩薩能如是
行於非道是為通達佛道
於是維摩詰問文殊師利何等為如来種文
殊師利言有身為種无明有愛為種貪恚
癡為種四顛倒為種五蓋為種六入為種七識
處為種八邪法為種九惱處為種十不善法
為種以要言之六十二見及一切煩惱皆是佛
種曰何謂也荅曰若見无為入正位者不能
復發阿耨多羅三藐三菩提心譬如高原陸
地不生蓮華卑濕淤泥乃生此華如是見无
為法入正位者終不復能生於佛法煩惱泥
中乃有衆生起佛法耳又如殖種於空終不得
生糞壤之地乃能滋茂如是入无為正位者
不生佛法起於我見如須弥山猶能發于阿

BD00142 號　維摩詰所說經卷中

（14–6）

中乃有衆生起佛法耳又如殖種於空終不得
生糞壤之地乃能滋茂如是入无為正位者
不生佛法起於我見如須弥山猶能發于阿
耨多羅三藐三菩提心生佛法矣是故當知
一切煩惱為如来種譬如不下巨海不能得
无價寶珠如来不入煩惱大海則不能得
一切知寶
尒時大迦葉歎言善哉善哉文殊師利快說
此語誠如所言塵勞之疇為如来種我等今
者不復堪任發阿耨多羅三藐三菩提心乃
至五无間罪猶能發意生於佛法而今我等
永不能發譬如根敗之士其於五欲不能復
利如是聲聞諸結斷者於佛法中无所復益
永不志願是故文殊師利凡夫於佛法有反
復而聲聞无也所以者何凡夫聞佛法能起无
上道心不斷三寶正使聲聞終身聞佛法力
无畏等永不能發无上道意
尒時會中有菩薩名普現色身問維摩詰言
居士父母妻子親戚眷屬吏民知識悉為
是誰奴婢僮僕象馬車乘皆何所在於是
維摩詰以偈荅曰
智度菩薩母　方便以為父　一切衆導師　无不由是生
法喜以為妻　慈悲心為女　善心誠實男　畢竟空寂舍
弟子衆塵勞　隨意之所轉　道品善知識　由是成正覺
諸度法等侶　四攝為伎女　歌詠誦法言　以此為音樂
揔持之園苑　无漏法林樹　覺意淨妙花　解脫智慧果

BD00142 號　維摩詰所說經卷中

（14–7）

諸度法等侶　四攝為伎女　歌詠誦法言　以此為音樂
揔持之園苑　无漏法林樹　覺意淨妙花　解脫智慧果
八解之浴池　定水湛然滿　布以七淨華　浴此无垢人
象馬五通馳　大乘以為車　調御以一心　遊於八正路
相具以嚴容　衆好飾其姿　慚愧之上服　深心為華鬘
富有七財寶　教授以滋息　如所說脩行　迴向為大利
四禪為牀坐　從於淨命生　多聞增智慧　以為自覺音
甘露法之食　解脫味為漿　淨心以澡浴　戒品為塗香
摧滅煩惱賊　勇健无能踰　降伏四種魔　勝幡建道場
雖知无起滅　示彼故有生　悉現諸國土　如日无不見
供養於十方　无量億如來　諸佛及己身　无有分別想
雖知諸佛國　及與衆生空　而常脩淨土　教化於群生
諸有衆生類　形聲及威儀　无畏力菩薩　一時能盡現
覺知衆魔事　而示隨其行　以善方便智　隨意皆能現
或示老病死　成就諸群生　了知如幻化　通達无有礙
或現劫盡燒　天地皆洞然　衆人有常想　照令知无常
无數億衆生　俱來請菩薩　一時到其舍　化令向佛道
經書禁呪術　工巧諸伎藝　盡現行此事　饒益諸群生
世間衆道法　悉於中出家　因以解人惑　而不墮邪見
或作日月天　梵王世界主　或時作地水　或復作風火
劫中有疾疫　現作諸藥草　若有服之者　除病消衆毒
劫中有飢饉　現身作飲食　先救彼飢渴　却以法語人
劫中有兵刀　為之起慈悲　化彼諸衆生　令住无諍地
若有大戰陣　立之以等力　菩薩現威勢　降伏使和安
一切國土中　諸有地獄處　輙往到于彼　勉濟其苦惱
一切國土中　畜生相食噉　皆現生於彼　為之作利益

BD00142 號　維摩詰所說經卷中　（14–8）

若有大戰陣　立之以等力　菩薩現威勢　降伏使和安
一切國土中　諸有地獄處　輙往到于彼　勉濟其苦惱
一切國土中　畜生相食噉　皆現生於彼　為之作利益
示受於五欲　亦復現行禪　令魔心憒亂　不能得其便
火中生蓮花　是可謂希有　在欲而行禪　希有亦如是
或現作婬女　引諸好色者　先以欲鈎牽　後令入佛智
或為邑中主　或作商人導　國師及大臣　以祐利衆生
諸有貧窮者　現作无盡藏　因以勸導之　令發菩提心
我心憍慢者　現為大力士　消伏諸貢高　令住无上道
其有恐懼衆　居前而慰安　先施以无畏　後令發道心
或現離婬欲　為五通仙人　開導諸群生　令住戒忍慈
見須供事者　現為作僮僕　既悅可其意　乃發以道心
隨彼之所須　得入於佛道　以善方便力　皆能給足之
如是道无量　所行无有涯　智慧无邊際　度脫无數衆
假令一切佛　於无數億劫　讚歎其功德　猶尚不能盡
誰聞如是法　不發菩提心　除彼不肖人　癡冥无智者

入不二法門品第九

爾時維摩詰語衆菩薩言　諸仁者云何菩薩
入不二法門　各隨所樂說之　會中有菩薩名
法自在　說言　諸仁者　生滅為二　法本不生今
則无滅　得此无生法忍　是為入不二法門
德守菩薩曰　我我所為二　因有我故便有我
所　若无有我　則无我所　是為入不二法門
不眴菩薩曰　受不受為二　若法不受　則不可得
以不可得故　无取无捨　无作无行　是為入不二
法門

BD00142 號　維摩詰所說經卷中　（14–9）

以不可得故无取无捨无作无行是為入不二
法門
德頂菩薩曰垢淨為二見垢實性則无淨相
順於滅相是為入不二法門
善宿菩薩曰是動是念為二不動則无念无
念則无分別通達此者是為入不二法門
善眼菩薩曰一相无相為二若知一相即是无
相亦不取无相入於平等是為入不二法門
妙臂菩薩曰菩薩心聲聞心為二觀心相空如幻
化者无菩薩心无聲聞心是為入不二法門
弗沙菩薩曰善不善為二若不起善不善
入无相際而通達者是為入不二法門
師子吼菩薩曰罪福為二若達罪性則與福
无異以金剛慧決了此相无縛无解者是
為入不二法門
師子意菩薩曰有漏无漏為二若得諸法等
則不起漏不漏想不著於相亦不住无相是
為入不二法門
淨解菩薩曰有為无為為二若離一切數則
心如虛空以清淨慧无所礙者是為入不二
法門
那羅延菩薩曰世間出世間為二世間性空
即是出世間於其中不入不出不溢不散是
為入不二法門
善意菩薩曰生死涅槃為二若見生死性

BD00142 號　維摩詰所說經卷中　（14–10）

為入不二法門
善意菩薩曰生死涅槃為二若見生死性
則无生死无縛无解不然不滅如是解者
是為入不二法門
現見菩薩曰盡不盡為二法若究竟盡若不
盡皆是无盡相无盡相即是空空則无有
盡不盡相如是入者是為入不二法門
普守菩薩曰我无我為二我尚不可得非我
何可得見我實性者不復起二是為入
不二法門
電天菩薩曰明无明為二无明實性即
是明明亦不可取離一切數於其中平
等无二者是為入不二法門
喜見菩薩曰色色空為二色即是空非色
滅空色性自空如是受想行識識空為二
識即是空非識滅空識性自空於其中而通
達者是為入不二法門
明相菩薩曰四種異空種異為二四種性即
是空種性如前際後際空故中際亦空若能
如是知諸種性者是為入不二法門
妙意菩薩曰眼色為二若知眼性於色不貪不
恚不癡是名寂滅如是耳聲鼻香舌味身
觸意法為二若知意性於法不貪不恚
不癡是名寂滅安住其中是為入不二法門
无盡意菩薩曰布施迴向一切智為二布施
性即是迴向一切智性如是持戒忍辱精進

BD00142 號　維摩詰所說經卷中　（14–11）

不癡是名寂滅安住其中是為入不二法門
无盡意菩薩曰布施迴向一切智為二布施
性即是迴向一切智性如是持戒忍辱精進
禪定智慧迴向一切智為二智慧性即是
迴向一切智性於其中入一相者是為入不
二法門
深慧菩薩曰是空是无相是无作為二空
即无相无相即无作若空无相无作則无
心意識於一解脫門即是三解脫門者
是為入不二法門
寂根菩薩曰佛法衆為二佛即是法法即是
衆是三寶皆無為相與虛空等一切法亦
尒能隨此行者是為入不二法門
心无礙菩薩曰身身滅為二身即是身滅
所以者何見身實相者不起見身及見滅身
身與滅身无二无分別其中不驚不懼者
是為入不二法門
上善菩薩曰身口意善為二是三業皆无作相
身无作相即口无作相口无作相即意无作相
是三業无作相即一切法无作相能如是隨无
作慧者是為入不二法門
福田菩薩曰福行罪行不動行為二三行實
性即是空空則无福行无罪行无不動行
於此三行而不起者是為入不二法門
華嚴菩薩曰從我起二為二見我實相者不
起二法若不住二法則无有識无所識者是

BD00142 號　維摩詰所說經卷中　（14–12）

華嚴菩薩曰從我起二為二見我實相者不
起二法若不住二法則无有識无所識者是
為入不二法門
德藏菩薩曰有所得相為二若无所得則无
取捨无取捨者是為入不二法門
月上菩薩曰闇與明為二无闇无明則无有
二所以者何如入滅受想定无闇无明一切法
相亦復如是於其中平等入者是為入
不二法門
寶印手菩薩曰樂涅槃不樂世間為二若
不樂涅槃不厭世間則无有二所以者何
若有縛則有解若本无縛其誰求解无縛
无解則无樂厭是為入不二法門
珠頂王菩薩曰正道邪道為二住正道者則
不分別是邪是正離此二者是為入不二法門
樂實菩薩曰實不實為二實見者尚不
見實何況非實所以者何非肉眼所見慧眼
乃能見而此慧眼无見无不見是為入不二法門
如是諸菩薩各各說已問文殊師利何等
是菩薩入不二法門
文殊師利曰如我意者於一切法无言无說
无示无識離諸問答是為入不二法門
於是文殊師利問維摩詰我等各自說已
仁者當說何等是菩薩入不二法門
時維摩詰嘿然无言文殊師利歎曰善
哉善哉乃至无有文字語言是真入

BD00142 號　維摩詰所說經卷中　（14–13）

於是文殊師利問維摩詰我等各自說已
仁者當說何等是菩薩入不二法門
時維摩詰嘿然无言文殊師利嘆曰善
哉善哉乃至无有文字語言是真入
不二法門
說是入不二法門品時於此衆中五千
菩薩皆入不二法門得无生法忍

維摩詰經卷中

BD00142 號　維摩詰所說經卷中　（14–14）

閣等是
作是念我已施
之具隨意所欲然此衆生皆已衰老年
八十髮白面皺將死不久我當以佛法而訓
導之即集此衆生宣布法化示教利喜一時
皆得須陀洹道斯陀含道阿那含道阿羅
漢道盡諸有漏於深禪定皆得自在具八
解脫於汝意云何是大施主所得功德寧
為多不弥勒白佛言世尊是人功德甚多
无量无邊若是施主但施衆生一切樂具
功德无量何況令得阿羅漢果佛告弥勒我
今分明語汝是人以一切樂具施於四百万億
阿僧祇世界六趣衆生又令得阿羅漢果所得
功德不如是第五十聞法華經一偈隨喜功
德百分千分百千万億分不及其一乃至筭
數譬喻所不能知阿逸多如是第五十人展
轉聞法華經隨喜功德尚无量无邊阿僧
祇何況最初於會中聞而隨喜者其福復
勝无量无邊阿僧祇不可得比又阿逸多若人

BD00143 號　妙法蓮華經卷六　（9–1）

豈虛皆可不肯知阿逸多如是第五十人展
轉聞法華經隨喜功德尚无量无邊阿僧
祇何況最初於會中聞而隨喜者其福復
勝无量无邊阿僧祇不可得比又阿逸多若人
為是經故往詣僧坊若坐若立須臾聽受緣
是功德轉身所生得好上妙象馬車乘珍寶
輦輿及乘天宮若復有人於講法處更有
人來勸令坐聽若分座令坐是人功德轉身
得帝釋坐處若梵王坐處若轉輪聖王所坐
之處阿逸多若復有人語餘人言有經名法
華可共往聽即受其教乃至須臾間聞是人
功德轉身得與陁羅尼菩薩共生一處
智慧百千万世終不瘖瘂口氣不臭舌常无
病口亦无病齒不垢黑不黃不疏亦不缺落不
差不曲脣不下垂亦不褰縮不麁澀不瘡胗
亦不缺壞亦不喎斜不厚不大亦不黧黑无
諸可惡鼻不匾𧖣亦不曲戾面色不黑亦不狹
長亦不窊曲无有一切不可惡相脣舌牙
齒悉皆嚴好鼻脩高直面貌圓滿眉高而
長額廣平正人相具足世世所生見佛聞法
信受教誨阿逸多汝且觀是勸於一人令往聽
法功德如此何況一心聽說讀誦而於大眾

BD00143 號　妙法蓮華經卷六　（9–2）

信受教誨阿逸多汝且觀是勸於一人令往聽
法功德如此何況一心聽說讀誦而於大眾
為人分別如說脩行尒時世尊欲重宣此義
而說偈言
若人於法會　得聞是經典　乃至於一偈　隨喜為他說
如是展轉教　至于第五十　最後人獲福　今當分別之
如有大施主　供給无量眾　具滿八十歲　隨意之所欲
見彼衰老相　髮白而面皺　齒疏形枯竭　念其死不久
我今應當教　令得於道果　即為方便說　涅槃真實法
世皆不牢固　如水沫泡焰　汝等咸應當　疾生厭離心
諸人聞是法　皆得阿羅漢　具足六神通　三明八解脫
最後第五十　聞一偈隨喜　是人福勝彼　不可為譬喻
如是展轉聞　其福尚无量　何況於法會　初聞隨喜者
若有勸一人　將引聽法華　言此經深妙　千万劫難遇
即受教往聽　乃至須臾聞　斯人之福報　今當分別說
世世无口患　齒不疏黃黑　脣不厚褰缺　无有可惡相
舌不乾黑短　鼻高脩且直　額廣而平正　面目悉端嚴
為人所喜見　口氣无臭穢　優鉢華之香　常從其口出
若故詣僧坊　欲聽法華經　須臾聞歡喜　今當說其福
後生天人中　得妙象馬車　珍寶之輦輿　及乘天宮殿
若於講法處　勸人坐聽經　是福因緣得　釋梵轉輪座
何況一心聽　解說其義趣　如說而脩行　其福不可限

BD00143 號　妙法蓮華經卷六　（9–3）

若於講法處　勸人坐聽經　是福因緣得　釋梵轉輪座
何況一心聽　解說其義趣　如說而脩行　其福不可限
妙法蓮華經法師功德品第十九
尒時佛告常精進菩薩摩訶薩若善男子善
女人受持是法華經若讀若誦若解說若書
寫是人當得八百眼功德千二百耳功德八百
鼻功德千二百舌功德八百身功德千二百
意功德以是功德莊嚴六根皆令清淨是善
男子善女人父母所生清淨肉眼見於三千大
千世界內外所有山林河海下至阿鼻地獄
上至有頂亦見其中一切衆生及業因緣果
報生處悉見悉知尒時世尊欲重宣此義而說
偈言
若於大衆中　以无所畏心　說是法華經　汝聽其功德
是人得八百　功德殊勝眼　以是莊嚴故　其目甚清淨
父母所生眼　悉見三千界　內外彌樓山　須弥及鐵圍
并諸餘山林　大海江河水　下至阿鼻獄　上至有頂天
其中諸衆生　一切皆悉見　雖未得天眼　肉眼力如是
復次常精進若善男子善女人受持此經若
讀若誦若解說若書寫得千二百耳功德以
是清淨耳聞三千大千世界下至阿鼻地獄
上至有頂其中內外種種語言音聲象聲

BD00143號　妙法蓮華經卷六　（9–4）

讀若誦若解說若書寫得千二百耳功德以
是清淨耳聞三千大千世界下至阿鼻地獄
上至有頂其中內外種種語言音聲象聲
馬聲牛聲車聲啼哭聲愁歎聲螺聲鼓聲鍾
聲鈴聲咲聲語聲男聲女聲童子聲童女聲法
聲非法聲苦聲樂聲凡夫聲聖人聲喜聲不
喜聲天聲龍聲夜叉聲乾闥婆聲阿脩羅聲
迦樓羅聲緊那羅聲摩睺羅伽聲火聲水聲
風聲地獄聲畜生聲餓鬼聲比丘聲比丘尼聲
聲聞聲辟支佛聲菩薩聲佛聲以要言之
三千大千世界中一切內外所有諸聲雖未
得天耳以父母所生清淨常耳皆悉聞知如
是分別種種音聲而不壞耳根尒時世尊欲
重宣此義而說偈言
父母所生耳　清淨无濁穢　以此常耳聞　三千世界聲
象馬車牛聲　鍾鈴螺鼓聲　琴瑟箜篌聲　簫笛之音聲
清淨好歌聲　聽之而不著　无數種人聲　聞悉能解了
又聞諸天聲　微妙之歌音　及聞男女聲　童子童女聲
山川嶮谷中　迦陵頻伽聲　命命等諸鳥　悉聞其音聲
地獄衆苦痛　種種楚毒聲　餓鬼飢渴逼　求索飲食聲
諸阿脩羅等　居在大海邊　自共語言時　出于大音聲
如是說法者　安住於此間　遙聞是衆聲　而不壞耳根

BD00143號　妙法蓮華經卷六　（9–5）

諸阿脩羅等　居在大海邊　自共語言時　出于大音聲
如是說法者　安住於此間　遙聞是衆聲　而不壞耳根
十方世界中　禽獸鳴相呼　其說法之人　於此悉聞之
其諸梵天上　光音及遍淨　乃至有頂天　言語之音聲
法師住於此　悉皆得聞之　一切比丘衆　及諸比丘尼
若讀誦經典　若為他人說　法師住於此　悉皆得聞之
復有諸菩薩　讀誦於經法　若為他人說　撰集解其義
如是諸音聲　悉皆得聞之　諸佛大聖尊　教化衆生者
於諸大衆中　演說微妙法　持此法華者　悉皆得聞之
三千大千界　內外諸音聲　下至阿鼻獄　上至有頂天
皆聞其音聲　而不壞耳根　其耳聰利故　悉能分別知
持是法華者　雖未得天耳　但用所生耳　功德已如是
復次常精進若善男子善女人受持是經若
讀若誦若解說若書寫成就八百鼻功德以
是清淨鼻根聞於三千大千世界上下內外
種種諸香須曼那華香闍提華香末利華
香瞻蔔華香波羅羅華香赤蓮華香青蓮華
香白蓮華香華樹香果樹香栴檀香沈水香多
摩羅跋香多伽羅香及千万種和香若粖若丸
若塗香持是經者於此間住悉能分別又復
別知衆生之香象香馬香牛羊等香男香女

BD00143號　妙法蓮華經卷六　（9-6）

別知衆生之香象香馬香牛羊等香男香女
香童子香童女香及草木叢林香若近若遠
所有諸香悉皆得聞分別不錯持是經者雖
住於此亦聞天上諸天之香波利質多羅拘鞞
陀羅樹香及曼陀羅華香摩訶曼陀羅華
香曼殊沙華香摩訶曼殊沙華香栴檀沈
水種種末香諸雜華香如是等天香和合所出之
香无不聞知又聞諸天身香釋提桓因在勝
殿上五欲娛樂嬉戲時香若在妙法堂上為忉
利諸天說法時香若於諸園遊戲時香及餘
天等男女身香皆悉遙聞如是展轉乃至梵
世上至有頂諸天身香亦皆聞之并聞諸天
所燒之香及聲聞香辟支佛香菩薩香諸佛
身香亦皆遙聞知其所在雖聞此香然於鼻
根不壞不錯若欲分別為他人說憶念不謬
尒時世尊欲重宣此義而說偈言
是人鼻清淨　於此世界中　若香若臭物　種種悉聞知
須曼那闍提　多摩羅栴檀　沈水及桂香　種種華菓香
及知衆生香　男子女人香　說法者遠住　聞香知所在
大勢轉輪王　小轉輪及子　群臣諸宮人　聞香知所在
身所著珍寶　及地中寶藏　轉輪王寶女　聞香知所在

BD00143號　妙法蓮華經卷六　（9-7）

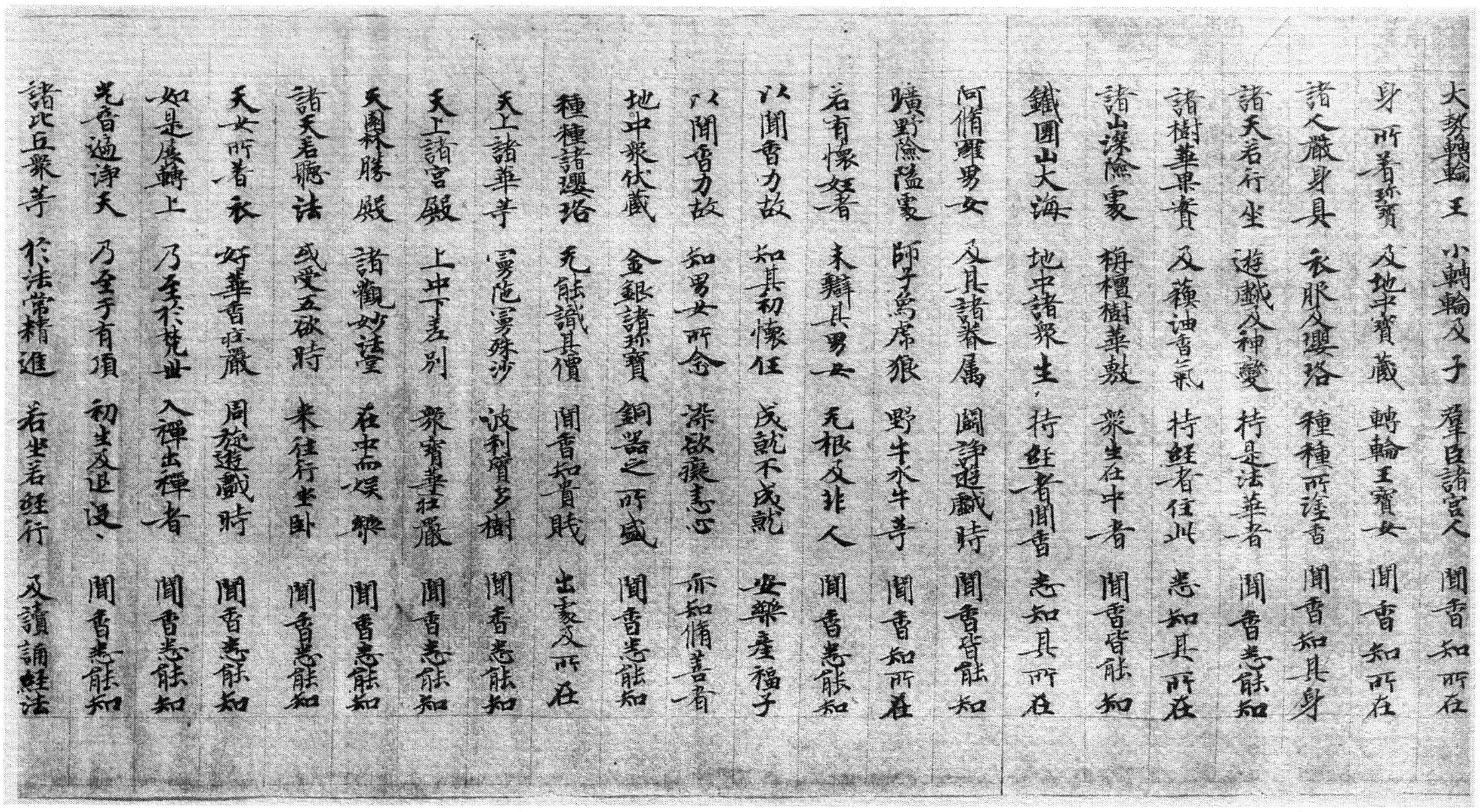
大勢轉輪王 小轉輪及子 群臣諸宮人 聞香知所在
身所著珎寶 及地中寶藏 轉輪王寶女 聞香知所在
諸人嚴身具 衣服及瓔珞 種種所塗香 聞香知其身
諸天若行坐 遊戲及神變 持是法華者 聞香悉能知
諸樹華果實 及蘇油香氣 持經者住此 悉知其所在
諸山深嶮處 栴檀樹華敷 衆生在中者 聞香皆能知
鐵圍山大海 地中諸衆生 持經者聞香 悉知其所在
阿脩羅男女 及其諸眷屬 鬪諍遊戲時 聞香皆能知
曠野險隘處 師子象虎狼 野牛水牛等 聞香知所在
若有懷妊者 未辯其男女 无根及非人 聞香悉能知
以聞香力故 知其初懷妊 成就不成就 安樂產福子
以聞香力故 知男女所念 染欲癡恚心 亦知脩善者
地中衆伏藏 金銀諸珎寶 銅器之所盛 聞香悉能知
種種諸瓔珞 无能識其價 聞香知貴賤 出處及所在
天上諸華等 曼陀曼殊沙 波利質多樹 聞香悉能知
天上諸宮殿 上中下差別 衆寶華莊嚴 聞香悉能知
天園林勝殿 諸觀妙法堂 在中而娛樂 聞香悉能知
諸天若聽法 或受五欲時 來往行坐臥 聞香悉能知
天女所著衣 好華香莊嚴 周旋遊戲時 聞香悉能知
如是展轉上 乃至於梵世 入禪出禪者 聞香悉能知
光音遍淨天 乃至于有頂 初生及退沒 聞香悉能知
諸比丘衆等 於法常精進 若坐若經行 及讀誦經法

BD00143號　妙法蓮華經卷六　（9-8）

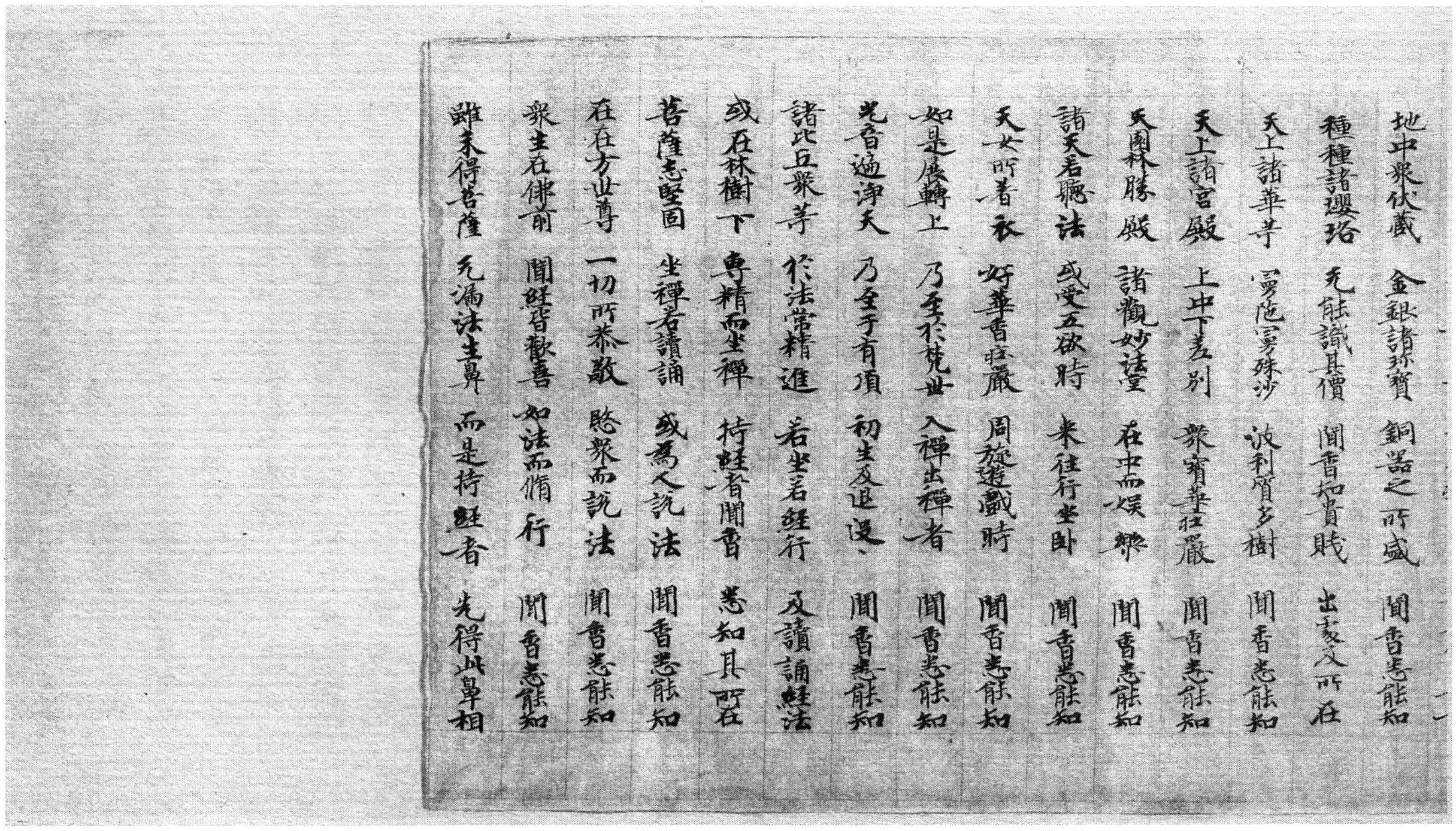
地中衆伏藏 金銀諸珎寶 銅器之所盛 聞香悉能知
種種諸瓔珞 无能識其價 聞香知貴賤 出處及所在
天上諸華等 曼陀曼殊沙 波利質多樹 聞香悉能知
天上諸宮殿 上中下差別 衆寶華莊嚴 聞香悉能知
天園林勝殿 諸觀妙法堂 在中而娛樂 聞香悉能知
諸天若聽法 或受五欲時 來往行坐臥 聞香悉能知
天女所著衣 好華香莊嚴 周旋遊戲時 聞香悉能知
如是展轉上 乃至於梵世 入禪出禪者 聞香悉能知
光音遍淨天 乃至于有頂 初生及退沒 聞香悉能知
諸比丘衆等 於法常精進 若坐若經行 及讀誦經法
或在林樹下 專精而坐禪 持經者聞香 悉知其所在
菩薩志堅固 坐禪若讀誦 或為人說法 聞香悉能知
在在方世尊 一切所恭敬 愍衆而說法 聞香悉能知
衆生在佛前 聞經皆歡喜 如法而脩行 聞香悉能知
雖未得菩薩 无漏法生鼻 而是持經者 先得此鼻相

BD00143號　妙法蓮華經卷六　（9-9）

欲以明□之除冥維摩詰言菩薩如是
雖生不淨佛土為化衆生不與愚闇而共合
也但滅衆生煩惱闇耳
是時大衆渴仰欲見妙喜世界不動如來及
其菩薩聲聞之衆佛知一切衆會所念告
維摩詰言善男子為此衆會現妙喜國不
動如來及諸菩薩聲聞之衆衆皆欲見於是
維摩詰心念吾當不起于坐接妙喜國鐵
圍山川溪谷江河大海泉源須弥諸山及日月
星宿天龍鬼神梵天等宮并諸菩薩聲聞
之衆城邑聚落男女大小乃至无動如來及
菩提樹諸妙蓮華能於十方作佛事者三道
寶階從閻浮提至忉利天以此寶階諸天來
下悉為礼敬无動如來聽受經法閻浮提人
亦登其階上昇忉利天見彼諸天妙喜世界
成就如是无量功德上至阿迦膩吒天下至水
際以右手斷取如陶家輪入此世界猶持華
鬘示一切衆作是念已入於三昧現神通力以
其右手斷取妙喜世界置於此土彼得神通
菩薩及聲聞衆并餘天人俱發聲言唯然
世尊誰取我去願見救護无動佛言非我所
為是維摩詰神力所作其餘未得神通者不

BD00144 號　維摩詰所說經卷下　（9–1）

菩薩及聲聞衆并餘天人俱發聲言唯然
世尊誰取我去願見救護无動佛言非我所
為是維摩詰神力所作其餘未得神通者不
覺不知己之所往妙喜世界雖入此土而不增減
於是世界亦不迫隘如本无異
尒時釋迦牟尼佛告諸大衆汝等且觀妙喜
世界无動如來其國嚴飾菩薩行淨弟子
清白皆曰唯然已見佛言若菩薩欲得如是
清淨佛土當學无動如來所行之道現此妙
喜國時娑婆世界十四那由他人發阿耨多羅
三藐三菩提心皆願生於妙喜佛土釋迦牟
尼佛即記之曰當生彼國時妙喜世界於此
國土所應饒益其事訖已還復本處舉衆
皆見佛告舍利弗汝見此妙喜世界及无動
佛不唯然已見世尊願使一切衆生得清淨土
如无動佛獲神通力如維摩詰世尊我等快
得善利得見是人親近供養其諸衆生若今
現在若佛滅後聞此經者亦得善利況復聞
已信解受持讀誦解說如法脩行若有手
得是經典者便為已得法寶之藏若有讀
誦解釋其義如說脩行則為諸佛之所護
念其有供養如是人者當知則為供養於佛
其有書持此經卷者當知其室則有如來若
聞是經能隨喜者斯人則為取一切智若能
信解此經乃至一四句偈為他說者當知此人

BD00144 號　維摩詰所說經卷下　（9–2）

其有書持此經卷者當知其室則有如來若
聞是經能隨喜者斯人則為取一切智若能
信解此經乃至一四句偈為他說者當知此人
即是受阿耨多羅三藐三菩提記

法供養品第十三

尒時釋提桓因於大衆中白佛言世尊我
雖從佛及文殊師利聞百千經未曽聞此
不可思議自在神通決定實相經典如我解
佛所說義趣若有衆生聞是經法信解受
持讀誦之者必得是法不疑何況如說脩行
斯人則為閉衆惡趣開諸善門常為諸佛
之所護念降伏外學摧滅魔怨脩治菩提安
處道場履踐如來所行之跡世尊若有受持
讀誦如說脩行者我當與諸眷屬供養給
事所在聚落城邑山林曠野有是經處我亦
與諸眷屬聽受法故共到其所其未信者當
令生信其已信者當為作護佛言善哉善哉
天帝如汝所說吾助尒喜此經廣說過去未來
現在諸佛不可思議阿耨多羅三藐三菩提
是故天帝若善男子善女人受持讀誦供養
是經者則為供養去來今佛天帝正使三千
大千世界如來滿中譬如甘蔗竹葦稻麻叢林
若有善男子善女人或一劫或減一劫恭敬尊
重讚歎供養奉諸所安至諸佛滅後以一一全
身舍利起七寶塔縱廣一四天下高至梵天表
刹莊嚴以一切華香瓔珞幢幡伎樂微妙

BD00144號　維摩詰所說經卷下　（9–3）

身舍利起七寶塔縱廣一四天下高至梵天表
刹莊嚴以一切華香瓔珞幢幡伎樂微妙第
一若一劫若減一劫而供養之於天帝意云
何其人殖福寧為多不釋提桓因言多矣世
尊彼之福德若以百千億劫說不能盡佛
告天帝當知是善男子善女人聞是不可思
議解脫經典信解受持讀誦脩行福多於
彼所以者何諸佛菩提皆從是生菩提之相
不可限量以是因緣福不可量
佛告天帝過去无量阿僧祇劫時世有佛号
曰藥王如來應供正遍知明行足善逝世間
解无上士調御丈夫天人師佛世尊世界曰大
莊嚴劫曰莊嚴佛壽二十小劫其聲聞僧
三十六億那由他菩薩僧有十二億天帝是
時有轉輪聖王名曰寶蓋七寶具足主四天
下王有千子端正勇健能伏怨敵尒時寶蓋
與其眷屬供養藥王如來施諸所安至滿五
劫過五劫已告其千子汝等亦當如我以深
心供養於佛於是千子受父王命供養藥王
如來復滿五劫一切施安其王一子名曰月蓋獨
坐思惟寧有供養殊過此者以佛神力空
中有天曰善男子法之供養勝諸供養即
問何謂法之供養天曰汝可往問藥王如來
當廣為汝說法之供養即時月蓋王子行
詣藥王如來稽首佛足却住一面白佛言世

BD00144號　維摩詰所說經卷下　（9–4）

當廣為汝說法之供養即時月蓋王子行
詣藥王如來稽首佛足却住一面白佛言世
尊諸供養中法供養勝云何為法供養佛
言善男子法供養者諸佛所說深經一切世
間難信難受微妙難見清淨无染非但分別
思惟之所能得菩薩法藏所攝陁羅尼印印
之至不退轉成就六度善分別義順菩提法
衆經之上入大慈悲離衆魔事及諸邪見順
因緣法无我无衆生无壽命空无相无作无起
能令衆生坐於道場而轉法輪諸天龍神乾
闥婆等所共歎譽能令衆生入佛法藏攝
諸賢聖一切智慧說衆菩薩所行之道依於
諸法實相之義明宣无常苦空无我寂滅能
救一切毀禁衆生諸魔外道及貪著者能使
怖畏諸佛賢聖所共稱歎背生死苦示涅槃
樂十方三世諸佛所說若聞如是等經信解
受持讀誦以方便力為諸衆生分別解說顯
示分明守護法故是名法之供養又於諸法
如說脩行隨順十二因緣離諸邪見得无生
忍決定无我无有衆生而於因緣果報无違
无諍離諸我所依於義不依語依於智不依
識依了義經不依不了義經依於法不依人
隨順法相无所入无所歸无明畢竟滅故諸行
亦畢竟滅乃至生畢竟滅故老死亦畢竟滅
作如是觀十二因緣无有盡相不復起見是名

亦畢竟滅乃至生畢竟滅故老死亦畢竟滅
作如是觀十二因緣无有盡相不復起見是名
最上法之供養
佛告天帝王子月蓋從藥王佛聞如是法得
柔順忍即解寶衣嚴身之具以供養佛白
佛言世尊如來滅後我當行法供養守護
正法願以威神加哀建立令我得降魔怨脩
菩薩行佛知其深心所念而記之曰汝於末
後守護法城天帝時王子月蓋見法清淨聞
佛受記以信出家脩集善法精進不久得五
神通菩薩道得陁羅尼无斷辯才於佛滅後
以其所得神通總持辯才之力滿十小劫藥
王如來所轉法輪隨而分布月蓋比丘以守護
法勤行精進即於此身化百万億人於阿耨
多羅三藐三菩提立不退轉十四那由他人深
發聲聞辟支佛心无量衆生得生天上天
帝時王寶蓋豈異人乎今現得佛号寶炎
如來其王千子即賢劫中千佛是也從迦羅
鳩村馱為始得佛最後如來号曰樓至月
蓋比丘則我身是如是天帝當知此要以法
供養於諸供養為上為最第一无比是故天
帝當以法之供養供養於佛

囑累品第十四

於是佛告弥勒菩薩言弥勒我今以是无量
億阿僧祇劫所集阿耨多羅三藐三菩提付
囑於汝如是輩經於佛滅後末世之中汝等

於是佛告弥勒菩薩言弥勒我今以是无量
億阿僧祇劫所集阿耨多羅三藐三菩提付
屬於汝如是輩經於佛滅後末世之中汝等
當以神力廣宣流布於閻浮提无令斷絶所
以者何未來世中當有善男子善女人及天
龍鬼神乾闥婆羅刹等發阿耨多羅三藐
三菩提心樂于大法若使不聞如是等經則
失善利如此輩人聞是等經必多信樂發希
有心當以頂受隨諸衆生所應得利而為廣
説弥勒當知菩薩有二相何謂為二一者好於
雜句文飾之事二者不畏深義如實能入若
好雜句文飾事者當知是為新學菩薩若
於如是无染无著甚深經典无有恐畏能入
其中聞已心淨受持讀誦如説脩行當知是
為久脩道行弥勒復有二法名新學者不能
決定於甚深法何等為二一者所未聞深經
聞之驚怖生疑不能隨順毀謗不信而作是
言我初不聞從何所來二者若有護持解説
如是深經者不肯親近供養恭敬或時於中
説其過惡有此二法當知是新學菩薩為自
毀傷不能於深法中調伏其心弥勒復有二
法菩薩雖信解深法猶自毀傷而不能得
无生法忍何等為二一者輕慢新學菩薩而
不教誨二者雖解深法而取相分別是為二法
弥勒菩薩聞説是已白佛言世尊未曾有也

不教誨二者雖解深法而取相分別是為二法
弥勒菩薩聞説是已白佛言世尊未曾有也
如佛所説我當遠離如斯之惡奉持如來无
數阿僧祇劫所集阿耨多羅三藐三菩提法
若未來世善男子善女人求大乘者當令手
得如是等經與其念力使受持讀誦為他廣
説世尊若後末世有能受持讀誦為他説者
當知是弥勒神力之所建立佛言善哉善哉
弥勒如汝所説佛助尒喜於是一切菩薩合
掌白佛我等亦於如來滅後十方國土廣宣
流布阿耨多羅三藐三菩提復當開道説諸
法者令得是經
尒時四天王白佛言世尊在在處處城邑聚
落山林曠野有是經卷讀誦解説者我當
率諸官屬為聽法故往詣其所擁護其人
面百由旬令无伺求得其便者是時佛告阿
難受持是經廣宣流布阿難言唯我已受
持要者世尊當何名斯經佛言阿難是經
名為維摩詰所説亦名不可思議解脱法門
如是受持佛説是經已長者維摩詰文殊師
利舍利弗阿難等及諸天人阿脩羅一切大
衆聞佛所説皆大歡喜

維摩詰經卷下

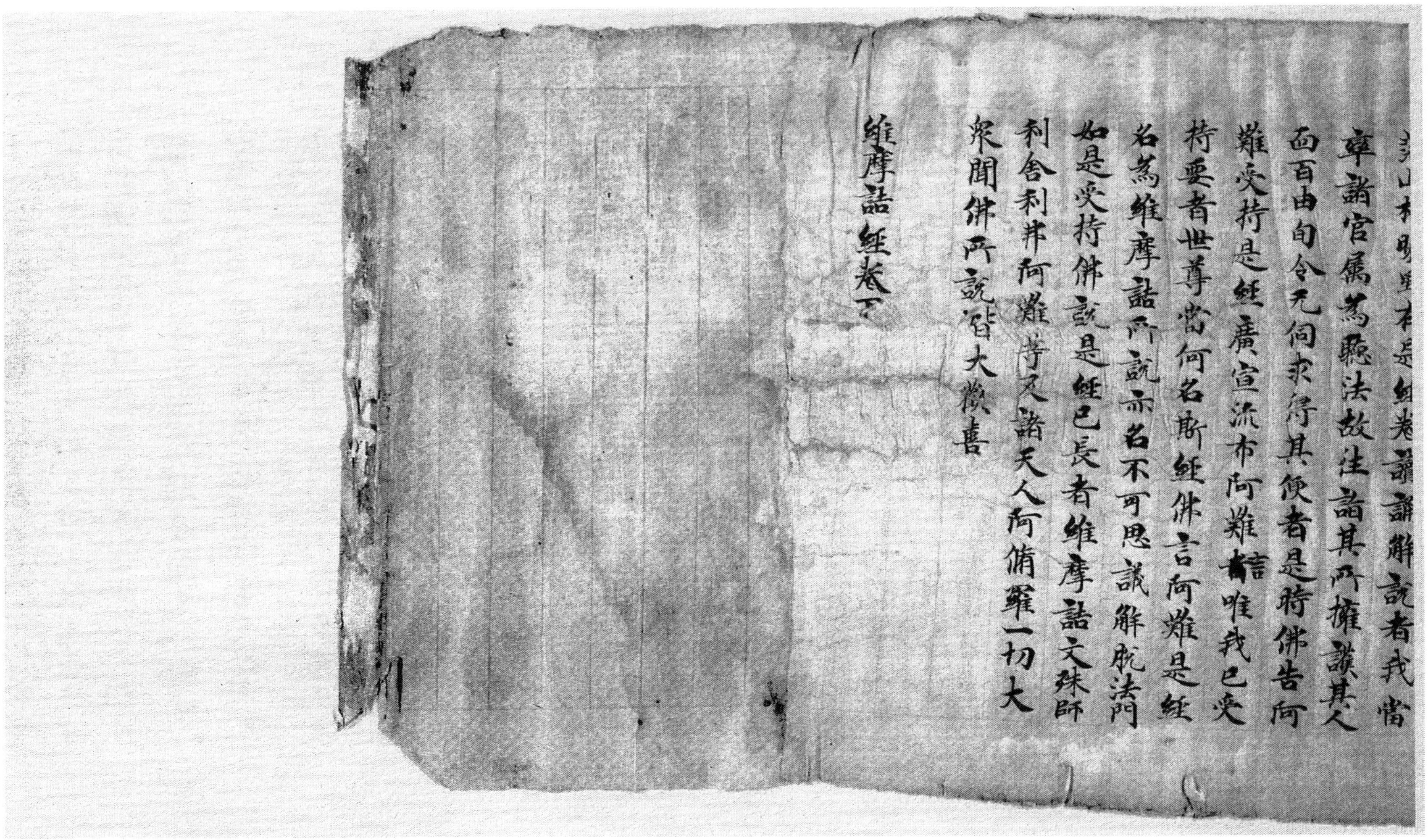

若山林曠野有是經卷讀誦解說者我當
率諸官屬為聽法故往詣其所擁護其人
面百由旬令无伺求得其便者是時佛告阿
難受持是經廣宣流布阿難言唯我已受
持要者世尊當何名斯經佛言阿難是經
名為維摩詰所說亦名不可思議解脫法門
如是受持佛說是經已長者維摩詰文殊師
利舍利弗阿難等及諸天人阿脩羅一切大
衆聞佛所說皆大歡喜

維摩詰經卷下

BD00144 號　維摩詰所說經卷下　（9–9）

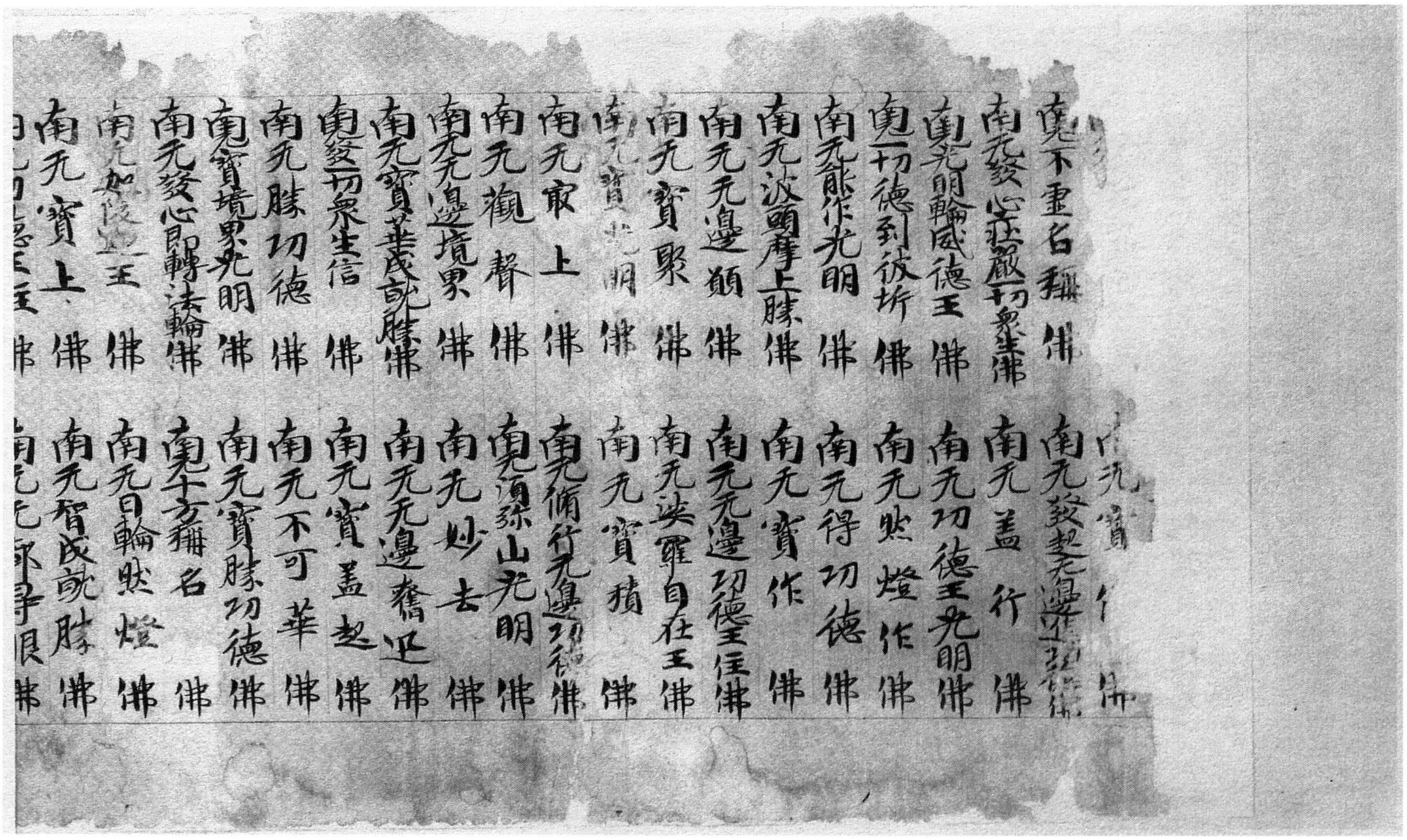

[illegible]无寶[illegible]佛
南无下重石稱佛　南无發起无邊功德佛
南无發心莊嚴一切衆生佛　南无蓋行佛
南无明輪威德王佛　南无功德王光明佛
南无一切德到彼岸佛　南无然燈作佛
南无能作光明佛　南无得功德佛
南无波頭摩上勝佛　南无寶作佛
南无无邊顏佛　南无无邊功德王住佛
南无寶聚佛　南无娑羅自在王佛
南无寶光明佛　南无寶積佛
南无寂上佛　南无脩行无邊功德佛
南无觀聲佛　南无須彌山光明佛
南无无邊境界佛　南无妙去佛
南无寶莊嚴勝佛　南无无邊奮迅佛
南无發一切衆生信佛　南无寶蓋起佛
南无勝功德佛　南无不可華佛
南无寶境界光明佛　南无寶勝功德佛
南无發心即轉法輪佛　南无十方稱名佛
南无如[illegible]王佛　南无日輪然燈佛
南无寶上佛　南无智成就勝佛
[illegible]王佛　南无[illegible]根佛

BD00145 號　佛名經（二十卷本）卷一七　（24–1）

南无如[illegible]王佛　南无日輪炤燈佛
南无寶上佛　南无智成就勝佛
南无功德王住佛　南无无鄣导眼佛
南无无畏佛（方百）　南无智積佛
南无發无譬喻相佛　南无積光明輪威德佛
南无因意佛　南无那羅延佛
南无无垢離光佛　南无月積佛
南无清淨意佛　南无安隱佛
南无發起善思惟佛　南无能破諸恐佛
南无憂波羅功德佛　南无能破諸恐佛
南无稱力王佛　南无无邊光明雲香弥留佛
南无種種色華佛　南无无邊光佛
南无能轉能住佛　南无勝香佛
南无寶勝佛　南无香山佛
南无信一切衆生心智見佛　南无无相聲佛
南无智功德積佛　南无无鄣聲佛
南无一蓋藏佛　南无不動勢佛
南无迦葉佛　南无觀見一切境界佛
南无上首佛　南无成義佛
南无成勝佛　南无稱佛
南无離一切疑佛　南无智德佛
南无功德乘佛　南无星宿王佛
南无可量離光佛　南无旃檀佛
南无羅網光佛　南无梵聲佛

BD00145 號　佛名經（二十卷本）卷一七

（24–2）

南无可量離光佛　南无旃檀佛
南无羅網光佛　南无梵聲佛
南无不可量寶體勝佛　南无一切法无礙佛
南无發一切衆生不斷絕脩行佛　南无无邊奮迅佛
南无見一切法佛　南无見一切法平等佛
南无成就无邊功德佛　南无智高光明佛
南无波頭摩上佛　南无十方上佛
南无華成就功德佛　南无堅固衆生佛
南无智光明佛　南无智衆佛
南无離藏佛　南无明王佛
南无不分別脩行佛　南无无邊智稱佛
南无旃檀屋勝佛　南无无比智華成佛
南无善住娑羅王佛　南无勝月光明佛
南无須弥聚佛　南无稱名佛
南无過十方稱佛　南无稱名親佛
南无稱堅固佛　南无離憂惱佛
南无波頭摩勝王功德佛　南无散華離光佛
南无普放香光明佛　南无波那陁眼佛
南无放炎佛　南无十方稱名佛
南无光明弥留佛　南无寶光明佛
南无照尸棄佛　南无三界境界勢佛
南无无明輪佛　南无虛空家境界佛
南无盡境界佛　南无妙寶聲佛
南无普境界佛　南无智稱佛

BD00145 號　佛名經（二十卷本）卷一七

（24–3）

南无普境界佛 南无智稱佛
南无明輪境界勝王佛 南无善住佛
南无成就佛寶功德佛 南无起智功德佛
南无一切功德佛 南无佛境界清淨佛
南无超智光明威德精衆佛 南无成就波頭摩王佛
南无第一境界法佛 南无半光明佛
南无香像佛 南无成就波頭摩功德佛
南无稱種功德佛 南无寶山佛
南无點慧行佛 南无能作无畏佛
南无无邊功德勝佛 南无光明難兜佛
南无作无邊功德佛 南无成就一切勝功德佛
南无住持炬佛 南无勝醜對佛
南无勝王佛 南无星宿王佛
南无无邊山佛 南无虛空輪清淨王佛
南无无邊聲佛 南无无邊光明佛
南无寶弥留佛 南无種種寶佛
南无拘脩摩放佛 南无上首佛
南无无垢離垢發脩行光明佛 南无金色華佛
南无寶窟佛 南无種種華成就佛
南无放光明佛 南无成就華佛
南无華蓋佛 南无不空發脩行佛
南无勝力王佛 南无淨聲王佛
南无无邊上首佛 南无无鄣眼佛
南无破諸趣佛 南无離疑佛

BD00145 號　佛名經（二十卷本）卷一七　　（24–4）

南无无邊上首佛 南无无鄣眼佛
南无破諸趣佛 南无離疑佛
南无无相聲佛 南无畢竟成就无邊功德佛
南无寶成就勝佛 南无波頭摩得勝功德佛
南无寶妙佛 南无三世无导發脩行佛
南无无邊照佛 南无寶弥留佛
南无勢燈勝王佛 南无成就智德佛
南无炬然燈佛 南无上光明佛
南无功德王光明佛 南无弗沙佛
南无梵聲佛 南无功德輪佛
南无十方燈佛 南无佛華成就德佛
南无娑羅自在王佛 南无華鬘佛
南无寶積佛 南无見種種佛
南无藥王佛 南无最上佛
南无賢勝佛 南无香妙佛
南无香勝難兜佛 南无栴檀屋佛
南无无邊精進佛 南无過十光佛
南无佛波頭摩妙佛 南无无邊境界佛
南无寶佛波頭摩成就勝王佛 南无寶羅網佛
南无善住王佛 南无最勝香王佛
南无能與一切樂佛 南无能現一切念佛
南无不空名稱佛 南无寶光明佛
南无安隱與一切衆生樂佛 南无无邊虛空莊嚴勝佛
南无善莊嚴佛 南无虛空難兜佛
南无普華成就勝佛 南无可樂勝佛

BD00145 號　佛名經（二十卷本）卷一七　　（24–5）

南无安隱與一切衆生樂佛　南无无邊虛空莊嚴勝佛
南无善莊嚴佛　南无虛空難降佛
南无普華成就勝佛　南无可樂勝佛
南无无邊境界來佛　南无淨眼佛
南无高山佛　南无不可降伏幢佛
南无可詣佛　南无无邊无際諸山佛
南无月輪莊嚴王佛　南无寂勝弥留佛
南无樂成就德佛　南无清淨諸弥留佛
南无安樂德佛　南无梵德佛
南无无导目佛　南无作无邊功德佛
南无威德王佛　南无梵勝佛
南无善思惟成就諸願佛　南无清淨輪王佛
南无智高佛　南无勇猛仙佛
南无智積佛　南无作方佛
南无能忍佛　南无離諸有佛
南无智讃佛（一云言）　南无妙功德佛
南无隨衆生心現境界佛　南无鏡佛
南无无邊寶佛　南无離一切愛鏡界无畏佛
南无无导寶光明佛　南无无导照佛
南无念一切鏡界佛　南无能現一切佛像佛
南无无相體佛　南无化聲佛
南无化聲善聲佛　南无寶成就勝功德佛
南无海弥留佛　南无无垢慧佛
南无智華成就佛　南无高威德山佛
南无家佛　南无離恨佛

南无海弥留佛　南无无垢慧佛
南无智華成就佛　南无高威德山佛
南无家佛　南无離恨佛
南无離一切諸道佛　南无成就不可量功德佛
南无永无畏香佛　南无无鄣导香光明佛
南无雲妙鼓聲佛　南无成就勝功德佛
南无无邊勢力步佛　南无須弥山堅佛
南无勝香須弥佛　南无无邊光佛
南无普見佛　南无得无畏佛
南无月燈佛　南无火燈佛
南无智積佛　南无作方便佛
南无勢燈佛　南无高脩佛
南无金剛生佛　南无智自在王脩佛
南无智力稱佛　南无无畏上佛
南无功德王佛　南无波波娑佛
南无善眼佛　南无妙莊嚴佛
南无寶蓋佛　南无香烏佛
南无无邊境界不空稱佛　南无不可思議功德光明佛
南无種種華佛　南无无畏王佛
南无常藏香佛　南无妙藥樹王佛
南无常求安樂佛　南无无邊意行佛
南无无邊境界佛　南无无邊光佛
南无无邊目佛　南无无邊虛空境界佛
南无聲色境界佛　南无星宿王佛
南无香上首佛　南无虛空勝佛

南无香上首佛　南无虛空勝佛
南无勝功德佛　南无現諸方佛
南无妙弥留佛　南无无鄣眼佛
南无娑伽羅佛　南无庭燎佛
南无毗雞兜佛　南无无垢月威德光佛
南无智山佛　南无稱力王佛
南无功德王光明佛　南无智見佛
南无波頭勝成就佛　南无寶火佛
南无寶蓮華勝佛　南无斷諸疑佛
南无領勝衆佛　南无雞兜王佛
南无華勝佛　南无放光明佛
南无毗波頭摩光明佛　南无方王法雞兜佛
南无无邊步佛　南无娑伽羅山佛
南无阿謨荷見佛　南无无鄣导吼聲佛
南无无邊功德稱光明佛
南无世間退解无差別修行佛
南无无邊照佛　南无善眼佛
南无一蓋藏佛　南无放光明佛
南无過去未來現在發修行佛　南无无邊華佛
南无无邊淨佛　一万四百　南无无邊光佛
南无无邊照佛　南无无邊明佛
南无妙明佛　南无无邊境界佛
南无无邊步佛　南无等蓋行佛
南无寶蓋佛　南无星宿王佛

BD00145號　佛名經（二十卷本）卷一七　（24-8）

南无无邊步佛　南无等蓋行佛
南无寶蓋佛　南无星宿王佛
南无善星宿佛　南无光明輪佛
南无寶蓋佛　南无星宿王佛
南无善星宿佛　南无光明輪佛
南无光明王佛　南无勝光明功德佛
南无不可量光佛　南无勝佛
南无不可量境界步佛　南无无导聲吼佛
南无大雲光佛　南无闍梨尼山佛
南无佛華光明佛　南无波頭摩勝華山王佛
南无星宿上首佛　南无放光明佛
南无三同單那堅佛　南无不空見佛
南无頂勝功德佛　南无波頭頂勝功德佛
南无无癡佛　南无能度佛
南无无迷步佛　南无離愚境界佛
南无无闇光明佛　南无无邊精進佛
南无婆羅自在王佛　南无寶婆羅佛
南无一蓋佛　南无莊嚴佛
南无寶聚佛　南无栴檀聚香佛
南无栴檀屋佛　南无无邊光明佛
南无光輪佛　南无山莊嚴佛
南无无鄣导眼佛　南无善眼佛
南无寶成佛　南无一切德勝佛
南无成就佛華功德佛　南无善住意佛
南无无邊方便佛　南无不空功德佛

BD00145號　佛名經（二十卷本）卷一七　（24-9）

南无成就佛華功德佛　南无善住意佛
南无无邊方便佛　南无不空功德佛
南无寶勢佛　南无无邊脩行佛
南无莊嚴无邊功德佛　南无虛空輪光佛
南无无相聲佛　南无藥王佛
南无不怯弱佛　南无離諸畏毛竪佛
南无功德王光明佛　南无觀智起華佛
南无虛空家佛　南无虛空聲佛
南无虛空莊嚴佛　南无大眼佛
南无勝功德佛　南无成佛
南无佛波頭摩德佛　南无成功德佛
南无師子勝佛　南无成就義佛
南无師子護佛　南无善住王佛
南无梵山佛　南无淨目佛
南无不虛跡步佛　南无香烏佛
南无香德佛　南无香弥留佛
南无无邊眼佛　南无財屋佛
南无香山佛　南无寶師子佛
南无堅固衆生佛　南无妙勝住王佛
南无无邊境界勝王佛　南无勝精進王佛
南无无疑佛　南无善星宿王佛
南无然燈佛　南无能作光明佛
南无光明山佛　南无光明輪佛
南无妙蓋佛　南无香蓋佛
南无寶蓋佛一万　南无香雲蓋佛

南无光明山佛　南无光明輪佛
南无妙蓋佛　南无香蓋佛
南无寶蓋佛一万　南无香雲蓋佛
南无旃檀勝佛　南无須弥山積聚佛
南无淨勝佛　南无淨眼佛
南无不怯弱佛　南无寶勝佛
南无娑羅王佛　南无發脩行轉女根佛
南无種種寶光明佛　南无堅固自在王佛
南无發无邊脩行佛　南无最妙光佛
南无閻浮檀光明山佛　南无因王佛
南无梵勝佛　南无稱身佛
南无華山佛　南无轉胎佛
南无轉難佛　南无斷諸念佛
南无發起諸念佛　南无常脩行佛
南无善住佛　南无一藏佛
南无一山佛　南无无邊身佛
南无无邊精進佛　南无光明輪佛
南无无邊功德王光佛　南无降伏一切諸怨佛
南无過一切魔境界佛　南无不可量華佛
南无不可量香佛　南无不可量聲佛
南无光明頂佛　南无光明勝佛
南无不離二佛　南无輪佛
南无不可量佛華光明佛　南无不可量聲佛
南无光明山佛　南无娑羅自在王佛

南无不可量佛華光明佛　南无不可量聲佛
南无光明山佛　南无娑羅自在王佛
南无日面佛　南无善目佛
南无虛空佛　南无寶華佛
南无寶成佛　南无月華佛
南无發諸行佛　南无斷諸世間佛
南无无邊樂說佛　南无離諸覺畏佛
南无樂說一切境界佛　南无普光明佛
南无香光佛　南无香弥留佛
南无香勝佛　南无香像佛
南无香林佛　南无香王佛
南无波頭摩勝王佛　南无佛境界佛
南无寂妙佛　南无妙勝佛
南无散華佛　南无華蓋鵰佛
南无華屋佛　南无金色華佛
南无香華佛　南无弥留王佛
南无導師佛　南无勝諸衆生佛
南无斷阿叉梛佛　南无發善行佛
南无善華佛　南无无邊香佛
南无普散香光明佛　南无普散香佛
南无普散光佛　南无普散波頭摩勝佛
南无寶闍梨尼手佛　南无起王佛
南无普佛國土一善佛　南无善任王佛
南无妙香佛　南无无邊智境界佛

南无普佛國土一善佛　南无善任王佛
南无妙香佛　南无无邊智境界佛
南无不空發佛　南无不空見佛
南无无鄣目佛　南无不動佛
南无發生菩提心佛　南无无量眼佛
南无有燈佛　南无普照佛
南无光明佛　南无一切佛國土佛
南无斷慈一切衆樂說佛　南无无垢步佛
南无无跡步佛 方音　南无離一切憂佛
南无能離一切衆生有佛　南无樂脩行勝佛
南无无畏王佛　南无勝山佛
南无香面佛　南无俱隣佛
南无大力勝佛　南无寶憂波羅勝佛
南无拘牟頭成佛　南无高聲眼佛
南无上首佛　南无華成佛
南无无邊光明佛　南无月出光佛
南无十方稱佛　南无多羅娑王增上佛
南无无邊光明佛　南无寂勝香山佛
南无无畏佛　南无成就无畏德佛
南无成就見无邊頭功德佛　南无一切德莊嚴佛
南无華王佛　南无不可降伏幢佛
南无增上讚光佛　南无驚怖波頭摩勝王佛
南无不異心成就勝佛　南无一切上佛
南无虛空輪清淨王佛　南无无相聲孔佛

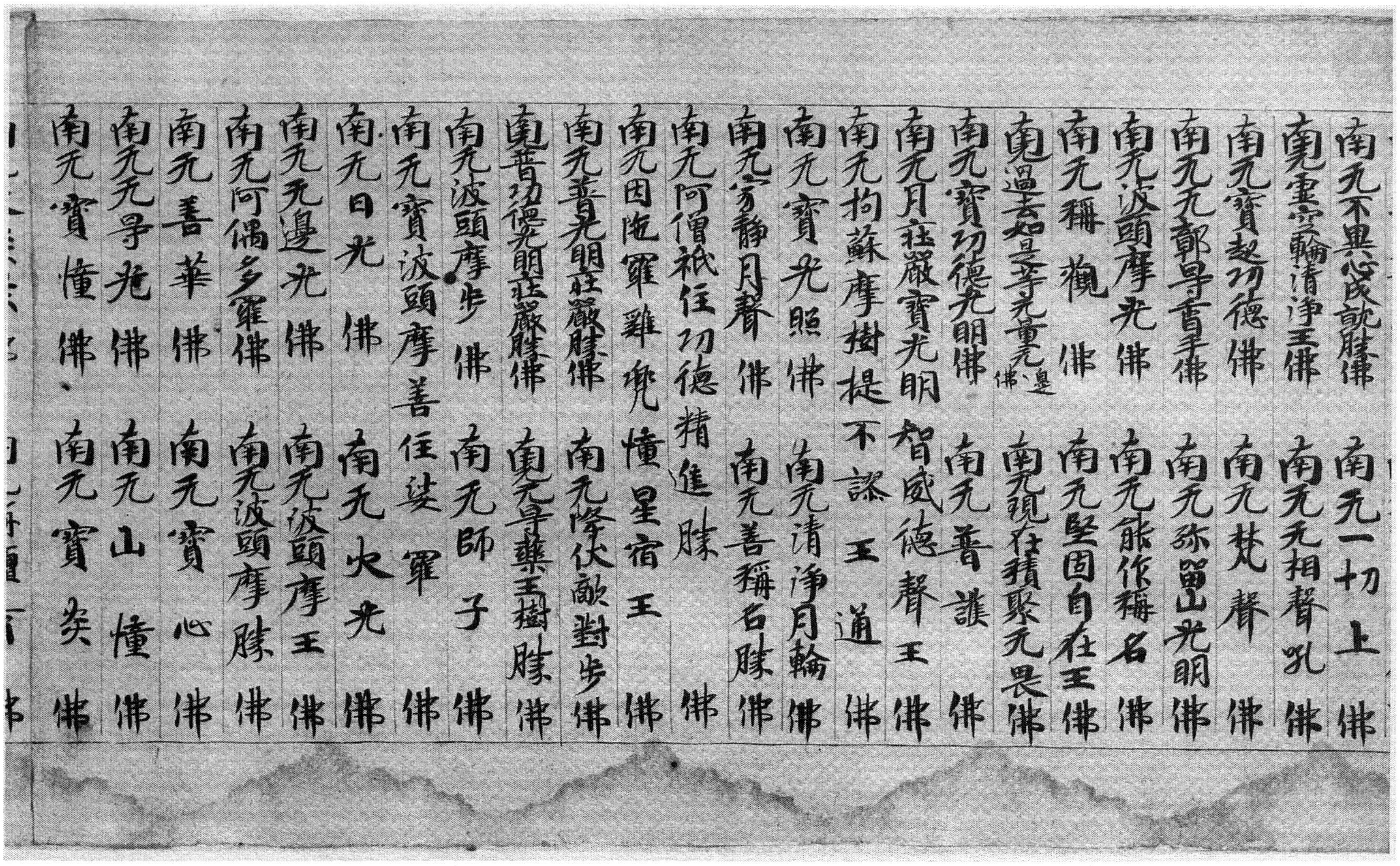
南无不異心成就勝佛　南无一切上佛
南无虛空輪清淨王佛　南无无相聲乳佛
南无寶起功德佛　南无梵聲佛
南无無鄣导香手佛　南无弥留山光明佛
南无波頭摩光佛　南无能作稱名佛
南无稱觀佛　南无堅固自在王佛
南无過去如是等无量无邊佛　南无現在積聚无畏佛
南无寶功德光明佛　南无普護佛
南无月莊嚴寶光明智威德聲王佛
南无拘蘇摩樹提不誑王道佛
南无寶光照佛　南无清淨月輪佛
南无寂靜月聲佛　南无善稱名勝佛
南无阿僧祇住功德精進勝佛
南无因陀羅雞兜幢星宿王佛
南无普光明莊嚴勝佛　南无降伏敵對步佛
南无普功德光明莊嚴勝佛　南无导藥王樹勝佛
南无波頭摩步佛　南无師子佛
南无寶波頭摩善住娑羅佛
南无日光佛　南无火光佛
南无无邊光佛　南无波頭摩王佛
南无阿偶多羅佛　南无波頭摩勝佛
南无善華佛　南无寶心佛
南无无导光佛　南无山幢佛
南无寶幢佛　南无寶炎佛

BD00145號　佛名經（二十卷本）卷一七　（24–14）

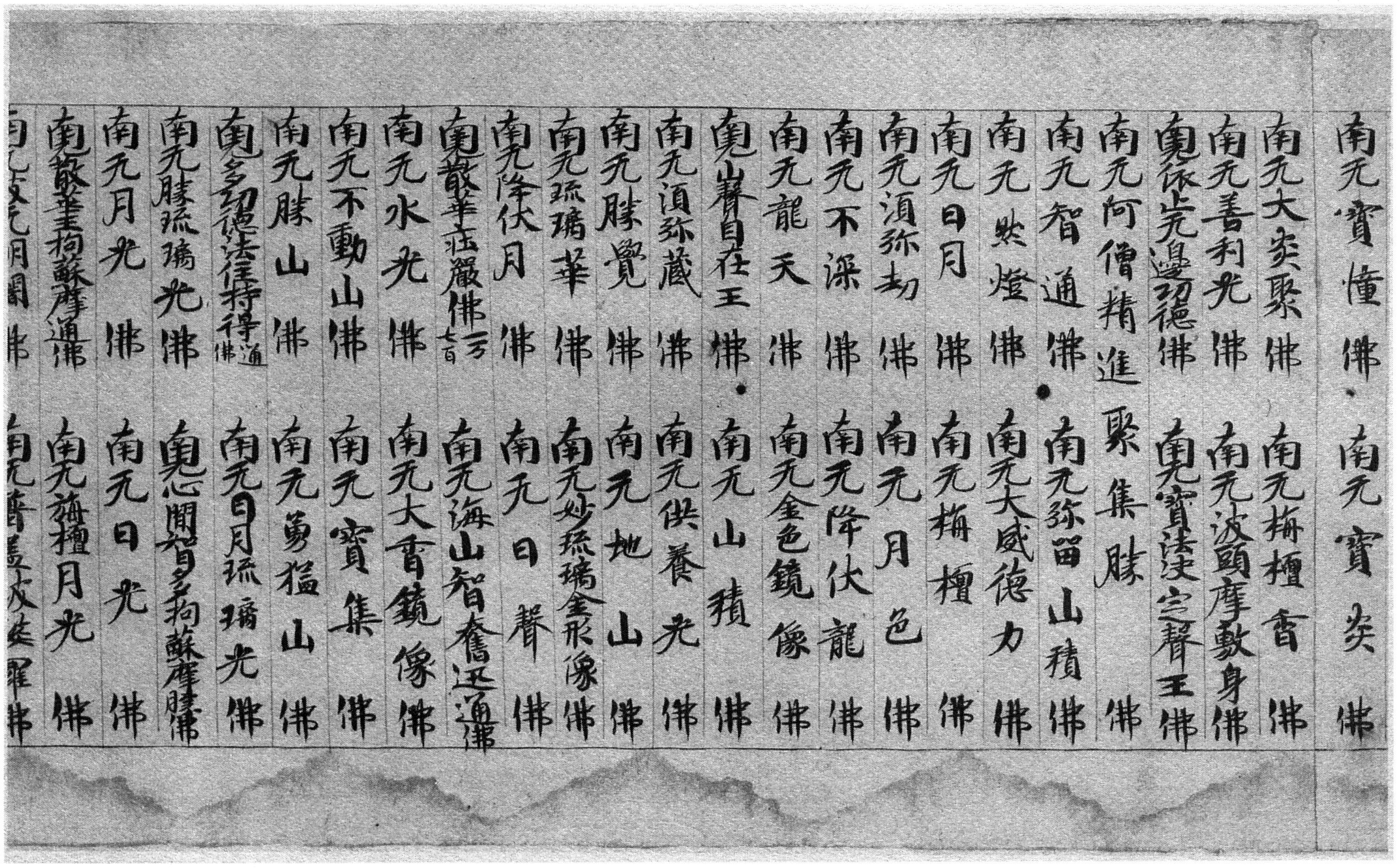
南无寶幢佛　南无寶炎佛
南无大炎聚佛　南无栴檀香佛
南无善利光佛　南无波頭摩數身佛
南无依止无邊功德佛　南无寶法决定聲王佛
南无阿僧精進聚集勝佛
南无智通佛　南无弥留山積佛
南无然燈佛　南无大威德力佛
南无日月佛　南无栴檀佛
南无須弥劫佛　南无月色佛
南无不深佛　南无降伏龍佛
南无龍天佛　南无金色鏡像佛
南无山聲自在王佛　南无山積佛
南无須弥藏佛　南无供養光佛
南无勝覺佛　南无地山佛
南无琉璃華佛　南无妙琉璃金形像佛
南无降伏月佛　南无日聲佛
南无散華莊嚴佛　七百　南无海山智奮迅通佛
南无水光佛　南无大香鏡像佛
南无不動山佛　南无寶集佛
南无勝山佛　南无勇猛山佛
南无多功德法住持得通佛　南无日月琉璃光佛
南无勝琉璃光佛　南无心聞智多拘蘇摩勝佛
南无月光佛　南无日光佛
南无散華拘蘇摩通佛　南无栴檀月光佛
南无支无月閻佛　南无齊蓋大娑羅佛

BD00145號　佛名經（二十卷本）卷一七　（24–15）

南无尸光佛　南无日光佛
南无散華拘蘇摩遍佛　南无旃檀月光佛
南无破无明闇佛　南无普蓋波娑羅佛
南无星宿佛　南无弗沙佛
南无法慧增長佛　南无師子鵝王山吼佛
南无梵聲龍奮迅佛　南无世間因陀羅佛
南无世間自在王佛　南无可得報佛
南无甘露聲佛　南无樹提光佛
南无那延首龍佛　南无力天佛
南无師子佛　南无毗羅闍光佛
南无世間家上佛　南无山嶽佛
南无人自在王佛　南无華勝佛
南无得四无畏佛　南无寶勝威德王劫佛
南无不可嫌身佛　南无稱讃佛
南无稱威德佛　南无稱名聲佛
南无稱聲供養佛　南无勇猛稱佛
南无聲清淨佛　南无智勝善黠慧佛
南无智勝成就佛　南无智炎佛
南无妙智佛　南无智炎聚佛
南无智勇猛佛　南无梵聲佛
南无梵勝佛　南无淨天佛
南无善髀佛　南无善淨天佛
南无梵聲佛　南无淨自在佛
南无淨善眼佛　南无淨聲自在王佛
南无善淨德佛　南无威德力增上佛

[illegible]
南无淨善眼佛　南无淨聲自在王佛
南无善淨德佛　南无威德力增上佛
南无善數自在佛　南无威德大勢力佛
南无勝威德佛　南无毗摩勝佛
南无毗摩意佛　南无善毗摩佛
南无毗摩面佛　南无毗摩成就佛
南无毗摩妙佛　南无見寶佛
南无須尼多佛　南无善眼清淨佛
南无无邊眼佛　南无普眼佛
南无无等眼佛　南无勝眼佛
南无不可降伏眼佛　南无不動眼佛
南无家勝佛　南无善家佛
南无善家諸根佛　南无家勝佛
南无家功德佛　南无家彼岸佛
南无善住佛　南无家心佛
南无家意佛　南无家靜燈佛
南无自在王佛　南无眾勝佛
南无淨王佛　南无大眾自在勇猛佛
南无眾勝解脫佛　南无法幢佛
南无法難兜佛　南无法起佛
南无法體勝佛　南无法力自在勝佛
南无法勇猛佛万合　南无樂說山佛
南无寶火佛　南无樂說莊嚴雲吼佛
南无勝聲佛　南无妙眼佛
[illegible]

南无勝聲佛　南无妙眼佛
南无清淨面月勝藏威德佛　南无成就意佛
南无滿足心佛　南无淨迦羅決定威德佛
南无邊精進佛　南无甘露光佛
南无十二部經般若海藏
南无金剛秘密善門陁羅尼經　南无阿闍世王受決經
南无採蓮違王上佛授決經　南无師子奮迅菩薩所問經
南无華積陁羅尼經　南无華聚陁羅尼經
南无相續解脫經　南无解節經
南无放鉢經　南无扶波菩薩經
南无孔雀王呪經　南无兜沙經
南无清淨毗尼方廣經　南无寂調音所問經
南无菩薩善戒經　南无坐禪三昧經
南无阿蘭若習禪法經　南无摩登伽經
南无舍頭諫經　南无過去現在因緣經
南无諸大菩薩摩訶薩衆
南无颰陁和菩薩　南无羅隣那竭菩薩
南无摩訶薩和菩薩　南无那羅達菩薩
南无憍日兜菩薩　南无和輪調菩薩
南无回坛菩薩　南无賢守菩薩
南无妙意菩薩　南无持意菩薩
南无增意菩薩　南无不虛見菩薩
南无立願菩薩　南无周旋菩薩
南无常精進應菩薩　南无不冒遠菩薩

BD00145號　佛名經（二十卷本）卷一七　（24–18）

南无立願菩薩　南无周旋菩薩
南无常精進應菩薩　南无不冒遠菩薩
南无日藏菩薩　南无无吾我菩薩
南无光世音菩薩　南无傳首菩薩
南无寶火菩薩　南无樂說莊嚴雲吼菩薩
南无聲聞緣覺一切辟支佛
南无憂婆沙羅辟支佛　南无波頭辟支佛
南无善賢辟支佛　南无賢德辟支佛
南无須摩辟支佛　南无聲聞緣覺一切賢聖
南无過現未來三世諸佛歸命懺悔
弟子等懺悔身業竟今當懺悔口四過
罪是故經言口業之罪能令衆生墮於地獄
畜生餓鬼若生人中得二種果報一者所有言
語人不信受二者眷屬不和常好鬪諍口業之
過皆從懺滅願口善根念念不壞向薩婆若
或以種種音聲種種言辞稱揚讚歎佛法
聖僧或復受持大乘方等脩多羅藏毗尼呪
論偈句等法宣說解譯持讀諷誦及餘種種
愛語濡語慈悲等語謙卑慰喻化導引接
至睡唉口所至處歌唄讚頌懺謝悔過勸請
隨喜迴向發願誓時所作若多若少悉皆迴向
无上菩提願一切劫中一切生處得无著口
四辯无导聲遍十方圓音普覆言語和雅
聞者无厭消除惱鄣永處安樂是故弟
子歸依十方諸佛

BD00145號　佛名經（二十卷本）卷一七　（24–19）

口説无量[illegible]
聞者无厭消除惱鄣永處安樂是故弟
子歸依十方諸佛
南无東方山幢佛　南无東南方雲雷音王佛
南无南方名稱佛　南无西南方寂上音光佛
南无西方无量光佛　南无西北方三乘佛
南无北方大[illegible]佛　南无東北方三乘佛
南无上方香光佛　南无下方光明佛
如是等盡虛空界一切三寶
弟子等從无始世界以來至于今日盡犯口
業重罪長淪三有永固八河邪念興誑發
言多虛中間具造妄言綺語兩舌之罪輕眺
之口禍患之本妄傳毀譽之談假道非真之語
聞正忽略記邪不妄道曲如美說直而發自
讚毀他怨增之府違理順情不當法相乖仁
背道調惑衆生奪善揚惡身口為雠邪論邊
真惑誑佛法菩薩聲聞誑國王父母人非
人等乃至見非言是惑乱兩邊破他和合誹
謗一切憂及有形一聞謗聲如三百刀刺身
況口自謗不生信心是知口舌者禍患之官
滅身之府言出患入言失身之出言易於反
掌收言難於拔山自犯教人讚歎隨喜盡犯
口業重罪若不懺悔身壞命終定墮鐵犁
尖石地獄无量尖石破背入心耕犁方道縱
[illegible]道徹吞石飲鐵備受苦痛一日一夜六十億死

BD00145號　佛名經（二十卷本）卷一七　（24–20）

口業重罪若不懺悔身壞命終定墮鐵犁
尖石地獄无量尖石破背入心耕犁方道縱
横道徹吞石飲鐵備受苦痛一日一夜六十億死
六十億生罪畢乃至生畜生中或作野干
鵄梟之類一出聲音人皆同嫌若生人中
瘖瘂无舌設解語言為人不信口氣臭穢人
所不喜是故今日歸依三寶諸佛慈悲方
等父母菩薩知識聽許我等發露懺悔願一
切衆生无量劫以來口業重罪從此懺滅究
竟不犯乃至菩提常脩信語去離三塗長辞
八難神超安養託體蓮華金水洗拭滄甘
露法上至成佛口業清淨普同至心懺悔
弟子等從无始世界以來至于今日盡犯貪
業重罪輪迴六趣涉歷三塗往返回緣來去
空有結使貪心念念乱想中間具造慳貪
瞋癡酒乱之罪慳業不善惜心纏結上至三
寶下至有形乃至不施一錢一針一草一縷求
法之者不為說一句一偈文一字誹惜財物
猶如眼目一切慳罪類從懺滅常脩惠施不
生悋惜貪業不善取心深著但知求索无
有慚愧難滿如海積聚如山唯為貪取不
知猒足見他得利如箭射心貪利沽酒與人
本性是故佛說一過酒器與僧五百身中无[illegible]
況以自飲及持與人酒能伐身損壽衆家
酒為狂水衆過之原[illegible]

BD00145號　佛名經（二十卷本）卷一七　（24–21）

況以自飲及持與人酒能伐身損壽喪家
酒為狂水衆過之源開无慮之門閉菩提之户
酒之為患有卅六失如此貪罪願從懺滅既
往脩未措不更犯常行推讓不生貪取瞋
癡不善恒生恚怒癡毒宛轉瞋恨纏縛乃至
罵辱杖打仍瞋不息一切瞋罪願從懺滅恒
脩歡喜永斷瞋癡自犯教人讃歎隨喜盡
犯慳貪瞋罪如此意業重罪弟子脩環具
罪若不懺悔身壞命終定墮黑闇鑊湯地獄
黑暗无明身體糜爛鑊湯鄣塞骨肉俱碎
洋銅灌口百毛孔溢一日一夜卅億死卅億生罪
畢乃出生畜生中野狐虎豹豺狼猛獸之類
若生人間聾瘂愚騃六根不具是故今日歸
依諸佛菩薩知識聽許我等發露懺悔願一
切衆生无量劫以來意業之罪從此懺滅廣
度群生開慳貪户脩慧念施生无量壽
國生佛生處度脫諸有普同至心懺悔
弟子等承是懺悔意業一切煩惱永盡无
餘願生生世世所有善根念念不壞向薩婆
若或正念思惟佛法聖僧戒施定慧菩提
種智或復觀察三解脫門大空平等甚深
性海四禪八定慈悲喜捨八万四諸三昧海
及餘種種次第諸行乃至須臾意所至處要
那般那四念處觀暫時所緣暫時所作若多
若少悉與一切衆生皆悉迴向无上菩提願盡

BD00145號　佛名經（二十卷本）卷一七　（24–22）

那般那四念處觀暫時所緣暫時所作若多
若少悉與一切衆生皆悉迴向无上菩提願盡
未來際在所生處得廣大意充滿法界念
惠現前通達三世入真如藏究竟窮滅
願弟子等所脩三業迴向善根念念充滿
十方世界除滅阿鼻无間劫火闇羅獄卒
大怖畏處及餘地獄種種苦惱刀輪劒城氷
山火窟融銅爛然晝夜不息焚爛劈裂髓
腦湯沸煨煑燒炙身心糜爛摧碎死張万死万
生如是地獄百千種苦无量无邊不可具說
以此迴向功德力故悉皆除滅令无有餘乘
大願力出諸有際斬伐苦原斷衆結使度陰
界海入賢聖地超昇无為常受妙樂
大乘蓮華寶達菩薩罪業報應沙門經
寶達菩薩復前更入魏宍地獄云何名曰魏
宍地獄其地獄縱廣卅由旬鐵壁周匝鐵網
覆上烟火俱然如上无異地有鐵餅火亦
洞然中有鐵床方圓五百餘步床上火然
來燒罪人尒時南門之中有六百罪人似是人
形如非人世身長一丈亦无口眼手脚六根聾
瘂尒時馬頭羅剎手捉鐵鉤望身而鉤罪
人身動似有人聲唱言我罪受苦如是獄卒
挽曳來入獄中獄中鐵鏘逆刺其身身中血
出火即入中復有餓鬼來食其宍復有餓狗
來飲其血復有鐵鳥來啄其髓復有猛風

BD00145號　佛名經（二十卷本）卷一七　（24–23）

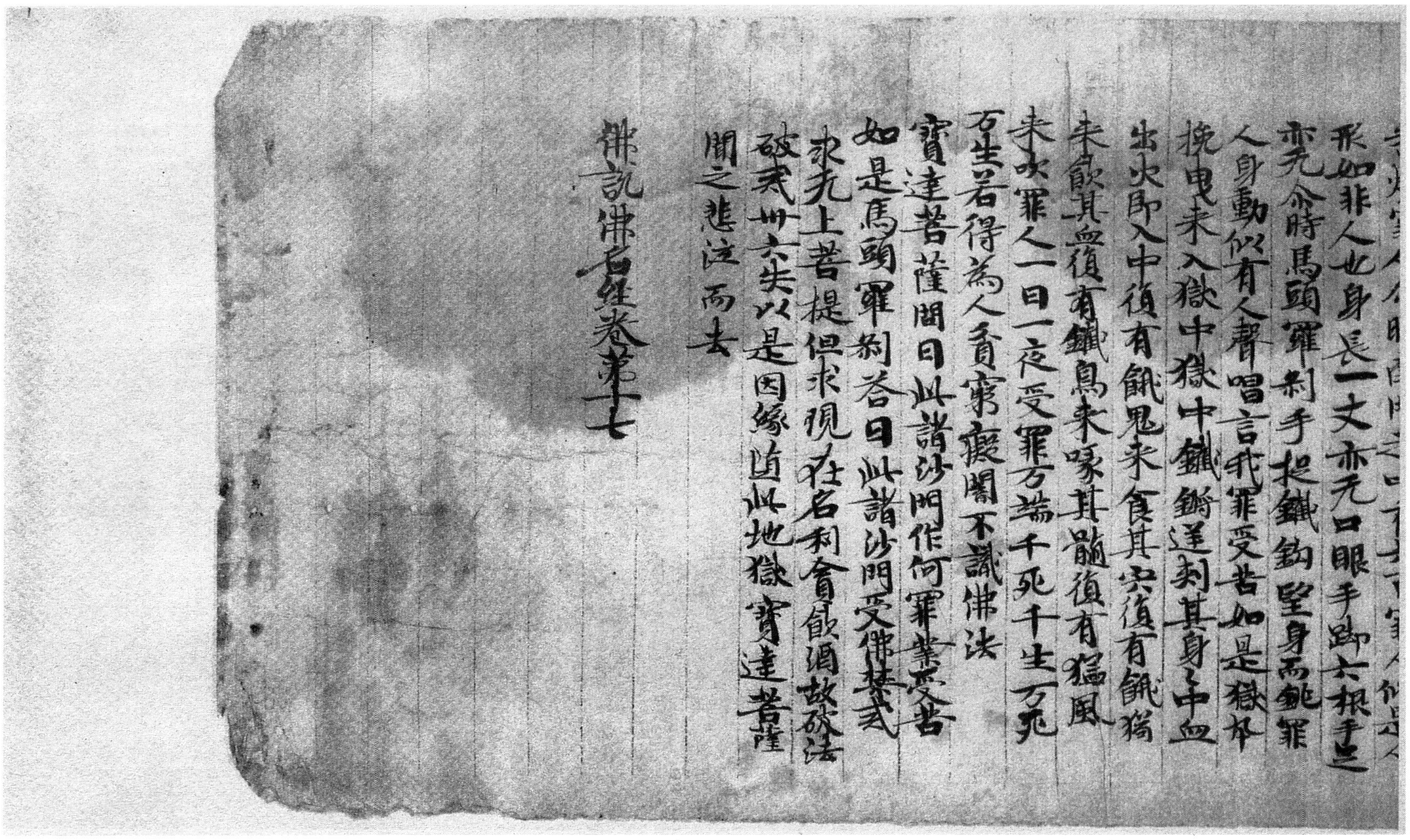

形如非人也身長一丈亦无口眼手脚六根手足
亦无尒時馬頭羅刹手捉鐵鉤望身而鉤罪
人身動似有人聲唱言我罪受苦如是獄卒
挽曳來入獄中獄中鐵鏘逆刺其身身中血
出火即入中復有餓鬼來食其宍復有餓狗
來飲其血復有鐵鳥來啄其髓復有猛風
來吹罪人一日一夜受罪万端千死千生万死
万生若得為人貧窮癡闇不識佛法
寶達菩薩問日此諸沙門作何罪業受苦
如是馬頭羅刹答日此諸沙門受佛禁戒
求无上菩提但求現在名利貪飲酒故破法
破戒卅六失以是因緣墮此地獄寶達菩薩
聞之悲泣而去

佛說佛名經卷第十七

BD00145 號　佛名經（二十卷本）卷一七　（24–24）

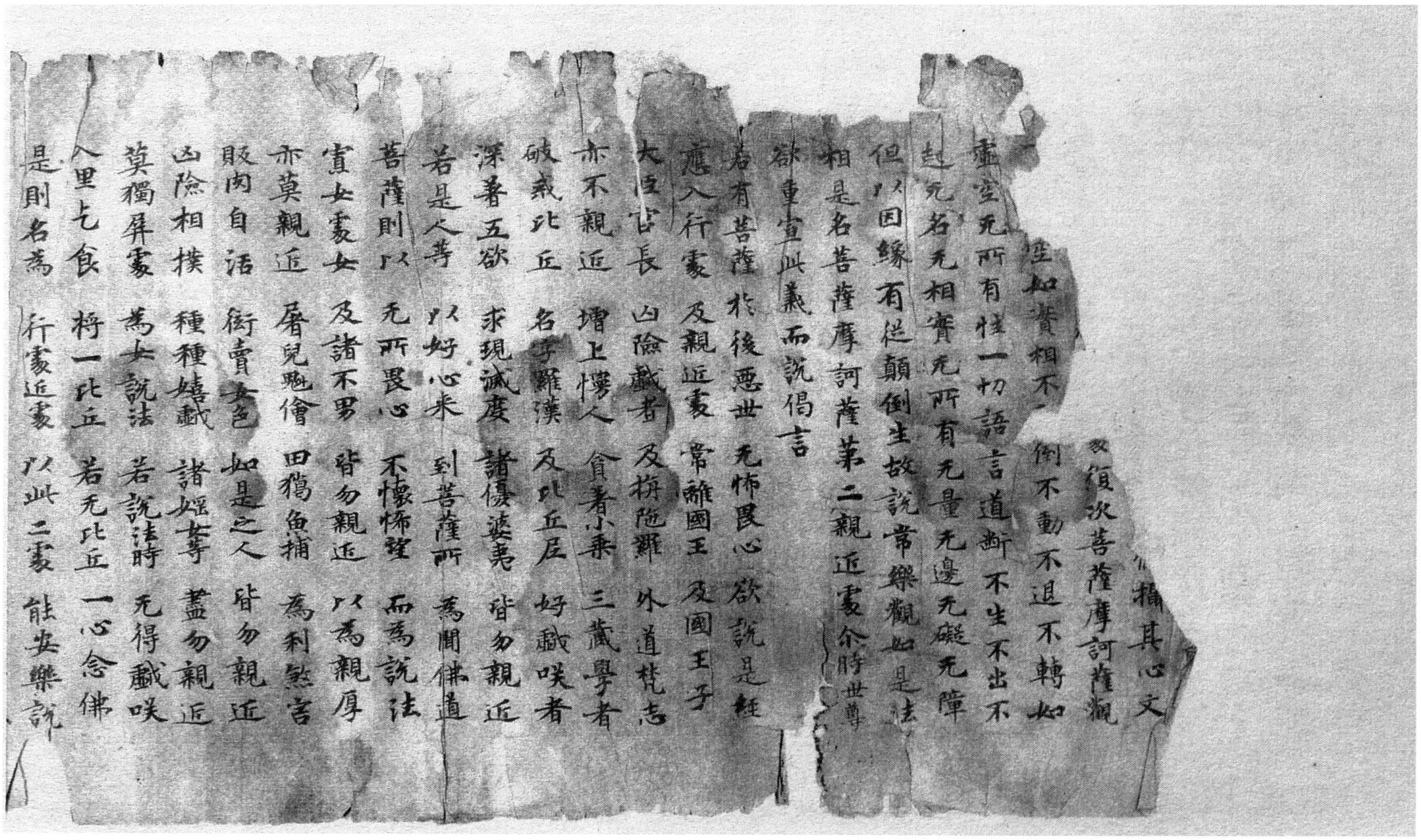

攝其心文
又復次菩薩摩訶薩觀
空如實相不倒不動不退不轉如
虛空无所有性一切語言道斷不生不出不
起无名无相實无所有无量无邊无礙无障
但以因緣有從顛倒生故說常樂觀如是法
相是名菩薩摩訶薩第二親近處尒時世尊
欲重宣此義而說偈言
若有菩薩　於後惡世　无怖畏心　欲說是經
應入行處　及親近處　常離國王　及國王子
大臣官長　凶險戲者　及旃陀羅　外道梵志
亦不親近　增上慢人　貪著小乘　三藏學者
破戒比丘　名字羅漢　及比丘尼　好戲咲者
深著五欲　求現滅度　諸優婆夷　皆勿親近
若是人等　以好心來　到菩薩所　為聞佛道
菩薩則以　无所畏心　不懷悕望　而為說法
寡女處女　及諸不男　皆勿親近　以為親厚
亦莫親近　屠兒魁膾　畋獵魚捕　為利煞害
販肉自活　衒賣女色　如是之人　皆勿親近
凶險相撲　種種嬉戲　諸婬女等　盡勿親近
莫獨屏處　為女說法　若說法時　无得戲咲
入里乞食　將一比丘　若无比丘　一心念佛
是則名為　行處近處　以此二處　能安樂說

BD00146 號　妙法蓮華經卷五　（25–1）

莫獨屏處　為女說法　若說法時　无得戲咲
入里乞食　將一比丘　若无比丘　一心念佛
是則名為　行處近處　以此二處　能安樂說
又復不行　上中下法　有為无為　實不實法
亦不分別　是男是女　不得諸法　不知不見
是則名為　菩薩行處　一切諸法　空无所有
无有常住　亦无起滅　是名智者　所親近處
顛倒分別　諸法有无　是實非實　是生非生
在於閑處　脩攝其心　安住不動　如須弥山
觀一切法　皆无所有　猶如虛空　无有堅固
不生不出　不動不退　常住一相　是名近處
若有比丘　於我滅後　入是行處　及親近處
說斯經時　无有怯弱　菩薩有時　入於靜室
以正憶念　隨義觀法　從禪定起　為諸國王
王子臣民　婆羅門等　開化演暢　說斯經典
其心安隱　无有怯弱　文殊師利　是名菩薩
安住初法　能於後世　說法華經
又文殊師利　如來滅後　於末法中　欲說是經
應住安樂行　若口宣說　若讀經時　不樂說人
及經典過　亦不輕慢　諸餘法師　不說他人好
惡長短　於聲聞人　亦不稱名　說其過惡　亦不
稱名讚歎其美　又亦不生怨嫌之心　善脩如
是安樂心故　諸有聽者　不逆其意　有所難問
不以小乘法荅　但以大乘而為解說　令得一
切種智　尒時世尊　欲重宣此義　而說偈言
菩薩常樂　安隱說法　於清淨地　而施床座
以油塗身　澡浴塵穢　著新淨衣　內外俱淨

BD00146 號　妙法蓮華經卷五

（25–2）

菩薩常樂　安隱說法　於清淨地　而施床座
以油塗身　澡浴塵穢　著新淨衣　內外俱淨
安處法座　隨問為說　若有比丘　及比丘尼
諸優婆塞　及優婆夷　國王王子　羣臣士民
以微妙義　和顏為說　若有難問　隨義而荅
因緣譬喻　敷演分別　以是方便　皆使發心
漸漸增益　入於佛道　除嬾惰意　及懈怠想
離諸憂惱　慈心說法　晝夜常說　无上道教
以諸因緣　无量譬喻　開示眾生　咸令歡喜
衣服臥具　飲食醫藥　而於其中　无所悕望
但一心念　說法因緣　願成佛道　令眾亦尒
是則大利　安樂供養　我滅度後　若有比丘
能演說斯　妙法華經　心无嫉恚　諸惱障礙
亦无憂愁　及罵詈者　又无怖畏　加刀杖等
亦无擯出　安住忍故　智者如是　善脩其心
能住安樂　如我上說　其人功德　千万億劫
筭數譬喻　說不能盡
又文殊師利菩薩摩訶薩　於後末世法欲滅
時　受持讀誦斯經典者　无懷嫉妬諂誑之心
亦勿輕罵學佛道者　求其長短　若比丘比丘
尼優婆塞優婆夷　求聲聞者　求辟支佛者　求
菩薩道者　无得惱之　令其疑悔　語其人言　汝
等去道甚遠　終不能得一切種智　所以者何
汝是放逸之人　於道懈怠故　又亦不應戲論
諸法　有所諍競　當於一切眾生　起大悲想　於
諸如來　起慈父想　於諸菩薩　起大師想　於十
方諸大菩薩　常應深心恭敬禮拜　於一切眾

BD00146 號　妙法蓮華經卷五

（25–3）

諸如來起慈父想於諸菩薩起大師想於十
方諸大菩薩常應深心恭敬礼拜於一切衆
生平等說法以順法故不多不少乃至深愛
法者亦不爲多說文殊師利是菩薩摩訶薩
於後末世法欲滅時有成就是第三安樂行
者說是法時无能惱亂得好同學共讀誦是
經亦得大衆而來聽受聽已能持持已能誦
誦已能說說已能書若使人書供養經卷恭
敬尊重讚歎尒時世尊欲重宣此義而說偈
言
若欲說是經　當捨嫉恚慢　諂誑邪僞心　常脩質直行
不輕蔑於人　亦不戲論法　不令他疑悔　云汝不得佛
是佛子說法　常柔和能忍　慈悲於一切　不生懈怠心
十方大菩薩　愍衆故行道　應生恭敬心　是則我大師
於諸佛世尊　生无上父想　破於憍慢心　說法无障礙
第三法如是　智者應守護　一心安樂行　无量衆所敬
又文殊師利菩薩摩訶薩於後末世法欲滅
時有持法華經者於在家出家人中生大慈
心於非菩薩人中生大悲心應作是念如是之
人則爲大失如來方便隨宜說法不聞不知
不覺不問不信不解其人雖不問不信不解
是經我得阿耨多羅三藐三菩提時隨在
何地以神通力智慧力引之令得住是法中
文殊師利是菩薩摩訶薩於如來滅後有成
就此第四法者說是法時无有過失常爲比
丘比丘尼優婆塞優婆夷國王王子大臣人
民婆羅門居士等供養恭敬尊重讚歎虛空

BD00146 號　妙法蓮華經卷五　（25–4）

文殊師利是菩薩摩訶薩於如來滅後有成
就此第四法者說是法時无有過失常爲比
丘比丘尼優婆塞優婆夷國王王子大臣人
民婆羅門居士等供養恭敬尊重讚歎虛空
諸天爲聽法故亦常隨侍若在聚落城邑空
閑林中有人來欲難問者諸天晝夜常爲法
故而衛護之能令聽者皆得歡喜所以者何
此經是一切過去未來現在諸佛神力所護
故文殊師利是法華經於无量國中乃至名
字不可得聞何況得見受持讀誦文殊師利
譬如強力轉輪聖王欲以威勢降伏諸國而
諸小王不順其命時轉輪王起種種兵而往
討伐王見兵衆戰有功者即大歡喜隨功賞
賜或與田宅聚落城邑或與衣服嚴身之具
或與種種珍寶金銀琉璃車璖馬瑙珊瑚虎
珀爲馬車乘奴婢人民唯髻中明珠不以與
之所以者何獨王頂上有此一珠若以與之
王諸眷屬必大驚怪文殊師利如來亦復如
是以禪定智慧力得法國土王於三界而諸
魔王不肯順伏如來賢聖諸將與之共戰其
有功者心亦歡喜於四衆中爲說諸經令其
心悅賜以禪定解脫无漏根力諸法之財又
復賜與涅槃之城言得滅度引導其心令皆
歡喜而不爲說是法華經文殊師利如轉輪
王見諸兵衆有大功者心甚歡喜以此難信
之珠久在髻中不妄與人而今與之如來亦
復如是於三界中爲大法王以法教化一切
衆生見賢聖軍與五陰魔煩惱魔死魔共戰

BD00146 號　妙法蓮華經卷五　（25–5）

之珠久在髻中不妄與人而今與之如來亦
復如是於三界中為大法王以法教化一切
衆生見賢聖軍與五陰魔煩惱魔死魔共戰
有大功勳滅三毒出三界破魔網尒時如來亦
大歡喜此法華經能令衆生至一切智一
切世間多怨難信先所未說而今說之文殊
師利此法華經是諸如來第一之說於諸說
中最為甚深末後賜與如彼強力之王久護
明珠今乃與之文殊師利此法華經諸佛如來
秘密之藏於諸經中最在其上長夜守護
不妄宣說始於今日乃與汝等而敷演之尒
時世尊欲重宣此義而說偈言
常行忍辱 哀愍一切 乃能演說 佛所讚經
後末世時 持此經者 於家出家 及非菩薩
應生慈悲 斯等不聞 不信是經 則為大失
我得佛道 以諸方便 為說此法 令住其中
譬如強力 轉輪之王 兵戰有功 賞賜諸物
象馬車乘 嚴身之具 及諸田宅 聚落城邑
或與衣服 種種珍寶 奴婢財物 歡喜賜與
如有勇健 能為難事 王解髻中 明珠賜之
如來亦尒 為諸法王 忍辱大力 智慧寶藏
以大慈悲 如法化世 見一切人 受諸苦惱
欲求解脫 與諸魔戰 為是衆生 說種種法
以大方便 說此諸經 既知衆生 得其力已
末後乃為 說是法華 如王解髻 明珠與之
此經為尊 衆經中上 我常守護 不妄開示
今正是時 為汝等說 我滅度後 求佛道者
欲得安隱 演說斯經 應當親近 如是四法

BD00146號　妙法蓮華經卷五　（25–6）

此經為尊 衆經中上 我常守護 不妄開示
今正是時 為汝等說 我滅度後 求佛道者
欲得安隱 演說斯經 應當親近 如是四法
讀是經者 常无憂惱 又无病痛 顏色鮮白
不生貧窮 卑賤醜陋 衆生樂見 如慕賢聖
天諸童子 以為給使 刀杖不加 毒不能害
若人惡罵 口則閉塞 遊行无畏 如師子王
智慧光明 如日之照 若於夢中 但見妙事
見諸如來 坐師子座 諸比丘衆 圍繞說法
又見龍神 阿脩羅等 數如恒沙 恭敬合掌
自見其身 而為說法 又見諸佛 身相金色
放无量光 照於一切 以梵音聲 演說諸法
佛為四衆 說无上法 見身處中 合掌讚佛
聞法歡喜 而為供養 得陁羅尼 證不退智
佛知其心 深入佛道 即為授記 成最正覺
汝善男子 當於來世 得无量智 佛之大道
國土嚴淨 廣大无比 亦有四衆 合掌聽法
又見自身 在山林中 脩習善法 證諸實相
深入禪定 見十方佛
諸佛身金色 百福相莊嚴 聞法為人說 常有是好夢
又夢作國王 捨宮殿眷屬 及上妙五欲 行詣於道場
在菩提樹下 而處師子座 求道過七日 得諸佛之智
成无上道已 起而轉法輪 為四衆說法 經千万億劫
說无漏妙法 度无量衆生 後當入涅槃 如烟盡燈滅
若後惡世中 說是第一法 是人得大利 如上諸功德
妙法蓮華經從地踊出品第十五
尒時他方國土諸來菩薩摩訶薩過八恒河

BD00146號　妙法蓮華經卷五　（25–7）

若後惡世中　說是第一法　是人得大利　如上諸功德
妙法蓮華經從地踊出品第十五
尒時他方國土諸来菩薩摩訶薩過八恒河
沙數於大衆中起合掌作礼而白佛言世尊
若聽我等於佛滅後在此娑婆世界勤加精
進護持讀誦書寫供養是經典者當於此土
而廣說之尒時佛告諸菩薩摩訶薩衆止善
男子不須汝等護持此經所以者何我娑婆
世界自有六万恒河沙等菩薩摩訶薩一一
菩薩各有六万恒河沙眷屬是諸人等能於
我滅後護持讀誦廣說此經佛說是時娑婆
世界三千大千國土地皆震裂而於其中有
无量千万億菩薩摩訶薩同時踊出是諸菩
薩身皆金色三十二相无量光明先盡在此
娑婆世界之下此界虛空中住是諸菩薩聞
釋迦牟尼佛所說音聲從下發来一一菩薩
皆是大衆唱導之首各將六万恒河沙眷屬
況將五万四万三万二万一万恒河沙等眷
屬者況復乃至一恒河沙半恒河沙四分之
一乃至千万億那由他分之一況復千万億
那由他眷屬況復億万眷屬況復千万百万
乃至一万況復一千一百乃至一十況復將
五四三二一弟子者況復單己樂遠離行如
是等比无量无邊筭數譬喻所不能知是諸
菩薩從地出已各詣虛空七寶妙塔多寶如
来釋迦牟尼佛所到已向二世尊頭面礼足
及至諸寶樹下師子座上佛所亦皆作礼右

BD00146號　妙法蓮華經卷五　（25–8）

来釋迦牟尼佛所到已向二世尊頭面礼足
及至諸寶樹下師子座上佛所亦皆作礼右
繞三帀合掌恭敬以諸菩薩種種讚法而以
讚歎住在一面欣樂瞻仰於二世尊是諸菩
薩摩訶薩從初踊出以諸菩薩種種讚法而
讚於佛如是時間經五十小劫是時釋迦牟
尼佛嘿然而坐及諸四衆亦皆嘿然五十小
劫佛神力故令諸大衆謂如半日尒時四衆
亦以佛神力故見諸菩薩遍滿无量百千万
億國土虛空是菩薩衆中有四導師一名上
行二名无邊行三名淨行四名安立行是四
菩薩於其衆中㝡為上首唱導之師在大衆
前各共合掌觀釋迦牟尼佛而問訊言世尊
少病少惱安樂行不所應度者受教易不不
令世尊生疲勞耶尒時四大菩薩而說偈言
世尊安樂　少病少惱　教化衆生　得无疲惓
又諸衆生　受化易不　不令世尊　生疲勞耶
尒時世尊於菩薩大衆中而作是言如是如
是諸善男子如来安樂少病少惱諸衆生等
易可化度无有疲勞所以者何是諸衆生世
世已来常受我化亦於過去諸佛供養尊重
種諸善根此諸衆生始見我身聞我所說即
皆信受入如来慧除先脩習學小乘者如是
之人我今亦令得聞是經入於佛慧尒時諸
大菩薩而說偈言
善哉善哉　大雄世尊　諸衆生等　易可化度
能問諸佛　甚深智慧　聞已信行　我等隨喜
尒時世尊讚歎上首諸大菩薩善哉善哉善

BD00146號　妙法蓮華經卷五　（25–9）

善哉善哉 大雄世尊 諸衆生等 易可化度
能聞諸佛 甚深智慧 聞已信行 我等隨喜
於時世尊讚歎上首諸大菩薩善哉善哉善
男子汝等能於如来發隨喜心尒時弥勒菩
薩及八千恒河沙諸菩薩衆皆作是念我等
從昔已来不見不聞如是大菩薩摩訶薩衆
從地踊出住世尊前合掌供養問訊如来時
弥勒菩薩摩訶薩知八千恒河沙諸菩薩等
心之所念并欲自决所疑合掌向佛以偈問曰
无量千万億 大衆諸菩薩 昔所未曾見 願両足尊說
是從何所来 以何因緣集 巨身大神通 智慧叵思議
其志念堅固 有大忍辱力 衆生所樂見 爲從何所来
一一諸菩薩 所將諸眷屬 其數无有量 如恒河沙等
或有大菩薩 將六万恒沙 如是諸大衆 一心求佛道
是諸大師等 六万恒河沙 俱来供養佛 及護持此經
將五万恒沙 其數過於是 四万及三万 二万至一万
一千一百等 乃至一恒沙 半及三四分 億万分之一
千万那由他 万億諸弟子 乃至於半億 其數復過上
百万至一万 一千及一百 五十與一十 乃至三二一
單已无眷屬 樂於獨處者 俱来至佛所 其數轉過上
如是諸大衆 若人行籌數 過於恒沙劫 猶不能盡知
是諸大威德 精進菩薩衆 誰爲其說法 教化而成就
從誰初發心 稱揚何佛法 受持行誰經 脩習何佛道
如是諸菩薩 神通大智力 四方地震裂 皆從中踊出
世尊我昔来 未曾見是事 願說其所從 國土之名号
我常遊諸國 未曾見是衆 我於此衆中 乃不識一人
忽然從地出 願說其因緣 今此之大會 无量百千億

世尊我昔来 未曾見是事 願說其所從 國土之名号
我常遊諸國 未曾見是衆 我於此衆中 乃不識一人
忽然從地出 願說其因緣 今此之大會 无量百千億
是諸菩薩等 皆欲知此事 是諸菩薩衆 本末之因緣
无量德世尊 唯願决衆疑
尒時釋迦牟尼佛分身諸佛從无量千万億
他方國土来者在於八方諸寶樹下師子座
上結加趺坐其佛侍者各各見是菩薩大衆
於三千大千世界四方從地踊出住於虛空
各白其佛言世尊此諸无量无邊阿僧祇菩
薩大衆從何所来尒時諸佛各告侍者諸善
男子且待須臾有菩薩摩訶薩名弥勒釋迦
牟尼佛之所授記次後作佛已問斯事佛今
荅之汝等自當因是得聞尒時釋迦牟尼佛
告弥勒菩薩善哉善哉阿逸多乃能問佛如
是大事汝等當共一心被精進鎧發堅固意
如来今欲顯發宣示諸佛智慧諸佛自在神
通之力諸佛師子奮迅之力諸佛威猛大勢
之力尒時世尊欲重宣此義而說偈言
當精進一心 我欲說此事 勿得有疑悔 佛智叵思議
汝今出信力 住於忍善中 昔所未聞法 今皆當得聞
我今安慰汝 勿得懷疑懼 佛无不實語 智慧不可量
所得第一法 甚深叵分別 如是今當說 汝等一心聽
尒時世尊說此偈已告弥勒菩薩我今於此
大衆宣告汝等阿逸多是諸大菩薩摩訶薩
无量无數阿僧祇從地踊出汝等昔所未見者
我於是娑婆世界得阿耨多羅三藐三菩提

大衆宣告汝等阿逸多是諸大菩薩摩訶薩
无量无數阿僧祇從地踊出汝等昔所未見者
我於是娑婆世界得阿耨多羅三藐三菩提
已教化示導是諸菩薩調伏其心令發道
意此諸菩薩皆於是娑婆世界之下此界虛
空中住於諸經典讀誦通利思惟分別正憶
念阿逸多是諸善男子等不樂在衆多有所
說常樂靜處勤行精進未曾休息亦不依止
人天而住常樂深智无有障礙亦常樂於諸
佛之法一心精進求无上慧尒時世尊欲重
宣此義而說偈言
阿逸汝當知　是諸大菩薩　從无數劫來　脩習佛智慧
悉是我所化　令發大道心　此等是我子　依止是世界
常行頭陁事　志樂於靜處　捨大衆憒鬧　不樂多所說
如是諸子等　學習我道法　晝夜常精進　為求佛道故
在娑婆世界　下方空中住　志念力堅固　常勤求智慧
說種種妙法　其心无所畏　我於伽耶城　菩提樹下坐
得成最正覺　轉无上法輪　尒乃教化之　令初發道心
今皆住不退　悉當得成佛　我今說實語　汝等一心信
我從久遠來　教化是等衆
尒時弥勒菩薩摩訶薩及无數諸菩薩等心
生疑惑怪未曾有而作是念云何世尊於少
時間教化如是无量无邊阿僧祇諸大菩薩
令住阿耨多羅三藐三菩提即白佛言世尊
如來為太子時出於釋宮去伽耶城不遠坐
於道場得成阿耨多羅三藐三菩提從是已
來始過四十餘年世尊云何於此少時大作

於道場得成阿耨多羅三藐三菩提從是已
來始過四十餘年世尊云何於此少時大作
佛事以佛勢力以佛功德教化如是无量大
菩薩衆當成阿耨多羅三藐三菩提世尊此
大菩薩衆假使有人於千万億劫數不能盡
不得其邊斯等久遠已來於无量无邊諸佛
所殖諸善根成就菩薩道常脩梵行世尊如
此之事世所難信譬如有人色美髮黑年二
十五指百歲人言是我子其百歲人亦指年
少言是我父生育我等是事難信佛亦如是
得道已來其實未久而此大衆諸菩薩等已
於无量千万億劫為佛道故勤行精進善入
出住无量百千万億三昧得大神通久脩梵
行善能次第習諸善法巧於問荅人中之
寶一切世間甚為希有今日世尊方云得佛道
時初令發心教化示導令向阿耨多羅三藐
三菩提世尊得佛未久乃能作此大功德事
我等雖復信佛隨宜所說佛所出言未曾虛
妄佛所知者皆悉通達然諸新發意菩薩於
佛滅後若聞是語或不信受而起破法罪業
因緣唯然世尊願為解說除我等疑及未來
世諸善男子聞此事已亦不生疑尒時弥勒
菩薩欲重宣此義而說偈言
佛昔從釋種　出家近伽耶　坐於菩提樹　尒來尚未久
此諸佛子等　其數不可量　久已行佛道　住神通智力
善學菩薩道　不染世間法　如蓮華在水　從地而踊出
皆起恭敬心　住於世尊前　是事難思議　云何而可信

善學菩薩道　不染世間法　如蓮華在水　從地而踊出
皆起恭敬心　住於世尊前　是事難思議　云何而可信
佛得道甚近　所成就甚多　願為除衆疑　如實分別說
譬如少壯人　年始二十五　示人百歲子　髮白而面皺
是等我所生　子亦說是父　父少而子老　舉世所不信
世尊亦如是　得道來甚近　是諸菩薩等　志固无怯弱
從无量劫來　而行菩薩道　巧於難問荅　其心无所畏
忍辱心決定　端正有威德　十方佛所讚　善能分別說
不樂在人衆　常好在禪定　為求佛道故　於下空中住
我等從佛聞　於此事无疑　願佛為未來　演說令開解
若有於此經　生疑不信者　即當墮惡道　願今為解說
是无量菩薩　云何於少時　教化令發心　而住不退地

妙法蓮華經如來壽量品第十六

尒時佛告諸菩薩及一切大衆諸善男子汝
等當信解如來誠諦之語復告大衆汝等當
信解如來誠諦之語又復告諸大衆汝等當
信解如來誠諦之語是時菩薩大衆弥勒為
首合掌白佛言世尊唯願說之我等當信受
佛語如是三白已復言唯願說之我等當信
受佛語尒時世尊知諸菩薩三請不止而告
之言汝等諦聽如來祕密神通之力一切世間
天人及阿脩羅皆謂今釋迦牟尼佛出釋
氏宮去伽耶城不遠坐於道場得阿耨多羅
三藐三菩提然善男子我實成佛已來无量
无邊百千万億那由他劫譬如五百千万億
那由他阿僧祇三千大千世界假使有人末
為微塵過於東方五百千万億那由他阿僧

那由他阿僧祇三千大千世界假使有人末
為微塵過於東方五百千万億那由他阿僧
祇國乃下一塵如是東行盡是微塵諸善男
子於意云何是諸世界可得思惟挍計知其
數不弥勒菩薩等俱白佛言世尊是諸世界
无量无邊非筭數所知亦非心力所及一切
聲聞辟支佛以无漏智不能思惟知其限數
我等住阿惟越致地於是事中亦所不達世
尊如是諸世界无量无邊尒時佛告大菩薩
衆諸善男子今當分明宣語汝等是諸世界
若着微塵及不着者盡以為塵一塵一劫我
成佛已來復過於此百千万億那由他阿僧
祇劫自從是來我常在此娑婆世界說法教
化亦於餘處百千万億那由他阿僧祇國導
利衆生諸善男子於是中間我說燃燈佛等
又復言其入於涅槃如是皆以方便分別諸
善男子若有衆生來至我所我以佛眼觀其
信等諸根利鈍隨所應度處處自說名字不
同年紀大小亦復現言當入涅槃又以種種
方便說微妙法能令衆生發歡喜心諸善男
子如來見諸衆生樂於小法德薄垢重者為
是人說我少出家得阿耨多羅三藐三菩提
然我實成佛已來久遠若斯但以方便教化
衆生令入佛道作如是說諸善男子如來所
演經典皆為度脫衆生或說己身或說他身
或示己身或示他身或示己事或示他事諸
所言說皆實不虛所以者何如來如實知見

衆生令入佛道作如是說諸善男子如來所
演經典皆為度脫衆生或說己身或說他身
或示己身或示他身或示己事或示他事諸
所言說皆實不虛所以者何如來如實知見
三界之相无有生死若退若出亦无在世及
滅度者非實非虛非如非異不如三界見於
三界如斯之事如來明見无有錯謬以諸衆
生有種種性種種欲種種行種種憶想分別
故欲令生諸善根以若干因緣譬喻言辭種
種說法所作佛事未曾暫廢如是我成佛已
來甚大久遠壽命无量阿僧祇劫常住不滅
諸善男子我本行菩薩道所成壽命今猶未
盡復倍上數然今非實滅度而便唱言當取
滅度如來以是方便教化衆生所以者何若
佛久住於世薄德之人不種善根貧窮下賤
貪著五欲入於憶想妄見網中若見如來常
在不滅便起憍恣而懷猒怠不能生難遭之
想恭敬之心是故如來以方便說比丘當知
諸佛出世難可值遇所以者何諸薄德人過
无量百千万億劫或有見佛或不見者以此
事故我作是言諸比丘如來難可得見斯衆
生等聞如是語必當生於難遭之想心懷戀
慕渴仰於佛便種善根是故如來雖不實滅
而言滅度又善男子諸佛如來法皆如是為
度衆生皆實不虛譬如良醫智慧聦達明練
方藥善治衆病其人多諸子息若十二十乃
至百數以有事緣遠至餘國諸子於後飲他

BD00146號　妙法蓮華經卷五　(25–16)

方藥善治衆病其人多諸子息若十二十乃
至百數以有事緣遠至餘國諸子於後飲他
毒藥藥發悶亂宛轉于地是時其父還來歸
家諸子飲毒或失本心或不失者遙見其父
皆大歡喜拜跪問訊善安隱歸我等愚癡誤
服毒藥願見救療更賜壽命父見子等苦惱
如是依諸經方求好藥草色香美味皆悉具
足擣篩和合與子令服而作是言此大良藥
色香美味皆悉具足汝等可服速除苦惱无復
衆患其諸子中不失心者見此良藥色香
俱好即便服之病盡除愈餘失心者見其父
來雖亦歡喜問訊求索治病然與其藥而不
肯服所以者何毒氣深入失本心故於此好
色香藥而謂不美父作是念此子可愍為毒
所中心皆顛倒雖見我喜求索救療如是好
藥而不肯服我今當設方便令服此藥即作
是言汝等當知我今衰老死時已至是好良
藥今留在此汝可取服勿憂不差作是教已
復至他國遣使還告汝父已死是時諸子聞
父背喪心大憂惱而作是念若父在者慈愍
我等能見救護今者捨我遠喪他國自惟孤
露无復恃怙常懷悲感心遂醒悟乃知此藥
色味香美即取服之毒病皆愈其父聞子悉
已得差尋便來歸咸使見之諸善男子於意
云何頗有人能說此良醫虛妄罪不不也世
尊佛言我亦如是成佛已來无量无邊百千
万億那由他阿僧祇劫為衆生故以方便力
言我滅度亦无有能如法說我虛妄過者尒

BD00146號　妙法蓮華經卷五　(25–17)

尊佛言我亦如是成佛已来无量无邊百千
万億那由他阿僧祇劫為衆生故以方便力
言當滅度亦无有能如法說我虛妄過者尒
時世尊欲重宣此義而說偈言
自我得佛来 所經諸劫數 无量百千万 億載阿僧祇
常說法教化 无數億衆生 令入於佛道 尒来无量劫
為度衆生故 方便現涅槃 而實不滅度 常住此說法
我常住於此 以諸神通力 令顛倒衆生 雖近而不見
衆見我滅度 廣供養舍利 咸皆懷戀慕 而生渴仰心
衆生既信伏 質直意柔軟 一心欲見佛 不自惜身命
時我及衆僧 俱出靈鷲山 我時語衆生 常在此不滅
以方便力故 現有滅不滅 餘國有衆生 恭敬信樂者
我復於彼中 為說无上法 汝等不聞此 但謂我滅度
我見諸衆生 沒在於苦惱 故不為現身 令其生渴仰
因其心戀慕 乃出為說法 神通力如是 於阿僧祇劫
常在靈鷲山 及餘諸住處 衆生見劫盡 大火所燒時
我此土安隱 天人常充滿 園林諸堂閣 種種寶莊嚴
寶樹多華菓 衆生所遊樂 諸天擊天鼓 常作衆伎樂
雨曼陁羅華 散佛及大衆 我淨土不毀 而衆見燒盡
憂怖諸苦惱 如是悉充滿 是諸罪衆生 以惡業因緣
過阿僧祇劫 不聞三寶名 諸有脩功德 柔和質直者
則皆見我身 在此而說法 或時為此衆 說佛壽无量
久乃見佛者 為說佛難值 我智力如是 慧光照无量
壽命无數劫 久脩業所得 汝等有智者 勿於此生疑
當斷令永盡 佛語實不虛 如醫善方便 為治狂子故
實在而言死 无能說虛妄 我亦為世父 救諸苦患者
為凡夫顛倒 實在而言滅 以常見我故 而生憍恣心
放逸著五欲 墮於惡道中 我常知衆生 行道不行道

BD00146號　妙法蓮華經卷五

（25–18）

當斷令永盡 佛語實不虛 如醫善方便 為治狂子故
實在而言死 无能說虛妄 我亦為世父 救諸苦患者
為凡夫顛倒 實在而言滅 以常見我故 而生憍恣心
放逸著五欲 墮於惡道中 我常知衆生 行道不行道
隨應所可度 為說種種法 每自作是意 以何令衆生
得入无上道 速成就佛身

妙法蓮華經分別功德品第十七

尒時大會聞佛說壽命劫數長遠如是无量
无邊阿僧祇衆生得大饒益於時世尊告弥
勒菩薩摩訶薩阿逸多我說是如来壽命長
遠時六百八十万億那由他恒河沙衆生得
无生法忍復千倍菩薩摩訶薩得聞持陁羅
尼門復有一世界微塵數菩薩摩訶薩得樂
說无礙辯才復有一世界微塵數菩薩摩訶
薩得百千万億无量旋陁羅尼復有三千大千
世界微塵數菩薩摩訶薩能轉不退法輪復
有二千中國土微塵數菩薩摩訶薩能轉清
淨法輪復有小千國土微塵數菩薩摩訶薩
八生當得阿耨多羅三藐三菩提復有四四
天下微塵數菩薩摩訶薩四生當得阿耨多
羅三藐三菩提復有三四天下微塵數菩薩
摩訶薩三生當得阿耨多羅三藐三菩提復
有二四天下微塵數菩薩摩訶薩二生當得
阿耨多羅三藐三菩提復有一四天下微塵
數菩薩摩訶薩一生當得阿耨多羅三藐三
菩提復有八世界微塵數衆生皆發阿耨多
羅三藐三菩提心佛說是諸菩薩摩訶薩得

BD00146號　妙法蓮華經卷五

（25–19）

數菩薩摩訶薩一生當得阿耨多羅三藐三
菩提復有八世界微塵數衆生皆發阿耨多
羅三藐三菩提心佛說是諸菩薩摩訶薩得
大法利時於虛空中雨曼陁羅華摩訶曼陁
羅華以散无量百千万億寶樹下師子座上
諸佛并散七寶塔中師子座上釋迦牟尼佛
及久滅度多寶如來亦散一切諸大菩薩及
四部衆又雨細末栴檀沉水香等於虛空中
天鼓自鳴妙聲深遠又雨千種天衣垂諸瓔
珞真珠瓔珞摩尼珠瓔珞如意珠瓔珞遍於
九方衆寶香爐燒无價香自然周至供養大
會一一佛上有諸菩薩執持幡蓋次第而上
至于梵天是諸菩薩以妙音聲歌无量頌讚
歎諸佛尒時弥勒菩薩從座而起偏袒右肩
合掌向佛而說偈言
佛說希有法　昔所未曾聞　世尊有大力　壽命不可量
无數諸佛子　聞世尊分別　說得法利者　歡喜充遍身
或住不退地　或得陁羅尼　或无礙樂說　万億旋揔持
或有大千界　微塵數菩薩　各各皆能轉　不退之法輪
或有中千界　微塵數菩薩　各各皆能轉　清淨之法輪
復有小千界　微塵數菩薩　餘各八生在　當得成佛道
復有四三二　如是四天下　微塵諸菩薩　隨數生成佛
或一四天下　微塵數菩薩　餘有一生在　當成一切智
如是等衆生　聞佛壽長遠　得无量无漏　清淨之果報
復有八世界　微塵數衆生　聞佛說壽命　皆發无上心
世尊說无量　不可思議法　多有所饒益　如虛空无邊
雨天曼陁羅　摩訶曼陁羅　釋梵如恒沙　无數佛土來
雨栴檀沉水　繽紛而亂墜　如鳥飛空下　供散於諸佛

復有八世界　微塵數衆生　聞佛說壽命　皆發无上心
世尊說无量　不可思議法　多有所饒益　如虛空无邊
雨天曼陁羅　摩訶曼陁羅　釋梵如恒沙　无數佛土來
雨栴檀沉水　繽紛而亂墜　如鳥飛空下　供散於諸佛
天鼓虛空中　自然出妙聲　天衣千萬種　旋轉而來下
衆寶妙香爐　燒无價之香　自然悉周遍　供養諸世尊
其大菩薩衆　執七寶幡蓋　高妙万億種　次第至梵天
一一諸佛前　寶幢懸勝幡　亦以千万偈　歌詠諸如來
如是種種事　昔所未曾有　聞佛壽无量　一切皆歡喜
佛名聞十方　廣饒益衆生　一切具善根　以助无上心
尒時佛告弥勒菩薩摩訶薩阿逸多其有
衆生聞佛壽命長遠如是乃至能生一念信解
所得功德无有限量若有善男子善女人為
阿耨多羅三藐三菩提於八十万億那由他劫
行五波羅蜜檀波羅蜜尸羅波羅蜜羼提
波羅蜜毗梨耶波羅蜜禪波羅蜜除般若波
羅蜜以是功德比前功德百分千分百千万
億分不及其一乃至筭數譬喻所不能知若
善男子有如是功德於阿耨多羅三藐三菩
提退者无有是處尒時世尊欲重宣此義而
說偈言
若人求佛慧　於八十万億　那由他劫數　行五波羅蜜
於是諸劫中　布施供養佛　及緣覺弟子　并諸菩薩衆
珍異之飲食　上服與卧具　栴檀立精舍　以園林莊嚴
如是等布施　種種皆微妙　盡此諸劫數　以迴向佛道
若復持禁戒　清淨无缺漏　求於无上道　諸佛之所歎
若復行忍辱　住於調柔地　設衆惡來加　其心不傾動

[illegible]
若復持禁戒　清淨无缺漏　求於无上道　諸佛之所歎
若復行忍辱　住於調柔地　設衆悪来加　其心不傾動
諸有得法者　懐於增上慢　為此所輕惱　如是亦能忍
若復勤精進　志念常堅固　於无量億劫　一心不懈息
又於无數劫　住於空閑處　若坐若経行　除睡常攝心
以是因緣故　能生諸禪定　八十億万劫　安住心不亂
持此一心福　願求无上道　我得一切智　盡諸禪定際
是人於百千　万億劫數中　行此諸功德　如上之所説
有善男女等　聞我説壽命　乃至一念信　其福過於彼
若人悉无有　一切諸疑悔　深心須臾信　其福為如此
其有諸菩薩　无量劫行道　聞我説壽命　是則能信受
如是諸人等　頂受此經典　願我於未来　長壽度衆生
如今日世尊　諸釋中之王　道場師子吼　説法无所畏
我等未来世　一切所尊敬　坐於道場時　説壽亦如是
若有深心者　清淨而質直　多聞能捴持　随義解佛語
如是諸人等　於此无有疑
又阿逸多若有聞佛壽命長遠解其言趣是
人所得功德无有限量能起如来无上之慧
何況廣聞是經若教人聞若自持若教人持
若自書若教人書若以華香瓔珞幢幡繒蓋
香油蘇燈供養經巻是人功德无量无邊能
生一切種智阿逸多若善男子善女人聞我
説壽命長遠深心信解則為見佛常在耆闍
崛山共大菩薩諸聲聞衆圍繞説法又見此
娑婆世界其地瑠璃坦然平正閻浮檀金以界
八道寶樹行列諸臺樓觀皆悉寶成其菩
薩衆咸處其中若有能如是觀者當知是為

娑婆世界其地瑠璃坦然平正閻浮檀金以界
八道寶樹行列諸臺樓觀皆悉寶成其菩
薩衆咸處其中若有能如是觀者當知是為
深信解相又復如来滅後若聞是經而不毀
呰起随喜心當知已為深信解相何況讀誦
受持之者斯人則為頂戴如来阿逸多是善
男子善女人不須為我復起塔寺及作僧坊
以四事供養衆僧所以者何是善男子善女
人受持讀誦是經典者為已起塔造立僧坊
供養衆僧則為以佛舎利起七寶塔高廣漸
小至于梵天懸諸幡蓋及衆寶鈴華香瓔珞
末香塗香燒香衆鼓伎樂簫笛箜篌種種儛
戲以妙音聲歌唄讃頌則為於无量千万億
劫作是供養已阿逸多若我滅後聞是經典
有能受持若自書若教人書則為起立僧坊
以赤栴檀作諸殿堂三十有二高八多羅樹
高廣嚴好百千比丘於其中止園林浴池経
行禪窟衣服飲食床褥湯藥一切樂具充滿
其中如是僧坊堂閣若干百千万億其數无
量以此現前供養於我及比丘僧是故我説
如来滅後若有受持讀誦為他人説若自書
若教人書供養經巻不須復起塔寺及造僧
坊供養衆僧況復有人能持是經兼行布施
持戒忍辱精進一心智慧其德㝡勝无量无
邊譬如虚空東西南北四維上下无量无邊
是人功德亦復如是无量无邊疾至一切種
智若人讀誦受持是經為他人説若自書若
教人書復能起塔及造僧坊供養讃歎聲聞

是人功德亦復如是无量无邊疾至一切種
智若人讀誦受持是經為他人說若自書若
教人書復能起塔及造僧坊供養讚歎聲聞
衆僧亦以百千万億讚歎之法讚歎菩薩功
德又為他人種種因緣隨義解說此法華經
復能清淨持戒與柔和者而共同止忍辱无
瞋志念堅固常貴坐禪得諸深定精進勇猛
攝諸善法利根智慧善答問難阿逸多若我
滅後諸善男子善女人受持讀誦是經典者
復有如是諸善功德當知是人已趣道場近
阿耨多羅三藐三菩提坐道樹下阿逸多是
善男子若坐若立若行處此中便應起塔一
切天人皆應供養如佛之塔尒時世尊欲重
宣此義而說偈言

若我滅度後　能奉持此經　斯人福无量　如上之所說
是則為具足　一切諸供養　以舍利起塔　七寶而莊嚴
表剎甚高廣　漸小至梵天　寶鈴千万億　風動出妙音
又於无量劫　而供養此塔　華香諸瓔珞　天衣衆伎樂
燃香油蘇燈　周帀常照明　惡世法末時　能持是經者
則為已如上　具足諸供養　若能持此經　則如佛現在
以牛頭栴檀　起僧坊供養　堂有三十二　高八多羅樹
上饌妙衣服　床卧皆具足　百千衆住處　園林諸流池
經行及禪窟　種種皆嚴好　若有信解心　受持讀誦書
若復教人書　及供養經卷　散華香末香　以須曼瞻蔔
阿提目多伽　薰油常燃之　如是供養者　得无量功德
如虛空无邊　其福亦如是　況復持此經　兼布施持戒
忍辱樂禪定　不瞋不惡口　恭敬於塔廟　謙下諸比丘
遠離自高心　常思惟智慧　有問難不瞋　隨順為解說

BD00146號　妙法蓮華經卷五

（25-24）

燃香油蘇燈　周帀常照明　惡世法末時　能持是經者
則為已如上　具足諸供養　若能持此經　則如佛現在
以牛頭栴檀　起僧坊供養　堂有三十二　高八多羅樹
上饌妙衣服　床卧皆具足　百千衆住處　園林諸流池
經行及禪窟　種種皆嚴好　若有信解心　受持讀誦書
若復教人書　及供養經卷　散華香末香　以須曼瞻蔔
阿提目多伽　薰油常燃之　如是供養者　得无量功德
如虛空无邊　其福亦如是　況復持此經　兼布施持戒
忍辱樂禪定　不瞋不惡口　恭敬於塔廟　謙下諸比丘
遠離自高心　常思惟智慧　有問難不瞋　隨順為解說
若能行是行　功德不可量　若見此法師　成就如是德
應以天華散　天衣覆其身　頭面接足禮　生心如佛想
又應作是念　不久詣道樹　得无漏无為　廣利諸人天
其所住止處　經行若坐卧　乃至說一偈　是中應起塔
莊嚴令妙好　種種以供養　佛子住此地　則是佛受用
常在於其中　經行及坐卧

妙法蓮華經卷第五

BD00146號　妙法蓮華經卷五

（25-25）

知財富无量欲饒益諸子等與大車佛告舍
利弗善哉善哉如汝所言舍利弗如來亦復
如是則為一切世間之父於諸怖畏衰惱憂
患无明暗蔽永盡无餘而悉成就无量知見
力无所畏有大神力及智慧力具足方便智
慧波羅蜜大慈大悲常无懈惓恒求善事利
益一切而生三界朽故火宅為度眾生生老
病死憂悲苦惱愚癡暗蔽三毒之火教化令
得阿耨多羅三藐三菩提見諸眾生為生老
病死憂悲苦惱之所燒煮亦以五欲財利故
受種種苦又以貪著追求故現受眾苦後受
地獄畜生餓鬼之苦若生天上及在人間貧
窮困苦愛別離苦怨憎會苦如是等種種諸
苦眾生沒在其中歡喜遊戲不覺不知不驚
不怖亦不生猒不求解脫於此三界火宅東
西馳走雖遭大苦不以為患舍利弗佛見此
已便作是念我為眾生之父應拔其苦難與
无量无邊佛智慧樂令其遊戲舍利弗如來
復作是念若我但以神力及智慧力捨於方
便為諸眾生讚如來知見力无所畏者眾生
不能以是得度所以者何是諸眾生未免生
老病死憂悲苦惱而為三界火宅所燒何由
能解佛之智慧舍利弗如彼長者雖復身手

BD00147號　妙法蓮華經卷二

（19–1）

不能以是得度所以者何是諸眾生未免生
老病死憂悲苦惱而為三界火宅所燒何由
能解佛之智慧舍利弗如彼長者雖復身手
有力而不用之但以慇懃方便免濟諸子火
宅之難然後各與珍寶大車如來亦復如是
雖有力无所畏而不用之但以智慧方便於
三界火宅拔濟眾生為說三乘聲聞辟支佛
佛乘而作是言汝等莫得樂住三界火宅勿
貪麁弊色聲香味觸也若貪著生愛則為所
燒汝速出三界當得三乘聲聞辟支佛佛乘
我今為汝保任此事終不虛也汝等但當勤
脩精進如來以是方便誘進眾生復作是言
汝等當知此三乘法皆是聖所稱歎自在无
繫无所依求乘是三乘以无漏根力覺道禪
定解脫三昧等而自娛樂便得无量安隱快
樂舍利弗若有眾生內有智性從佛世尊聞
法信受慇懃精進欲速出三界自求涅槃是
名聲聞乘如彼諸子為求羊車出於火宅若
有眾生從佛世尊聞法信受慇懃精進求自
然慧樂獨善寂深知諸法因緣是名辟支佛
乘如彼諸子為求鹿車出於火宅若有眾生
從佛世尊聞法信受勤脩精進求一切智佛
智自然智无師智如來知見力无所畏愍念
安樂无量眾生利益天人度脫一切是名大
乘菩薩求此乘故名為摩訶薩如彼諸子為
求牛車出於火宅舍利弗如彼長者見諸子

BD00147號　妙法蓮華經卷二

（19–2）

乘菩薩求此乘故名為摩訶薩如彼諸子為
求牛車出於火宅舍利弗如彼長者見諸子
等安隱得出火宅到无畏處自惟財富无量
等以大車而賜諸子如来亦復如是為一切
衆生之父若見无量億千衆生以佛教門出
三界苦怖畏險道得涅槃樂如来尒時便作
是念我有无量无邊智慧力无畏等諸佛法
藏是諸衆生皆是我子等與大乘不令有人
獨得滅度皆以如来滅度而滅度之是諸
衆生脫三界者悉與諸佛禪定解脫等娛樂之
具皆是一相一種聖所稱歎能生淨妙第一
之樂舍利弗如彼長者初以三車誘引諸子
然後但與大車寶物莊嚴安隱第一然彼長
者无虛妄之咎如来亦復如是无有虛妄初
說三乘引導衆生然後但以大乘而度脫之
何以故如来有无量智慧力无所畏諸法之
藏能與一切衆生大乘之法但不盡能受舍
利弗以是因緣當知諸佛方便力故於一佛
乘分別說三佛欲重宣此義而說偈言
譬如長者　有一大宅　其宅久故　而復頓弊
堂舍高危　柱根摧朽　梁棟傾斜　基陛頹毀
牆壁圮坼　泥塗褫落　覆苫亂墜　椽梠差脫
周障屈曲　雜穢充遍　有五百人　止住其中
鵄梟鵰鷲　烏鵲鳩鴿　蚖蛇蝮蝎　蜈蚣蚰蜒
守宮百足　狖狸鼷鼠　諸惡虫輩　交橫馳走
屎尿臭處　不淨流溢　蜣蜋諸虫　而集其上

BD00147 號　妙法蓮華經卷二　（19–3）

守宮百足　狖狸鼷鼠　諸惡虫輩　交橫馳走
屎尿臭處　不淨流溢　蜣蜋諸虫　而集其上
狐狼野干　咀嚼踐蹋　嚌齧死屍　骨肉狼藉
由是群狗　競来搏撮　飢羸慞惶　處處求食
鬪諍齟掣　啀喍嘷吠　其舍恐怖　變狀如是
處處皆有　魑魅魍魎　夜叉惡鬼　食噉人肉
毒虫之屬　諸惡禽獸　孚乳產生　各自藏護
夜叉競来　爭取食之　食之既飽　惡心轉熾
鬪諍之聲　甚可怖畏　鳩槃荼鬼　蹲踞土埵
或時離地　一尺二尺　往反遊行　縱逸嬉戲
捉狗兩足　撲令失聲　以脚加頸　怖狗自樂
復有諸鬼　其身長大　裸形黑瘦　常住其中
發大惡聲　叫呼求食　復有諸鬼　其咽如針
復有諸鬼　首如牛頭　或食人肉　或復噉狗
頭髮蓬亂　殘害凶險　飢渴所逼　叫喚馳走
夜叉餓鬼　諸惡鳥獸　飢急四向　窺看窓牖
如是諸難　恐畏无量　是朽故宅　屬于一人
其人近出　未久之間　於後舍宅　欻然火起
四面一時　其焰俱熾　棟梁椽柱　爆聲震裂
摧折墮落　牆壁崩倒　諸鬼神等　揚聲大叫
鵰鷲諸鳥　鳩槃荼等　周慞惶怖　不能自出
惡獸毒虫　藏竄孔穴　毗舍闍鬼　亦住其中
薄福德故　為火所逼　共相殘害　飲血噉肉
野干之屬　並已前死　諸大惡獸　競来食噉
臭烟熢㶿　四面充塞　蜈蚣蚰蜒　毒蛇之類
為火所燒　爭走出穴　鳩槃荼鬼　隨取而食
BD00147 號　妙法蓮華經卷二　（19–4）

野干之屬　並已前死　諸大惡獸　競來食噉
臭烟熢㶿　四面充塞　蜈蚣蚰蜒　毒蛇之類
為火所燒　爭走出穴　鳩槃荼鬼　隨取而食
又諸餓鬼　頭上火然　飢渴熱惱　周慞悶走
其宅如是　甚可怖畏　毒害火災　眾難非一
是時宅主　在門外立　聞有人言　汝諸子等
先因遊戲　來入此宅　稚小无知　歡娛樂著
長者聞已　驚入火宅　方宜救濟　令无燒害
告喻諸子　說眾患難　惡鬼毒蟲　災火蔓莚
眾苦次第　相續不絕　毒蛇蚖蝮　及諸夜叉
鳩槃荼鬼　野干狐狗　鵰鷲鵄梟　百足之屬
飢渴惱急　甚可怖畏　此苦難處　況復大火
諸子无知　雖聞父誨　猶故樂著　嬉戲不已
是時長者　而作是念　諸子如此　益我愁惱
今此舍宅　无一可樂　而諸子等　耽湎嬉戲
不受我教　將為火害　即便思惟　設諸方便
告諸子等　我有種種　珍玩之具　妙寶好車
羊車鹿車　大牛之車　今在門外　汝等出來
吾為汝等　造作此車　隨意所樂　可以遊戲
諸子聞說　如此諸車　即時奔競　馳走而出
到於空地　離諸苦難　長者見子　得出火宅
住於四衢　坐師子座　而自慶言　我今快樂
此諸子等　生育甚難　愚小无知　而入險宅
多諸毒蟲　魑魅可畏　大火猛焰　四面俱起
而此諸子　貪樂嬉戲　我已救之　令得脫難
是故諸人　我今快樂　尒時諸子　知父安坐

BD00147號　妙法蓮華經卷二　（19-5）

而此諸子　貪樂嬉戲　我已救之　令得脫難
是故諸人　我今快樂　尒時諸子　知父安坐
皆詣父所　而白父言　願賜我等　三種寶車
如前所許　諸子出來　當以三車　隨汝所欲
今正是時　唯垂給與　長者大富　庫藏眾多
金銀琉璃　車𤦲馬瑙　以眾寶物　造諸大車
莊校嚴飾　周帀欄楯　四面懸鈴　金繩交絡
真珠羅網　張施其上　金華諸瓔　處處垂下
眾綵雜飾　周帀圍繞　柔軟繒纊　以為茵蓐
上妙細疊　價直千億　鮮白淨潔　以覆其上
有大白牛　肥壯多力　形體姝好　以駕寶車
多諸儐從　而侍衛之　以是妙車　等賜諸子
諸子是時　歡喜踊躍　乘是寶車　遊於四方
嬉戲快樂　自在无㝵　告舍利弗　我亦如是
眾聖中尊　世間之父　一切眾生　皆是吾子
深著世樂　无有慧心　三界无安　猶如火宅
眾苦充滿　甚可怖畏　常有生老　病死憂患
如是等火　熾然不息　如來已離　三界火宅
寂然閑居　安處林野　今此三界　皆是我有
其中眾生　悉是吾子　而今此處　多諸患難
唯我一人　能為救護　雖復教詔　而不信受
於諸欲染　貪著深故　是以方便　為說三乘
令諸眾生　知三界苦　開示演說　出世間道
是諸子等　若心決定　具足三明　及六神通
有得緣覺　不退菩薩　汝舍利弗　我為眾生
以此譬喻　說一佛乘　汝等若能　信受是語

BD00147號　妙法蓮華經卷二　（19-6）

是諸子等　若心決定　具足三明　及六神通
有得緣覺　不退菩薩　汝舍利弗　我為眾生
以此譬喻　說一佛乘　汝等若能　信受是語
一切皆當　得成佛道　是乘微妙　清淨第一
於諸世間　為无有上　佛所悅可　一切眾生
所應稱讚　供養礼拜　无量億千　諸力解脫
禪定智慧　及佛餘法　得如是乘　令諸子等
日夜劫數　常得遊戲　與諸菩薩　及聲聞眾
乘此寶乘　直至道場　以是因緣　十方諦求
更无餘乘　除佛方便　告舍利弗　汝諸人等
皆是吾子　我則是父　汝等累劫　眾苦所燒
我皆濟拔　令出三界　我雖先說　汝等滅度
但盡生死　而實不滅　今所應作　唯佛智慧
若有菩薩　於是眾中　能一心聽　諸佛實法
諸佛世尊　雖以方便　所化眾生　皆是菩薩
若人小智　深著愛欲　為此等故　說於苦諦
眾生心喜　得未曾有　佛說苦諦　真實无異
若有眾生　不知苦本　深著苦因　不能暫捨
為是等故　方便說道　諸苦所因　貪欲為本
若滅貪欲　无所依止　滅盡諸苦　名第三諦
為滅諦故　脩行於道　離諸苦縛　名得解脫
是人於何　而得解脫　但離虛妄　名為解脫
其實未得　一切解脫　佛說是人　未實滅度
斯人未得　无上道故　我意不欲　令至滅度
我為法王　於法自在　安隱眾生　故現於世
汝舍利弗　我此法印　為欲利益　世間故說
在所遊方　勿妄宣傳　若有聞者　隨喜頂受

BD00147號　妙法蓮華經卷二　（19–7）

我為法王　於法自在　安隱眾生　故現於世
汝舍利弗　我此法印　為欲利益　世間故說
在所遊方　勿妄宣傳　若有聞者　隨喜頂受
當知是人　阿鞞跋致　若有信受　此經法者
是人已曾　見過去佛　恭敬供養　亦聞是法
若人有能　信汝所說　則為見我　亦見於汝
及比丘僧　并諸菩薩　斯法華經　為深智說
淺識聞之　迷惑不解　一切聲聞　及辟支佛
於此經中　力所不及　汝舍利弗　尚於此經
以信得入　況餘聲聞　其餘聲聞　信佛語故
隨順此經　非己智分　又舍利弗　憍慢懈怠
計我見者　莫說此經　凡夫淺識　深著五欲
聞不能解　亦勿為說　若人不信　毀謗此經
則斷一切　世間佛種　或復嚬蹙　而懷疑惑
汝等聽說　此人罪報　若佛在世　若滅度後
其有誹謗　如斯經典　見有讀誦　書持經者
輕賤憎嫉　而懷結恨　此人罪報　汝今復聽
其人命終　入阿鼻獄　具足一劫　劫盡更生
如是展轉　至无數劫　從地獄出　當墮畜生
若狗野干　其形頷瘦　黧黮疥癩　人所觸嬈
又復為人　之所惡賤　常困飢渴　骨肉枯竭
生受楚毒　死被瓦石　斷佛種故　受斯罪報
若作駱駝　或生驢中　身常負重　加諸杖捶
但念水草　餘无所知　謗斯經故　獲罪如是
有作野干　來入聚落　身體疥癩　又无一目
為諸童子　之所打擲　受諸苦痛　或時致死

BD00147號　妙法蓮華經卷二　（19–8）

但念水草　餘无所知　謗斯經故　獲罪如是
有作野干　來入聚落　身體疥癩　又无一目
為諸童子　之所打擲　受諸苦痛　或時致死
於此死已　更受蟒身　其形長大　五百由旬
聾騃无足　宛轉腹行　為諸小虫　之所唼食
晝夜受苦　无有休息　謗斯經故　獲罪如是
若得為人　諸根暗鈍　矬陋攣躄　盲聾背傴
有所言說　人不信受　口氣常臭　鬼魅所著
貧窮下賤　為人所使　多病痟瘦　无所依怙
雖親附人　人不在意　若有所得　尋復忘失
若脩醫道　順方治病　更增他疾　或復致死
若自有病　无人救療　設服良藥　而復增劇
若他反逆　抄劫竊盜　如是等罪　横羅其殃
如斯罪人　永不見佛　衆聖之王　說法教化
如斯罪人　常生難處　狂聾心亂　永不聞法
於无數劫　如恒河沙　生輒聾瘂　諸根不具
常處地獄　如遊園觀　在餘惡道　如己舍宅
駝驢猪狗　是其行處　謗斯經故　獲罪如是
若得為人　聾盲瘖瘂　貧窮諸衰　以自莊嚴
水腫乾痟　疥癩癰疽　如是等病　以為衣服
身常臭處　垢穢不淨　深著我見　增益瞋恚
婬欲熾盛　不擇禽獸　謗斯經故　獲罪如是
告舍利弗　謗斯經者　若說其罪　窮劫不盡
以是因緣　我故語汝　无智人中　莫說此經
若有利根　智慧明了　多聞強識　求佛道者
如是之人　乃可為說　若人曾見　億百千佛

BD00147 號　妙法蓮華經卷二　　（19–9）

若有利根　智慧明了　多聞強識　求佛道者
如是之人　乃可為說　若人曾見　億百千佛
殖諸善本　深心堅固　如是之人　乃可為說
若人精進　常脩慈心　不惜身命　乃可為說
若人恭敬　无有異心　離諸凡愚　獨處山澤
如是之人　乃可為說　又舍利弗　若見有人
捨惡知識　親近善友　如是之人　乃可為說
若見佛子　持戒清潔　如淨明珠　求大乘經
如是之人　乃可為說　若人无瞋　質直柔軟
常愍一切　恭敬諸佛　如是之人　乃可為說
復有佛子　於大衆中　以清淨心　種種因緣
譬喻言辭　說法无礙　如是之人　乃可為說
若有比丘　為一切智　四方求法　合掌頂受
但樂受持　大乘經典　乃至不受　餘經一偈
如是之人　乃可為說　如人至心　求佛舍利
如是求經　得已頂受　其人不復　志求餘經
亦未曾念　外道典籍　如是之人　乃可為說
告舍利弗　我說是相　求佛道者　窮劫不盡
如是等人　則能信解　汝當為說　妙法華經
妙法蓮華經信解品第四
尒時慧命須菩提摩訶迦栴延摩訶迦葉摩
訶目揵連從佛所聞未曾有法世尊授舍利
弗阿耨多羅三藐三菩提記發希有心歡喜
踊躍即從座起整衣服偏袒右肩右膝著地
一心合掌曲躬恭敬瞻仰尊顏而白佛言我
等居僧之首年並朽邁自謂已得涅槃无所

BD00147 號　妙法蓮華經卷二　　（19–10）

一心合掌曲躬恭敬瞻仰尊顏而白佛言我
等居僧之首年並朽邁自謂已得涅槃无所
堪任不復進求阿耨多羅三藐三菩提世尊
往昔說法既久我時在座身體疲懈但念空
无相无作於菩薩法遊戲神通淨佛國土成
就衆生心不喜樂所以者何世尊令我等出
於三界得涅槃證又今我等年已朽邁於佛
教化菩薩阿耨多羅三藐三菩提不生一念
好樂之心我等今於佛前聞授聲聞阿耨多
羅三藐三菩提記心甚歡喜得未曾有不謂
於今忽然得聞希有之法深自慶幸獲大善
利无量珎寶不求自得世尊我等今者樂說
譬喻以明斯義譬若有人年既幼稚捨父逃
逝久住他國或十二十至五十歲年既長大
加復窮困馳騁四方以求衣食漸漸遊行遇
向本國其父先來求子不得中止一城其家
大富財寶无量金銀琉璃珊瑚虎珀頗梨珠
等其諸倉庫悉皆盈溢多有僮僕臣佐吏民
象馬車乘牛羊无數出入息利乃遍他國商
估賈客亦甚衆多時貧窮子遊諸聚落經歷
國邑遂到其父所止之城父每念子與子離
別五十餘年而未曾向人說如此事但自思
惟心懷悔恨自念老朽多有財物金銀珎寶
倉庫盈溢无有子息一旦終沒財物散失无
所委付是以慇懃每憶其子復作是念我若

所委付是以慇懃每憶其子復作是念我若
得子委付財物坦然快樂无復憂慮世尊尒
時窮子傭賃展轉遇到父舍住立門側遙見
其父踞師子床寶几承足諸婆羅門剎利居
士皆恭敬圍繞以真珠瓔珞價直千万莊嚴
其身吏民僮僕手執白拂侍立左右覆以寶
帳垂諸華幡香水灑地散衆名華羅列寶物
出內取與有如是等種種嚴飾威德特尊窮
子見父有大力勢即懷恐怖悔來至此竊作
是念此或是王或是王等非我傭力得物之
處不如往至貧里肆力有地衣食易得若久
住此或見逼迫強使我作作是念已疾走而
去時富長者於師子座見子便識心大歡喜
即作是念我財物庫藏今有所付我常思念
此子无由見之而忽自來甚適我願我雖年
朽猶故貪惜即遣傍人急追將還尒時使者
疾走往捉窮子驚愕稱怨大喚我不相犯何
為見捉使者執之愈急強牽將還于時窮子
自念无罪而被囚執此必定死轉更惶怖悶
絕躃地父遙見之而語使言不須此人勿強
將來以冷水灑面令得醒悟莫復與語所以
者何父知其子志意下劣自知豪貴為子所
難審知是子而以方便不語他人云是我子
使者語之我今放汝隨意所趣窮子歡喜得
未曾有從地而起往至貧里以求衣食尒時

使者語之我今放汝隨意所趣窮子歡喜得
未曾有從地而起往至貧里以求衣食尒時
長者將欲誘引其子而設方便密遣二人形
色憔悴无威德者汝可詣彼徐語窮子此有
作處倍與汝直窮子若許將來使作若言欲
何所作便可語之雇汝除糞我等二人亦共
汝作時二使人即求窮子既已得之具陳上
事尒時窮子先取其價尋與除糞其父見子
愍而怪之又以他日於窻牖中遥見子身羸
瘦憔悴糞土塵坌汙穢不淨即脫瓔珞細軟
上服嚴飾之具更著麁弊垢膩之衣塵土坌
身右手執持除糞之器狀有所畏語諸作人
汝等勤作勿得懈息以方便故得近其子後
復告言咄男子汝常此作勿復餘去當加汝
價諸有所須瓫器米麵塩酢之屬莫自疑難
亦有老弊使人須者相給好自安意我如汝
父勿復憂慮所以者何我年老大而汝少壯
汝常作時无有欺怠瞋恨怨言都不見汝有
此諸惡如餘作人自今已後如所生子即時
長者更與作字名之為兒尒時窮子雖欣此
遇猶故自謂客作賤人由是之故於二十年
中常令除糞過是已後心相體信入出无難
然其所止猶在本處世尊尒時長者有疾自
知將死不久語窮子言我今多有金銀珎寶
倉庫盈溢其中多少所應取與汝悉知之我
心如是當體此意所以者何今我與汝便為

BD00147號　妙法蓮華經卷二　（19–13）

倉庫盈溢其中多少所應取與汝悉知之我
心如是當體此意所以者何今我與汝便為
不異宜加用心无令漏失尒時窮子即受
教勅領知衆物金銀珎寶及諸庫藏而无悕
取一飡之意然其所止故在本處下劣之心亦
未能捨復經少時父知子意漸已通泰成就
大志自鄙先心臨欲終時而命其子并會親
族國王大臣剎利居士皆悉已集即自宣言
諸君當知此是我子我之所生於某城中捨
吾逃走跉跰辛苦五十餘年其本字某我名
某甲昔在本城懷憂推覓忽於此間遇會得
之此實我子我實其父今我所有一切財物
皆是子有先所出内是子所知世尊是時窮
子聞父此言即大歡喜得未曾有而作是念
我本无心有所悕求今此寶藏自然而至世
尊大富長者則是如來我等皆似佛子如來
常說我等為子世尊我等以三苦故於生死
中受諸熱惱迷惑无知樂著小法今日世尊
令我等思惟蠲除諸法戲論之糞我等於中
勤加精進得至涅槃一日之價既得此已心
大歡喜自以為足便自謂於佛法中勤精進
故所得弘多然世尊先知我等心著弊欲樂
於小法便見縱捨不為分別汝等當有如來
知見寶藏之分世尊以方便力說如來知慧
我等從佛得涅槃一日之價以為大得於此

BD00147號　妙法蓮華經卷二　（19–14）

我等從佛得涅槃一日之價以為大得於此
大乘无有志求我等又因如来智慧為諸菩
薩開示演說而自於此无有志願所以者何
佛知我等心樂小法以方便力隨我等說而
我等不知真是佛子今我等方知世尊於佛
智慧无所悋惜所以者何我等昔来真是佛
子而但樂小法若我等有樂大之心佛則為
我說大乘法此經中唯說一乘而昔於菩薩
前毀呰聲聞樂小法者然佛實以大乘教化
是故我等說本无心有所悕求今法王大寶
自然而至如佛子所應得者皆已得之尒時
摩訶迦葉欲重宣此義而說偈言
我等今日　聞佛音教　歡喜踊躍　得未曾有
佛說聲聞　當得作佛　无上寶聚　不求自得
譬如童子　幼稚无識　捨父逃逝　遠到他土
周流諸國　五十餘年　其父憂念　四方推求
求之既疲　頓止一城　造立舍宅　五欲自娛
其家巨富　多諸金銀　車𤦲馬瑙　真珠瑠璃
象馬牛羊　輦轝車乘　田業僮僕　人民衆多
出入息利　乃遍他國　商估賈人　无處不有
千万億衆　圍繞恭敬　常為王者　之所愛念
群臣豪族　皆共宗重　以諸緣故　往来者衆
豪富如是　有大力勢　而年朽邁　益憂念子
夙夜惟念　死時將至　癡子捨我　五十餘年
庫藏諸物　當如之何　尒時窮子　求索衣食

BD00147號　妙法蓮華經卷二　（19–15）

夙夜惟念　死時將至　癡子捨我　五十餘年
庫藏諸物　當如之何　尒時窮子　求索衣食
從邑至邑　從國至國　或有所得　或无所得
飢餓羸瘦　體生瘡癬　漸次經歷　到父住城
傭賃展轉　遂至父舍　尒時長者　於其門內
施大寶帳　處師子座　眷屬圍遶　諸人侍衛
或有計算　金銀寶物　出內財產　注記券疏
窮子見父　豪貴尊嚴　謂是國王　若是王等
驚怖自怪　何故至此　覆自念言　我若久住
或見逼迫　強駈使作　思惟是已　馳走而去
借問貧里　欲往傭作　長者是時　在師子座
遙見其子　嘿而識之　即勑使者　追捉將来
窮子驚喚　迷悶辟地　是人執我　必當見殺
何用衣食　使我至此　長者知子　愚癡狹劣
不信我言　不信是父　即以方便　更遣餘人
眇目矬陋　无威德者　汝可語之　云當相雇
除諸糞穢　倍與汝價　窮子聞之　歡喜隨來
為除糞穢　淨諸房舍　長者於牖　常見其子
念子愚劣　樂為鄙事　於是長者　著弊垢衣
執除糞器　往到子所　方便附近　語令勤作
既益汝價　并塗足油　飲食充足　薦席厚暖
如是苦言　汝當勤作　又以軟語　若如我子
長者有智　漸令入出　經二十年　執作家事
示其金銀　真珠頗梨　諸物出入　皆使令知
猶處門外　止宿草菴　自念貧事　我无此物
父知子心　漸已曠大　欲與財物　即聚親族

BD00147號　妙法蓮華經卷二　（19–16）

猶處門外　止宿草菴　自念貧事　我无此物
父知子心　漸已曠大　欲與財物　即聚親族
國王大臣　剎利居士　於此大眾　說是我子
捨我他行　經五十歲　自見子來　已二十年
昔於某城　而失是子　周行求索　遂來至此
凡我所有　舍宅人民　悉以付之　恣其所用
子念昔貧　志意下劣　今於父所　大獲珎寶
并及舍宅　一切財物　甚大歡喜　得未曾有
佛亦如是　知我樂小　未曾說言　汝等作佛
而說我等　得諸无漏　成就小乘　聲聞弟子
佛勑我等　說最上道　脩習此者　當得成佛
我承佛教　為大菩薩　以諸因緣　種種譬喻
若干言辭　說无上道　諸佛子等　從我聞法
日夜思惟　精勤脩習　是時諸佛　即授其記
汝於來世　當得作佛　一切諸佛　祕藏之法
但為菩薩　演其實事　而不為我　說斯真要
如彼窮子　得近其父　雖知諸物　心不悕取
我等雖說　佛法寶藏　自无志願　亦復如是
我等內滅　自謂為足　唯了此事　更无餘事
我等若聞　淨佛國土　教化眾生　都无欣樂
所以者何　一切諸法　皆悉空寂　无生无滅
无大无小　无漏无為　如是思惟　不生喜樂
我等長夜　於佛智慧　无貪无著　无復志願
而自於法　謂是究竟　我等長夜　脩習空法
得脫三界　苦惱之患　住最後身　有餘涅槃

BD00147號　妙法蓮華經卷二　（19–17）

而自於法　謂是究竟　我等長夜　脩習空法
得脫三界　苦惱之患　住最後身　有餘涅槃
佛所教化　得道不虛　則為已得　報佛之恩
我等雖為　諸佛子等　說菩薩法　以求佛道
而於是法　永无願樂　導師見捨　觀我心故
初不勸進　說有實利　如富長者　知子志劣
以方便力　柔伏其心　然後乃付　一切財物
佛亦如是　現希有事　知樂小者　以方便力
調伏其心　乃教大智　我等今日　得未曾有
非先所望　而今自得　如彼窮子　得无量寶
世尊我今　得道得果　於无漏法　得清淨眼
我等長夜　持佛淨戒　始於今日　得其果報
法王法中　久脩梵行　今得无漏　无上大果
我等今者　真是聲聞　以佛道聲　令一切聞
我等今者　真阿羅漢　於諸世間　天人魔梵
普於其中　應受供養　世尊大恩　以希有事
憐愍教化　利益我等　无量億劫　誰能報者
手足供給　頭頂禮敬　一切供養　皆不能報
若以頂戴　兩肩荷負　於恒沙劫　盡心恭敬
又以美饍　无量寶衣　及諸臥具　種種湯藥
牛頭栴檀　及諸珎寶　以起塔廟　寶衣布施
如斯等事　以用供養　於恒沙劫　亦不能報
諸佛希有　无量无邊　不可思議　大神通力
无漏无為　諸法之王　能為下劣　忍于斯事
取相凡夫　隨宜為說　諸佛於法　得最自在
知諸眾生　種種欲樂　及其志力　隨所堪任

BD00147號　妙法蓮華經卷二　（19–18）

我等今者　真是聲聞　以佛道聲　令一切聞
我等今者　真阿羅漢　於諸世間　天人魔梵
普於其中　應受供養　世尊大恩　以希有事
憐愍教化　利益我等　无量億劫　誰能報者
手足供給　頭頂礼敬　一切供養　皆不能報
若以頂戴　兩肩荷負　於恒沙劫　盡心恭敬
又以美饍　无量寶衣　及諸卧具　種種湯藥
牛頭栴檀　及諸珎寳　以起塔廟　寶衣布施
如斯等事　以用供養　於恒沙劫　亦不能報
諸佛希有　无量无邊　不可思議　大神通力
无漏无為　諸法之王　能為下劣　忍于斯事
取相凡夫　隨宜為說　諸佛於法　得最自在
知諸衆生　種種欲樂　及其志力　隨所堪任
以无量喻　而為說法　隨諸衆生　宿世善根
又知成熟　未成熟者　種種籌量　分別知已
於一乘道　隨宜說三

妙法蓮華經卷第二

BD00147號　妙法蓮華經卷二　（19–19）

四分律藏卷第卌四　第三分卷第八　瞻波揵度第七　初
爾時世尊在瞻波城伽尸國婆娑婆聚落時
異住處有舊比丘常接衆人猶如泉水作如
是言若未来客比丘我當供給所須為作洗
浴飲食供養時有衆多比丘在伽尸國人間
遊行至婆娑婆聚落時彼比丘即供給所須
食飲供養彼比丘異時作如是念我不能常
從白衣乞索飲食供具作洗浴作粥供養此
客比丘道路遠来今已懈息本未有知識今
已有知識我今寧可不復求索於是即止彼
客比丘作是念此比丘憎我曹本供給我等
所須飲食洗浴之具今止不復與我我等寧
可舉此比丘邪彼即和合舉此比丘彼比丘作
是念我今不能自知是犯非犯是舉非舉
為如法舉羯磨成就為不如法舉羯磨不成
就我今寧可往瞻波世尊所以此因緣具白
世尊世尊若有言教隨世尊所教我當施行
爾時此舊比丘持衣鉢詣瞻波往世尊所頭
面作礼已却住一面爾時世尊慰勞客比丘
乞求易得不住止和合不道路不疲極不答
言住止和合乞求易得道路不疲極汝比丘
從何所来彼比丘言我在伽尸國婆娑婆聚落
於異住處舊比丘常接衆客所須猶如泉

BD00148號　四分律卷四四　（25–1）

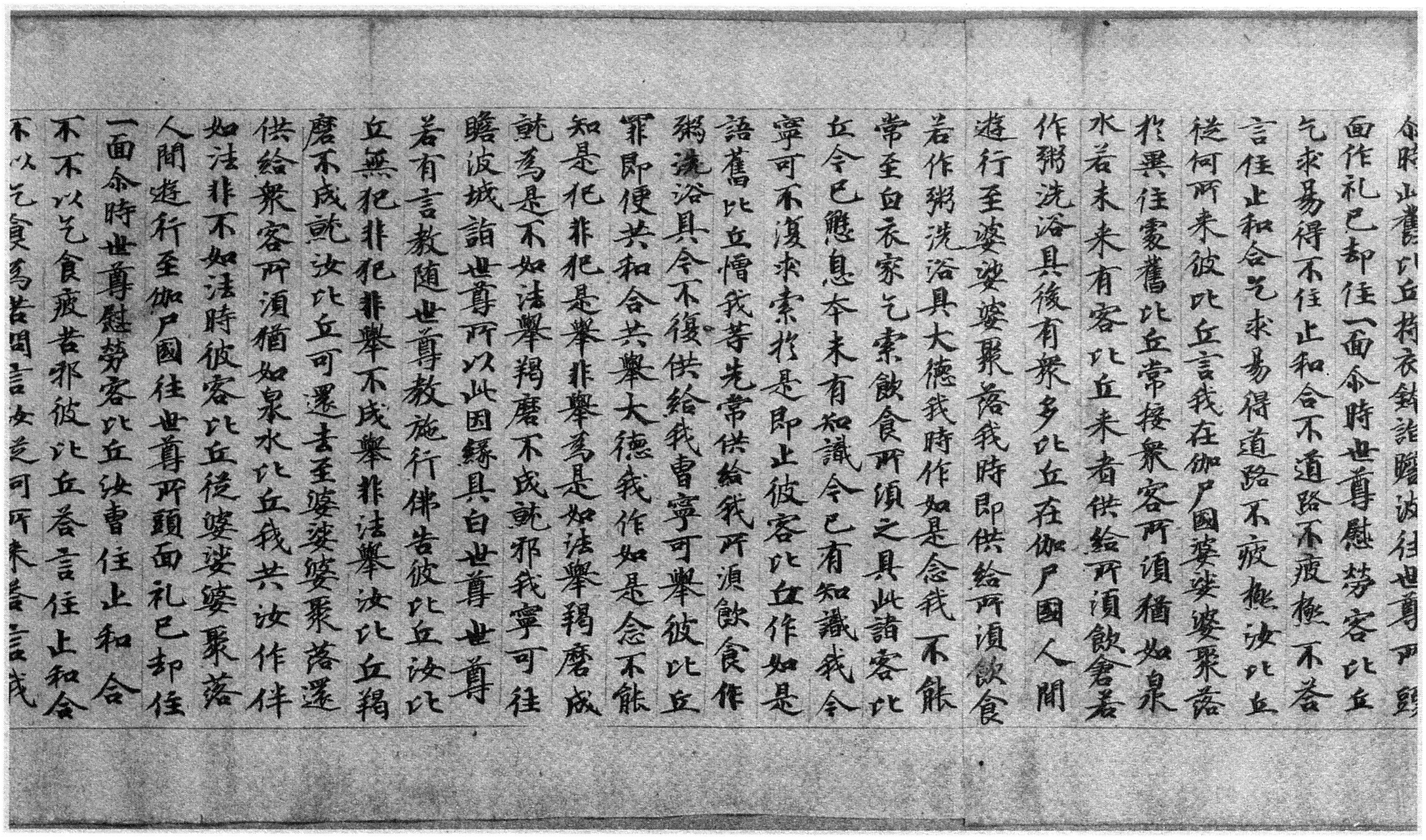
尒時此舊比丘持衣鉢詣瞻波往世尊所頭
面作礼已却住一面尒時世尊慰勞客比丘
乞求易得不住止和合不道路不疲極不荅
言住止和合乞求易得道路不疲極汝比丘
從何所来彼比丘言我在伽尸國婆娑婆聚落
於異住處舊比丘常接衆客所須猶如泉
水若未来有客比丘来者供給所須飲食若
作粥洗浴具後有衆多比丘在伽尸國人間
遊行至婆娑婆聚落我時即供給所須飲食
若作粥洗浴具大德我時作如是念我不能
常至白衣家乞索飲食所須之具此諸客比
丘令已憩息本未有知識今已有知識我今
寧可不復求索於是即止彼客比丘作如是
語舊比丘憎我等先常供給我所須飲食作
粥洗浴具令不復供給我曹寧可舉彼比丘
罪即便共和合共舉大德我作如是念不能
知是犯非犯是舉非舉為是如法舉羯磨成
就為是不如法舉羯磨不成就邪我寧可往
瞻波城詣世尊所以此因緣具白世尊世尊
若有言教隨世尊教施行佛告彼比丘汝比
丘無犯非犯非舉不成舉非法舉汝比丘羯
磨不成就汝比丘可還去至婆娑婆聚落還
供給衆客所須猶如泉水比丘我共汝作伴
如法非不如法時彼客比丘從婆娑婆聚落
人間遊行至伽尸國往世尊所頭面礼已却住
一面尒時世尊慰勞客比丘汝曹住止和合
不不以乞食疲苦耶彼比丘荅言住止和合
不以乞食為苦問言汝從何所来荅言我

BD00148號　四分律卷四四　（25–2）

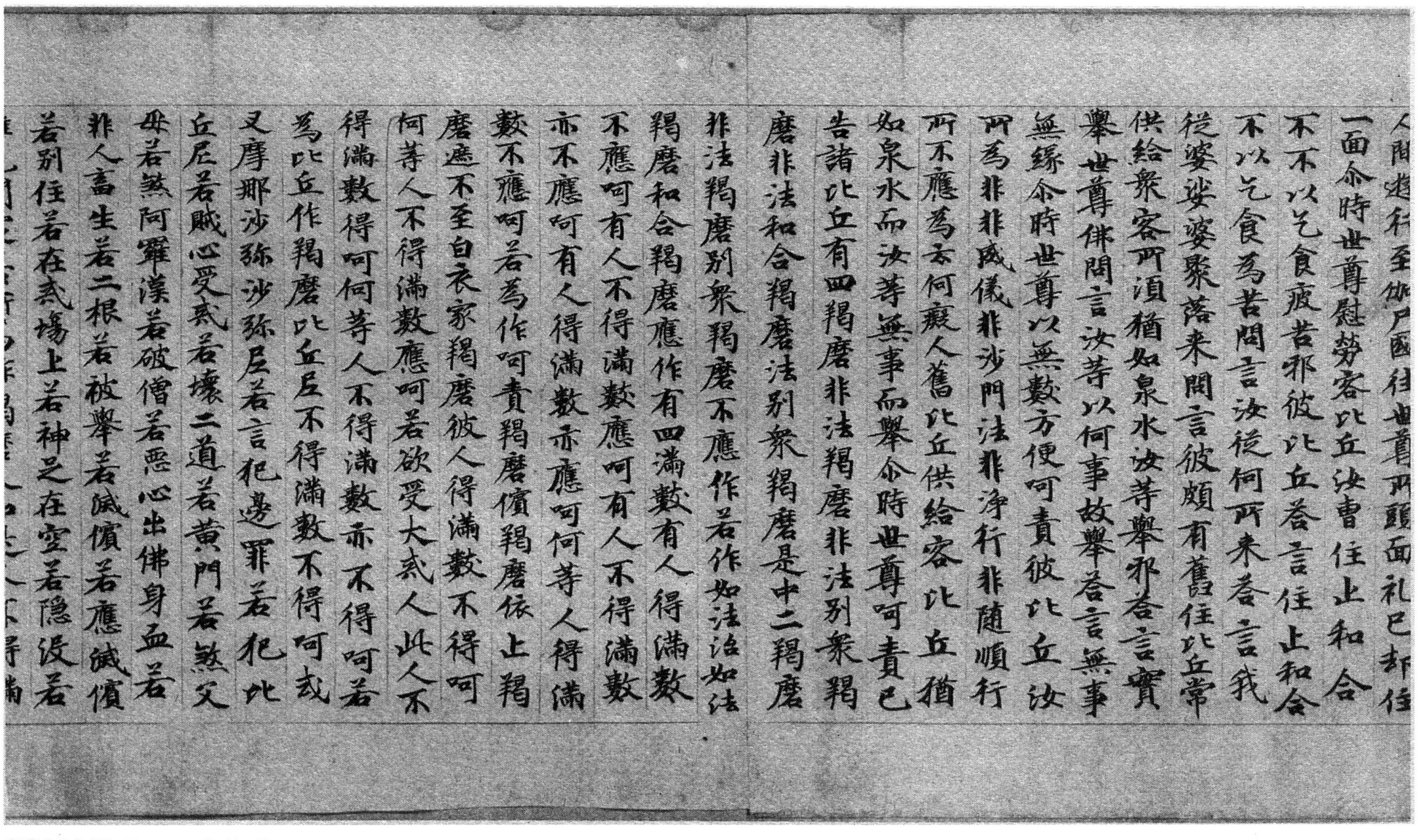
人間遊行至伽尸國往世尊所頭面礼已却住
一面尒時世尊慰勞客比丘汝曹住止和合
不不以乞食疲苦耶彼比丘荅言住止和合
不以乞食為苦問言汝從何所来荅言我
從婆娑婆聚落来問言彼頗有舊住比丘常
供給衆客所須猶如泉水汝等舉耶荅言實
舉世尊佛問言汝等以何事故舉荅言無事
無緣尒時世尊以無數方便呵責彼比丘汝
所為非非威儀非沙門法非淨行非隨順行
所不應為云何癡人舊比丘供給客比丘猶
如泉水而汝等無事而舉尒時世尊呵責已
告諸比丘有四羯磨非法羯磨非法別衆羯
磨非法和合羯磨法別衆羯磨是中二羯磨
非法羯磨別衆羯磨不應作若作如法治如法
羯磨和合羯磨應作有四滿數有人得滿數
不應呵有人不得滿數應呵有人不得滿數
亦不應呵有人得滿數亦應呵何等人得滿
數不應呵若為作呵責羯磨擯羯磨依止羯
磨遮不至白衣家羯磨彼人得滿數不得呵
何等人不得滿數應呵若欲受大戒人此人不
得滿數得呵何等人不得滿數亦不得呵若
為比丘作羯磨比丘尼不得滿數不得呵式
叉摩那沙彌沙彌尼若言犯邊罪若犯比
丘尼若賊心受戒若壞二道若黃門若煞父
母若煞阿羅漢若破僧若惡心出佛身血若
非人畜生若二根若被舉若滅擯若應滅擯
若別住若在戒場上若神足在空若隱沒若

BD00148號　四分律卷四四　（25–3）

母若煞阿羅漢若破僧若惡心出佛身血若
非人畜生若二根若被舉若滅儐若應滅儐
若別住若在戒場上若神足在空若隱沒若
離見聞處若所為作羯磨人如是人不得滿
數不應呵何等人得滿數亦得呵若善比丘
同一界住不以神足在空不隱沒不離見聞
處乃至語傍人如是人得滿數應呵時六羣
比丘一人舉一人一人舉二人或舉三人或
舉僧二人舉一人二人舉二人或舉三人或舉
僧三人舉一人或舉二人或舉三人或舉僧
僧舉僧諸比丘白佛佛言不得一人舉一人
二人三人舉僧不得二人舉一人二人三人
舉僧不得三人舉一人二人三人舉僧不得
僧舉僧若一人舉一人非法羯磨非毗尼羯
磨不應尒若一人舉二人三人僧若二人舉
一人二人三人僧若三人舉一人舉二人舉
三人舉僧僧舉僧非法羯磨非毗尼羯磨
不應尒尒時六羣比丘重作羯磨作呵責羯
磨已復作儐羯磨作依止作遮不至白衣家
與作舉與作波利婆沙與作本日治與摩那
埵與阿浮呵那與現前毗尼與憶念毗尼與
不癡毗尼與自言治與作多覓與覓罪相與
如草覆地諸比丘白佛佛言不應重作羯磨
不應作呵責羯磨已復作儐羯磨乃至如草
覆地尒時佛告諸比丘有四種僧四人僧五人
僧十人僧廿人僧是中四人僧者除自恣受
大戒出罪餘一切如法羯磨應作是中五人

不應作呵責羯磨已復作儐羯磨乃至如草
覆地尒時佛告諸比丘有四種僧四人僧五人
僧十人僧廿人僧是中四人僧者除自恣受
大戒出罪餘一切如法羯磨應作是中五人
僧者在中國除受大戒出罪餘一切如法羯
磨應作是中十人僧者除出罪餘一切如法
羯磨應作是中廿人僧者一切羯磨應作況
復過廿若應四人羯磨四人少一人作羯磨
者非法非毗尼羯磨若以比丘尼作第四
人若以式叉摩那沙弥沙弥尼若言犯邊罪
若犯比丘尼若賊心受戒若壞二道若黃門若
殺父母殺阿羅漢惡心出佛身血若非人若
畜生若二根人若被舉若滅儐若應滅儐
所為作羯磨人以如是人足四人非法非毗
尼羯磨不應尒五人僧十人僧廿人僧亦
如是尒時六羣比丘作非法非毗尼羯磨彼
作非法別眾羯磨非法和合羯磨法別眾羯
磨法相似別眾羯磨法相似和合羯磨作呵
不止羯磨諸比丘白佛佛言不應作非法非
毗尼羯磨不應作非法別眾羯磨不應作非
法和合羯磨不應作法別眾羯磨不應作法
相似別眾羯磨不應作法相似和合羯磨不
應作呵不止羯磨云何非法非毗尼羯磨白
二羯磨作白已不作羯磨是故非法毗尼羯
磨不應尒作二白不作羯磨作三白不作羯
磨作眾多白不作羯磨非法非毗尼羯磨不
應尒白三羯磨作一白二羯磨非法非毗尼

磨不應尒作二白不作羯磨作三白不作羯
磨作衆多白不作羯磨非法非毗尼羯磨不
應尒白三羯磨作一白二羯磨非法非毗尼
羯磨不應尒作一白三羯磨作一白衆多羯
磨作二白一羯磨作二白二羯磨作二白三羯
磨作二白衆多羯磨作三白一羯磨作三白
二羯磨作三白三羯磨作三白衆多羯磨
作衆多白一羯磨衆多白二羯磨衆多白三
羯磨衆多白衆多羯磨非法非毗尼羯磨不
應尒白二羯磨作一羯磨不作白非法非毗
尼羯磨不應尒作二羯磨不作白作三羯磨
不作白作衆多羯磨不作白非法非毗尼羯
磨不磨尒白二羯磨作一羯磨二白非法非
毗尼羯磨不應尒作一羯磨三白作一羯磨
衆多白作二羯磨一白作二羯磨二白作二
羯磨三白作二羯磨衆多白作三羯磨一白
作三羯磨二白作三羯磨三白作三羯磨衆
多白作衆多羯磨一白作衆多羯磨二白作
衆多羯磨三白作衆多羯磨衆多白非法非
毗尼羯磨不應尒白二羯磨不如白法作白不
如羯磨法作羯磨非法非毗尼羯磨不應
尒白四羯磨作一白不作羯磨非法非毗尼
羯磨不應尒作二白不作羯磨作三白不作
羯磨作衆多白不作羯磨非法非毗尼羯磨
不應尒作一白一羯磨作一白二羯磨作一
白衆多羯磨作二白一羯磨作二白二羯磨
作二白三羯磨作二白衆多羯磨作三白一

BD00148號　四分律卷四四　　（25–6）

不應尒作一白一羯磨作一白二羯磨作一
白衆多羯磨作二白一羯磨作二白二羯磨
作二白三羯磨作二白衆多羯磨作三白一
羯磨作三白二羯磨作三白三羯磨作三白
衆多羯磨作衆多白一羯磨作衆多白二羯
磨作衆多白三羯磨作衆多白衆多羯磨非
法非毗尼羯磨不應尒白四羯磨作一羯磨不
作白非法非毗尼羯磨不應尒作二羯磨不
作白作三羯磨不作白作衆多羯磨不作
白非法非毗尼羯磨不應尒作一羯磨一白
作一羯磨二白作一羯磨三白作一羯磨衆
多白作二羯磨一白作二羯磨二白作二羯磨
三白作三羯磨衆多白作三羯磨二白作三
羯磨三白作三羯磨衆多白作衆多羯磨
一白作衆多羯磨二白作衆多羯磨三白作
衆多羯磨衆多白非法非毗尼羯磨不應尒
作白四羯磨不如白法作白不如三羯磨法
作羯磨非法非毗尼羯磨不應尒是中有比
丘見無罪餘比丘語言汝犯罪見不荅言不
見彼即舉作不見罪羯磨佛言非法非毗尼
羯磨不應尒是中有比丘無懺悔罪餘比丘
語言汝犯罪應懺悔荅言我不懺悔彼即舉
作不懺悔羯磨佛言非法非毗尼羯磨不應
尒是中有比丘無惡見不捨餘比丘語言汝
有惡見應捨荅言我不捨彼即舉作惡見不
捨羯磨佛言非法非毗尼羯磨不應尒是中
有比丘見無罪無罪懺悔餘比丘語言汝見

BD00148號　四分律卷四四　　（25–7）

有惡見應捨答言我不捨彼即舉作惡見不
捨羯磨佛言非法非毗尼羯磨不應尒是中
有比丘見無罪無罪懺悔餘比丘語言汝見
罪不汝應懺悔答言我不見罪我不懺悔彼
即舉作不見罪不懺悔羯磨佛言非法非毗
尼羯磨不應尒是中有比丘見無罪無惡見
不捨餘比丘語言汝見有罪惡見應捨答言
我不見罪無惡見不捨彼即舉作不見罪惡
見不捨羯磨佛言非法非毗尼羯磨不應尒
是中有比丘無罪懺悔無惡見不捨餘比丘
語言汝有罪應懺悔捨惡見答言我不懺悔
我無惡見不捨彼即舉作不懺悔不捨惡見
羯磨佛言非法非毗尼羯磨不應尒是中有
比丘見無罪無罪懺悔無惡見不捨餘比丘
語言汝見罪應懺悔捨惡見答言我不見罪
不懺悔無惡見不捨彼即舉作不見罪不懺
悔不捨惡見羯磨佛言非法非毗尼羯磨不
應尒是中有比丘無罪見無罪餘比丘問言
汝見罪不答言見彼比丘即舉作不見罪羯
磨佛言非法非毗尼羯磨不應尒是中有比
丘無罪懺悔餘比丘語言汝有罪應懺悔答
言當懺悔彼比丘即舉作不懺悔羯磨佛言
非法非毗尼羯磨不應尒是中有比丘無惡
見不捨餘比丘語言汝有惡見應捨答言我
當捨彼即舉作惡見不捨羯磨佛言非法非
毗尼羯磨不應尒是中有比丘無罪見無罪
不懺悔餘比丘語言汝見罪應懺悔答言我
見罪當懺悔彼即舉作不見罪不懺悔羯磨

BD00148號　四分律卷四四　（25–8）

毗尼羯磨不應尒是中有比丘無罪見無罪
不懺悔餘比丘語言汝見罪應懺悔答言我
見罪當懺悔彼即舉作不見罪不懺悔羯磨
佛言非法非毗尼羯磨不應尒是中有比丘無
見罪無惡見不捨餘比丘語言汝見罪惡見
應捨答言我見罪當捨惡見彼即舉作不見
罪不捨惡見羯磨佛言非法非毗尼羯磨
不應尒是中有比丘無罪懺悔無惡見不捨
餘比丘語言汝有罪應懺悔惡見應捨答言
當懺悔捨惡見彼即舉作不懺悔不捨惡見
羯磨佛言非法非毗尼羯磨不應尒是中有
比丘見無罪無懺悔無惡見不捨餘比丘語
言汝見罪當懺悔惡見應捨答言我見罪當
懺悔捨惡見彼即舉作不見罪不懺悔惡見
不捨羯磨佛言非法非毗尼羯磨不應尒是
中有比丘見有罪餘比丘語言汝有罪見不
答言見彼即舉作不見罪羯磨佛言非法非
毗尼羯磨不應尒是中有比丘有罪懺悔餘
比丘語言汝有罪應懺悔答言我當懺悔彼
即舉作不懺悔羯磨佛言非法非毗尼羯磨
不應尒是中有比丘有惡見不捨餘比丘語
言汝有惡見應捨答言當捨彼即舉作不捨
惡見羯磨佛言非法非毗尼羯磨不應尒是
中有比丘見有罪有罪應懺悔餘比丘語言
汝見有罪應懺悔答言我見罪當懺悔彼即
舉作不見罪不懺悔羯磨佛言非法非毗尼
羯磨不應尒是中有比丘見有罪有惡見不

BD00148號　四分律卷四四　（25–9）

汝見有罪應懺悔荅言我見罪當懺悔彼即
舉作不見罪不懺悔羯磨佛言非法非毗尼
羯磨不應爾是中有比丘見有罪有惡見不
捨餘比丘語言汝見有罪惡見應捨荅言我
見罪當捨惡見彼比丘即舉作不見罪惡見
不捨羯磨佛言非法非毗尼羯磨不應爾是
中有比丘有罪懺悔有惡見不捨餘比丘語
言汝有罪當懺悔惡見當捨荅言我當懺悔
當捨惡見彼即舉作不懺悔不捨惡見羯磨
佛言非法非毗尼羯磨不應爾是中有比丘
見有罪懺悔惡見不捨餘比丘語言汝見罪
當懺悔惡見應捨荅言我見罪當懺悔捨惡
見彼即舉作不見罪不懺悔不捨惡見羯磨
佛言非法非毗尼羯磨不應爾是為非法非
毗尼羯磨云何如法如毗尼羯磨白二羯磨如
白法作白如羯磨法作羯磨如法如毗尼羯
磨應爾白四羯磨如白法作白如三羯磨法
作羯磨如法如毗尼羯磨應爾是中有比
丘見有罪餘比丘問言汝有罪見不荅言不
見彼即舉作不見罪羯磨佛言如法如毗尼
羯磨應爾是中有比丘有罪應懺悔餘比丘
語言汝有罪應懺悔荅言我不懺悔彼即舉
作不懺悔羯磨佛言如法如毗尼羯磨應爾
是中有比丘惡見不捨餘比丘語言汝有惡
見應捨荅言不捨彼即舉作惡見不捨羯磨
佛言如法如毗尼羯磨應爾是中有比丘見
有罪有罪懺悔餘比丘語言汝見有罪有罪

是中有比丘惡見不捨餘比丘語言汝有惡
見應捨荅言不捨彼即舉作惡見不捨羯磨
佛言如法如毗尼羯磨應爾是中有比丘見
有罪有罪懺悔餘比丘語言汝見有罪有罪
懺悔荅言不見不懺悔彼即如其所犯作不
見佛不懺悔羯磨佛言如法如毗尼羯磨應
爾是中有比丘見有罪有惡見不捨餘比丘
語言汝有罪有惡見應捨荅言我不見罪惡
見不捨彼即如其所犯罪與作不見罪惡見
不捨羯磨佛言如法如毗尼羯磨應爾是中
有比丘有罪懺悔惡見不捨餘比丘語言汝
有罪當懺悔惡見當捨荅言我不懺悔不捨
惡見彼即如其所犯作不懺悔不捨惡見羯
磨佛言如法如毗尼羯磨應爾是中有比丘
見有罪懺悔惡見不捨餘比丘語言汝見有
罪當懺悔惡見應捨荅言我不見罪不懺悔
不捨惡見彼即如其所犯罪作不見罪不懺
悔不捨惡見羯磨佛言如法如毗尼羯磨應
爾是為如法如毗尼羯磨云何非法別眾羯
磨同一住處羯磨時有不來者應與欲而不
與欲在現前應呵者便呵彼作白二羯磨作
白四羯磨白此事乃為彼事作羯磨是為非
法別眾羯磨云何非法和合羯磨有同一住
處和合一處羯磨時有不來者應與欲者與
欲在現前應得呵者不呵作白二羯磨作白
四羯磨白此事乃為彼事作羯磨是為非法
和合羯磨云何法別眾羯磨同一住處羯磨
時有不來者應與欲不與欲在現前應得呵

四羯磨白此事乃為彼事作羯磨是為非法
和合羯磨云何法別衆羯磨同一住處羯磨
時有不來者應與欲不與欲在現前應得呵
者呵彼作白二白四羯磨如法作是為法別
衆羯磨云何法相似別衆羯磨同一住處羯
磨時有不來者應與欲不與欲在現前應呵
者呵作白二白四羯磨前作羯磨後作白是
為法相似別衆羯磨云何法相似和合羯磨
同一住處羯磨時有不來者應與欲者與欲
在現前應得呵者不呵白二白四羯磨前作
羯磨後作白是為法相似和合羯磨何等人
作呵責成呵或有人呵成呵或有人呵不成
呵何者呵不成呵為比丘作羯磨比丘尼呵
不成呵式叉摩那沙彌沙彌尼若言犯邊罪
犯比丘尼式賊心受戒或壞二道黃門煞父
母煞阿羅漢惡心出佛身血破和合僧非人
畜生二根若被舉若滅擯若應滅擯若在戒
場上若作別住若以神足在空若隱沒若離
見聞處若所為作羯磨人如是人呵不成呵
云何呵成呵若善比丘同在一界內住不在
空不隱沒不離見聞處乃至語比坐如是人
呵成呵是為呵羯磨尒時優波離從坐起偏
露右肩右膝著地合掌白佛言應作呵責羯
磨乃與作儐羯磨如法如毗尼羯磨不佛語
優波離此不如法羯磨優波離復白佛言應
與作呵責羯磨乃與作依止羯磨若乃作遮
不至白衣家羯磨乃至如草覆地是如法如

BD00148號　四分律卷四四　（25-12）

優波離此不如法羯磨優波離復白佛言應
與作呵責羯磨乃與作依止羯磨若乃作遮
不至白衣家羯磨乃至如草覆地是如法如
毗尼羯磨不佛言不如法不應與作呵責羯磨
乃作儐羯磨乃至如草覆地非法非毗尼羯
磨不應尒如是展轉乃至如草覆地非法
非毗尼羯磨不應尒佛語優波離若應作呵
責羯磨與作呵責羯磨此是如法如毗尼羯
磨應尒如是乃至如草覆地羯磨如法如毗
尼羯磨應尒尒時有異住處衆僧與比丘作
呵責羯磨乃作非法別衆羯磨餘衆僧聞彼
衆僧與比丘作呵責羯磨乃作非法別衆羯
磨羯磨不成我曹當與作呵責羯磨即作呵
責羯磨非法和合復有餘處僧聞彼衆僧為
比丘作呵責羯磨非法和合羯磨不成我曹
當為作呵責羯磨彼即作呵責羯磨法別衆
餘處僧聞彼衆僧為比丘作呵責羯磨法別
衆羯磨羯磨不成我曹當為作呵責羯磨即
作呵責羯磨法相似別衆餘處僧聞彼衆僧
為比丘作呵責羯磨法相似別衆羯磨不成
我曹當為作呵責羯磨法相似和合羯磨彼
比丘作如是念我當云何諸比丘白佛佛言
諸如是不如法羯磨不成就如是一切羯磨
亦不成就尒時有住處衆僧為比丘作非法
別衆羯磨尒時衆多僧皆共諍或言非法別
衆羯磨或言非法和合或言法別衆或言法
相似別衆或言法相似和合或言羯磨成就
或言不成諸比丘不知云何告餘比丘餘比

BD00148號　四分律卷四四　（25-13）

[illegible]
亦不成就尒時有住處衆僧為比丘作非法
別衆羯磨尒時衆多僧皆共諍或言非法別
衆羯磨或言非法和合或言法別衆或言法
相似別衆或言法相似和合或言羯磨成就
或言不成諸比丘不知云何告餘比丘餘比
丘往白佛佛言彼住處衆僧為比丘作呵責
羯磨非法別衆是中衆多僧各各共諍或言
非法別衆或言非法和合乃至言成不成是
中僧言非法別衆者此是法語乃至法相似
和合者此亦如是是法語尒時優波離從坐
起偏露右肩右膝著地合掌白佛言若有比
丘僧先與羯磨後衆僧與解成不成解邪佛
語優波離或成或不成復問云何成云何不
成佛告優波離有十三種人僧先為作羯磨
不成解除此十三種人已為餘人作羯磨已
若僧與解者得成解優波離復問佛若僧先
為作羯磨為解羯磨已駈出成駈出為不成
邪佛言或有成駈出或有不成駈出若為十
三種人作羯磨已駈出成駈出除此十三種
為餘人作羯磨後解羯磨得解若駈出不成
駈出 瞻波揵度具足竟

呵責揵度第十一 初

尒時佛在舍衛國有二比丘一名智慧二名
盧醯那憙鬬諍共相罵詈口出刀劍互求長
短彼自共鬬諍罵詈若復有餘比丘共鬬諍
者即復往彼勸言汝等好自勉力莫不如他
汝等多聞智慧財富亦勝多有知識我等為
汝作伴黨是中衆僧未有諍事便有諍事已
[illegible]

[illegible]
者即復往彼勸言汝等好自勉力莫不如他
汝等多聞智慧財富亦勝多有知識我等為
汝作伴黨是中衆僧未有諍事便有諍事已
有諍事而不除滅諸比丘作如是念以何因
緣衆僧未有諍事令諍事起已有諍事而不
除滅諸比丘即知此二比丘智慧盧醯那憙
共鬬諍共相罵詈口出刀劍互求長短自共
鬬諍罵詈若有餘比丘鬬諍即復往彼歡喜
汝等好自勉力莫不如他汝等多聞智慧財
富亦勝多有知識我等當為汝作伴黨是故
令僧未有諍事便有諍事已有諍事而不除
滅時衆中有比丘聞少欲知足行頭陁樂學
戒者嫌責彼二比丘已往世尊所頭面礼足
却坐一面以此因緣具白世尊世尊尒時以
此因緣集比丘僧呵責彼二比丘汝所為非
非威儀非沙門法非淨行非隨順行所不應
為云何智慧盧醯那共相鬬諍罵詈口出刀
劍互求長短令僧未有諍事而有諍事已有
諍事而不除滅世尊以無數方便呵責已告
諸比丘聽諸比丘與智慧盧醯那作呵責白
四羯磨應如是作集僧集僧已為智慧等作
舉作舉已為作憶念作憶念已應與罪衆中
應差堪能羯磨者如上作如是白大德僧聽
此智慧盧醯那二比丘憙共鬬諍共相罵詈
口出刀劍互求長短彼自共鬬諍已若復有
餘比丘鬬諍者即復往彼勸言汝等勉力莫
不如他汝等多聞智慧財富亦勝多有知識
我等當為汝作伴黨令僧未有諍事而有諍

智慧盧醯那二比丘慧共鬪諍共相罵詈
口出刀劍手求長短彼自共鬪諍已若復有
餘比丘鬪諍者即復往彼勸言汝等免力莫
不如他汝等多聞智慧財富亦勝多有知識
我等當為汝作伴黨令僧未有諍事而有諍
事已有諍事而不除滅若僧時到僧忍聽為
智慧等二比丘作呵責羯磨若後復更鬪諍
共相罵詈者衆僧當更增罪治白如是大德
僧聽此智慧盧醯那二比丘慧共鬪諍共相
罵詈口出刀劍手求長短彼自共鬪諍已若
復有餘比丘鬪諍者即復往彼勸言汝等免
力莫不如他汝等智慧多聞財富亦勝多有
知識我等當為汝作伴黨令僧未有諍事而
有諍事已有諍事而不除滅僧為智慧等二
比丘作呵責羯磨誰諸長老忍僧與智慧等
二比丘作呵責羯磨若後復更鬪諍共相罵
詈者衆僧當更增罪治忍者默然誰不忍者
說此是第一羯磨竟如是第二第三說僧已
忍為智慧等作呵責羯磨竟僧忍默然故
是事如是持為作呵責竟五事不應作一不
應授人大戒二不應受人依止三不應畜沙弥
四不應受僧差教授比丘尼五若僧差不應教
授是為呵責羯磨竟五事不應作復有五
事不應作不應說戒若僧中問毗尼義不應
荅若衆僧差作羯磨不應作若僧中簡集智
慧者共平論衆事不得在其例若僧差作信
命不應作是為呵責羯磨竟五事不應作復
有五事不應作不得早入聚落不得逼暮還

慧者共平論衆事不得在其例若僧差作信
命不應作是為呵責羯磨竟五事不應作復
有五事不應作不得早入聚落不得逼暮還
應親近比丘不應親近外道應好順從諸比丘
教不應作異語呵責竟五事不應作復有五
事不應作衆僧隨所犯為作呵責羯磨已
不應復更犯此罪餘亦不應犯若相似若從
此生者若復重於此不應嫌羯磨及羯磨人
呵責竟五事不應作復有五事不應作善比
丘為敷坐具供養不應受不應受他洗足不
應受他安洗足物不應受他拭革屣不應受
他揩摩身呵責羯磨竟五事不應作復有
五事不應作不應受善比丘礼拜合掌問訊
迎逆持衣鉢呵責羯磨竟五事不應作復有
五事不應作不應舉善比丘為作憶念作自
言不應證他事不應遮布薩自恣不應共善
比丘諍是為呵責竟五事不應作應如是作
衆僧為智慧盧醯那作呵責白四羯磨竟諸
比丘白佛佛言有三法作呵責羯磨非法非
毗尼羯磨不成就云何三不舉不作憶念不伏
首罪復有三事無犯犯不應懺罪若犯罪懺
悔竟復有三事不舉非法別衆復有三事不
作憶念非法別衆復有三事不伏罪非法別
衆復有三事不犯非法別衆復有三事犯不
應懺罪非法別衆復有三事犯罪懺悔已非
法別衆復有三事非現前非法別衆如是三
法作呵責羯磨非法非毗尼羯磨不成就復

法別衆復有三事非現前非法別衆如是三
法作呵責羯磨非法非比丘羯磨不成就復
有三事作呵責羯磨如法如比丘羯磨成就
何等三為作舉作憶念作自言復有三事犯
罪犯可懺罪犯未懺罪復有三事作舉法和
合作憶念法和合作自言法和合犯罪法和
合犯可懺罪法和合犯未懺罪法和合現前
法和合是為三法作呵責羯磨如法如比丘
羯磨成就有五法作呵責羯磨非法非比丘
羯磨不成就不在現前不自言為清淨者非
法別衆是為五事作呵責羯磨非法非比丘
羯磨不成就有五法作呵責如法如比丘羯
磨成就何等五在現前自言不清淨法和合
是為五法作呵責羯磨如法如比丘羯磨成
就若衆僧在小食上後食上若説法若布薩
被呵責羯磨人正衣服脱革屣在一面住胡
跪合掌白如是言大德受我懺悔自今已去
自責心止不復作時智慧盧醯那比丘隨順
衆僧無所違逆求解呵責羯磨諸比丘白佛
佛言若隨順衆僧無所違逆求解呵責羯磨
者聽解作白四羯磨有五法不應為解呵責
羯磨不應授人大戒乃至與善比丘共鬪呵
責者有如是五法不應為解呵責羯磨有五
法應解不授人大戒乃至不與善比丘共鬪呵
責羯磨者有如是五法應解應如是解被呵
責羯磨人應至衆僧中偏露右肩脱革屣右
膝著地合掌白言大德僧聽我比丘某甲僧

責羯磨者有如是五法應解應如是解被呵
責羯磨人應至衆僧中偏露右肩脱革屣右
膝著地合掌白言大德僧聽我比丘某甲僧
與作呵責羯磨我今隨順衆僧無所違逆從
僧乞解呵責羯磨願僧慈愍故為我解呵責
羯磨如是第二第三乞衆中當差堪能作羯
磨者如上作如是白大德僧聽某甲比丘僧
為作呵責羯磨彼比丘隨順衆僧無所違逆
從衆僧乞解呵責羯磨若僧時到僧忍聽
解某甲比丘呵責羯磨白如是大德僧聽此
某甲比丘僧為作呵責羯磨彼比丘隨順衆
僧無所違逆今從衆僧乞解呵責羯磨誰諸
長老忍僧為某甲比丘解呵責羯磨者默然
誰不忍者説此是第一羯磨第二第三亦如是
誰僧已忍解某甲比丘呵責羯磨竟僧忍
默然故是事如是持尒時世尊在舍衛國時
羇離那國有二舊住比丘一名阿濕卑二名富
那婆娑在羇離國行惡行汚他家行惡行亦
見亦聞汚他家亦見亦聞彼作如是惡行自
種華樹教他種自漑教他漑自摘華教他摘
自作華鬘教他作自持種種華往教他持往
白衣家有男有女同一床坐同一器食同一
器飲歌儛戲笑作衆伎樂若他作者即復
唱和共作或吹脣或彈鼓簧或作吹貝聲或
作孔雀聲或作鶴鳴或走或陽跛行或嘯或
作俳人或受雇戲笑時衆多比丘從伽尸國人
間遊行至羇離那國清旦著衣持鉢入城乞

作孔雀聲或作鵪鳴或走或陽䟦行或嘯或
作俳人或受雇戲笑時衆多比丘從伽尸國人
間遊行至羈離那國清旦著衣持鉢入城乞
食行步進止威儀庠序視瞻安諦屈申俯仰
執持衣鉢直視而前諸根不亂於羈離那國
乞食諸居士見已作如是言此復是何等人
諦視而不戲笑不左右顧視不相親近娛樂
亦不相慰問我曹不應與此人食不如我曹
沙門阿濕卑富那婆娑亦不諦視言語戲笑
左右顧視共相娛樂而相慰問如是人我曹
當與飲食時諸比丘在羈離那國乞食限得
飽足彼比丘作如是念此中舊住比丘惡惡
比丘在中住遠離善比丘彼作如是惡行種
若干華樹乃至受他雇使時諸比丘從羈離
那國人間遊行還舍衛國詣世尊所頭面礼
足却坐一面尒時世尊慰勞諸比丘汝曹住
止和合安樂不不以飲食為疲苦耶白佛言
衆僧住止和合安樂我曹從伽尸國人間遊
行至羈離那國具以因緣白世尊世尊尒時
以無數方便呵責言汝所為非非威儀非沙
門法非淨行非隨順行所不應為云何阿濕
卑富那婆娑汙他家行惡行汙他家亦見亦
聞行惡行亦見亦聞作衆惡行種雜華樹乃
至受他雇使尒時世尊呵責阿濕卑富那婆
娑已告諸比丘聽僧為阿濕卑富那婆娑作
儐白四羯磨應如是作集僧集僧已為阿濕
卑富那婆娑作舉作舉已為作憶念作憶念

BD00148號　四分律卷四四　（25–20）

儐白四羯磨應如是作集僧集僧已為阿濕
卑富那婆娑作舉作舉已為作憶念作憶念
已與罪是中應差堪能羯磨者如上作如是
白大德僧聽此阿濕卑富那婆娑比丘於羈
離那國汙他家行惡行彼汙他家亦見亦聞
行惡行亦見亦聞若僧時到僧忍聽僧為阿
濕卑富那婆娑作儐羯磨汝汙他家行惡行
汙他家亦見亦聞行惡行亦見亦聞汝可離
此住處去不須此處住白如是大德僧聽此
阿濕卑富那婆娑比丘在羈離那國汙他家
行惡行汙他家亦見亦聞行惡行亦見亦聞
僧今為阿濕卑富那婆娑作儐羯磨汝汙他
家行惡行汙他家亦見亦聞行惡行亦見亦
聞汝離此住處去不須在此住誰諸長老忍
僧為阿濕卑富那婆娑比丘作儐羯磨者默
然誰不忍者說此是初羯磨竟第二第三亦
如是說僧已為阿濕卑富那婆娑作儐羯磨
竟僧忍默然故是事如是持作儐羯磨者有
五法不應作不得擯人大衆乃至不得與善
比丘共鬪應如是作如上呵責羯磨除餘衆
中說衆僧已為阿濕卑富那婆娑比丘作
儐白四羯磨已諸比丘白佛佛言有三法有五
五法作儐羯磨非法非毗尼羯磨不成就如上
有三法有五法作儐羯磨如法如毗尼羯磨
成就如上彼被儐比丘不懺自來至界內諸
比丘白佛佛言不應不懺來至界內聽在外
住遣好信来至僧中白大德僧懺悔自今

BD00148號　四分律卷四四　（25–21）

成就如上彼被擯比丘不受自来至界内諸
比丘白佛佛言不應不喚来至界内聽在外
住遣好信来至僧中白大德僧懺悔自今
已去自責心更不復尒彼阿濕畀比丘等随順
衆僧不敢違逆從僧乞解擯羯磨諸比丘
白佛佛言若随順衆僧無所違逆從僧乞解
擯羯磨者應與解作白四羯磨有五法不應
與解擯羯磨從受人大裁乃至與善比丘共
鬪復有五法應與解擯羯磨從不受人大裁
乃至不與善比丘共鬪如是解被擯比丘應
至僧中偏露右肩脫草屣右膝著地合掌如
是白大德僧聽我某甲比丘僧與我作擯羯
磨我今随順衆僧不敢違逆從僧乞解擯羯
磨願僧慈愍故為我解擯羯磨如是第二第
三説衆中當差堪能羯磨者如上作如是白
大德僧聽此某甲比丘僧與作擯羯磨随順
衆僧不敢違逆從僧乞解擯羯磨若僧時到
僧忍聽僧今為某甲比丘解擯羯磨白如是
大德僧聽此某甲比丘僧為作擯羯磨随順
衆僧不敢違逆從僧乞解擯羯磨僧今為某
甲比丘解擯羯磨誰諸長老忍僧為某甲比
丘解擯羯磨者默然誰不忍者説是初羯磨
如是第二第三説僧已忍為某甲比丘解擯
羯磨竟僧忍默然故是事如是持尒時世尊
在舍衛國有比丘名僧蔓癡無所知多犯衆
罪共諸白衣雜住而相親附不順佛法諸比

BD00148 號　四分律卷四四　（25–22）

羯磨竟僧忍默然故是事如是持尒時世尊
在舍衛國有比丘名僧蔓癡無所知多犯衆
罪共諸白衣雜住而相親附不順佛法諸比
丘聞中有少欲知足行頭陀樂學戒知慙愧
者嫌責僧蔓比丘言汝癡無所知多犯衆罪
云何共諸白衣雜住而相親附不随順佛法
耶諸比丘往世尊所頭面礼足在一面坐以
此因縁具白世尊世尊尒時集比丘僧以無
數方便呵責僧蔓比丘汝所為非非威儀非
沙門法非淨行非随順行所不應為云何汝共
諸白衣雜住而相親附癡無所知多犯衆罪
不順佛法呵責已告諸比丘聽僧為僧蔓比
丘依依止白四羯磨應如是作集僧集僧已
與作舉作舉已與作憶念作憶念已與罪
衆中當差堪能作羯磨者如上作如是白大
德僧聽此僧蔓比丘癡無所知多犯衆罪共
白衣雜住而相親附不順佛法若僧時到僧
忍聽與僧蔓比丘作依止羯磨白如是大德
僧聽僧蔓比丘癡無所知多犯衆罪共白衣
雜住而相親附不順佛法僧今為僧蔓比丘
作依止羯磨誰諸長老忍為僧蔓比丘作依
止羯磨者默然誰不忍者説此是第一羯磨
第二第三亦如是説僧已忍為僧蔓比丘作
依止羯磨竟僧忍默然故是事如是持作依
止羯磨竟五事不應作不得受人大裁乃至
不得與善比丘共鬪應如是作是中衆僧與
僧蔓比丘作依止白四羯磨竟諸比丘白佛
佛言有三法有五法得作依止羯磨不得作

BD00148 號　四分律卷四四　（25–23）

依止羯磨竟僧忍黙然故是事如是持作依
止羯磨竟五事不應作不得受人大戒乃至
不得與善比丘共鬭應如是作是中衆僧與
僧蓋比丘作依止白四羯磨竟諸比丘白佛
佛言有三法有五法得作依止羯磨不得作
依止羯磨如上彼稱方作依止羯磨彼方破
壞人民反叛佛言不應稱方作依止羯磨彼
稱國土作依止羯磨彼國破壞人民散亂佛
言不應稱國土作依止羯磨彼稱住處作依
止羯磨彼住處人民破壞佛言不應稱住處
作依止羯磨彼稱人作依止羯磨彼人或破
戒或破見或破威儀或被舉或滅儐或應滅
儐不能增益沙門法佛言不應稱人作依止
羯磨彼稱安居作依止羯磨彼稱羯磨人安
居中得智慧佛言不應依安居作依止羯磨
聽語言應受依止住尒時僧蓋比丘與衆落
中比丘親厚多聞智慧善能語言僧蓋比丘
即往彼所學法毗尼安居中得智慧隨順衆
僧不敢違逆從衆僧乞解依止羯磨諸比丘
白佛佛言若僧蓋比丘隨順衆僧不敢違逆
從衆僧乞解依止羯磨應與解作白四羯磨
有五法不應與解依止羯磨從與人受大戒
乃至與善比丘共鬭有五法應與解依止羯
磨從不與人受大戒乃至不與善比丘共鬭
如是五法應與解依止羯磨應如是解彼被
依止羯磨者應來至僧中偏露右肩脫革屣
右膝著地合掌作如是白大德僧聽我比丘

BD00148號　四分律卷四四　（25–24）

白佛佛言若僧蓋比丘隨順衆僧不敢違逆
從衆僧乞解依止羯磨應與解作白四羯磨
有五法不應與解依止羯磨從與人受大戒
乃至與善比丘共鬭有五法應與解依止羯
磨從不與人受大戒乃至不與善比丘共鬭
如是五法應與解依止羯磨應如是解彼被
依止羯磨者應來至僧中偏露右肩脫革屣
右膝著地合掌作如是白大德僧聽我比丘
某甲僧與我作依止羯磨我今隨順衆僧從
僧乞解依止羯磨願僧慈愍故爲我解依止
羯磨如是第二第三白衆中應差堪能作羯
磨者如上作如是白大德僧聽某甲比丘僧與
作依止羯磨彼隨順衆僧不敢違逆從僧
乞解依止羯磨若僧時到僧忍聽僧今爲某
甲比丘解依止羯磨白如是大德僧聽某甲
比丘僧爲作依止羯磨隨順衆僧不敢違逆
從僧乞解依止羯磨僧今與某甲比丘解依
止羯磨誰諸長老忍僧與某甲比丘解依
羯磨者黙然誰不忍者説是初羯磨如是第
二第三説僧與某甲比丘解依止羯磨竟僧
忍黙然故是事如是持

四分律藏卷第卌四　第三分卷第八　呵責揵度竟

BD00148號　四分律卷四四　（25–25）

正法念處經天品之廿一夜摩之七　卌二
尒時彼天次第而行上彼山峰第一无垢如
鏡之地彼諸天衆業地鏡中自見其身參
明了彼諸天等若有先脩身口意者業地
鏡中得見自身頷中所現業果生死如彼
其時其處某國某曰某緣某退相等一切皆
見亦見他相當退之相隨何者天頷中畫字
餘業之相或有生業彼一切相業地鏡中一切自
見退夜摩天若是餘業或是生業或身惡
業或口惡業或意惡業如是因緣退已當生
某地獄中某餓鬼中某畜生中彼畜生處既
得脫已行欲放逸之所誑故業風所吹轉某處
生
又復如是欲過中出彼於頷上字畫畫中一切
具見於頷畫中亦如是見欲過中出如某欲
法如是對治所謂脩欲无光明觀不為彼欲
之所能誑又復彼欲有異對治謂見與色
是虛妄見於如是色隨順見已心正觀察悕
欲之心更不增長如是如是五境界中如欲過
患如是諦觀彼天如是則无喜愛喜愛之
心不能為妨不能為得喜愛乃是生死種

BD00149 號　正法念處經卷四二　（4–1）

是虛妄見於如是色隨順見已心正觀察悕
欲之心更不增長如是如是五境界中如欲過
患如是諦觀彼天如是則无喜愛喜愛之
心不能為妨不能為得喜愛乃是生死種
子彼天如是欲中得出頷畫字中一切皆見彼
既見已若脉脩身若脉脩意彼能捨欲見欲
過患故知出欲知出過已見先受樂境界
過患如食毒藥今所受欲亦如是見何故
以於境界受欲樂故墮於惡道如是脩故捨離
境界若於頷上畫字畫中見惡道業隨於
惡道地獄餓鬼畜生之中彼業已彼如是
業一切皆失生善道業一切皆生善業力故
彼諸天子如是見已深生信心造作善業如
是乃至造作涅槃種子善業
若更餘天少智慧者其心樂欲彼前作業業
網自在既見業畫文字相已生如是心若我
此處後時退已或生人中或生天中彼天如
是見生處已心不驚怖而復更入五境界波
愛河中洗以放逸故行放逸行如是天者不
曾學來不曾聞來少智慧故於欲不知不能
離欲善法則滅而復更作其餘生業地獄餓
鬼畜生之業何以故一切善業皆悉盡故欲
所誑故而復墮於地獄餓鬼畜生之中尒時
有鳥名為賢語見放逸天行放逸行天善
業故而說偈言
若善牽心者　如是則得善　若隨不善者　如是得不善

BD00149 號　正法念處經卷四二　（4–2）

所誑故而復墮於地獄餓鬼畜生之中尒時
有鳥名為賢語見放逸天行放逸行天善
業故而說偈言
若善牽心者　如是則得善　若隨不善者　如是得不善
一切多用心　如地風水火　隨所得因緣　心如是行轉
心能速疾行　亦能速疾迴　速將至天中　速令入惡道
心速疾行善　若能防護心　一切法能作　一切業能斷
一切法行主　所謂彼心是　復以如是義　故得名為心
心常求人便　皆不應信之　體性甚懽動　大力不可持
須臾間作善　須臾作不善　如是作无記　其行不可惻
心來不可知　心去不可識　先无後時有　已有還復无
心无有處所　和集不可得　以无身體故　不可得捉持
因緣和合故　念念如是生　如珠牛糞合　因緣而生火
如是根色等　一切因緣心　非一能生心　和合故生心
如是知心已　知心難調伏　意隨正法行　慎勿喜樂欲
彼天如是既聞偈已　猶身終意二種　終心既
終心已不樂境界　隨順法行　退夜摩天　復生
勝處　不離天處　若生人中　或為人王　或為大
臣　或時得種解脫種子　三種菩提　隨願皆得
或具善業　作轉輪王
若彼諸天如是希有　見於業相　如鏡中見心
不調者彼天復墮地獄餓鬼畜生之中
又彼比丘觀與希業　畫文字果報之相　彼
則觀見　若人精勤專意深心　畫如來像　若
有恩信齋靜之心　如是畫寫正法文典　心意齋

則觀見若人精勤專意深心畫如來像若
有恩信齋靜之心如是畫寫正法文典心意齋
靜彼人生天咽中頸上見則生信
又復有人心无正信　或為王勅　或為他遣　或
為取物活命因緣　若書經文　武畫佛像　亦生
天中　見則不信　多行放逸　彼亦造作善業種
子　得生天中　雖見不信　以離信來　離恩來故
如是无因則无業果　如是一切皆從因緣相以
業生
若復有天性喜放逸　行放逸行　受天境界五
欲之樂　常不猒足　復於增長无量欲山寶
園山中　於長久時　五欲功德而受樂已　共天女
衆　如是種種遊戲受樂　後離如是五欲功德
莊嚴之山　復向蕭三珠園山　去生歡喜心五
莊嚴之山復

之

BD00149 號背　雜寫

(1–1)

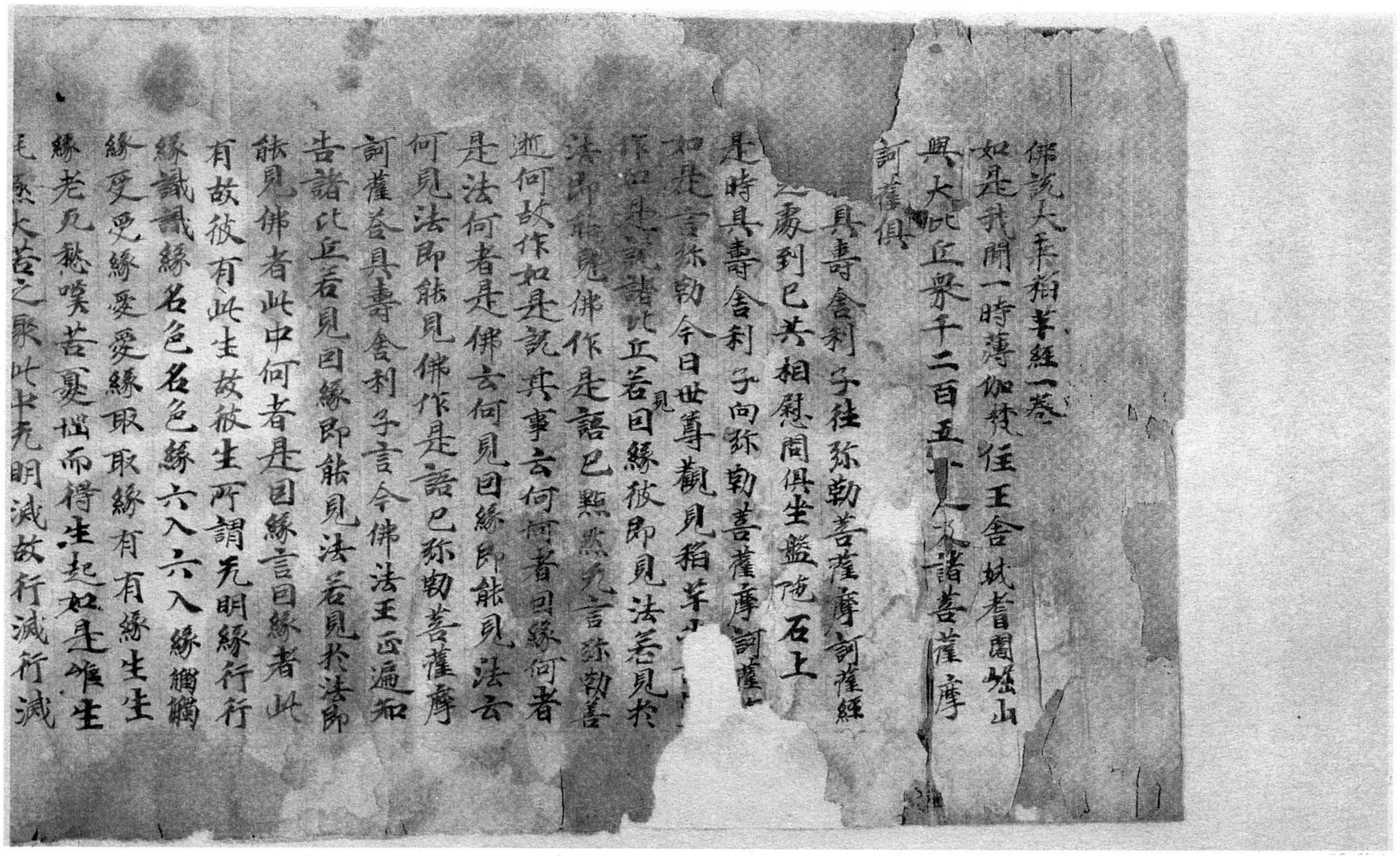
佛說大乘稻芉經一卷
如是我聞一時薄伽梵住王舍城耆闍崛山
與大比丘衆千二百五十人俱及諸菩薩摩
訶薩俱
具壽舍利子往弥勒菩薩摩訶薩經
行之處到已共相慰問俱坐盤陁石上
是時具壽舍利子向弥勒菩薩摩訶薩
作如是言弥勒今日世尊觀見稻芉
作如是說諸比丘若見因緣彼即見法若見於
法即能見佛作是語已默然无言弥勒善
逝何故作如是說其事云何何者因緣何者
是法何者是佛云何見因緣即能見法云
何見法即能見佛作是語已弥勒菩薩摩
訶薩答具壽舍利子言今佛法王正遍知
告諸比丘若見因緣即能見法若見於法即
能見佛者此中何者是因緣言因緣者此
有故彼有此生故彼生所謂无明緣行行
緣識識緣名色名色緣六入六入緣觸觸
緣受受緣愛愛緣取取緣有有緣生生
緣老死愁嘆苦憂惱而得生起如是唯生
純大苦之聚此中无明滅故行滅行滅

BD00150 號　大乘稻芉經

(12–1)

緣識識緣名色名色緣六入六入緣觸觸
緣受受緣愛愛緣取取緣有有緣生生
緣老死愁嘆苦憂惱而得生起如是唯生
純極大苦之聚此中无明滅故行滅行滅
故識滅識滅故名色滅名色滅故六入滅六
入滅故觸滅觸滅故受滅受滅故愛滅愛滅
故取滅取滅故有滅有滅故生滅生滅故
老死愁嘆苦憂惱得滅如是唯滅純極大
苦之聚此是世尊所說因緣之法
何者是法所謂八聖道正見正思惟正語
正業正命正精進正念正定此是八聖道
果及涅槃世尊所說名之為法
何者是佛所謂知一切法者名之為佛以彼慧
眼及法身能見作菩提學无學法故云何見
因緣如佛所說若能見因緣之法常无壽
離壽如實性无錯謬性无生无起无作无為
无障㝵无境界寂靜无畏无侵奪不寂靜
相是者若能如是於法亦見常无壽離壽
如實性无錯謬性无生无起无作无為无
障㝵无境界寂靜无畏无侵奪不寂靜相
者得正智故能悟勝法以无上法身如見
於佛
問曰何故名因緣荅曰有因有緣名為因緣
非无因无緣故是故名為因緣之法世尊
略說因緣之相彼緣生果如來出現若不出
現法性常住乃至法性法住性法定性為

BD00150號　大乘稻竿經　（12–2）

於佛
問曰何故名因緣荅曰有因有緣名為因緣
非无因无緣故是故名為因緣之法世尊
略說因緣之相彼緣生果如來出現若不出
現法性常住乃至法性法住性法定性為
因緣相應性真如性无錯謬性无變異性真
實性實際性不虛妄性不顛倒性等作如
是說
此因緣法以其二種而得生起云何為二所謂
因相應緣相應彼復有二謂外及內此中何
者是外因緣法因相應所謂從種生芽從
芽生葉從葉生莖從莖生節從節生穗
從穗生花從花生實若无有種芽即不生
乃至若无有花實亦不生有種芽生如是
有花實亦得生彼種亦不作是念我能生芽
芽亦不作是念我從種生乃至花亦不作是念
我能生實實亦不作是念我從花生雖然
有種故而芽得生如是有花故實即而能成
就應如是觀外因緣法因相應義
應云何觀外因緣法緣相應義謂六界和合
故以何六界和合所謂地水火風空時界等和
合外因緣法而得生起應如是觀外因緣法
緣相應義
地界者能持於種水界者潤漬於種火界者
能暖於種風界者動搖於種空界者不障
於種時則能變於種若无此眾緣種則不

BD00150號　大乘稻竿經　（12–3）

地界者能持於種水界者潤漬於種火界者
能暖於種風界者動揺於種空界者不障
於種時則能變於種子若无此衆緣種則不
能而生於芽若具外地界无不具足如是乃
至水火風空時等无不具足一切和合種子
滅時而芽得生
此中地界者亦不作是念我能任持種子如
是水界亦不作是念我能潤漬於種火界亦
不作是念我能暖於種子風界亦不作是念
我能動揺於種空界亦不作是念我能不
障於種時亦不作是念我能變於種子種子
亦不作是念我能生芽芽亦不作是念我今
從此衆緣而生雖然有此衆緣而種滅時芽
即得生如是有花之時實即得生彼芽亦非
自作亦非他作非自他俱作非自在作亦非
時變非自性生亦非无因而生雖然地水火風
空時界等和合種滅之時而芽得生是故應
如是觀外因緣法緣相應義
應以五種觀彼外因緣法何等為五不常不斷不
移從於小因而生大果与彼相似云何不常為
芽與種各別異故彼芽非種非種壞時而芽
得生亦非不滅而得生起種壞之時而芽得
生是故不常云何不斷非過去種壞而生於
芽亦非不滅而得生起種子亦壞當尒之時
如秤高下而芽得生是故不斷云何不移芽
與種別芽非種故是故不移云何小因而生大
果從小種子而生大果是故從於小因而生大

芽亦非不滅而得生起種子亦壞當尒之時
如秤高下而芽得生是故不斷云何不移芽
與種別芽非種故是故不移云何小因而生大
果從小種子而生大果是故從於小因而生大
果云何與彼相似如所植種生彼果故是故與
彼相似是以五種觀外因緣之法
如是內因緣法亦以二種而得生起云何為二
所謂因相應緣相應何者是內因緣法因相
應義所謂如從无明緣行乃至生緣老死若
无明不生行亦不有乃至若无有生老死非
有如是有无明故行乃得生乃至有生故老
死得有无明亦不作是念我能生行行亦不作
是念我從无明而生乃至生亦不作是念我
能生於老死老死亦不作是念我從生有
雖然有无明故行乃得生如是有生故老死
得有是故應如是觀內因緣法因相應義
應云何觀內因緣法緣相應事為六界和合
故以何六界和合所謂地水火風空識界等
和合故應如是觀內因緣法緣相應事
何者是內因緣法地界之相為此身中作堅
硬者名為地界為令此身而聚集者名為
水界能消身所食飲嚼噉者名為火界為此
身中作內外出入息者名為風界為此身中作
虛通者名為空界五識身相應及有漏意識
猶如束蘆能成就此身名色芽者名為識界
若无此衆緣身則不生若內地界无不具足如是
乃至水火風空識界等无不具足一切和合身

身中作内外出入息者名為風界為此身中作
虛通者名為空界五識身相應及有漏意識
猶如束蘆能成就此身名色芽者名為識界
若无此衆緣身則不生若内地界无不具足如是
乃至水火風空識界等无不具足一切和合身
即得生
彼地界亦不作是念我能而作身中堅硬之事
水界亦不作是念我能為身而作聚集火界
亦作是念我能而消身所食飲噉之事風界
亦不作是念我能作内外出入息空界亦不作
是念我能而作身中虛通之事識界亦不作
念我能成就此身名色之芽身亦不作是念我從
此衆緣而生雖然有此衆緣之時身即得生彼
地界亦非是我非是衆生非命者非生者
非儒童非作者非男非女非黄門非自在非
我所亦非餘等如是乃至水界火界風界空
界識界亦非是我非是衆生非命者非生者
非儒童非作者非男非女非黄門非自在非
我所亦非餘等
何者是无明於此六界起於一想一合想常
想堅牢想不壞想安樂想衆生命生者養
育士夫人儒童作者我我所想等及餘種
種无知此是无明有无明故於諸境界起起貪
瞋癡於諸境界起貪瞋癡者此是无明緣
行而於諸事能了別者名之為識與識俱生
四取蘊者此是名色依名色諸根名為六入
三法和合名之為觸覺受觸者名之為受

BD00150號　大乘稻芉經　（12–6）

瞋癡於諸境界起貪瞋癡者此是无明緣
行而於諸事能了別者名之為識與識俱生
四取蘊者此是名色依名色諸根名為六入
三法和合名之為觸覺受觸者名之為受
於受貪著名之為愛增長愛者名之為取從
取而生能生業者名之為有而從彼因所生之
蘊名之為生生已蘊成熟者名之為老老已蘊
滅壞者名之為死臨終之時内具貪著及熱
惱者名之為愁從愁而生諸言辭者名之為
嘆五識身受苦者名之為苦作意意識受
諸苦者名之為憂具如是等及隨煩惱者
名之為惱大黑闇故名无明造作故名諸
行了別故名識相依故名名色為生門故
名六入觸故名觸受故名受渴故名愛取故名
取生後有故名有生蘊故名生蘊熟故名
老蘊壞故名死愁故名愁嘆故名嘆惱身
故名苦惱心故名憂煩惱故名惱
復次不了真性顛倒无知名為无明如是有
无明故能成三行所謂福行罪行不動行從
於福行而生福行識者此是无明緣行從於
罪行而生罪行識者此是名為行緣識從於
不動行而生不動行識者此則名為識緣名
色名色增長故從六入門中能成事者此是
色名緣六入從於六入而生六聚觸者此是六
入緣觸從於所觸而生彼受者此則名為觸
緣受了別受已而生樂著深者此則名為
受緣愛知已而生樂著深故不欲遠離好色

BD00150號　大乘稻芉經　（12–7）

色名色增長故從六入門中能成事者此是
色名緣六入從於六入而生六聚觸者此是六
入緣觸從於所觸而生彼受者此則名為觸
緣受了別受已而生樂著深者此則名為
受緣愛知已而生樂著深故不欲遠離好色
及於安樂而生願樂者此是愛緣取生願樂
已從身口意造後有業者此是取緣有從
於彼業所生蘊者此是有緣生生已諸蘊成
熟及滅壞者此則名為生緣老死是故彼因
緣十二支法互相為因互相為緣非常非无
常非有為非无為非无因非无緣非有受法非
盡法非壞法非滅法從无始已來如暴流水
而无斷絕
雖然此因緣十二支法互相為因互相為緣非常
非无常非有為非无為非无因非无緣非无
緣非有受非盡法非壞法非滅法從无始已
來如暴流水而无斷絕有其四支能攝十二
因緣之法云何為四所為无明愛業識識者
以種子性為因業者以田性為因无明愛及
以煩惱性為因此中業及煩惱能生種子之識
業則能作種子識田愛則能潤種子之識无
明能殖種子之識若无此眾緣種子之識而不
能成
彼業亦不作是念我今能作種子識田愛亦
不作是念我能潤於種子之識无明亦不作
是念我今能殖種子之識彼種子識亦不作
是念我今從此眾緣而生雖然種子之識於

能成
彼業亦不作是念我今能作種子識田愛亦
不作是念我能潤於種子之識无明亦不作
是念我今能殖種子之識彼種子識亦不作
是念我今從此眾緣而生雖然種子之識於
彼業田及愛所潤无明糞壞所生之處入
於母胎能生名色之芽彼名色之芽亦非自
作亦非他作非自他俱作非自在化亦非時
變非自性生非假作者亦无因而生雖然
父母和合時及餘緣和合之時无我之法无我
我所猶如虛空彼諸幻法因及緣无不具足
故依彼生處入於母胎則能成就執受種子
之識名色之芽
如眼識生時若具五緣而則得生云何為五
所謂依眼色明空作意故眼識得生此中眼
則能作眼識所依色則能作眼識之境明則能
為顯現之事空則能為不障之事作意能為思想
之事若无此眾緣眼識不生若內入眼无不具
足如是乃至色明空作意无不具足一切和
合之時眼識得生
彼眼亦不作是念我今能為眼識所依色亦
不作是念我今能作眼識之境明亦不作念
我今能作顯現之事空亦不作念我今能為眼識不障之事作意亦作是念我今能為
眼識所思彼眼識亦不作是念我是從此眾緣
而有雖然有此眾緣眼識得生乃至諸餘根
等隨類知之
如是无有少法而從此世移至他世雖然因及眾

我今能作顯現之事作意亦作是念我今能无
眼識所思彼眼識亦不作是念我是從此衆緣
而有雖然有此衆緣眼識得生乃至諸餘根
等隨類知之
如是无有少法而從此世移至他世雖然因及衆
緣无不具足故業果亦現譬如明鏡之中現
其面像雖彼面像不移鏡中因及衆緣无不
具足故面像亦現如是无有少許從於此滅生
其餘處因及衆緣无不具足故業果亦現譬
如月輪（從此四万二千由旬而行彼月輪形像現其有水小器中者彼月輪）亦不從彼移至於有水之器雖然因及
衆緣无不具足故月輪亦現如是无有少許
從於此滅而生餘處因及衆緣无不具足故業
果亦現譬如其火因及衆緣若不具足而不
能燃因及衆緣具足之時乃可得燃如是我
无（我）之法无我我所猶如虛空依彼幻法因及衆
緣无不具足故所生之處入於母胎則能成就
種子之識及業煩惱所生名色之芽是故應
如是觀內因緣法緣相應事
應以五種觀內因緣云何爲五不常（不斷）不移從於
小因而生大果與彼相似云何不常所謂彼
後滅蘊與彼生分各異爲後滅蘊非生分故
彼後滅蘊亦滅生分亦得現故是故不常云
何不斷非依後滅蘊滅壞之時生分得有亦
非不滅彼後滅蘊亦滅當（尒）之時生分之蘊如秤
高下而得生故是故不斷云何不移爲諸有情
從非衆同分處能生衆同分處故是故不移
云何從於小因而生大果作於小業感大異熟

BD00150號　大乘稻竿經　（12–10）

高下而得生故是故不斷云何不移爲諸有情
從非衆同分處能生衆同分處故是故不移
云何從於小因而生大果作於小業感大異熟
是故從於小因而生大果如所作因感彼果故
與彼相似是故應以五種觀因緣法
尊者舍利子若復有人能以正智常觀如來
所說因緣之法无壽離壽如實性无錯謬性
无生无起无作无爲无障礙无境界寂靜无
畏无侵奪无盡不寂靜相不有虛誑无堅
實如病如癰如箭過失无常苦空无我者
我於過去而有生耶而无生耶而不分別過去
之際於未來世生於何處亦不分別未來之
際此是何耶此復何云而作何物此諸有情
從何而來從於此滅而生何處亦不分別現在
之有
復能滅於世間沙門婆羅門不同諸見所謂
我見衆生見壽者見人見希有（見）吉祥見開
合之見善了知故如多羅樹明了斷除諸根
橛已於未來世證得无生无滅之法
尊者舍利子若復有人具足如是无生法忍
善能了別此因緣法者如來應供正遍知明
行足善逝世間解无上士調御丈夫天人師
佛世尊即與授阿耨多羅三藐三菩提記
尒時彌勒菩薩摩訶薩說是語已舍利子及
一切世間天人阿脩羅揵闥婆等聞彌菩薩
摩訶薩所說之法信授奉行

BD00150號　大乘稻竿經　（12–11）

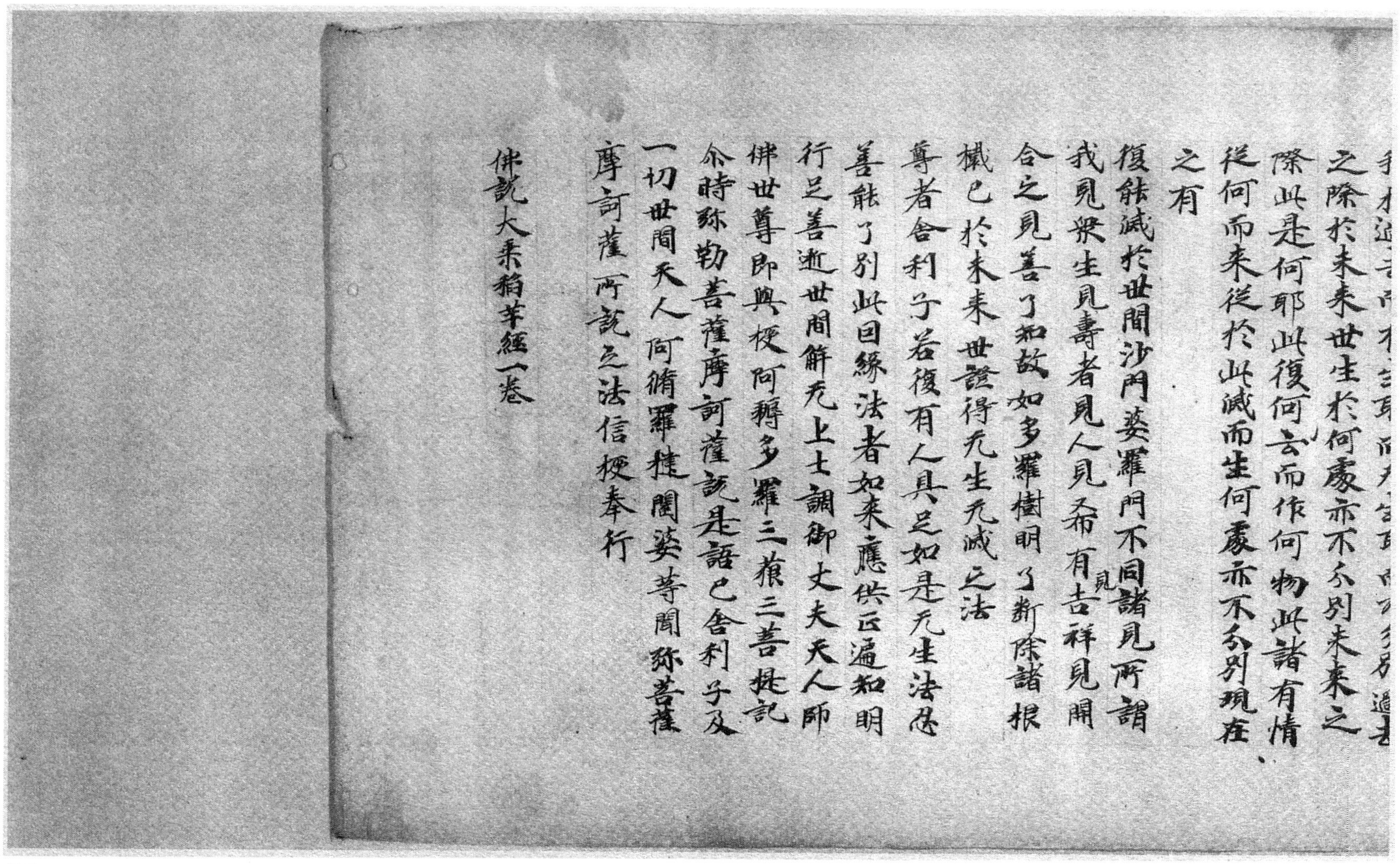
之際於未來世生於何處亦不分別未來之
際此是何耶此復何云而作何物此諸有情
從何而來從於此滅而生何處亦不分別現在
之有
復能滅於世間沙門婆羅門不同諸見所謂
我見衆生見壽者見人見希有見吉祥見開
合之見善了知故如多羅樹明了斷除諸根
檝已於未來世證得无生无滅之法
尊者舍利子若復有人具足如是无生法忍
善能了別此因緣法者如來應供正遍知明
行足善逝世間解无上士調御丈夫天人師
佛世尊即與授阿耨多羅三藐三菩提記
尒時弥勒菩薩摩訶薩說是語已舍利子及
一切世間天人阿脩羅揵闥婆等聞弥勒菩薩
摩訶薩所說之法信受奉行
佛說大乘稻芉經一卷

BD00150號　大乘稻芉經　（12–12）

送遼還道南北東西

BD00150號背　雜寫　（1–1）

BD00151 號 1　大乘密嚴經（地婆訶羅本）卷上　（33–1）

BD00151 號 1　大乘密嚴經（地婆訶羅本）卷上　（33–2）

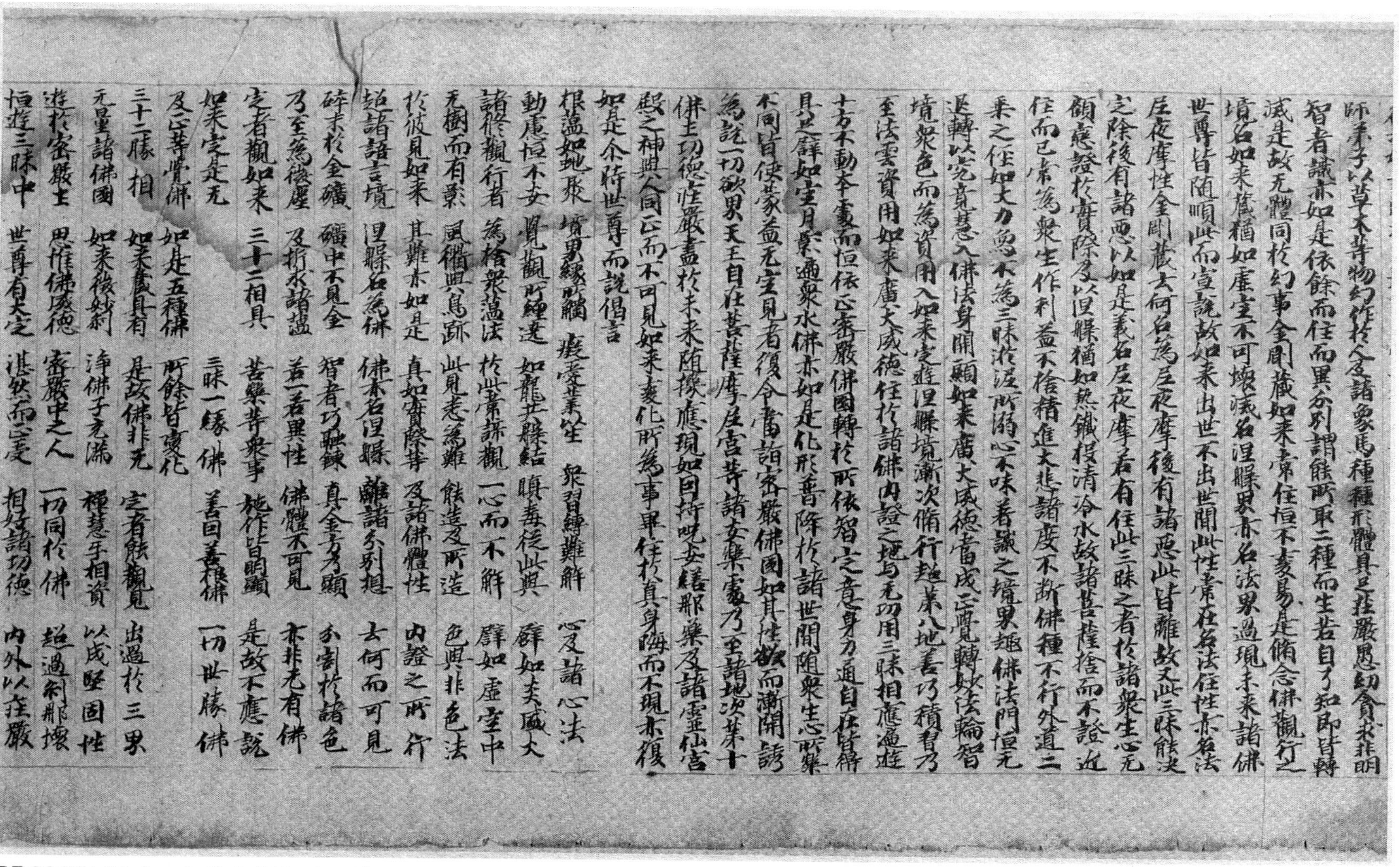
師弟子以草木等物幻作於人及諸象馬種種形體具足莊嚴愚幻貪求非明
智者識亦如是依餘而住而異分別謂能所取二種而生若自了知即皆轉
滅是故无體同於幻事金剛藏如來常住恒不變易是脩念佛觀行之
境名如來藏猶如虛空不可壞滅名涅槃界亦名法界過現未來諸佛
世尊皆隨順此而宣說故如來出世不出世間此性常在名法住性亦名法
住夜摩性金剛藏云何名為住夜摩後有諸惡此皆離故又此三昧能決
定除後有諸惡以如是義名住夜摩若有住此三昧之者於諸衆生心无
顧戀證於實際及以涅槃猶如熱鐵投清冷水故諸菩薩捨而不證近
住而已常為衆生作利益不捨精進大悲諸度不斷佛種不行外道二
乘之徑如大力魚不為三昧流漩所溺心不味著彼之境界趣佛法門恒无
退轉以究竟慧入佛法身開顯如來廣大威德當成正覺轉妙法輪智
境衆色而為資用入如來定涅槃境漸次脩行超第八地善巧積習乃
至法雲資用如來廣大威德住於諸佛內證之地與无功用三昧相應遍遊
十方不動本處而恒依止密嚴佛國轉於所依智定意身力通自在皆得
具足譬如空月影遍衆水佛亦如是化形普降於諸世間隨衆生心所樂
不同皆使蒙益无空見者復令當詣密嚴佛國如其性欲而漸開誘
為說一切欲界天王自在菩薩摩尼宮等諸安樂處乃至諸地次第十
佛土功德莊嚴盡於未來隨機應現如因持呪安繕那藥及諸靈仙宮
殿之神與人同止而不可見如來變化所為事畢住於真身隱而不現亦復
如是尒時世尊而說偈言
根蘊如蛇聚　境界緣所纏　癡愛業生　衆習縛難解　心及諸心法
動處恒不安　覺觀所纏逐　如龍共縣結　瞋毒從此興　譬如大風火
諸修觀行者　為捨衆蘊法　於此常諦觀　一心而不懈　譬如虛空中
无樹而有影　風綱與鳥跡　此見甚為難　能造及所造　色與非色法
於彼見如來　其難亦如是　真如實際等　及諸佛體性　內證之所行
超諸語言境　涅槃名為佛　佛亦名涅槃　離諸分別想　云何而可見
碎末於金礦　礦中不見金　智者巧融鍊　真金方乃顯　分別於諸色
乃至為微塵　及折求諸蘊　善一善異性　佛體不可見　亦非无有佛
定者觀如來　三十二相具　菩樂等衆事　施作皆明顯　是故不應說
如來定是无　三昧一緣佛　善因善根佛　一切世勝佛
及正等覺佛　如是五種佛　所餘皆變化
三十二勝相　如來咸具有　是故佛非无　定者能觀見　出過於三界
无量諸佛國　如來從刹刹　淨佛子充滿　禪慧手相資　以成堅固性
遊於密嚴土　思惟佛威德　密嚴中之人　一切同於佛　超過剎那壞
恒遊三昧中　世尊有大定　湛然而正受　相好諸功德　內外以莊嚴

BD00151 號 1　大乘密嚴經（地婆訶羅本）卷上

（33-3）

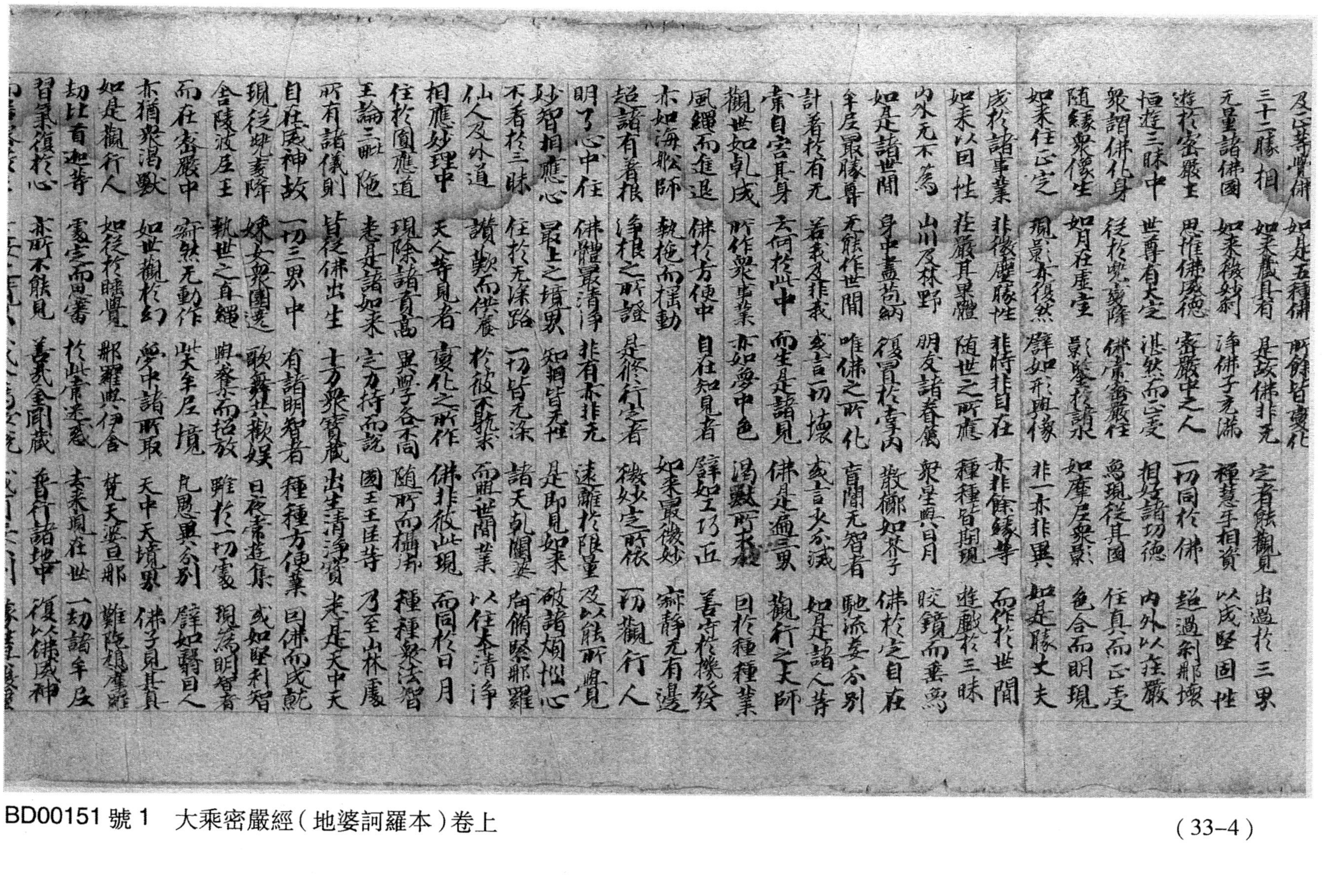
及正等覺佛　如是五種佛　所餘皆變化
三十二勝相　如來咸具有　是故佛非无　定者能觀見　出過於三界
无量諸佛國　如來從刹刹　淨佛子充滿　禪慧手相資　以成堅固性
遊於密嚴土　思惟佛威德　密嚴中之人　一切同於佛　超過剎那壞
恒遊三昧中　世尊有大定　湛然而正受　相好諸功德　內外以莊嚴
衆謂佛化身　從於兜率降　佛常密嚴住　為現從其國　住真而正受
隨緣衆像生　如月在虛空　影鑒於諸水　如摩尼衆影　色合而明現
如來住正定　現影亦復然　譬如形與像　非一亦非異　如是勝丈夫
處於諸事業　非像應勝性　非特非自在　亦非餘緣等　而作於世間
如來以因性　莊嚴其果體　隨世之所應　種種皆顯現　遊戲於三昧
內外无不為　山川及林野　朋友諸眷屬　衆星與日月　皎鏡而垂照
如是諸世間　身中盡苞納　復置於掌內　散擲如芥子　佛於定自在
牟尼最勝尊　无能作世間　唯佛之所化　盲闇无智者　馳流妄分別
計著於有无　若義及非義　或言一切壞　或言火分滅　如是諸人等
常自害其身　云何於此中　而生是諸見　佛是遍三界　觀行之丈師
觀世如乾城　所作衆事業　亦如夢中色　渴獸所求水　因於種種業
風繩而進退　佛於方便中　自在知見者　譬如工巧匠　善守於機發
亦如海船師　執柁而搖動　如來最微妙　寂靜无有邊
超諸有着根　淨根之所證　是修行定者　微妙定所依　一切觀行人
明了心中住　佛體最清淨　非有亦非无　遠離於限量　及以能所覺
妙智相應心　最上之境界　知解皆无往　是即見如來　破諸煩惱心
不著於三昧　住於无染路　一切皆无染　諸天乾闥婆　脩羅緊那羅
仙人及外道　讚歎而供養　於彼不耽染　而尊世間業　以住本清淨
相應妙理中　天人等見者　變化之所作　佛非彼此現　而同於日月
住於圓應道　現除諸有高　異學各不同　隨所而攝伏　種種衆法智
王論三明隨　悉是諸如來　定力持而說　國王王臣等　乃至山林處
所有諸儀則　皆從佛出生　十方衆寶藏　出生清淨寶　悉是天中天
自在威神故　一切三界中　有諸明智者　種種方便業　因佛而成就
現從兜率降　婇女衆圍遶　歌舞共歡娛　日夜常遊集　或如堅剎智
舍陵波尼王　執世之自繩　與奪而招放　雖於一切處　現為明智者
而在密嚴中　寂然无動作　紫牟尼境　凡愚異分別　譬如翳目人
亦猶衆渴獸　如世觀於幻　夢中諸所取　天中天境界　佛子見其真
如是觀行人　如從於睡覺　那羅與伊舍　梵天婆旦那　難陀鳩摩羅
劫比首迦等　處定而審　於此常迷惑　去來現在世　一切諸牟尼
習氣復於心　亦所不能見　善其金剛藏　普行諸地中　復以佛威神

BD00151 號 1　大乘密嚴經（地婆訶羅本）卷上

（33-4）

而在密嚴中　寂然无動作　如大牟尼境　凡愚異分別　譬如翳目人
亦猶衆渴獸　如世觀於幻　夢中諸所取　天中天境界　佛子見其真
如是觀行人　如從於睡覺　那羅與伊舍　梵天婆旦那　難陀拔難陀
劫比有迦等　處空而見審　於此常迷惑　未來現在世　一切諸牟尼
習氣復於心　亦所不能見　善哉金剛藏　普行諸地中　復以佛威神
而居密嚴土　是法之境界　我今為汝說　或有妄分別　勝性與微塵
如工作諸物　種種諸形相　生唯自在主　滅亦唯法滅　妄計一切物
細塵能造作　因能了於果　譬如燈照物　先不得其相　後壞亦復然
非於過去中　有體而可得　未來亦如是　離緣无有性　二諸緣內
遍求无有體　不見性有无　亦无无見有　於蘊執衣等　後細而分別
三百有六十　邪宗壞正道　往來生死中　无有涅槃法

大乘密嚴經妙身生品第二

尒時如實見菩薩有大威力世
中自在其身妙好上服莊嚴在於佛前從座而起曲躬合掌一心恭敬向
金剛藏菩薩摩訶薩而作是言尊者能通達自智之境現法樂
住於三乘世間心得无畏為大定師於定自在能隨順說諸地之相常在
一切佛國土中為諸上首演深妙法是故我今勸請尊者說諸聖人不
隨他行現法樂住內證之境令我及餘諸菩薩衆得見斯法安樂脩
趣於佛地權意生身及言說身力通自在皆得具足轉所依止不住實
如衆彩摩尼現諸色像於一切佛國說密嚴行金剛菩薩言善哉仁者
請我說入於密嚴无我之法仁主无應覺方諸分別境是心之相於境界
中捨諸分別仁主一切世間是分別見見世間體即於所緣而得三昧我今
為汝開宗依法王應善聽即說偈言　一切諸世間　譬如熱時焰
以諸不實相　无而妄分別　覺因所覺生　所覺依能現　離一則无二
譬如光共影　无心亦无境　量及所量事　但依於一心　如是而分別
能知所知法　唯依心妄計　若了所知无　能知即非有　心為法自性
又人之所躡　入於八地中　而彼得清淨　九地行禪定　十地大開覺
法水灌其頂　而成世所尊　法身无有盡　是佛之境界　究竟如虛空
心識亦如是　无盡亦无壞　衆德以莊嚴　恒住不思議　密嚴諸聖
譬如瓶破已　凡因而顯現　凡破顯於塵　塵析極微細　如是因有漏
而成无漏法　如火燒盡木　復於餘處然　味於不動智　轉依離分別
密嚴佛國中　如是而常現　不生衆惑類　莫住於世間　捨於一切見
歸依此无我　斷諸相續流　无生亦无壞　盡於一切見　歸依此无我
諸患皆已息　寂住不思議　淨於一切見　歸依此无我　世間種種法
本來无我性　非由壞壞无　又喻之所現　如大熱薪已　自於是中滅
觀察於三界　无我智亦然　是在現法樂　聖人自智境　依此入諸地

BD00151 號 1　大乘密嚴經（地婆訶羅本）卷上　（33–5）

歸依此无我　斷諸相續流　无生亦无壞　盡於一切見　歸依此无我
諸患皆已息　寂住不思議　淨於一切見　歸依此无我　世間種種法
本來无我性　非由壞壞无　又喻之所現　如大熱薪已　自於是中滅
觀察於三界　无我智亦然　是在現法樂　聖人自智境　依此入諸地
淨除无始惡　捨離世所依　出世而安住　其心轉清淨　恒居密嚴土
尒時如實見菩薩及諸王衆俱作是言金剛自在我等今者咸欲歸依
願示於我歸依之處於是金剛藏菩薩摩訶薩以偈答曰
佛體非是有　亦非无有佛　慈樹已扶疏　魔軍咸退跡　住於如來地
密嚴之妙國　所覺淨无垢　仁主可歸依　遠離諸分別　證於无處所
密嚴諸定者　仁主可歸依　密嚴勝淨刹　衆聖之依處　觀行者充滿
應歸此嚴國　尒時金剛藏菩薩摩訶薩說是語已復告如
實見菩薩言仁主已得住地諸觀行者觀一切世間如繢像中而有高下
如夢所見端正女色如石女人兒夢已身誕育於子如乾闥婆城內諸所
施為如旋火成輪如空中垂髮如幻化所作人馬等形樹林花果如雲之
影如陽焰電之光皆是虛偽非真實有分別所成猶工造器仁主世間衆
生智氣所覆心生種種戲論意與意識及餘諸識相續而轉五法三性種无
我恒共相應譬如瀑流為風所擊起諸波浪浪起相尋而流不息阿賴耶
識亦復如是无始習氣猶如瀑流為境界風之所飄動起諸
識浪恒无斷絕仁主是八種心雖无如是若干體異而隨緣漸起或時
生之時取諸境界亦有如是漸頓差別若於屋宅及諸星宿軍
衆山林枝葉花菓如是等處多是一時或次第取若在眠夢見昔
所更或相念初生至于老死及算數衆物尋思句義觀異文彩受好飲
食於是境界次第了知或有一時頓取之者仁主心性本淨不可思議是諸
如來微妙之藏如金在礦意從心生餘六亦然如是多種於世法中而為
差別仁主阿賴耶識雖與能熏及諸心法為至一切染淨種子而同止住
性恒明潔如來種性應知亦然定不定別體常清淨如海常住波瀾轉
移阿賴耶識亦復如是諸地漸修下中上別捨諸雜染而得明現於是
金剛藏菩薩摩訶薩復說偈言　善哉如實見
於斯微妙法　從我已聽聞　心淨能開了　十方一切國　諸王衆會中
汝當隨所願　廣為其宣說　若人聞法已　漸淨阿賴耶　或作人中王
轉輪四天下　或復為帝釋　兜率須夜摩　乃至自在宮　而為欲天主
或為色界主　及生无色天　无相衆生中　受諸禪定樂　證真而不住
譬如師子吼　衆定皆自在　盡樂以相應　一心求密嚴　不染著三界
生於密嚴已　漸次而開覺　轉依獲安樂　寂靜常安住　无量諸師子
圍繞以莊嚴　為法自在王　衆中之最上　非如外道說　壞滅為涅槃

BD00151 號 1　大乘密嚴經（地婆訶羅本）卷上　（33–6）

轉輪四天下 或復為帝釋 兜率陁夜摩 乃至自在宮 而為魔軍主
或為色界主 及生无色天 无相眾生中 受諸禪定樂 證真而不住
譬如師子吼 眾定皆自在 盡與以相應 一心求密嚴 不染著三界
至於密嚴已 漸次而開覺 轉依獲安樂 寂靜常安住 无量諸佛子
圍繞以莊嚴 為法自在王 眾中之最上 非如外道說 壞滅為涅槃
壞无同有為 无有復生過 十業上中下 三乘以出生 最上生密嚴
諸地轉增進 得解脫智慧 如來微妙身 云何說涅槃 是滅壞之法
涅槃若滅壞 眾生有終盡 眾生若有終 是亦有初際 應有非生法
而始作眾生 无有非眾生 而生眾生界 眾生界既盡 佛无命說法
是則无能覺 亦无有涅槃 妄計解脫者 而說於解脫 譬如種已燋
燈滅及薪盡 彼說解脫性 是壞有成无 於解脫妙樂 遠離不能證
通處及諸禪 无色无想定 逆順而入出 力通皆自在 於彼不退還
亦不恒沉沒 審知諸法相 諸地得善巧 如是而莊嚴 而來密嚴國
若言解脫性 壞有以成无 斯人住諸有 畢竟不能出 亦壞三和合
因等四種緣 眼色內外緣 和合所生識 世間內外法 牙力以相生
如是等眾義 一切皆違反 若知唯識現 離於心所得 分別不現前
亦不住其性 是時捨緣離 寂然心正受 捨於世間中 所取能取見
轉依離麁重 智慧不思議 十種意生身 眾妙為嚴好 作三界之主
而來密嚴國 色心及心法 不相應无為 內外眾世間 諦觀无別異
如是諸智者 来於密嚴國 相名與分別 正智及如如 定者能明照
體性皆平等 入佛所讚揚 密嚴之淨國 若壞三和合 及以四種緣
不同於自宗 同諸妄分別 惡習分別者 彼之五種論 譬喻不成立
諸義皆相違 五種義成過 或亂於智眼 顛倒不顛倒 同異法斯壞
捨離於自宗 依止他宗法 初際等諸見 皆從滅壞生 大王應當知
眾生在諸有 如輪而運轉 初際不可得 如來以悲願 普應諸有緣
如淨月光明 无處不周遍 各隨其根性 隨宜而說法 涅槃若壞滅
佛有何功利 增上有二種 解脫亦復然 四諦及神足 念處无礙解
四緣无色住 根力及神通 覺支諸地等 有為无為法 乃至眾聖人
皆依識而有 苦法善觀智 及苦隨生智 集智亦如是 滅道亦如是
如是十二種 名之為現觀 學人數有七 第八七返生 家家一往來
一間而滅度 中般與生般 有行及无行 上流於處處 然後般涅槃
如是一切種 諸智之品位 修行觀行人 下中上不同 菩薩增上修
功德最殊勝 十一與十二 乃至於十六 此諸修定者 復漸滅於心
所盡非是心 亦非心共住 未來心未至 未至故非有 心緣不和合
非此非彼生 第四禪无心 有因不能害 有因為諸識 意識及五種

BD00151 號 1　大乘密嚴經（地婆訶羅本）卷上　（33–7）

一間而滅度 中般與生般 有行及无行 上流於處處 然後般涅槃
如是一切種 諸智之品位 修行觀行人 下中上不同 菩薩增上修
功德最殊勝 十一與十二 乃至於十六 此諸修定者 復漸滅於心
所盡非是心 亦非心共住 未來心未至 未至故非有 心緣不和合
非此非彼生 第四禪无心 有因不能害 有因為諸識 意識及五種

妄相不自覺 猶如波浪生 定者觀賴耶 離能所分別 微妙无所有
轉依而不壞 住於密嚴中 如月恒明顯 密嚴諸智者 與佛常共俱
恒遊定境中 一味无差別 密嚴定者處 定力生於彼 是故應修習
相應妙定心 欲界有六天 梵摩十二處 无色及无想 一切諸地中
若生密嚴國 於彼為天主 欲求密嚴土 當修十種智 世俗知他心
及苦集滅道 盡智无生智 仁者具實見 舍君羅帝族 與甘蔗月王
種姓无殊異 當求密嚴國 勿懷疑退心 如羊被牽棧 喘懼而前卻
意在於身中 以幻數而住 亦如幻為樹 洞中之葉狀 如王嚴園苑
運動諸身分 意及於意識 心心法共俱 譬如空中雲 共聚而无實
種子賴耶識 諸習所纏覆 譬如摩尼寶 隨緣現眾色 雖住眾生身
體淨而无垢 是決定種性 亦為大涅槃 名因於相生 相從因緣起
以諸不相故 而起於分別 分別從二因 外相心習氣 第七末那識
應知亦復然 諸根意緣會 發生於五識 心法共相應 如是身中住
正智常觀察 一切諸世間 從於如是因 而生彼諸果 真如非異此
諸法互相生 與理相應心 明了而觀見 此即是諸法 究竟真實性
亦為妄所計 一切法不生 諸法性常空 非无亦非有 如幻及陽焰
乾城等眾物 種種諸示相 名句及文身 如是執著生 成於遍計性
根境意和合 熏習於成種 與心无別異 諸識從此生 資於子因力
是謂依他起 內證真實智 現前所住法 是即說圓成 眾聖之境界
佛及諸佛子 證此名聖人 若人證斯法 即見於真際 唱言生已盡
梵行皆已立 所作無不成 永離於諸有 解脫一切苦 滅除眾怖畏
生法二无我 菩薩明了知 普燒諸習氣 永斷於分別 從於无始來
戲論而積聚 无量眾過惡 一切皆已除 譬如執鑛團 熱去鑛无損
解脫者亦尒 惑盡而清涼 入於无漏界 密嚴之妙坐 此土最微妙
非餘所能及 佛與諸菩薩 清淨之所居 三昧樂現前 以此而為食
欲生斯土者 當修真實觀 復為諸有緣 如理廣宣說 名生本於相
相起復從緣 種種諸分別 皆因相而有 根境根衣等 蘊法所合成
分別從此生 了知而聞興 若動若非動 一切諸世間 皆因癡闇生
愚夫以為體 長短等諸色 音聲與香界 甘苦堅滑等 意識之所緣
善与不善性 有為无為法 乃至於涅槃 斯為智之境 念念常遷轉

BD00151 號 1　大乘密嚴經（地婆訶羅本）卷上　（33–8）

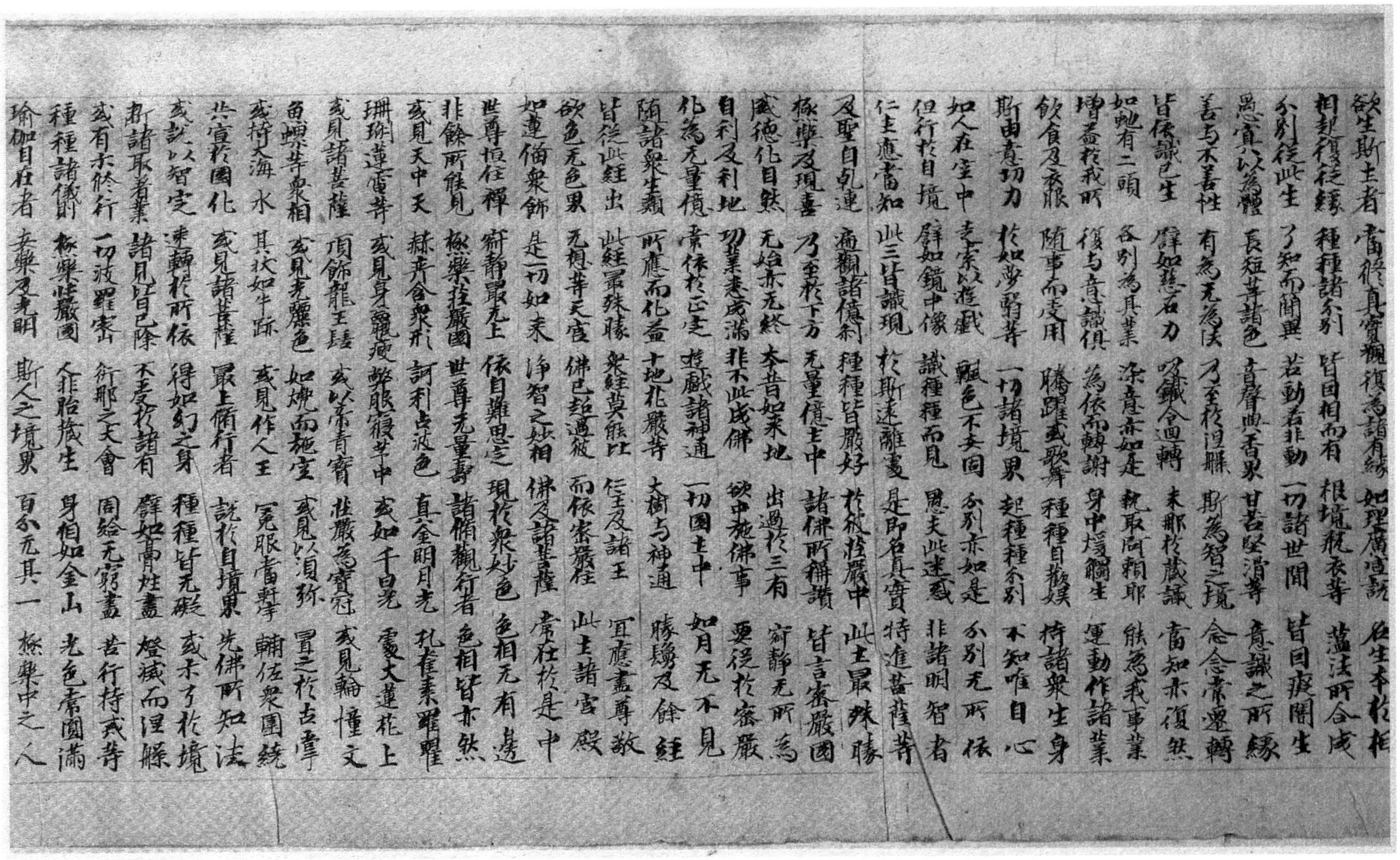

欲生斯土者　當修真實觀　復為諸有緣　如理廣宣說　欲生本於相
相起復從緣　種種諸分別　皆因相而有　根境從衣等　蘊法所合成
分別從此生　了知而間興　若動若非動　一切諸世間　皆因癡闇生
愚癡以為體　長短等諸色　音聲與香味　甘苦堅滑等　意識之所緣
善與不善性　有為无為法　乃至於涅槃　斯為智之境　念念常遷轉
皆依識已生　譬如慈石力　吸鐵令迴轉　末那於藏識　當知亦復然
如虵有二頭　各別為其業　染意亦如是　執取而賴耶　能為我事業
增益於我所　復與意識俱　為依而轉謝　身中煖觸生　運動作諸業
飲食及衣服　隨事而受用　騰躍或歌舞　種種自歡娛　持諸衆生身
斯由意功力　於如夢翳等　一切諸境界　起種種分別　不知唯自心
如人在空中　麦采以遊戲　飄色不安固　分別亦如是　分別无所依
但行於自境　譬如鏡中像　識種種而見　愚夫此迷惑　非諸明智者
仁主應當知　此三皆識現　於斯遠離處　是即名真實　持進菩薩等
及聖自覺境　遍觀諸億刹　種種皆嚴好　於彼莊嚴中　此土最殊勝
極樂及現喜　乃至於下方　无量億土中　諸佛所稱讚　皆言密嚴國
威德化自然　无始亦无終　本昔如來地　出過於三有　寂靜无所為
自利及利地　功業悉成滿　非不此成佛　欲中施佛事　要從於密嚴
化為无量億　常依於正定　遊戲諸神通　一切國土中　如月无不見
隨諸衆生類　所應而化益　十地花嚴等　大樹與神通　勝鬘及餘經
皆從此經出　此經最殊勝　衆經莫能比　仁主及諸王　宜應盡尊敬
欲色无色界　无想等天宮　佛已超過彼　而依密嚴住　此土諸宮殿
如蓮備衆飾　是一切如來　淨智之妙相　佛及諸菩薩　常在於是中
世尊恒住禪　寂靜最无上　依自難思定　現於衆妙色　色相无有邊
非餘所能見　極樂莊嚴國　世尊无量壽　諸脩觀行者　色相皆亦然
或見天中天　赫奕含衆形　訶利占波色　真金明月光　孔雀素羅瞿
珊瑚蓮雷等　或見身癯瘦　弊服寢苫中　或如千日光　處大蓮花上
或見諸菩薩　頂飾龍王髻　或以帝青寶　莊嚴為寶冠　或見輪幢文
魚螺等衆相　或見光爍色　如燒而施空　或見以須彌　置之於古掌
或持大海水　其狀如牛跡　或見作人王　冕服當軒宁　輔佐衆圍繞
共宣於國化　或見諸菩薩　最上脩行者　說於自境界　先佛所知法
或說以智定　速轉於所依　得如幻之身　種種皆无礙　或示方於境
斷諸取着業　諸見皆已除　不受於諸有　譬如膏炷盡　燈滅而涅槃
或有大悲行　一切波羅蜜　衍那之天會　周給无窮盡　苦行持戒等
種種諸儀則　極樂莊嚴國　人非胎藏生　身相如金山　光色常圓滿
瑜伽自在者　安樂及光明　斯人之境界　百分无其一　極樂中之人

BD00151 號 1　大乘密嚴經（地婆訶羅本）卷上　（33–9）

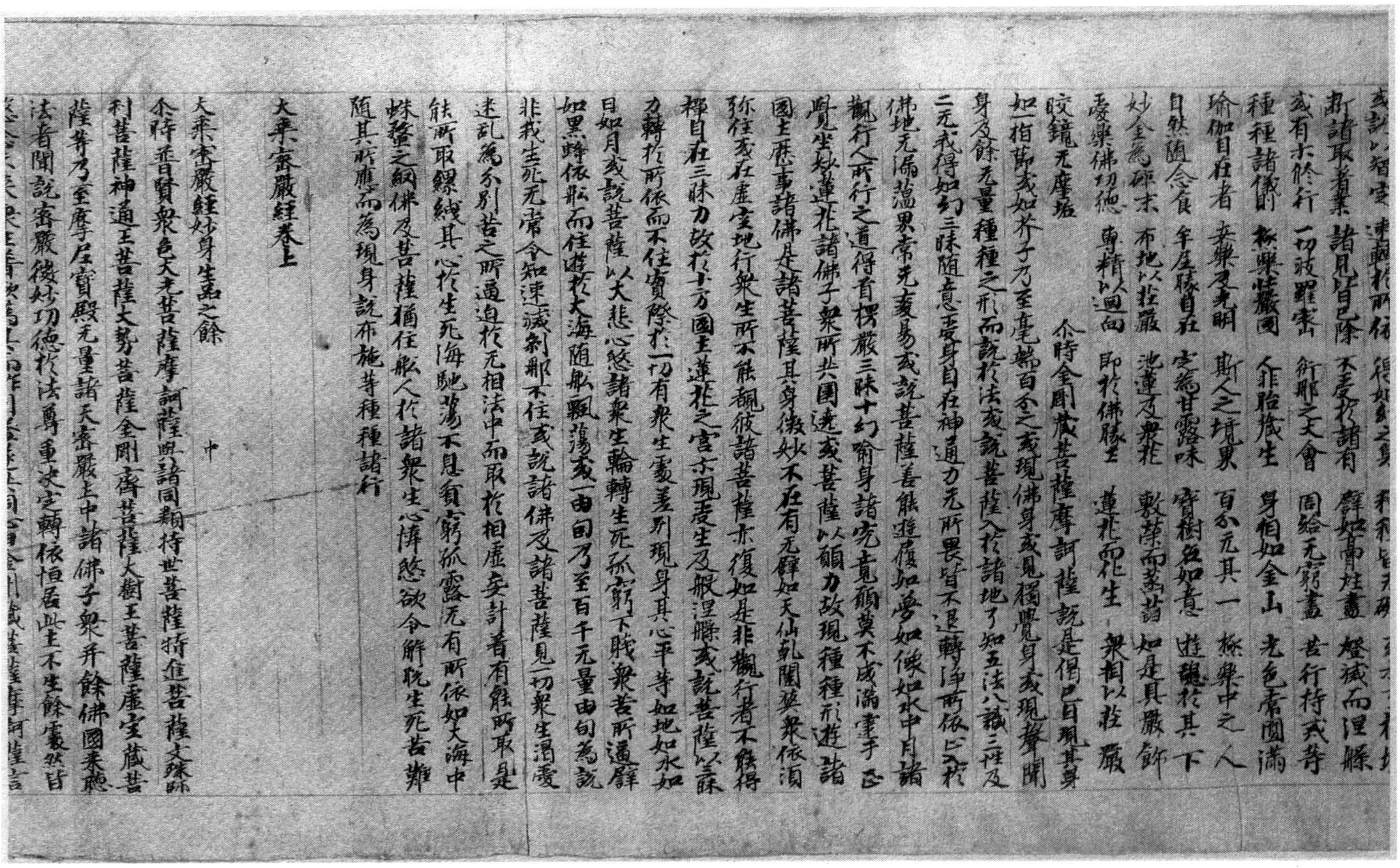

或說以智定　速轉於所依　得如幻之身　種種皆无礙　或示方於境
斷諸取着業　諸見皆已除　不受於諸有　譬如膏炷盡　燈滅而涅槃
或有大悲行　一切波羅蜜　衍那之天會　周給无窮盡　苦行持戒等
種種諸儀則　極樂莊嚴國　人非胎藏生　身相如金山　光色常圓滿
瑜伽自在者　安樂及光明　斯人之境界　百分无其一　極樂中之人
自然隨念食　手足勝自在　空飛甘露味　寶樹名如意　遊憩於其下
妙金為碎末　布地以莊嚴　池蓮及衆花　敷榮而蒸藹　如是具嚴飾
憂樂佛功德　專精以迴向　即於佛勝土　蓮花而化生　衆相以莊嚴
皎鏡无塵垢
　尒時金剛藏菩薩摩訶薩說是偈已自觀其身
如指節或如芥子乃至毫端百分之或現佛身或見獨覺身或現聲聞
身及餘无量種種之形而說於法或說菩薩入於諸地了知五法八識三性及
二无我得如幻三昧隨意受身自在神通力无所畏皆不退轉淨所依止於
佛地无漏蘊界常无衰易或說菩薩善能遊覆如夢如像如水中月諸
觀行人所行之道得首楞嚴三昧十幻喻身諸究竟願莫不成滿掌于正
覺坐妙蓮花諸佛子衆所共圍遶或菩薩以願力故現種種形遊諸
國土歷事諸佛是諸菩薩其身微妙不在有无譬如天仙乾闥婆衆依須
弥住或在虚空地行衆生所不能覩彼諸菩薩亦復如是非觀行者不能得
覩自在三昧力故於十方國土蓮花之宮亦現受生及般涅槃或說菩薩以蘇
力轉於所依而不住實際於一切有衆生處差別現身其心平等如地如水如
日如月或說菩薩以大悲心愍諸衆生輪轉生死孤窮下賤衆苦所逼譬
如黑蜂依瓶而住遊於大海隨船飄蕩或一由旬乃至百千无量由旬為說
非我生死无常令知速滅剎那不住或說諸佛及諸菩薩見一切衆生渴愛
迷亂為分別苦之所逼迫於无相法中而取於相虚妄計着有能所取是
能所取繫縛其心於生死海馳蕩不息貧窮孤露无有所依如大海中
蛛蝥之網佛及菩薩猶住船人於諸衆生心懷愍欲令解脫生死苦難
隨其所應而為現身說布施等種種諸行

大乘密嚴經卷上

大乘密嚴經妙身生品之餘　中
尒時普賢衆色大光菩薩摩訶薩與諸同類持世菩薩持進菩薩文殊師
利菩薩神通王菩薩大勢菩薩金剛齊菩薩大樹王菩薩虚空藏菩
薩等乃至摩尼寶殿无量諸天密嚴土中諸佛子衆并餘佛國來聽
法者聞說密嚴微妙功德於法尊重決定轉依恒居此土不生餘處然皆
……摩訶薩言

BD00151 號 1　大乘密嚴經（地婆訶羅本）卷上　BD00151 號 2　大乘密嚴經（地婆訶羅本）卷中　（33–10）

大乘密嚴經妙身生品之餘
尒時普賢衆色大光菩薩摩訶薩與諸同類持世菩薩持進菩薩文殊師
利菩薩神通王菩薩大勢菩薩大樹王菩薩金剛齊菩薩虛空藏菩
薩并乃至摩尼寶殿无量諸天密嚴土中諸佛子衆并餘佛國來聽
法者聞說密嚴微妙功德於法尊重決定轉依恒居此土不生餘處然皆
愍念未來衆生普欲為其而作利益遂共同心白金剛藏菩薩摩訶薩言
尊者願為我說一切世間若干色像誰之所作如陶工埏埴而造瓶等世間
衆像為如是作為不然耶又如伶人擊動絲竹匏木之類繁會成音一切
世間豈亦如是隨一物有三自性世間衆色已成體相若未成者此豈咸在一物中
乎為夜摩天兜率陁天他化自在天及以大樹緊那羅作為是善現色究
竟天螺髻梵王无色天作為是一切諸天主等同心勠力而共作耶為是此
方及他方中諸佛菩薩以變化力作是一切世間衆像而於此中起諸迷惑
是迷惑見如陽焰水譬如執處為德所依一切世間住於處者非諸德
者繫屬於德亦非是德依於德者展轉合故衆德集成如是世間若干
色像為誰惑亂為有住耶惑有言是大梵天王那羅延天自在天作惑謂
力汲迦娑提耶劫比羅仙自力而作惑有妄執從於勝性自然及時无明愛業
而得生起諸天仙等及餘一切修世定人悉懷疑惑為无有體如幻如夢如勢
時餘如乾闥婆城无始分別有能所取如蛇二首如旋火輪亦如木人因機動
轉空中衆縷旋大輪耶尒時金剛藏菩薩摩訶薩以偈答曰
世間衆色像 不從能作生 非是炬鄰羅 因陁羅等作 亦非大施會 祠祭之福果
毗陁所說因 手為无定義 亦復非无有 能持世間因 所謂樹稱耶 莱八丈諦
運動於一切 如輪轉衆瓶 如油遍在麻 塩中有鹹味 亦如无常性 普遍於諸色
沉麝等有香 日月光亦尒 非有亦非无 非能作所作 遠離諸外道 一異等衆見
非智所尋求 不可得分別 定心无礙者 内智之所證 若離阿賴耶 即无有餘識
譬如海波浪 与海雖不異 海淨波去來 亦不可言一 譬如修定者 内定清淨心
神通自在人 所有諸通慧 觀行者能見 非餘之所了 藏識亦如是 與轉識同行
佛及諸佛子 定者常觀見 藏識持於世 猶如線貫珠 亦如車有輪 隨於業風轉
陶師運輪杖 器成隨所用 藏識与諸界 共力无不成 内外諸世間 彌綸悉周遍
譬如衆星像 布列在虛空 風力之所持 運行常不息 如空中鳥跡 求之不可見
然鳥不離空 頡頏而進退 藏識亦如是 不離自他身 如海起波濤 如空含万像
藏識亦如是 蘊藏諸習氣 譬如水中月 及以諸蓮花 与水不相離 不為水所著
藏識亦復然 習氣莫能染 如目有瞳子 眼終不自見 藏識住於身 攝藏諸種子
遍持壽煖識 如雲覆世間 業用增不停 衆生莫能見 世間妄分別 見牛等有角
不了角非有 因言兎角无 分折至微塵 求角无所有 要待於有法 而起於无見
有法本自无 无見何所待 若有若无法 展轉互相因 有无二法中 不應起分別
[illegible]

BD00151號2　大乘密嚴經（地婆訶羅本）卷中　（33–11）

藏識亦如是 蘊藏諸習氣 譬如水中月 及以諸蓮花 与水不相離 不為水所著
藏識亦復然 習氣莫能染 如目有瞳子 眼終不自見 藏識住於身 攝藏諸種子
遍持壽煖識 如雲覆世間 業用增不停 衆生莫能見 世間妄分別 見牛等有角
不了角非有 因言兎角无 分折至微塵 求角无所有 要待於有法 而起於无見
有法本自无 无見何所待 若有若无法 展轉互相因 有无二法中 不應起分別
若離於所覺 能覺即不生 譬如旋火輪 翳幻等衆事 皆因少所見 而生是諸覺
若離於所因 此覺即无有 各想互相繫 習氣无有邊 一切諸分別 与意而俱起
證於真實境 習氣心不生 從於无始來 沉迷諸妄境 戲論而熏習 生於種種心
能取及所取 衆生心自性 瓶衣等諸相 離心无所有 一切唯有覺 所覺義皆无
能覺所覺性 自然如是轉 習氣擾濁心 凡愚不能見 如海風所擊 波浪无停止
心為境風動 識浪生亦然 種種諸分別 自内而執取 如地无分別 庶物依以生
藏識亦復然 衆境之依處 如人以已手 還自摩於身 亦如象以鼻 取水自霑沐
復以諸嬰兒 以口含其指 如是自心内 現境還自緣 是心之境界 普遍於三有
久修觀行者 而能善通達 内外諸世間 一切唯心識
尒時金剛藏菩薩摩訶薩說此語竟默然而坐住无處所復入妙之禪遊法界門入諸
佛境見有无量佛子當來此國住修行地便從定起放大光明其光普照欲色
无色无想天宮是光明中復現无量殊勝佛土有无量佛相好莊嚴隨諸世間之
所欲樂而為利益皆使受持密嚴名号彼諸佛子互相觀察而作是
言密嚴佛土能淨衆福滅一切罪諸觀行人所住之處於諸國最上无比我
等聞名心感悅樂可共俱往時諸佛子各從所住而來此國尒時淨居諸
天与阿迦尼吒螺髻梵王同會一處咸於此土佛及菩薩生希有心請梵
王言天主我等今者咸興是念何時當得陪侍天主詣密嚴土尒時梵
王聞是語已与諸天衆還即同行中路持迴因知所適梵王先悟作是思
惟密嚴佛國觀行之境若非其人何階可至非是欲色无諸天及外道神
通所能詣我今云何而來至此復自念言或天中天假吾威力而能致往
作是念已發聲歸命即時見有无量諸佛在於道中威光照曜時螺
髻梵王即白佛言世尊我等今者當何所作而能速詣密嚴佛告之言
汝可退還所以者何密嚴佛國觀行之境得正定人之所住處於諸佛剎
最勝无比非有色者所能往詣時螺髻梵王聞佛語已与諸天衆尋還
天宮尒時淨居諸天共相議言螺髻梵王有大威力而不能往當知此土
最為殊勝但是得如幻三昧諸觀行人所行之境如是稱揚密嚴功其
聲展轉乃至不傳聞尒時諸佛子衆來此會者聞是語已益加欣敬
白金剛藏菩薩摩訶薩言我等於法深懷渴慕惟願大明為我
宣說金剛藏言佛所說法誰能具演唯除如來之所護念夫如來
者於觀行中最勝自在所有境界不可思議云何可說非觀行人所

BD00151號2　大乘密嚴經（地婆訶羅本）卷中　（33–12）

天宮尒時淨居諸天共相議言螺髻梵王有大威力而不能往當知此中
最爲殊勝但是得如幻三昧諸觀行人所行之境如是稱揚密嚴功其
聲展轉乃至不傳聞尒時諸佛子衆來此會者聞是語已益加欽敬
白金剛藏菩薩摩訶薩言我等於法深懷渴慕唯願大明爲我
宣說金剛藏言佛所說法誰能具演唯除如來之所護念夫如來
者於觀行中最勝自在所有境界不可思議云何可爲非觀行人開
示演說時特進菩薩及須夜摩諸佛子等復共同聲請言速說尒時
神通王菩薩大殊師利菩薩慈氏菩薩緊那羅菩薩及餘無量諸
菩薩衆復作是言善哉仁者願速爲說是時復有無量諸天於虛
空中作天妓樂同心勸請當尒時螺髻梵王承佛威力而來此會向金剛
藏菩薩摩訶薩而說偈言　今此諸大會　嚴飾未曾有
慧是尊弟子　聰慧無等倫　皆於尊者處　渴仰而求法　我今猶未知
所聞爲何等　爲聞憍羅婆　勝論及須生　及至威羊馬　轉輪王所作
爲聞甘蔗種　十号持國王　欲色無色中　人天等之法　爲聞菩薩行
獨覺及聲聞　乃至阿脩羅　星像等衆論　惟願如其事　次第而演說
我等及天人　一心咸聽受　尒時金剛藏菩薩摩訶
薩告諸大衆汝豈不聞螺髻梵王淨居天衆及諸佛子勤心請法尒時
解脫月菩薩無盡慧菩薩虛空王菩薩持世菩薩得大勢菩薩觀
自在菩薩陁羅尼自在菩薩寶髻菩薩天冠菩薩金剛手菩薩寂
靜慧菩薩寶手菩薩及餘無量諸億土中俱來佛子咸共瞻仰金剛
藏尊而說偈言　過去及未來　如來清淨智　尊於佛親受　明了心無疑
此衆皆樂聞　願尊時演說　尒時金剛藏　三昧王菩觀大衆偕
如來所說法　非我具能演　唯除佛菩薩　威神之所護　我今至心礼　自在清淨宮
摩尼寶莊嚴　佛及諸佛子　我以敬心說　如來清淨智　紹隆佛種姓　汝等應聽受
非說過去尊　最勝諸王法　但示於密嚴　如來之種姓　佛智甚微妙　金屋勝功德
正觀之所行　離諸心妄計　是數非未力　能演此甚深　但以佛威神　從佛而聽受
此智最微妙　是諸三昧化　佛在密嚴中　正受而開演　遠離諸言說　及以一切見
若有若無等　如是四種邊　是名最清淨　中道之妙理　密嚴諸定者　於此能觀者
於此能觀察　離著而轉依　速入如來地　尒時會中諸佛子衆聞金剛
藏菩薩摩訶薩說是偈已稽首恭敬而白之言我等於法深生愛樂如
渴思飲如蜂念蜜今此會中諸佛子衆於深定智皆得自在有大神力王
諸世界願聞如來所說之法唯願尊者以梵音聲因陁羅聲及以如來所
說之法唯願尊者以梵音聲因陁羅聲及以如來所說可深遠之音演殊
勝義令得顯了金剛藏菩薩言如來所說語義真實希有難見譬如星

BD00151 號 2　大乘密嚴經（地婆訶羅本）卷中　（33-13）

藏菩薩摩訶薩說是偈已稽首恭敬而白之言我等於法深生愛樂如
渴思飲如蜂念蜜今此會中諸佛子衆於深定智皆得自在有大神力王
諸世界願聞如來所說之法唯願尊者以梵音聲因陁羅聲及以如來所
說之法唯願尊者以梵音聲因陁羅聲及以如來所說可深遠之音演殊
勝義令得顯了金剛藏菩薩言如來所說語義真實希有難見譬如星
中無衛等物而見其影甚爲希有如來所說希有亦然如空中風及以鳥跡
無能見者牟尼所說種種義趣難可得見亦復如是世間之法有智慧
者能以譬喻示明顯說佛口所宣過諸譬喻非言所及我之所見譬如夢
境乾闥婆城今此會中諸觀行者有大智慧於真實義已得明了
我今云何能爲是人說不思議諸佛境界雖然當承如來威神之力爲
衆宣述汝諸佛子咸應諦聽如來所說文義相應出過心意非喻所
及譬如妙花衆蜂競採先至之者取其精粹後來至者但味其餘
如是如來得法精粹我味其餘爲衆說耳即說偈言
天中天境界　增悅諸明智　非心口所能　度量分別說　爲欲普降伏　世間憍慢心
示同人之形　佛相爲嚴飾　圓光及輪輻　種種皆成就　從密嚴諸處　人天具所瞻
如來四時中　常依密嚴住　而於諸世界　現生及涅槃　淨土少藏時　惡生及濁亂
惡生濁亂時　顯示如來相　譬如淨滿月　影遍於衆水　如是諸色像　普現於世間
隨諸衆生類　所應而利益　業用無暫停　密嚴恒不動　密嚴無垢處　觀行者所依
如來淨智境　智者所觀見　以諸衆生類　所樂各不同　佛以種種身　隨宜而應化
或見大自在　或見毗紐天　或見迦毗羅　住定而說法　或見毗陁者　或復見耆行
或見婆且那　鴆摩及尸棄　羅睺敢部等　乃至緊那羅　甘蔗月種王　一切所瞻仰
金剛等衆寶　乃至於鍮鍚　皆由佛威力　隨應而出生　天女及龍女　乾闥婆之女
治容而進趣　不能惑其心　欲界中諸境　如來已降伏　色無色亦然　無有能遙動
無相諸定者　未離於惑纏　非妄非清淨　退墮而流轉　有身者所生　非如密嚴國
密嚴微妙土　清淨福爲嚴　解脫智覺人　最勝之依處　十種大自在　力通三昧法
如佛而嚴飾　意生之妙身　依行於十地　施等波羅蜜　衆相以莊嚴　其身甚清淨
遠離於分別　亦非無覺了　無有我意根　慧根常悅樂　施等諸功德　淨業之所感
得佛勝所依　密嚴之淨國　此土最微妙　不以日爲明　諸佛及菩薩　[illegible]
其光甚威曜　逾於百千日　無有晝夜時　亦無老死患　密嚴最勝處　諸天所希仰
最上修行者　地地而進修　了知一切法　皆以心爲性　善說所願耶　三性法無我
其身轉清淨　而來生此國　大乘密嚴經胎生品第三　尒時金剛藏
菩薩摩訶薩復告螺髻梵王言天主當知衆生之身九物爲性有爲衆相
恆共遷動大種諸色微塵之聚以諸不淨精血合成爲無量業常所纏覆
譬如奇樹扶疏聳幹貪恚及癡而共增長　於九月或十月餘業力驅生

BD00151 號 2　大乘密嚴經（地婆訶羅本）卷中　（33-14）

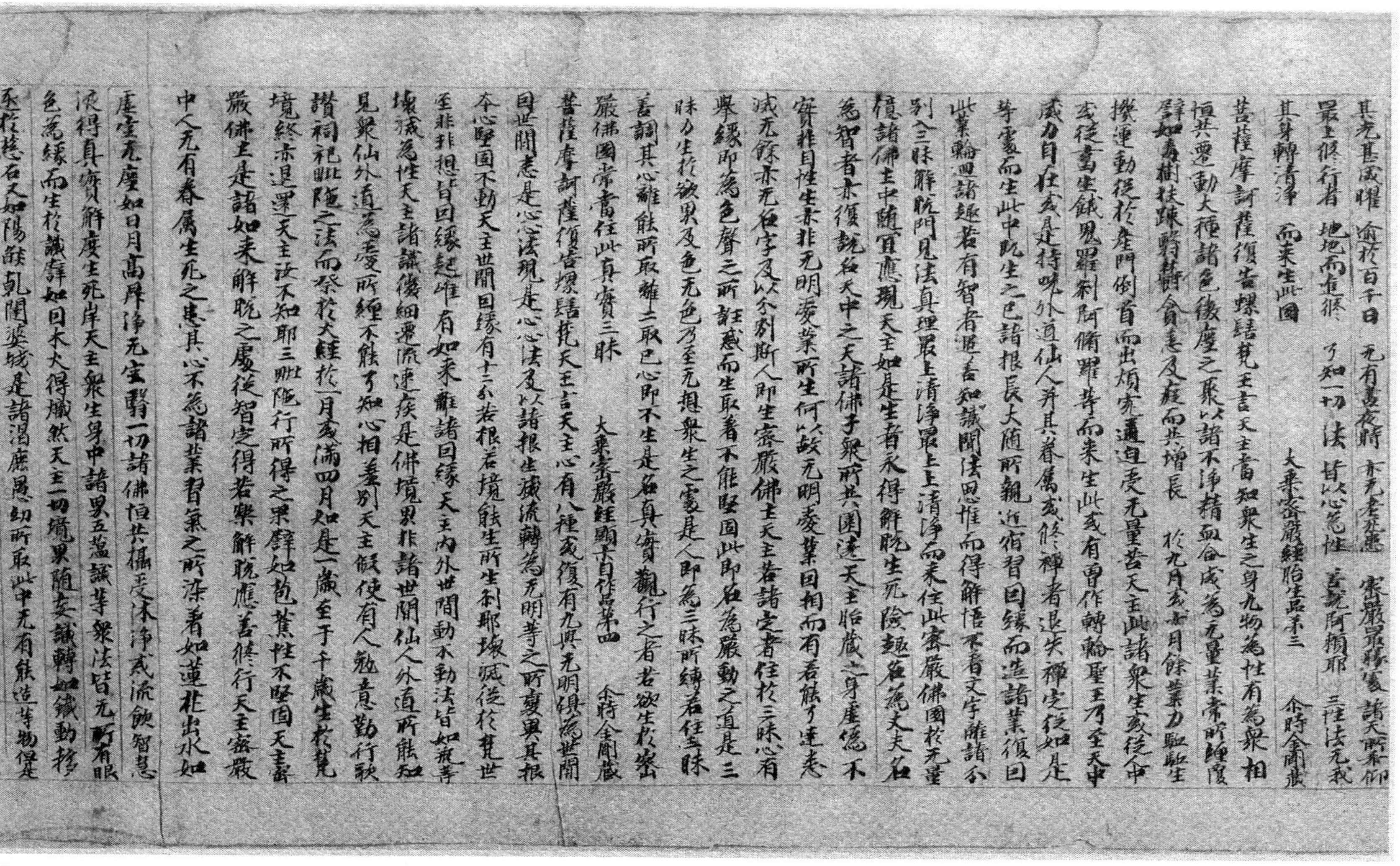

BD00151號2　大乘密嚴經（地婆訶羅本）卷中　（33–15）

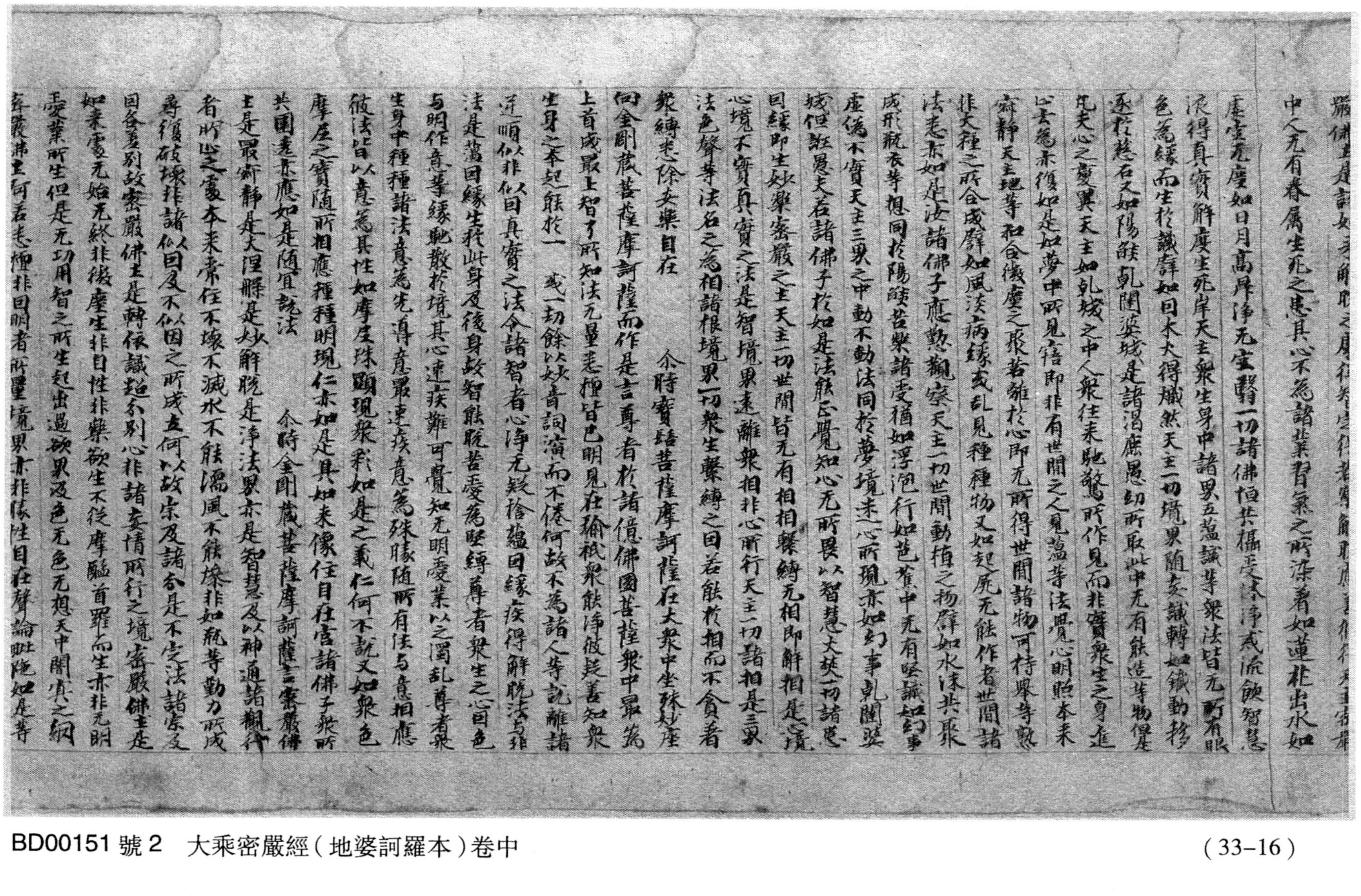

BD00151號2　大乘密嚴經（地婆訶羅本）卷中　（33–16）

土是嚴淨體是大涅槃是妙解脫是淨法界亦是智慧及以神通所依
者所止之處本來常住不壞不滅水不能濡風不能燥非如瓶等勤力所成
尋復破壞非諸似因及不似因之所成立何以故宗及諸分是不定法諸宗及
因各差別故密嚴佛土是轉依識超分別心非諸妄情所行之境密嚴佛土是
如來藏无始无終非從塵生非自性非樂欲生不從摩醯首羅而生亦非无明
愛業所生但是无功用智之所生起出過欲界及色无色无想天中閒廁之網
密嚴佛土所若悉種非因明者所量境界亦非勝性自在聲論毗陀如是等
宗之所觸亦乃至於資糧位智慧之力不能照了唯是如來十地所脩清淨智境
諸仁者一切凡夫迷於世間於業非業我今當說業義令諸定者攝於本業即
說偈言
內外一切物　所見唯自心　眾生心二性　能取及所取　心體有二門
即心見眾物　凡夫性迷惑　於自不能了　所見眾境界　皆是自所為　瓶等相現前
來之悉无體　諸仙智傍劣　不能明了知　捨於真實理　而行分別路　是心有二性
如鏡含眾像　亦如水現月　翳者見毛輪　毛輪與珞珠　此皆无所有　但從病翳眼
若斯而顯現　瓶衣皆自識　眾生亦復然　虛妄計著人　不知恒執取　眾生及瓶等
種種諸形相　內外雖不同　一切從心起　此密嚴妙定　非餘之所有　若有能修行
出過於眾地　或生欲自在　及以色界天　乃至无想宮　阿迦尼吒處　定識无所有
非想非非想　如是諸地中　漸次除貪欲　住彼非究竟　尋來生密嚴　佛子眾圍遶
自在而遊戲　汝應脩此定　何為著觀屬　眷屬相羈縛　輪迴生死因　男女相敬愛
精血共和合　如蟲生見涅　此中生亦尒　九月或十月　諸根漸成熟　時至出母胎
譬如蟲蠕動　從此而長大　乃至心了知　我觀諸眾生　生生悉如此　父母无有數
妻子亦復然　一切諸世間　无處不周遍　譬如石女人　夢見忽生子　榛對方歡喜
尋又見其亡　悲哀不自勝　忽然從睡覺　不見有其子　初生及後終　又夢山川中
田野村城邑　人眾悉充滿　共營諸業務　彼此乎相見　猶如世所為　及從於睡覺
一切皆非有　復有多欲人　夢曬於女色　姿容極妹麗　服玩皆珍綺　在夢極歡娛
覺已即无見　一切世間事　當知悉如是　王位及軍旅　父母皆宗親　但誑於凡夫
體性皆非實　汝於如是定　何故不勤修　无量諸聲聞　獨覺及菩薩　在於金剛臺
山林恒寂靜　或住於乳海　及以摩羅延　須彌与積隨　摩醯日陀羅　雞羅娑等
又至雪山等　或在劫波樹　波利耶多羅　拘鞞羅樹下　末佉波羅上　食閻浮果味
及諸不死食　具足諸神通　而常修此觀　過去未來世　常坐於蓮花　結跏身不動
正定恒觀察　諸根善調攝　不散於眾境　譬如象得鈎　離欲而三昧　世間眷出世
一切諸定中　佛定淨无垢　貪愛皆除遣　遍處无色定　无想等神中　見日月蓮花
水火虛空相　若離是分別　其心不動搖　即於三昧中　見无量諸佛　一時共舒手
以水灌其頂　如是入佛地　一切皆明覺　具足眾色身　隨宜而普現　力通諸自在
三昧陀羅尼　如是等功德　莫不皆成就　分析於諸色　乃至觀微塵　自性无所有
譬如彪兔角　无分无分者　蘊有蘊亦然　同於幻所作　一切皆如是　此中无業果
亦无作業人　无能作世間　設有非能作　能作待於作　何名能作人　此言成過失

正定恒觀察　諸根善調攝　不散於眾境　譬如象得鈎　離欲而三昧　世間眷出世
一切諸定中　佛定淨无垢　貪愛皆除遣　遍處无色定　无想等神中　見日月蓮花
水火虛空相　若離是分別　其心不動搖　即於三昧中　見无量諸佛　一時共舒手
以水灌其頂　如是入佛地　一切皆明覺　具足眾色身　隨宜而普現　力通諸自在
三昧陀羅尼　如是等功德　莫不皆成就　分析於諸色　乃至觀微塵　自性无所有
譬如彪兔角　无分无分者　蘊有蘊亦然　同於幻所作　一切皆如是　此中无業果
亦无作業人　无能作世間　設有非能作　能作待於作　何名能作人　此言成過失
說者非清淨　若謂去而有　水輪与地輪　及眾生世間　次第而安布　諸趣各差別
彼此乎往來　誰復作諸根　隨情取於境　此等皆分別　展轉而差異　同於乳酪酥
如是生住滅　若業若非業　於斯生妄計　定者常觀此　如夢与乾城　眾生无始來
戲論所熏習　生起於分別　種種兜邊見　諸根猶如幻　境界同於夢　能作作及業
定者不分別　智慧傍劣者　妄生諸惡見　計有於能作　作一切世間　或謂摩尼珠
金銀等眾礦　鳥獸色差別　剌端鐵以利　此等誰所為　當知无作者　世間非勝性
微塵等緣作　亦非无有因　自然而得有　或心妄計者　不知其體性　為業為非業
如是而分別　如毒入於乳　隨變与相應　諸法亦復然　分別常俱起　法性非是生
亦非是積壞　或者不能了　種種異分別　定者應觀察　世間唯積聚　若業若非業
於此物思惟　諸趣乎來往　譬如於日月　在空无所壞　隨風而運轉　業性具隱
密嚴者能見　脩行觀行人　不為其所縛　譬如大燒木　隨臾作灰燼　智火焚業薪
當知亦如是　又如燈破闇　一念盡无餘　諸業之闇貫　多劫所熏聚　手度智燈
剎那悉除滅
大乘密嚴經分別觀行品第五
爾時金剛藏菩薩摩訶薩復告大眾諸仁者譬如有人在空閑地以泥草木
覺之處穿而諦觀一一物中无舍可得又如多指共合成拳離指求拳即无所
有軍徒車乘城邑山林瓶衣等物一切皆是和合所成智者觀之悉如夢事
凡夫身宅亦復如是諸界積集譬如高山危脆不安同於朽屋不生不滅非自
非他如乾闥婆城如影如雲如陽焰如繢像雖可現觀性常清淨遠一切
有无分別如盲与跛相假而行无決定性乃至分析至於微塵但有空名都
无實物若諸定者作是思惟即於色聲等法不生覺念離覺念已得
休息未然解脫不受諸有常樂修行甚深禪定諸天仙等端正女人而
來供養如觀夢事不生深著身雖在此諸仙外道持呪之人乃至梵天不能
見頂是人不久生摩尼寶藏宮殿之中遊戲神通具諸功德此觀行法是大
心者所行境界仁應速發廣大之心大心之人疾得生於光明宮殿離諸貪欲
瞋恚愚癡乃至當詣密嚴佛土此土廣博微妙寂靜无諸老死衰惱之患遠離
眾相非諸所行妄計之人所不能得諸仁者此土清淨觀行所居若撿希卻當
勤脩習斷貪瞋癡離我我所何以故貪等煩惱取諸境界若取於境
即二覺生如有女人端正可喜有多欲者見已生著欲心迷亂若行若坐飲

見有是人不久生摩尼寶藏宮殿之中遊戲神通具諸功德此觀行法是大
心者所行境界仁應速發廣大之心大心之人疾得生於光明宮殿離諸貪欲
瞋恚愚癡乃至書論密嚴佛土此土廣博微妙寂靜无諸老死衰惱之患遠離
衆相非諸所行妄計之人所不能得諸仁者此土清淨觀行所居若懷希仰當
勤修習斷貪瞋癡離我我所何以故貪等煩惱取諸境界若取於境
即二覺生如有女人觸己可喜有多欲者見已生著欲心迷亂若行若坐飲
食睡眠專想思惟更无餘念彼女容相常現於心此心即為境界泥之所
濁亂是故於境不應貪著諸仁者譬如有人見牛鹿山羊有角之獸即於彪
兔生无角解若使不見牛等有角於彪兔等決定不生无角之見世間妄見
悉亦如是妄有所得起有分別後求其體不可得故便言諸法決定是无乃
至未離分別之心常生如是不平等見諸仁者應以智慧審諦觀察心之所行一
切境界皆如妄計見牛无等若諸佛子作如是觀隨其意樂或生人中為
轉輪王有大威力隱蜜來往或生日月星宿之宮四天三十三天夜摩天率陁天
乃至自在天生摩尼藏殿或生色界梵身等天修行定者十地之處无煩
无熱善見善現阿迦尼吒空處識處无所有處非想非非想處住於彼已
漸除貪欲從此而生清淨佛土常遊妙定至真解脫尒時金剛藏菩薩摩訶
薩復說偈言　　如因乳故　而成於乳　剎那各別　恒是无常
因種生牙　牙生種壞　入如陶匠　以泥作瓶　泥是香摩　瓶如其色
若復兼用　餘色塗作　大燒熟已　各離色生　箭竹生葦　角生於蒜
不淨之處　蠅生於蟲　世間之中　有果似因　或有諸物　不似因者
皆因變壞　而有果生　微塵等因　體不變壞　不應妄作　如是分別
无能作我　內我勝我　亦无我意　境界諸根　和合為因　而生於識
智者方便　善智衆地　破煩惱等　一切諸魔　世有貪愛　如淡得蜜
貪愛若除　衆縛悉解　如蛇螫物　瞋毒亦然　生死趣中
多所惱害　諸仁若欲　令彼除盡　宜各勤心　修行觀行
大乘密嚴經阿賴耶建立品第六　尒時金剛藏菩薩摩訶薩復
告衆言諸仁者我念昔曾蒙佛与力而得妙定廓然明見十方國土
於世定人及佛菩薩所住之處於如是處中密嚴佛國土安樂第一諸佛菩
薩數如微塵處蓮花藏我於尒時一心瞻仰尋從定山即自見身与諸菩
薩在密土復於尒時見解脫藏住在宮中其量大小如一指節色相明徹如阿
但斯花亦如空中清淨滿月我時見已便生念言此為是誰而有如是不思
議事作是念時即見我身在其身內於中普見一切世間尒時蓮花藏中无量菩
薩以佛神力亦如是見咸生是念此為希有不可思議時天中天所為事畢
還攝神力諸菩薩等悉復如故我時見此希有事已知諸菩薩種種變現

BD00151號2　大乘密嚴經（地婆訶羅本）卷中　（33–19）

薩數如微塵處蓮花藏我於尒時一心瞻仰尋從定山即自見身与諸菩
薩在密土復於尒時見解脫藏住在宮中其量大小如一指節色相明徹如阿
但斯花亦如空中清淨滿月我時見已便生念言此為是誰而有如是不思
議事作是念時即見我身在其身內於中普見一切世間尒時蓮花藏中无量菩
薩以佛神力亦如是見咸生是念此為希有不可思議時天中天所為事畢
還攝神力諸菩薩等悉復如故我時見此希有事已知諸菩薩種種變現
是佛境界不可思議諸仁者如來昔為菩薩之時從初歡喜至於法雲
地得陁羅尼句義无盡及首楞嚴等諸大三昧意生之身八種自在如
應而現遊戲神通名稱光明如是等一切功德悉已成就轉復清淨遠成
正覺住密嚴土隨宜變化佛及菩薩種種色像自然周遍一切世間轉妙
法輪令諸衆生速滅癡闇修行善法或有菩薩見佛身相尸利娑蹉等
具足莊嚴自然光明猶如盛火与諸菩薩住如蓮花清淨之宮常遊妙定以
為安樂或見大樹緊那羅王現百千億種種變化如日光明遍諸國土或
見无量佛子智慧善巧承相莊嚴頂飾寶冠身珮瓔珞住兜率陁天等
諸天之宮或見普賢有大威力得一切智无礙辯才身相光明獨无輪比所居
宮殿如淨滿月雖住密嚴正定之海而現衆色像靡不周遍一切賢聖所
共稱讚无量天仙乾闥婆等國王王子并其眷屬圍繞侍衛或復見有觀行
之師諸佛子衆所共圍繞住禪寂靜猶如睡眠而離昏沉懈怠等過患
侍奉无量諸佛或復有見為大導師降神誕生出家苦行一心正受乃至
涅槃於虛空中行住坐臥現諸神變令閻浮提至色究竟諸天人等莫
不瞻仰諸仁者諸佛體性唯佛所知佛之智慧最上无比如釋迦牟尼人
中師子之所已得汝諸佛子咸當得之是故仁等應生淨信信為佛體
必當解脫斯人或作轉輪聖王及諸小王乃至梵天等宮而為天主是
諸佛子轉復精進於蓮花藏清淨佛土与諸菩薩蓮花生入一乘道
離貪等習乃至降伏欲界天魔夫精進者志无怯弱光隆佛家王諸
國土諸仁等若欲作佛當淨佛種性淨種姓已必為如來之所授記成
无上覺利益一切諸修行者譬如大地与諸衆生而作所依又如良醫善調
衆藥周行城邑普心救療佛亦如是平等教化心无分別設衆生割截肌
膚心亦不動諸仁者內外境界心之所行皆唯是識惑亂而見此中我我亦无
我所能害及以害具一切皆是意識境界依阿賴耶如是分別譬如有人
置珠日中或因鑽燧而生於火非是珠燧所生亦非人作心意意識亦復
如是根境作意和合而生此性非如陽焰夢幻迷惑所取亦不同於龜
之毛及以兔角如霹靂大焰從水生為從電生為雲生耶无能定知此所從生
如見陶師造於瓶等欲等心法与心共生亦復如是諸仁者心之體性不可

BD00151號2　大乘密嚴經（地婆訶羅本）卷中　（33–20）

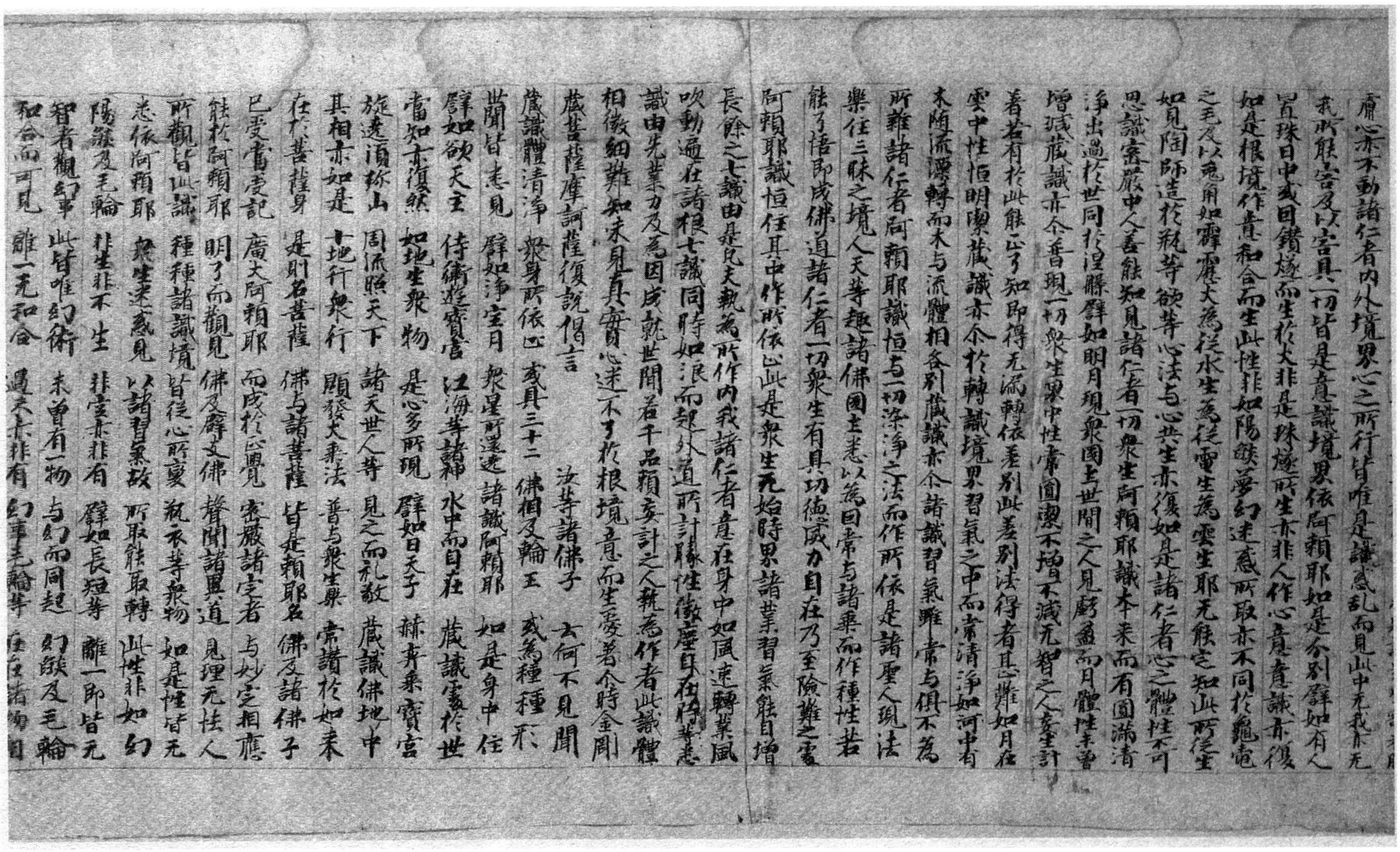

磨心亦不動諸仁者內外境界心之所行皆唯是識惑亂而見此中无我亦无
我所能害及以害具一切皆是意識境界依阿賴耶如是分別譬如有人
目睹珠日中或因鑽燧而生於火非是珠燧所生亦非人作心意意識亦復
如是根境作意和合而生此性非如陽焰夢幻迷惑所取亦不同於龜
之毛及以兔角如霹靂火為從水生為從電生為雲生耶无能定知此所從生
如見陶師造於瓶等欲等心法与心共生亦復如是諸仁者心之體性不可
思議密嚴中人善能知見諸仁者一切衆生阿賴耶識本來而有圓滿清
淨出過於世同於涅槃譬如明月現衆國土世間之人見虧盈而月體性未曾
增減藏識亦尒普現一切衆生界中性常圓潔不增不減无智之人妄生計
著若有於此能正了知即得无漏轉依差別此差別法得者甚難如月在
雲中性恒明潔藏識亦尒於轉識境界習氣之中而常清淨如河中有
木隨流漂轉而木与流體相各別藏識亦尒諸識習氣雖常与俱不為
所雜諸仁者阿賴耶識恒与一切染淨之法而作所依是諸聖人現法
樂住三昧之境人天等趣諸佛國土悉以為因常与諸乘而作種性若
能了悟即成佛道諸仁者一切衆生有具功德威力自在乃至險難之處
阿賴耶識恒住其中作所依止此是衆生无始時界諸業習氣能自增
長餘之七識由是而起夫執為所作內我諸仁者意在身中如風速轉業風
吹動遍在諸根七識同時如浪而起外道所計勝性微塵自在時等悉
識由先業力及愛為因成就世間若干品類妄計之人執為作者此識體
相微細難知未見真實心迷不了於根境意而生愛著尒時金剛
藏菩薩摩訶薩復說偈言
汝等諸佛子 云何不見聞
藏識體清淨 衆身所依止 或具三十二 佛相及輪王 或為種種形
世間皆悉見 譬如淨空月 衆星所環遶 諸識阿賴耶 如是身中住
譬如欲天主 侍衛遊寶宮 江海等諸神 水中而自在 藏識處於世
當知亦復然 如地生衆物 是心多所現 譬如日天子 赫奕乘寶宮
旋遶須彌山 周流照天下 諸天世人等 見之而礼敬 藏識佛地中
其相亦如是 十地行衆行 顯發大乘法 普与衆生樂 常讚於如來
在於菩薩身 是則名菩薩 佛与諸菩薩 皆是賴耶名 佛及諸佛子
已受當受記 廣大阿賴耶 而成於正覺 密嚴諸定者 与妙定相應
能於阿賴耶 明了而觀見 佛及辟支佛 聲聞諸異道 見理无怯人
所觀皆此識 種種諸識境 皆從心所變 瓶衣等衆物 如是性皆无
悉依阿賴耶 衆生迷惑見 以諸習氣故 所取能取轉 此性非如幻
陽焰及毛輪 非生非不生 非空亦非有 譬如長短等 離一即皆无
智者觀幻事 此皆唯幻術 未曾有一物 与幻而同起 幻焰及毛輪
和合而可見 離一无和合 過去亦非有 幻事毛輪等 在在諸物相

BD00151 號 2　大乘密嚴經（地婆訶羅本）卷中　（33–21）

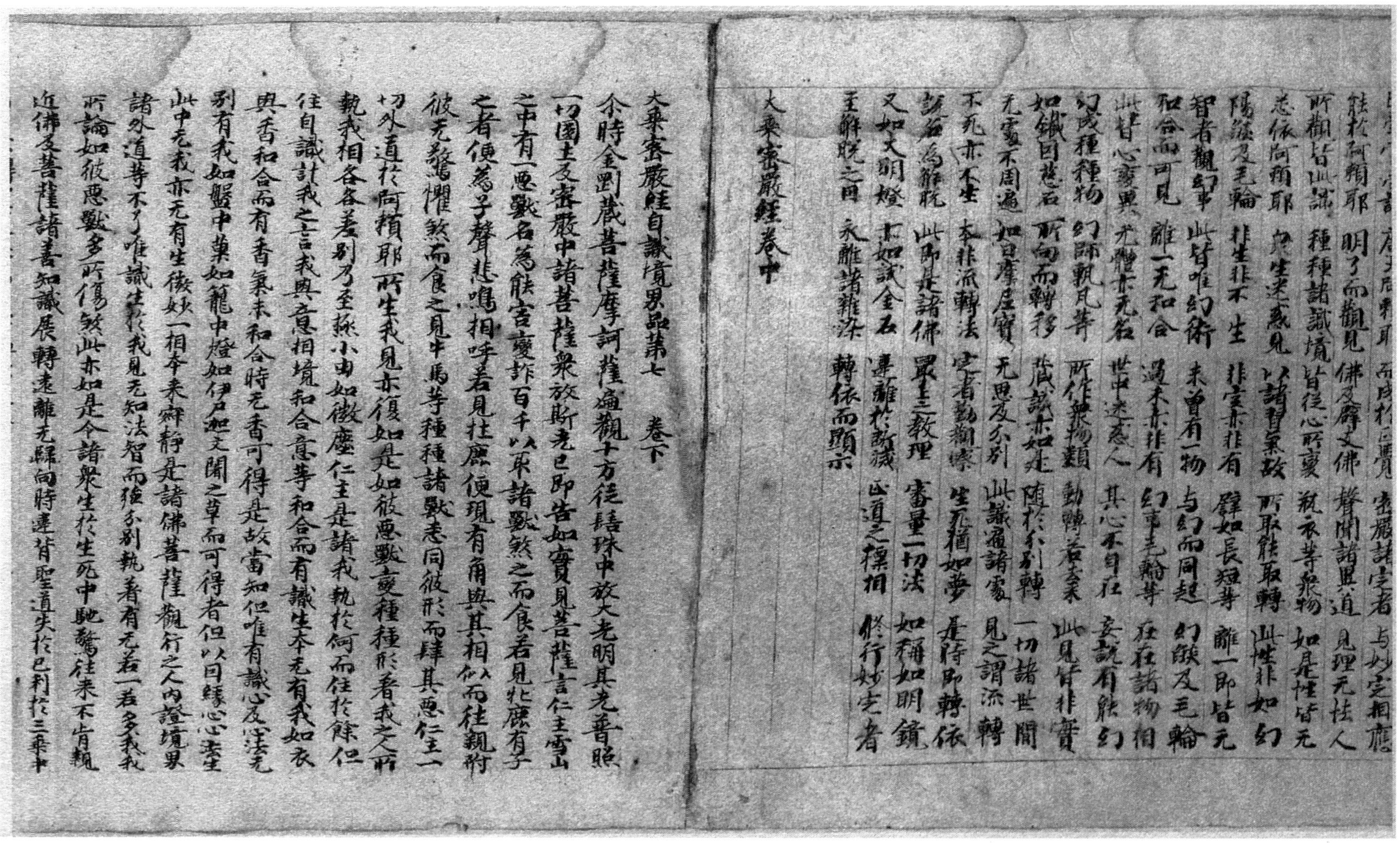

已受當受記 廣大阿賴耶 而成於正覺 密嚴諸定者 与妙定相應
能於阿賴耶 明了而觀見 佛及辟支佛 聲聞諸異道 見理无怯人
所觀皆此識 種種諸識境 皆從心所變 瓶衣等衆物 如是性皆无
悉依阿賴耶 衆生迷惑見 以諸習氣故 所取能取轉 此性非如幻
陽焰及毛輪 非生非不生 非空亦非有 譬如長短等 離一即皆无
智者觀幻事 此皆唯幻術 未曾有一物 与幻而同起 幻焰及毛輪
和合而可見 離一无和合 過去亦非有 幻事毛輪等 在在諸物相
此皆心變異 无體亦无名 世中迷惑人 其心不自在 妄說有能幻
幻成種種物 幻師執凡等 所作衆物類 動轉若去來 此見皆非實
如鐵因慈石 所向而轉移 藏識亦如是 隨於分別轉 一切諸世間
无處不周遍 如日摩尼寶 无思及分別 此識遍諸處 見之謂流轉
不死亦不生 本非流轉法 定者勤觀察 生死猶如夢 是時即轉依
說名為解脫 此即是諸佛 最上之教理 審量一切法 如稱如明鏡
又如大明燈 亦如試金石 遠離於斷滅 正道之標相 修行妙定者
至解脫之因 永離諸雜染 轉依而顯示
大乘密嚴經卷中

大乘密嚴經自識境界品第七　卷下
尒時金剛藏菩薩摩訶薩遍觀十方從髻珠中放大光明其光普照
一切國土及密嚴中諸菩薩衆放斯光已即告如實見菩薩言仁主雪山
之中有一惡獸名為能害變詐百千以取諸獸欲之而食若見牝鹿有子
之者便為子聲悲鳴相呼若見牡鹿便現有角与其相似而往親附
彼无猜懼欲而食之見牛馬等種種諸獸悉同彼形而肆其惡仁主一
切外道於阿賴耶所生我見亦復如是如彼惡獸變種種形看我之人所
執我相各各差別乃至極小由如微塵仁主是諸我執於何而住於餘何
住自識計我之言我与意相境和合意等和合而有識生本无有我如衣
与香和合而有香氣未和合時无香可得是故當知但唯有識心及心法无
別有我如饑中藥如龍中燈如伊尸迦之閑之草而可得者但以因緣心心法生
此中无我亦无有生微妙一相本來寂靜是諸佛菩薩觀行之人內證境界
諸外道等不了唯識生於我見无知法智而強分別執着有无若一若多我我
所論如彼惡獸多所傷殺此亦如是令諸衆生於生死中馳鶩往來不肯親
近佛及菩薩諸善知識展轉遠離无歸向時違背聖道失於已利於三乘中

BD00151 號 2　大乘密嚴經（地婆訶羅本）卷中　BD00151 號 3　大乘密嚴經（地婆訶羅本）卷下　（33–22）

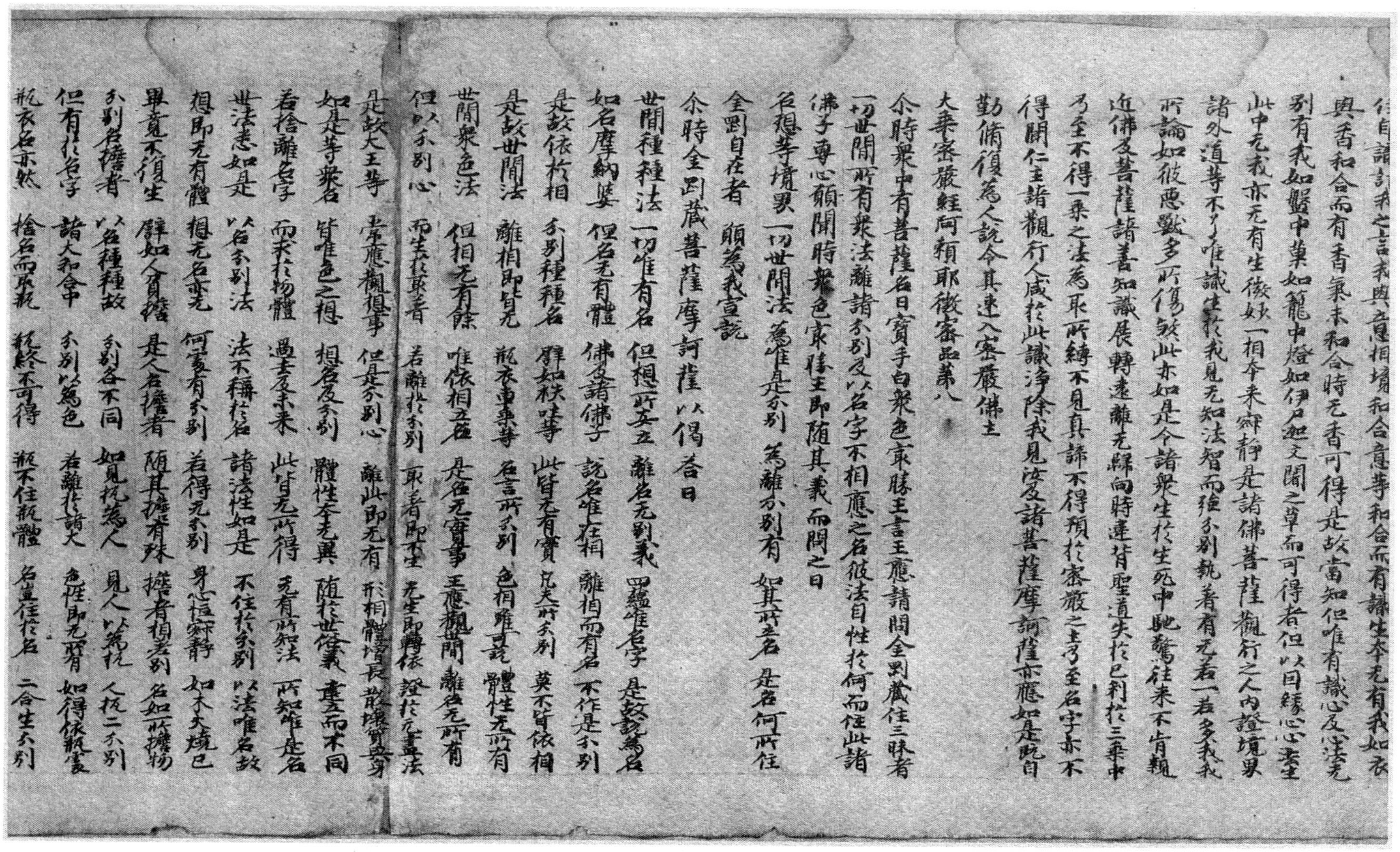

BD00151 號 3　大乘密嚴經（地婆訶羅本）卷下　（33–23）

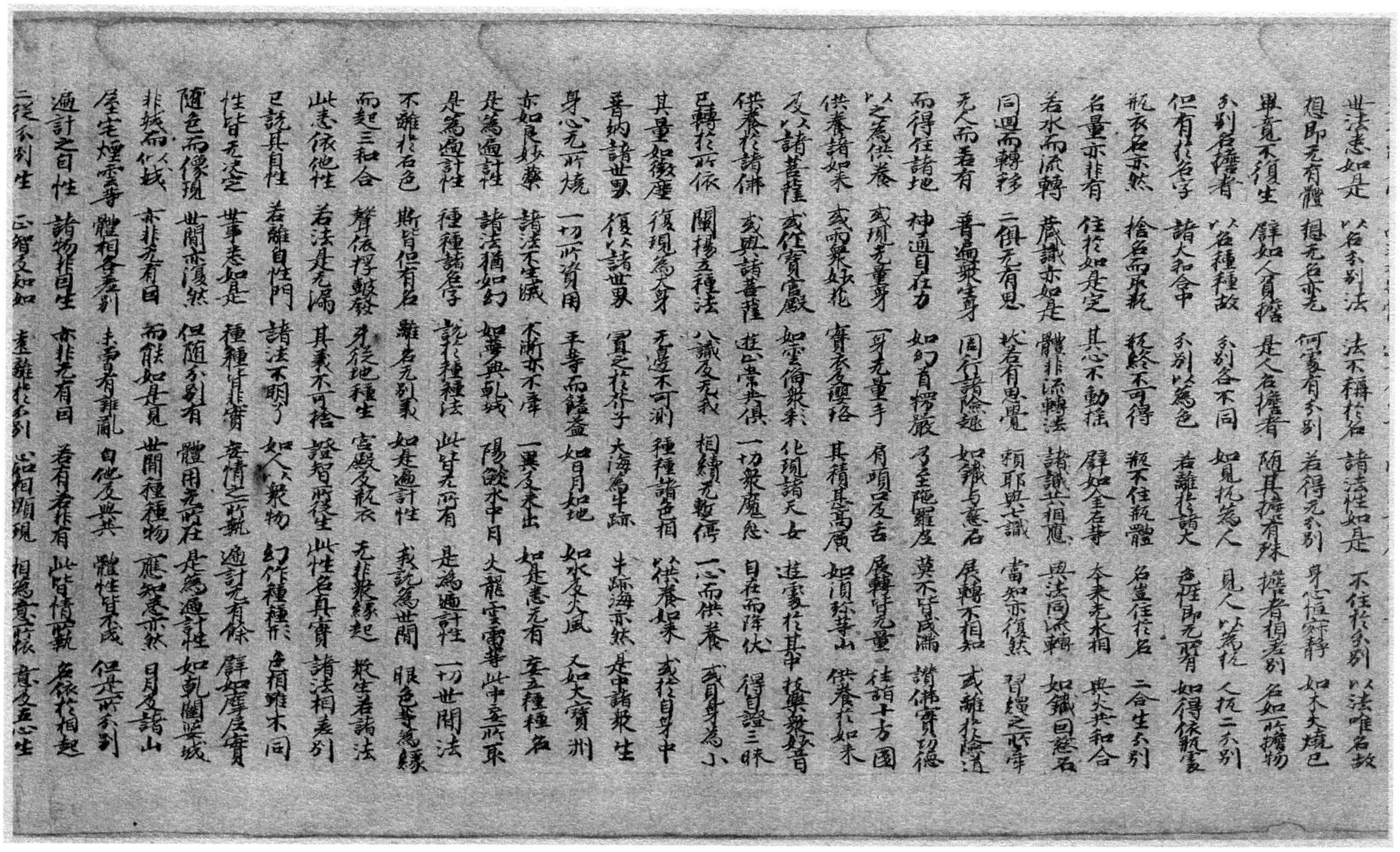

BD00151 號 3　大乘密嚴經（地婆訶羅本）卷下　（33–24）

已說其自性　若離自性門　諸法不明了　如幻作眾物　幻作種種形　色相雖不同
性皆無決定　業亦悉如是　種種皆非實　妄情之所執　遍計無有餘　譬如摩尼寶
隨色而像現　世間亦復然　但隨分別有　體用無所在　是為遍計性　如乾闥婆城
非城而似城　亦非無有因　而能如是見　世間種種物　應知悉亦然　日月及諸山
屋宅煙雲等　體相各差別　未曾有雜亂　自他及與共　體性皆不成　但是所分別
遍計之自性　諸物非自生　亦非無有因　若有若非有　此皆情所執　名依於相起
二從分別生　正智及如如　遠離於分別　心如相顯現　相為意所依　意及五心生
猶如海波浪　習氣無有始　境界亦復然　心因習氣生　境令心惑亂　依止賴耶識
一切諸種子　心如境界現　是說為世間　七識阿賴耶　展轉力相生　如是八種識
不常亦不斷　一切諸世間　似有而妄有　有計諸眾生　我等叢和合　發生種種識
了別於諸境　或有妄計言　作者業自致　生於梵天等　內外諸世間　皆非作者
業及微塵作　但是阿賴耶　變現似於境　藏識非緣作　藏亦不作緣　諸識雖流轉
無有三和合　賴耶體常住　眾識與之俱　如輪與水精　亦如星共月　從此生習氣
新新自增長　復增長餘識　餘識亦復然　如是常輪轉　悟者心方息　譬如火燒木
漸次而轉移　此木既已燒　復更燒餘識　無漏亦如然　漸除諸有漏　永息輪迴法
此是現法樂　三昧之境界　眾聖由斯道　普詣十方國　如金在礦中　無有能見金
智者善陶鍊　其金方明顯　藏識亦如是　習氣之所纏　三昧淨除已　定者常明見
如酪未攢搖　蘇終不可見　是故諸智者　攢酪而得蘇　藏識亦復然　諸識所淹覆
密嚴諸定者　勤觀乃能得　密嚴甚光明　妙智之殊勝　佛子勤修習　當生此國中
色及無色界　空識非非想　於彼常勤修　而來生此處　此中諸佛子　威光猶日月
住於修行地　演說相應言　如來所說法　隨見而依轉　一切佛世尊　灌頂當其位
雖住密嚴土　應物隨所宜　在空而變化　若見或聞法
爾時金剛藏菩薩摩訶薩復告大眾諸仁者阿賴耶識從無始已來為戲論
熏習諸業所計輪迴不息如海因風起諸識浪恒生不斷不常而諸眾生不自覺
知隨於自識現眾境界若自了知如火燒薪即皆息滅入無漏位名為聖人諸仁者阿
賴耶識變似眾境彌於世間染意執緣執我我所意識於境各各了別諸仁者心
積集業意亦復然意識了知種種諸法五識分別現前境界如醫目者見似毛
輪於似色中非色計色諸仁者如摩尼寶體性清淨若置於日月光中隨其所應各
雨其物阿賴耶識亦復如是諸如來清淨之藏與習氣合變似眾色周於世間若
無漏相應即雨一切諸眾功德法如乳變異而成於酪拔阿賴耶識亦復如是變似
一切世間眾色如翳目者以翳病故見似毛輪一切眾生亦復如是以習氣翳住藏識
眼生諸似色所見色譬如陽焰遠離有無皆阿賴耶之所變現諸仁者依於眼有

BD00151號3　大乘密嚴經（地婆訶羅本）卷下　（33–25）

積集業意亦復然意識了知種種諸法五識分別現前境界如醫目者見似毛
輪於似色中非色計色諸仁者如摩尼寶體性清淨若置於日月光中隨其所應各
雨其物阿賴耶識亦復如是諸如來清淨之藏與習氣合變似眾色周於世間若
無漏相應即雨一切諸眾功德法如乳變異而成於酪拔阿賴耶識亦復如是變似
一切世間眾色如翳目者以翳病故見似毛輪一切眾生亦復如是以習氣翳住藏識
眼生諸似色所見色譬如陽焰遠離有無皆阿賴耶之所變現諸仁者依於眼有
似色識如幻而生住於眼中其相飄動如熱時焰諸仁者一切眾色皆阿賴耶與色習相
應變似其相非別有體同於愚夫妄所分別諸仁者一切眾生若坐若臥若行若立惛
醉睡眠乃至狂走莫不皆是阿賴耶識譬如盛日舒光燭地地蒸飄動猶如水
流渴獸迷惑而之奔走阿賴耶識亦復如是體性非色而似色現分別之人妄生取著
如磁石力令鐵動移雖無有心似有心者阿賴耶識亦復如是為生死法之所攝持往
來諸趣非我似我如水中有物雖無思覺而隨於水流動不住阿賴耶識亦復如是
雖無分別依身運行如有二象搆力而鬪著一被傷退而不復阿賴耶識應知亦然斷
諸染分更不流轉譬如蓮花出離淤泥皎潔清淨離諸塵垢諸天貴人見之珍敬阿
賴耶識亦復如是出習氣泥而得明潔為諸佛菩薩大人所重如有妙寶世所希
絕在愚下人之所常被汙賤智者得已貴之於王用飾寶冠為王所戴阿賴耶識亦復
如是諸是如來清淨種性於凡夫位恒被雜染菩薩證已斷諸習氣乃至成佛常
所寶持如美玉在水苔衣所覆阿賴耶識亦復如是在生死海諸惡習氣而不
現諸仁者阿賴耶識有能取所取二種相生如蛇有二頭所樂同往此亦如是與色相俱
世間之人取之為色計我我所若有若無能作世間於世自在諸仁者阿賴耶識
雖種種變現而性甚深無智之人不能覺了譬如幻作諸獸或行或走相似眾生都
無定實阿賴耶識亦復如是幻作種種世間眾生而無實事凡愚不了妄生取
著起微塵勝性自在丈夫有無等見諸仁者意能分別一切世間是分別見如畫
中質如雲中物如翳夢者所見之物如因陀羅網如乾闥婆城如谷響如陽焰
水如水月如樹如池像月分別之人於阿賴耶如是妄取若有住此能正觀察知諸
世間皆是自心是分別見而皆轉滅諸仁者阿賴耶識是意等諸法習氣所依為
分別心之所攝濁若離分別即成無漏無漏即常猶如虛空若諸菩薩於阿
賴耶而得三昧則生無漏禪定解脫及方便力自在神通如是等諸功德淨
究竟意生之身轉於所依識界常住同虛空性不壞不盡諸仁者如來普
見一切世間無有增減般涅槃者非是壞滅亦無非眾生而令始生十方國土同
一法諸佛出世不出世間一切諸法住於法性不常不斷若解脫者眾生界滅即
壞如來一切智性去來今佛所知之法不得平等又若涅槃眾生滅者誰離於苦

BD00151號3　大乘密嚴經（地婆訶羅本）卷下　（33–26）

分別心之所攝漏若離分別所成无漏无漏即常猶如虛空若諸菩薩於
賴耶而得三昧則生无漏禪定解脫及方便力自在神通如是等諸功德法乎
究竟嚴意生之身轉於所依識界常住同虛空性不壞不盡諸仁者如來普
見一切世間无有增減般涅槃者非是壞滅亦无非衆生而今始生十方國土同
法諸佛出世不出世間一切諸法住於法性不常不斷若解脫者衆生界滅即
壞如來一切智住去來今佛所知之法不得平等又若涅槃衆生滅者誰離於苦
有餘无餘降魔等事皆是妄說是故當知諸觀行者證於解脫其身
常住離衆有蘊識諸習氣譬如熱鐵投之冷水熱勢雖除而鐵不壞諸如
是諸仁者阿賴耶海為戲論麁重所繫五法三性諸識波浪相續而生所有
境界其相飄動於无義處中似義而現諸仁者阿賴耶識行於諸蘊稠林
之中意為先導意識決了色等衆境五識依根了現境界所取之境莫不皆
是阿賴耶識諸仁者阿賴耶識與壽命煖觸和合而住於此識復住意所餘
五識亦住自根諸仁者心意及識住於諸蘊為業所牽流轉不息諸所有業
因愛而起以業受身復造業捨此身已更受餘身如步屈蟲行心及心
法生於諸趣復更積集稠林之蘊諸仁者壽煖及識若捨於身身无覺知
同於木石諸仁者藏識是心執我名意取諸境界說之為識諸仁者心能持
身意者諸趣意識遍了五現分別諸仁者藏識為因生於諸識意及意
識又從所緣无間而起五識復增上緣生以同時自根為增上故諸仁者身如起
屍亦如陽餘隨於諸行因緣而轉非是虛妄亦非真實為愛所牽性空无識
仁者意等諸識與心共生五識復與意識同生如恒時大地俱轉諸仁者阿賴耶
識為愛所熏而得增長自增長已復增餘識如輪不絕以識故衆趣得生
於諸趣中識復增長恒與世間更互為因如河中流前後不斷如芽與種相
續而生各各差別分明顯現識行亦尒三和合已復更和合差別而生无有
斷絕內外衆法因茲而起一切凡夫不了自心汝諸佛子應勤觀察尒時衆
色究竟天王等復向金剛藏菩薩摩訶薩而作是言
金剛三昧藏　得无所畏者　善入於密嚴　能隨一切法　佛及諸佛子　三昧正思惟
所觀諸法相　彼妙寂无比　惟願大智者　為我等宣說　尊者恒住摩尼月藏宮
坐於師子座　菩薩衆圍繞　願為諸瑜祇　說密嚴定法　此是月幢佛　為衆所開演
彼衆當來此　願說而无倦
尒時月幢世尊无量分身在於欲色諸天宮殿有无央數菩薩及諸天等圍繞供養
說密嚴中諸无畏者所脩觀行實相之法彼諸菩薩聞說是已得證智相應三
昧心不樂於下位之樂不住實際即於空中手相觀察心各念言其誰已見證於實相觀行

BD00151 號 3　大乘密嚴經（地婆訶羅本）卷下　（33–27）

所觀諸法相　彼妙寂无比　惟願大智者　為我等宣說　尊者恒住摩尼月藏宮
坐於師子座　菩薩衆圍繞　願為諸瑜祇　說密嚴定法　此是月幢佛　為衆所開演
彼衆當來此　願說而无倦
尒時月幢世尊无量分身在於欲色諸天宮殿有无央數菩薩及諸天等圍繞供養
說密嚴中諸无畏者所脩觀行實相之法彼諸菩薩聞說是已得證智相應三
昧心不樂於下位之樂不住實際即於空中手相觀察心各念言其誰已見證於實相觀行
之首云何而得見斯人乎心生渴仰念然而住彼諸佛子復更思惟何者是定云何非定
於何所定孰是其定所待之緣作是念已以三昧力見密嚴土中菩薩之王首戴寶冠三
十相以為嚴飾彼諸菩薩便從定起著上好衣從於他方无量佛國而來此會心瞻仰金剛
尒時金剛藏菩薩摩訶薩周顧四方見諸大衆便生覺念將欲說法熙怡微笑發和雅
音而說偈言
汝等諸佛子　咸應一心聽　定境難可思　非分別所了　定及於定者　定緣亦復然　離諸欲不善
而有於覺觀　寂靜生喜樂　是謂入初禪　如是漸次第　四八至于十　外道昔我者　常脩此定諸
一切聲聞衆　辟支佛亦然　了知於世間　諸法之自相　蘊處如空宅　此中无有我　无思无動作
如機關起屍　但有三和合　亦无能作者　外道脩定人　起於空性見　此人達法相　壞於一切法
若有能脩行　如來微妙定　善知蘊无我　諸見悉除滅　一切唯有識　諸法相皆无　无能相所相
无男亦无女　分析至微塵　此皆无所住　地水等衆物　皆從分別生　不知其性者　取於如是相
惡色與好色　似色餘亦然　譬如虛空中　雲現等衆彩　思惟如骨瑣　遍滿於世間　及遍處想觀
觀於諸人等　身有色无色　定者常諦思　若於緣一心　即應說清淨　知其所分別　即彼成所緣
非定非定者　妄計以為定　定者住定中　了世皆藏識　法及諸法相　一切皆除遣　權於勝定者
善說於諸定　破諸脩定人　妄智所知法　若人生小智　取法及於我　自謂成諦言　善巧說諸法
計著諸法相　自壞亦壞他　无能相所相　妄生差別見　稍性能除熱　苦酢醎以淡　穿物以為令
鹹能止風疾　身熱者凝熱　甘能在於病　或復但因風　或三合和起　以病各差別　良醫能救療
石蜜并六分　廣說諸食等　能除衆生身　種種諸患病　若法有自性　及以諸相者　衆无療病能
病者不應差　云何世人見　服藥病除愈　定者觀世間　但是賴耶識　妄見而流轉　譬如翳所見
无能相所相　蘊與於蘊者　皆无分別殊　及以有支分　世中无能作　而作於世間　亦非散十方
微塵之所聚　非和合衆脩　漸次大如指　二種或復三　諸法轉智者　求那與差別　如是我皆无
非待非勝性　及三法所住　亦非有自因　自然而得有　所因業習氣　種濁於心　依止與眼根
種種妄分別　意與於意識　及以阿賴耶　普現於世間　如幻作衆物　欲等衆情數　惠心為體
非瓶似瓶現　是故說為空　世間所有色　諸无度等　皆是阿賴耶　變異而可見　衆生身所有
從頭至于足　頂生髮漸次　无非阿賴耶　習氣濁於心　凡愚不能了　此性非是有　亦復非是空
如人以諸物　擊破於瓶等　物體若是空　即无能所破　譬如須弥量　我見未為失　憍慢而著空
此惡過於彼　[illegible]

BD00151 號 3　大乘密嚴經（地婆訶羅本）卷下　（33–28）

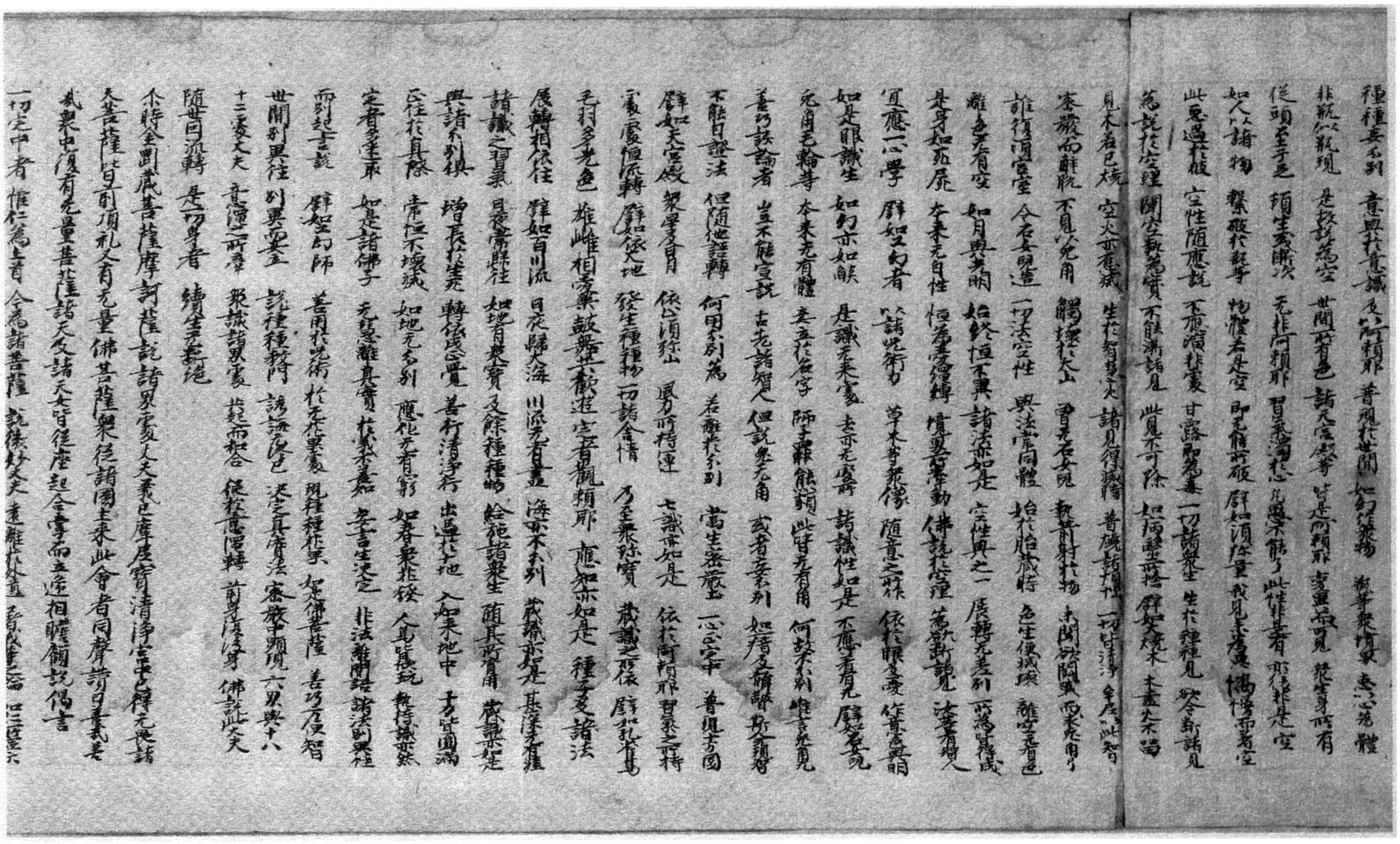

BD00151 號 3　大乘密嚴經（地婆訶羅本）卷下　（33–29）

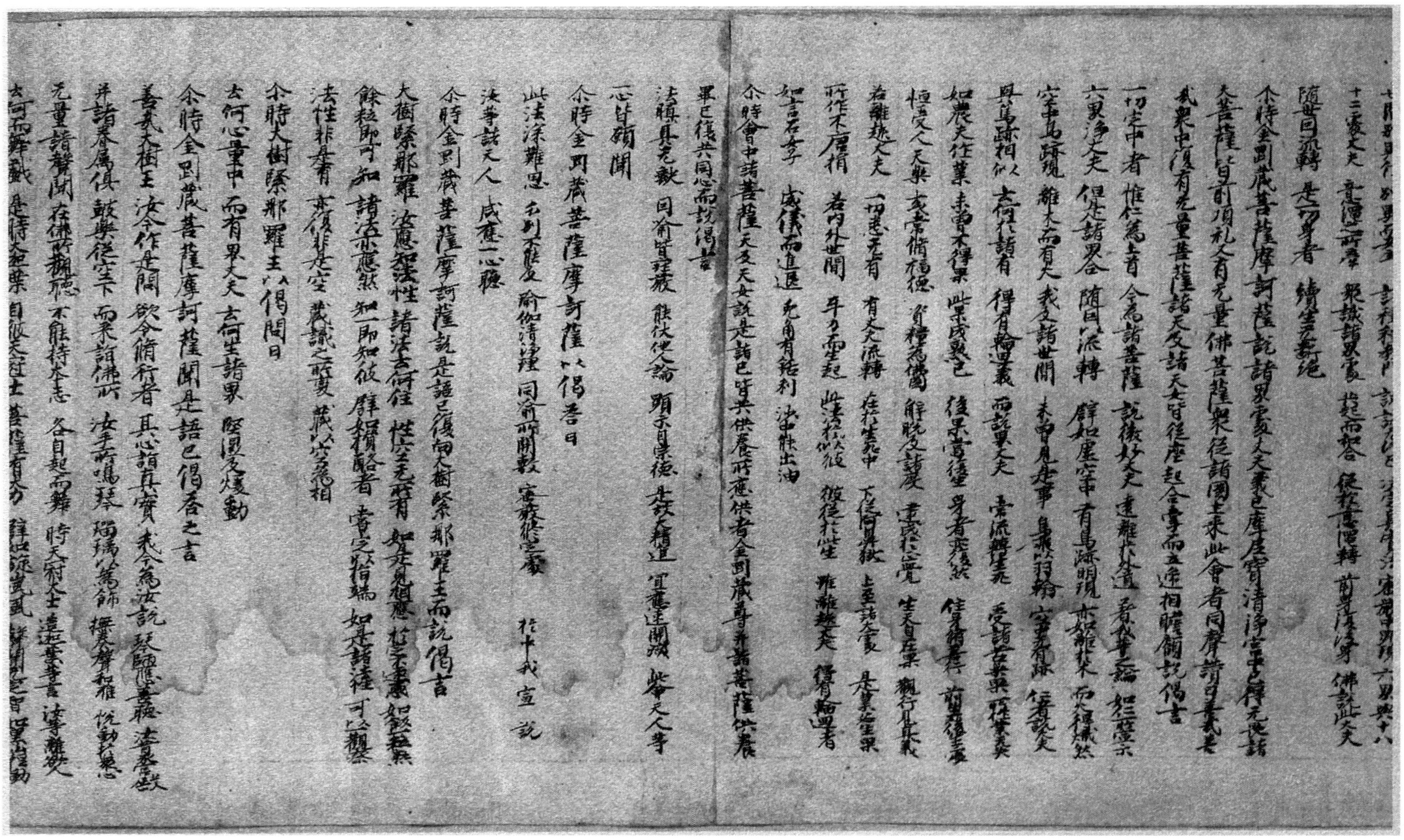

BD00151 號 3　大乘密嚴經（地婆訶羅本）卷下　（33–30）

云何心量中　而有界大天　云何生諸界　堅濕及煖動
尒時金剛藏菩薩摩訶薩聞是語已偈荅之言
善哉大樹王　汝今作是問　欲令脩行者　其心諸真實　我今為汝說　琴師應善聽　汝昔與眷屬
并諸眷屬俱　歌舞從空下　而來詣佛所　汝手所鳴琴　瑠璃以為飾　樂聲甚和雅　悅動於衆心
无量諸聲聞　在佛所觀聽　不能持本志　各自起而舞　時天冠大士　語迦葉等言　汝等離欲人
云何而舞戲　是時大迦葉　自從天冠士　菩薩有大力　譬如旋嵐風　聲聞及定智　如草皆搖動
鈍根諸聲聞　尚染習氣泥　彼捨諸習氣　心淨當成佛　汝於微細境　其心已通達　種種世界中
明了而決定　善於諸地相　及佛清淨法　汝住宮殿中　眷屬所圍遶　清淨而嚴好　譬如盛滿月
能於脩觀行　自在之衆中　問我界大天　云何從心起　汝及諸佛子　咸應諦聽　如其諸界內
心為大丈夫　諸界因此生　是義我當說　猶如生於水　大盛生於火　動搖諸根業　因斯起風界
從於色分齊　有地及虛空　境界與諸習　識生而會聚　眼及於色等　相狀各不同　此為生廣門
諸有恒相續
尒時摩尼寶藏自在宮中持進菩薩與无量菩薩俱從座而起稽首作礼持諸
妙供而以供養金剛藏尊復張寶網於其上同聲讚曰善哉善哉而說
頌曰
尊者住法雲　善於佛地　能為諸菩薩　開示如來境
尒時大樹緊那羅王并諸婇女復持種種妙好俱具以為供養供養畢已
偈讚之曰
善哉金剛藏　得无所畏者　為我等開演　如來微妙法　今此摩尼殿　清淨衆吉祥
尒時聖者觀自在菩薩慈氏菩薩得大勢菩薩文殊師利菩薩寶髻
菩薩天冠菩薩總持王菩薩一切義成菩薩如是等菩薩摩訶薩及餘无
量脩觀行者是佛子有大威德善能開示觀行之心悉從座起互相觀向
金剛藏菩薩摩訶薩而說偈言
惟願金剛尊　顯示於法眼　尊者善諸相　一切咸照知　如來常念持　佛子所宗敬
令此大力衆　同心而勸請　瑜伽自在者　願示於密嚴　普令諸世間　得聞未曾有
此法最清淨　遠離於言說　化佛諸菩薩　經中未開演　諸聖現法樂　具身光滿界
自覺智境界　清淨最无比　具足衆三昧　及以陀羅尼　諸自在解脫　意生身十種
嚴淨佛國土　不可思議數　佛及諸菩薩　身量如微塵　乃至如毛端　百分中之一
密嚴佛國土　諸土中最勝　如是觀行者　來生於是間　此皆何因　佛子願宣說
尒時金剛藏菩薩摩訶薩三十二相八十種好莊嚴其身為欲宣示无分別離
分別先佛法眼如師子王普觀衆會知其智力堪能聽受即以梵聲迦陵頻聲
廣長舌相清美之聲決定衆所悅可无有塵調柔閑暢鍾羅摩聲烏拖

此法最清淨　遠離於言說　化佛諸菩薩　經中未開演　諸聖現法樂　具身光滿界
自覺智境界　清淨最无比　具足衆三昧　及以陀羅尼　諸自在解脫　意生身十種
嚴淨佛國土　不可思議數　佛及諸菩薩　身量如微塵　乃至如毛端　百分中之一
密嚴佛國土　諸土中最勝　如是觀行者　來生於是間　此皆何因　佛子願宣說
尒時金剛藏菩薩摩訶薩三十二相八十種好莊嚴其身為欲宣示无分別離
分別先佛法眼如師子王普觀衆會知其智力堪能聽受即以梵聲迦陵頻聲
廣長舌相清美之聲決定衆所悅可无有塵調柔閑暢鍾羅摩聲烏拖
多聲甚利多聲離沙婆聲般遮摩聲毗嵐頻伽聲路等聲皆悉具足
无量功德而共相應不令聽者其心迷惑善能了達音聲之相一切天人乾闥婆
等莫不欣樂金剛藏菩薩摩訶薩以无言說以本願力於其身上眉額頂鼻
乃至眉睫猶如變化自然而出如是之音為諸大衆演說法眼譬如鵝王從在
淤汀上素潔嚴好金剛藏大精進者住於自在清淨之宮諸佛子衆所共圍
遶嚴潔亦尒如空中朗月光映衆星金剛藏菩薩亦復如是處師子座眼
散一切諸脩行者如月与光无有差別佛與金剛藏菩薩亦復如是等无
有異尒時如寶見菩薩摩訶薩住脩行地衆中首從而起合掌恭敬
觀諸菩薩說是偈言
嗚呼大乘法　微妙不思議　如來之境界　佛子應頂礼　无思離垢法　尊者甚難遇
一切國土中　諸佛所觀察　大乘真實義　清淨无等倫　遠離諸分別　轉依之妙道
八種識境界　諸自性不同　五法及无我　差別而開示　五種習所纏　生諸惡分別
見此妙微法　清淨如真金　得於清淨者　即住佛種性　如來性微妙　非外道聲聞
一切國土中　密嚴為最上　種性成就已　而來生此國　尊者金剛藏　已得何三昧
所說清淨法　是何三昧境
尒時會中有无量菩薩衆稽首作礼而說偈言
大智金剛藏　願為我開演　住何三昧中　而能說是法　此諸佛子等　一切皆願聞
尒時金剛藏菩薩大无畏者普觀衆會智慧之方為住聽受不思議法為
不住耶諦觀察已知諸佛子堪受斯法即說偈言
汝等諸佛子　咸應一心聽　我今為汝說　轉依之妙道　我所得三昧　名大乘威德
菩薩住是中　能演清淨法　亦見於十方　所有諸如來　塵數那由他　在前而讚歎
善哉汝所說　此是瑜伽道　我等諸如來　皆得此三昧　於斯得自在　清淨成正覺
未曾有一佛　非此三昧生　是故此三昧　思惟不能及　若有諸菩薩　住是三昧中
即住不思議　諸佛之境界　證於自智境　及見於諸佛　變化百千億　乃至如微塵
內證之妙理　諸佛所安住　此處无諸相　遠離於聲色　名從於相生　相從因緣起

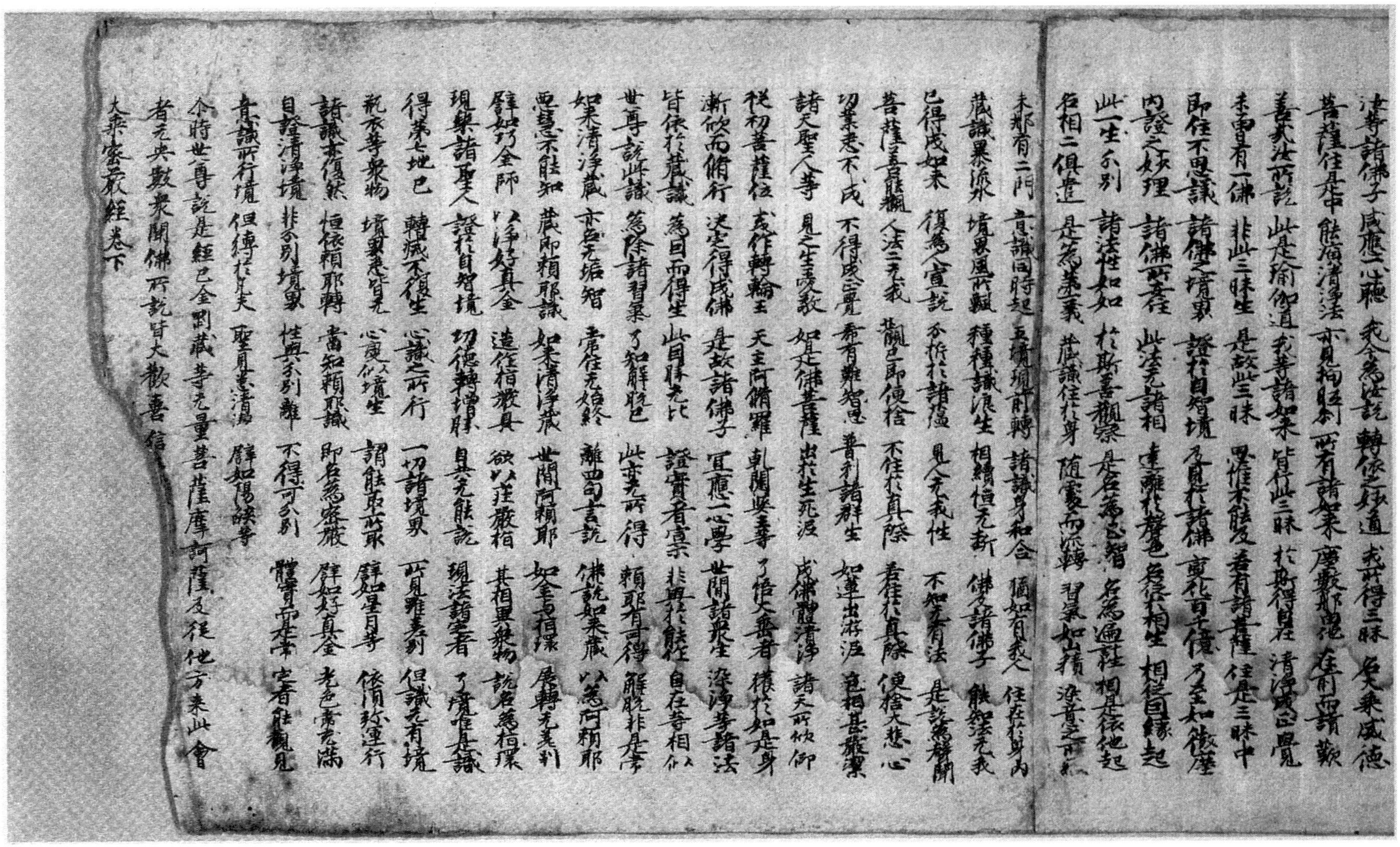

汝等諸佛子　咸應一心聽　我今為汝說　轉依之妙道　我所得三昧　名大乘威德
菩薩住是中　能覩清淨法　亦見彼時劫　所有諸如來　廣數如恒沙　在前而讚歎
善哉汝所說　此是瑜伽道　我等諸如來　皆從此三昧　於斯得自在　清淨成正覺
未曾有一佛　非此三昧生　是故此三昧　思惟不能及　若有諸菩薩　住是三昧中
即住不思議　諸佛之境界　證於自智境　及見於諸佛　蓮花百千億　乃至如微塵
內證之妙理　諸佛所稱歎　此法无諸相　遠離於聲色　名為依他相　相從因緣起
此一生分別　諸法性如如　於斯善觀察　是名為正智　名為遍計性　相是依他起
名相二俱遣　是為第一義　藏識住於身　隨處而流轉　習氣如山積　染意之[illegible]
末那有二門　意識同時起　五境現前轉　諸識身和合　猶如有我人　住在於身內
藏識果流外　境界風所飄　種種識浪生　相續恒无斷　佛及諸佛子　能知法无我
已得成如來　復為人宣說　分析於諸蘊　見人无我性　不知无有法　是說為聲聞
菩薩善能觀　人法二无我　觀已即便捨　不住於真際　若住於真際　便捨大悲心
功業悉不成　不得成正覺　希有難智思　普利諸群生　如蓮出淤泥　色相甚嚴潔
諸天聖人等　見之生受敬　如是佛菩薩　出於生死泥　成佛體清淨　諸天所欽仰
從初菩薩位　成作轉輪王　天主阿脩羅　乾闥婆王等　了悟大乘者　猿於如是身
漸次而修行　決定得成佛　是故諸佛子　宜應一心學　世間諸眾生　染淨等諸法
皆依於藏識　為因而得生　此自體无比　證實者宗　非與於能生　自在等相似
世尊說此識　為除諸習氣　了知解脫已　此亦无所得　賴耶有可得　解脫非是常
如來清淨藏　亦名无垢智　常住无始終　離四句言說　佛說如來藏　以為阿賴耶
惡慧不能知　藏即賴耶識　如來清淨藏　世間阿賴耶　如金与指環　展轉无差別
譬如巧金師　以淨好真金　造作指環具　欲以莊嚴指　其相異眾物　說名為指環
現樂諸聖人　證於自智境　一切德轉增　具无能說　現法諸學者　了覺唯是識
得第七地已　轉識不復生　心識之所行　一切諸境界　所見難表列　但識无有境
執取等眾物　境界悉皆无　心現似境生　謂能取所取　譬如星月等　依須彌運行
諸識亦復然　恒依賴耶轉　當知賴耶識　即名為密嚴　譬如好真金　光色常无染
自證清淨境　非分別境界　性與分別離　不得可分別　體實而是常　定者能觀見
意識所行境　但縛於凡夫　聖見悉清淨　譬如陽燄等
尒時世尊說是經已金剛藏等无量菩薩摩訶薩及從他方來此會
者无央數眾聞佛所說皆大歡喜信
大乘密嚴經卷下

BD00151號3　大乘密嚴經（地婆訶羅本）卷下　（33–33）

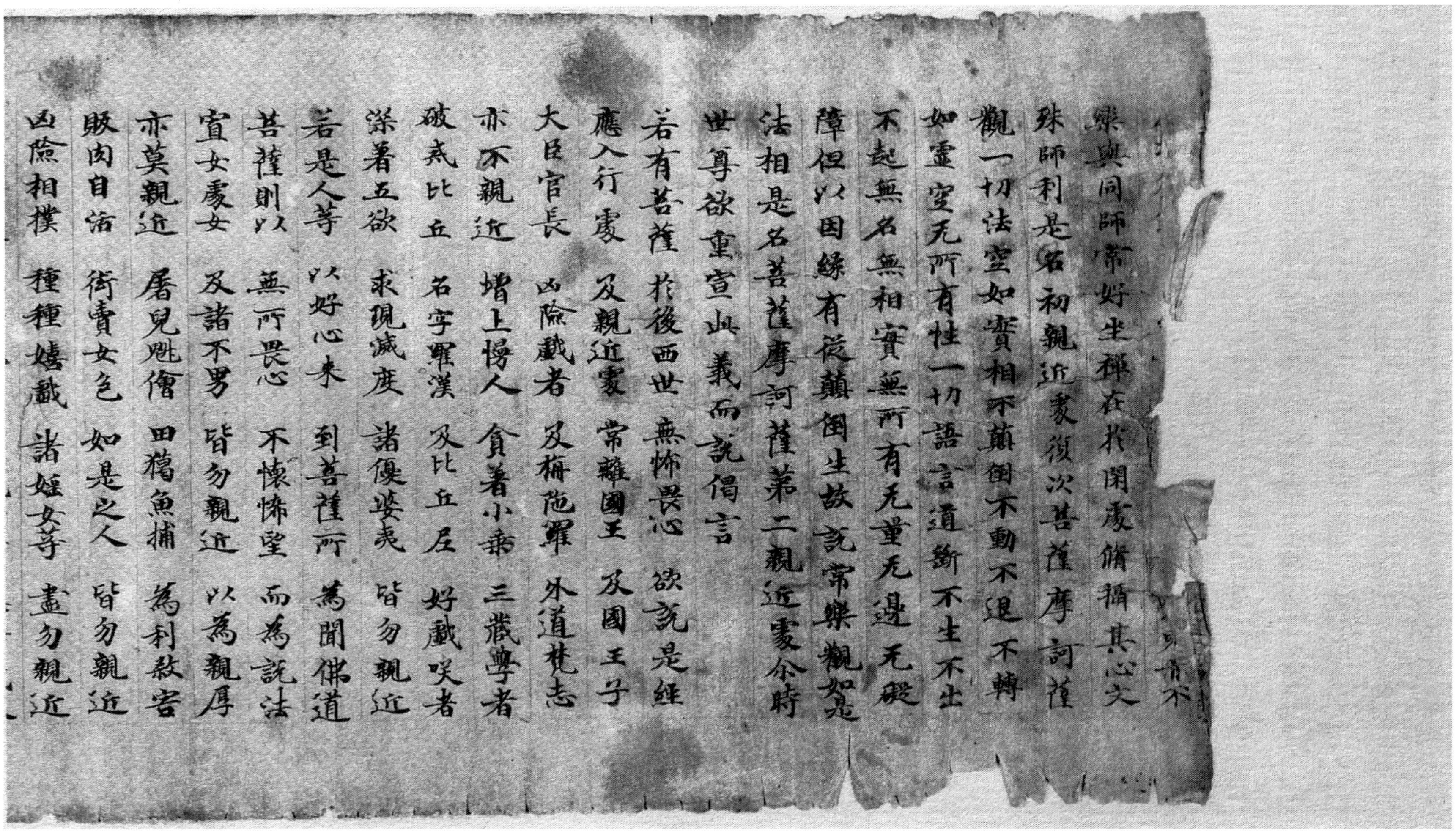

樂與同師常好坐禪在於閑處脩攝其心文
殊師利是名初親近處復次菩薩摩訶薩
觀一切法空如實相不顛倒不動不退不轉
如虛空无所有性一切語言道斷不生不出
不起無名無相實無所有无量无邊无礙
無障但以因緣有從顛倒生故說常樂觀如是
法相是名菩薩摩訶薩第二親近處尒時
世尊欲重宣此義而說偈言
若有菩薩　於後惡世　無怖畏心　欲說是經
應入行處　及親近處　常離國王　及國王子
大臣官長　凶險戲者　及旃陀羅　外道梵志
亦不親近　增上慢人　貪著小乘　三藏學者
破戒比丘　名字羅漢　及比丘尼　好戲笑者
深著五欲　求現滅度　諸優婆夷　皆勿親近
若是人等　以好心來　到菩薩所　為聞佛道
菩薩則以　無所畏心　不懷悕望　而為說法
寡女處女　及諸不男　皆勿親近　以為親厚
亦莫親近　屠兒魁膾　畋獵漁捕　為利殺害
販肉自活　衒賣女色　如是之人　皆勿親近
凶險相撲　種種嬉戲　諸婬女等　盡勿親近

BD00152號　妙法蓮華經卷五　（17–1）

宜女處女　及諸不男　皆勿親近　以為親厚
亦莫親近　屠兒魁膾　畋獵魚捕　為利殺害
販肉自活　衒賣女色　如是之人　皆勿親近
凶險相撲　種種嬉戲　諸婬女等　盡勿親近
莫獨屏處　為女說法　若說法時　無得戲笑
入里乞食　將一比丘　若無比丘　一心念佛
是則名為　行處近處　以此二處　能安樂說
又復不行　上中下法　有為无為　實不實法
亦不分別　是男是女　不得諸法　不知不見
是則名為　菩薩行處　一切諸法　空無所有
無有常住　亦無起滅　是名智者　所親近處
顛倒分別　諸法有无　是實非實　是生非生
在於閑處　脩攝其心　安住不動　如須弥山
觀一切法　皆无所有　猶如虛空　無有堅固
不生不出　不動不退　常住一相　是名近處
若有比丘　於我滅後　入是行處　及親近處
說斯經時　無有怯弱　菩薩有時　入於靜室
以正憶念　隨義觀法　從禪定起　為諸國王
王子臣民　婆羅門等　開化演暢　說斯經典
其心安隱　無有怯弱　文殊師利　是名菩薩
安住初法　能於後世　說法華經
又文殊師利如來滅後於末法中欲說是
經應住安樂行若口宣說若讀經時不
樂說人及經典過亦不輕慢諸餘法師不說
他人說人及經典過亦不輕慢諸餘法師不說

BD00152號　妙法蓮華經卷五

（17–2）

王子臣民　婆羅門等　開化演暢　說斯經典
其心安隱　無有怯弱　文殊師利　是名菩薩
安住初法　能於後世　說法華經
又文殊師利如來滅後於末法中欲說是
經應住安樂行若口宣說若讀經時不
樂說人及經典過亦不輕慢諸餘法師不說
他人說人及經典過亦不輕慢諸餘法師不說
他人好惡長短於聲聞人亦不稱名說其過
惡亦不稱名讚歎其美又亦不生怨嫌之心善
修如是安樂心故諸有聽者不逆其意有所
難問不以小乘法荅但以大乘而為解說令得
一切種智尒時世尊欲重宣此義而說偈言
菩薩常樂　安隱說法　於清淨地　而施床座
以油塗身　澡浴塵穢　著新淨衣　內外俱淨
安處法座　隨問為說　若有比丘　及比丘尼
諸優婆塞　及優婆夷　國王王子　群臣士民
以微妙義　和顏為說　若有難問　隨義而荅
因緣譬喻　敷演分別　以是方便　皆使發心
漸漸增益　入於佛道　除嬾惰意　及懈怠想
離諸憂惱　慈心說法　晝夜常說　无上道教
以諸因緣　无量譬喻　開示衆生　咸令歡喜
衣服卧具　飲食醫藥　而於其中　無所悕望
但一心念　說法因緣　願成佛道　令衆亦尒
是則大利　安樂供養　我滅度後　若有比丘
能演說斯　妙法華經　心無嫉恚　諸惱障礙

BD00152號　妙法蓮華經卷五

（17–3）

衣服卧具 飲食醫藥 而於其中 無所悕望
但一心念 說法因緣 願成佛道 令衆亦尒
是則大利 安樂供養 我滅度後 若有比丘
能演說斯 妙法華經 心無嫉恚 諸惱障礙
亦無憂愁 及罵詈者 又無怖畏 加刀杖等
亦無擯出 安住忍故 智者如是 善脩其心
能住安樂 如我上說 其人功德 千萬億劫
筭數譬喻 說不能盡
又文殊師利菩薩摩訶薩於後末世法欲
滅時受持讀誦斯經典者無懷嫉妬諂誑
之心亦勿輕罵學佛道者求其長短若比丘比
丘尼優婆塞優婆夷求聲聞者求辟支佛者
求菩薩道者無得惱之令其疑悔語其人言
汝等去道甚遠終不能得一切種智所以者何
汝是放逸之人於道懈怠故又亦不應戲論
諸法有所諍競當於一切衆生起大悲想於
諸如來起慈父想於諸菩薩起大師想於十
方諸大菩薩常應深心恭敬礼拜於一切衆
生平等說法以順法故不多不少乃至深愛
法者亦不為多說文殊師利是菩薩摩訶
薩於後末世法欲滅時有成就是第三安樂
行者說是法時無能惱亂得好同學共讀誦
是經亦得大衆而來聽受聽已能持持已能
誦誦已能說說已能書若使人書供養經卷
恭敬尊重讚歎尒時世尊欲重宣此義而
說偈言

BD00152號　妙法蓮華經卷五　（17–4）

行者說是法時無能惱亂得好同學共讀誦
是經亦得大衆而來聽受聽已能持持已能
誦誦已能說說已能書若使人書供養經卷
恭敬尊重讚歎尒時世尊欲重宣此義而
說偈言
若欲說是經 當捨嫉恚慢 諂誑邪偽心 常脩質直行
不輕蔑於人 亦不戲論法 不令他疑悔 云汝不得佛
是佛子說法 常柔和能忍 慈悲於一切 不生懈怠心
十方大菩薩 愍衆故行道 應生恭敬心 是則我大師
於諸佛世尊 生无上父想 破於憍慢心 說法无障礙
第三法如是 智者應守護 一心安樂行 无量衆所敬
又文殊師利菩薩摩訶薩於後末世法欲滅
時有持是法華經者於在家出家人中生大慈
心於非菩薩人中生大悲心應作是念如是
之人則為大失如來方便隨宜說法不聞不
知不覺不問不信不解其人雖不問不信不
解是經我得阿耨多羅三藐三菩提時隨
在何地以神通力智慧力引之令得住是法
中文殊師利是菩薩摩訶薩於如來滅後有
成就此第四法者說是法時無有過失常為
比丘比丘尼優婆塞優婆夷國王王子大臣人
民婆羅門居士等供養恭敬尊重讚歎虛
空諸天為聽法故亦常隨侍若在聚落城邑
空閑林中有人來欲難問者諸天晝夜常為
法故而衛護之能令聽者皆得歡喜所以者何

BD00152號　妙法蓮華經卷五　（17–5）

比丘比丘尼優婆塞優婆夷國王王子大臣人
民婆羅門居士等供養恭敬尊重讚歎虛
空諸天為聽法故亦常隨侍若在聚落城邑
空閑林中有人來欲難問者諸天晝夜常為
法故而衛護之能令聽者皆得歡喜所以者何
此經是一切過去未來現在諸佛神力所護
故文殊師利是法華經於無量國中乃至名
字不可得聞何况得見受持讀誦文殊師利
譬如强力轉輪聖王欲以威勢降伏諸國而
諸小王不順其命時轉輪王起種種兵而往
討伐王見兵衆戰有功者即大歡喜隨功賞
賜或與田宅聚落城邑或與衣服嚴身之具
或與種種珎寶金銀瑠璃車𤦲馬瑙珊瑚
虎珀象馬車乘奴婢人民唯髻中明珠不以與
之所以者何獨王頂上有此一珠若以與之王
諸眷屬必大驚恠文殊師利如來亦復如
是以禪定智慧力得法國土王於三界而諸
魔王不肯順伏如來賢聖諸將與之共戰其
有功者心亦歡喜於四衆中為說諸經令其
心悅賜以禪定解脫无漏根力諸法之財又
復賜與涅槃之城言得滅度引導其心令皆
歡喜而不為說是法華經文殊師利如轉輪
王見諸兵衆有大功者心甚歡喜以此難信
之珠久在髻中不妄與人而今與之如來亦
復如是於三界中為大法王以法教化一切衆

BD00152號　妙法蓮華經卷五　（17–6）

復賜與涅槃之城言得滅度引導其心令皆
歡喜而不為說是法華經文殊師利如轉輪
王見諸兵衆有大功者心甚歡喜以此難信
之珠久在髻中不妄與人而今與之如來亦
復如是於三界中為大法王以法教化一切衆
生見賢聖軍與五陰魔煩惱魔死魔共戰
有大功勳滅三毒出三界破魔網尒時如
來亦大歡喜此法華經能令衆生至一切智
一切世間多怨難信先所未說而今說之文殊
師利此法華經是諸如來第一之說於諸說
中最為甚深末後賜與如彼强力之王久護
明珠今乃與之文殊師利此法華經諸佛如
來秘密之藏於諸經中最在其上長夜守護
不妄宣說始於今日乃與汝等而敷演之尒
時世尊欲重宣此義而說偈言
常行忍辱　哀愍一切　乃能演說　佛所讚經
後末世時　持此經者　於家出家　及非菩薩
應生慈悲　斯等不聞　不信是經　則為大失
我得佛道　以諸方便　為說此法　令住其中
譬如强力　轉輪之王　兵戰有功　賞賜諸物
象馬車乘　嚴身之具　及諸田宅　聚落城邑
或與衣服　種種珎寶　奴婢財物　歡喜賜與
如有勇健　能為難事　王解髻中　明珠賜之
如來亦尒　為諸法王　忍辱大力　智慧寶藏
以大慈悲　如法化世　見一切人　受諸苦惱

BD00152號　妙法蓮華經卷五　（17–7）

或與衣服　種種珍寶　奴婢財物　歡喜賜與
如有勇健　能為難事　王解髻中　明珠賜之
如來亦尒　為諸法王　忍辱大力　智恵寶藏
以大慈悲　如法化世　見一切人　受諸苦惱
欲求解脫　與諸魔戰　為是衆生　說種種法
以大方便　說此諸經　既知衆生　得其力已
末後乃為　說是法華　如王解髻　明珠與之
此經為尊　衆經中上　我常守護　不妄開示
今正是時　為汝等說　我滅度後　求佛道者
欲得安隱　演說斯經　應當親近　如是四法
讀是經者　常無憂惱　又無病痛　顏色鮮白
不生貧窮　卑賤醜陋　衆生樂見　如慕賢聖
天諸童子　以為給使　刀杖不加　毒不能害
若人惡罵　口則閉塞　遊行无畏　如師子王
智恵光明　如日之照　若於夢中　但見妙事
見諸如來　坐師子座　諸比丘衆　圍遶說法
又見龍神　阿脩羅等　數如恒沙　恭敬合掌
自見其身　而為說法　又見諸佛　身相金色
放无量光　照於一切　以梵音聲　演說諸法
佛為四衆　說无上法　見身處中　合掌讚佛
聞法歡喜　而為供養　得陁羅尼　證不退智
佛知其心　深入佛道　即為授記　成最正覺
汝善男子　當於來世　得无量智　佛之大道
國土嚴淨　廣大無比　亦有四衆　合掌聽法
又見自身　在山林中　脩習善法　證諸實相
深入禪定　見十方佛

汝善男子　當於來世　得无量智　佛之大道
國土嚴淨　廣大無比　亦有四衆　合掌聽法
又見自身　在山林中　脩習善法　證諸實相
深入禪定　見十方佛
諸佛身金色　百福相莊嚴　聞法為人說　常有是好夢
又夢作國王　捨宮殿眷屬　及上妙五欲　行詣於道場
在菩提樹下　而處師子座　求道過七日　得諸佛之智
成无上道已　起而轉法輪　為四衆說法　經千万億劫
說無漏妙法　度无量衆生　後當入涅槃　如烟盡燈滅
若後惡世中　說是第一法　是人得大利　如上諸功德
妙法蓮華經從地踊出品第十五
尒時他方國土諸來菩薩摩訶薩過八恒河
沙數於大衆中起合掌作礼而白佛言世尊
若聽我等於佛滅後在此娑婆世界勤加精
進護持讀誦書寫供養是經典者當於此
土而廣說之尒時佛告諸菩薩摩訶薩衆止善
男子不須汝等護持此經所以者何我娑婆
世界自有六万恒河沙等菩薩摩訶薩一一
菩薩各有六万恒河沙眷屬是諸人等能於
我滅後護持讀誦廣說此經佛說是時娑婆
世界三千大千國土地皆震裂而於其中有
无量千万億菩薩摩訶薩同時踊出是諸菩
薩身皆金色三十二相无量光明先盡在此
娑婆世界之下此界虛空中住是諸菩薩聞
釋迦牟尼佛所說音聲從下發來一一菩薩

量千万億菩薩摩訶薩同時踊出是諸
薩身皆金色三十二相无量光明先盡在此
娑婆世界之下此界虛空中住是諸菩薩聞
釋迦牟尼佛所說音聲從下發來一一菩薩
皆是大眾唱導之首各將六万恒河沙眷屬
況將五万四万三万二万一万恒河沙等眷
屬者況復乃至一恒河沙半恒河沙四分之一
乃至千万億那由他分之一況復千万億
那由他眷屬況復億万眷屬況復千万百万
乃至一万況復一千一百乃至一十況復將五
四三二一弟子者況復單己樂遠離行如
是等比无量无邊筭數譬喻所不能知是諸
菩薩從地出已各詣虛空七寶妙塔多寶如
來釋迦牟尼佛所到已向二世尊頭面礼足及
至諸寶樹下師子座上佛所亦皆作礼右
繞三匝合掌恭敬以諸菩薩種種讚法而以
讚歎住在一面欣樂瞻仰於二世尊是諸菩
薩摩訶薩從初踊出以諸菩薩種種讚法而
讚於佛如是時間經五十小劫是時釋迦牟
尼佛嘿然而坐及諸四眾亦皆嘿然五十小劫
佛神力故令諸大眾謂如半日尒時四眾亦
以佛神力故見諸菩薩遍滿无量百千万億
國土虛空是菩薩眾中有四導師一名上行
二名无邊行三名淨行四名安立行名四菩
薩於其眾中最為上首唱導師在大眾前
各共合掌觀釋迦牟尼佛而問訊言世尊

BD00152號　妙法蓮華經卷五　（17–10）

以佛神力故見諸菩薩遍滿无量百千万億
國土虛空是菩薩眾中有四導師一名上行
二名无邊行三名淨行四名安立行名四菩
薩於其眾中最為上首唱導師在大眾前
各共合掌觀釋迦牟尼佛而問訊言世尊
少病少惱安樂行不所應度者受教易不
不令世尊生疲勞耶尒時四大菩薩而說偈言
世尊安樂　少病少惱　教化眾生　得无疲惓
又諸眾生　受化易不　不令世尊　生疲勞耶
尒時世尊於菩薩大眾中而作是言如是如
是諸善男子如來安樂少病少惱諸眾生
等易可化度无有疲勞所以者何是諸眾生
世世已來常受我化亦於過去諸佛供養尊重
種諸善根此諸眾生始見我身聞我所說即
皆信受入如來慧除先修習學小乘者如是
之人我今亦令得聞是經入於佛慧尒時諸
大菩薩而說偈言
善哉善哉　大雄世尊　諸眾生等　易可化度
能問諸佛　甚深智慧　聞已信行　我等隨喜
於時世尊讚歎上首諸大菩薩善哉善哉
善男子汝等能於如來發隨喜心尒時弥勒
菩薩及八千恒河沙諸菩薩眾皆作是念我
等從昔已來不見不聞如來
從昔已來不見不聞如是大菩薩摩訶

BD00152號　妙法蓮華經卷五　（17–11）

能問諸佛 甚深智恵 聞已信行 我等隨喜
於時世尊讃歎上首諸大菩薩 善哉善哉
善男子汝等能於如來發隨喜心 尒時弥勒
菩薩及八千恒河沙諸菩薩衆皆作是念 我
等從昔已來不見不聞如來
從昔已來不見不聞如是大菩薩摩訶
薩衆 弥勒菩薩摩訶薩 如八千恒河沙諸
菩薩等心之所念 并欲自決所疑 合掌向佛
以偈問曰
无量千万億 大衆諸菩薩 昔所未曾見 願兩足尊說
是從何所來 以何因緣集 巨身大神通 智恵叵思議
其志念堅固 有大忍辱力 衆生所樂見 為從何所來
一一諸菩薩 所將諸眷屬 其數无有量 如恒河沙等
或有大菩薩 將六万恒沙 如是諸大衆 一心求佛道
是諸大師等 六万恒河沙 俱來供養佛 及護持此經
將五万恒沙 其數過於是 四万及三万 二万至一万
一千一百等 乃至一恒沙 半及三四分 億万分之一
千万那由他 万億諸弟子 乃至於半億 其數復過上
百万至一万 一千及一百 五十與一十 乃至三二一
單己無眷屬 樂於獨處者 俱來至佛所 其數轉過上
如是諸大衆 若人行籌數 過於恒沙劫 猶不能盡知
是諸大威德 精進菩薩衆 誰為其說法 教化而成就
從誰初發心 稱揚何佛法 受持行誰經 修習何佛道
如是諸菩薩 神通大智力 四方地震裂 皆從中踊出
世尊我昔來 未曾見是事 願說其所從 國土之名号

BD00152 號　妙法蓮華經卷五　（17–12）

是諸大威德 精進菩薩衆 誰為其說法 教化而成就
從誰初發心 稱揚何佛法 受持行誰經 修習何佛道
如是諸菩薩 神通大智力 四方地震裂 皆從中踊出
世尊我昔來 未曾見是事 願說其所從 國土之名号
我常遊諸國 未曾見是衆 我於此衆中 乃至識一人
忽然從地出 願說其因緣 今此之大衆 无量百千億
是諸菩薩等 皆欲知此事 是諸菩薩衆 本末之因緣
无量德世尊 唯願決衆疑
尒時釋迦牟尼佛分身諸佛從无量千万億
他方國土來者 在於八方諸寶樹下師子座
上結加趺坐 其佛侍者各各見是菩薩大衆
於三千大千世界四方從地踊出住於虛空
各白佛言 世尊 此諸无量无邊阿僧祇菩
薩大衆從何所來 尒時諸佛各告侍者
諸善男子且待須臾 有菩薩摩訶薩名
弥勒 釋迦牟尼佛之所授記 次後作佛 已
問斯事 佛今答之 汝等自當因是得聞 尒時
釋迦牟尼佛告弥勒菩薩 善哉善哉 阿逸
多 乃能問佛如是大事 汝等當共一心被精
進鎧 發堅固意 如來今欲顯發宣示諸佛
智恵 諸佛自在神通之力 諸佛師子奮迅
之力 諸佛威猛大勢之力 尒時世尊欲重
宣此義而說偈言
當精進一心 我欲說此事 勿得有疑悔 佛智叵思議
汝今出信力 住於忍善中 昔所未聞法 今皆當得聞

BD00152 號　妙法蓮華經卷五　（17–13）

智慧諸佛自在神通力諸佛師子奮迅
之力諸佛威猛大勢之力尒時世尊欲重
宣此義而說偈言
當精進一心 我欲說此事 勿得有疑悔 佛智叵思議
汝今出信力 住於忍善中 昔所未聞法 今皆當得聞
我今安慰汝 勿得懷疑懼 佛无不實語 智慧不可量
所得第一法 甚深叵分別 如是今當說 汝等一心聽
尒時世尊說此偈已告弥勒菩薩我今於
此大衆宣告汝等阿逸多是諸大菩薩摩
訶薩无量无數阿僧祇從地踊出汝等昔所未
見者我於是娑婆世界得阿耨多羅三藐三
菩提已教化示導是諸菩薩調伏其心令發
道意此諸菩薩皆於是娑婆世界之下此界
虛空中住於諸經典讀誦通利思惟分別
正憶念阿逸多是諸善男子等不樂在衆
多有所說常樂靜處懃行精進未曾休
息亦不依止人天而住常樂深智無有障礙
亦常樂於諸佛之法一心精進求無上慧尒時
尊欲重宣此義而說偈言
阿逸汝當知 是諸大菩薩 從無數劫來 修習佛智慧
悉是我所化 令發大道心 此等是我子 依止是世界
常行頭陀事 志樂於靜處 捨大衆憒鬧 不樂多所說
如是諸子等 學習我道法 晝夜常精進 為求佛道故
在娑婆世界 下方空中住 志念力堅固 常勤求智慧
說種種妙法 其心無所畏 我於伽耶城 菩提樹下坐

BD00152 號　妙法蓮華經卷五

（17–14）

悉是我所化 令發大道心 此等是我子 依止是世界
常行頭陀事 志樂於靜處 捨大衆憒鬧 不樂多所說
如是諸子等 學習我道法 晝夜常精進 為求佛道故
在娑婆世界 下方空中住 志念力堅固 常勤求智慧
說種種妙法 其心無所畏 我於伽耶城 菩提樹下坐
得成最正覺 轉無上法輪 尒乃教化之 令初發道心
今皆住不退 悉當得成佛 我今說實語 汝等一心信
我從久遠來 教化是等衆
尒時弥勒菩薩摩訶薩及無數諸菩薩等心
生疑惑怪未曾有而作是念云何世尊於
少時間教化如是无量无邊阿僧祇諸大
菩薩令住阿耨多羅三藐三菩提即白佛言世
尊如來為太子時出於釋宮去伽耶城不遠
坐於道場得成阿耨多羅三藐三菩提從是
已來始過四十餘年世尊云何於此少時大
作佛事以佛勢力以佛功德教化如是无量
大菩薩衆當成阿耨多羅三藐三菩提世尊
此大菩薩衆假使有人於千萬億劫數不能
盡不得其邊斯等久遠已來於无量无邊
諸佛所殖諸善根成就菩薩道常脩梵行
世尊如此之事世所難信譬如有人色美
髮黑年十五指百歲人言是我子其百歲
人亦指年少言是我父生育我等是事難
信佛亦如是得道已來其實未久而此大
衆諸菩薩等已於无量千萬億劫為佛道

BD00152 號　妙法蓮華經卷五

（17–15）

髮黑年十五指百歲人言是我子其百歲
人亦指年少言是我父生育我等是事難
信佛亦如是得道已來其實未久而此大
衆諸菩薩等已於无量千萬億劫為佛道
故勤行精進善入出住无量百千万億三昧得
大神通久修梵行善能次第習諸善法巧
於荅問人中之寶一切世間甚為希有今日
世尊方云得佛道時初令發心教化示導令向
阿耨多羅三藐三菩提世尊得佛未久乃能作
此大功德事我等雖復信佛隨宜所說佛所出
言未曾虛妄佛所知者皆悉通達然諸新發
意菩薩於佛滅後若聞是語或不信受而起
破法罪業因緣唯然世尊願為解說除我等
疑及未來世諸善男子聞此事已亦不生疑
尒時弥勒菩薩欲重宣此義而說偈言
佛昔從釋種　出家近伽耶　坐於菩提樹　尒來尚未久
此諸佛子等　其數不可量　久已行佛道　住神通智力
善學菩薩道　不染世間法　如蓮華在水　從地而踊出
皆起恭敬心　住於世尊前　是事難思議　云何而可信
佛得道甚近　所成就甚多　願為除衆疑　如實分別說
譬如少壯人　年始二十五　示人百歲子　髮白而面皺
是等我所生　子亦說是父　父少而子老　舉世所不信
世尊亦如是　得道來甚近　是諸菩薩等　志固無怯弱
從无量劫來　而行菩薩道　巧於難問荅　其心无所畏
忍辱心決定　端正有威德　十方佛所讚　善能分別說

BD00152號　妙法蓮華經卷五　（17–16）

此諸佛子等　其數不可量　久已行佛道　住神通智力
善學菩薩道　不染世間法　如蓮華在水　從地而踊出
皆起恭敬心　住於世尊前　是事難思議　云何而可信
佛得道甚近　所成就甚多　願為除衆疑　如實分別說
譬如少壯人　年始二十五　示人百歲子　髮白而面皺
是等我所生　子亦說是父　父少而子老　舉世所不信
世尊亦如是　得道來甚近　是諸菩薩等　志固無怯弱
從无量劫來　而行菩薩道　巧於難問荅　其心无所畏
忍辱心決定　端正有威德　十方佛所讚　善能分別說
不樂在人衆　常好在禪定　為求佛道故　於下空中住
我等從佛聞　於此事无疑　願佛為未來　演說令開解
若有於此經　生疑不信者　即當墮惡道　願今為解說
是无量菩薩　云何於少時　教化令發心　而住不退地
妙法蓮華經如來壽量品第十六
尒時佛告諸菩薩及一切大衆諸善男子汝
等當信解如來誠諦之語復告大衆汝等當
信解如來誠諦之語又復告諸大衆汝等當
信解如來誠諦之語是時菩薩大衆弥勒為

BD00152號　妙法蓮華經卷五　（17–17）

BD00152 號背　雜寫　　（3–1）

BD00152 號背　雜寫　　（3–2）

BD00152 號背　雜寫　　　　　　　　　　　　（3–3）

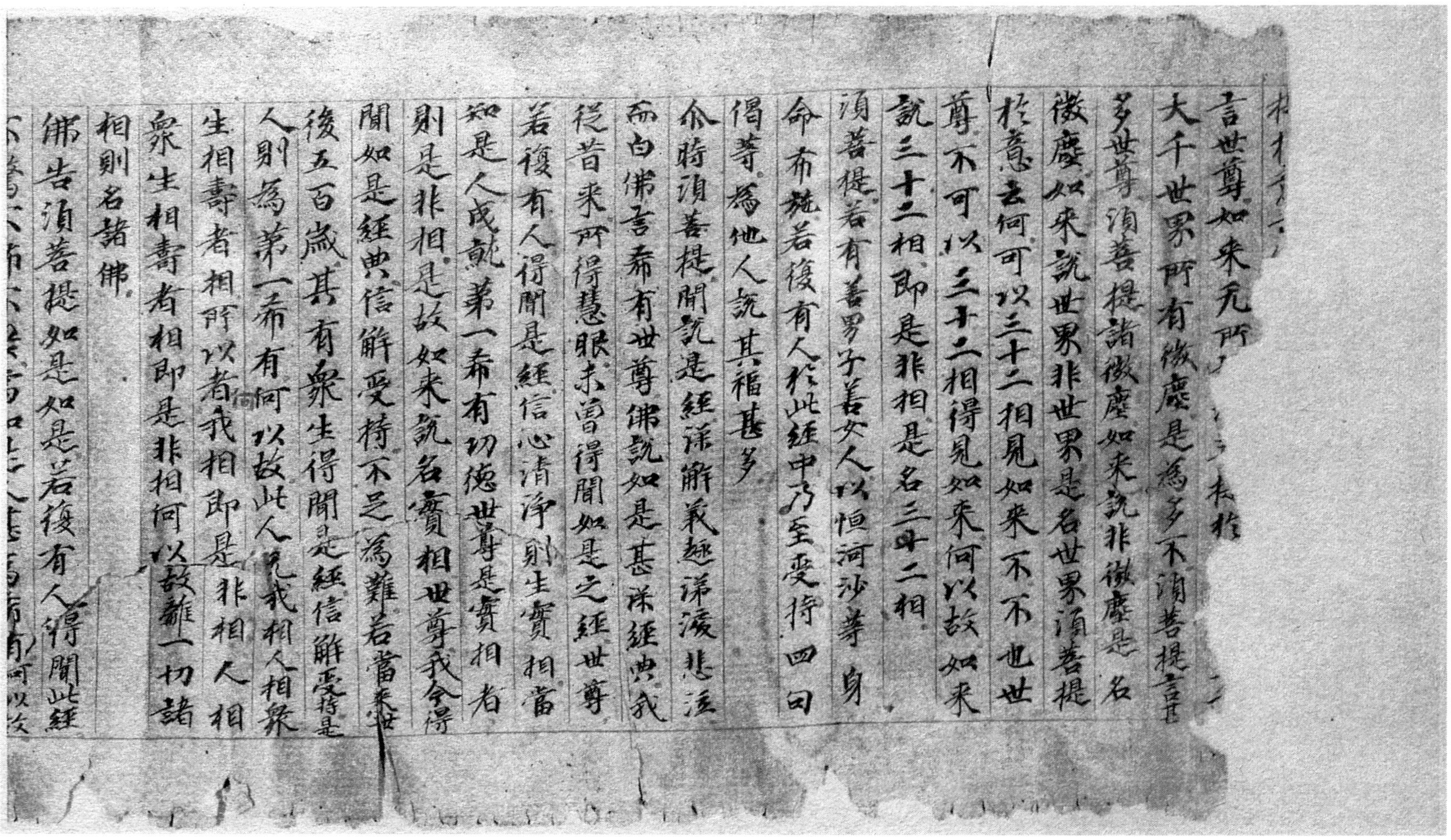

言世尊如来无所
大千世界所有微塵是為多不須菩提言甚
多世尊須菩提諸微塵如来說非微塵是名
微塵如来說世界非世界是名世界須菩提
於意云何可以三十二相見如来不不也世
尊不可以三十二相得見如来何以故如来
說三十二相即是非相是名三十二相
須菩提若有善男子善女人以恒河沙等身
命布施若復有人於此經中乃至受持四句
偈等為他人說其福甚多
尒時須菩提聞說是經深解義趣涕淚悲泣
而白佛言希有世尊佛說如是甚深經典我
從昔来所得慧眼未曾得聞如是之經世尊
若復有人得聞是經信心清淨則生實相當
知是人成就第一希有功德世尊是實相者
則是非相是故如来說名實相世尊我今得
聞如是經典信解受持不足為難若當来世
後五百歲其有衆生得聞是經信解受持是
人則為第一希有何以故此人无我相人相衆
生相壽者相所以者我相即是非相人相
衆生相壽者相即是非相何以故離一切諸
相則名諸佛
佛告須菩提如是如是若復有人得聞此經
不驚不怖不畏當知是人甚為希有何以故

BD00153 號　金剛般若波羅蜜經　　　　　　　　（10–1）

若復有人得聞是經信心清淨則生實相當
知是人成就第一希有功德世尊是實相者
則是非相是故如來說名實相世尊我今得
聞如是經典信解受持不足為難若當來世
後五百歲其有衆生得聞是經信解受持是
人則為第一希有何以故此人无我相人相衆
生相壽者相所以者何我相即是非相人相
衆生相壽者相即是非相何以故離一切諸
相則名諸佛
佛告須菩提如是如是若復有人得聞此經
不驚不怖不畏當知是人甚為希有何以故
須菩提如來說第一波羅蜜非第一波羅蜜
是名第一波羅蜜
須菩提忍辱波羅蜜如來說非忍辱波羅蜜
何以故須菩提如我昔為歌利王割截身體
我於尒時无我相无人相无衆生相无壽者
相何以故我於往昔節節支解時若有我相
人相衆生相壽者相應生瞋恨須菩提又念
過去於五百世作忍辱仙人於尒所世无我相
无人相无衆生相无壽者相是故須菩提菩
薩應離一切諸相發阿耨多羅三藐三菩提
心不應住色生心不應住聲香味觸法生心應
生无所住心若心有住則為非住是故佛說
菩薩心不應住色布施須菩提菩薩為利益
一切衆生應如是布施如來說一切諸相即
是非相又說一切衆生則非衆生
須菩提如來是真語者實語者如語者不誑

BD00153 號　金剛般若波羅蜜經　（10–2）

生无所住心若心有住則為非住是故佛說
菩薩心不應住色布施須菩提菩薩為利益
一切衆生應如是布施如來說一切諸相即
是非相又說一切衆生則非衆生
須菩提如來是真語者實語者如語者不誑
語者不異語者須菩提如來所得法此法无
實无虛
須菩提若菩薩心住於法而行布施如人入
闇則无所見若菩薩心不住法而行布施如
人有目日光明照見種種色
須菩提當來之世若有善男子善女人能
於此經受持讀誦則為如來以佛智慧悉知
是人悉見是人皆得成就无量无邊功德
須菩提若有善男子善女人初日分以恒河
沙等身布施中日分復以恒河沙等身布施
後日分亦以恒河沙等身布施如是无量百
千万億劫以身布施若復有人聞此經典信
心不逆其福勝彼何況書寫受持讀誦為人
解說
須菩提以要言之是經有不可思議不可稱
量无邊功德如來為發大乘者說為發最
上乘者說若有人能受持讀誦廣為人說如來
悉知是人悉見是人皆得成就不可量不可
稱无有邊不可思議功德如是人等則為荷
擔如來阿耨多羅三藐三菩提何以故須菩
提若樂小法者著我見人見衆生見壽者
見則於此經不能聽受讀誦為人解說須菩提

BD00153 號　金剛般若波羅蜜經　（10–3）

心不逆其福勝彼何况書寫受持讀誦為人
解說
須菩提以要言之是經有不可思議不可稱
量无邊功德如來為發大乘者說為發最
上乘者說若有人能受持讀誦廣為人說如來
悉知是人悉見是人皆得成就不可量不可
稱无有邊不可思議功德如是人等則為荷
擔如來阿耨多羅三藐三菩提何以故須菩
提若樂小法者著我見人見衆生見壽者
見則於此經不能聽受讀誦為人解說須菩提
在在處處若有此經一切世間天人阿脩羅
所應供養當知此處則為是塔皆應恭敬作
礼圍遶以諸華香而散其處
復次須菩提善男子善女人受持讀誦此經
若為人輕賤是人先世罪業應墮惡道以
今世人輕賤故先世罪業則為消滅當得阿
耨多羅三藐三菩提須菩提我念過去无量
阿僧祇劫於然燈佛前得值八百四千万億那
由他諸佛悉皆供養承事无空過者若復有
人於後末世能受持讀誦此經所得功德於
我所供養諸佛功德百分不及一千万億分
乃至筭數譬喻所不能及須菩提若善男子
善女人於後末世有受持讀誦此經所得功
德我若具說者或有人聞心則狂亂狐疑不
信須菩提當知是經義不可思議果報亦不
可思議
尒時須菩提白佛言世尊善男子善女人發

BD00153號　金剛般若波羅蜜經　（10–4）

乃至筭數譬喻所不能及須菩提若善男子
善女人於後末世有受持讀誦此經所得功
德我若具說者或有人聞心則狂亂狐疑不
信須菩提當知是經義不可思議果報亦不
可思議
尒時須菩提白佛言世尊善男子善女人發
阿耨多羅三藐三菩提心云何應住云何降
伏其心佛告須菩提善男子善女人發阿耨
多羅三藐三菩提者當生如是心我應滅度
一切衆生滅度一切衆生已而无有一衆生
實滅度者何以故若菩薩有我相人相衆生
壽者相則非菩薩所以者何須菩提實无有
法發阿耨多羅三藐三菩提者
須菩提於意云何如來於然燈佛所有法得
阿耨多羅三藐三菩提不不也世尊如我解
佛所說義佛於然燈佛所无有法得阿耨多
羅三藐三菩提佛言如是如是須菩提實无
有法如來得阿耨多羅三藐三菩提須菩　提
若有法如來得阿耨多羅三藐三菩提者然
燈佛則不與我受記汝於來世當得作佛号
釋迦牟尼以實无有法得阿耨多羅三藐三
菩提是故然燈佛與我受記作如是言汝於來
世當得作佛号釋迦牟尼何以故如來者即諸
法如義若有人言如來得阿耨多羅三藐三
菩提須菩提實无有法佛得阿耨多羅三藐
三菩提須菩提如來所得阿耨多羅三藐三
菩提於是中无實无虛是故如來說一切法

BD00153號　金剛般若波羅蜜經　（10–5）

法如義若有人言如来得阿耨多羅三藐三
菩提須菩提實无有法佛得阿耨多羅三藐
三菩提須菩提如来所得阿耨多羅三藐三
菩提於是中无實无虚是故如来說一切法
皆是佛法須菩提所言一切法者即非一切
法是故名一切法
須菩提譬如人身長大須菩提言世尊如
来說人長大則為非大身是名大身
須菩提菩薩亦如是若作是言我當滅度无
量衆生則不名菩薩何以故須菩提實无
有法名為菩薩是佛說一切法无我无人无
衆生无壽者須菩提若菩薩作是言我當
莊嚴佛土是不名菩薩何以故如来說莊嚴佛
土者即非莊嚴是名莊嚴須菩提若菩薩通
達无我法者如来說名真是菩薩
須菩提於意云何如来有肉眼不如是世尊
如来有肉眼須菩提於意云何如来有天眼
不如是世尊如来有天眼須菩提於意云何
如来有慧眼不如是世尊如来有慧眼須
菩提於意云何如来有法眼不如是世尊如
来有法眼須菩提於意云何如来有佛眼
不如是世尊如来有佛眼須菩提於意云何
如恒何中所有沙佛說是沙不如是世尊如来說
是沙須菩提於意云何如一恒河中所有沙有
如是等恒河是諸恒河所有沙數佛世界如
是寧為多不甚多世尊佛告須菩提尒所國

BD00153號　金剛般若波羅蜜經　（10–6）

如恒何中所有沙佛說是沙不如是世尊如来說
是沙須菩提於意云何如一恒河中所有沙有
如是等恒河是諸恒河所有沙數佛世界如
是寧為多不甚多世尊佛告須菩提尒所國
土中所有衆生若干種心如来悉知何以故如
来說諸心皆為非心是名為心所以者何須
菩提過去心不可得現在心不可得未来心
不可得須菩提於意云何若有人滿三千大
千世界七寶以用布施是人以是因緣得福
多不如是世尊此人以是因緣得福甚多須
菩提若福德有實如来不說得福德多以
福德无故如来說得福德多
須菩提於意云何佛可以具足色身見不不
也世尊如来不應以具足色身見何以故如
来說具足色身即非具足色身是名具足色
身須菩提於意云何如来可以具足諸相見
不不也世尊如来不應以具足諸相見何以
故如来說諸相具足即非具足是名諸相具
足須菩提汝勿謂如来作是念我當有所說
法莫作是念何以故若人言如来有所說法
即為謗佛不能解我所說故須菩提說法
者无法可說是名說法
須菩提白佛言世尊佛得阿耨多羅三藐三
菩提為无所得耶如是如是須菩提我於阿
耨多羅三藐三菩提乃至无有少法可得是
名阿耨多羅三藐三菩提復次須菩提是法
平等无有高下是名阿耨多羅三藐三菩提

BD00153號　金剛般若波羅蜜經　（10–7）

須菩提白佛言世尊佛得阿耨多羅三藐三
菩提為无所得耶如是如是須菩提我於阿
耨多羅三藐三菩提乃至无有少法可得是
名阿耨多羅三藐三菩提復次須菩提是法
平等无有高下是名阿耨多羅三藐三菩提
以无我无人无衆生无壽者脩一切善法則
得阿耨多羅三藐三菩提須菩提所言善法
者如來說非善法是名善法
須菩提若三千大千世界中所有諸須弥山
王如是等七寶聚有人持用布施若人以此
般若波羅蜜經乃至四句偈等受持讀誦為
他人說於前福德百分不及一百千万億分
乃至筭數譬喻所不能及
須菩提於意云何汝等勿謂如來作是念我
當度衆生須菩提莫作是念何以故實无
衆生如來度者若有衆生如來度者如來
則有我人衆生壽者須菩提如來說有我
者則非有我而凡夫之人以為有我須菩提凡
夫者如來說則非凡夫
須菩提於意云何可以卅二相觀如來不須菩
提言如是如是以卅二相觀如來佛言須
菩提若以卅二相觀如來者轉輪聖王則是
如來須菩提白佛言世尊如我解佛所說義
不應以卅二相觀如來尒時世尊而說偈言
若以色見我　以音聲求我　是人行邪道　不能見如來
須菩提汝若作是念如來不以具足相故得
阿耨多羅三藐三菩提須菩提莫作是念如

BD00153號　金剛般若波羅蜜經　（10–8）

菩提若以卅二相觀如來者轉輪聖王則是
如來須菩提白佛言世尊如我解佛所說義
不應以卅二相觀如來尒時世尊而說偈言
若以色見我　以音聲求我　是人行邪道　不能見如來
須菩提汝若作是念如來不以具足相故得
阿耨多羅三藐三菩提須菩提莫作是念如
來不以具足相故得阿耨多羅三藐三菩提
須菩提汝若作是念發阿耨多羅三藐三菩
提者說諸法斷滅莫作是念何以故發阿耨
多羅三藐三菩提者於法不說斷滅相須菩
提若菩薩以滿恒河沙等世界七寶布施若
復有人知一切法无我得成於忍此菩薩勝
前菩薩所得功德須菩提以諸菩薩不受福
德故須菩提白佛言世尊云何菩薩不受福
德須菩提菩薩所作福德不應貪著是故說
不受福德
須菩提若有人言如來若來若去若坐若卧
是人不解我所說義何以故如來者无所從
來亦无所去故名如來
須菩提若善男子善女人以三千大千世界
碎為微塵於意云何是微塵衆寧為多不甚
多世尊何以故若是微塵衆實有者佛則不
說是微塵衆所以者何佛說微塵衆則非微
塵衆是名微塵衆世尊如來所說三千大千
世界則非世界是名世界何以故若世界實
有者則是一合相如來說一合相則非一合相
是名一合相須菩提一合相者則是不可說

BD00153號　金剛般若波羅蜜經　（10–9）

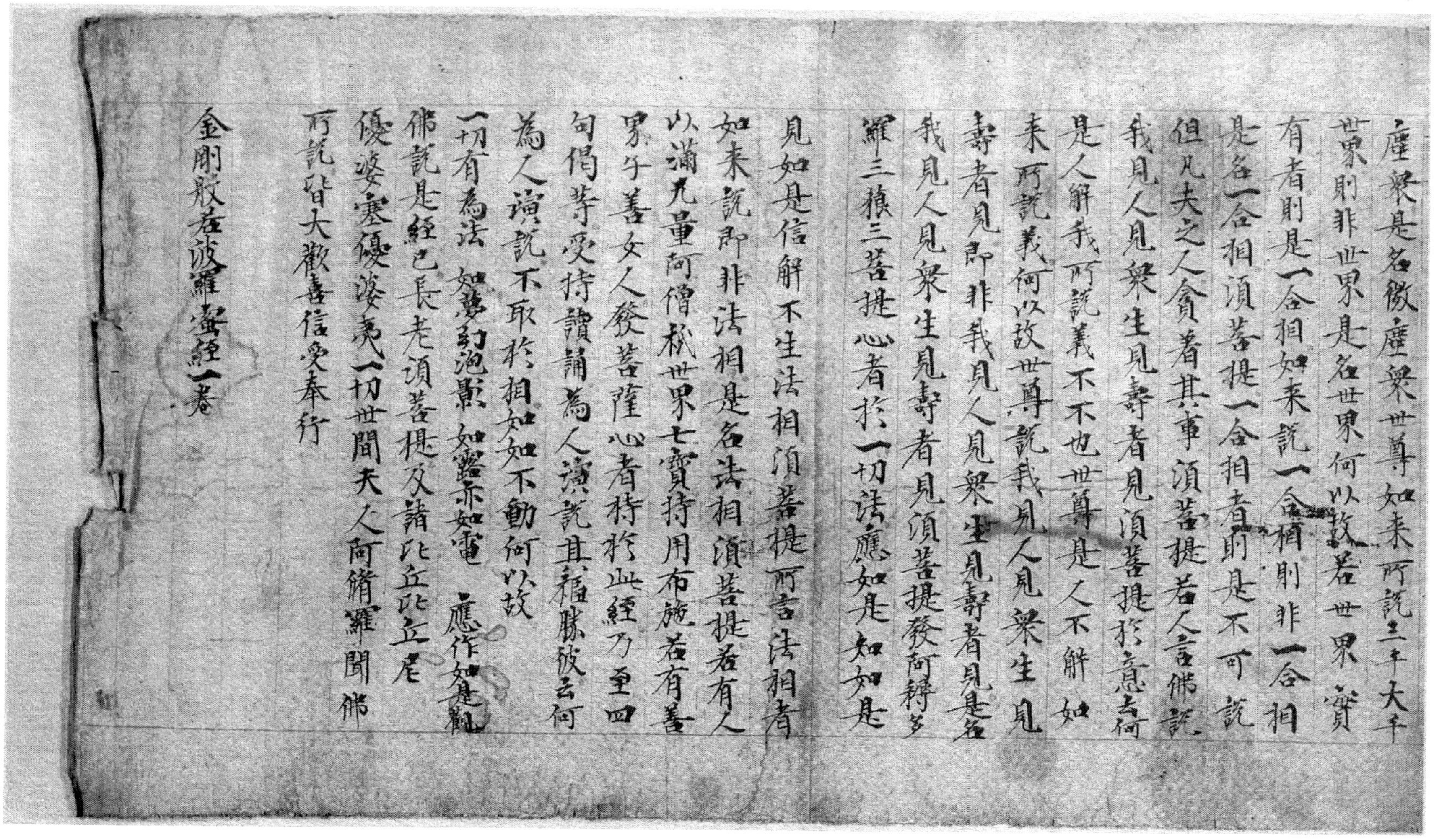
塵衆是名微塵衆世尊如來所說三千大千
世界則非世界是名世界何以故若世界實
有者則是一合相如來說一合相則非一合
是名一合相須菩提一合相者則是不可說
但凡夫之人貪著其事須菩提若人言佛說
我見人見衆生見壽者見須菩提於意云何
是人解我所說義不不也世尊是人不解如
來所說義何以故世尊說我見人見衆生見
壽者見即非我見人見衆生見壽者見是名
我見人見衆生見壽者見須菩提發阿耨多
羅三藐三菩提心者於一切法應如是知如是
見如是信解不生法相須菩提所言法相者
如來說即非法相是名法相須菩提若有人
以滿無量阿僧祇世界七寶持用布施若有善
男子善女人發菩薩心者持於此經乃至四
句偈等受持讀誦為人演說其福勝彼云何
為人演說不取於相如如不動何以故
一切有為法 如夢幻泡影 如露亦如電 應作如是觀
佛說是經已長老須菩提及諸比丘比丘尼
優婆塞優婆夷一切世間天人阿脩羅聞佛
所說皆大歡喜信受奉行
金剛般若波羅蜜經一卷

BD00153 號　金剛般若波羅蜜經　（10–10）

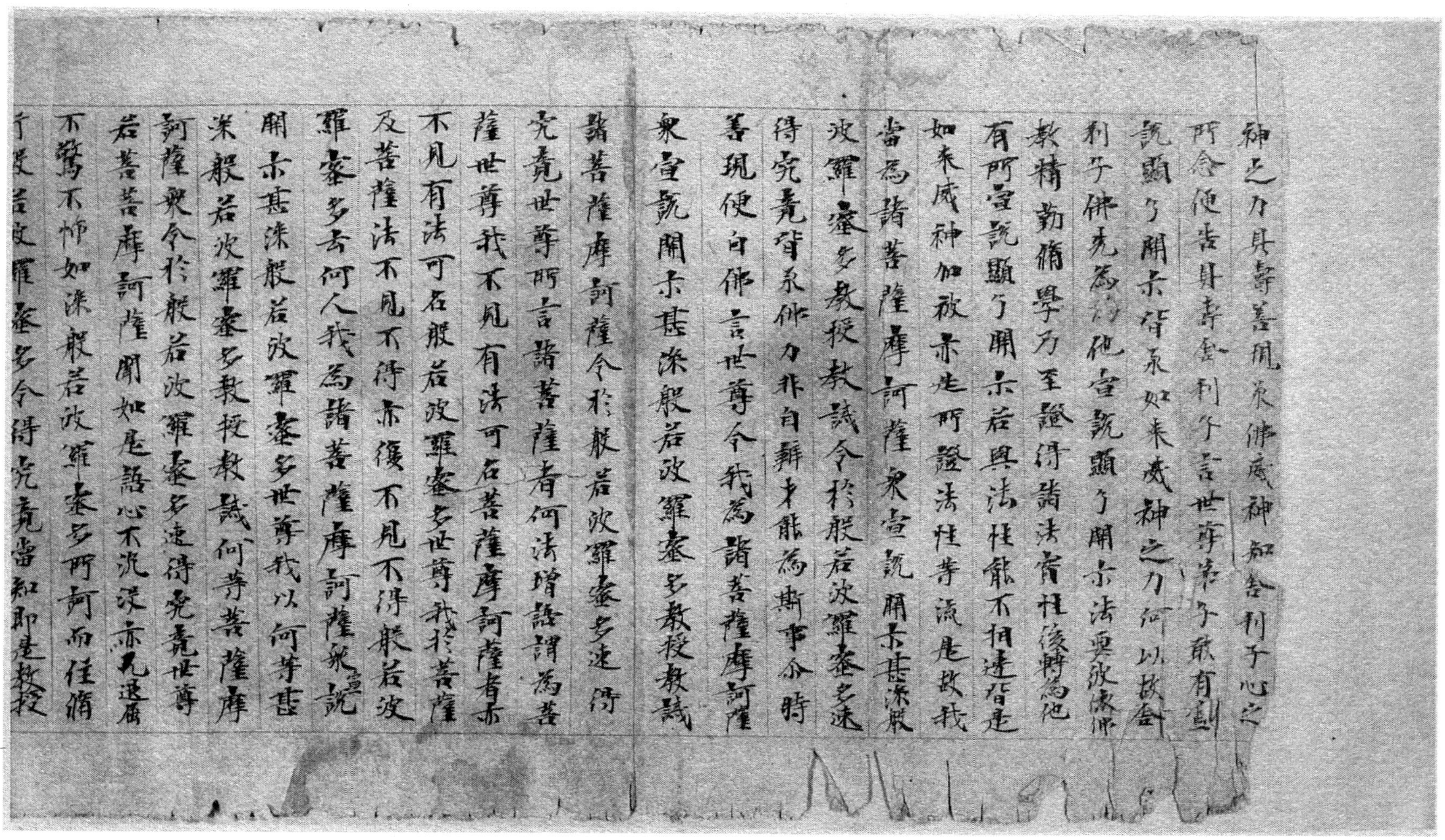
神之力具壽善現承佛威神知舍利子心之
所念便告具壽舍利子言世尊弟子所有宣
說顯了開示皆承如來威神之力何以故舍
利子佛先為他宣說顯了開示法要彼承佛
教精勤脩學乃至證得諸法實性後轉為他
有所宣說顯了開示若與法性能不相違皆是
如來威神加被亦是所證法性等流是故我
當為諸菩薩摩訶薩衆宣說開示甚深般
波羅蜜多教授教誡令於般若波羅蜜多速
得究竟皆承佛力非自辯才能為斯事爾時
善現便白佛言世尊令我為諸菩薩摩訶薩
衆宣說開示甚深般若波羅蜜多教授教誡
諸菩薩摩訶薩令於般若波羅蜜多速得
究竟世尊所言諸菩薩者何法增語謂為菩
薩世尊我不見有法可名菩薩摩訶薩者亦
不見有法可名般若波羅蜜多世尊我於菩薩
及菩薩法不見不得亦復不見不得般若波
羅蜜多云何令我為諸菩薩摩訶薩衆宣說
開示甚深般若波羅蜜多世尊我以何等甚
深般若波羅蜜多教授教誡何等菩薩摩
訶薩衆令於般若波羅蜜多速得究竟世尊
若菩薩摩訶薩聞如是語心不沉沒亦无退屈
不驚不怖如深般若波羅蜜多所說而住脩
行波若波羅蜜多令得究竟當知即是教授

BD00154 號　大般若波羅蜜多經卷五三八　（20–1）

聞亦甚深般若波羅蜜多世尊我以何等甚
深般若波羅蜜多教授教誡何等菩薩摩
訶薩衆令於般若波羅蜜多速得究竟世尊
若菩薩摩訶薩聞如是語心不沉沒亦不退屈
不驚不怖如深般若波羅蜜多所說而住脩
行般若波羅蜜多令得究竟當知即是教授
教誡諸菩薩摩訶薩令於般若波羅蜜多速
得究竟亦名為彼宣說開示甚深般若波羅
蜜多復次世尊若菩薩摩訶薩脩行般若波
羅蜜多應如是學謂不執著大菩提心所以
者何心非心性本性淨故時舍利子問善現
言為有非心心之性不善現反問舍利子言
非心心性若有若無為可得不舍利子言不
也善現善現便謂舍利子言非心心性若有
若無既不可得如何可問為有非心心之性
不時舍利子問善現言何等名為心非心性
善現答言若無變壞亦無分別是則名為心
非心性時舍利子讚善現言善哉善哉誠如
所說佛說仁者住無諍定最為第一實如聖
言若菩薩摩訶薩聞如是語心不沉沒亦無
退屈不驚不怖當知已於所求無上正等菩
提得不退轉若菩薩摩訶薩如是觀察心非
心性當知不離甚深般若波羅蜜多若善男
子善女人等欲勤脩學諸聲聞地若獨覺地
若菩薩地皆應於此甚深般若波羅蜜多至
心聽聞受持讀誦精勤脩學方便善巧令所脩
行速得究竟所以者何於此般若波羅蜜多

BD00154 號　大般若波羅蜜多經卷五三八　（20–2）

心性當知不離甚深般若波羅蜜多若善男
子善女人等欲勤脩學諸聲聞地若獨覺地
若菩薩地皆應於此甚深般若波羅蜜多至
心聽聞受持讀誦精勤脩學方便善巧令所脩
行速得究竟所以者何於此般若波羅蜜多
甚深經中廣說一切所應學法若菩薩摩訶
薩勤求無上正等菩提欲正脩行諸菩薩行
欲具成就方便善巧及諸佛法皆應於此甚
深般若波羅蜜多至心聽聞受持讀誦令善
通利如說脩行所以者何於此般若波羅蜜
多甚深經中廣說一切諸菩薩摩訶薩所應
學法若菩薩摩訶薩能於此中精勤脩學
必得無上正等菩提一切所求無不滿足
爾時具壽善現復白佛言世尊我觀菩薩
但有假名不知不得不見實事我觀般若波
羅蜜多亦但有假名不知不得不見實事當為
何等菩薩摩訶薩宣說開示何等甚深般若
波羅蜜多教授教誡何等菩薩摩訶薩令於
何等般若波羅蜜多速得究竟世尊我觀菩
薩及深般若波羅蜜多但有假名不知不得
不見實事而於其中說有菩薩及深般若波
羅蜜多便有疑悔世尊甚深般若波羅蜜多
及菩薩名俱無決定亦無住處所以者何如
是二名俱無所有無所有法無定無住若菩
薩摩訶薩聞說如是甚深般若波羅蜜多心
不沉沒亦無退屈不驚不怖深心信解當知
是菩薩摩訶薩安住般若波羅蜜多常不遠
離以無所住而為方便安住菩薩不退轉地

BD00154 號　大般若波羅蜜多經卷五三八　（20–3）

及菩薩名俱无波定亦无住處所以者何如
是二名俱无所有无所有法无定无住若菩
薩摩訶薩聞說如是甚深般若波羅蜜多心
不沉沒亦无退屈不驚不怖深心信解當知
是菩薩摩訶薩安住般若波羅蜜多定不遠
離以无所住而為方便安住菩薩不退轉地
復次世尊諸菩薩摩訶薩脩行般若波羅蜜
多不應住色亦不應住受想行識所以者何
若住於色便作色行非行般若波羅蜜多若
住受想行識便作受想行識行非行般若波
羅蜜多所以者何非作行者能攝般若波羅
蜜多不攝般若波羅蜜多則於般若波羅蜜
多不能脩習若於般若波羅蜜多不能脩習
則於般若波羅蜜多不能圓滿若於般若波
羅蜜多不能圓滿便不能得一切智智若不
能得一切智智便不能攝所攝有情是故不
應攝受諸色受想行識所以者何色於般若
波羅蜜多不可攝受受想行識於般若波羅
蜜多亦不可攝受色不可攝受故則非色受
想行識亦不可攝受故則非受想行識甚深
般若波羅蜜多亦不可攝受故便非般若波
羅蜜多諸菩薩摩訶薩應行如是甚深般
若波羅蜜多若行如是甚深般若波羅蜜多
是名菩薩於一切法无攝受定廣大无對无量
決定不共一切聲聞獨覺亦不攝受一切智
智所以者何是一切智智非取相脩得諸取
相者皆是煩惱若取相脩得一切智智者則

BD00154 號　大般若波羅蜜多經卷五三八　（20–4）

決定不共一切聲聞獨覺亦不攝受一切智
智所以者何是一切智智非取相脩得諸取
相者皆是煩惱若取相脩得一切智智者則
勝軍梵志於一切智智不應信解是勝軍梵
志雖由信解力歸趣佛法名隨信行而能以
少分智觀一切法性空悟入一切智智既悟
入已不取色相亦不取受想行識相非以喜
樂觀見此智不以內色受想行識觀見此智
不以外色受想行識觀見此智亦不以內外
色受想行識觀見此智亦不離色受想行識
觀見此智勝軍梵志以如是等諸離相門於
一切智智深生信解於一切法皆无取著如
是梵志以離相門於一切智智得信解已於
一切法皆不取相亦不思惟無相諸法如是
梵志由勝解力於一切法不取不捨无得無
證時彼梵志於自信解乃至涅槃亦不取著
以真法性為定量故世尊是菩薩摩訶薩甚
深般若波羅蜜多當知於色受想行識亦不
攝受雖於諸法无所攝受若未圓滿如來十
力四无所畏四無礙解及十八佛不共法等
終不中道而般涅槃當知如是諸菩薩摩訶
薩甚深般若波羅蜜多雖无取著而能成辦
諸勝事業復次世尊諸菩薩摩訶薩脩行般
若波羅蜜多時應如是觀察何等是般若波
羅蜜多何故名般若波羅蜜多如是般若波
羅蜜多為何所作世尊是菩薩摩訶薩脩
行般若波羅蜜多時應如是觀察若法无所有

BD00154 號　大般若波羅蜜多經卷五三八　（20–5）

[illegible]
若波羅蜜多時應如是觀察何等是般若波
羅蜜多何故名般若波羅蜜多如是般若波
羅蜜多為何所作世尊是菩薩摩訶薩脩
行般若波羅蜜多時應如是觀察若法无所有
不可得是為般若波羅蜜多无所有中何所
徵詰世尊若菩薩摩訶薩於如是事審觀察
時心不沉沒亦无退屈不驚不怖當知不離
甚深般若波羅蜜多
時舍利子問善現言若色離色自性受想行
識離受想行識自性般若波羅蜜多離般若
波羅蜜多自性一切智智離一切智智自性
何緣故知諸菩薩摩訶薩不離般若波羅蜜
多善現荅言如是如是舍利子諸色離色自
性受想行識離受想行識自性般若波羅蜜
多離般若波羅蜜多自性一切智智離一切
智智自性般若波羅蜜多自相亦離自相般
若波羅蜜多自性亦離自性相亦離自性自
性亦離相相亦離相自性亦離自性能相亦
離所相所相亦離能相能相亦離能相所相
亦離所相若菩薩摩訶薩能如實知如是義
者常不遠離甚深般若波羅蜜多時舍利子
問善現言若菩薩摩訶薩於此中學速能成
辦一切智智邪善現荅言如是如是舍利子
若菩薩摩訶薩於此中學速能成辦一切智
智何以故舍利子是菩薩摩訶薩如一切法
无生成故舍利子若菩薩摩訶薩能如是行
甚深般若波羅蜜多則為隣近一切智智復

BD00154號　大般若波羅蜜多經卷五三八　（20–6）

辦一切智智邪善現荅言如是如是舍利子
若菩薩摩訶薩於此中學速能成辦一切智
智何以故舍利子是菩薩摩訶薩如一切法
无生成故舍利子若菩薩摩訶薩能如是行
甚深般若波羅蜜多則為隣近一切智智復
次舍利子諸菩薩摩訶薩若行色為行相若
行色相為行相若行色無相相為行相若行
色生為行相若行色滅為行相若行色壞為
行相若行色空為行相若謂我能行為行相
若謂我是菩薩能有所行為行相若謂我是
菩薩能有所得為行相若行受相行識為行
相若行受想行識相為行相若行受相行識
无相相為行相若行受想行識生為行相若
行受相行識滅為行相若行受想行識壞為
行相若行受想行識空為行相若謂我能行
為行相若謂我是菩薩能有所行為行相若
謂我是菩薩能有所得為行相若作是念若
能如是行是脩行般若波羅蜜多亦為行相
當知是菩薩无方便善巧雖有所行非行般
若波羅蜜多時舍利子問善現言諸菩薩摩
訶薩當云何行名行般若波羅蜜多善現荅
言諸菩薩摩訶薩若不行色不行色相不行
色無相相不行色生不行色滅不行色壞不
行色空是行般若波羅蜜多諸菩薩摩訶薩
若不行受想行識不行受想行識相不行受
想行識无相相不行受想行識生不行受想
[illegible]

BD00154號　大般若波羅蜜多經卷五三八　（20–7）

色無相相不行色生不行色滅不行色壞不
行色空是行般若波羅蜜多諸菩薩摩訶薩
若不行受想行識不行受想行識相不行受
想行識无相相不行受想行識生不行受想
行識滅不行受想行識壞不行受想行識空
是行般若波羅蜜多若菩薩摩訶薩不取行
不取不行不取亦行亦不行不取非行非不
行是行般若波羅蜜多何以故舍利子以一
切法皆不可取不可隨行不可執受離性相
故如是名為諸菩薩摩訶薩於一切法无取
執定廣大无對无量决定不共一切聲聞獨
覺若菩薩摩訶薩安住此定速證无上正等
菩提具壽善現承佛神力復語大德舍利子
言若菩薩摩訶薩安住此定當知已為過去
如來應正等覺現前授記是菩薩摩訶薩雖
住此定而不見此定亦不著此定名亦不念
言我於此定已正當入亦不念言唯我能入
此定非餘彼如是等尋思分別由此定力一
切不起時舍利子問善現言若菩薩摩訶薩
由住此定已為過去諸佛世尊現前授記是
菩薩摩訶薩為能顯示如是定不善現答言
不也舍利子何以故是善男子於如是定无
解无想舍利子言具壽說彼諸善男子於如
是定无解想耶善現報言我定說彼諸善男
子於如是定无解无想所以者何如是諸定
无所有故彼善男子於如是定无解无想如
是諸定於一切法亦无解想所以者何以一切
法无所有故時薄伽梵讚善現言善哉善

BD00154號　大般若波羅蜜多經卷五三八　（20-8）

子於如是定无解无想所以者何如是諸定
无所有故彼善男子於如是定无解无想如
是諸定於一切法亦无解想所以者何以一切
法无所有故時薄伽梵讚善現言善哉善
哉如汝所說故我說汝住无諍定最為第一
汝承如來神力加被能作是說如是善現諸
菩薩摩訶薩欲學般若波羅蜜多應如是學
所以者何若菩薩摩訶薩能如是學乃至真
學甚深般若波羅蜜多時舍利子便白佛言
若菩薩摩訶薩能如是學於深般若波羅蜜
多名真學耶佛告舍利子若菩薩摩訶薩能
如是學於深般若波羅蜜多名為真學以无
所得為方便故時舍利子復白佛言若菩薩
摩訶薩能如是學以无所得為方便耶佛告
舍利子若菩薩摩訶薩如是學時於一切法
以无所得而為方便時舍利子復白佛言諸
菩薩摩訶薩如是學時於何法學佛告舍利
子諸菩薩摩訶薩如是學時非於法學何以
故舍利子如諸愚夫異生所執非一切法如
是有故時舍利子復白佛言若爾諸法如何
而有佛告舍利子如無所有如是而有若於
如是无所有法不能了達說名无明愚夫異
生於一切法无所有性无明貪愛增上勢力
分別執著斷常二邊由此不知不見諸法无
所有性分別諸法由分別故便生執著由執
著故分別諸法无所有性由此於法不見不
知以於諸法不見不知分別過去未來現在

BD00154號　大般若波羅蜜多經卷五三八　（20-9）

生於一切法无所有性无明貪愛增上勢力
分別執著斷常二邊由此不知不見諸法无
所有性分別諸法由分別故便生執著由執
著故分別諸法无所有性由此於法不見不
知以於諸法不見不知分別過去未來現在
由分別故貪著名色著名色故分別執著无
所有法於无所有法分別執著故於如實道
不知不見不能出離三界生死不信諦法不
覺實際是故墮在愚夫數中由斯菩薩摩
訶薩衆於法性相都無執著時舍利子復白
佛言諸菩薩摩訶薩如是學時豈亦不學一切
智智佛告舍利子諸菩薩摩訶薩如是學時
亦不求學一切智智然諸菩薩摩訶薩如是
學時雖无所學而名真學一切智智便能證
近一切智智速能成辦一切智智
爾時善現便白佛言設有人來作如是問諸
幻化者若有修學一切智智彼能證近一切
智智及能速成辦一切智智不我得此問當
云何答佛告善現我還問汝隨汝意答於意
云何幻化與色為有異不幻化與受想行識
為有異不善現答言幻化不異色色不異幻
化幻化即是色色即是幻化幻化不異受想
行識受想行識不異幻化幻化即是受想行
識受想行識即是幻化佛告善現於意云何
五取蘊中起想等想施設言說假名菩薩摩
訶薩不善現對曰如是世尊佛告善現諸菩
薩摩訶薩求趣无上正等菩提修學般若波

BD00154 號　大般若波羅蜜多經卷五三八　（20–10）

識受想行識即是幻化佛告善現於意云何
五取蘊中起想等想施設言說假名菩薩摩
訶薩不善現對曰如是世尊佛告善現諸菩
薩摩訶薩求趣无上正等菩提修學般若波
羅蜜多一切皆如幻化者學何以故幻化即
是五取蘊故所以者何我說五蘊眼等六根
皆如幻化都非實有具壽善現復白佛言若
菩薩摩訶薩新學大乘聞如是說其心將无
驚怖退屈佛告善現若菩薩摩訶薩新學大
乘親近惡友聞如是說心便驚怖則生退屈
若近善友雖聞此說而不驚怖亦无退屈具
壽善現復白佛言何等名為菩薩惡友佛告
善現諸菩薩摩訶薩惡友者謂若教授教誡
菩薩摩訶薩衆令離布施乃至般若波羅蜜
多令離所求一切智智令學取相世俗書典
令學聲聞獨覺經法又不為說魔事魔過令
所修學不能成辦如是名為菩薩惡友具壽
善現復白佛言何等名為菩薩善友佛告善
現諸菩薩摩訶薩善友者謂若教授教誡菩
薩摩訶薩衆令學布施乃至般若波羅蜜多
令學所求一切智智令離取相世俗書典令
離聲聞獨覺經法為說種種魔事魔過令其
覺知方便棄捨令所修學疾得成辦如是名
為趣大乘道大擐莊嚴菩薩善友
具壽善現復白佛言所說菩薩摩訶薩者何
等名為菩薩句義佛告善現學一切法无著
無礙覺一切法无著无礙求證无上正等菩

BD00154 號　大般若波羅蜜多經卷五三八　（20–11）

離聲聞獨覺経法為說種種魔事魔過令其
覺知方便棄捨令所修學疾得成辦如是名
為趣大乘道大捷莊嚴菩薩善友
具壽善現復白佛言所說菩薩摩訶薩者何
等名為菩薩句義佛告善現學一切法无著
無礙覺一切法无著无礙求證无上正等菩
提饒益有情是菩薩義具壽善現復白佛言
菩薩何緣名摩訶薩佛告善現以諸菩薩於
大有情衆中當為上首故復名摩訶薩時舍
利子便白佛言我以辯才樂說菩薩由此義
故名摩訶薩唯願聽許佛告舍利子今正是
時隨汝意說舍利子言以諸菩薩方便善巧
為說有情宣說法要令斷我見有情見命者
見補特伽羅見有見無有見斷見常見薩迦
耶見及餘種種有所執見依如是義名摩訶
薩尒時善現便白佛言我以辯才樂說菩薩
由此義故名摩訶薩唯願聽許佛告善現今
正是時隨汝意說善現白言以諸菩薩為欲
證得一切智智發菩提心及无漏心无等等
心不共聲聞獨覺等心於如是心亦不執著
依如是義名摩訶薩所以者何以一切智智是
真无漏不墮三界求一切智智心亦是真无
漏不墮三界於如是心不應執著是故菩薩
名摩訶薩時舍利子問善現言何因緣故於
如是心亦不執著善現答言如是諸心无心
性故不應執著時舍利子問善現言是心為
有非心性不善現反問舍利子言此非心性

漏不墮三界於如是心不應執著是故菩薩
名摩訶薩時舍利子問善現言何因緣故於
如是心亦不執著善現答言如是諸心无心
性故不應執著時舍利子問善現言是心為
有非心性不善現反問舍利子言此非心性
若有若无為可得不舍利子言不也善現善
現報言此非心性若有若无既不可得如何
可問是心為有非心性不時舍利子讚善現
言善哉善哉如是如是佛說仁者住无諍定
最為第一實如聖言時滿慈子便白佛言我
以辯才樂說菩薩由此義故名摩訶薩唯願
聽許佛告滿慈子今正是時隨汝意說滿慈
子言以諸菩薩普為饒益一切有情被大功
德鎧故發趣大乘故乘大乘故名摩訶薩尒
時善現便白佛言如世尊說諸菩薩摩訶薩
被大功德鎧齊何當言諸菩薩摩訶薩被大
功德鎧佛告善現諸菩薩摩訶薩作如是念
我應度脫无量无數无邊有情入无餘依般
涅槃界雖度如是无量无數无邊有情入无
餘依般涅槃界而无有情及諸有情得涅槃
者所以者何諸法法性應如是故譬如幻師
或彼弟子於四衢道化作大衆更相加害於
意云何此中有實更相加害死復事不善現
對曰不也世尊佛告善現諸菩薩摩訶薩亦
復如是雖度如是无量无數无邊有情入无
餘依般涅槃界而无有情及諸有情得涅槃
者若菩薩摩訶薩聞如是事不驚不怖亦无
退屈當知是菩薩摩訶薩被大功德鎧尒時

[illegible]
餘依般涅槃界而无有法及諸有情得涅槃
者菩薩摩訶薩聞如是事不驚不怖亦无
退屈當知是菩薩摩訶薩被大功德鎧尒時
善現便白佛言如我解佛所說義者諸菩薩
摩訶薩不被功德鎧當知是為被大功德鎧
佛告善現如是如是諸菩薩摩訶薩不被功
德鎧當知是為被大功德鎧所以者何一切
智智无造無作一切有情亦无造无作諸菩
薩摩訶薩為欲饒益彼有情故被功德鎧具
壽善現復白佛言何因緣故一切智智无造
无作一切有情亦無造無作諸菩薩摩訶薩
為欲饒益彼有情故被功德鎧佛告善現以
諸作者不可得故所以者何色非造非不造
非作非不作受想行識非造非不造非作非
不作何以故色乃至識不可得故具壽善現
便白佛言如我解佛所說義者色乃至識无
涤无淨所以者何色无縛无解受想行識亦
无縛无解色真如无縛无解受想行識真如
亦无縛无解時滿慈子問善現言尊者說色
无縛无解說受想行識亦无縛无解說色真
如无縛无解說受想行識真如亦无縛无解
耶善現答言如是如是滿慈子言說何等色
无縛无解說何等受想行識亦无縛无解說
何等色真如无縛无解說何等受想行識真
如亦无縛无解耶善現答言我說如幻士色
無縛无解說如幻士受想行識言无縛无解
說如幻士色真如无縛无解說如幻士受想

BD00154 號　大般若波羅蜜多經卷五三八　（20–14）

无縛无解說何等受想行識亦无縛无解說
何等色真如无縛无解說何等受想行識真
如亦无縛无解耶善現答言我說如幻士色
無縛无解說如幻士受想行識言无縛无解
說如幻士色真如无縛无解說如幻士受想
行識真如亦无縛无解所以者何色乃至識
及彼真如无所有故无縛无解遠離故无縛无
解寂靜故无縛无解无相故无縛无解无
作故无縛无解无生滅故无縛无解无涤淨
故无縛无解是名菩薩摩訶薩發趣大乘被
功德鎧時滿慈子聞如是說歡喜信受嘿然
而住
尒時善現便白佛言諸菩薩摩訶薩發趣大
乘被功德鎧乘於大乘云何大乘齊何當言
發趣大乘如是大乘從何處出至何處住如
是大乘為何所住誰復乘是大乘而出佛告
善現言大乘者即是无量无數增語无邊功
德共所成故汝次所問齊何當言發趣大乘
者善現當知若菩薩摩訶薩勤行布施乃至
般若波羅蜜多從一菩薩地趣一菩薩地齊
此當言發趣大乘汝次所問如是大乘從何
處出至何處住者善現當知如是大乘從三
界中出至一切智智中住然以无二為方便
故无出无住汝次所問如是大乘為何所住
者善現當知如是大乘都无所住以一切法
皆无所住然此大乘住无所住汝後所問誰
復乘是大乘出者善現當知都无乘是大乘

BD00154 號　大般若波羅蜜多經卷五三八　（20–15）

者善現當知如是大乘都无所住以一切法
皆无所住然此大乘住无所住汝後所問誰
復乘是大乘出者善現當知都无乘是大乘
出者所以者何若所乘乘若能乘者由此為
此若處若時皆无所有都不可得以一切法
皆无所有不可得故於中何法乘何法出至
何處住而言乘者身壽善現復白佛言言大
乘大乘者普超一切世間天人阿素洛等最
尊最勝如是大乘與虛空等譬如虛空普能
容受无量无數无邊有情大乘亦尒普能容
受无量无數无邊有情又如虛空无來无去
無住可見大乘亦尒無來無去无住可見又
如虛空前後中際皆不可得大乘亦尒前後
中際皆不可得如是大乘最尊最勝學虛空
等多所容受无動无住三世平等超過三世
故名大乘佛告善現善哉善哉如是如是如
汝所說菩薩大乘具如是等无邊功德時滿
慈子便白佛言世尊先教大德善現爲諸菩
薩摩訶薩眾宣說顧亦甚深般若波羅蜜多
而今何故反說大乘尒時善現即白佛言我從
前來所說種種大乘之義將无違越所說般
若波羅蜜多佛告善現汝從前來所說種
種大乘之義皆順般若波羅蜜多无所違越
所以者何一切善法无不攝入甚深般若波
羅蜜多身壽善現復白佛言諸菩薩摩訶薩
前際不可得後際不可得中際不可得所以
者何色无邊故當知菩薩摩訶薩亦无邊受

BD00154號　大般若波羅蜜多經卷五三八　（20–16）

所以者何一切善法无不攝入甚深般若波
羅蜜多身壽善現復白佛言諸菩薩摩訶薩
前際不可得後際不可得中際不可得所以
者何色无邊故當知菩薩摩訶薩亦无邊受
想行識无邊故當知菩薩摩訶薩亦无邊復
次世尊即色菩薩摩訶薩无所有不可得即
受想行識菩薩摩訶薩无所有不可得離色
菩薩摩訶薩无所有不可得離受想行識菩
薩摩訶薩无所有不可得如是世尊我於此
等一切法以一切種一切處一切時求菩薩摩
訶薩都无所見竟不可得求深般若波羅
蜜多亦都无所見竟不可得求一切智智亦
都无所見竟不可得云何令我教授教誡諸
菩薩摩訶薩令於般若波羅蜜多速得究竟
謂疾證得一切智智復次世尊諸菩薩摩訶
薩但有假名都无自性如說我等畢竟不生
但有假名都无自性諸法亦尒畢竟不生但
有假名都无自性此中何等是色畢竟不生
若畢竟不生則不名色何等是受想行識畢
竟不生若畢竟不生則不名受想行識世尊
色是菩薩摩訶薩不可得受想行識是菩薩
摩訶薩不可得此不可得亦不可得我於如
是一切法以一切種一切處一切時求菩薩
等皆不可得當教何等法脩何等法於何等
處時證何等法復次世尊佛薄伽梵但有假
名一切菩薩但有假名甚深般若波羅蜜多
但有假名如說我等畢竟不生但有假名都

BD00154號　大般若波羅蜜多經卷五三八　（20–17）

等皆不可得當教何等法修何等法於何等
處時證何等法復次世尊佛薄伽梵但有假
名一切菩薩但有假名甚深般若波羅蜜多
但有假名如說我等畢竟不生但有假名都
无自性諸法亦尔但有假名都无自性何等
是色既不可取亦不可生何等是受想行識
既不可取亦不可生諸法自性既不可取亦
不可生若法无性亦不可生此无生法亦不
可生我豈能以畢竟不生般若波羅蜜多教
授教誡畢竟不生諸菩薩摩訶薩令得究竟
世尊離不生法无法可得亦无菩薩摩訶薩
能行无上正等菩提世尊若菩薩摩訶薩聞
如是說心不沉没亦无退屈不驚不怖當知
是菩薩摩訶薩能修行般若波羅蜜多所以
者何若時菩薩摩訶薩行深般若波羅蜜多
觀察諸法是時菩薩摩訶薩於一切色都无
所得无受无取无住无著亦不施設為色於
一切受想行識都无所得无受无取无住无
著亦不施設為受想行識是菩薩摩訶薩行
深般若波羅蜜多時不見色亦不見受想行
識所以者何以色性空无生无滅受想行識
性空无生无滅世尊色无生无滅即非色受
想行識无生无滅即非受想行識所以者何
色乃至識與无生无滅无二无二分何以故
以无生无滅法非一非二非多非異是故色
乃至識无生无滅即非色乃至識世尊色无
二即非色受想行識无二即非受想行識世

識所以者何以色性空无生无滅受想行識
性空无生无滅世尊色无生无滅即非色受
想行識无生无滅即非受想行識所以者何
色乃至識與无生无滅无二无二分何以故
以无生无滅法非一非二非多非異是故色
乃至識无生无滅即非色乃至識世尊色无
二即非色受想行識无二即非受想行識世
尊色入无二法數受想行識入无二法數若
說色即說无二法若說受想行識即說无二
法
時舍利子謂善現言如我領解仁所說義我
有情等畢竟不生色乃至識畢竟不生諸佛
菩薩畢竟不生若如是者何緣菩薩摩訶薩
為度无量无數有情修多百千難行苦行備
受无量難忍大苦善現報言舍利子非我於
彼无生法中許有菩薩摩訶薩為度无量无
數有情修多百千難行苦行備受无量難忍
大苦然諸菩薩摩訶薩雖為有情修无量種
難行苦行而於其中无苦行想所以者何若
於苦行作苦行想終不能為无量无數无邊
有情作大饒益然諸菩薩摩訶薩眾以无所
得而為方便於諸苦行作樂行想於難行行
作易行想諸有情作如父母兄弟妻子及己
身想為度彼故發起无上正等覺心乃能
為彼无量无數无邊有情作大饒益復次舍
利子諸菩薩摩訶薩於一切有情起如父母
兄弟妻子己身想已作如是念我當度脫一

身想為處彼故發起无上正等覺心乃能
為彼无量无數无邊有情作大饒益復次舍
利子諸菩薩摩訶薩於一切有情起如父母
兄弟妻子己身想已作如是念我當度脫一
切有情令離一切生死衆苦起多百千難行
苦行寧捨自身而不捨彼然於有情苦及苦
行不起有情苦苦行想復作是念我當度脫
一切有情令離无邊諸大苦蘊假使為彼斷
截我身為百千分終不退屈然於其中不起
難行苦行之想復次舍利子諸菩薩摩訶薩
應作是念如我自性於一切法以一切種一
切處時求不可得內外諸法亦復如是都无
所有得不可得若住此想便不見有難行苦
行由此能為无量无數无邊有情脩多百
千難行苦行作大饒益

大般若波羅蜜多經卷第五百卅八

BD00154 號　大般若波羅蜜多經卷五三八　（20–20）

遠離而身心脩善觀无所歸而歸趣善法觀
於无生而以生法荷負一切觀於无漏而不
斷諸漏觀无所行而以行法教化衆生觀於
空无而不捨大悲觀正法位而不隨小乘觀
諸法虛妄无牢无人无主无相本願未滿而
不虛福德禪定智慧脩如此法是名菩薩不
住无為又具福德故不住无為具智慧故不
盡有為大慈悲故不住无為滿本願故不盡
有為集法藥故不住无為隨授藥故不盡有
為知衆生病故不住无為滅衆生病故不盡
有為諸正士菩薩已脩此法不盡有為不住
无為是名盡无盡解脫法門汝等當學尒時
彼諸菩薩聞說是法皆大歡喜以衆妙華若
干種色若干種香散遍三千大千世界供養
於佛及此經法并諸菩薩已稽首佛足歎未
曾有言釋迦牟尼佛乃能於此善行方便言
已忽然不現還到彼國

見阿閦佛品第十二

尒時世尊問維摩詰汝欲見如來為以何等
觀如來乎維摩詰言如自觀身實相觀佛亦
然我觀如來前際不來後際不去今則不住
不觀色不觀色如不觀色性不觀受想行識

BD00155 號　維摩詰所說經卷下　（12–1）

見阿閦佛品第十二
爾時世尊問維摩詰汝欲見如來為以何等
觀如來乎維摩詰言如自觀身實相觀佛亦
然我觀如來前際不來後際不去今則不住
不觀色不觀色如不觀色性不觀受想行識
不觀識如不觀識性非四大起同於虛空六
入无積眼耳鼻舌身心已過不在三界三垢
已離順三脫門三明與无明等不一相不異
相不自相不他相非无相非取相不此岸不
彼岸不中流而化眾生觀於寂滅亦不永滅
不此不彼不以此不以彼不可以智知不可
以識識无晦无明无名无相无強无弱非淨
非穢不在方不離方非有為非无為无示无
說不施不慳不戒不犯不忍不恚不進不怠
不定不亂不智不愚不誠不欺不來不去不
出不入一切言語道斷非福田非不福田非
應供養非不應供養非取非捨非有相非无
相不增不減同真際等法性不可稱不可量
過諸稱量非大非小非見非聞非覺非知離眾
結縛等諸智同眾生於諸法无分別一切无失
无濁无惱无作无起无生无滅无畏无憂无喜
无厭无著无已有无當有无今有不可以一切
言說分別顯示世尊如來身為若此作如是觀
以斯觀者名為正觀若他觀者名為耶觀爾
時舍利弗問維摩詰汝於何沒而來生此維

BD00155號　維摩詰所說經卷下　（12–2）

結縛等諸智同眾生於諸法无分別一切无失
无濁无惱无作无起无生无滅无畏无憂无喜
无厭无著无已有无當有无今有不可以一切
言說分別顯示世尊如來身為若此作如是觀
以斯觀者名為正觀若他觀者名為耶觀爾
時舍利弗問維摩詰汝於何沒而來生此維
摩詰言汝所得法有沒生乎舍利弗言无沒
生也若諸法无沒生相云何問言汝於何沒
而來生此於意云何譬如幻師幻作男女寧
有沒生耶舍利弗言无沒生也汝豈不聞佛
說諸法如幻相乎答曰如是若一切法如幻
相者云何問言汝於何沒而來生此舍利弗
沒者為虛誑法壞敗之相生者為虛誑法相
續之相菩薩雖沒不盡善本雖生不長諸惡
是時佛告舍利弗有國名妙喜佛号无動是
維摩詰於彼國沒而來生此舍利弗言未曾
有也世尊是人乃能捨清淨土而來樂此多
惱害處維摩詰語舍利弗於意云何日光出
時與冥合乎答曰不也日光出時則无眾冥
維摩詰言夫日何故行閻浮提答曰欲以明
照為之除冥維摩詰言菩薩如是雖生不淨
佛土為化眾生不與愚闇而共合也但滅眾
生煩惱闇耳
是時大眾渴仰欲見妙喜世界不動如來及

BD00155號　維摩詰所說經卷下　（12–3）

佛土為化衆生不與愚闇而共合也但滅衆
生煩惱闇耳
是時大衆渴仰欲見妙喜世界不動如來及
其菩薩聲聞之衆佛知一切衆會所念告維
摩詰言善男子為此衆會現妙喜國不動如
來及諸菩薩聲聞之衆衆皆欲見於是維摩
詰心念吾當不起于座接妙喜國鐵圍山川
溪谷江河大海泉源須弥諸山及日月星宿
天龍鬼神梵天等宮并諸菩薩聲聞之衆城
邑聚落男女大小乃至无動如來及菩提樹
諸妙蓮華能於十方作佛事者三道寶階從
閻浮提至忉利天以此寶階諸天來下悉為
礼敬无動如來聽受經法閻浮提人亦登其
階上昇忉利見彼諸天妙喜世界成就如是
无量功德上至阿迦貳吒天下至水際以右
手断取如陶家輪入此世界猶持華鬘示一
切衆作是念已入於三昧現神通力以其右
手断取妙喜世界置於此土彼得神通菩薩
及聲聞衆并餘天人俱發聲言唯然世尊誰
取我去願見救護无動佛言非我所為是維
摩詰神力所作其餘未得神通者不覺不知
已之所往妙喜世界雖入此土而不增減於
是世界亦不迫隘如本无異
尒時釋迦牟尼佛告諸大衆汝等且觀妙喜
世界无動如來其國嚴飾菩薩行淨弟子清

BD00155號　維摩詰所說經卷下

（12–4）

摩詰神力所作其餘未得神通者不覺不知
已之所往妙喜世界雖入此土而不增減於
是世界亦不迫隘如本无異
尒時釋迦牟尼佛告諸大衆汝等且觀妙喜
世界无動如來其國嚴飾菩薩行淨弟子清
白皆曰唯然已見佛言若菩薩欲得如是清
淨佛土當學无動如來所行之道現此妙喜
國時娑婆世界十四那由他人發阿耨多羅
三藐三菩提心皆願生於妙喜佛土釋迦牟
尼佛即記之曰當生彼國時妙喜世界於此
國土所應饒益其事訖已還復本處舉衆皆
見佛告舍利弗汝見此妙喜世界及无動佛
不唯然已見世尊願使一切衆生得清淨土
如无動佛獲神通力如維摩詰世尊我等快
得善利得見是人親近供養其諸衆生若今
現在若佛滅後聞此經者亦得善利况復聞
已信解受持讀誦解說如法脩行若有手得
是經典者便為已得法寶之藏若有讀誦解
釋其義如說脩行則為諸佛之所護念其有
供養如是人者當知則為供養於佛其有書
持此經卷者當知其室則有如來若聞是經
能隨喜者斯人則為取一切智若能信解此
經乃至一四句偈為他說者當知此人即是
受阿耨多羅三藐三菩提記

BD00155號　維摩詰所說經卷下

（12–5）

持此經卷者當知其室則有如來若聞是經
能隨喜者斯人則為取一切智若能信解此
經乃至一四句偈為他說者當知此人即是
受阿耨多羅三藐三菩提記

法供養品第十三

尒時釋提桓因於大眾中白佛言世尊我雖
從佛及文殊師利聞百千經未曾聞此不可
思議自在神通決定實相經典如我解佛所
說義趣若有眾生聞是經法信解受持讀誦
之者必得是法不疑何況如說脩行斯人則
為閉眾惡趣開諸善門常為諸佛之所護念
降伏外學摧滅魔怨脩治菩提安處道場履
踐如來所行之跡世尊若有受持讀誦如說
脩行者我當與諸眷屬供養給事所在聚落
城邑山林曠野有是經處我亦與諸眷屬聽
受法故共到其所其未信者當令生信其已
信者當為作護佛言善哉善哉天帝如汝所
說吾助尒喜此經廣說過去未來現在諸佛
不可思議阿耨多羅三藐三菩提是故天帝
若善男子善女人受持讀誦供養是經者則
為供養去來今佛天帝正使三千大千世界
如來滿中譬如甘蔗竹葦稻麻叢林若有善
男子善女人或一劫或減一劫恭敬尊重讚
歎供養奉諸所安至諸佛滅後以一一全身
舍利起七寶塔縱廣一四天下高至梵天表

BD00155號　維摩詰所說經卷下　（12–6）

如來滿中譬如甘蔗竹葦稻麻叢林若有善
男子善女人或一劫或減一劫恭敬尊重讚
歎供養奉諸所安至諸佛滅後以一一全身
舍利起七寶塔縱廣一四天下高至梵天表
剎莊嚴以一切華香瓔珞幢幡伎樂微妙第
一若一劫若減一劫而供養之於天帝意云
何其人殖福寧為多不釋提桓因言多矣世
尊彼之福德若以百千億劫說不能盡佛告
天帝當知是善男子善女人聞是不可思議
解脫經典信解受持讀誦脩行福多於彼所
以者何諸佛菩提皆從是生菩提之相不可
限量以是因緣福不可量

佛告天帝過去无量阿僧祇劫時世有佛号
曰藥王如來應供正遍知明行足善逝世間
解无上士調御丈夫天人師佛世尊世界曰
大莊嚴劫曰莊嚴佛壽二十小劫其聲聞僧
六億那由他菩薩僧有十二億天帝是時有
轉輪聖王名曰寶蓋七寶具足王四天下王
有千子端正勇健能伏怨敵尒時寶蓋與其
眷屬供養藥王如來施諸所安至滿五劫過
五劫已告其千子汝等亦當如我以深心
供養於佛於是千子受父王命供養藥王如
來復滿五劫一切施安其王一子名曰月蓋
獨坐思惟寧有供養殊過此者以佛神力空
中有天曰善男子法之供養勝諸供養即問

BD00155號　維摩詰所說經卷下　（12–7）

供養於佛於是千子受父王命供養藥王如
来復満五劫一切施安其王一子名曰月盖
獨坐思惟寧有供養殊過此者以佛神力空
中有天曰善男子法之供養勝諸供養即問
何謂法之供養天曰汝可往問藥王如来當
廣為汝説法之供養即時月盖王子行詣藥
王如来稽首佛足却住一面白佛言世尊諸
供養中法供養勝云何名為法之供養佛言
善男子法供養者諸佛所説深經一切世間
難信難受微妙難見清淨无染非但分別思
惟之所能得菩薩法藏所攝陁羅尼印印之
至不退轉成就六度善分別義順菩提法衆
經之上入大慈悲離衆魔事及諸耶見順因
緣法无我无人无衆生无壽命空无相无作
无起能令衆生坐於道場而轉法輪諸天龍
神乹闥婆等所共嘆譽能令衆生入佛法藏
攝諸賢聖一切智慧説衆菩薩所行之道依
於諸法實相之義明宣无常苦空无我寂滅
之法能救一切毀禁衆生諸魔外道及貪着
者能使怖畏諸佛賢聖所共稱嘆背生死苦
示涅槃樂十方三世諸佛所説若聞如是等
經信解受持讀誦以方便力為諸衆生分別
解説顯示分明守護法故是名法之供養又
於諸法如説脩行随順十二因緣離諸耶見
得无生忍决定无我无有衆生而於因緣果

BD00155 號　維摩詰所說經卷下　（12–8）

經信解受持讀誦以方便力為諸衆生分別
解説顯示分明守護法故是名法之供養又
於諸法如説脩行随順十二因緣離諸耶見
得无生忍决定无我无有衆生而於因緣果
報无違无諍離諸我所依於義不依語依於
智不依識依了義經不依不了義經依於法
不依人随順法相无所入无所歸无明畢竟滅
故諸行亦畢竟滅乃至生畢竟滅故老死亦
畢竟滅作如是觀十二因緣无有盡相不復
起見是名最上法之供養佛告天帝王子月
盖從藥王佛聞如是法得柔順忍即解寶衣
嚴身之具以供養佛白佛言世尊如来滅後
我當行法供養守護正法願以威神加哀建
立令我得降魔怨脩菩薩行佛知其深心所
念而記之曰汝於末後守護法城天帝時王
子月盖見法清淨聞佛受記以信出家脩集
善法精進不久得五神通逮菩薩道得陁羅
尼无断辯才於佛滅後以其所得神通揔持
辯才之力滿十小劫藥王如来所轉法輪随
而分布月盖比丘以守護法懃行精進即於
此身化百万億人於阿耨多羅三藐三菩提
立不退轉十四那由他人深發聲聞辟支佛
心无量衆生得生天上天帝時王寶盖豈異
人乎今現得佛号寶炎如来其王千子即賢
劫中千佛是也從迦羅鳩孫大為始得佛最

BD00155 號　維摩詰所說經卷下　（12–9）

立不退轉十四那由他人深發聲聞辟支佛
心无量衆生得生天上天帝時王寶蓋豈異
人乎今現得佛号寶炎如來其王千子即賢
劫中千佛是也從迦羅鳩孫大爲始得佛最
後如來号曰樓至月蓋比丘則我身是如是
天帝當知此要以法供養於諸供養爲上爲
最第一无比是故天帝當以法之供養供養
於佛

囑累品第十四

於是佛告弥勒菩薩言弥勒我今以是无量
億阿僧祇劫所集阿耨多羅三藐三菩提付
囑於汝如是輩經於佛滅後末世之中汝等
當以神力廣宣流布於閻浮提无令斷絶所
以者何未來世中當有善男子善女人及天
龍鬼神乾闥婆羅剎等發阿耨多羅三藐三
菩提心樂于大法若使不聞如是等經則失
善利如此輩人聞是等經必多信樂發希有
心當以頂受隨諸衆生所應得利而爲廣說
弥勒當知菩薩有二相何謂爲二一者好於
雜句文飾之事二者不畏深義如實能入若
好雜句文飾事者當知是爲新學菩薩若於
如是无染无著甚深經典无有恐畏能入其
中聞已心淨受持讀誦如說脩行當知是爲
久脩道行弥勒復有二法名新學者不能決
定於甚深法何等爲二一者所未聞深經聞

BD00155號　維摩詰所說經卷下　（12–10）

如是无染无著甚深經典无有恐畏能入其
中聞已心淨受持讀誦如說脩行當知是爲
久脩道行弥勒復有二法名新學者不能決
定於甚深法何等爲二一者所未聞深經聞
之驚怖生疑不能隨順毀謗不信而作是言
我初不聞從何所來二者若有護持解說如
是深經者不肯親近供養恭敬或時於中說
其過惡有此二法當知是新學菩薩爲自毀
傷不能於深法中調伏其心弥勒復有二法
菩薩雖信解深法猶自毀傷而不能得无生
法忍何等爲二一者輕慢新學菩薩而不教
誨二者雖解深法而取相分別是爲二法
弥勒菩薩聞說是已白佛言世尊未曾有也
如佛所說我當遠離如斯之惡奉持如來无
數阿僧祇劫所集阿耨多羅三藐三菩提法
若未來世善男子善女人求大乘者當令手
得如是等經與其念力使受持讀誦爲他廣
說世尊若後末世有能受持讀誦爲他人說
者當知是弥勒神力之所建立佛言善哉善
哉弥勒如汝所說佛助尒喜於是一切菩薩
合掌白佛我等亦於如來滅後十方國土廣
宣流布阿耨多羅三藐三菩提復當開導諸
說法者令得是經
尒時四天王白佛言世尊在在處處城邑聚
落山林曠野有是經卷讀誦解說者我當率

BD00155號　維摩詰所說經卷下　（12–11）

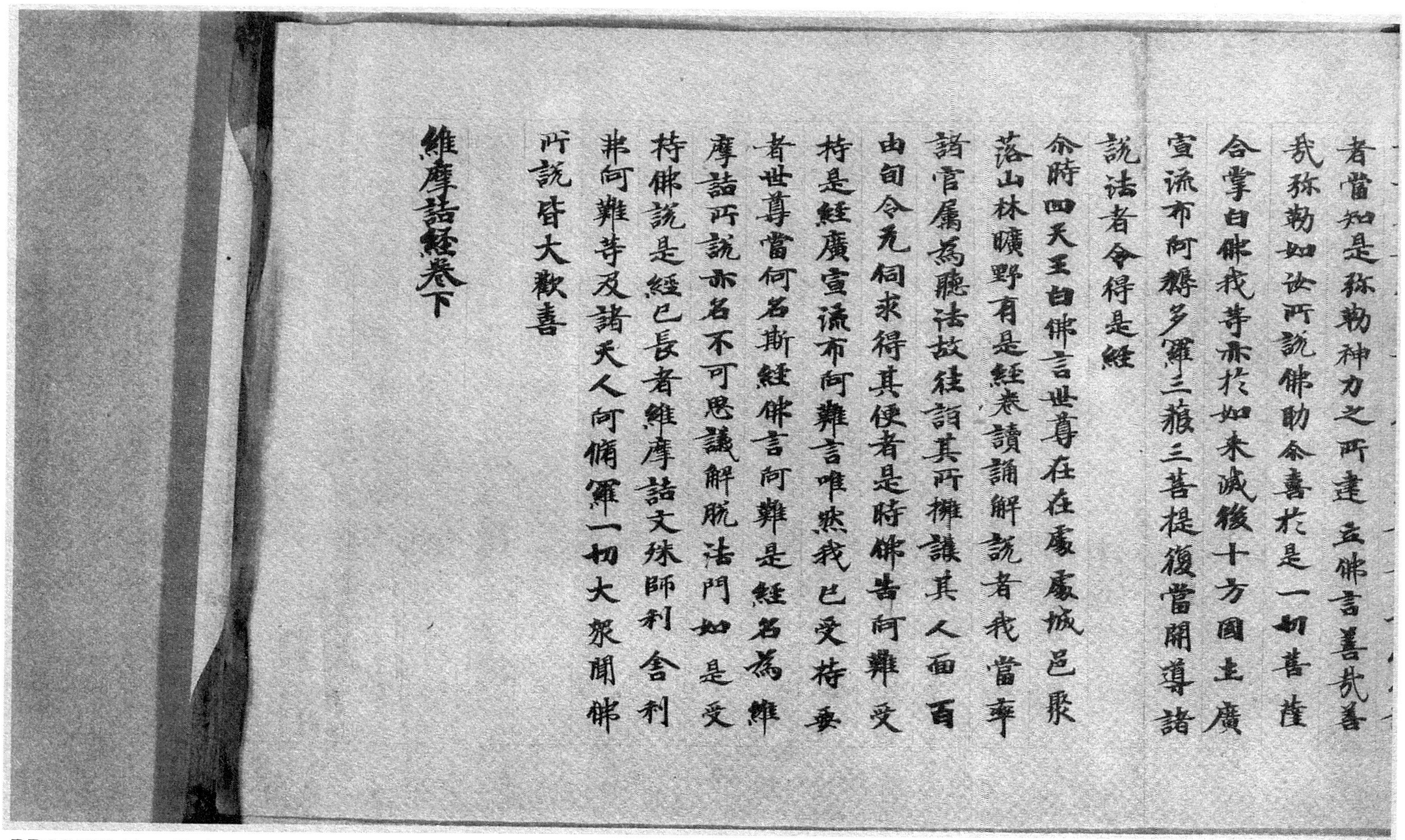

者當知是弥勒神力之所建立佛言善哉善
哉弥勒如汝所說佛助汝喜於是一切菩薩
合掌白佛我等亦於如來滅後十方國土廣
宣流布阿耨多羅三藐三菩提復當開導諸
說法者令得是經
尒時四天王白佛言世尊在在處處城邑聚
落山林曠野有是經卷讀誦解說者我當率
諸官屬為聽法故往詣其所擁護其人面百
由旬令无伺求得其便者是時佛告阿難受
持是經廣宣流布阿難言唯然我已受持要
者世尊當何名斯經佛言阿難是經名為維
摩詰所說亦名不可思議解脫法門如是受
持佛說是經已長者維摩詰文殊師利舍利
弗阿難等及諸天人阿脩羅一切大衆聞佛
所說皆大歡喜
維摩詰經卷下

BD00155 號　維摩詰所說經卷下

（12–12）

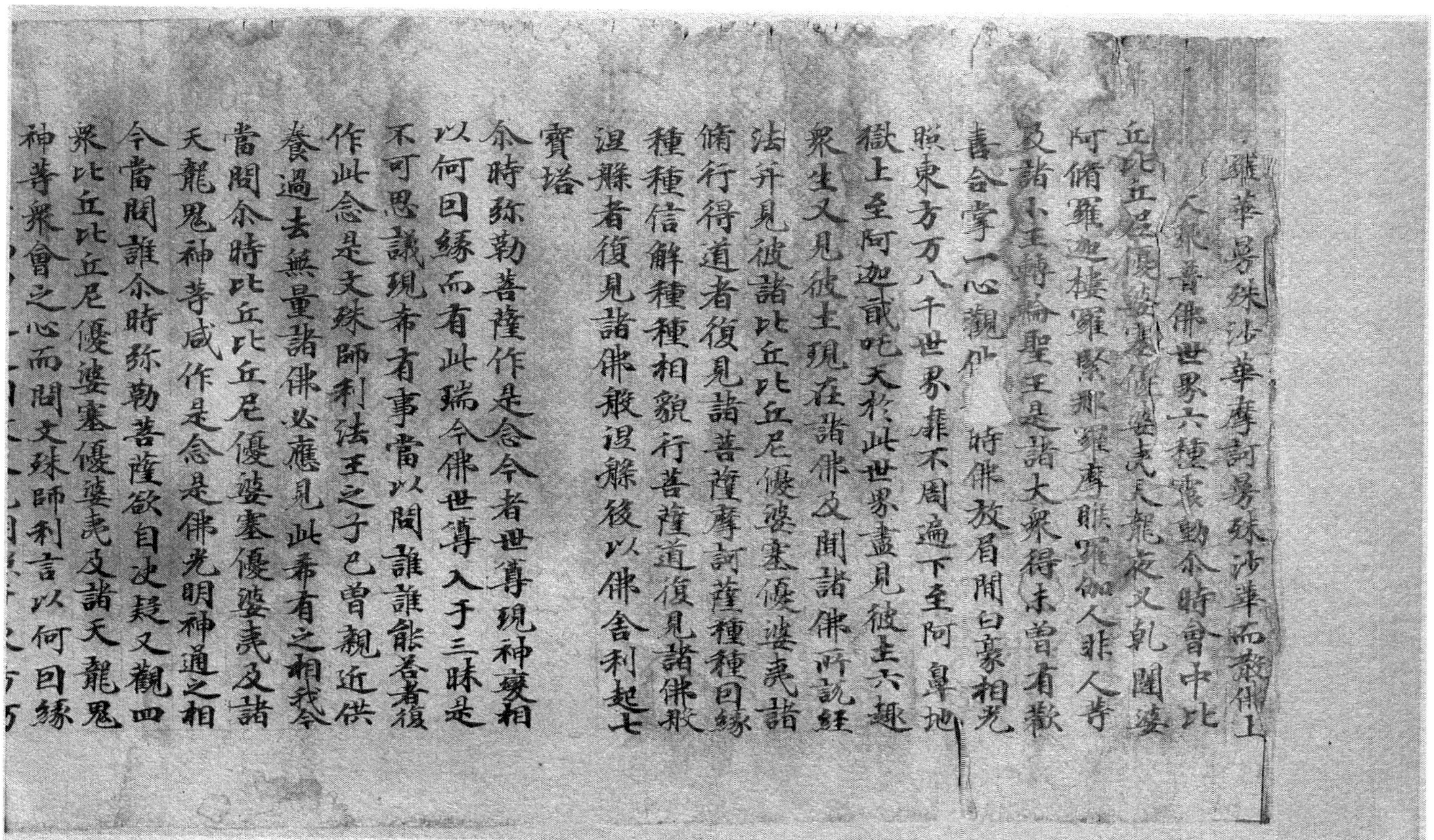

羅華曼殊沙華摩訶曼殊沙華而散佛上
大衆普佛世界六種震動尒時會中比
丘比丘尼優婆塞優婆夷天龍夜叉乾闥婆
阿脩羅迦樓羅緊那羅摩睺羅伽人非人等
及諸小王轉輪聖王是諸大衆得未曾有歡
喜合掌一心觀佛　尒時佛放眉間白毫相光
照東方万八千世界靡不周遍下至阿鼻地
獄上至阿迦尼吒天於此世界盡見彼土六趣
衆生又見彼土現在諸佛及聞諸佛所說經
法并見彼諸比丘比丘尼優婆塞優婆夷諸
脩行得道者復見諸菩薩摩訶薩種種因緣
種種信解種種相貌行菩薩道復見諸佛般
涅槃者復見諸佛般涅槃後以佛舍利起七
寶塔
尒時弥勒菩薩作是念今者世尊現神變相
以何因緣而有此瑞今佛世尊入于三昧是
不可思議現希有事當以問誰誰能荅者復
作此念是文殊師利法王之子已曾親近供
養過去無量諸佛必應見此希有之相我今
當問尒時比丘比丘尼優婆塞優婆夷及諸
天龍鬼神等咸作是念是佛光明神通之相
今當問誰尒時弥勒菩薩欲自決疑又觀四
衆比丘比丘尼優婆塞優婆夷及諸天龍鬼
神等衆會之心而問文殊師利言以何因緣

BD00156 號　妙法蓮華經卷一

（21–1）

不可思議現希有事當以問誰誰能荅者復
作此念是文殊師利法王之子已曾親近供
養過去無量諸佛必應見此希有之相我今
當問尒時比丘比丘尼優婆塞優婆夷及諸
天龍鬼神等咸作是念是佛光明神通之相
今當問誰尒時弥勒菩薩欲自決疑又觀四
衆比丘比丘尼優婆塞優婆夷及諸天龍鬼
神等衆會之心而問文殊師利言以何因緣
而有此瑞神通之相放大光明照于東方万
八千土悉見彼佛國界莊嚴於是弥勒菩薩
欲重宣此義以偈問曰
文殊師利 導師何故 眉間白毫 大光普照
雨曼陁羅 曼殊沙華 栴檀香風 悅可衆心
以是因緣 地皆嚴淨 而此世界 六種震動
時四部衆 咸皆歡喜 身意快然 得未曾有
眉間光明 照于東方 万八千土 皆如金色
從阿鼻獄 上至有頂 諸世界中 六道衆生
生死所趣 善惡業緣 受報好醜 於此悉見
又覩諸佛 聖主師子 演說經典 微妙第一
其聲清淨 出柔濡音 教諸菩薩 無數億万
梵音深妙 令人樂聞 各於世界 講說正法
種種因緣 以無量喻 照明佛法 開悟衆生
若人遭苦 厭老病死 為說涅槃 盡諸苦際
若人有福 曾供養佛 志求勝法 為說緣覺
若有佛子 脩種種行 求無上慧 為說淨道
文殊師利 我住於此 見聞若斯 及千億事
如是衆多 今當略說

BD00156號　妙法蓮華經卷一　（21–2）

若人有福 曾供養佛 志求勝法 為說緣覺
若有佛子 脩種種行 求無上慧 為說淨道
文殊師利 我住於此 見聞若斯 及千億事
如是衆多 今當略說
我見彼土 恒沙菩薩 種種因緣 而求佛道
或有行施 金銀珊瑚 真珠摩尼 車𤦲馬瑙
金剛諸珎 奴婢車乘 寶飾輦轝 歡喜布施
迴向佛道 願得是乘 三界第一 諸佛所歎
或有菩薩 駟馬寶車 欄楯華蓋 軒飾布施
復見菩薩 身肉手足 及妻子施 求無上道
又見菩薩 頭目身體 欣樂施與 求佛智慧
文殊師利 我見諸王 往詣佛所 問無上道
便捨樂土 宮殿臣妾 剃除鬚髮 而被法服
或見菩薩 而作比丘 獨處閑靜 樂誦經典
又見菩薩 勇猛精進 入於深山 思惟佛道
又見離欲 常處空閑 深脩禪定 得五神通
又見菩薩 安禪合掌 以千万偈 讚諸法王
復見菩薩 智深志固 能問諸佛 聞悉受持
又見佛子 定慧具足 以無量喻 為衆講法
欣樂說法 化諸菩薩 破魔兵衆 而擊法鼓
又見菩薩 寂然宴默 天龍恭敬 不以為喜
又見菩薩 處林放光 濟地獄苦 令入佛道
又見佛子 未曾睡眠 經行林中 懃求佛道
又見具戒 威儀無缺 淨如寶珠 以求佛道
又見佛子 住忍辱力 增上慢人 惡罵捶打
皆悉能忍 以求佛道
又見菩薩 離諸戲咲 及癡眷屬 親近智者

BD00156號　妙法蓮華經卷一　（21–3）

又見具戒　威儀無缺　淨如寶珠　以求佛道
又見佛子　住忍辱力　增上慢人　惡罵捶打
皆悉能忍　以求佛道
又見菩薩　離諸戲咲　及癡眷屬　親近智者
一心除亂　攝念山林　億千万歲　以求佛道
或見菩薩　餚饍飲食　百種湯藥　施佛及僧
名衣上服　價直千万　或無價衣　施佛及僧
千万億種　栴檀寶舍　衆妙卧具　施佛及僧
清淨園林　華菓茂盛　流泉浴池　施佛及僧
如是等施　種種微妙　歡喜無猒　求無上道
或有菩薩　說寂滅法　種種教詔　無數衆生
或見菩薩　觀諸法性　無有二相　猶如虛空
又見佛子　心無所著　以此妙慧　求無上道
文殊師利　又有菩薩　佛滅度後　供養舍利
又見佛子　造諸塔廟　無數恒沙　嚴飾國界
寶塔高妙　五千由旬　縱廣正等　二千由旬
一一塔廟　各千幢幡　珠交露幔　寶鈴和鳴
諸天龍神　人及非人　香華伎樂　常以供養
文殊師利　諸佛子等　為供舍利　嚴飾塔廟
國界自然　殊特妙好　如天樹王　其華開敷
佛放一光　我及衆會　見此國界　種種殊妙
諸佛神力　智慧希有　放一淨光　照無量國
我等見此　得未曾有　佛子文殊　願決衆疑
四衆欣仰　瞻仁及我　世尊何故　放斯光明
佛子時荅　決疑令喜　何所饒益　演斯光明
佛坐道場　所得妙法　為欲說此　為當授記
示諸佛土　衆寶嚴淨　及見諸佛　此非小緣

四衆欣仰　瞻仁及我　世尊何故　放斯光明
佛子時荅　決疑令喜　何所饒益　演斯光明
佛坐道場　所得妙法　為欲說此　為當授記
示諸佛土　衆寶嚴淨　及見諸佛　此非小緣
文殊當知　四衆龍神　瞻察仁者　為說何等
是時文殊師利語弥勒菩薩摩訶薩及諸大
士善男子等如我惟忖今佛世尊欲說大法
雨大法雨吹大法蠡擊大法鼓演大法義諸
善男子我於過去諸佛曾見此瑞放斯光已
即說大法是故當知今佛現光亦復如是欲
令衆生咸得聞知一切世間難信之法故現
斯瑞諸善男子如過去無量無邊不可思議
阿僧祇劫尒時有佛号日月燈明如來應供
正遍知明行足善逝世間解無上士調御丈
夫天人師佛世尊演說正法初善中善後善
其義深遠其語巧妙純一無雜具足清白梵
行之相為求聲聞者說應四諦法度生老病
死究竟涅槃為求辟支佛者說應十二因緣
法為諸菩薩說應六波羅蜜令得阿耨多羅
三藐三菩提成一切種智
次復有佛亦名日月燈明次復有佛亦名日
月燈明如是二万佛皆同一字号日月燈明
又同一姓姓頗羅墮弥勒當知初佛後佛皆
同一字名日月燈明十号具足所可說法初
中後善其最後佛未出家時有八子一名有
意二名善意三名無量意四名寶意五名增

又同一姓姓頗羅墮彌勒當知初佛後佛皆
同一字名日月燈明十号具足所可說法初
中後善其最後佛未出家時有八子一名有
意二名善意三名無量意四名寶意五名增
意六名除疑意七名響意八名法意是八王
子威德自在各領四天下是諸王子聞父出
家得阿耨多羅三藐三菩提悉捨王位亦隨
出家發大乘意常脩梵行皆為法師已於千
万佛所殖諸善本是時日月燈明佛說大乘
經名無量義教菩薩法佛所護念說是經已
即於大眾中結跏趺坐入於無量義處三昧
身心不動是時天雨曼陁羅華摩訶曼陁羅
華曼殊沙華摩訶曼殊沙華而散佛上及諸
大眾普佛世界六種震動尒時會中比丘比丘
尼優婆塞優婆夷天龍夜叉乾闥婆阿脩羅
迦樓羅緊那羅摩睺羅伽人非人及諸小
王轉輪聖王等是諸大眾得未曾有歡喜合
掌一心觀佛尒時如來放眉間白毫相光照
于東方万八千佛土靡不周遍如今所見是
諸佛土彌勒當知尒時會中有廿億菩薩樂
欲聽法是諸菩薩見此光明普照佛土得未
曾有欲知此光所為因緣時有菩薩名曰妙
光有八百弟子是時日月燈明佛從三昧起
因妙光菩薩說大乘經名妙法蓮華教菩薩
法佛所護念六十小劫不起于坐時會聽者
亦坐一處六十小劫身心不動聽佛所說謂
如食頃是時眾中無有一人若身若心而生
懈惓日月燈明佛於六十小劫說是經已即

BD00156號　妙法蓮華經卷一　（21–6）

法佛所護念六十小劫不起于坐時會聽者
亦坐一處六十小劫身心不動聽佛所說謂
如食頃是時眾中無有一人若身若心而生
懈惓日月燈明佛於六十小劫說是經已即
於梵魔沙門婆羅門及天人阿脩羅眾中而
宣此言如來於今日中夜當入無餘涅槃時
有菩薩名曰德藏日月燈明佛即授其記告
諸比丘是德藏菩薩次當作佛号曰淨身多
陁阿伽度阿羅訶三藐三佛陁佛授記已便
於中夜入無餘涅槃佛滅度後妙光菩薩持
妙法蓮華經滿八十小劫為人演說日月燈
明佛八子皆師妙光妙光教化令其堅固阿
耨多羅三藐三菩提是諸王子供養無量百
千万億佛已皆成佛道其最後成佛者名曰
然燈八百弟子中有一人号曰求名貪著利
養雖復讀誦眾經而不通利多所忘失故号
求名是人亦以種諸善根因緣故得值無量
百千万億諸佛供養恭敬尊重讚歎彌勒當
知尒時妙光菩薩豈異人乎我身是也求名
菩薩汝身是也今見此瑞與本無異是故惟
忖今日如來當說大乘經名妙法蓮華教菩
薩法佛所護念尒時文殊師利於大眾中欲
重宣此義而說偈言
我念過去世　無量無數劫　有佛人中尊　号日月燈明
世尊演說法　度無量眾生　無數億菩薩　令入佛智慧
佛未出家時　所生八王子　見大聖出家　亦隨脩梵行
時佛說大乘　經名無量義　於諸大眾中　而為廣分別
佛說此經已　即於法坐上　跏趺坐三昧　名無量義處

BD00156號　妙法蓮華經卷一　（21–7）

我念過去世　無量無數劫　有佛人中尊　號日月燈明
世尊演說法　度無量衆生　無數億菩薩　令入佛智慧
佛未出家時　所生八王子　見大聖出家　亦隨脩梵行
時佛說大乘　經名無量義　於諸大衆中　而為廣分別
佛說此經已　即於法座上　跏趺坐三昧　名無量義處
天雨曼陁羅　天鼓自然鳴　諸天龍鬼神　供養人中尊
一切諸佛土　即時大震動　佛放眉間光　現諸希有事
此光照東方　万八千佛土　示一切衆生　生死業報處
有見諸佛土　以衆寶莊嚴　琉璃頗梨色　斯由佛光照
及見諸天人　龍神夜叉衆　乾闥緊那羅　各供養其佛
又見諸如來　自然成佛道　身色如金山　端嚴甚微妙
如淨瑠璃中　內現真金像　世尊在大衆　敷演深法義
一一諸佛土　聲聞衆無數　因佛光所照　悉見彼大衆
或有諸比丘　在於山林中　精進持淨戒　猶如護明珠
又見諸菩薩　行施忍辱等　其數如恒沙　斯由佛光照
又見諸菩薩　深入諸禪定　身心寂不動　以求無上道
又見諸菩薩　知法寂滅相　各於其國土　說法求佛道
尒時四部衆　見日月燈佛　現大神通力　其心皆歡喜
各各自相問　是事何因緣　天人所奉尊　適從三昧起
讚妙光菩薩　汝為世間眼　一切所歸信　能奉持法藏
如我所說法　唯汝能證知　世尊既讚歎　令妙光歡喜
說是法華經　滿六十小劫　不起於此座　所說上妙法
是妙光法師　悉皆能受持　佛說是法華　令衆歡喜已
尋即於是日　告於天人衆　諸法實相義　已為汝等說
我今於中夜　當入於涅槃　汝一心精進　當離於放逸
諸佛甚難值　億劫時一遇　世尊諸子等　聞佛入涅槃
各各懷悲惱　佛滅一何速　聖主法之王　安慰無量衆
我若滅度時　汝等勿憂怖　是德藏菩薩　於無漏實相

BD00156號　妙法蓮華經卷一　（21-8）

尋即於是日　告於天人衆　諸法實相義　已為汝等說
我今於中夜　當入於涅槃　汝一心精進　當離於放逸
諸佛甚難值　億劫時一遇　世尊諸子等　聞佛入涅槃
各各懷悲惱　佛滅一何速　聖主法之王　安慰無量衆
我若滅度時　汝等勿憂怖　是德藏菩薩　於無漏實相
心已得通達　其次當作佛　号曰為淨身　亦度無量衆
佛此夜滅度　如薪盡火滅　分布諸舍利　而起無量塔
比丘比丘尼　其數如恒沙　倍復加精進　以求無上道
是妙光法師　奉持佛法藏　八十小劫中　廣宣法華經
是諸八王子　妙光所開化　堅固無上道　當見無數佛
供養諸佛已　隨順行大道　相繼得成佛　轉次而授記
最後天中天　号曰然燈佛　諸仙之導師　度脫無量衆
是妙光法師　時有一弟子　心常懷懈怠　貪著於名利
求名利無猒　多遊族姓家　棄捨所習誦　廢忘不通利
以是因緣故　号之為求名　亦行衆善業　得見無數佛
供養於諸佛　隨順行大道　具六波羅蜜　今見釋師子
其後當作佛　号名曰弥勒　廣度諸衆生　其數無有量
彼佛滅度後　懈怠者汝是　妙光法師者　今則我身是
我見燈明佛　本光瑞如此　以是知今佛　欲說法華經
今相如本瑞　是諸佛方便　今佛放光明　助發實相義
諸人今當知　合掌一心待　佛當雨法雨　充足求道者
諸求三乘人　若有疑悔者　佛當為除斷　令盡無有餘

妙法蓮華經方便品第二

尒時世尊從三昧安詳而起告舍利弗諸佛
智慧甚深無量其智慧門難解難入一切聲
聞辟支佛所不能知所以者何佛曾親近百
千万億無數諸佛盡行諸佛無量道法勇猛

BD00156號　妙法蓮華經卷一　（21-9）

妙法蓮華經方便品第二
尒時世尊從三昧安詳而起告舍利弗諸佛
智慧甚深無量其智慧門難解難入一切聲
聞辟支佛所不能知所以者何佛曾親近百
千万億無數諸佛盡行諸佛無量道法勇猛
精進名稱普聞成就甚深未曾有法隨宜所
說意趣難解舍利弗吾從成佛以來種種因
緣種種譬喻廣演言教無數方便引導衆生
令離諸著所以者何如來方便知見波羅蜜
皆已具足舍利弗如來知見廣大深遠無量
無閡力無所畏禪定解脫三昧深入無際成
就一切未曾有法舍利弗如來能種種分別
巧說諸法言辭柔軟悅可衆心舍利弗取要
言之無量無邊未曾有法佛悉成就止舍利
弗不須復說所以者何佛所成就第一希有
難解之法唯佛與佛乃能究盡諸法實相所
謂諸法如是相如是性如是體如是力如是
作如是因如是緣如是果如是報如是本末
究竟等尒時世尊欲重宣此義而說偈言
世雄不可量　諸天及世人　一切衆生類　無能知佛者
佛力無所畏　解脫諸三昧　及佛諸餘法　無能測量者
本從無數佛　具足行諸道　甚深微妙法　難見難可了
於無量億劫　行此諸道已　道場得成果　我已悉知見
如是大果報　種種性相義　我及十方佛　乃能知是事
是法不可示　言辭相寂滅　諸餘衆生類　無有能得解
除諸菩薩衆　信力堅固者　諸佛弟子衆　曾供養諸佛

BD00156號　妙法蓮華經卷一

（21-10）

如是大果報　種種性相義　我及十方佛　乃能知是事
是法不可示　言辭相寂滅　諸餘衆生類　無有能得解
除諸菩薩衆　信力堅固者　諸佛弟子衆　曾供養諸佛
一切漏已盡　住是最後身　如是諸人等　其力所不堪
假使滿世間　皆如舍利弗　盡思共度量　不能測佛智
正使滿十方　皆如舍利弗　及餘諸弟子　亦滿十方剎
盡思共度量　亦復不能知　辟支佛利智　無漏最後身
亦滿十方界　其數如竹林　斯等共一心　於億無量劫
欲思佛實智　莫能知少分　新發意菩薩　供養無數佛
了達諸義趣　又能善說法　如稻麻竹葦　充滿十方剎
一心以妙智　於恒河沙劫　咸皆共思量　不能知佛智
不退諸菩薩　其數如恒沙　一心共思求　亦復不能知
又告舍利弗　無漏不思議　甚深微妙法　我今已具得
唯我知是相　十方佛亦然　舍利弗當知　諸佛語無異
於佛所說法　當生大信力　世尊法久後　要當說真實
告諸聲聞衆　及求緣覺乘　我令脫苦縛　逮得涅槃者
佛以方便力　示以三乘教　衆生處處著　引之令得出
尒時大衆中有諸聲聞漏盡阿羅漢阿若憍
陳如等千二百人及發聲聞辟支佛心比丘
比丘尼優婆塞優婆夷各作是念今者世尊
何故慇懃稱歎方便而作是言佛所得法甚
深難解有所言說意趣難知一切聲聞辟支
佛所不能及佛說一解脫義我等亦得此法
到於涅槃而今不知是義所趣尒時舍利弗
知四衆心疑自亦未了而白佛言世尊何因
何緣慇懃稱歎諸佛第一方便甚深微妙難
解之法我自昔來未曾從佛聞如是說今者

BD00156號　妙法蓮華經卷一

（21-11）

到於涅槃而今不知是義所趣尒時舍利弗
知四衆心疑自亦未了而白佛言世尊何因
何緣慇懃稱歎諸佛第一方便甚深微妙難
解之法我自昔來未曾從佛聞如是說今者
四衆咸皆有疑唯願世尊敷演斯事世尊何
故慇懃稱歎甚深微妙難解之法尒時舍利
弗欲重宣此義而說偈言
慧日大聖尊　久乃說是法　自說得如是　力無畏三昧
禪定解脫等　不可思議法　道場所得法　無能發問者
我意難可測　亦無能問者　無問而自說　稱歎所行道
智慧甚深妙　諸佛之所得　無漏諸羅漢　及求涅槃者
今皆墮疑網　佛何故說是　其求緣覺者　比丘比丘尼
諸天龍鬼神　及乾闥婆等　相視懷猶豫　瞻仰兩足尊
是事為云何　願佛為解說　於諸聲聞衆　佛說我第一
我今自於智　疑惑不能了　為是究竟法　為是所行道
佛口所生子　合掌瞻仰待　願出微妙音　時為如實說
諸天龍神等　其數如恒沙　求佛諸菩薩　大數有八万
又諸万億國　轉輪聖王至　合掌以敬心　欲聞具足道
尒時佛告舍利弗止止不須復說若說是事
一切世間諸天及人皆當驚疑舍利弗重白
佛言世尊唯願說之唯願說之所以者何是
會無數百千万億阿僧祇衆生曾見諸佛諸
根猛利智慧明了聞佛所說則能敬信尒時
舍利弗欲重宣此義而說偈言
法王无上尊　唯願說勿慮　是會無量衆　有能敬信者
佛復止舍利弗若說是事一切世間天人阿
脩羅皆當驚疑增上慢比丘將墜於大坑尒

BD00156號　妙法蓮華經卷一　（21–12）

舍利弗欲重宣此義而說偈言
法王无上尊　唯願說勿慮　是會無量衆　有能敬信者
佛復止舍利弗若說是事一切世間天人阿
脩羅皆當驚疑增上慢比丘將墜於大坑尒
時世尊重說偈言
止止不須說　我法妙難思　諸增上慢者　聞必不敬信
尒時舍利弗重白佛言世尊唯願說之唯願
說之今此會中如我等比百千万億世世已
曾從佛受化如此人等必能敬信長夜安隱
多所饒益尒時舍利弗欲重宣此義而說偈
言
無上兩足尊　願說第一法　我為佛長子　唯垂分別說
是會無量衆　能敬信此法　佛已曾世世　教化如是等
皆一心合掌　欲聽受佛語　我等千二百　及餘求佛者
願為此衆故　唯垂分別說　是等聞此法　則生大歡喜
尒時世尊告舍利弗汝已慇懃三請豈得不
說汝今諦聽善思念之吾當為汝分別解說
說此語時會中有比丘比丘尼優婆塞優婆
夷五千人等即從坐起礼佛而退所以者何
此輩罪根深重及增上慢未得謂得未證謂
證有如此失是以不住世尊默然而不制止
尒時佛告舍利弗我今此衆無復枝葉純有
貞實舍利弗如是增上慢人退亦佳矣汝今
善聽當為汝說舍利弗言唯然世尊願樂欲
聞佛告舍利弗如是妙法諸佛如來時乃說
之如優曇鉢華時一現耳舍利弗汝等當信

BD00156號　妙法蓮華經卷一　（21–13）

善聽當為汝說舍利弗言唯然世尊願樂欲
聞佛告舍利弗如是妙法諸佛如來時乃說
之如優曇鉢華時一現耳舍利弗汝等當信
佛之所說言不虛妄舍利弗諸佛隨宜說法
意趣難解所以者何我以無數方便種種因
緣譬喻言辭演說諸法是法非思量分別之
所能解唯有諸佛乃能知之所以者何諸佛
世尊唯以一大事因緣故出現於世舍利弗
云何名諸佛世尊唯以一大事因緣故出現
於世諸佛世尊欲令衆生開佛知見使得清
淨故出現於世欲示衆生佛知見故出現於
世欲令衆生悟佛知見故出現於世欲令衆
生入佛知見道故出現於世舍利弗是為諸
佛以一大事因緣故出現於世佛告舍利弗
諸佛如來但教化菩薩諸有所作常為一事
唯以佛之知見示悟衆生舍利弗如來但以
一佛乘故為衆生說法無有餘乘若二若三
舍利弗一切十方諸佛法亦如是舍利弗過
去諸佛以無量無數方便種種因緣譬喻言
辭而為衆生演說諸法是法皆為一佛乘故
是諸衆生從佛聞法究竟皆得一切種智舍
利弗未來諸佛當出於世亦以無量無數方
便種種因緣譬喻言辭而為衆生演說諸法
是法皆為一佛乘故是諸衆生從佛聞法究
竟皆得一切種智舍利弗現在十方無量百
千万億佛土中諸佛世尊多所饒益安樂衆
生是諸佛亦以無量無數方便種種因緣譬

BD00156號　妙法蓮華經卷一　（21–14）

是法皆為一佛乘故是諸衆生從佛聞法究
竟皆得一切種智舍利弗現在十方無量百
千万億佛土中諸佛世尊多所饒益安樂衆
生是諸佛亦以無量無數方便種種因緣譬
喻言辭而為衆生演說諸法是法皆為一佛
乘故是諸衆生從佛聞法究竟皆得一切種
智舍利弗是諸佛但教化菩薩欲以佛之知
見示衆生故欲以佛之知見悟衆生故欲令
衆生入佛知見故舍利弗我今亦復如是知
諸衆生有種種欲深心所著隨其本性以種
種因緣譬喻言辭方便力而為說法舍利弗
如此皆為得一佛乘一切種智故舍利弗十
方世界中尚無二乘何況有三舍利弗諸佛
出於五濁惡世所謂劫濁煩惱濁衆生濁見
濁命濁如是舍利弗劫濁亂時衆生垢重慳
貪嫉妬成就諸不善根故諸佛以方便力於
一佛乘分別說三舍利弗若我弟子自謂阿
羅漢辟支佛者不聞不知諸佛如來但教化
菩薩事此非佛弟子非阿羅漢非辟支佛又
舍利弗是諸比丘比丘尼自謂已得阿羅漢
是最後身究竟涅槃便不復志求阿耨多羅
三藐三菩提當知此輩皆是增上慢人所以
者何若有比丘實得阿羅漢若不信此法無
有是處除佛滅度後現前無佛所以者何佛
滅度後如是等經受持讀誦解義者是人難
得若遇餘佛於此法中便得決了舍利弗汝
等當一心信解受持佛語諸佛如來言無虛

BD00156號　妙法蓮華經卷一　（21–15）

有是處除佛滅度後現前無佛所以者何佛
滅度後如是等經受持讀誦解義者是人難
得若遇餘佛於此法中便得決了舍利弗汝
等當一心信解受持佛語諸佛如來言無虛
妄無有餘乘唯一佛乘尒時世尊欲重宣此
義而說偈言
比丘比丘尼 有懷增上慢 優婆塞我慢 優婆夷不信
如是四衆等 其數有五千 不自見其過 於戒有缺漏
護惜其瑕疵 是小智已出 衆中之糟糠 佛威德故去
斯人尠福德 不堪受是法 此衆無枝葉 唯有諸貞實
舍利弗善聽 諸佛所得法 無量方便力 而為衆生說
衆生心所念 種種所行道 若干諸欲性 先世善惡業
佛悉知是已 以諸緣譬喻 言辭方便力 令一切歡喜
或說修多羅 伽陁及本事 本生未曾有 亦說於因緣
譬喻并祇夜 優波提舍經 鈍根樂小法 貪著於生死
於諸無量佛 不行深妙道 衆苦所惱亂 為是說涅槃
我設是方便 令得入佛慧 未曾說汝等 當得成佛道
所以未曾說 說時未至故 今正是其時 決定說大乘
我此九部法 隨順衆生說 入大乘為本 以故說是經
有佛子心淨 柔軟亦利根 無量諸佛所 而行深妙道
為此諸佛子 說是大乘經
我記如是人 來世成佛道 以深心念佛 修持淨戒故
此等聞得佛 大喜充遍身 佛知彼心行 故為說大乘
聲聞若菩薩 聞我所說法 乃至於一偈 皆成佛無疑
十方佛土中 唯有一乘法 無二亦無三 除佛方便說
但以假名字 引導於衆生 說佛智慧故 諸佛出於世
唯此一事實 餘二則非真 終不以小乘 濟度於衆生

BD00156號　妙法蓮華經卷一　（21–16）

聲聞若菩薩 聞我所說法 乃至於一偈 皆成佛無疑
十方佛土中 唯有一乘法 無二亦無三 除佛方便說
但以假名字 引導於衆生 說佛智慧故 諸佛出於世
唯此一事實 餘二則非真 終不以小乘 濟度於衆生
佛自住大乘 如其所得法 定慧力莊嚴 以此度衆生
自證無上道 大乘平等法 若以小乘化 乃至於一人
我則墮慳貪 此事為不可 若人信歸佛 如來不欺誑
亦無貪嫉意 斷諸法中惡 故佛於十方 而獨無所畏
我以相嚴身 光明照世間 無量衆所尊 為說實相印
舍利弗當知 我本立誓願 欲令一切衆 如我等無異
如我昔所願 今者已滿足 化一切衆生 皆令入佛道
若我遇衆生 盡教以佛道 無智者錯亂 迷惑不受教
我知此衆生 未曾修善本 堅著於五欲 癡愛故生惱
以諸欲因緣 墜墮三惡道 輪迴六趣中 備受諸苦毒
受胎之微形 世世常增長 薄德少福人 衆苦所逼迫
入邪見稠林 若有若無等 依止此諸見 具足六十二
深著虛妄法 堅受不可捨 我慢自矜高 諂曲心不實
於千万億劫 不聞佛名字 亦不聞正法 如是人難度
是故舍利弗 我為設方便 說諸盡苦道 示之以涅槃
我雖說涅槃 是亦非真滅 諸法從本來 常自寂滅相
佛子行道已 來世得作佛
我有方便力 開示三乘法 一切諸世尊 皆說一乘道
今此諸大衆 皆應除疑惑 諸佛語無異 唯一無二乘
過去無數劫 無量滅度佛 百千万億種 其數不可量
如是諸世尊 種種緣譬喻 無數方便力 演說諸法相
是諸世尊等 皆說一乘法 化無量衆生 令入於佛道
又諸大聖主 知一切世間 天人羣生類 深心之所欲

BD00156號　妙法蓮華經卷一　（21–17）

……其數不可量
如是諸世尊 種種緣譬喻 無數方便力 演說諸法相
是諸世尊等 皆說一乘法 化無量衆生 令入於佛道
又諸大聖主 知一切世間 天人羣生類 深心之所欲
更以異方便 助顯第一義 若有衆生類 值諸過去佛
若聞法布施 或持戒忍辱 精進禪智等 種種脩福德
如是諸人等 皆已成佛道 諸佛滅度已 若人善耎心
如是諸衆生 皆已成佛道 諸佛滅度已 供養舍利者
起万億種塔 金銀及頗梨 車璖與馬瑙 玫瑰瑠璃珠
清淨廣嚴飾 莊校於諸塔 或有起石廟 栴檀及沈水
木櫁并餘材 塼瓦泥土等 若於曠野中 積土成佛廟
乃至童子戲 聚沙為佛塔 如是諸人等 皆已成佛道
若人為佛故 建立諸形像 刻雕成衆相 皆已成佛道
或以七寶成 鍮石赤白銅 白鑞及鈆錫 鐵木及與泥
或以膠漆布 嚴飾作佛像 如是諸人等 皆已成佛道
綵畫作佛像 百福莊嚴相 自作若使人 皆已成佛道
乃至童子戲 若草木及筆 或以指爪甲 而畫作佛像
如是諸人等 漸漸積功德 具足大悲心 皆已成佛道
但化諸菩薩 度脫無量衆 若人於塔廟 寶像及畫像
以華香幡蓋 敬心而供養 若使人作樂 擊鼓吹角貝
簫笛琴箜篌 琵琶鐃銅鈸 如是衆妙音 盡持以供養
或以歡喜心 歌唄頌佛德 乃至一小音 皆已成佛道
若人散亂心 乃至以一華 供養於畫像 漸見無數佛
或有人禮拜 或復但合掌 乃至舉一手 或復小低頭
以此供養像 漸見無量佛 自成無上道 廣度無數衆
入無餘涅槃 如薪盡火滅
若人散亂心 入於塔廟中 一稱南無佛 皆已成佛道

BD00156號 妙法蓮華經卷一 （21–18）

若人散亂心 乃至以一華 供養於畫像 漸見無數佛
或有人禮拜 或復但合掌 乃至舉一手 或復小低頭
以此供養像 漸見無量佛 自成無上道 廣度無數衆
入無餘涅槃 如薪盡火滅
若人散亂心 入於塔廟中 一稱南無佛 皆已成佛道
於諸過去佛 在世或滅後 若有聞法者 皆已成佛道
未來諸世尊 其數無有量 是諸如來等 亦方便說法
一切諸如來 以無量方便 度脫諸衆生 入佛無漏智
若有聞法者 無一不成佛 諸佛本誓願 我所行佛道
普欲令衆生 亦同得此道 未來世諸佛 雖說百千億
無數諸法門 其實為一乘 諸佛兩足尊 知法常無性
佛種從緣起 是故說一乘 是法住法位 世間相常住
於道場知已 導師方便說 天人所供養 現在十方佛
其數如恒沙 出現於世間 安隱衆生故 亦說如是法
知第一寂滅 以方便力故 雖示種種道 其實為佛乘
知衆生諸行 深心之所念 過去所習業 欲性精進力
及諸根利鈍 以種種因緣 譬喻亦言辭 隨應方便說
今我亦如是 安隱衆生故 以種種法門 宣示於佛道
我以智慧力 知衆生性欲 方便說諸法 皆令得歡喜
舍利弗當知 我以佛眼觀 見六道衆生 貧窮無福慧
入生死險道 相續苦不斷 深著於五欲 如犛牛愛尾
以貪愛自蔽 盲瞑無所見 不求大勢佛 及與斷苦法
深入諸邪見 以苦欲捨苦 為是衆生故 而起大悲心
我始坐道場 觀樹亦經行 於三七日中 思惟如是事
我所得智慧 微妙最第一 衆生諸根鈍 著樂癡所盲
如斯之等類 云何而可度
尒時諸梵王 及諸天帝釋 護世四天王 及大自在天

BD00156號 妙法蓮華經卷一 （21–19）

我始坐道場　觀樹亦經行　於三七日中　思惟如是事
我所得智慧　微妙最弟一　衆生諸根鈍　著樂癡所盲
如斯之等類　云何而可度
尒時諸梵王　及諸天帝釋　護世四天王　及大自在天
并餘諸天衆　眷屬百千万　恭敬合掌礼　請我轉法輪
我即自思惟　若但讚佛乘　衆生沒在苦　不能信是法
破法不信故　墜於三惡道　我寧不說法　疾入於涅槃
尋念過去佛　所行方便力　我今所得道　亦應說三乘
作是思惟時　十方佛皆現　梵音慰喻我　善哉釋迦文
弟一之導師　得是無上法　隨諸一切佛　而用方便力
我等亦皆得　最妙弟一法　為諸衆生類　分別說三乘
少智樂小法　不自信作佛　是故以方便　分別說諸果
雖復說三乘　但為教菩薩
舍利弗當知　我聞聖師子　深淨微妙音　稱南无諸佛
復作如是念　我出濁惡世　如諸佛所說　我亦隨順行
思惟是事已　即趣波羅㮈　諸法寂滅相　不可以言宣
以方便力故　為五比丘說　是名轉法輪　便有涅槃音
及以阿羅漢　法僧差別名　從久遠劫來　讚示涅槃法
生死苦永盡　我常如是說　舍利弗當知　我見佛子等
志求佛道者　無量千万億　咸以恭敬心　皆來至佛所
曾從諸佛聞　方便所說法　我即作是念　如來所以出
為說佛慧故　今正是其時　舍利弗當知　鈍根小智人
著相憍慢者　不能信是法　今我喜無畏　於諸菩薩中
正直捨方便　但說無上道　菩薩聞是法　疑網皆已除
千二百羅漢　悉亦當作佛　如三世諸佛　說法之儀式
我今亦如是　說無分別法　諸佛興出世　懸遠值遇難
正使出于世　說是法復難　無量無數劫　聞是法亦難

BD00156號　妙法蓮華經卷一　（21–20）

著相憍慢者　不能信是法　今我喜無畏　於諸菩薩中
正直捨方便　但說無上道　菩薩聞是法　疑網皆已除
千二百羅漢　悉亦當作佛　如三世諸佛　說法之儀式
我今亦如是　說無分別法　諸佛興出世　懸遠值遇難
正使出于世　說是法復難　無量無數劫　聞是法亦難
能聽是法者　斯人亦復難　譬如優曇華　一切皆愛樂
天人所希有　時時乃一出　聞法歡喜讚　乃至發一言
則為已供養　一切三世佛　是人甚希有　過於優曇華
汝等勿有疑　我為諸法王　普告諸大衆　但以一乘道
教化諸菩薩　無聲聞弟子　汝等舍利弗　聲聞及菩薩
當知是妙法　諸佛之祕要　以五濁惡世　但樂著諸欲
如是等衆生　終不求佛道　當來世惡人　聞佛說一乘
迷惑不信受　破法墮惡道　有慚愧清淨　志求佛道者
當為如是等　廣讚一乘道　舍利弗當知　諸佛法如是
以万億方便　隨宜而說法　其不習學者　不能曉了此
汝等既已知　諸佛世之師　隨宜方便事　無復諸疑惑
心生大歡喜　自知當作佛

妙法蓮華經卷弟一

BD00156號　妙法蓮華經卷一　（21–21）

清淨法身如来身諸仁者欲得佛
生病者當發阿耨多羅三藐三菩提心如是長
者維摩詰為諸問疾者如應說法令无數千人
皆發阿耨多羅三藐三菩提心
弟子品第三
尒時長者維摩詰自念寢疾于床世尊大慈
寧不垂愍佛知其意即告舍利弗汝行詣維
摩詰問疾舍利弗白佛言世尊我不堪任詣
彼問疾所以者何憶念我昔曾於林中宴
坐樹下時維摩詰来謂我言唯舍利弗不必
是坐為宴坐也夫宴坐者不於三界現身意
是為宴坐不起滅定而現諸威儀是為宴坐
不捨道法而現凡夫事是為宴坐心不住內亦
不在外是為宴坐於諸見不動而脩行卅七
品是為宴坐不斷煩惱而入涅槃是為宴坐
若能如是坐者佛所印可時我世尊聞是語嘿然
而止不能加報故我不任詣彼問疾
佛告大目揵連汝行詣維摩詰問疾目連白
佛言世尊我不堪任詣彼問疾所以者何憶
念我昔入毗耶離城於里巷中為諸居士說
法時維摩詰来謂我言唯大目連為白衣
居士說法不當如仁者所說夫說法者當如
[illegible]

BD00157 號　維摩詰所說經卷上

（17–1）

佛言世尊我不堪任詣彼問疾所以者何憶
念我昔入毗耶離城於里巷中為諸居士說
法時維摩詰来謂我言唯大目連為白衣
居士說法不當如仁者所說夫說法者當如
法說法无衆生離衆生垢故法无有我離我
垢故法无壽命離生死故法无有人前後際
斷故法常寂然滅諸相故法離於相无所緣
故法无名字言語斷故法无有說離覺觀故
法无形相如虛空故法无戲論畢竟空故法无
我所離我所故法无分別離諸識故法无有
比无相待故法不屬因不在緣故法同法性入
諸法故法隨於如无所隨故法住實際諸邊
不動故法无動搖不依六塵故法无去来常不
住故法順空隨无相應无作法離好醜法无增
損法无生滅法无所歸法過眼耳鼻舌身心
法无高下法常住不動法離一切觀行唯大目
連法相如是豈可說乎夫說法者无說无示
其聽法者无聞无得譬如幻士為幻人說法
當建是意而為說法當了衆生根有利鈍
善於知見无所罣导以大悲心讚于大乘念
報佛恩不斷三寶然後說法維摩詰說是
法時八百居士發阿耨多羅三藐三菩提心
我无此辯是故不任詣彼問疾
[illegible]

BD00157 號　維摩詰所說經卷上

（17–2）

法時八百居士發阿耨多羅三藐三菩提心
我无此辯是故不任詣彼問疾
佛告大迦葉汝行詣維摩詰問疾迦葉白佛
言世尊我不堪任詣彼問疾所以者何憶念
我昔於貧里而行乞時維摩詰来謂我言
唯大迦葉有慈悲心而不能普捨豪富從貧
乞迦葉住平等法應次行乞食故應行乞
食為壞和合相故應取揣食為不受故應
受彼食以空聚想入於聚落所見色與盲等
所聞聲與響等所嗅香與風等所食味不
分別受諸觸如智證知諸法如幻相无自性
无他性本自不然今則无滅迦葉若能不捨
八邪入八解脫以邪相入正法以一食施一切供
養諸佛及衆賢聖然後可食如是食者
非有煩惱非離煩惱非入定意非起定意
非住世間非住涅槃其有施者无大福无小福不
為益不為損是為正入佛道不依聲聞迦葉若
如是食為不空食人之施也時我世尊聞說是
語得未曾有即於一切菩薩深起敬心復作
是念斯有家名辯才智慧乃能如是其
誰不發阿耨多羅三藐三菩提心我從是
来不復勸人以聲聞辟支佛行是故不任
詣彼問疾
佛告須菩提汝行詣維摩詰問疾須菩提
白佛言世尊我不堪任詣彼問疾所以者何

BD00157 號　維摩詰所說經卷上　（17–3）

詣彼問疾
佛告須菩提汝行詣維摩詰問疾須菩提
白佛言世尊我不堪任詣彼問疾所以者何
憶念我昔入其舍從乞食時維摩詰取我鉢
盛滿飯謂我言唯須菩提若能於食等者諸
法亦等諸法等者於食亦等如是行乞乃可
取食若須菩提不斷婬怒癡亦不與俱不
壞於身而隨一相不滅癡愛起於明脫以五逆
相而得解脫亦不解不縛不見四諦非不見
諦非得果非凡夫非離凡夫法非聖人非不
聖人雖成就一切法而離諸法相乃可取食若
須菩提不見佛不聞法彼外道六師富蘭那
迦葉末伽梨拘賒梨子刪闍夜毗羅胝子阿
耆多翅舍欽婆羅迦羅鳩馱迦旃延尼揵陀
提子等是汝之師因其出家彼師所墮汝亦
隨墮乃可取食若須菩提入諸邪見不到彼
岸住於八難不得无難同於煩惱離清淨法
汝得无諍三昧一切衆生亦得是定其施汝者
不名福田供養汝者墮三惡道為與衆魔共一
手作諸勞侶汝與衆魔及諸塵勞等无有異
於一切衆生而有怨心謗諸佛毀於法不入衆
終不得滅度汝若如是乃可取食時我世尊聞
此茫然不識是何言不知以何答便置鉢欲

BD00157 號　維摩詰所說經卷上　（17–4）

終不得滅度汝若如是乃可取食時我世尊聞
此茫然不識是何言不知以何荅便置鉢欲
出其舍維摩詰言唯須菩提取鉢勿懼於
意云何如來所作化人若以是事詰寧有懼
不我言不也維摩詰言一切諸法如幻化相汝
今不應有所懼也所以者何一切言說不離是
相至於智者不著文字故无所懼何以故文
字性離无有文字是則解脫解脫者則諸法
也維摩詰說是法時二百天子得法眼淨故我
不堪任詣彼問疾
佛告富樓那彌多羅尼子汝行詣維摩詰問
疾富樓那白佛言世尊我不堪任詣彼問疾
所以者何憶念我昔於大林中在一樹下為諸
新學比丘說法時維摩詰來謂我言唯富
那先當入定觀此人心然後說法无以穢食置
於寶器當知是比丘心之所念无以瑠璃同彼水精
汝不能知眾生根原无得發起以小乘法彼
自无創勿傷之也欲行大道莫示小徑无以大
海內於牛跡无以日光等彼螢火富樓那此比
丘久發大乘心中忘此意如何以小乘法而教
導之我觀小乘智慧微淺猶如盲人不能分別
一切眾生根之利鈍時維摩詰即入三昧令此
比丘自識宿命曾於五百佛所殖眾德本迴

BD00157 號　維摩詰所說經卷上　（17–5）

一切眾生根之利鈍時維摩詰即入三昧令此
比丘自識宿命曾於五百佛所殖眾德本迴
向阿耨多羅三藐三菩提即時豁然還得
本心於是諸比丘稽首礼維摩詰足時維
摩詰因為說法於阿耨多羅三藐三菩提不
復退轉我念聲聞不觀人根不應說法是故不
任詣彼問疾
佛告摩訶迦旃延汝行詣維摩詰問疾迦旃
延白佛言世尊我不堪任詣彼問疾所以者何
憶念昔者佛為諸比丘略說法要我即於後
敷演其義謂无常義苦義空義无我義寂
滅義時維摩詰來謂我言唯迦旃延无以生
滅心行說實相法迦旃延諸法畢竟不生不
滅是无常義五受陰通達空无所起是苦義
諸法究竟无所有是空義於我无我而不二
是无我義法本不然今則无滅是寂滅義說
是法時彼諸比丘心得解脫故我不任詣彼問
問疾
佛告阿那律汝行詣維摩詰問疾阿那律白
佛言世尊我不堪任詣彼問疾所以者何憶
念我昔於一處經行時有梵王名曰嚴淨與
万梵俱放淨光明來詣我所稽首作礼問
我言幾何阿那律天眼所見我即荅言仁者
吾見此釋迦牟尼佛土三千大千世界如觀掌

BD00157 號　維摩詰所說經卷上　（17–6）

念我昔於一處經行時有梵王名曰嚴淨與
万梵俱放淨光明来詣我所稽首作礼問
我言幾何阿那律天眼所見我即荅言仁者
吾見此釋迦牟尼佛土三千大千世界如觀掌
中阿摩勒菓時維摩詰来謂我言唯阿那律
天眼所見為作相耶无作相耶假使作相則與外道五
通等若无作相即是无為不應有見世尊我
時嘿然彼諸梵聞其言得未曾有即為作礼而
問曰世熟有真天眼者維摩詰言有佛世尊
得真天眼常在三昧悉見諸佛國不以二相於是
嚴淨梵王及其眷屬五百梵天皆發阿耨多羅
三藐三菩提心礼維摩詰足已忽然不現故我
不任詣彼問疾
佛告優波離汝行詣維摩詰問疾優波離白
佛言世尊我不堪任詣彼問疾所以者何憶念
昔者有二比丘犯律行以為恥不敢問佛来問
我言唯優波離我等犯律誠以為恥不敢問
佛顉解疑悔得免斯咎我即為其如法解說
時維摩詰来謂我言唯優波離无重增
此二比丘罪當直除滅勿擾其心所以者何彼
罪性不在內不在外不在中間如佛所說
心垢故衆生垢心淨故衆生淨心亦不在內
不在外不在中間如其心然罪垢亦然諸法亦
然不出於如如優波離以心相得解脫時寧

BD00157號　維摩詰所說經卷上　（17–7）

罪性不在內不在外不在中間如佛所說
心垢故衆生垢心淨故衆生淨心亦不在內
不在外不在中間如其心然罪垢亦然諸法亦
然不出於如如優波離以心相得解脫時寧
有垢不我言不也維摩詰言一切衆生心相无
垢亦復如是唯優波離妄想是垢无妄想是
淨顛倒是垢无顛倒是淨取我是垢不取我是
淨優波離一切法生滅不住如幻如電諸法
不相待乃至一念不住諸法皆妄見如夢如
炎如水中月如鏡中像以妄想生其知此
者是名奉律其知此者是名善解於是二
比丘言上智哉是優波離所不及持律之上
而不能說我荅言自捨如来未有聲聞及菩
薩能制其樂說之辯其智慧明達為若此
也時二比丘疑悔即除發阿耨多羅三藐
三菩提心作是願言令一切衆生皆得是辯
故我不任詣彼問疾
佛告羅睺羅汝行詣維摩詰問疾羅睺羅白
佛言世尊我不堪任詣彼問疾所以者何憶
念昔時毗耶離諸長者子来詣我所稽首
作礼問我言唯羅睺羅汝佛之子捨轉輪王
位出家為道其出家者有何等利我即如法為
說出家功德之利時維摩詰来謂我言唯羅
睺羅不應說出家功德之利所以者何无利
无功德是為出家有為法者可說有利有功
德夫出家者為

BD00157號　維摩詰所說經卷上　（17–8）

說出家功德之利時維摩詰來謂我言唯
睺羅不應說出家功德之利所以者何无利
无功德是為出家有為法者可說有利有功
德夫出家者為无為法无為法中无利无功
德羅睺羅夫出家者无彼无此亦无中間離
六十二見處於涅槃智者所受聖所行處降
伏衆魔度五道淨五眼得五力立五根不
惱於彼離衆雜惡摧諸外道超越假名出淤泥
无繫著无我所无所受无擾亂內懷喜護彼
意隨禪定離衆過若能如是是真出家於是
維摩詰語諸長者子汝等於正法中宜共出
家所以者何佛世難值諸長者子言居士我聞
佛言父母不聽不得出家維摩詰言然汝
等便發阿耨多羅三藐三菩提心是即出
是即具足尒時卅二長者子皆發阿耨多羅
三藐三菩提心故我不任詣彼問疾
佛告阿難汝行詣維摩詰問疾阿難白佛言
世尊我不堪任詣彼問疾所以者何憶念昔
時世尊身小有疾當用牛乳我即持鉢詣大
婆羅門家門下立時維摩詰來謂我言唯阿
難何為晨朝持鉢住此我言居士世尊身
有疾當用牛乳故來至此維摩詰言止止阿
難莫作是語如來身者金剛之體諸惡已斷
衆善普會當有何疾當有何惱嘿往阿難勿
謗如來莫使異人聞此麁言无令大威德諸
天及他方淨土諸來菩薩得聞斯語阿難轉

BD00157 號　維摩詰所說經卷上　（17–9）

難莫作是語如來身者金剛之體諸惡已斷
衆善普會當有何疾當有何惱嘿往阿難勿
謗如來莫使異人聞此麁言无令大威德諸
天及他方淨土諸來菩薩得聞斯語阿難轉
輪聖王以少福故尚得无病豈況如來无量
福會普勝者哉行矣阿難勿使我等受斯
恥也外道梵志若聞此語當作是念何名為師
自疾不能救而能救諸疾人可密速去勿使人
聞當知阿難諸如來身即是法身非思欲身佛
為世尊過於三界佛身无漏諸漏已盡佛
身无為不墮諸數如此之身當有何病時
我世尊實懷慚愧得无近佛而謬聽耶即聞
空中聲曰阿難如居士言但為佛出五濁惡
世現行斯法度脫衆生行矣阿難取乳勿慚
世尊維摩詰智慧辯才為若此也是故不任
詣彼問疾如是五百大弟子各各向佛說其
本緣稱述維摩詰所言皆曰不任詣彼問疾
菩薩品第四
於是佛告彌勒菩薩汝行詣維摩詰問疾彌
勒白佛言世尊我不堪任詣彼問疾所以者
何憶念我昔為兜率天王及其眷屬說不退
轉地之行時維摩詰來謂我言彌勒世尊授
仁者記一生當得阿耨多羅三藐三菩提為
用何生得受記乎過去耶未來耶現在耶若過
去生過去生已滅若未來生未來生未至若現

BD00157 號　維摩詰所說經卷上　（17–10）

仁者記一生當得阿耨多羅三藐三菩提為
用何生得受記乎過去耶未來耶現在耶若過
去生過去生已滅若未來生未來生未至若現
在生現在生无住如佛所說比丘汝今即時亦
生亦老亦滅若以无生得受記者无生即是
正位於正位中亦无授記亦无得阿耨多羅
三藐三菩提云何弥勒受一生記乎為從如
生得受記耶為從如滅得受記耶若以如生得
受記者如无有生若以如滅得受記者如无有
滅一切衆生皆如也一切法亦如也衆聖賢亦如也
至於弥勒亦如也若弥勒得受記者一切衆生
亦應受記所以者何夫如者不二不異若弥勒
得阿耨多羅三藐三菩提者一切衆生皆亦
應得所以者何一切衆生即菩提相若弥勒滅
度者一切衆生亦當滅度所以者何諸佛知一切衆
生畢竟寂滅即涅槃相不復更滅是故弥勒无
以此法誘諸天子實无發阿耨多羅三藐三菩
提心者亦无退者弥勒當令此諸天子捨於分
別菩提之見所以者何菩提者不可以身得
不可以心得寂滅是菩提滅諸相故不觀是
菩提離諸緣故不行是菩提无憶念故斷是
菩提捨諸見故離是菩提離諸妄想故鄣是
菩提鄣諸願故不入是菩提无貪着故順是
菩提順於如故住是菩提住法性故至是菩
提至實際故不二是菩提離意法故等是菩

菩提鄣是諸願故不入是菩提无貪着故順是
菩提順於如故住是菩提住法性故至是菩
提至實際故不二是菩提離意法故等是菩
提等虛空故无為是菩提无生住滅故知是
菩提了衆生心行故不會是菩提諸入不會
故不合是菩提離煩惱習故无處是菩提无
形色故假名是菩提名字空故如化是菩提
无取捨故无亂是菩提常自靜故善寂是菩
提性淨清故无取是菩提離攀緣故无異是
菩提諸法等故无比是菩提无所喻故微妙
是菩提諸法難知故世尊維摩詰說是法時
百天子得无生法忍故我不任詣彼問疾
佛告光嚴童子汝行詣維摩詰問疾光嚴白
佛言世尊我不堪任詣彼問疾所以者何憶念
我昔出毗耶離大城時維摩詰方入城我即為
作礼而問言居士從何所來答我言吾從道
場來我問道場者何所是答曰直心是道
場无虛假故發行是道場能辦事故深心是
道場增益功德故菩提心是道場无錯謬故
布施是道場不望報故持戒是道場得願具
故忍辱是道場於諸衆生心无閡故精進是道
場不懈退故禪定是道場心調柔故智慧是道
場現見諸法故慈是道場等衆生故悲是道
忍疲苦故喜是道場悅樂法故捨是道場憎
斷故神通是道場成就六通故解脫是道場
能背捨故方便是道場教化衆生故四攝
是道場攝衆生故多聞是道場如聞行故

忍疲苦故喜是道場悅樂法故捨是道場增
斷故神通是道場成就六通故解脫是道場
能背捨故方便是道場教化衆生故四攝
是道場攝衆生故多聞是道場如聞行故
伏心是道場正觀諸法故卅七品是道場
有為法故諦是道場不誑世間故緣起
道場无明乃至老死皆无盡故諸煩惱是道
場知如實故衆生是道場知无我故一切法是
道場知諸法空故降魔是道場不傾動故三
界是道場无所趣故師子吼是道場无所畏故
力无畏不共法是道場无諸過故三明是道
无餘閡故一念知一切法是道場成就一切智
故如是善男子菩薩若應諸波羅蜜教化衆
生諸有所作舉足下足當知皆從道場來住
於佛法矣說是法時五百天人皆發阿耨多羅
三藐三菩提心故我不任詣彼問疾
佛告持世菩薩汝行詣維摩詰問疾持世白佛
言世尊我不堪任詣彼問疾所以者何憶念我
昔住於靜室時魔波旬從万二千天女狀如帝
釋鼓樂弦歌來詣我所與其眷屬稽首我足合
掌恭敬於一面立我意謂是帝釋而語之言
來憍尸迦雖福應有不當自恣當觀五欲无
常以求善本於身命財而脩堅法即語我言
正士受是万二千天女可備掃灑我言憍尸迦无
以此非法之物要我沙門釋子此非我宜所

BD00157 號　維摩詰所說經卷上　（17–13）

常以求善本於身命財而脩堅法即語我言
正士受是万二千天女可備掃灑我言憍尸迦无
以此非法之物要我沙門釋子此非我宜所
言未訖維摩詰來謂我言非帝釋也是
為魔來嬈固汝耳即語魔言是諸女等可
與我如我應受魔即驚懼念維摩詰將无
惱我欲隱形去而不能隱盡其神力亦不得
去即聞空中聲曰波旬以女與之乃可得去
魔以畏故俛仰而與尒時維摩詰語諸女言
魔以汝等與我今汝皆當發阿耨多羅三藐
三菩提心即隨所應而為說法令發道意
復言汝等以發道意有法樂可以自娛不應
復樂五欲樂也天女即問何謂法樂荅言樂
常信佛樂欲聽法樂供養衆樂離五欲樂
觀五陰如怨賊樂觀四大如毒虵樂觀內入如
空聚樂隨護道意樂饒益衆生樂敬養師
樂廣行布施樂堅持戒樂忍辱柔和樂懃
集善根樂禪定不亂樂離垢明慧樂廣菩
提心樂降伏衆魔樂斷諸煩惱樂淨佛國土樂
成就相好故脩諸功德樂嚴道場樂聞深
不畏樂三脫門不樂非時樂近同學樂於非
同學中心无恚导樂將護惡知識樂近善知
識樂心喜清淨樂脩无量道品之法是為
菩薩法樂於是波旬告諸女言我欲與汝俱還
天宮諸女言以我等與此居士有法樂我等
甚樂不復樂五欲樂也魔言居士可捨此女

BD00157 號　維摩詰所說經卷上　（17–14）

諸樂心喜清淨樂佛无量道品之法是爲
菩薩法樂於是波旬告諸女言我欲與汝俱還
天宮諸女言以我等與此居士有法樂我等
甚樂不復樂五欲樂也魔言居士可捨此女
一切所有施於彼者是爲菩薩維摩詰言我
已捨矣汝便將去令一切衆生得法願具足
於是天女問維摩詰我等云何止於魔宮
維摩詰言諸姊有法門名无盡燈汝等當學
无盡燈者譬如一燈燃百千燈冥者皆明明終
不盡如是諸姊夫一菩薩開導百千衆生令
發阿耨多羅三藐三菩提心於其道意亦
不滅盡隨所說法而自增益一切善法是名
无盡燈也汝等雖住魔宮以是无盡燈令无
數天子天女發阿耨多羅三藐三菩提心
者爲報佛恩亦大饒益一切衆生尒時天女
頭面礼維摩詰足隨魔還宮忽然不見世
尊維摩詰有如是自在神力智慧辯才
故我不任詣彼問疾
佛告長者子善得汝行詣維摩詰問疾善得
白佛言世尊我不堪任詣彼問疾所以者何
憶念我昔自於父舍設大施會供養一切
沙門婆羅門及諸外道貧窮下賤孤獨乞
人期滿七日時維摩詰來入會中謂我言長
者子夫大施會不當如汝所設當爲法施之
會何用是財施會爲我言居士何謂法施之會
法施會者无前无後一時供養一切衆生是名

者子夫大施會不當如汝所設當爲法施之
會何用是財施會爲我言居士何謂法施之會
法施會者无前无後一時供養一切衆生是名
法施之會何謂也謂以菩提起於慈心以救衆
生起大悲心以持正法起於喜心以攝智慧行
於捨心以攝慳貪起檀波羅蜜以化犯戒起尸
波羅蜜以无我法起羼提波羅蜜以離身心相
起毗離耶波羅蜜以菩提相起禪波羅蜜以
一切智起般若波羅蜜教化衆生而起於空不
捨有爲法而起无相示現受生而起无作護
持正法起方便力以度衆生起四攝法以敬事一
切起除慢法於身命財起三堅法於六念
起思念法於六和敬起質直心正行善法
起於淨命心淨歡喜起近賢聖不憎惡人起
調伏心以出家法起於深心以如說行起於多
聞以无諍法起空閑處趣向佛慧起於宴坐
解衆生縛起循行地以具相好及淨佛土起
福德業知一切衆生心念如應說法起於智業
知一切法不取不捨入一相門起於慧業斷一
切煩惱一切鄣閡一切不善法起於一切善業
以得一切智慧一切善法起於一切助佛道法如
是善男子是爲法施之會若菩薩住是法
施會者爲大施主亦爲一切世間福田世尊維
摩詰說是法時婆羅門衆中二百人皆發阿
耨多羅三藐三菩提心我時心得清淨歎
未曾有稽首礼維摩詰足即解瓔珞價直

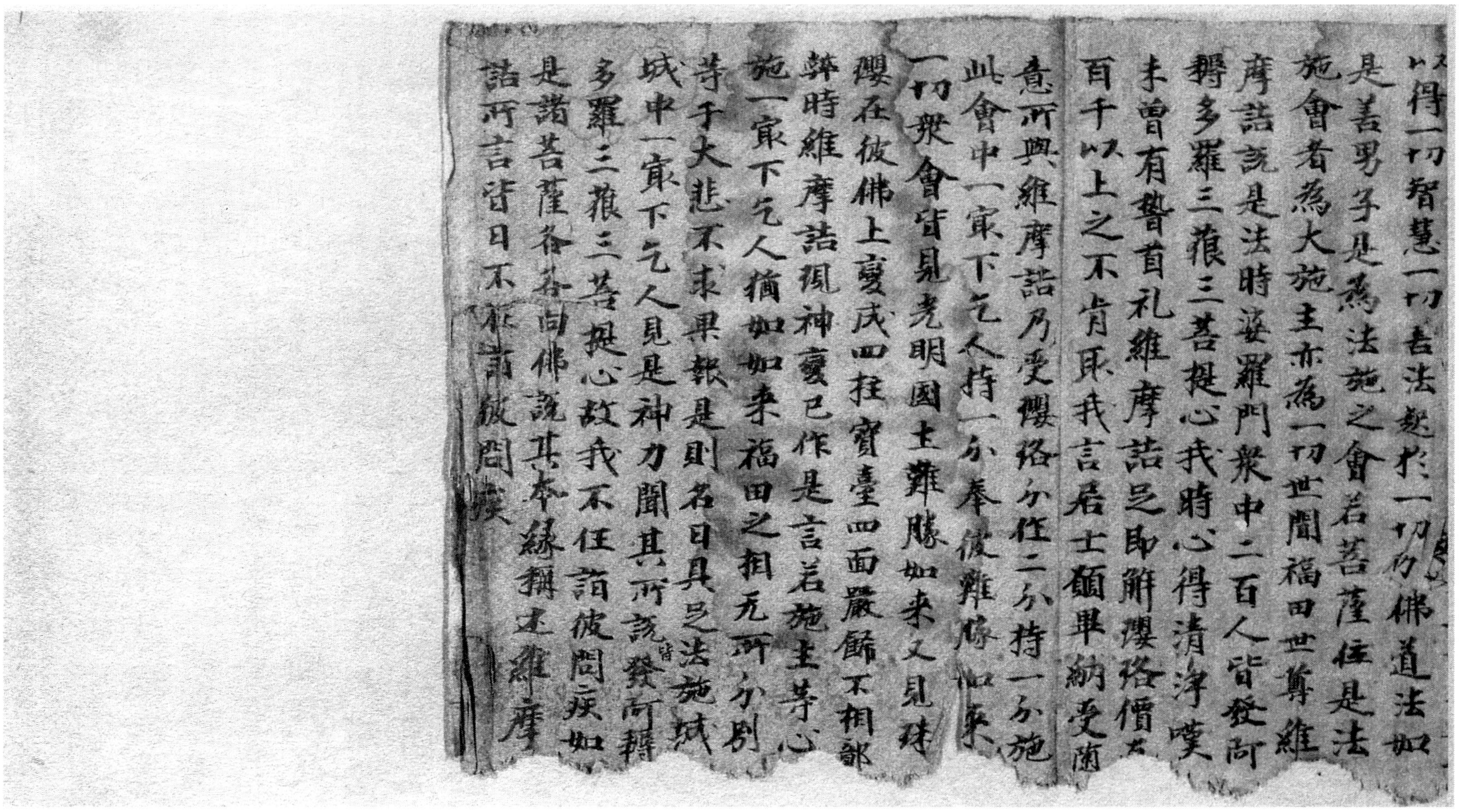

以得一切智慧一切善法起於一切助佛道法如
是善男子是為法施之會若菩薩住是法
施會者為大施主亦為一切世間福田世尊維
摩詰說是法時婆羅門衆中二百人皆發阿
耨多羅三藐三菩提心我時心得清淨嘆
未曾有稽首礼維摩詰足即解瓔珞價直
百千以上之不肯取我言居士願畢納受隨
意所與維摩詰乃受瓔珞分作二分持一分施
此會中一最下乞人持一分奉彼難勝如來
一切衆會皆見光明國土難勝如來又見珠
瓔在彼佛上變成四柱寶臺四面嚴飾不相鄣
蔽時維摩詰現神變已作是言若施主等心
施一最下乞人猶如如來福田之相无所分別
等于大悲不求果報是則名曰具足法施城
城中一最下乞人見是神力聞其所說皆發阿耨
多羅三藐三菩提心故我不任詣彼問疾如
是諸菩薩各各向佛說其本緣稱述維摩
詰所言皆曰不任詣彼問疾

BD00157 號　維摩詰所說經卷上　　（17–17）

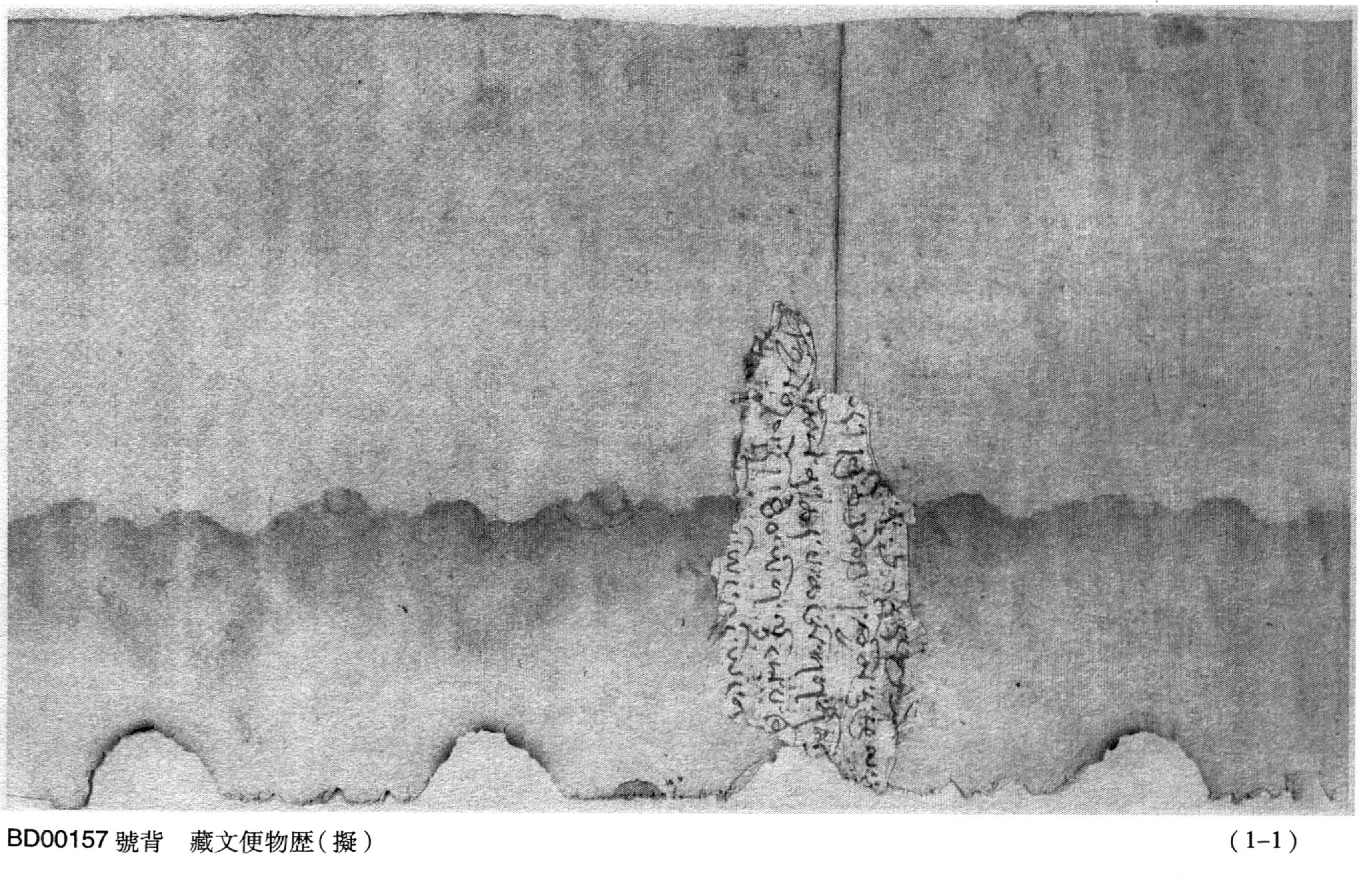

BD00157 號背　藏文便物歷（擬）　　（1–1）

嚴身色像第一捨　間所
遠踰於須弥深信堅固猶若
金剛法寶普照而雨甘露於衆言音微妙第
一深入緣起斷諸邪見有无二邊无復餘習
演法无畏猶師子吼其所講說乃如雷震无
有量已過量集衆法寶如海導師了達諸法
深妙之義善知衆生往來所趣及心所行近
无等等佛自在慧十力无畏十八不共法關
閉一切諸惡趣門而生五道以現其身為大
醫王善療衆病應病與藥令得服行无量功
德皆成就无量佛土皆嚴淨其見聞者无不蒙
益諸有所作亦不唐捐如是一切功德皆悉
具足
其名曰等觀菩薩不等觀菩薩等不等觀菩
薩定自在王菩薩法自在王菩薩法相菩薩光
相菩薩光嚴菩薩大嚴菩薩寶積菩薩辯積
菩薩寶手菩薩寶印手菩薩常舉手菩薩常
下手菩薩常慘菩薩喜根菩薩喜王菩薩辯
音菩薩虛空藏菩薩執寶炬菩薩寶勇菩薩
寶見菩薩帝網菩薩明網菩薩无緣觀菩薩
慧積菩薩寶勝菩薩天王菩薩壞魔菩薩電
得菩薩自在王菩薩功德相嚴菩薩師子吼
菩薩雷音菩薩山相擊音菩薩香象菩薩白
香象菩薩常精進菩薩不休息菩薩妙生菩

BD00158號　維摩詰所說經卷上　（26–1）

得菩薩自在王菩薩功德相嚴菩薩師子吼
菩薩雷音菩薩山相擊音菩薩香象菩薩白
香象菩薩常精進菩薩不休息菩薩妙生菩
薩華嚴菩薩觀世音菩薩得大勢菩薩梵網
菩薩寶杖菩薩无勝菩薩嚴土菩薩金髻菩
薩珠髻菩薩弥勒菩薩文殊師利法王子菩薩
如是等三万二千人
復有万梵天王尸棄等從餘四天下來詣佛所而聽
法復有万二千天帝亦從餘四天下來在會坐并
餘大威力諸天龍神夜叉乾闥婆阿脩羅迦樓羅緊
那羅摩睺羅伽等悉來會坐諸比丘比丘尼優
婆塞優婆夷俱來會坐彼時佛與无量百千
之衆恭敬圍繞而為說法譬如須弥山王顯于
大海安處衆寶師子之座蔽於一切諸來大衆
尒時毗耶離城有長者子名曰寶積與五百
長者子俱持七寶蓋來詣佛所頭面礼足各
以其蓋共供養佛佛之威神令諸寶蓋合成
一蓋遍覆三千大千世界而此世界廣長之相
悉於中現又此三千大千世界諸須弥山雪
山目真隣陀山摩訶目真隣陀山香山寶
山金山黑山鐵圍山大鐵圍山大海江河川
流泉源及日月星辰天宮龍宮諸尊神宮悉
現於寶蓋中又十方諸佛諸佛說法亦現於
寶蓋中尒時一切大衆覩佛神力歎未曾有合
掌礼佛瞻仰尊顏目不暫捨長者子寶積
即於佛前以偈頌曰
目淨脩廣如青蓮　心淨已度諸禪定

BD00158號　維摩詰所說經卷上　（26–2）

現於寶蓋中。又十方諸佛，諸佛說法，亦現於
寶蓋中。尒時一切大衆覩佛神力，歎未曾有，合
掌礼佛，瞻仰尊顏，目不暫捨。長者子寶積
即於佛前以偈頌曰：
目淨脩廣如青蓮　心淨已度諸禪定
久積淨業稱無量　導衆以寂故稽首
既見大聖以神變　普現十方無量土
其中諸佛演說法　於是一切悉見聞
法王法力超羣生　常以法財施一切
能善分別諸法相　於第一義而不動
已於諸法得自在　是故稽首此法王
說法不有亦不無　以因緣故諸法生
無我無造無受者　善惡之業亦不亡
始在佛樹力降魔　得甘露滅覺道成
已無心意無受行　而悉摧伏諸外道
三轉法輪於大千　其輪本來常清淨
天人得道此為證　三寶於是現世間
以斯妙法濟羣生　一受不退常寂然
度老病死大醫王　當礼法海德無邊
毀譽不動如須彌　於善不善等以慈
心行平等如虛空　孰聞人寶不敬承
今奉世尊此微蓋　於中現我三千界
諸天龍神所居宮　乾闥婆等及夜叉
悉見世間諸所有　十力哀現是化變
衆覩希有皆歎佛　今我稽首三界尊
大聖法王衆所歸　淨心觀佛靡不欣
各見世尊在其前　斯則神力不共法

BD00158號　維摩詰所說經卷上　（26–3）

諸天龍神所居宮　乾闥婆等及夜叉
悉見世間諸所有　十力哀現是化變
衆覩希有皆歎佛　今我稽首三界尊
大聖法王衆所歸　淨心觀佛靡不欣
各見世尊在其前　斯則神力不共法
佛以一音演說法　衆生隨類各得解
皆謂世尊同其語　斯則神力不共法
佛以一音演說法　衆生各各隨所解
普得受行獲其利　斯則神力不共法
佛以一音演說法　或有恐畏或歡喜
或生猒離或斷疑　斯則神力不共法
稽首十力大精進　稽首已得無所畏
稽首住於不共法　稽首一切大導師
稽首能斷衆結縛　稽首已到於彼岸
稽首能度諸世間　稽首永離生死道
悉知衆生來去相　善於諸法得解脫
不著世間如蓮華　常善入於空寂行
達諸法相無罣㝵　稽首如空無所依
尒時長者子寶積說此偈已，白佛言：世尊，是
五百長者子皆已發阿耨多羅三藐三菩提
心，願聞得佛國土清淨，唯願世尊說諸菩薩
淨土之行。佛言：善哉，寶積！乃能為諸菩薩問
於如來淨土之行。諦聽諦聽，善思念之，當為
汝說。於是寶積及五百長者子受教而聽。佛
言：寶積，衆生之類是菩薩佛土。所以者何？菩
薩隨所化衆生而取佛土，隨所調伏衆生而
取佛土，隨諸衆生應以何國入佛智慧而取

BD00158號　維摩詰所說經卷上　（26–4）

薩隨所化衆生而取佛土隨所調伏衆生而
取佛土隨諸衆生應以何國入佛智慧而取
佛土隨諸衆生應以何國起菩薩根而取佛土
所以者何菩薩取於淨國皆爲饒益諸衆
生故譬如有人欲於空地造立宮室隨意无
㝵若於虛空終不能成菩薩如是爲成就衆
生故願取佛國願取佛國者非於空也
寶積當知直心是菩薩淨土菩薩成佛時不
諂衆生來生其國深心是菩薩淨土菩薩成
佛時具足功德衆生來生其國大乘心是菩薩
淨土菩薩成佛時大乘衆生來生其國布施
是菩薩淨土菩薩成佛時一切能捨衆生
來生其國持戒是菩薩淨土菩薩成佛時行
十善道滿願衆生來生其國忍辱是菩薩淨
土菩薩成佛時卅二相莊嚴其身衆生來
生其國精進是菩薩淨土菩薩成佛時勤
脩一切功德衆生來生其國禪定是菩薩淨
土菩薩成佛時攝心不亂衆生來生其國智
慧是菩薩淨土菩薩成佛時正定衆生來生
其國四无量心是菩薩淨土菩薩成佛時成
就慈悲喜捨衆生來生其國四攝法是菩薩
淨土菩薩成佛時解脫所攝衆生來生其國
方便是菩薩淨土菩薩成佛時於一切法方便
无㝵衆生來生其國卅七道品是菩薩淨
土菩薩成佛時念處正勤神足根力覺道衆
生來生其國迴向心是菩薩淨土菩薩成佛

BD00158 號　維摩詰所說經卷上　（26–5）

就慈悲喜捨衆生來生其國四攝法是菩薩
淨土菩薩成佛時解脫所攝衆生來生其國
方便是菩薩淨土菩薩成佛時於一切法方便
无㝵衆生來生其國卅七道品是菩薩淨
土菩薩成佛時念處正勤神足根力覺道衆
生來生其國迴向心是菩薩淨土菩薩成佛
時得一切具足功德國土說除八難是菩薩
淨土菩薩成佛時國土无有三惡八難自守
戒行不譏彼闕是菩薩淨土菩薩成佛時國
土无有犯禁之名十善是菩薩淨土菩薩成
佛時命不中夭大富梵行所言誠諦常以濡
語眷屬不離善和諍訟言必饒益不嫉不恚
正見衆生來生其國如是寶積菩薩隨其直
心則能發行隨其發行則得深心隨其深心
則意調伏隨意調伏則如說行隨如說行則
能迴向隨其迴向則有方便隨其方便則成
就衆生隨成就衆生則佛土淨隨佛土淨則
說法淨隨說法淨則智慧淨隨智慧淨則其
心淨隨其心淨則一切功德淨是故寶積若
菩薩欲得淨土當淨其心隨其心淨則佛土淨
尒時舍利弗承佛威神作是念若菩薩心淨
則佛土淨者我世尊本爲菩薩時意豈
不淨而是佛土不淨若此佛知其念即告之言
於意云何日月豈不淨耶而盲者不見對曰不
也世尊是盲者過非日月咎舍利弗衆生罪故
不見如來佛國嚴淨非如來咎舍利弗我此
土淨而汝不見尒時螺髻梵王語舍利弗勿

BD00158 號　維摩詰所說經卷上　（26–6）

於意云何日月豈不淨耶而盲者不見對曰不
也世尊是盲者過非日月咎舍利弗衆生罪故
不見如來佛國嚴淨非如來咎舍利弗我此
土淨而汝不見尒時螺髻梵王語舍利弗勿
作是意謂此佛土以爲不淨所以者何我見
釋迦牟尼佛土清淨譬如自在天宮舍利弗
言我見此土丘陵坑坎荊棘沙礫土石諸山
穢惡充滿螺髻梵言仁者心有高下不依佛
慧故見此土爲不淨耳舍利弗菩薩於一切
衆生悉皆平等深心清淨依佛智慧則能見
此佛土清淨於是佛以足指按地即時三千
大千世界若干百千珎寶嚴飾譬如寶莊嚴
佛无量功德寶莊嚴土一切大衆歎未曾有
而皆自見坐寶蓮華佛告舍利弗汝且觀是
佛土嚴淨舍利弗言唯然世尊本所不見本
所不聞今佛國土嚴淨悉現佛語舍利弗我
佛國土常淨若此爲欲度斯下劣人故示是
衆惡不淨土耳譬如諸天共寶器食隨其福
德飯色有異如是舍利弗若人心淨便見此
土功德莊嚴當佛現此國土嚴淨之時寶積
所將五百長者子皆得无生法忍八万四千
人發阿耨多羅三藐三菩提心佛攝神足於
是世界還復如故求聲聞乘三万二千天及
人知有爲法皆悉无常遠塵離垢得法眼淨
八千比丘不受諸法漏盡意解

方便品第二

尒時毗耶離大城中有長者名維摩詰已曾

BD00158號　維摩詰所說經卷上　（26–7）

八千比丘不受諸法漏盡意解

方便品第二

尒時毗耶離大城中有長者名維摩詰已曾
供養无量諸佛深殖善本得无生忍辯才无
㝵遊戲神通逮諸揔持獲无所畏降魔勞怨
入深法門善於智度通達方便大願成就明了
衆生心之所趣又能分別諸根利鈍久於佛
道心已純熟決定大乘諸有所作能善思
量住佛威儀心大如海諸佛諮嗟弟子釋梵
世主所敬欲度人故以善方便居毗耶離資財
无量攝諸貧民奉戒清淨攝諸毀禁以忍
調行攝諸恚怒以大精進攝諸懈怠一心禪寂
攝諸亂意以決定慧攝諸无智雖爲白衣奉
持沙門清淨律行雖處居家不著三界示
有妻子常脩梵行現有眷屬常樂遠離雖服
寶飾而以相好嚴身雖復飲食而以禪悅爲
味若至博弈戲處輒以度人受諸異道不毀
正信雖明世典常樂佛法一切見敬爲供養
中最執持正法攝諸長幼一切治生諧偶雖
獲俗利不以喜悅遊諸四衢饒益衆生入治
政法救護一切入講論處導以大乘入諸學
堂誘開童蒙入諸婬舍示欲之過入諸酒肆
能立其志若在長者長者中尊爲說勝法若
在居士居士中尊斷其貪著若在剎利剎
利中尊教以忍辱若在婆羅門婆羅門中尊

BD00158號　維摩詰所說經卷上　（26–8）

在居士居士中尊斷其貪著若在刹利刹
利中尊教以忍辱若在婆羅門婆羅門中尊
除其我慢若在大臣大臣中尊教以正法若在
王子王子中尊示以忠孝若在內官內官中
尊化正宮女若在庶民庶民中尊令興福力
若在梵天梵天中尊誨以勝慧若在帝釋帝
釋中尊示現无常若在護世護世中尊護諸
衆生長者維摩詰以如是等无量方便饒益
衆生其以方便現身有疾以其疾故國王大
臣長者居士婆羅門等及諸王子并餘官屬
无數千人皆往問疾其往者維摩詰因以身
疾廣為說法諸仁者是身无常无強无力无
堅速朽之法不可信也為苦為惱衆病所集
諸仁者如此身明智者所不怙是身如聚沫
不可撮摩是身如泡不得久立是身如炎從
渴愛生是身如芭蕉中无有堅是身如幻從
顛倒起是身如夢為虛妄見是身如影從業
緣現是身如響屬諸因緣是身如浮雲須臾
變滅是身如電念念不住是身无主為如地
是身无我為如火是身无壽為如風是身无
人為如水是身不實四大為家是身為空離
我我所是身无知如草木瓦礫是身无作風
力所轉是身不淨穢惡充滿是身為虛偽雖
假以澡浴衣食必歸磨滅是身為災百一病
惱是身如丘井為老所逼是身无定為要當
死是身如毒蛇如怨賊如空聚陰界諸入所
共合成諸仁者此可患厭當樂佛身所以者

我我所是身无知如草木瓦礫是身无作風
力所轉是身不淨穢惡充滿是身為虛偽雖
假以澡浴衣食必歸磨滅是身為災百一病
惱是身如丘井為老所逼是身无定為要當
死是身如毒蛇如怨賊如空聚陰界諸入所
共合成諸仁者此可患厭當樂佛身所以者
何佛身者即法身也從无量功德智慧生從
戒定慧解脫解脫知見生從慈悲喜捨生從
布施持戒忍辱柔和勤行精進禪定解脫三
昧多聞智慧諸波羅蜜生從方便生從六通
生從三明生從卅七道品生從止觀生從十
力四无所畏十八不共法生從斷一切不善
法集一切善法生從真實法生從不放逸生
從如是无量清淨法生如來身諸仁者欲得
佛身斷一切衆生病者當發阿耨多羅三藐
三菩提心如是長者維摩詰為諸問疾者
如應說法令无數千人皆發阿耨多羅三藐
三菩提心

弟子品第三

尒時長者維摩詰自念寢疾于牀世尊大慈
寧不垂愍佛知其意即告舍利弗汝行詣維
摩詰問疾舍利弗白佛言世尊我不堪任詣
彼問疾所以者何憶念我昔曾於林中宴坐
樹下時維摩詰來謂我言唯舍利弗不必是
坐為宴坐也夫宴坐者不於三界現身意是
為宴坐不起滅定而現諸威儀是為宴坐不
捨道法而現凡夫事是為宴坐心不住內亦

彼問疾所以者何憶念我昔曾於林中宴坐
樹下時維摩詰來謂我言唯舍利弗不必是
坐為宴坐也夫宴坐者不於三界現身意是
為宴坐不起滅定而現諸威儀是為宴坐不
捨道法而現凡夫事是為宴坐心不住內亦
不在外是為宴坐若於諸見不動而脩行卅七
品是為宴坐不斷煩惱而入涅槃是為宴坐
若能如是坐者佛所印可時我世尊聞是語
已嘿然而止不能加報故我不任詣彼問疾
佛告大目揵連汝行詣維摩詰問疾目連白
佛言世尊我不堪任詣彼問疾所以者何憶
念我昔入毗耶離大城於里巷中為諸居士
說法時維摩詰來謂我言唯大目揵連為白衣
居士說法不當如仁者所說夫說法者當如法
說法无衆生離衆生垢故法无有我離我垢
故法无壽命離生死故法无有人前後際
斷故法常寂然滅諸相故法離於相无所緣
故法无名字言語斷故法无有說離覺觀故
法无形相如虛空故法无戲論畢竟空故法
无我所離我所故法无分別離諸識故法无有
比无相待故法不屬因不在緣故法同法性
入諸法故法隨於如无所隨故法住實際諸
邊不動故法无動搖不依六塵故法无去來
常不住故法順空隨无相應无作法離好
醜法无增損法无生滅法无所歸法過眼耳
鼻舌身心法无高下法常住不動法離一切

BD00158號　維摩詰所說經卷上　（26–11）

邊不動故法无動搖不依六塵故法无去來
常不住故法順空隨无相應无作法離好
醜法无增損法无生滅法无所歸法過眼耳
鼻舌身心法无高下法常住不動法離一切
觀行唯大目連法相如是豈可說乎夫說法
者无說无示其聽法者无聞无得譬如幻士
為幻人說法當建是意而為說法當了衆生
根有利鈍善於知見无所罣礙以大悲心讚
于大乘念報佛恩不斷三寶然後說法維摩
詰說是法時八百居士發阿耨多羅三藐三
菩提心我无此辯是故不任詣彼問疾
佛告大迦葉汝行詣維摩詰問疾迦葉白佛
言世尊我不堪任詣彼問疾所以者何憶念
我昔於貧里而行乞食時維摩詰來謂我言唯
大迦葉有慈悲心而不能普捨豪富從貧乞
迦葉住平等法應次行乞食為不食故應行
乞食為壞和合相故應取揣食為不受故應
受彼食以空聚想入於聚落所見色與盲等
所聞聲與響等所嗅香與風等所食味不分
別受諸觸如智證知諸法如幻相无自性无
他性本自不然今則无滅迦葉若能不捨八
邪入八解脫以邪相入正法以一食施一切供
養諸佛及衆賢聖然後可食如是食者非
有煩惱非離煩惱非入定意非起定意非住

BD00158號　維摩詰所說經卷上　（26–12）

耶入八解脫以邪相入正法以一食施一切佛
養諸佛及衆賢聖然後可食如是食者非
有煩惱非離煩惱非入定意非起定意非住
世間非住涅槃其有施者无大福无小福不
爲益不爲損是爲正入佛道不依聲聞迦葉
若如是食爲不空食人之施也時我世尊聞
說是語得未曾有即於一切菩薩深起敬心
復作是念斯有家名辯才智慧乃能如是其
誰不發阿耨多羅三藐三菩提心我從是來
不復勸人以聲聞辟支佛行是故不任詣彼問疾
佛告須菩提汝行詣維摩詰問疾須菩提白
佛言世尊我不堪任詣彼問疾所以者何憶念
我昔入其舍從乞食時維摩詰取我鉢盛滿
飯謂我言唯須菩提若能於食等者諸法亦
等諸法等者於食亦等如是行乞乃可取食
若須菩提不斷婬怒癡亦不與俱不壞於身
而隨一相不滅癡愛起於明脫以五逆相而得
解脫亦不解不縛不見四諦非不見諦非得
果非凡夫非離凡夫法非聖人非不聖人雖
成就一切法而離諸法相乃可取食若須
菩提不見佛不聞法彼外道六師富蘭那
迦葉末伽梨拘賒梨子那闍夜毗羅胝子阿
耆多翅舍欽婆羅迦羅鳩馱迦栴延尼揵陀
若提子等是汝之師因其出家彼師所墮汝
亦隨墮乃可取食若須菩提入諸邪見不到
彼岸住於八難不得无難同於煩惱離清淨
法汝得无諍三昧一切衆生亦得是定其施汝

BD00158號　維摩詰所說經卷上　（26–13）

菩提不見佛不聞法彼外道六師富蘭那
迦葉末伽梨拘賒梨子那闍夜毗羅胝子阿
耆多翅舍欽婆羅迦羅鳩馱迦栴延尼揵陀
若提子等是汝之師因其出家彼師所墮汝
亦隨墮乃可取食若須菩提入諸邪見不到
彼岸住於八難不得无難同於煩惱離清淨
法汝得无諍三昧一切衆生亦得是定其施汝
者不名福田供養汝者墮三惡道爲與衆
魔共一手作諸勞侶汝與衆魔及諸塵勞等
无有異於一切衆生而有怨心謗諸佛毀於法
不入衆數終不得滅度汝若如是乃可取食
時我世尊聞此茫然不識是何言不知以
何荅便置鉢欲出其舍維摩詰言唯須菩提
取鉢勿懼於意云何如來所作化人若以是
事詰寧有懼不我言不也維摩詰言一切諸
法如幻化相汝今不應有所懼也所以者何
一切言說不離是相至於智者不著文字故无
所懼何以故文字性離无有文字是則解
脫解脫相者則諸法也維摩詰說是法時二
百天子得法眼淨故我不任詣彼問疾
佛告富樓那彌多羅尼子汝行詣維摩詰
問疾富樓那白佛言世尊我不堪任詣彼問
疾所以者何憶念我昔於大林中在一樹下爲
諸新學比丘說法時維摩詰來謂我言唯富
樓那先當入定觀此人心然後說法无以穢食
置於寶器當知是比丘心之所念无以琉璃
同彼水精汝不能知衆生根源无得發起
以小乘法彼自无瘡勿傷之也欲行大

BD00158號　維摩詰所說經卷上　（26–14）

諸新學比丘說法時維摩詰來謂我言唯富
樓那先當入定觀此人心然後說法无以穢食
置於寶器當知是比丘心之所念无以瑠璃
同彼水精汝不能知眾生根源无得發起
以小乘法彼自无瘡勿傷之也欲行大道莫
示小徑无以大海內於牛跡无以日光等彼
熒火富樓那此比丘久發大乘心中忘此意
如何以小乘法而教導之我觀小乘智慧
微淺猶如盲人不能分別一切眾生根之利鈍
時維摩詰即入三昧令此比丘自識宿命
曾於五百佛所殖眾德本迴向阿耨多羅三
藐三菩提即時豁然還得本心於是諸比丘
稽首礼維摩詰足時維摩詰因為說法於阿
耨多羅三藐三菩提不復退轉我念聲聞不
觀人根不應說法是故不任詣彼問疾
佛告摩訶迦旃延汝行詣維摩詰問疾迦旃
延白佛言世尊我不堪任詣彼問疾所以者
何憶念昔者佛為諸比丘略說法要我即於
後敷演其義謂无常義苦義空義无我義寂
滅義時維摩詰來謂我言唯迦旃延无以生
滅心行說實相法迦旃延諸法畢竟不生不
滅是无常義五受陰洞達空无所起是苦義
諸法究竟无所有是空義於我无我而不二
是无我義法本不然今則无滅是寂滅義說是
法時彼諸比丘心得解脫故我不任詣彼問疾
佛告阿那律汝行詣維摩詰問疾阿那律白

BD00158號　維摩詰所說經卷上　　(26–15)

是无我義法本不然今則无滅是寂滅義說是
法時彼諸比丘心得解脫故我不任詣彼問疾
佛告阿那律汝行詣維摩詰問疾阿那律白
佛言世尊我不堪任詣彼問疾所以者何憶
念我昔於一處經行時有梵王名曰嚴淨與
万梵俱放淨光明來詣我所稽首作礼問我
言幾何阿那律天眼所見我即答言仁者吾
見此釋迦牟尼佛土三千大千世界如觀掌
中菴摩勒菓時維摩詰來謂我言唯阿那律
天眼所見為作相耶无作相耶假使作相則與外
道五通等若无作相即是无為不應有見世尊
我時嘿然彼諸梵聞其言得未曾有即為作
礼而問言世孰有真天眼者維摩詰言有佛
世尊得真天眼常在三昧悉見諸佛國不以二
相於是嚴淨梵王及其眷屬五百梵天皆
發阿耨多羅三藐三菩提心礼維摩詰足已忽
然不現故我不任詣彼問疾
佛告優波離汝行詣維摩詰問疾優波離白
佛言世尊我不堪任詣彼問疾所以者何憶念
昔者有二比丘犯律行以為恥不敢問佛來
問我言唯優波離我等犯律誠以為恥不
敢問佛願解疑悔得免斯咎我即為其如法
解說時維摩詰來謂我言唯優波離无重增
此二比丘罪當直除滅勿擾其心所以者何彼
罪性不在內不在外不在中間如佛所說心垢
故眾生垢心淨故眾生淨心亦不在內不在外
不在中間如其心然罪垢亦然諸法亦然不

BD00158號　維摩詰所說經卷上　　(26–16)

解說時維摩詰來謂我言唯優波離无重增
此二比丘罪當直除滅勿擾其心所以者何彼
罪性不在內不在外不在中間如佛所說心垢
故衆生垢心淨故衆生淨心亦不在內不在外
不在中間如其心然罪垢亦然諸法亦然不
出於如如優波離以心相得解脫時寧有
垢不我言不也維摩詰言一切衆生心相
无垢亦復如是唯優波離妄想是垢无妄
想是淨顛倒是垢无顛倒是淨取我是垢不
取我是淨優波離一切法生滅不住如幻如電
諸法不相待乃至一念不住諸法皆妄見如
夢如炎如水中月如鏡中像以妄想生其知
此者是名奉律其知此者是名善解於是
二比丘言上智哉是優波離所不及持律之
上而不能說我即答言自捨如來未有聲聞及
菩薩能制其樂說之辯其智慧明達為若
此也時二比丘疑悔即除發阿耨多羅三藐
三菩提心作是願言令一切衆生皆得是辯
故我不任詣彼問疾
佛告羅睺羅汝行詣維摩詰問疾羅睺羅白
佛言世尊我不堪任詣彼問疾所以者何憶
念昔時毗耶離諸長者子來詣我所稽首作
礼問我言唯羅睺羅汝佛之子捨轉輪王位出
家為道其出家者有何等利我即如法為
說出家功德之利時維摩詰來謂我言唯羅睺
羅不應說出家功德之利所以者何无利无
功德是為出家有為法者可說有利有功德

BD00158號　維摩詰所說經卷上　（26–17）

家為道其出家者有何等利我即如法為
說出家功德之利時維摩詰來謂我言唯羅睺
羅不應說出家功德之利所以者何无利无
功德是為出家有為法者可說有利有功德
夫出家者為无為法无為法中无利无功德
唯羅睺羅出家者无彼无此亦无中間離六十
二見處於涅槃智者所受聖所行處降伏
衆魔度五道淨五眼得五力立五根不惱於
彼離衆雜惡摧諸外道超越假名出淤泥无
繫著无我所无所受无擾亂內懷喜護彼意
隨禪定離衆過若能如是是真出家於是維
摩詰語諸長者子汝等於正法中宜共出家
所以者何佛世難值諸長者子言居士我聞
佛言父母不聽不得出家維摩詰言然汝等
便發阿耨多羅三藐三菩提心是即出家是
即具足尒時卅二長者子皆發阿耨多羅三
藐三菩提心故我不任詣彼問疾
佛告阿難汝行詣維摩詰問疾阿難白佛
言世尊我不堪任詣彼問疾所以者何憶念昔
時世尊身小有疾當用牛乳我即持鉢詣大
婆羅門家門下立時維摩詰來謂我言唯阿
難何為晨朝持鉢住此我言居士世尊身小
有疾當用牛乳故來至此維摩詰言止止阿
難莫作是語如來身者金剛之體諸惡已斷
衆善普會當有何疾當有何惱嘿住阿難勿
謗如來莫使異人聞此麁言无令大威德諸
天及他方淨土諸來菩薩得聞斯語阿難轉

BD00158號　維摩詰所說經卷上　（26–18）

有疾當用牛乳故來至此維摩詰言止止阿
難莫作是語如來身者金剛之體諸惡已斷
衆善普會當有何疾當有何惱嘿往阿難勿
謗如來莫使異人聞此麁言无令大威德諸
天及他方淨土諸來菩薩得聞斯語阿難轉
輪聖王以少福故尚得无疾豈况如來无量福
會普勝者哉行矣阿難勿使我等受斯耻
也外道梵志若聞此語當作是念何名為師
自疾不能救而能救諸疾人可密速去勿使
人聞當知阿難諸如來身即是法身非思
欲身佛為世尊過於三界佛身无漏諸漏已
盡佛身无為不墮諸數如此之身當有何疾
時我世尊實懷慚愧得无近佛而謬聽耶即
聞空中聲曰阿難如居士言但為佛出五濁
惡世現行斯法度脫衆生行矣阿難取乳勿
慚世尊維摩詰智慧辯才為若此也是故不任
詣彼問疾如是五百大弟子各各向佛說
其本緣稱述維摩詰所言皆曰不任詣
彼問疾

菩薩品第四

於是佛告彌勒菩薩汝行詣維摩詰問疾
彌勒白佛言世尊我不堪任詣彼問疾所以者
何憶念我昔為兜率天王及其眷屬說不退
轉地之行時維摩詰來謂我言彌勒世尊授
仁者記一生當得阿耨多羅三藐三菩提為
用何生得受記乎過去耶未來耶現在耶若
過去生過去生已滅若未來生未來生未至

BD00158號　維摩詰所說經卷上　（26–19）

何憶念我昔為兜率天王及其眷屬說不退
轉地之行時維摩詰來謂我言彌勒世尊授
仁者記一生當得阿耨多羅三藐三菩提為
用何生得受記乎過去耶未來耶現在耶若
過去生過去生已滅若未來生未來生未至若
現在生現在生无住如佛所說比丘汝今即
時亦生亦老亦滅若以无生得受記者无生
即是正位於正位中亦无受記亦无得阿耨
多羅三藐三菩提云何彌勒受一生記乎為
從如生得受記耶為從如滅得受記耶若
以如生得受記者如无有生若以如滅得受
記者如无有滅一切衆生皆如也一切法亦
如也衆聖賢亦如也至於彌勒亦如也若彌
勒得受記者一切衆生亦應受記所以者何
夫如者不二不異若彌勒得阿耨多羅三藐
三菩提者一切衆生皆亦應得所以者何一
切衆生即菩提相若彌勒得滅度者一切衆
生亦當滅度所以者何諸佛知一切衆生畢
竟寂滅即涅槃相不復更滅是故彌勒无以
此法誘諸天子實无發阿耨多羅三藐三菩
提心者亦无退者彌勒當令此諸天子捨於
分別菩提之見所以者何菩提者不可以身
得不可以心得寂滅是菩提滅諸相故不觀
是菩提離諸緣故不行是菩提无憶念故斷
是菩提捨諸見故離是菩提離諸妄想故鄣
是菩提鄣諸願故不入是菩提无貪著故順
是菩提順於如故住是菩提住法性故至是

BD00158號　維摩詰所說經卷上　（26–20）

得不可以心得寂滅是菩提滅諸相故不觀
是菩提離諸緣故不行是菩提无憶念故斷
是菩提捨諸見故離是菩提離諸妄想故鄣
是菩提鄣諸願故不入是菩提无貪着故順
是菩提順於如故住是菩提住法性故至是
菩提至實際故不二是菩提離意法故等是
菩提等虛空故无為是菩提无生住滅故知
是菩提了眾生心行故不會是菩提諸入不
會故不合是菩提離煩惱習故无處是菩提
无形色故假名是菩提名字空故如化是菩
提无取捨故无亂是菩提常自靜故善寂是
菩提性清淨故无取是菩提離攀緣故无異
是菩提諸法等故无比是菩提无可喻故微
妙是菩提諸法難知故世尊維摩詰說是法
時二百天子得无生法忍故我不任詣彼問疾
佛告光嚴童子汝行詣維摩詰問疾光嚴童
子白佛言世尊我不堪任詣彼問疾所以者何憶念
我昔出毗耶離大城時維摩詰方入城我即
為作礼而問言居士從何所來答我言吾從
道場來我問道場者何所是答曰直心是道
場无虛假故發行是道場能辦事故深心是
道場增益功德故菩提心是道場无錯謬故
布施是道場不望報故持戒是道場得願具
故忍辱是道場於諸眾生心无㝵故精進是
道場不懈退故禪定是道場心調柔故智慧
是道場現見諸法故慈是道場等眾生故悲
是道場忍疲苦故喜是道場悅樂法故捨是

BD00158號　維摩詰所說經卷上　（26–21）

故忍辱是道場於諸眾生心无㝵故精進是
道場不懈退故禪定是道場心調柔故智慧
是道場現見諸法故慈是道場等眾生故悲
是道場忍疲苦故喜是道場悅樂法故捨是
道場憎愛斷故神通是道場成就六通故解
脫是道場能背捨故方便是道場教化眾生
故四攝是道場攝眾生故多聞是道場如聞
行故伏心是道場正觀諸法故三十七品是道
場捨有為法故諦是道場不誑世間故緣起
是道場无明乃至老死皆无盡故諸煩惱是
道場知如實故眾生是道場知无我故一
切法是道場知諸法空故降魔是道場不
傾動故三界是道場无所趣故師子吼是道場
无所畏故力无畏不共法是道場无諸過故三
明是道場无餘㝵故一念知一切法是道場成
就一切智故如是善男子菩薩若應諸波羅
蜜教化眾生諸有所作舉足下足當知皆從道
場來住於佛法矣說是法時五百天人皆發阿
耨多羅三藐三菩提心故我不任詣彼問疾
佛告持世菩薩汝行詣維摩詰問疾持世白佛
言世尊我不堪任詣彼問疾所以者何憶念
我昔住於靜室時魔波旬從万二千天女狀
如帝釋鼓樂絃歌來詣我所與其眷屬稽首
我足合掌恭敬於一面立我意謂是帝釋
而語之言善來憍尸迦雖福應有不當自恣
當觀五欲无常以求善本於身命財而脩堅
法即語我言正士受是万二千天女可備掃灑

BD00158號　維摩詰所說經卷上　（26–22）

我足合掌恭敬於一面立我意謂是帝釋
而語之言善來憍尸迦雖福應有不當自恣
當觀五欲无常以求善本於身命財而脩堅
法即語我言正士受是万二千天女可備掃灑
我言憍尸迦无以此非法之物要我沙門釋
子此非我宜所言未訖時維摩詰來謂我言
非帝釋也是為魔來嬈固汝耳即語魔言
是諸女等可以與我如我應受魔即驚懼念
維摩詰將无惱我欲隱形去而不能隱盡其
神力亦不得去即聞空中聲曰波旬以女與之
乃可得去魔以畏故俛仰而與尒時維摩詰
語諸女言魔以汝等與我汝今皆當發阿耨
多羅三藐三菩提心即隨所應而為說法令
發道意復言汝等已發道意有法樂可以自
娛不應復樂五欲樂也天女即問何謂法樂
荅言樂常信佛樂欲聽法樂供養衆樂離五
欲樂觀五陰如怨賊樂觀四大如毒蛇樂觀
內入如空聚樂隨護道意樂饒益衆生樂敬
養師樂廣行施樂堅持戒樂忍辱柔和樂勤
集善根樂禪定不亂樂離垢明慧樂廣菩提
心樂降伏衆魔樂斷諸煩惱樂淨佛國土樂
成就相好故脩諸功德樂嚴飾道場樂聞深
法不畏樂三脫門不樂非時樂近同學樂於非
同學中心无恚导樂將護惡知識樂近善知識
樂心喜清淨樂脩无量道品之法是為菩薩
法樂於是波旬告諸女言我欲與汝俱還天

BD00158號　維摩詰所說經卷上　（26–23）

成就相好故脩諸功德樂嚴飾道場樂聞深
法不畏樂三脫門不樂非時樂近同學樂於非
同學中心无恚导樂將護惡知識樂近善知識
樂心喜清淨樂脩无量道品之法是為菩薩
法樂於是波旬告諸女言我欲與汝俱還天
宮諸女言以我等與此居士有法樂我等甚
樂不復樂五欲樂也魔言居士可捨此女一切
所有施於彼者是為菩薩維摩詰言我已捨
矣汝便將去令一切衆生得法是願滿於是諸
女問維摩詰我等云何止於魔宮維摩詰言
諸姊有法門名无盡燈汝等當學无盡燈者
譬如一燈然百千燈冥者皆明明終不盡如
是諸姊夫一菩薩開導百千衆生令發阿耨
多羅三藐三菩提心於其道意亦不滅盡隨
所說法而自增益一切善法是名无盡燈也
汝等雖住魔宮以是无盡燈令无數天子天
女發阿耨多羅三藐三菩提心者為報佛恩
亦大饒益一切衆生尒時天女頭面禮維摩
詰足隨魔還宮忽然不現世尊維摩詰有如
是等自在神力智慧辯才故我不任詣彼問疾
佛告長者子善德汝行詣維摩詰問疾善德
白佛言世尊我不堪任詣彼問疾所以者何
憶念我昔自於父舍設大施會供養一切沙
門婆羅門及諸外道貧窮下賤孤獨乞人期
滿七日時維摩詰來入會中謂我言長者子
夫大施會不當如汝所設當為法施之會何
用是財施會為我言居士何謂法施之會法

BD00158號　維摩詰所說經卷上　（26–24）

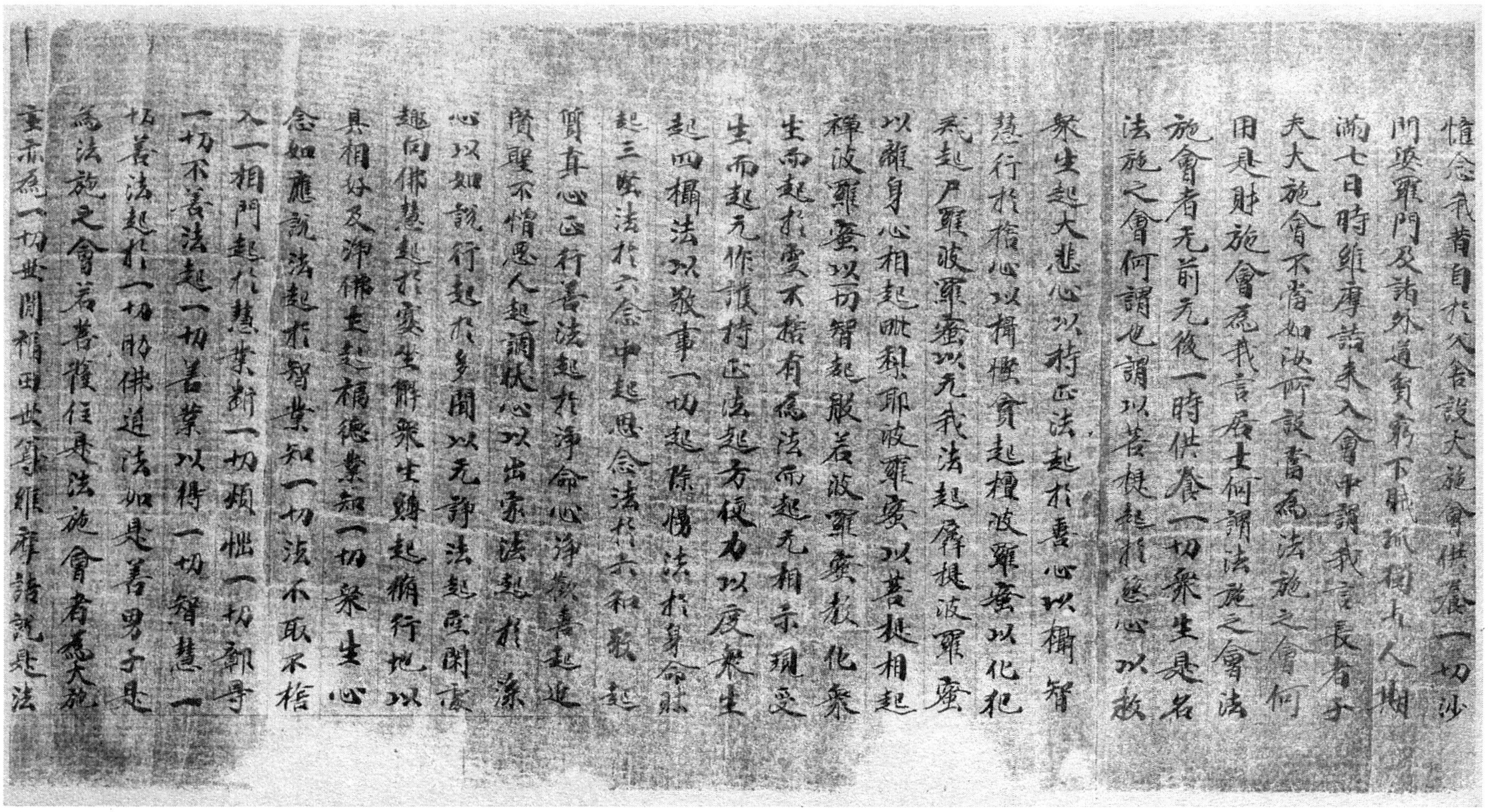
憶念我昔自於父舍設大施會供養一切沙
門婆羅門及諸外道貧窮下賤孤獨乞人期
滿七日時維摩詰來入會中謂我言長者子
夫大施會不當如汝所設當為法施之會何
用是財施會為我言居士何謂法施之會法
施會者无前无後一時供養一切衆生是名
法施之會何謂也謂以菩提起於慈心以救
衆生起大悲心以持正法起於喜心以攝智
慧行於捨心以攝慳貪起檀波羅蜜以化犯
戒起尸羅波羅蜜以无我法起羼提波羅蜜
以離身心相起毗梨耶波羅蜜以菩提相起
禪波羅蜜以一切智起般若波羅蜜教化衆
生而起於空不捨有為法而起无相示現受
生而起无作護持正法起方便力以度衆生
起四攝法以敬事一切起除慢法於身命財
起三堅法於六念中起思念法於六和敬起
質直心正行善法起於淨命心淨歡喜起近
賢聖不憎惡人起調伏心以出家法起於深
心以如說行起於多聞以无諍法起空閑處
趣向佛慧起於宴坐解衆生縛起脩行地以
具相好及淨佛土起福德業知一切衆生心
念如應說法起於智業知一切法不取不捨
入一相門起於慧業斷一切煩惱一切鄣导
一切不善法起一切善業以得一切智慧一
切善法起於一切助佛道法如是善男子是
為法施之會若菩薩住是法施會者為大施
主亦為一切世間福田世尊維摩詰說是法

BD00158號　維摩詰所說經卷上　（26–25）

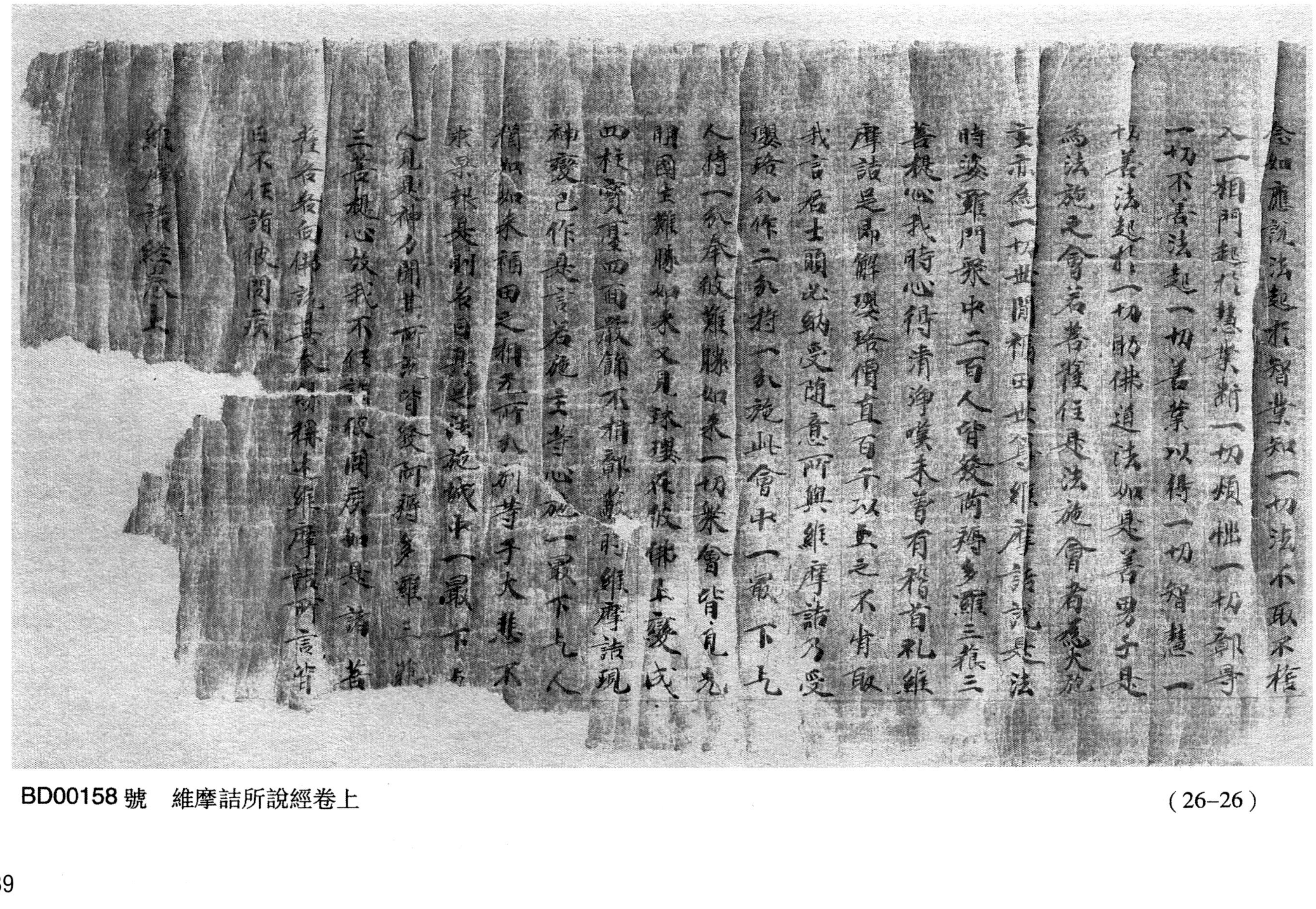
念如應說法起於智業知一切法不取不捨
入一相門起於慧業斷一切煩惱一切鄣导
一切不善法起一切善業以得一切智慧一
切善法起於一切助佛道法如是善男子是
為法施之會若菩薩住是法施會者為大施
主亦為一切世間福田世尊維摩詰說是法
時婆羅門衆中二百人皆發阿耨多羅三藐三
菩提心我時心得清淨歎未曾有稽首礼維
摩詰足即解瓔珞價直百千以上之不肯取
我言居士願必納受隨意所與維摩詰乃受
瓔珞分作二分持一分施此會中一最下乞
人持一分奉彼難勝如來一切衆會皆見光
明國土難勝如來又見珠瓔在彼佛上變成
四柱寶臺四面嚴飾不相鄣蔽時維摩詰現
神變已作是言若施主等心施一最下乞人
猶如如來福田之相无所分別等于大悲不
求果報是則名曰具足法施城中一最下乞
人見是神力聞其所說皆發阿耨多羅三藐
三菩提心故我不任詣彼問疾如是諸菩
薩各各向佛說其本緣稱述維摩詰所言皆
曰不任詣彼問疾

維摩詰經卷上

BD00158號　維摩詰所說經卷上　（26–26）

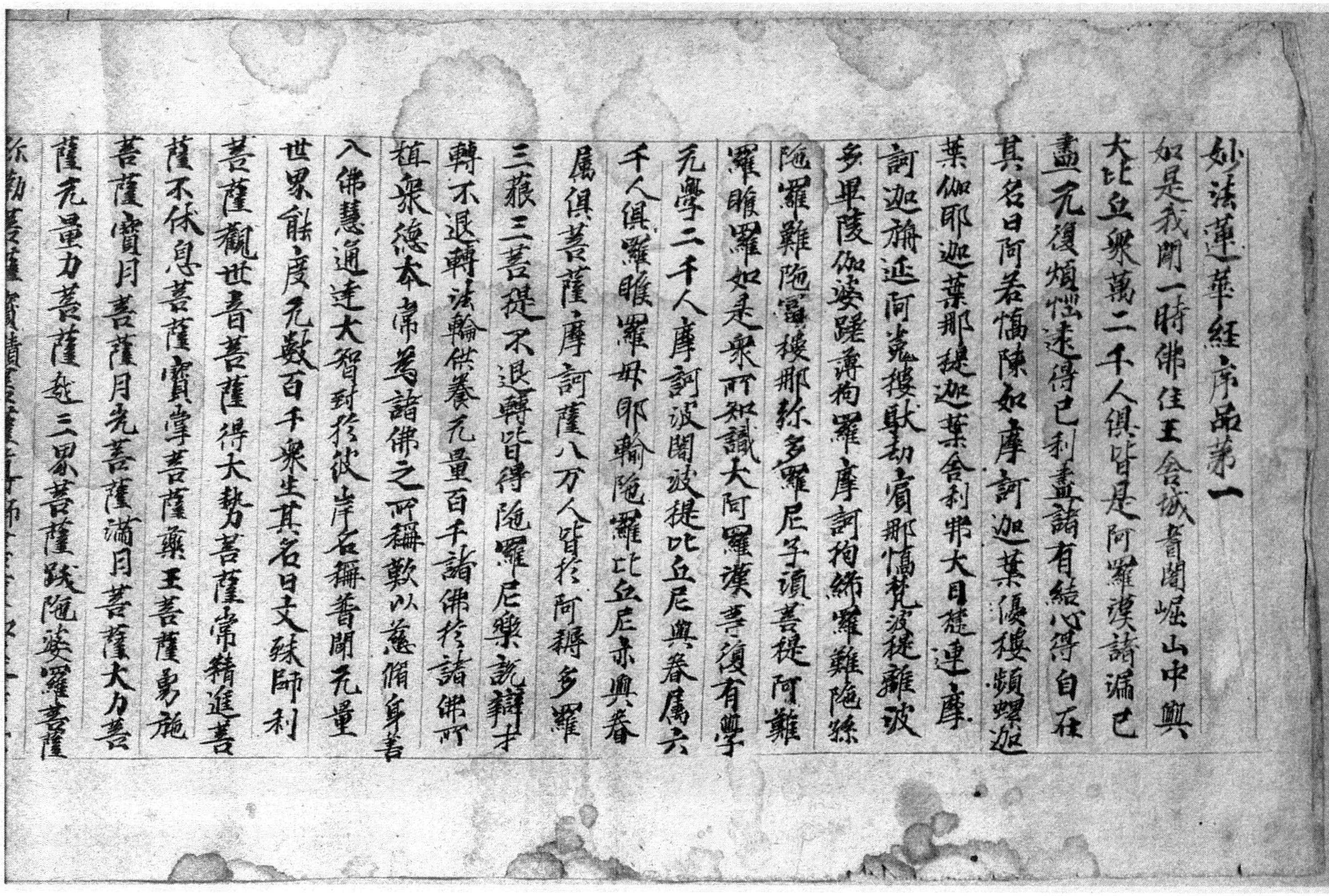
妙法蓮華經序品第一
如是我聞一時佛住王舍城耆闍崛山中與
大比丘衆萬二千人俱皆是阿羅漢諸漏已
盡无復煩惱逮得己利盡諸有結心得自在
其名曰阿若憍陳如摩訶迦葉優樓頻螺迦
葉伽耶迦葉那提迦葉舍利弗大目揵連摩
訶迦旃延阿㝹樓馱劫賓那憍梵波提離波
多畢陵伽婆蹉薄拘羅摩訶拘絺羅難陀孫
陀羅難陀富樓那彌多羅尼子須菩提阿難
羅睺羅如是衆所知識大阿羅漢等復有學
无學二千人摩訶波闍波提比丘尼與眷屬六
千人俱羅睺羅母耶輸陀羅比丘尼亦與眷
屬俱菩薩摩訶薩八万人皆於阿耨多羅
三藐三菩提不退轉皆得陀羅尼樂說辯才
轉不退轉法輪供養无量百千諸佛於諸佛所
殖衆德本常爲諸佛之所稱歎以慈脩身善
入佛慧通達大智到於彼岸名稱普聞无量
世界能度无數百千衆生其名曰文殊師利
菩薩觀世音菩薩得大勢菩薩常精進菩
薩不休息菩薩寶掌菩薩藥王菩薩勇施
菩薩寶月菩薩月光菩薩滿月菩薩大力菩
薩无量力菩薩越三界菩薩跋陀婆羅菩薩
彌勒菩薩寶積

BD00159 號　妙法蓮華經（兑廢稿）卷一　（11-1）

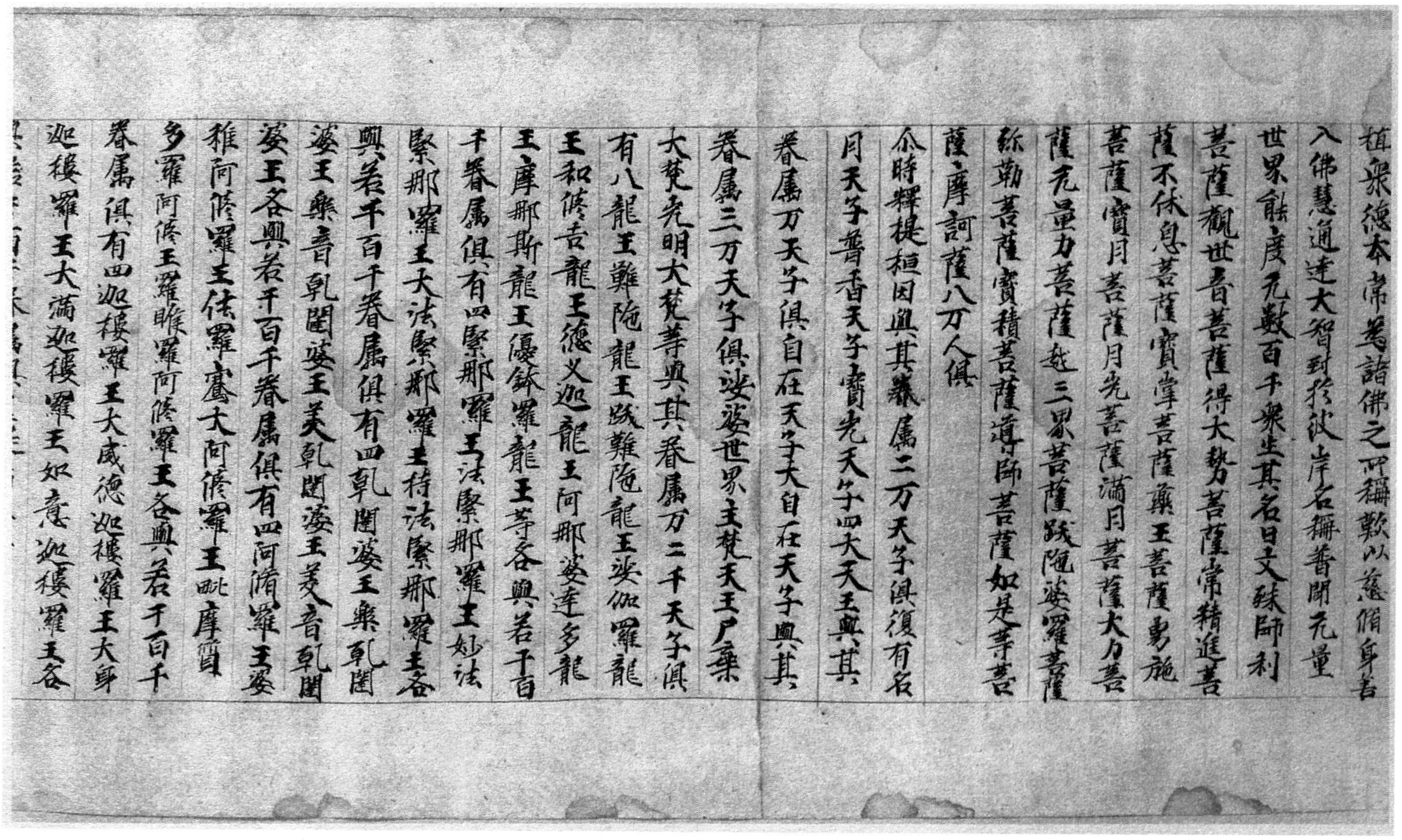
殖衆德本常爲諸佛之所稱歎以慈脩身善
入佛慧通達大智到於彼岸名稱普聞无量
世界能度无數百千衆生其名曰文殊師利
菩薩觀世音菩薩得大勢菩薩常精進菩
薩不休息菩薩寶掌菩薩藥王菩薩勇施
菩薩寶月菩薩月光菩薩滿月菩薩大力菩
薩无量力菩薩越三界菩薩跋陀婆羅菩薩
彌勒菩薩寶積菩薩導師菩薩如是等菩
薩摩訶薩八万人俱
尒時釋提桓因與其眷屬二万天子俱復有名
月天子普香天子寶光天子四大天王與其
眷屬万天子俱自在天子大自在天子與其
眷屬三万天子俱娑婆世界主梵天王尸棄
大梵光明大梵等與其眷屬万二千天子俱
有八龍王難陀龍王跋難陀龍王娑伽羅龍
王和脩吉龍王德叉迦龍王阿那婆達多龍
王摩那斯龍王優鉢羅龍王等各與若干百
千眷屬俱有四緊那羅王法緊那羅王妙法
緊那羅王大法緊那羅王持法緊那羅王各
與若干百千眷屬俱有四乾闥婆王樂乾闥
婆王樂音乾闥婆王美乾闥婆王美音乾闥
婆王各與若干百千眷屬俱有四阿脩羅王婆
稚阿脩羅王佉羅騫駄阿脩羅王毗摩質
多羅阿脩羅王羅睺阿脩羅王各與若干百
千眷屬俱有四迦樓羅王大威德迦樓羅王大身
迦樓羅王大滿迦樓羅王如意迦樓羅王各

BD00159 號　妙法蓮華經（兑廢稿）卷一　（11-2）

稚阿脩羅王佉羅騫馱阿脩羅王毗摩質
多羅阿脩羅王羅睺阿脩羅王各與若干百千
眷屬俱有四迦樓羅王大威德迦樓羅王大身
迦樓羅王大滿迦樓羅王如意迦樓羅王各
與若干百千眷屬俱韋提希子阿闍世王
與若干百千眷屬俱各礼佛足退坐一面
尒時世尊四衆圍遶供養恭敬尊重讚歎為
諸菩薩說大乘經名无量義教菩薩法佛所
護念佛說此經已結加趺坐入於无量義處
三昧身心不動是時天雨曼陁羅華摩訶曼
陁羅華曼殊沙華摩訶曼殊沙華而散佛
上及諸大衆普佛世界六種震動尒時會中比
丘比丘尼優婆塞優婆夷天龍夜叉乾闥婆
阿脩羅迦樓羅緊那羅摩睺羅伽人非人及
諸小王轉輪聖王等是諸大衆得未曾有歡
喜合掌一心觀佛尒時佛放眉間白豪相光
照于東方万八千世界靡不周遍下至阿鼻
地獄上至阿迦尼吒天於此世界盡見彼土六
趣衆生又見彼土現在諸佛及聞諸佛所說
經法并見彼諸比丘比丘尼優婆塞優婆夷
諸修行得道復見諸菩薩摩訶薩種
種因緣種種信解種種相貌行菩薩道復見
諸佛般涅槃者復見諸佛般涅槃後以佛舍
利起七寶塔尒時彌勒菩薩作是念今者世
尊現神變相以何因緣而有此瑞今佛世尊
入于三昧是不可思議現希有事當以問誰
誰能答者復作此念是文殊師利法王之子

利起七寶塔尒時彌勒菩薩作是念今者世
尊現神變相以何因緣而有此瑞今佛世尊
入于三昧是不可思議現希有事當以問誰
誰能答者復作此念是文殊師利法王之子
已曾親近供養過去无量諸佛必應見此希
有之相我今當問尒時比丘比丘尼優婆塞優
婆夷及諸天龍鬼神等咸作此念是佛光明
神通之相今當問誰尒時彌勒菩薩欲自決
疑又觀四衆比丘比丘尼優婆塞優婆夷及諸天
龍鬼神等衆會之心而問文殊師利言以何
因緣而有此瑞神通之相放大光明照于東方
万八千土悉見彼佛國界莊嚴於是彌勒菩薩欲
重宣此義以偈問曰
文殊師利　導師何故　眉間白豪　大光普照
雨曼陁羅　曼殊沙華　栴檀香風　悅可衆心
以是因緣　地皆嚴淨　而此世界　六種震動
時四部衆　咸皆歡喜　身意快然　得未曾有
眉間光明　照于東方　万八千土　皆如金色
從阿鼻獄　上至有頂　諸世界中　六道衆生
生死所趣　善惡業緣　受報好醜　於此悉見
又覩諸佛　聖主師子　演說經典　微妙第一
其聲清淨　出柔濡音　教諸菩薩　无數億万
梵音深妙　令人樂聞　各於世界　講說正法
種種因緣　以无量喻　照明佛法　開悟衆生
若人遭苦　猒老病死　為說涅槃　盡諸苦際
若人有福　曾供養佛　志求勝法　為說緣覺

其聲清淨 出柔軟音 教諸菩薩 无數億万
梵音深妙 令人樂聞 各於世界 講說正法
種種因緣 以无量喻 照明佛法 開悟衆生
若人遭苦 厭老病死 為說涅槃 盡諸苦際
若人有福 曾供養佛 志求勝法 為說緣覺
若有佛子 修種種行 求无上道 為說淨道
文殊師利 我住於此 見聞若斯 及千億事
如是衆多 今當略說
我見彼土 恒沙菩薩 種種因緣 而求佛道
或有行施 金銀珊瑚 真珠摩尼 車璖馬瑙
金剛諸珍 奴婢車乘 寶飾輦輿 歡喜布施
迴向佛道 願得是乘 三界第一 諸佛所歎
或有菩薩 駟馬寶車 欄楯華蓋 軒飾布施
復見菩薩 身肉手足 及妻子施 求无上道
又見菩薩 頭目身體 欣樂施與 求佛智慧
文殊師利 我見諸王 往詣佛所 問无上道
便捨樂土 宮殿臣妾 剃除鬚髮 而被法服
或見菩薩 而作比丘 獨處閑靜 樂誦經典
又見菩薩 勇猛精進 入於深山 思惟佛道
又見離欲 常處空閑 深修禪定 得五神通
又見菩薩 安禪合掌 以千万偈 讚諸法王
復見菩薩 智深志固 能問諸佛 聞悉受持
又見佛子 定慧具足 以无量喻 為衆講法
欣樂說法 化諸菩薩 破魔兵衆 而擊法鼓
又見菩薩 寂然宴默 天龍恭敬 不以為喜
又見菩薩 處林放光 濟地獄苦 令入佛道
又見佛子 未曾睡眠 經行林中 勤求佛道

又見佛子 定慧具足 以无量喻 為衆講法
欣樂說法 化諸菩薩 破魔兵衆 而擊法鼓
又見菩薩 寂然宴默 天龍恭敬 不以為喜
又見菩薩 處林放光 濟地獄苦 令入佛道
又見佛子 未曾睡眠 經行林中 勤求佛道
又見具戒 威儀无缺 淨如寶珠 以求佛道
又見佛子 住忍辱力 增上慢人 惡罵捶打
皆悉能忍 以求佛道
又見菩薩 離諸戲笑 及癡眷屬 親近智者
一心除亂 攝念山林 億千万歲 以求佛道
或見菩薩 餚膳飲食 百種湯藥 施佛及僧
名衣上服 價直千万 或无價衣 施佛及僧
千万億種 旃檀寶舍 衆妙臥具 施佛及僧
清淨園林 華菓茂盛 流泉浴池 施佛及僧
如是等施 種種微妙 歡喜无猒 求无上道
或有菩薩 說寂滅法 種種教詔 无數衆生
或見菩薩 觀諸法性 无有二相 猶如虛空
又見佛子 心无所著 以此妙慧 求无上道
文殊師利 又有菩薩 佛滅度後 供養舍利
又見佛子 造諸塔廟 无數恒沙 嚴飾國界
寶塔高妙 五千由旬 縱廣正等 二千由旬
一一塔廟 各千幢幡 珠交露幔 寶鈴和鳴
諸天龍神 人及非人 香華伎樂 常以供養
文殊師利 諸佛子等 為供舍利 嚴飾塔廟
國界自然 殊特妙好 如天樹王 其華開敷
佛放一光 我及衆會 見此國界 種種殊妙

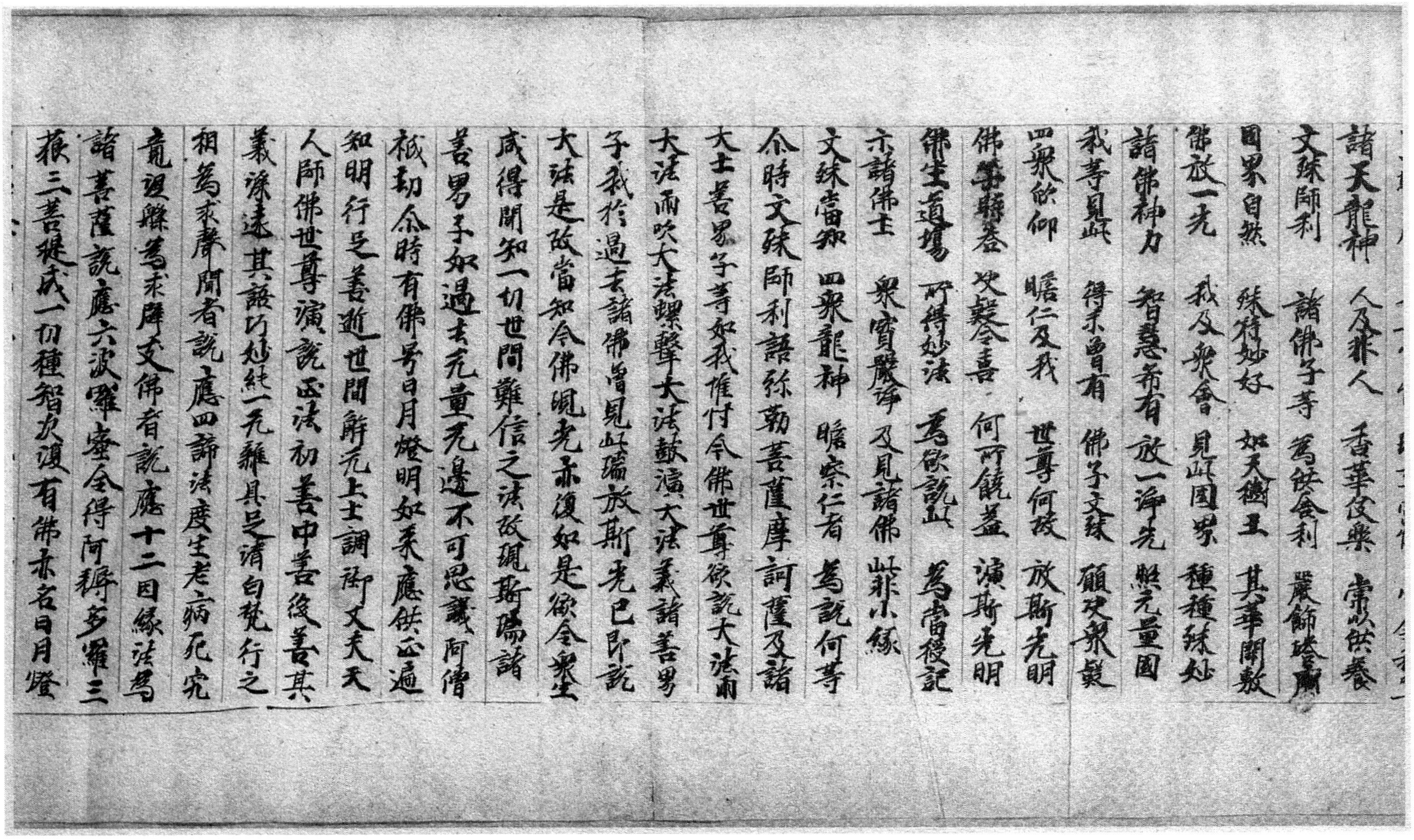
諸天龍神　人及非人　香華伎樂　常以供養
文殊師利　諸佛子等　為供舍利　嚴飾塔廟
國界自然　殊特妙好　如天樹王　其華開敷
佛放一光　我及衆會　見此國界　種種殊妙
諸佛神力　智慧希有　放一淨光　照無量國
我等見此　得未曾有　佛子文殊　願決衆疑
四衆欣仰　瞻仁及我　世尊何故　放斯光明
佛子時荅　決疑令喜　何所饒益　演斯光明
佛坐道場　所得妙法　為欲說此　為當授記
示諸佛土　衆寶嚴淨　及見諸佛　此非小緣
文殊當知　四衆龍神　瞻察仁者　為說何等
爾時文殊師利語彌勒菩薩摩訶薩及諸
大士善男子等如我惟忖今佛世尊欲說大法雨
大法雨吹大法螺擊大法鼓演大法義諸善男
子我於過去諸佛曾見此瑞放斯光已即說
大法是故當知今佛現光亦復如是欲令衆生
咸得聞知一切世間難信之法故現斯瑞諸
善男子如過去無量無邊不可思議阿僧
祇劫爾時有佛號日月燈明如來應供正遍
知明行足善逝世間解無上士調御丈夫天
人師佛世尊演說正法初善中善後善其
義深遠其語巧妙純一無雜具足清白梵行之
相為求聲聞者說應四諦法度生老病死究
竟涅槃為求辟支佛者說應十二因緣法為
諸菩薩說應六波羅蜜令得阿耨多羅三
藐三菩提成一切種智次復有佛亦名日月燈

BD00159號　妙法蓮華經(兌廢稿)卷一　(11-7)

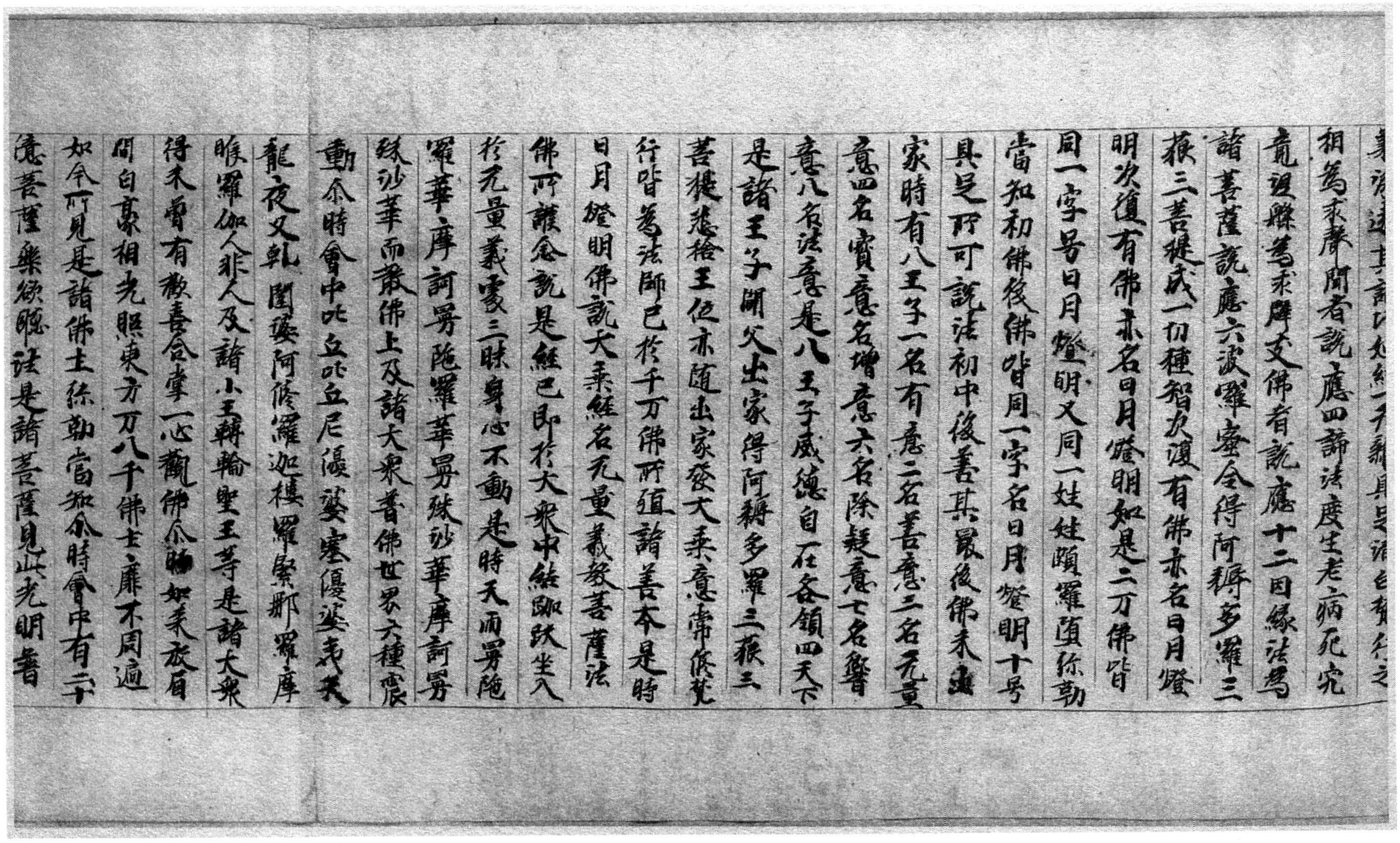
義深遠其語巧妙純一無雜具足清白梵行之
相為求聲聞者說應四諦法度生老病死究
竟涅槃為求辟支佛者說應十二因緣法為
諸菩薩說應六波羅蜜令得阿耨多羅三
藐三菩提成一切種智次復有佛亦名日月燈
明次復有佛亦名日月燈明如是二万佛皆
同一字號日月燈明又同一姓姓頗羅墮彌勒
當知初佛後佛皆同一字名日月燈明十號
具足所可說法初中後善其最後佛未出
家時有八王子一名有意二名善意三名無量
意四名寶意五名增意六名除疑意七名響
意八名法意是八王子威德自在各領四天下
是諸王子聞父出家得阿耨多羅三藐三
菩提悉捨王位亦隨出家發大乘意常修梵
行皆為法師已於千万佛所殖諸善本是時
日月燈明佛說大乘經名無量義教菩薩法
佛所護念說是經已即於大衆中結加趺坐入
於無量義處三昧身心不動是時天雨曼陀
羅華摩訶曼陀羅華曼殊沙華摩訶曼
殊沙華而散佛上及諸大衆普佛世界六種震
動爾時會中比丘比丘尼優婆塞優婆夷天
龍夜叉乾闥婆阿修羅迦樓羅緊那羅摩
睺羅伽人非人及諸小王轉輪聖王等是諸大衆
得未曾有歡喜合掌一心觀佛爾時如來放眉
間白毫相光照東方万八千佛土靡不周遍
如今所見是諸佛土彌勒當知爾時會中有二十
億菩薩樂欲聽法是諸菩薩見此光明普

BD00159號　妙法蓮華經(兌廢稿)卷一　(11-8)

睺羅伽人非人及諸小王轉輪聖王等是諸大衆
得未曾有歡喜合掌一心觀佛尒時如來放眉
間白毫相光照東方万八千佛土靡不周遍
如今所見是諸佛土弥勒當知尒時會中有二十
億菩薩樂欲聽法是諸菩薩見此光明普
照佛土得未曾有欲知此光所為因緣時有
菩薩名曰妙光有八百弟子是時日月燈明
佛從三昧起因妙光菩薩說大乘經名妙法
蓮華教菩薩法佛所護念六十小劫不起于坐
時會聽者亦坐一處六十小劫身心不動聽
佛所說謂如食頃是時衆中无有一人若身若
心而生懈惓日月燈明佛於六十小劫說是經
已即於梵魔沙門婆羅門及天人阿脩羅衆
中而宣此言如來於今日中夜當入无餘涅槃
時有菩薩名曰德藏日月燈明佛即授其記
告諸比丘是德藏菩薩次當作佛号曰淨身
多陀阿伽度阿羅訶三藐三佛陀佛授記已
便於中夜入无餘涅槃佛滅度後妙光菩薩
持妙法蓮華經滿八十小劫為人演說日月燈明
佛八子皆師妙光妙光教化令其堅固阿耨多
羅三藐三菩提是諸王子供養无量百千万億
佛已皆成佛道其最後成佛者名曰然燈八百
弟子中有一人号曰求名貪著利養雖復讀誦
衆經而不通利多所忘失故号求名是人亦以種
諸善根因緣故得值无量百千万億諸佛供
養恭敬尊重讚嘆弥勒當知尒時妙光菩

BD00159號　妙法蓮華經（兑廢稿）卷一　（11-9）

佛已皆成佛道其最後成佛者名曰然燈八百
弟子中有一人号曰求名貪著利養雖復讀誦
衆經而不通利多所忘失故号求名是人亦以種
諸善根因緣故得值无量百千万億諸佛供
養恭敬尊重讚嘆弥勒當知尒時妙光菩
薩豈異人乎我身是也求名菩薩汝身是也
今見此瑞與本无異是故惟忖今日如來當
說大乘經名妙法蓮華教菩薩法佛所護念
尒時文殊師利於大衆中欲重宣此義而說偈
言
我念過去世　无量无數劫　有佛人中尊　号日月燈明
世尊演說法　度无量衆生　无數億菩薩　令入佛智慧
佛未出家時　所生八王子　見大聖出家　亦隨修梵行
時佛說大乘　經名无量義　於諸大衆中　而為廣分別
佛說此經已　即於法座上　跏趺坐三昧　名无量義處
天雨曼陀華　天鼓自然鳴　諸天龍鬼神　供養人中尊
一切諸佛土　即時大震動　佛放眉間光　現諸希有事
此光照東方　万八千佛土　示一切衆生　生死業報處
有見諸佛土　以衆寶莊嚴　琉璃頗梨色　斯由佛光照
及見諸天人　龍神夜叉衆　乾闥緊那羅　各供養其佛
又見諸如來　自然成佛道　身色如金山　端嚴甚微妙
如淨琉璃中　內現真金像　世尊在大衆　敷演深法義
一一諸佛土　聲聞衆无數　因佛光所照　悉見彼大衆
或有諸比丘　在於山林中　精進持淨戒　猶如護明珠
又見諸菩薩　行施忍辱等　其數如恒沙　斯由佛光照
又見諸菩薩　深入諸禪定　身心寂不動　以求无上道

ED00159號　妙法蓮華經（兑廢稿）卷一　（11-10）

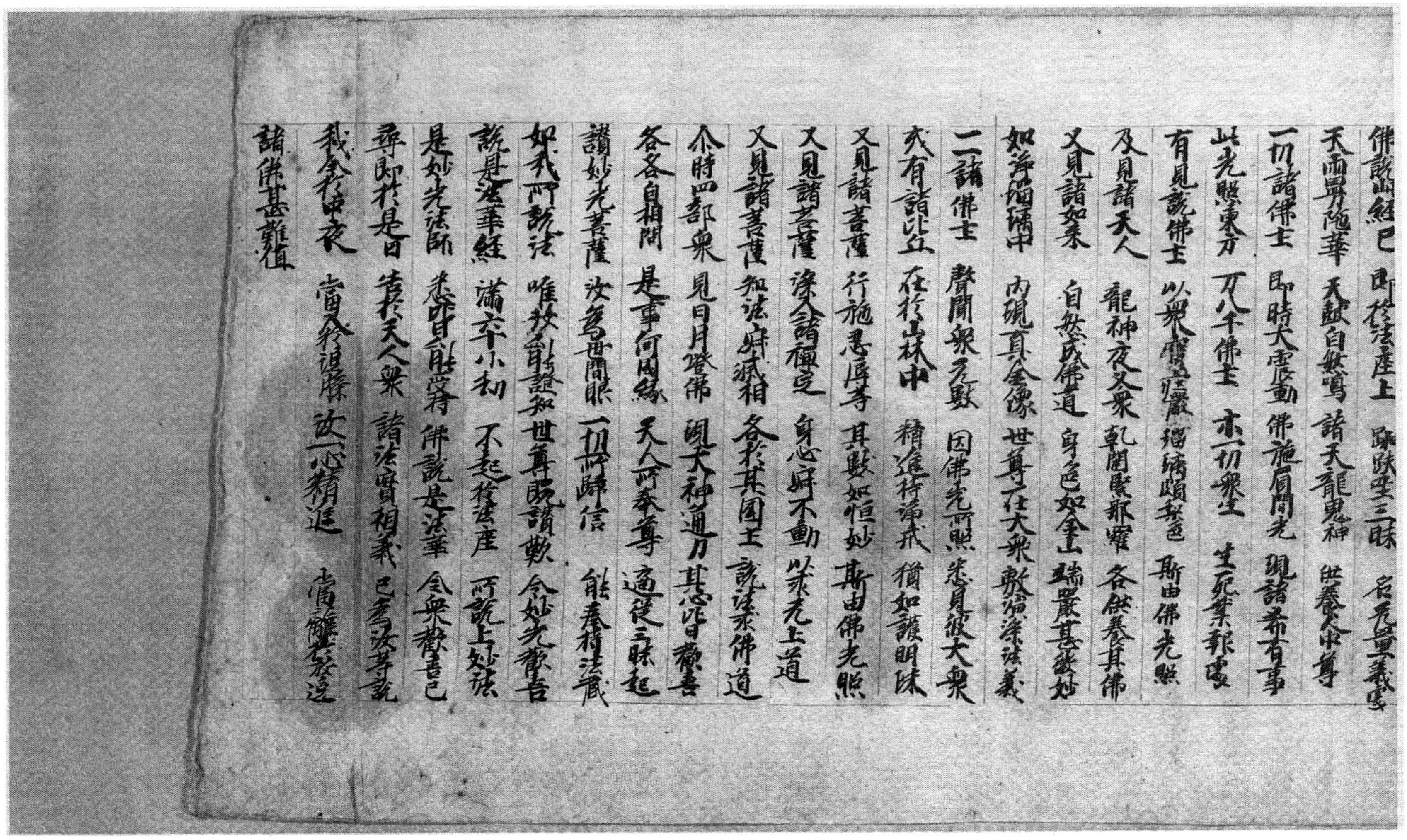

佛說此經已　即於法座上　跏趺坐三昧　名無量義處
天雨曼陁華　天鼓自然鳴　諸天龍鬼神　供養人中尊
一切諸佛土　即時大震動　佛放眉間光　現諸希有事
此光照東方　万八千佛土　示一切眾生　生死業報處
有見諸佛土　以眾寶莊嚴　琉璃頗梨色　斯由佛光照
及見諸天人　龍神夜叉眾　乾闥緊那羅　各供養其佛
又見諸如來　自然成佛道　身色如金山　端嚴甚微妙
如淨瑠璃中　內現真金像　世尊在大眾　敷演深法義
一一諸佛土　聲聞眾无數　因佛光所照　悉見彼大眾
或有諸比丘　在於山林中　精進持淨戒　猶如護明珠
又見諸菩薩　行施忍辱等　其數如恒沙　斯由佛光照
又見諸菩薩　深入諸禪定　身心寂不動　以求无上道
又見諸菩薩　知法寂滅相　各於其國土　說法求佛道
尒時四部眾　見日月燈佛　現大神通力　其心皆歡喜
各各自相問　是事何因緣　天人所奉尊　適從三昧起
讚妙光菩薩　汝為世間眼　一切所歸信　能奉持法藏
如我所說法　唯汝能證知　世尊既讚歎　令妙光歡喜
說是法華經　滿六十小劫　不起於法座　所說上妙法
是妙光法師　悉皆能受持　佛說是法華　令眾歡喜已
尋即於是日　告於天人眾　諸法實相義　已為汝等說
我今於中夜　當入於涅槃　汝一心精進　當離於放逸
諸佛甚難值

BD00159 號　妙法蓮華經（兑廢稿）卷一　　（11–11）

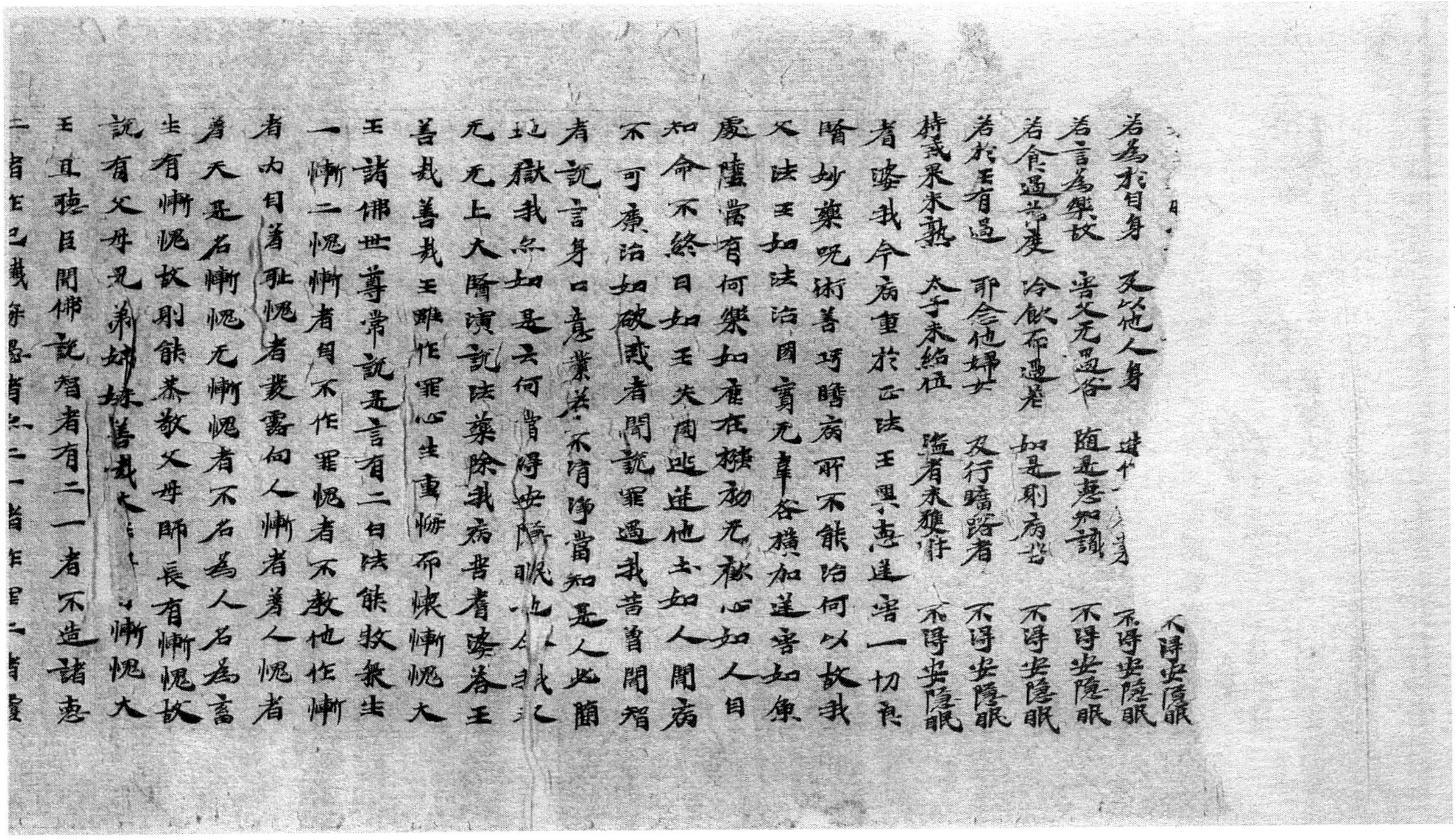

不得安隱眠
若為於自身　及他人身　造[illegible]　不得安隱眠
若言為樂故　害父无過咎　隨是惡知識　不得安隱眠
若食過節度　冷飲而過差　如是則病苦　不得安隱眠
若於王有過　邪念他婦女　及行曠路者　不得安隱眠
持戒果未熟　太子未紹位　盜者未獲財　不得安隱眠
耆婆我今病重於正法王興惡逆害一切良
醫妙藥呪術善巧瞻病所不能治何以故我
父法王如法治國實无辜咎橫加逆害如魚
處陸當有何樂如鹿在羂初无歡心如人自
知命不終日如王失國逃迸他土如人聞病
不可療治如破戒者聞說罪過我昔曾聞智
者說言身口意業若不清淨當知是人必墮
地獄我亦如是云何當得安隱眠也今我又
无无上大醫演說法藥除我病苦耆婆答王
善哉善哉王雖作罪心生重悔而懷慚愧大
王諸佛世尊常說是言有二白法能救衆生
一慚二愧慚者自不作罪愧者不教他作慚
者內自羞恥愧者發露向人慚者羞人愧者
羞天是名慚愧无慚愧者不名為人名為畜
生有慚愧故則能恭敬父母師長有慚愧故
說有父母兄弟姊妹善哉大王具有慚愧大
王且聽臣聞佛說智者有二一者不造諸惡
二者作已懺悔愚者亦二一者作罪二者覆藏

BD00160 號　大般涅槃經（北本）卷一九　　（3–1）

善哉善哉王雖作罪心生重悔而懷慚愧大
王諸佛世尊常說是言有二白法能救眾生
一慚二愧慚者自不作罪愧者不教他作慚
者內自羞恥愧者發露向人慚者羞人愧者
羞天是名慚愧无慚愧者不名為人名為畜
生有慚愧故則能恭敬父母師長有慚愧故
說有父母兄弟姊妹善哉大王具有慚愧大
王且聽臣聞佛說智者有二一者不造諸惡
二者作已懺悔愚者亦二一者作罪二者覆
藏雖先作惡後能發露悔已慚愧更不敢作
猶如濁水置之明珠以珠威力水即為清如
烟雲除月則清明作惡能悔亦復如是王若
懺悔懷慚愧者罪則除滅清淨如本大王富
有二種一者象馬種種畜生二者金銀種種
珍寶象馬雖多不敵一珠大王眾生亦尒一
者惡富二者善富多作諸惡不如一善臣聞
佛說脩一善心破百種惡大王如少金剛能
壞須弥亦如少火能燒一切如少毒藥能害
眾生少善亦尒能破大惡雖名小善其實是
大何以故破大惡故大王如佛所說覆藏者
漏不覆藏者則无有漏發露悔過是故不漏
若作眾罪不覆不藏以不覆故罪即微薄
若懷慚愧罪則消滅大王水渧雖微漸盈大
器善心亦尒一一善心能破大惡若覆罪者
罪則增長發露慚愧罪則消滅是故諸佛說
有智者不覆藏罪善哉大王能信因果信業
信報唯願大王莫懷愁怖若有眾生造作諸

漏不覆藏者則无有漏發露悔過是故不漏
若作眾罪不覆不藏以不覆故罪即微薄
若懷慚愧罪則消滅大王水渧雖微漸盈大
器善心亦尒一一善心能破大惡若覆罪者
罪則增長發露慚愧罪則消滅是故諸佛說
有智者不覆藏罪善哉大王能信因果信業
信報唯願大王莫懷愁怖若有眾生造作諸
罪覆藏不悔心无慚愧不見因果及以業報不
能諮啟有智之人不近善友如是之人一切
良醫乃至瞻病所不能治如迦摩羅病世醫
拱手覆罪之人亦復如是云何罪人謂一闡
提一闡提者不信因果无有慚愧不信業報
不見現在及未來世不親善友不隨諸佛所
說教戒如是之人名一闡提諸佛世尊所不
能治何以故如世死屍醫不能治一闡提者
亦復如是諸佛世尊所不能治大王今者非
一闡提云何而言不可救療如王所言无能
治者大王當知迦毗羅城
氏字悉達多无
三藐三
是十
一

[illegible]善根白佛言世尊菩薩摩訶薩欲具
檀波羅蜜當學般若波羅蜜欲具足尸羅
羅蜜羼提波羅蜜毗棃耶波羅蜜禪波羅蜜
般若波羅蜜當學般若波羅蜜菩薩摩訶薩
欲知色當學般若波羅蜜乃至欲知識當學
般若波羅蜜欲知眼乃至意欲知色乃至法
欲知眼識乃至意識欲知眼觸乃至意觸欲
知眼觸因緣生受乃至意觸因緣生受當學
般若波羅蜜欲斷婬瞋癡當學般若波羅蜜
菩薩摩訶薩欲斷身見戒取疑婬欲瞋恚色
愛无色愛掉慢无明等諸結使纏當學般若
波羅蜜欲斷四縛四結四顛到當學般若波
羅蜜欲知十善道欲知四禪欲知四无量心
四无色定四念處乃至十八不共法當學般
若波羅蜜菩薩摩訶薩欲入覺意三昧當學
般若波羅蜜欲入六神通九次第定超越三
昧當學般若波羅蜜欲得師子遊戲三昧當
學般若波羅蜜欲得師子奮迅三昧欲得一
切陁羅尼門當學般若波羅蜜菩薩摩訶薩
欲得首楞嚴三昧寶印三昧妙月三昧月幢

BD00161 號　摩訶般若波羅蜜經卷三　（28–1）

若波羅蜜菩薩摩訶薩欲入覺意三昧當學
般若波羅蜜欲入六神通九次第定超越三
昧當學般若波羅蜜欲得師子遊戲三昧當
學般若波羅蜜欲得師子奮迅三昧欲得一
切陁羅尼門當學般若波羅蜜菩薩摩訶薩
欲得首楞嚴三昧寶印三昧妙月三昧月幢
相三昧一切法印三昧觀印三昧畢法性三
昧畢住相三昧如金剛三昧入一切法門三
昧三昧王三昧王印三昧淨力三昧高出三
昧畢入一切辯才三昧入諸法名三昧觀十
方三昧諸陁羅尼門印三昧一切法不忘三
昧攝一切法聚印三昧虛空住三昧三分
清淨三昧不退神通三昧出鉢三昧諸三
昧幢相三昧欲得如是等諸三昧門當學般
若波羅蜜復次世尊菩薩摩訶薩欲滿一切
衆生願當學般若波羅蜜欲得具足如是善
根常不墮惡趣欲得不生卑賤之家欲得不
住聲聞辟支佛地中欲得不墮菩薩頂者當
學般若波羅蜜尒時慧命舍利弗問須菩提
云何為菩薩摩訶薩墮頂須菩提言舍利弗
若菩薩摩訶薩不以方便行六波羅蜜入空
无相无作三昧不墮聲聞辟支佛地亦不入
菩薩位是名菩薩摩訶薩法生故墮頂舍利
弗問須菩提云何名菩薩生須菩提答舍利
[illegible]

BD00161 號　摩訶般若波羅蜜經卷三　（28–2）

云何為菩薩摩訶薩墮頂須菩提言舍利弗
若菩薩摩訶薩不以方便行六波羅蜜入空
无相无作三昧不墮聲聞辟支佛地亦不入
菩薩位是名菩薩摩訶薩法生故墮頂舍利
弗問須菩提云何名菩薩生須菩提荅舍利
弗言生名愛法舍利弗言何等法愛須菩提
言菩薩摩訶薩行般若波羅蜜色是空受念
着受想行識空受念着舍利弗是名菩薩摩
訶薩順道法愛生復次舍利弗菩薩摩訶薩
色是无相受念着受想行識无相受念着色
是无作受念着受想行識无作受念着色是
寂滅受念着受想行識寂滅受念着色是无
常乃至識色是苦乃至識色是无我乃至識
受念着是為菩薩順道法愛生是苦應知集
應斷盡應證道應脩是垢法是淨法是應近
是不應近是菩薩所應行是非菩薩所應行
是菩薩道是非菩薩道是菩薩學是非菩薩
學是菩薩檀波羅蜜乃至般若波羅蜜是非
菩薩檀波羅蜜乃至般若波羅蜜是菩薩方
便是非菩薩方便是菩薩熟是非菩薩熟舍
利弗菩薩摩訶薩行般若波羅蜜是諸法受
念着是為菩薩摩訶薩順道法愛生舍利弗
問須菩提云何名菩薩摩訶薩无生須菩提
言菩薩摩訶薩行般若波羅蜜時内空中不

BD00161號　摩訶般若波羅蜜經卷三　（28–3）

利弗菩薩摩訶薩行般若波羅蜜是諸法受
念着是為菩薩摩訶薩順道法愛生舍利弗
問須菩提云何名菩薩摩訶薩无生須菩提
言菩薩摩訶薩行般若波羅蜜時内空中不
見外空外空中不見内空外空中不見内外
空内外空中不見外空内外空中不見空空
空空中不見内外空空空中不見大空大空
中不見空空大空中不見第一義空第一義
空中不見大空第一義空中不見有為空有
為空中不見第一義空有為空中不見无為
空无為空中不見有為空无為空中不見畢
竟空畢竟空中不見无為空畢竟空中不見
无始空无始空中不見畢竟空无始空中不
見散空散空中不見无始空散空中不見性
空性空中不見散空性空中不見諸法空諸
法空中不見性空諸法空中不見自相空自
相空中不見諸法空自相空中不見不可得
空不可得空中不見自相空不可得空中不
見无法空无法空中不見不可得空无法空
中不見有法空有法空中不見无法空有法
空中不見无法有法空无法有法空中不見
有法空舍利弗菩薩摩訶薩行般若波羅蜜
得入菩薩位復次舍利弗菩薩摩訶薩欲學
般若波羅蜜應如是學不念色受想行識不

BD00161號　摩訶般若波羅蜜經卷三　（28–4）

空中不見无法有法空无法有法空中不見
有法空舍利弗菩薩摩訶薩行般若波羅蜜
得入菩薩位復次舍利弗菩薩摩訶薩欲學
般若波羅蜜應如是學不念色受想行識不
念有眼乃至意不念色乃至法不念檀波羅
蜜尸羅波羅蜜羼提波羅蜜毗梨耶波羅蜜
禪波羅蜜般若波羅蜜乃至十八不共法如
是舍利弗菩薩摩訶薩行般若波羅蜜得是
心不應念不應高无等等心不應念不應高
大心不應念不應高何以故是心非心心相
常淨故舍利弗語須菩提云何名心相常淨
須菩提言若菩薩知是心相與婬怒癡不合不
離諸纏流縛等諸結使一切煩惱不合不離
聲聞辟支佛心不合不離舍利弗是名菩薩
心相常淨舍利弗語須菩提有是无心相心
不須菩提報舍利弗言无心相中有心相无
心相可得不舍利弗言不可得須菩提言若
不可得不應問有是无心相不舍利弗復問
何等是无心相須菩提言諸法不壞不分別
是名无心相舍利弗復問須菩提但是心不
壞不分別色亦不壞不分別乃至佛道亦不
壞不分別耶須菩提言若能知心相不壞不分
別是菩薩亦能知色乃至佛道不壞不分別
尒時慧命舍利弗讚須菩提善哉善哉汝真

壞不分別色亦不壞不分別乃至佛道亦不
壞不分別耶須菩提言若能知心相不壞不分
別是菩薩亦能知色乃至佛道不壞不分別
尒時慧命舍利弗讚須菩提善哉善哉汝真
是佛子從佛口生從見法生從法化生取法
分不取財分法中自信身得證如佛所說得
无諍三昧中汝最第一實如佛所舉須菩提
菩薩摩訶薩應如是學般若波羅蜜是中亦
當分別知菩薩如汝所說行則不離般若波
羅蜜須菩提善男子善女人欲學聲聞地亦
當應聞般若波羅蜜持誦讀正憶念如說行
欲學辟支佛地亦當應聞般若波羅蜜持誦
讀正憶念如說行欲學菩薩地亦當應聞般
若波羅蜜持誦讀正憶念如說行何以故是
般若波羅蜜中廣說三乘是中菩薩摩訶薩
聲聞辟支佛當學

摩訶般若波羅蜜集散品第九

尒時慧命須菩提白佛言世尊我不覺不得
是菩薩行般若波羅蜜當為誰說般若波羅
蜜世尊我不得一切諸法集散若我為菩薩
作字言菩薩或當有悔世尊是字不住亦不
不住何以故是字无所有故以是故是字不
住亦不不住世尊我不得色集散乃至識集
散若不可得云何當作名字世尊是因緣故

作字言菩薩或當有悔世尊是字不住亦不
不住何以故是字无所有故以是故是字不
住亦不不住世尊我不得色集散乃至識集
散若不可得云何當作名字世尊是因緣故
是字不住亦不不住何以故是字无所有故
世尊我亦不得眼集散乃至意集散若不可
得云何當作名字言是菩薩世尊是眼名字
乃至意名字不住亦不不住何以故是名字
无所有故以是故是字不住亦不不住世尊
我不得色集散乃至法集散若不可得云何
何當作名字言是菩薩世尊是色字乃至法
字不住亦不不住何以故是字无所有故以
是故是字不住亦不不住眼識乃至意識眼
觸乃至意觸眼觸因緣生受乃至意觸因緣
生受亦如是世尊我不得无明集散乃至不
得老死集散世尊我不得无明盡集散乃至
不得老死盡集散世尊我不得婬怒癡集散
諸耶見集散皆亦如是世尊我不得六波羅
蜜集散四念處集散乃至八聖道分集散空
无相无作集散四禪四无量心四无色定集
散念佛念法念僧念戒念捨念天念善念入
出息念死集散我亦不得佛十力乃至十八
不共法集散世尊我若不得六波羅蜜乃至
十八不共法集散云何當作字言菩薩世尊

BD00161號　摩訶般若波羅蜜經卷三　（28–7）

无相无作集散四禪四无量心四无色定集
散念佛念法念僧念戒念捨念天念善念入
出息念死集散我亦不得佛十力乃至十八
不共法集散世尊我若不得六波羅蜜乃至
十八不共法集散云何當作字言菩薩世尊
是字不住亦不不住何以故是字无所有故
以是故是字不住亦不不住世尊我不得如
夢五陰集散我不得如嚮如影如炎如化五
陰集散亦如上說世尊我不得離集散我不
得寂滅不生不滅不亦不垢不淨集散世尊
我不得如法性實際法相法位集散亦如上
說我不得諸善不善法集散我不得有爲无
爲法有漏无漏法集散過去未來現在法集
散不過去不未來不現在法集散何等是不
過去不未來不現在所謂无爲法世尊我亦
不得无爲法集散世尊我亦不得佛集散世
尊我亦不得十方如恒河沙等世界諸佛及
菩薩聲聞僧集散世尊若我不得諸佛集散
云何當教菩薩摩訶薩般若波羅蜜世尊是
菩薩字不住亦不不住何以故是字无所有
故以是故是字不住亦不不住世尊我不得
是諸法實相集散云何當與菩薩作字言是
菩薩世尊是一切諸法實相名字不住亦不
不住何以故是名字无所有故以是故是名

BD00161號　摩訶般若波羅蜜經卷三　（28–8）

何當教菩薩摩訶薩般若波羅蜜世尊若
菩薩字不住亦不不住何以故是字无所有
故以是故是字不住亦不不住世尊我不得
是諸法實相集散云何當與菩薩作字言是
菩薩世尊是一切諸法實相名字不住亦不
不住何以故是名字无所有故以是故是名
字不住亦不不住世尊諸法因緣和合假名
施設所謂菩薩是名字於五陰中不可說十
二入十八界乃至十八不共法中不可說於
和合法中亦无可說世尊譬如夢於諸法中
不可說嚮影炎化於諸法中亦不可說譬如
名虛空亦无法中可說世尊如地水火風名
亦无法中可說戒三昧智慧解脫解脫知見
名亦无法中可說如須陁洹名字乃至阿羅
漢辟支佛名字亦无法中可說如佛名法名
亦无法中可說所謂若善若不善若常若无
常若苦若樂若我若无我若寂滅若離若有
若无世尊我以是義故心悔一切諸法集散
相不可得若為菩薩作字言是菩薩世尊是
字不住亦不不住何以故是字无所有故以
是故是字不住亦不不住世尊若菩薩摩訶
薩聞作是說般若波羅蜜如是相如是義心
不沒不悔不驚不畏不怖當知是菩薩必住
阿惟越致性中住不住法故復次世尊菩薩

BD00161號　摩訶般若波羅蜜經卷三　（28–9）

是故是字不住亦不不住世尊若菩薩摩訶
薩聞作是說般若波羅蜜如是相如是義心
不沒不悔不驚不畏不怖當知是菩薩必住
阿惟越致性中住不住法故復次世尊菩薩
摩訶薩欲行般若波羅蜜色中不應住受想
行識中不應住眼耳鼻舌身意中不應住色
聲香味觸法中不應住眼識乃至意識中不
應住眼觸乃至意觸中不應住眼觸因緣生
受乃至意觸因緣生受中不應住地種水火
風空識種中不應住无明乃至老死中不應
住何以故世尊色色相空受想行識識相空
世尊色空不名為色離空亦无色色即是空
空即是色受想行識識空不名為識離空亦
无識識即是空空即是識乃至老死老死相
空世尊老死不名老死離空亦亦无老死老
死即是空空即是老死世尊以是因緣故菩
薩摩訶薩欲行般若波羅蜜不應色中住乃
至老死中不應住復次世尊菩薩摩訶薩欲
行般若波羅蜜四念處中不應住何以故四
念處四念處相空世尊四念處空不名為四
念處離空亦无四念處四念處即是空空即
是四念處乃至十八不共法亦如是世尊以
是因緣故菩薩摩訶薩欲行般若波羅蜜四
念處乃至十八不共法中不應住復次世尊

BD00161號　摩訶般若波羅蜜經卷三　（28–10）

念處四念處相空世尊四念處空不名為四
念處離空亦无四念處四念處即是空空即
是四念處乃至十八不共法亦如是世尊以
是因緣故菩薩摩訶薩欲行般若波羅蜜四
念處乃至十八不共法中不應住復次世尊
菩薩摩訶薩欲行般若波羅蜜檀波羅蜜中
不應住尸羅波羅蜜羼提波羅蜜毗梨耶波
羅蜜禪波羅蜜般若波羅蜜中不應住何以
故檀波羅蜜檀波羅蜜相空乃至般若波羅
蜜般若波羅蜜相空世尊檀波羅蜜空不名
為檀波羅蜜離空亦无檀波羅蜜檀波羅蜜
即是空空即是檀波羅蜜乃至般若波羅蜜
亦如是世尊以是因緣故菩薩摩訶薩欲行
般若波羅蜜不應六波羅蜜中住復次世尊
菩薩摩訶薩欲行般若波羅蜜文字中不應
住一字門二字門如是種種字門中不應住
何以故諸字諸字相空故如上說復次世尊
菩薩摩訶薩欲行般若波羅蜜諸神通中不
應住何以故諸神通諸神通相空神通空不
名為神通離空亦无神通神通即是空空即
是神通世尊以是因緣故菩薩摩訶薩欲行
般若波羅蜜諸神通中不應住復次世尊菩
薩摩訶薩欲行般若波羅蜜色是无常不應
住受想行識是无常不應住何以故无常无

BD00161 號　摩訶般若波羅蜜經卷三　（28–11）

名為神通離空亦无神通神通即是空空即
是神通世尊以是因緣故菩薩摩訶薩欲行
般若波羅蜜諸神通中不應住復次世尊菩
薩摩訶薩欲行般若波羅蜜色是无常不應
住受想行識是无常不應住何以故无常无
常相空世尊无常空不名无常離空亦无无
常无常即是空空即是无常世尊以是因緣
故菩薩摩訶薩欲行般若波羅蜜色是无常
不應住受想行識是无常不應住色是苦不
應住受想行識是苦不應住色是无我不應
住受想行識是无我不應住色是空不應住
受想行識是空不應住色是寂滅不應住受
想行識是寂滅不應住色是離不應住受想
行識是離不應住如上說復次世尊菩薩摩
訶薩欲行般若波羅蜜如不應住何以故如
如相空世尊如相空不名如離空亦无如如
即是空空即是如世尊菩薩摩訶薩欲行般
若波羅蜜法性法相法位實際不應住何以
故實際實際空世尊實際空不名為實際離
空亦无實際實際即是空空即是實際復
次世尊菩薩摩訶薩欲行般若波羅蜜一
切陁羅尼門中不應住一切三昧門中不應
住何以故陁羅尼門陁羅尼門相空三昧門
三昧門相空世尊陁羅尼三昧門空不名為

BD00161 號　摩訶般若波羅蜜經卷三　（28–12）

次世尊菩薩摩訶薩欲行般若波羅蜜一
切陁羅尼門中不應住一切三昧門中不應
住何以故陁羅尼門陁羅尼門相空三昧門
三昧門相空世尊陁羅尼三昧門空不名爲
陁羅尼三昧門離空亦无陁羅尼三昧門陁
羅尼三昧門即是空空即是陁羅尼三昧門
世尊以是因緣故菩薩摩訶薩欲行般若波
羅蜜如乃至陁羅尼三昧門中不應住
世尊如菩薩摩訶薩欲行般若波羅蜜以无
方便故以吾我心於色中住是菩薩作色行
以吾我心於受想行識中住是菩薩作色識
行若菩薩作行者不受般若波羅蜜亦不具
足般若波羅蜜不具足般若波羅蜜故不能
得成就薩婆若世尊如菩薩摩訶薩欲行般
若波羅蜜无方便故以有我心於十二入乃
至陁羅尼三昧門中住是菩薩作十二入乃
至作陁羅尼三昧門行若菩薩作行者不受
般若波羅蜜亦不具足般若波羅蜜不具足
般若波羅蜜故不能得成就薩婆若何以故
色是不受受想行識是不受色不受則非色
性空故受想行識不受則非識性空故十二
入是不受乃至陁羅尼三昧門是不受十二
入不受則非十二入乃至陁羅尼三昧門不

BD00161號　摩訶般若波羅蜜經卷三　（28–13）

色是不受受想行識是不受色不受則非色
性空故受想行識不受則非識性空故十二
入是不受乃至陁羅尼三昧門是不受十二
入不受則非十二入乃至陁羅尼三昧門不
受則非陁羅尼三昧門性空故般若波羅蜜
亦不受般若波羅蜜不受則非般若波羅蜜
性空故如是菩薩摩訶薩欲行般若波羅蜜
應觀諸法性空如是觀心无行處是名菩薩
摩訶薩不受三昧廣大之用不與聲聞辟支
佛共是薩婆若慧亦不受內空故外空內外
空空空大空第一義空有爲空无爲空畢竟
空无始空散空性空自相空諸法空不可得
空无法空有法空无法有法空故何以故是
薩婆若不可以相行得相行有垢故何等是
垢相色相乃至諸陁羅尼門三昧門相是名
垢相是相若受若脩可得薩婆若者先尼梵
志於一切智中終不生信云何爲信信般若
波羅蜜分別解知稱量思惟不以相法不以
无相法如是先尼梵志不取相住信行中用
性空智入諸法相不受色不受受想行識何
以故諸法自相空故不可得受是先尼梵志
非內觀得故見是智慧非外觀得故見是智

BD00161號　摩訶般若波羅蜜經卷三　（28–14）

无相法如是先尼梵志不取相住信行中用
性空智入諸法相不受色不受受想行識何
以故諸法自相空故不可得受是先尼梵志
非內觀得故見是智慧非外觀得故見是智
慧非內外觀得故見是智慧亦不无智觀得
故見是智慧何以故梵志不見是法智者知
法知處故此梵志非內色中見是智慧非內
受想行識中見是智慧非外色中見是智慧
非外受想行識中見是智慧非內外色中見
是智慧非內外受想行識中見是智慧亦不
離色受想行識中見是智慧內外空故先尼
梵志此中心得信解於一切智以是故梵志
信諸法實相一切法不可得故如是信解已
无法可受諸法无相无憶念故是梵志於諸
法亦无所得若取若捨取捨不可得故是梵
志亦不念智慧諸法相无念故世尊是名菩
薩摩訶薩般若波羅蜜此彼岸不度故是菩
薩色受想行識不受一切法不受故乃至諸
陁羅尼三昧門亦不受一切法不受故是菩
薩於是中亦不取涅槃未具足四念處乃至
八聖道分未具足十力乃至十八不共法故
何以故是四念處非四念處乃至十八不共
法非十八不共法是諸法非法亦不非法是
名菩薩摩訶薩般若波羅蜜色不受乃至十

BD00161 號　摩訶般若波羅蜜經卷三　（28–15）

薩於是中亦不取涅槃未具足四念處乃至
八聖道分未具足十力乃至十八不共法故
何以故是四念處非四念處乃至十八不共
法非十八不共法是諸法非法亦不非法是
名菩薩摩訶薩般若波羅蜜色不受乃至十
八不共法不受復次世尊菩薩摩訶薩欲行
般若波羅蜜應如是思惟何者是般若波羅
蜜何以故名般若波羅蜜是誰般若波羅蜜
若菩薩摩訶薩行般若波羅蜜如是念若法
无所有不可得是般若波羅蜜尒時舍利弗
問須菩提何等法无所有不可得須菩提言
般若波羅蜜是法无所有不可得禪波羅蜜
毗棃耶波羅蜜羼提波羅蜜尸羅波羅蜜檀
波羅蜜是法无所有不可得內空故外空內
外空空空大空第一義空有為空无為空畢
竟空无始空散空性空自相空諸法空不可
得空无法空有法空无法有法空故舍利弗
色法无所有不可得受想行識法无所有不
可得內空法无所有不可得乃至无法有法
空无所有不可得舍利弗四念處法无所有
不可得乃至十八不共法无所有不可得舍
利弗諸神通法无所有不可得如相法无所
有不可得法性法相法住法位實際法无所
有不可得舍利弗佛无所有不可得薩婆若

BD00161 號　摩訶般若波羅蜜經卷三　（28–16）

不可得乃至十八不共法无所有不可得舍
利弗諸神通法无所有不可得如相法无所
有不可得法性法相法住法位實際法无所
有不可得舍利弗佛无所有不可得薩婆若
法无所有不可得一切種智法无所有不可
得内空乃至无法有法空故舍利弗若菩薩
摩訶薩如是思惟如是觀時心不沒不悔不
驚不畏不怖當知是菩薩不離般若波羅蜜
行舍利弗問須菩提何因緣故當知菩薩不
離般若波羅蜜行須菩提言色離色性受想
行識離識性六波羅蜜離六波羅蜜性乃至
實際離實際性舍利弗復問須菩提云何是
色性云何是受想行識性云何乃至是實際
性須菩提言无所有是色性无所有是受想行
識性乃至无所有是實際性舍利弗以是
因緣故當知色離色性受想行識離識性乃
至實際離實際性舍利弗色亦離色相受想
行識亦離識相乃至實際亦離實際相相亦
離相性亦離性舍利弗問須菩提菩薩摩訶
薩若如是學得成就薩婆若須菩提言如是
如是舍利弗若菩薩摩訶薩如是學得成就
薩婆若何以故以諸法不生不成就故舍利
弗問須菩提何因緣故諸法不生不成就須
菩提言色色空是色生成就不可得受想行

如是舍利弗若菩薩摩訶薩如是學得成就
薩婆若何以故以諸法不生不成就故舍利
弗問須菩提何因緣故諸法不生不成就須
菩提言色色空是色生成就不可得受想行
識識空是識生成就不可得乃至實際
空是實際生成就不可得舍利弗菩薩摩
訶薩如是學漸近薩婆若漸得身清淨心清
淨相清淨漸得身清淨心清淨相清淨故是
菩薩不生染心不生瞋心不生癡心不生憍
慢心不生慳貪心不生耶見心是菩薩不生
染心乃至不生耶見心故終不生母人腹中
常得化生從一佛國至一佛國成就衆生淨
佛世界乃至阿耨多羅三藐三菩提終不離
諸佛舍利弗菩薩摩訶薩當作是行般若波
羅蜜當作是學般若波羅蜜

摩訶般若波羅蜜无方便品第十

尒時須菩提白佛言世尊若菩薩摩訶薩无
方便欲行般若波羅蜜若行色為行相若行
受想行識為行相若色是常行為行相若受
想行識是常行為行相若色是无常行為行
相若受想行識是无常行為行相若色是樂
行為行相若受想行識是樂行為行相若色
是苦行為行相若受想行識是苦行為行相
若色是有行為行相若受想行識是有行為

想行識是常行爲行相若色是无常行爲行
相若受想行識是无常行爲行相若色是樂
行爲行相若受想行識是樂行爲行相若色
是苦行爲行相若受想行識是苦行爲行相
若色是有行爲行相若受想行識是有行爲
行相若色是空行爲行相若受想行識是空
行爲行相若色是我行爲行相若受想行識
是我行爲行相若色是无我行爲行相若受
想行識是无我行爲行相若色是離行爲行
想若受想行識是離行爲行相若色是寂滅
行爲行相若受想行識是寂滅行爲行相世
尊若菩薩摩訶薩无方便行四念處爲行相
乃至行十八不共法爲行相世尊若菩薩摩
訶薩行般若波羅蜜時作是念我行般若波
羅蜜有所得行亦是行相世尊若菩薩摩訶
薩作是念能如是行是脩行般若波羅蜜亦
是行相當知是菩薩摩訶薩行般若波羅蜜
无方便須菩提語舍利弗若菩薩摩訶薩行
般若波羅蜜時色受念忘解若色受念忘解
爲色故作行若爲色作行不得離生老病死
憂悲苦惱及後世苦若菩薩摩訶薩行般若
波羅蜜時无方便眼受念妄解乃至意色乃
至法眼識界乃至意識界眼觸乃至意觸眼
觸因緣生受乃至意觸因緣生受四念處乃

BD00161號　摩訶般若波羅蜜經卷三　（28–19）

憂悲苦惱及後世苦若菩薩摩訶薩行般若
波羅蜜時无方便眼受念妄解乃至意色乃
至法眼識界乃至意識界眼觸乃至意觸眼
觸因緣生受乃至意觸因緣生受四念處乃
至十八不共法受念妄解爲十八不共法作
行若爲作行是菩薩不能得離生老病死憂
悲苦惱及後世苦如是菩薩尚不能得聲聞
辟支佛地讙何况得阿耨多羅三藐三菩提
无有是處舍利弗當知是菩薩摩訶薩行般
若波羅蜜无方便舍利弗問須菩提云何當
知菩薩摩訶薩行般若波羅蜜有方便須菩
提語舍利弗若菩薩摩訶薩欲行般若波羅
蜜時不行色不行受想行識不行色相不行
受想行識相不行色受想行識常不行色受
想行識无常不行色受想行識樂不行色受
想行識苦不行色受想行識我不行色受想
行識无我不行色受想行識空不行色受想
行識无相不行色受想行識无作不行色受
想行識離不行色受想行識寂滅何以故舍
利弗是色空爲非色離空无色離色无空色
即是空空即是色受想行識空爲非識離空
无識離識无空空即是識識即是空乃至十
八不共法空爲非十八不共法離空无十八
不共法離十八不共法无空空即是十八不

BD00161號　摩訶般若波羅蜜經卷三　（28–20）

即是空空即是色受想行識空爲非識離空
无識離識无空空即是識識即是空乃至十
八不共法空爲非十八不共法離空无十八
不共法離十八不共法无空空即是十八不
共法十八不共法即是空如是舍利弗當知
是菩薩摩訶薩行般若波羅蜜有方便是菩
薩摩訶薩如是行般若波羅蜜能得阿耨多
羅三藐三菩提是菩薩摩訶薩行般若波羅
蜜時行亦不受不行亦不受行不行亦不受
非行非不行亦不受不受亦不受舍利弗語
須菩提菩薩摩訶薩行般若波羅蜜時何因
緣故不受須菩提言是般若波羅蜜自性不
可得故不受何以故无所有性是般若波羅
蜜舍利弗以是故菩薩摩訶薩行般若波羅
蜜行不受不行亦不受行不行亦不受非行
非不行亦不受不受亦不受何以故一切法
性无所有不隨諸法行不受諸法相故是名
菩薩摩訶薩諸法无所受三昧廣大之用不
與聲聞辟支佛共是菩薩摩訶薩行是三昧
不離疾得阿耨多羅三藐三菩提舍利弗言
但不離是三昧令菩薩摩訶薩疾得阿耨多
羅三藐三菩提更有餘三昧須菩提語舍利
弗言更有諸三昧菩薩摩訶薩行是疾得阿

BD00161號　摩訶般若波羅蜜經卷三　（28–21）

但不離是三昧令菩薩摩訶薩疾得阿耨多
羅三藐三菩提更有餘三昧須菩提語舍利
弗言更有諸三昧菩薩摩訶薩行是疾得阿
耨多羅三藐三菩提舍利弗言何等三昧菩
薩摩訶薩行是疾得阿耨多羅三藐三菩提
須菩提言諸菩薩摩訶薩三昧名首楞嚴行
是三昧令菩薩摩訶薩疾得阿耨多羅三藐
三菩提有名寶印三昧師子遊戲三昧妙月
三昧月幢相三昧諸法印三昧觀頂三昧畢
法性三昧必幢相三昧金剛三昧入法印三
昧王三昧王安立三昧放光三昧力進三昧
出生三昧必入辯才三昧入名字三昧觀方
三昧陀羅尼印三昧不妄三昧攝諸法海印
三昧遍覆虛空三昧金剛輪三昧寶斷三昧
能照三昧不求三昧无處住三昧无心三昧
淨燈三昧无邊明三昧能作明三昧普遍明
三昧堅淨諸三昧无垢明三昧作樂三昧電
光三昧无盡三昧威德三昧離盡三昧不動
三昧莊嚴三昧日光三昧月淨三昧淨明三
昧能作明三昧作行三昧知相三昧如金剛
三昧心住三昧遍照三昧安立三昧寶頂三
昧妙法印三昧法等三昧生喜三昧到法頂
三昧能散三昧壞諸法處三昧字等相三昧
離字三昧斷緣三昧不壞三昧无幢三昧无

BD00161號　摩訶般若波羅蜜經卷三　（28–22）

三昧心住三昧遍照三昧安立三昧寶頂三
昧妙法印三昧法等三昧生喜三昧到法頂
三昧能散三昧壞諸法處三昧字等相三昧
離字三昧斷緣三昧不壞三昧无種三昧无
處行三昧離闇三昧无去三昧不動三昧度
緣三昧集諸德三昧住无心三昧妙淨華三
昧覺意三昧无量辯三昧无等等三昧度諸
法三昧分別諸法三昧散疑三昧无住處三
昧一相三昧生行三昧一行三昧不一行三
昧妙行三昧達一切有底散三昧入言語三
昧離音聲字語三昧燃炬三昧淨相三昧破
相三昧一切種妙足三昧不喜苦樂三昧不
盡行三昧多陀羅尼三昧取諸邪正相三昧
滅憎愛三昧逆順三昧淨光三昧堅固三昧
滿月淨光三昧大莊嚴三昧能照一切世三
昧等三昧无淨行三昧无住處樂三昧如住
定三昧壞身三昧壞語如虛空三昧離著虛
空不染三昧舍利弗是菩薩摩訶薩行是諸
三昧疾得阿耨多羅三藐三菩提復有无量
阿僧祇三昧門陀羅尼門菩薩摩訶薩學是
三昧門陀羅尼門疾得阿耨多羅三藐三菩
提慧命須菩提隨佛心言當知是菩薩摩訶
薩行是三昧者已為過去佛所授記今現
在十方諸佛亦授是菩薩記是菩薩不見是

提慧命須菩提隨佛心言當知是菩薩摩訶
薩行是三昧者已為過去佛所授記今現
在十方諸佛亦授是菩薩記是菩薩不見是
諸三昧亦不念是三昧亦不念我當入是三
昧我今入是三昧我已入是三昧是菩薩摩
訶薩都无分別念舍利弗問須菩提菩薩摩
訶薩住是諸三昧已從過去佛受記耶須菩
提報言不也舍利弗何以故般若波羅蜜不
異諸三昧諸三昧不異般若波羅蜜菩薩不
異般若波羅蜜般若波羅蜜及三昧三昧不
異菩薩般若波羅蜜即是三昧三昧即是般
若波羅蜜菩薩即是般若波羅蜜及三昧般
若波羅蜜及三昧即是菩薩舍利弗語須菩
提若三昧不異菩薩菩薩不異三昧三昧即
是菩薩菩薩即是三昧菩薩云何知一切諸
法等三昧須菩提言若菩薩入是三昧是時
不作是念我以是法入是三昧以是因緣故
舍利弗是菩薩於諸三昧不知不念舍利弗
言何以故不知不念須菩提言諸三昧无所
有故是菩薩不知不念爾時佛讚言善哉善
哉須菩提如我說汝行无諍三昧第一與此
義相應菩薩摩訶薩應如是學般若波羅蜜
禪波羅蜜毗梨耶波羅蜜羼提波羅蜜尸羅
波羅蜜檀波羅蜜四念處乃至十八不共法

有故是菩薩不知不念佘時佛讚言善戠善
戠須菩提如我說汝行无淨三昧第一與此
義相應菩薩摩訶薩應如是學般若波羅蜜
禪波羅蜜毗梨耶波羅蜜羼提波羅蜜尸羅
波羅蜜檀波羅蜜四念處乃至十八不共法
亦應如是學舍利弗白佛言世尊菩薩摩訶
薩如是學為學般若波羅蜜耶佛告舍利弗
菩薩摩訶薩如是學為學般若波羅蜜是法
不可得故乃至學檀波羅蜜是法亦不可得
故學四念處乃至十八不共法是法不可得
故舍利弗白佛言世尊如是菩薩摩訶薩學
般若波羅蜜是法不可得耶佛言如是菩薩
摩訶薩學般若波羅蜜是法不可得舍利弗
言世尊何等法不可得佛言我不可得乃至
知者見者不可得畢竟淨故五陰不可得十
二入不可得十八界不可得畢竟淨故无明
不可得畢竟淨故乃至老死不可得畢竟淨
故苦諦不可得畢竟淨故集滅道諦不可得
畢竟淨故欲界不可得畢竟淨故色界无色
界不可得畢竟淨故四念處不可得畢竟淨
故乃至十八不共法不可得畢竟淨故六波
羅蜜不可得畢竟淨故須陁洹不可得畢竟
淨故斯陁含阿那含阿羅漢辟支佛不可得

故乃至十八不共法不可得畢竟淨故六波
羅蜜不可得畢竟淨故須陁洹不可得畢竟
淨故斯陁含阿那含阿羅漢辟支佛不可得
得畢竟淨故菩薩不可得畢竟淨故佛不可
得畢竟淨故舍利弗白佛言世尊何等是畢竟
淨佛言不出不生无得无作是名畢竟淨
舍利弗白佛言世尊菩薩摩訶薩若如是學
為學何等法佛告舍利弗菩薩摩訶薩如是
學於諸法无所學何以故舍利弗諸法相不
如凡人所著舍利弗白佛言世尊諸法實相
云何有佛言諸法无所有如是有如是无所
有是事不知名為无明舍利弗白佛言世尊
何等无所有是事不知名為无明佛告舍利
弗色受想行識无所有內空乃至无法有法
空故四念處乃至十八不共法无所有內空
乃至无法有法空故是中凡夫以无明力渴
愛故妄見分別說是无明是凡夫為二邊所
縛是人不知不見諸法无所有而憶想分別
着色乃至十八不共法是人着故於无所有
法而作識知見是凡人不知不見何等不知
不見不知不見色乃至十八不共法亦不知
不見以是故墮凡夫數如小兒是人不出於
何不出不出欲界不出色界不出无色界聲
聞辟支佛法中不出是人亦不信不信何等

法所作謂知見是凡人不知不見何等不知
不見不知不見色乃至十八不共法亦不知
不見以是故墮凡夫數如小兒是人不出於
何不出不出欲界不出色界不出无色界聲
聞辟支佛法中不出是人亦不信不信何等
不信色空乃至不信十八不共法空是人不
住不住何等不住檀波羅蜜乃至不住般若
波羅蜜不住阿惟越致地乃至不住十八不
共法以是因緣故名為凡夫如小兒亦名著
者何等為著著色乃至識著眼入乃至意入
著眼識界乃至意識界著婬怒癡著諸邪見
著四念處乃至著佛道舍利弗白佛言世尊若
菩薩摩訶薩作如是學亦不學般若波羅蜜
不得薩婆若佛語舍利弗菩薩摩訶薩作如
是學亦不學般若波羅蜜不得薩婆若舍利
弗白佛言世尊何以故菩薩摩訶薩亦不學
般若波羅蜜不得薩婆若佛告舍利弗菩薩
摩訶薩无方便故想念分別著般若波羅蜜
著禪波羅蜜毗梨耶波羅蜜羼提波羅蜜尸
羅波羅蜜檀波羅蜜乃至十八不共法一切
種智想念分別著以是因緣故菩薩摩訶薩
如是學亦不學般若波羅蜜不得薩婆若舍
利弗白佛言世尊若菩薩摩訶薩如是學亦
不學般若波羅蜜不得薩婆若佛告舍利弗
菩薩摩訶薩如是學不學般若波羅蜜不得

BD00161 號　摩訶般若波羅蜜經卷三　（28–27）

如是學亦不學般若波羅蜜不得薩婆若舍
利弗白佛言世尊若菩薩摩訶薩如是學亦
不學般若波羅蜜不得薩婆若佛告舍利弗
菩薩摩訶薩如是學不學般若波羅蜜不得
薩婆若舍利弗白佛言世尊菩薩摩訶薩今
云何應學般若波羅蜜得薩婆若佛告舍利
弗若菩薩摩訶薩學般若波羅蜜時不見般
若波羅蜜舍利弗菩薩摩訶薩如是學學般
若波羅蜜得薩婆若以不可得故舍利弗白
佛言世尊云何名不可得佛言諸法內空乃
至无法有法空故

摩訶般若波羅蜜卷第三

BD00161 號　摩訶般若波羅蜜經卷三　（28–28）

无邊阿僧祇衆生得大饒益於時世尊告彌
勒菩薩摩訶薩阿逸多我說是如來壽命長
遠時六百八十万億那由他恒河沙衆生得
无生法忍復千倍菩薩摩訶薩得聞持陁羅
尼門復有一世界微塵數菩薩摩訶薩得樂
說无导辯才復有一世界微塵數菩薩摩訶
薩得百万億无量旋陁羅尼復有三千大千
世界微塵數菩薩摩訶薩能轉不退法輪復
有二千中國土微塵數菩薩摩訶薩能轉清
淨法輪復有小千國土微塵數菩薩摩訶薩
八生當得阿耨多羅三藐三菩提復有四四
天下微塵數菩薩摩訶薩四生當得阿耨多
羅三藐三菩提復有三四天下微塵數菩薩
摩訶薩三生當得阿耨多羅三藐三菩提復
有二四天下微塵數菩薩摩訶薩二生當得
阿耨多羅三藐三菩提復有一四天下微塵
數菩薩摩訶薩一生當得阿耨多羅三藐三
菩提復有八世界微塵數衆生皆發阿耨多
羅三藐三菩提心佛說是諸菩薩摩訶薩得
大法利時於虛空中雨曼陁羅華摩訶曼陁
羅華以散无量百千万億寶樹下師子座上

BD00162 號 A　妙法蓮華經卷五　（2–1）

淨法輪復有小千國土微塵數菩薩摩訶薩
八生當得阿耨多羅三藐三菩提復有四四
天下微塵數菩薩摩訶薩四生當得阿耨多
羅三藐三菩提復有三四天下微塵數菩薩
摩訶薩三生當得阿耨多羅三藐三菩提復
有二四天下微塵數菩薩摩訶薩二生當得
阿耨多羅三藐三菩提復有一四天下微塵
數菩薩摩訶薩一生當得阿耨多羅三藐三
菩提復有八世界微塵數衆生皆發阿耨多
羅三藐三菩提心佛說是諸菩薩摩訶薩得
大法利時於虛空中雨曼陁羅華摩訶曼陁
羅華以散无量百千万億寶樹下師子座上
諸佛并散七寶塔中師子座上釋迦牟尼佛
及久滅度多寶如來亦散一切諸大菩薩
四部衆又雨細末栴檀沉水香等於虛空中
天鼓自鳴妙聲深遠又雨千種天衣垂諸纓
珞真珠纓珞摩尼珠纓珞如意珠纓珞遍於

BD00162 號 A　妙法蓮華經卷五　（2–2）

若人求佛慧　於八十万億　那由他劫數　行五波羅蜜
於是諸劫中　布施供養佛　及緣覺弟子　并諸菩薩衆
珍異之飲食　上服與卧具　栴檀立精舍　以園林莊嚴
如是等布施　種種皆微妙　盡此諸劫數　以迴向佛道
若復持禁戒　清淨无缺漏　求於无上道　諸佛之所歎
若復行忍辱　住於調柔地　設衆惡來加　其心不傾動
諸有得法者　懷於增上慢　為此所輕惱　如是亦能忍
若復勤精進　志念常堅固　於无量億劫　一心不懈息
又於无數劫　住於空閑處　若坐若經行　除睡常攝心
以是因緣故　能生諸禪定　八十億万劫　安住心不亂
持此一心福　願求无上道　我得一切智　盡諸禪定際
是人於百千　万億劫數中　行此諸功德　如上之所說
有善男女等　聞我說壽命　乃至一念信　其福過於彼
若人悉无有　一切諸疑悔　深心須臾信　其福為如此
其有諸菩薩　无量劫行道　聞我說壽命　是則能信受
如是諸人等　頂受此經典　願我於未來　長壽度衆生
如今日世尊　諸釋中之王　道場師子吼　說法无所畏
我等未來世　一切所尊敬　坐於道場時　說壽亦如是
若有深心者　清淨而質直　多聞能總持　隨義解佛語
如是之人等　於此无有疑
又阿逸多若有聞佛壽命長遠解其言趣是
人所得功德无有限量能起如來无上之慧

BD00162 號 B　妙法蓮華經卷五　（2–1）

如是之人等　於此无有疑
又阿逸多若有聞佛壽命長遠解其言趣是
人所得功德无有限量能起如來无上之慧
何況廣聞是經若教人聞若自持若教人持
若自書若教人書若以華香瓔珞幢幡繒蓋
香油蘇燈供養經卷是人功德无量无邊能
生一切種智阿逸多若善男子善女人聞我
說壽命長遠深心信解則為見佛常在耆闍
崛山共大菩薩諸聲聞衆圍遶說法又見此
娑婆世界其地瑠璃坦然平正閻浮檀金以
界八道寶樹行列諸臺樓觀皆悉寶成其菩
薩衆咸處其中若有能如是觀者當知是為
深信解相又復如來滅後若聞是經而不毀
呰起隨喜心當知已為深信解相何況讀誦
受持之者斯人則為頂戴如來阿逸多是善
男子善女人不須為我復起塔寺及作僧坊
以四事供養衆僧所以者何是善男子善女
人受持讀誦是經典者為已起塔造立僧坊
供養衆僧則為以佛舍利起七寶塔高廣漸
小至于梵天懸諸幡蓋及衆寶鈴華香瓔珞
末香塗香燒香衆鼓伎樂簫笛箜篌種種舞
戲以妙音聲歌唄讚誦則為於无量千万億
劫作是供養已阿逸多若我滅後聞是經典
有能受持若自書若教人書則為起立僧坊

BD00162 號 B　妙法蓮華經卷五　（2–2）

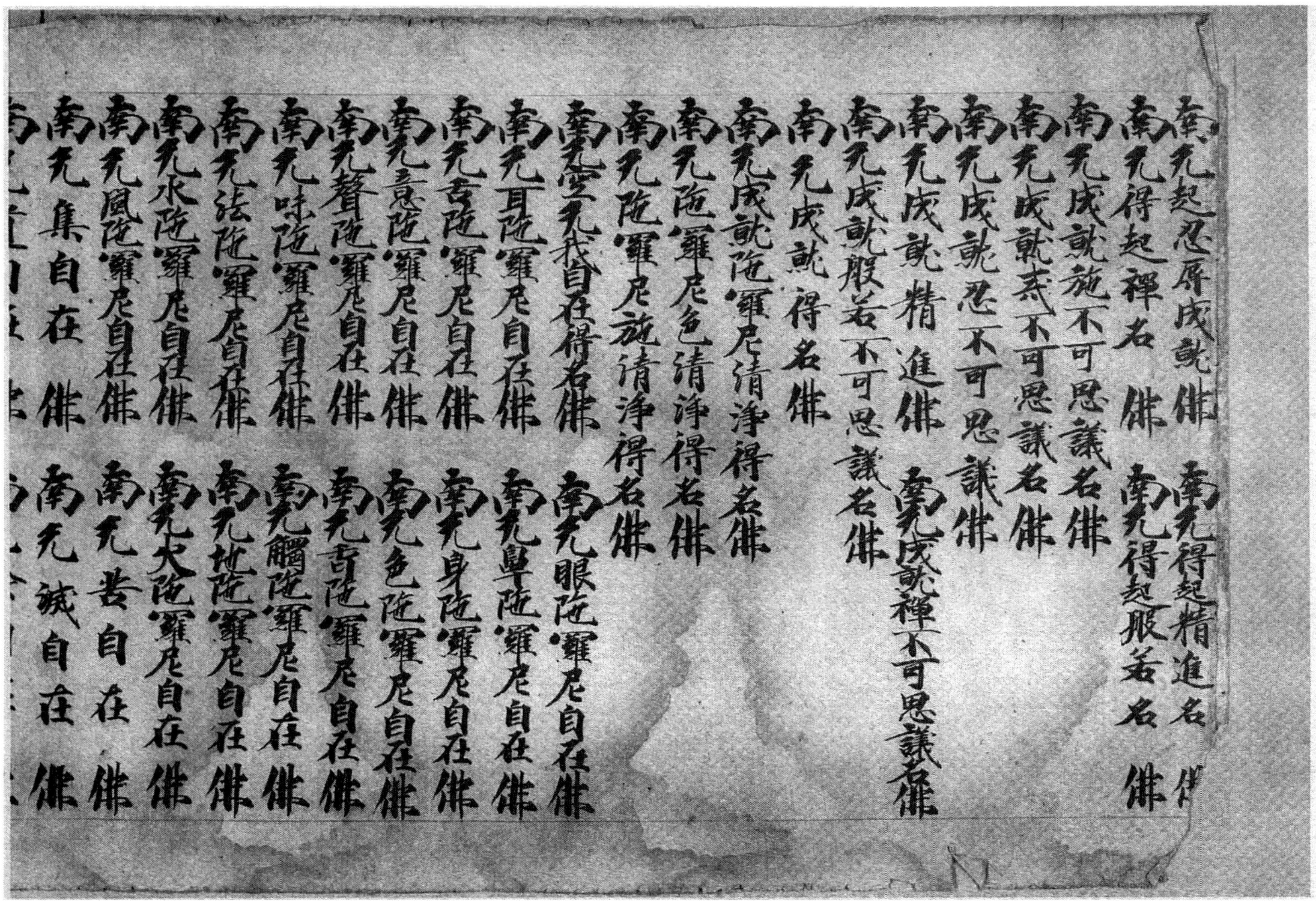

南无起忍辱成就佛　南无得起精進名佛
南无得起禪名佛　南无得起般若名佛
南无成就施不可思議名佛
南无成就戒不可思議名佛
南无成就忍不可思議佛
南无成就精進佛　南无成就禪不可思議名佛
南无成就般若不可思議名佛
南无成就得名佛
南无成就陀羅尼清淨得名佛
南无陀羅尼色清淨得名佛
南无陀羅尼施清淨得名佛
南无空无我自在得名佛　南无眼陀羅尼自在佛
南无耳陀羅尼自在佛　南无鼻陀羅尼自在佛
南无舌陀羅尼自在佛　南无身陀羅尼自在佛
南无意陀羅尼自在佛　南无色陀羅尼自在佛
南无聲陀羅尼自在佛　南无香陀羅尼自在佛
南无味陀羅尼自在佛　南无觸陀羅尼自在佛
南无法陀羅尼自在佛　南无地陀羅尼自在佛
南无水陀羅尼自在佛　南无火陀羅尼自在佛
南无風陀羅尼自在佛　南无苦自在佛
南无集自在佛　南无滅自在佛

BD00163號　佛名經（十六卷本）卷一六　（14–1）

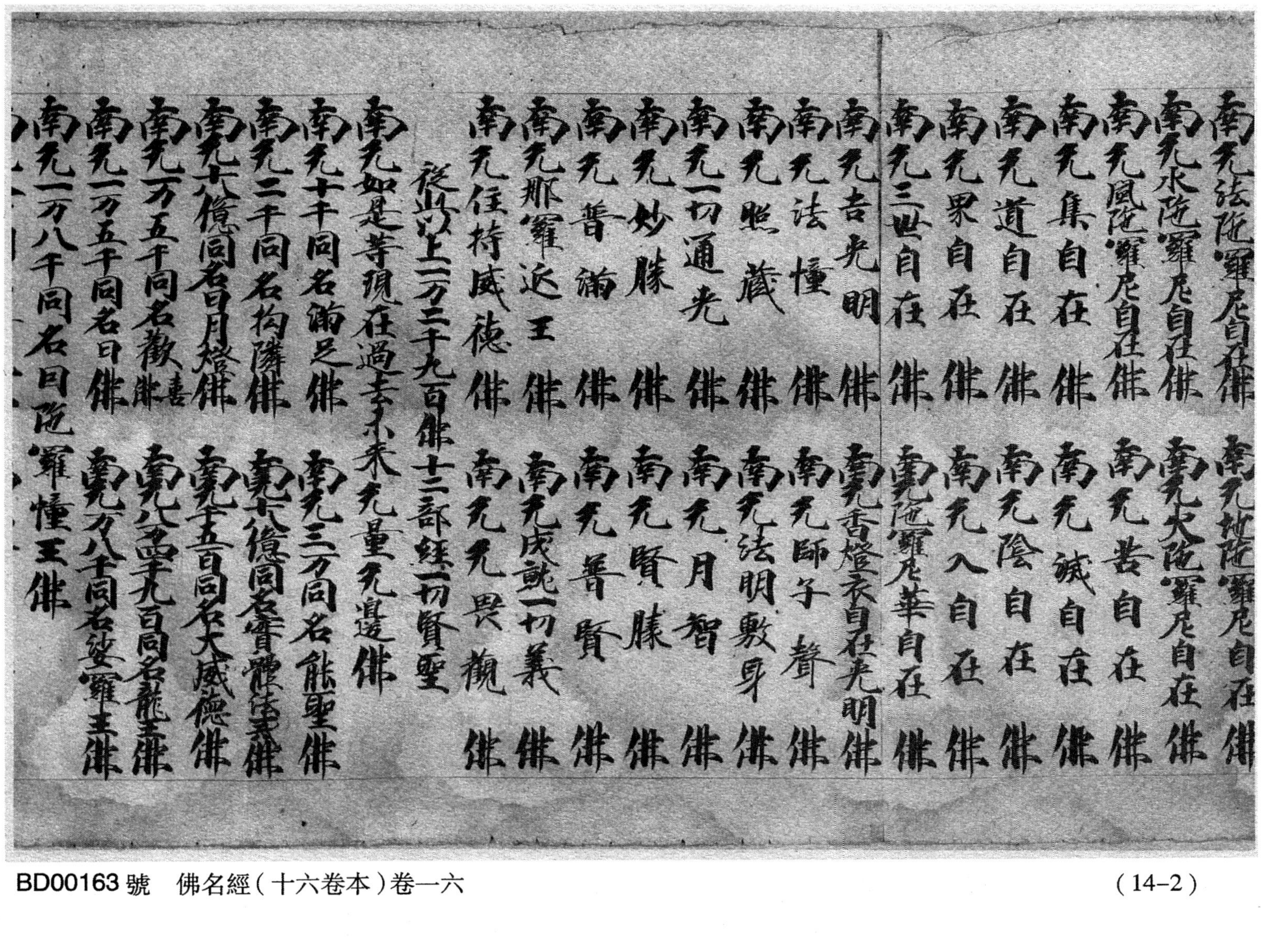

南无法陀羅尼自在佛　南无地陀羅尼自在佛
南无水陀羅尼自在佛　南无火陀羅尼自在佛
南无風陀羅尼自在佛　南无苦自在佛
南无集自在佛　南无滅自在佛
南无道自在佛　南无陰自在佛
南无界自在佛　南无入自在佛
南无三世自在佛　南无陀羅尼華自在佛
南无吉光明佛　南无香燈衣自在光明佛
南无法幢佛　南无師子聲佛
南无照藏佛　南无法明敷身佛
南无一切通光佛　南无月智佛
南无妙勝佛　南无賢勝佛
南无普滿佛　南无普賢佛
南无那羅延王佛　南无成就一切義佛
南无住持威德佛　南无无畏觀佛
從此以上二万三千九百佛十二部經一切賢聖
南无如是等現在過去未來无量无邊佛
南无十千同名滿足佛　南无三万同名能聖佛
南无二千同名拘隣佛　南无十八億同名實體法來佛
南无十八億同名日月燈佛　南无十五百同名大威德佛
南无一万五千同名歡喜佛　南无八萬四千九百同名龍王佛
南无一万五千同名日佛　南无万八千同名娑羅王佛
南无一万八千同名日陀羅幢王佛

BD00163號　佛名經（十六卷本）卷一六　（14–2）

南无六億同名日月燈佛　南无一千五百同名大威德佛
南无一万五千同名歡喜佛　南无六[illegible]九百同名龍王佛
南无一万五千同名日佛　南无万八千同名娑羅王佛
南无一万八千同名日陀羅幢王佛
南无八千同名善光佛　南无八百同名寂滅佛
南无世六億十一万九千五百同名淨王佛
此諸佛名百千万劫不可得聞如憂曇鉢華若
人受持讀誦此諸佛名畢竟遠離諸煩惱
舍利弗應當敬礼彼頭摩勝如來佛
南无寂王佛　南无燈作佛
南无天光佛　南无德山佛
南无勝上佛　南无婆羅王佛
南无淨王佛　南无大慧梁佛
南无須弥佛　南无大智惠須弥慧佛
南无寶作佛　南无寶藏佛
南无破金剛佛　南无賢智不動佛
南无香普佛　南无甘露命佛
南无難勝佛　南无月光佛
南无日照佛　南无智難兒佛
南无大師子佛　南无弥留山佛
南无香光佛　南无德山佛
南无大通佛　南无阿摩羅藏佛
南无寶圓

BD00163號　佛名經（十六卷本）卷一六　（14–3）

南无難勝佛　南无月光佛
南无日照佛　南无智難兒佛
南无大師子佛　南无弥留山佛
南无香光佛　南无德山佛
南无大通佛　南无阿摩羅藏佛
南无寶圓佛　南无金剛藏佛
南无優波羅藏佛　南无大日佛
南无橋梁載佛　南无月勝佛
南无樂堅固佛　南无不可思議法身佛
南无勝藏佛　南无不空王佛
南无金剛无㝵智佛　南无寶炎佛
南无除疑燈佛　南无降伏一切惡佛
南无自在佛　南无大智真聲佛
南无般若香烏佛　南无天王佛
舍利弗若善男子善女人聞此諸佛名受持讀
誦不生疑者是人八千億劫不入地獄不入畜生不
入餓鬼道不生邊地不生貧窮家不生下賤家常
生天人豪貴之處常得歡喜適樂无㝵常得
一切世間尊重供養乃至得大涅槃
舍利弗汝等應當敬礼不可嫌身佛
南无稱聲佛　南无稱威德佛
南无稱名佛　南无菓隨佛

BD00163號　佛名經（十六卷本）卷一六　（14–4）

一切世間尊重供養乃至得大涅槃
舍利弗汝等應當敬礼不可嫌身佛
南无稱聲佛　南无稱威德佛
南无稱名佛　南无茉陀佛
南无聲炎佛　南无聲分勇猛佛
南无智勝佛　南无智善智佛
南无智聚佛　南无智勇猛佛
南无梵勝佛　南无淨婆藪佛
南无淨佛　南无淨天佛
南无淨聲佛　南无梵自在佛
南无威德佛　南无毗摩勝佛
南无毗摩意佛　南无毗摩面佛
南无毗摩上佛　南无无邊聲佛
南无寶見佛　南无善眼月佛
南无深聲佛　南无放聲佛
南无鶖怖摩力聲佛　南无淨眼佛
南无无邊眼佛　南无普眼佛
南无勝眼佛　南无不可行佛
南无窮勝佛　南无善窮心佛
南无善窮根佛　南无善窮意佛
南无善窮德佛　南无善任佛
南无衆自在王佛　南无大衆自在佛

BD00163號　佛名經（十六卷本）卷一六　（14–5）

南无勝眼佛　南无不可行佛
南无窮勝佛　南无善窮心佛
南无善窮根佛　南无善窮意佛
南无善窮德佛　南无善任佛
南无衆自在王佛　南无大衆自在佛
南无衆解脫佛　南无法幢佛
從此以上一万三千佛十二部經一切賢聖
南无法山佛　南无法勝佛
南无法體佛　南无法力佛
南无法勇猛佛　南无法體決定佛
南无第二劫八十億同名法體決定佛
舍利弗若善男子善女人受持是佛名畢竟不
入地獄速得三昧
舍利弗過是佛名无量无邊阿僧祇劫有佛名
人自在聲汝當歸命彼人自在聲佛壽命七十
千万劫住世初會諸三億聲聞衆集八十那由
他千万菩薩衆集皆得諸神通具四无㝵智通
達一切空到彼岸我若无量劫住世說彼佛大會
國土莊嚴如大海水中一渧之分舍利弗應當敬礼
十方諸大菩薩
次礼十二部尊經大藏法輪
南无文殊師利五體悔過經

BD00163號　佛名經（十六卷本）卷一六　（14–6）

國土莊嚴如大海水中一渧之分舍利弗應當敬礼
十方諸大菩薩
次礼十二部尊經大藏法輪
南无文殊師利五體悔過經
南无閑居經
南无大愛道受戒經　南无文随偈經
南无分和檀王經　南无度世經
南无解无常經　南无大善權經
南无要真經　南无八念經
南无大本藏經　南无照明三昧經
南无八正道經　南无大六向拜經
南无胡般泥洹經　南无諸神呪經
南无大愛道泥洹經　南无本相猗致經
南无六淨經　南无十思惟經
南无流攝經　南无六十二見經
次礼十方諸大菩薩
南无淨世界陁羅尼自在王菩薩
南无善見世界堅固莊嚴菩薩
南无淨光世界功德山王勝菩薩
南无淨光世界法慧菩薩
南无淨光世界山王菩薩
南无淨光世界師子吼菩薩

BD00163號　佛名經（十六卷本）卷一六　（14–7）

南无善見世界堅固莊嚴菩薩
南无淨光世界功德山王勝菩薩
南无淨光世界法慧菩薩
南无淨光世界山王菩薩
南无淨光世界師子吼菩薩
南无淨光世界弥勒菩薩
南无淨光世界功德聚菩薩
南无好成世界智積菩薩　南无寂靜世界精進菩薩
南无喜信淨菩薩　南无現在西方菩薩名
南无旃檀香世界普明菩薩　南无旃檀香世界大光菩薩
南无金剛世界法首菩薩　南无思惟樹世界善首菩薩
南无離闇寘世界光曜內菩薩
南无日慧世界福德王菩薩
南无星宿世界照燈菩薩　南无旃檀香世界海慧菩薩
南无意入世界无量華照垂燄菩薩
南无金色世界文殊師利菩薩
南无衆色世界覺首菩薩
南无華色世界財首菩薩
南无瞻蔔華色世界寶首菩薩
次礼聲聞緣覺一切賢聖
南无脩行不著辟支佛　南无離恪辟支佛

BD00163號　佛名經（十六卷本）卷一六　（14–8）

南无華色世界財首菩薩
南无瞻蔔華色世界寶首菩薩
次礼聲聞緣覺一切賢聖
南无脩行不著辟支佛　南无難捨辟支佛
南无寶辟支佛　南无不可比辟支佛
南无歡喜辟支佛　南无喜辟支佛
南无隨喜辟支佛　南无火身辟支佛
南无尚名娑羅辟支佛　南无十二娑羅隨辟支佛
南无同菩提辟支佛　南无摩訶男辟支佛
南无心上辟支佛　南无駮淨辟支佛
南无善快辟支佛　南无園隨辟支佛
南无吉沙辟支佛　南无優波吉沙辟支佛
南无斷有辟支佛　南无優波支羅辟支佛
礼三寶已次復懺悔
次復懺悔劫盜之業經中說言若物屬他他所
守護於此物中一草一葉不與不取何況但自衆生
唯見現在利故以種種方便非道而取致使未來
受此殃果是故經言劫盜之罪能令衆生墮於
地獄餓鬼受苦若在畜生則受牛馬驢騾駱駝
等形以其所有身力血肉償他宿債若生人中為
他奴婢衣不蔽形食不充命貧寒困苦人治殆盡
劫盜既有如是苦報是故弟子今日至到稽首歸

BD00163 號　佛名經（十六卷本）卷一六　（14–9）

地獄餓鬼受苦若在畜生則受牛馬驢騾駱駝
等形以其所有身力血肉償他宿債若生人中為
他奴婢衣不蔽形食不充命貧寒困苦人治殆盡
劫盜既有如是苦報是故弟子今日至到稽首歸
依佛
南无東方壞諸煩惱佛　南方妙音自在佛
南无西方大雲光佛　南无北方雲自在王佛
東南方无緣莊嚴佛　西南方過諸魔界佛
西北方見无恐懼佛　東北方一切功德嚴佛
南无下方妙善住王佛　南无上方蓮華藏光佛
如是十方盡虛空界一切三寶至心歸命常住三寶
弟子等自從无始以來至於今日或盜他財寶
興刀強奪或自是怙身逼迫而取或恃公威或
假勢力高槯大斛枉抑良善吞納姦詐考直
為曲為此因緣身羅憲網或任邪治或領他財
物假公益私假私益公損彼利此利故割他自饒
口與心悋或竊沒租佑偷度關稅匿公課輸藏
隱使役如是等罪今悉懺悔至心歸命常住三寶
或是佛法僧物不與而取或取經像物或治營
塔寺物或供養常住僧物或擬招提僧物或盜
取悞用恃勢不還或自借或貸人或復換貸漏
忘或三寶物[illegible]混亂雜用或以衆物[illegible]

BD00163 號　佛名經（十六卷本）卷一六　（14–10）

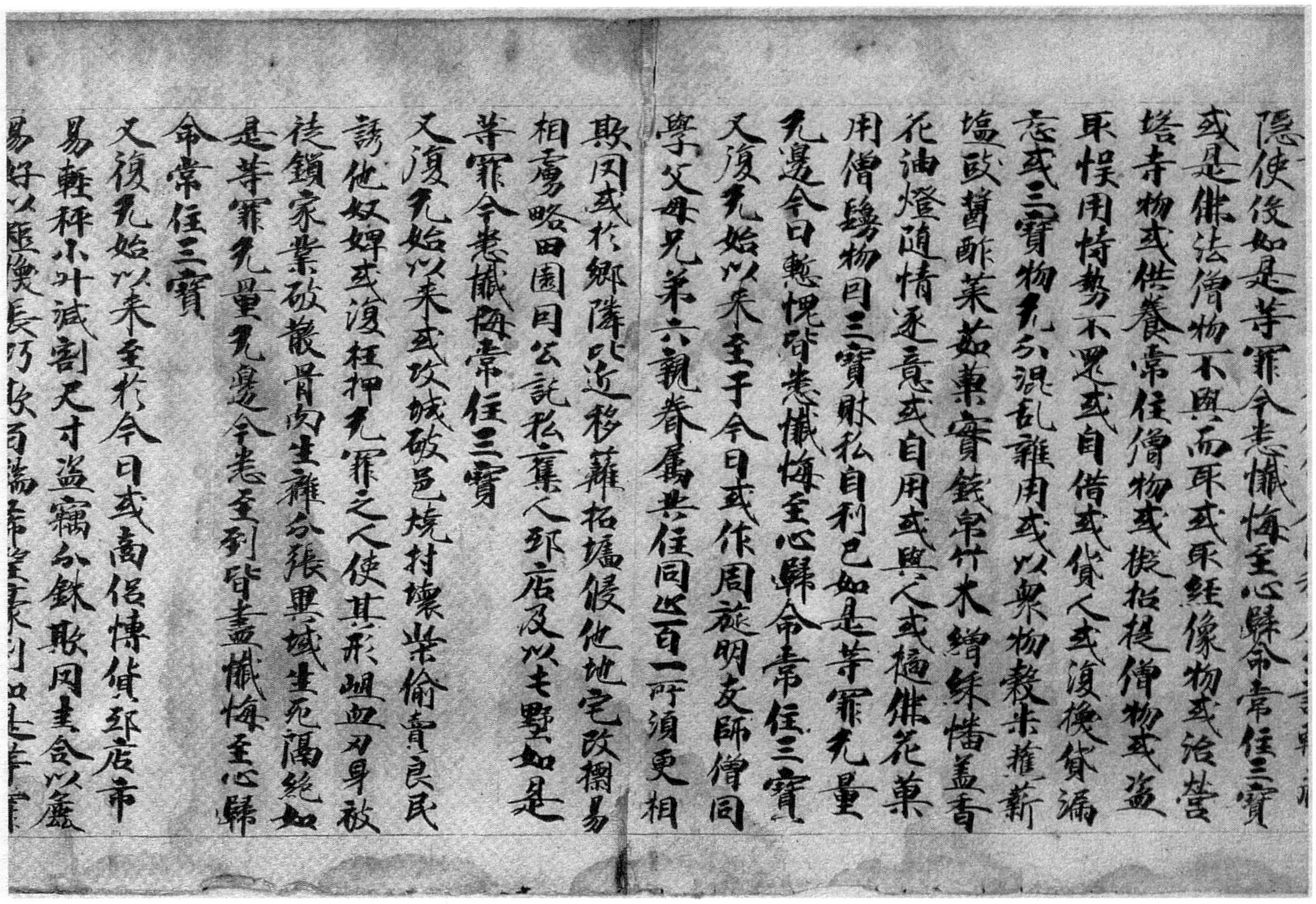
隱使役如是等罪今悉懺悔至心歸命常住三寶
或是佛法僧物不與而取或取經像物或治營
塔寺物或供養常住僧物或擬招提僧物或盜
取悞用恃勢不畏或自借或貸人或復換貸漏
忘或三寶物无分混亂雜用或以衆物穀米樵薪
鹽豉醬酢菜茹菓實錢帛竹木繒綵幡蓋香
花油燈隨情逐意或自用或與人或摘佛花菓
用僧鬘物因三寶財私自利己如是等罪无量
无邊今日慚愧皆悉懺悔至心歸命常住三寶
又復无始以來至于今日或作周旋明友師僧同
學父母兄弟六親眷屬共住同此百一所須更相
欺罔或於鄉隣比近移蘺拓墻侵他地宅改標易
相𢼈略田園因公託私奪人邸店及以屯野如是
等罪今悉懺悔常住三寶
又復无始以來或攻城破邑燒村壞柵偷賣良民
誘他奴婢或復枉押无罪之人使其形骸血刃身被
徒鎖家業破散骨肉生離分張異域生死隔絕如
是等罪无量无邊今悉至到皆盡懺悔至心歸
命常住三寶
又復无始以來至於今日或商估博貨邸店市
易輕秤小斗減割尺寸盜竊分銖欺罔毫合以麤
易好以短換長巧欺百端希望豪利如是等罪

BD00163號　佛名經（十六卷本）卷一六　（14–11）

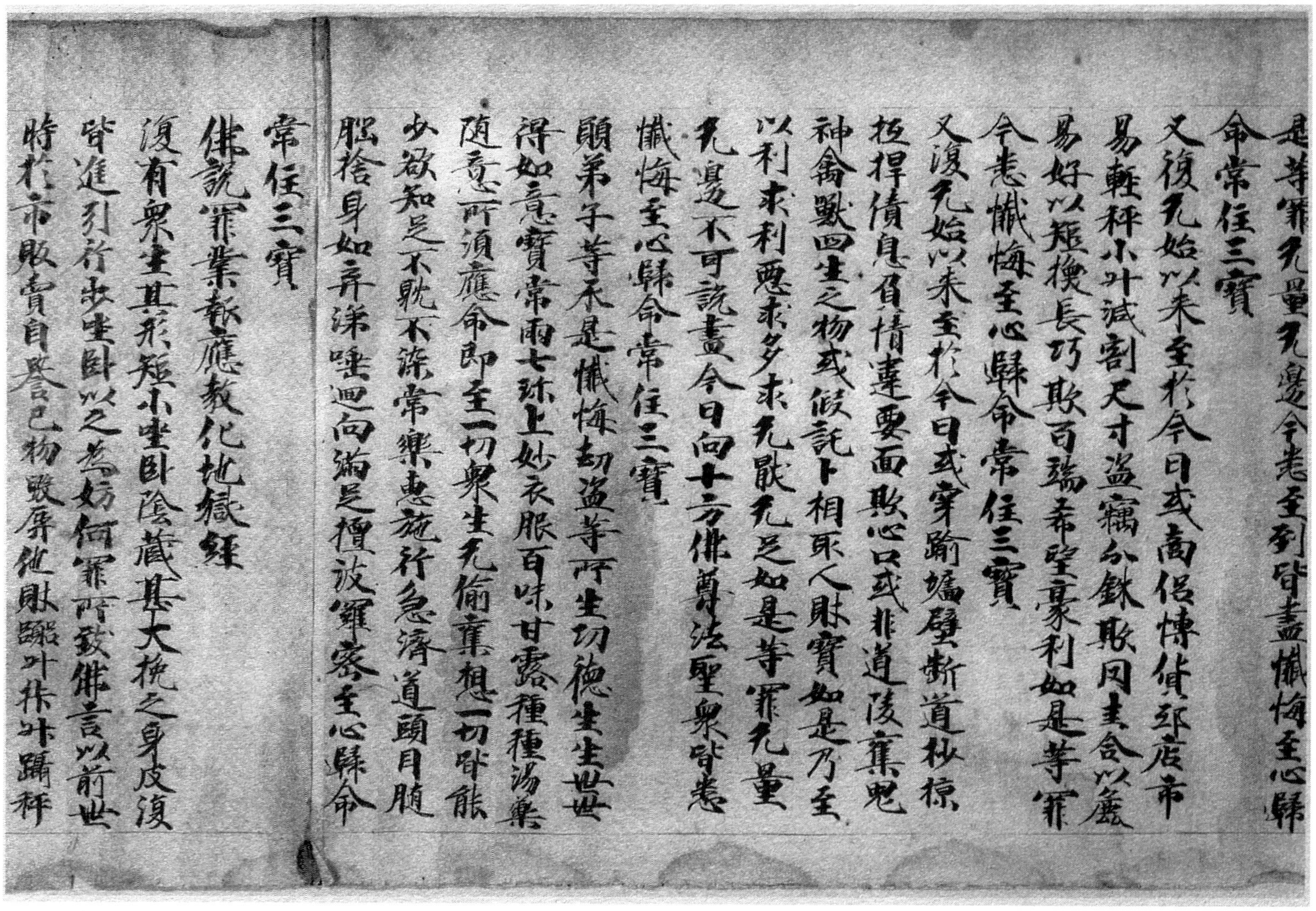
是等罪无量无邊今悉至到皆盡懺悔至心歸
命常住三寶
又復无始以來至於今日或商估博貨邸店市
易輕秤小斗減割尺寸盜竊分銖欺罔毫合以麤
易好以短換長巧欺百端希望豪利如是等罪
今悉懺悔至心歸命常住三寶
又復无始以來至於今日或穿踰墻壁斷道抄掠
抵捍債息負情違要面欺心口或非道陵奪鬼
神禽獸四生之物或假託卜相取人財寶如是乃至
以利求利惡求多求无猒无足如是等罪无量
无邊不可說盡今日向十方佛尊法聖衆皆悉
懺悔至心歸命常住三寶
願弟子等承是懺悔劫盜等所生功德生生世世
得如意寶常雨七珎上妙衣服百味甘露種種湯藥
隨意所須應念即至一切衆生无偷奪想一切皆能
少欲知足不耽不染常樂惠施行急濟道頭目髓
腦捨身如弃涕唾迴向滿足檀波羅蜜至心歸命
常住三寶
佛說罪業報應教化地獄經
復有衆生其形短小坐卧陰藏甚大挽之身皮復
皆進引行步坐卧以之為妨何罪所致佛言以前世
時於市販賣自譽己物毀屛他財蹋斗持斗蹋秤

BD00163號　佛名經（十六卷本）卷一六　（14–12）

常住三寶
佛說罪業報應教化地獄經
復有衆生其形短小坐卧陰藏甚大挽之身皮復
背進引行步坐卧以之為妨何罪所致佛言以前世
時於市販賣自譽己物毀辱他財蹤斗抹斗蹻秤
前後故獲斯罪
復有衆生其形甚醜身黑如漆兩目復青高顴偶
𩑶電面平鼻兩眼黃赤牙齒踈缺口氣腥臭矬
短癃腫大腹逹寬脚復了戾膝脊低匈背衣健
食惡瘡膿血水腫干消疥癩癰疽種種諸惡集
在其身雖親附人人不在意若他作罪橫羅其
殃永不見佛永不聞法永不識僧何罪所致佛
言以前世時生為子不孝父母為臣不忠其君為
上不接其下為下不敬其上朋友不實其信鄉
黨不以禾其齒朝庭不以其爵心意顛到無有
其度不信三尊殺君害師伐國掠民攻城破塢
偷竊過盜惡業非一美以惡人假陵孤老誣謗賢
善輕慢尊長欺誑下賤一切罪報集俱犯之衆生
業報故獲斯罪
佛說佛名經卷第十六

BD00163號　佛名經（十六卷本）卷一六　（14–13）

其度不信三尊殺君害師伐國掠民攻城破塢
偷竊過盜惡業非一美以惡人假陵孤老誣謗賢
善輕慢尊長欺誑下賤一切罪報集俱犯之衆生
業報故獲斯罪
佛說佛名經卷第十六

BD00163號　佛名經（十六卷本）卷一六　（14–14）

恒樂稱揚齊歎樂　是故得成此光明
又放光明名最勝　此光開悟一切眾
令於佛所普聽聞　戒定智慧增上法
常樂稱揚一切佛　勝戒勝定殊勝慧
如是爲求無上道　是故得成此光明
又放光明名寶嚴　此光能覺一切眾
令得寶藏無窮盡　以此供養諸如來
以諸種種上妙寶　奉施於佛及佛塔
亦以惠施諸貧乏　是故得成此光明
又放光明名香嚴　此光能覺一切眾
令其聞者悅可意　決定當成佛功德
人天妙香以塗地　供養一切最勝主
亦以造塔及佛像　是故得成此光明
又放光名雜莊嚴　寶幢幡蓋無央數
焚香散花奏眾樂　城邑內外皆充滿
本以微妙妓樂音　眾香妙花幢蓋等
種種莊嚴供養佛　是故得成此光明
又放光明名嚴潔　令地平坦猶如掌
莊嚴佛塔及其處　是故得成此光明
又放光明名嚴潔　令地平坦猶如掌
莊嚴佛塔及其處　是故得成此光明
以水[illegible]　[illegible]

BD00164 號 A　大方廣佛華嚴經（唐譯八十卷本　兌廢稿）卷一五　　（2–1）

常樂稱揚一切佛　勝戒勝定殊勝慧
如是爲求無上道　是故得成此光明
又放光明名寶嚴　此光能覺一切眾
令得寶藏無窮盡　以此供養諸如來
以諸種種上妙寶　奉施於佛及佛塔
亦以惠施諸貧乏　是故得成此光明
又放光明名香嚴　此光能覺一切眾
令其聞者悅可意　決定當成佛功德
人天妙香以塗地　供養一切最勝主
亦以造塔及佛像　是故得成此光明
又放光名雜莊嚴　寶幢幡蓋無央數
焚香散花奏眾樂　城邑內外皆充滿
本以微妙妓樂音　眾香妙花幢蓋等
種種莊嚴供養佛　是故得成此光明
又放光明名嚴潔　令地平坦猶如掌
莊嚴佛塔及其處　是故得成此光明
又放光明名嚴潔　令地平坦猶如掌
莊嚴佛塔及其處　是故得成此光明
又放光明名大雲　能起香雲雨香水
以水灑塔及庭院　是故得成此光明
又放光明名嚴具　令倮形者得上服
嚴身妙物而爲施　是故得成此光明
又放光明名上味　能令飢者獲美食
種種珍饌而爲施　是故得成此光明

BD00164 號 A　大方廣佛華嚴經（唐譯八十卷本　兌廢稿）卷一五　　（2–2）

无相起佛子辟如妙光大梵天王所住之宫
名一切世間最勝清淨藏此大宮中普見三
千大千世界諸四天下天宫龍宫夜叉宫乹
闥婆宫阿脩羅宫迦樓羅宫緊那羅宫摩
睺羅伽宫人間住處及三惡道須弥山等種種
諸山大海江河陂澤泉源城邑聚落樹林
衆寶如是一切種種莊嚴盡大輪圍所有邊際
乃至宫中微細遊塵莫不皆於梵宫顯現如
於明鏡見其面像菩薩摩訶薩住此一切衆
生差別身大三昧知種種刹見種種佛度種
種衆證種種法成種種行滿種種解入種種
三昧起種種神通得種種智慧住種種刹那
際佛子此菩薩摩訶薩到十種神通彼岸何
者為十所謂到諸佛盡虛空遍法界神通彼
岸到菩薩究竟无差別自在神通彼岸到能
發起菩薩廣大行願入如來門佛事神通彼
岸到能振動一切世界一切境界悉令清淨
神通彼岸到能自在知一切衆生不思議業
果皆如幻化神通彼岸到岸到能勇猛入
神通彼岸到能自在知一切衆生不思議業
果皆如幻化神通彼岸到能自在知諸三昧
麁細入出差別相神通彼岸到能勇猛入如

BD00164 號 B　大方廣佛華嚴經（唐譯八十卷本　兑廢稿）卷四二　（2–1）

諸山大海江河陂澤泉源城邑聚落樹林
衆寶如是一切種種莊嚴盡大輪圍所有邊際
乃至宫中微細遊塵莫不皆於梵宫顯現如
於明鏡見其面像菩薩摩訶薩住此一切衆
生差別身大三昧知種種刹見種種佛度種
種衆證種種法成種種行滿種種解入種種
三昧起種種神通得種種智慧住種種刹那
際佛子此菩薩摩訶薩到十種神通彼岸何
者為十所謂到諸佛盡虛空遍法界神通彼
岸到菩薩究竟无差別自在神通彼岸到能
發起菩薩廣大行願入如來門佛事神通彼
岸到能振動一切世界一切境界悉令清淨
神通彼岸到能自在知一切衆生不思議業
果皆如幻化神通彼岸到岸到能勇猛入
神通彼岸到能自在知一切衆生不思議業
果皆如幻化神通彼岸到能自在知諸三昧
麁細入出差別相神通彼岸到能勇猛入如
來境界而於其中發生大願神通彼岸到能
化作佛化轉法輪調伏衆生令生佛種令入
佛乘速得成就神通彼岸到能了知不可說
一切秘密文句而轉法輪令百千億那由他
不可說不可說法門皆得清淨神通彼岸到
不假晝夜年月劫數一念悉能三世示現神

BD00164 號 B　大方廣佛華嚴經（唐譯八十卷本　兑廢稿）卷四二　（2–2）

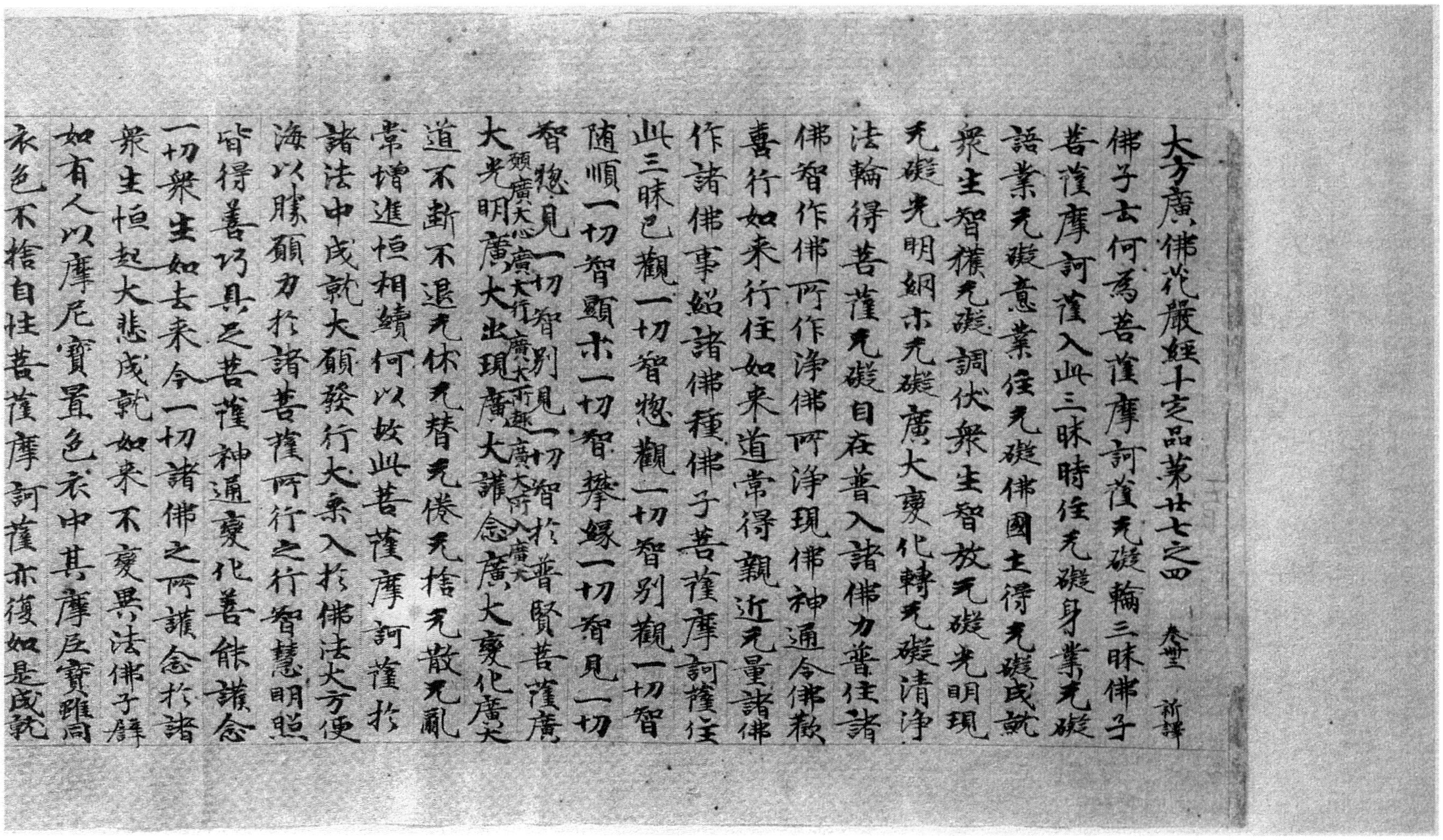

大方廣佛花嚴經十定品第廿七之四　卷卌三　新譯
佛子云何爲菩薩摩訶薩无礙輪三昧佛子
菩薩摩訶薩入此三昧時住无礙身業无礙
語業无礙意業住无礙佛國土得无礙成就
衆生智獲无礙調伏衆生智放无礙光明現
无礙光明網示无礙廣大變化轉无礙清淨
法輪得菩薩无礙自在普入諸佛力普住諸
佛智作佛所作淨佛所淨現佛神通令佛歡
喜行如來行住如來道常得親近无量諸佛
作諸佛事紹諸佛種佛子菩薩摩訶薩住
此三昧已觀一切智總觀一切智別觀一切智
隨順一切智顯示一切智攀緣一切智見一切
智總見一切智別見一切智於普賢菩薩廣
（願廣大心廣大行廣大所趣廣大所入廣大）
大光明廣大出現廣大護念廣大變化廣大
道不斷不退无休无替无倦无捨无散无亂
常增進恒相續何以故此菩薩摩訶薩於
諸法中成就大願發行大乘入於佛法大方便
海以勝願力於諸菩薩所行之行智慧明照
皆得善巧具足菩薩神通變化善能護念
一切衆生如去來今一切諸佛之所護念於諸
衆生恒起大悲成就如來不變異法佛子辟
如有人以摩尼寶置色衣中其摩尼寶雖同
衣色不捨自性菩薩摩訶薩亦復如是成就

BD00164號C　大方廣佛華嚴經（唐譯八十卷本　兌廢稿）卷四三　（2–1）

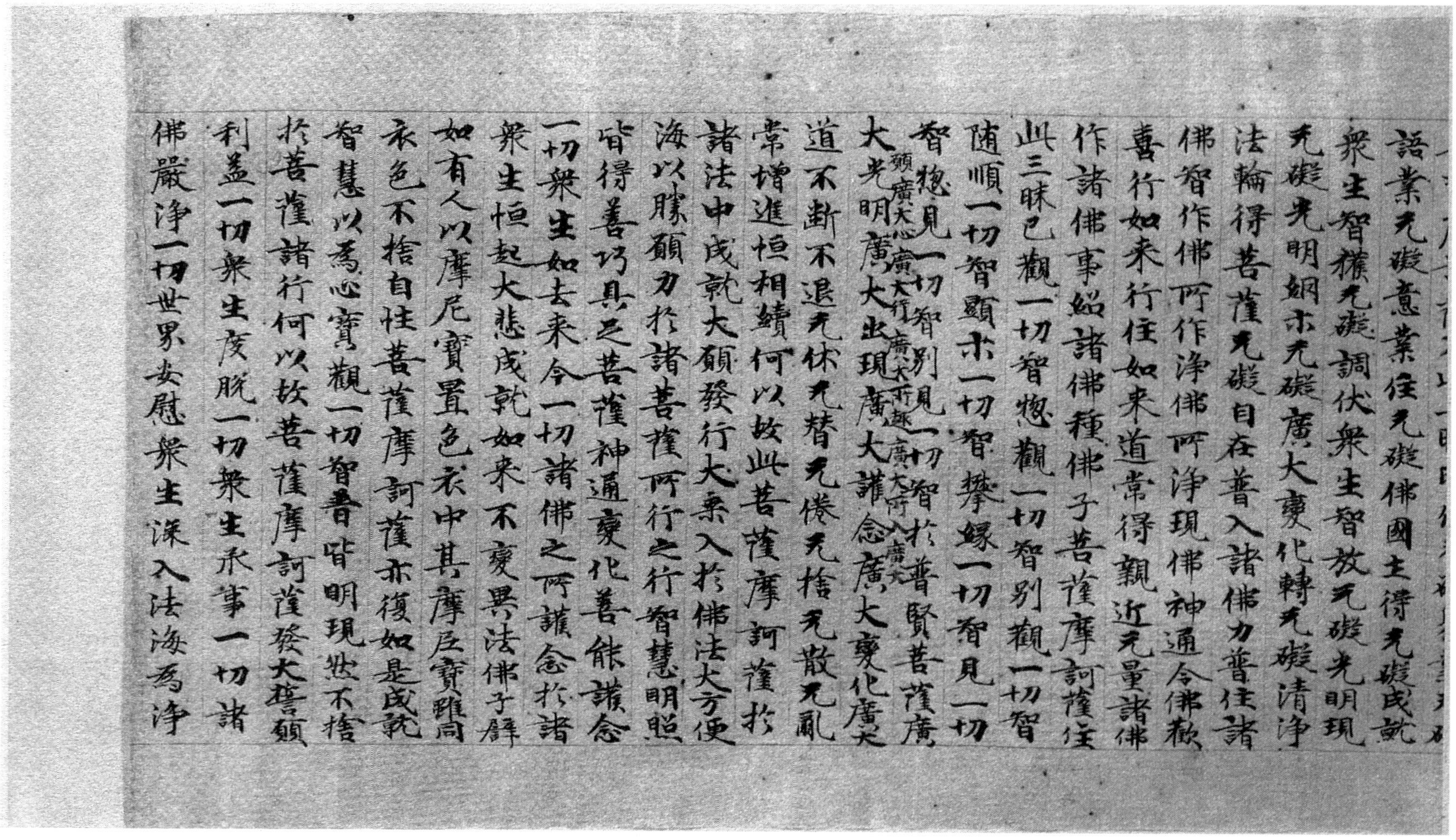

語業无礙意業住无礙佛國土得无礙成就
衆生智獲无礙調伏衆生智放无礙光明現
无礙光明網示无礙廣大變化轉无礙清淨
法輪得菩薩无礙自在普入諸佛力普住諸
佛智作佛所作淨佛所淨現佛神通令佛歡
喜行如來行住如來道常得親近无量諸佛
作諸佛事紹諸佛種佛子菩薩摩訶薩住
此三昧已觀一切智總觀一切智別觀一切智
隨順一切智顯示一切智攀緣一切智見一切
智總見一切智別見一切智於普賢菩薩廣
（願廣大心廣大行廣大所趣廣大所入廣大）
大光明廣大出現廣大護念廣大變化廣大
道不斷不退无休无替无倦无捨无散无亂
常增進恒相續何以故此菩薩摩訶薩於
諸法中成就大願發行大乘入於佛法大方便
海以勝願力於諸菩薩所行之行智慧明照
皆得善巧具足菩薩神通變化善能護念
一切衆生如去來今一切諸佛之所護念於諸
衆生恒起大悲成就如來不變異法佛子辟
如有人以摩尼寶置色衣中其摩尼寶雖同
衣色不捨自性菩薩摩訶薩亦復如是成就
智慧以爲心寶觀一切智普皆明現然不捨
於菩薩諸行何以故菩薩摩訶薩發大誓願
利益一切衆生度脫一切衆生承事一切諸
佛嚴淨一切世界安慰衆生深入法海爲淨

BD00164號C　大方廣佛華嚴經（唐譯八十卷本　兌廢稿）卷四三　（2–2）

无差別性此是无礙方便之門此能出生菩
薩衆會此法唯是三昧境界此能勇進入薩
婆若此能開顯諸三昧門此能无礙普入諸
剎此能調伏一切衆生此能住於无衆生際
此能開示一切佛法此於境界皆无所得雖
一切時演說開示而恒遠離妄想分別雖知
諸法皆无所作而能示現一切作業雖知諸
佛无有二相而能顯示一切諸佛雖知无色
而演說諸色雖知无受而演說諸受雖知无
想而演說諸想雖知无行而演說諸行雖
知无識而演說諸識恒以法輪開示一切雖知
法无生而常轉法輪雖知法无差別而說諸
差別門雖知諸法无有生滅而說一切生滅
之相雖知諸法无麁无細而說諸法麁細之
相雖知諸法无上中下而能宣說最上之法
雖知諸法不可言說而能演說清淨言辭雖
知諸法无內无外而說一切內外諸法雖知諸
法无不可了知而說種種智慧觀察雖知諸法有真實而說出離真實之道雖知諸
法畢竟无盡而能演說盡諸有漏雖知諸法
无違无諍然亦不无自他差別雖知諸法畢竟
无師而常尊敬一切師長雖知諸法不由
他悟而常尊敬諸善知識雖知諸法无轉而轉
法輪雖知法无起而示諸因緣雖知諸法无有

BD00164 號 D　大方廣佛華嚴經（唐譯八十卷本　兌廢稿）卷四三　（2–1）

一切時演說開示而恒遠離妄想分別雖知
諸法皆无所作而能示現一切作業雖知諸
佛无有二相而能顯示一切諸佛雖知无色
而演說諸色雖知无受而演說諸受雖知无
想而演說諸想雖知无行而演說諸行雖
知无識而演說諸識恒以法輪開示一切雖知
法无生而常轉法輪雖知法无差別而說諸
差別門雖知諸法无有生滅而說一切生滅
之相雖知諸法无麁无細而說諸法麁細之
相雖知諸法无上中下而能宣說最上之法
雖知諸法不可言說而能演說清淨言辭雖
知諸法无內无外而說一切內外諸法雖知諸
法无不可了知而說種種智慧觀察雖知諸法有真實而說出離真實之道雖知諸
法畢竟无盡而能演說盡諸有漏雖知諸法
无違无諍然亦不无自他差別雖知諸法畢竟
无師而常尊敬一切師長雖知諸法不由
他悟而常尊敬諸善知識雖知諸法无轉而轉
法輪雖知法无起而示諸因緣雖知諸法无有
前際而廣說過去雖知諸法无有後際而廣
說未來雖知諸法无有中際而廣說現在雖
知諸法无有作者而說諸作業雖知諸法无
有因緣而說諸集因雖知諸法无有等比而
說平等不平等道雖知諸法无有言說而史

BD00164 號 D　大方廣佛華嚴經（唐譯八十卷本　兌廢稿）卷四三　（2–2）

音聲忍順忍无生法忍如幻忍如燄忍如
夢忍如響忍如影忍如化忍如空忍此十種
忍三世諸佛已說今說當說
佛子云何為菩薩摩訶薩音聲忍謂聞諸佛
所說之法不驚不怖不畏深信悟解愛樂趣
向專心憶念修習安住是名菩薩摩訶薩第一
音聲忍
佛子云何為菩薩摩訶薩順忍謂於諸法思
惟觀察平等无違隨順了知令心清淨正住
修習趣入成就是名菩薩摩訶薩第二順忍
佛子云何為菩薩摩訶薩无生法忍佛子此
菩薩摩訶薩不見有少法生亦不見有少法
滅何以故若无生則无滅若无滅則无盡若
无盡則離垢若離垢則无差別若无差別
无處所若无處所則寂靜若寂靜則離欲若
離欲則无作若无作則无願若无願則无住
若无住則无去无來是名菩薩摩訶薩第三
无生法忍
佛子云何為菩薩摩訶薩如幻忍佛子此菩
薩摩訶薩知一切法皆悉如幻從因緣起於
一法中解多法於多法中解一法此菩薩知
諸法如幻已了達國土了達衆生了達法界
了達世間平等了達佛出現平等了達三世
平等成就種種神通變化譬如幻非象非馬非

BD00164 號 E　大方廣佛華嚴經（唐譯八十卷本　兌廢稿）卷四四　（2–1）

音聲忍
佛子云何為菩薩摩訶薩順忍謂於諸法思
惟觀察平等无違隨順了知令心清淨正住
修習趣入成就是名菩薩摩訶薩第二順忍
佛子云何為菩薩摩訶薩无生法忍佛子此
菩薩摩訶薩不見有少法生亦不見有少法
滅何以故若无生則无滅若无滅則无盡若
无盡則離垢若離垢則无差別若无差別
无處所若无處所則寂靜若寂靜則離欲若
離欲則无作若无作則无願若无願則无住
若无住則无去无來是名菩薩摩訶薩第三
无生法忍
佛子云何為菩薩摩訶薩如幻忍佛子此菩
薩摩訶薩知一切法皆悉如幻從因緣起於
一法中解多法於多法中解一法此菩薩知
諸法如幻已了達國土了達衆生了達法界
了達世間平等了達佛出現平等了達三世
平等成就種種神通變化譬如幻非象非馬非
車非步非男非女非童男非童女非樹非葉
非花非果非地非水非火非風非晝非夜非日非
月非半月非一月非一年非百年非一
劫非多劫非定非亂非純非雜非一非異非
廣非狹非多非少非量非无量非麁非細非世

BD00164 號 E　大方廣佛華嚴經（唐譯八十卷本　兌廢稿）卷四四　（2–2）

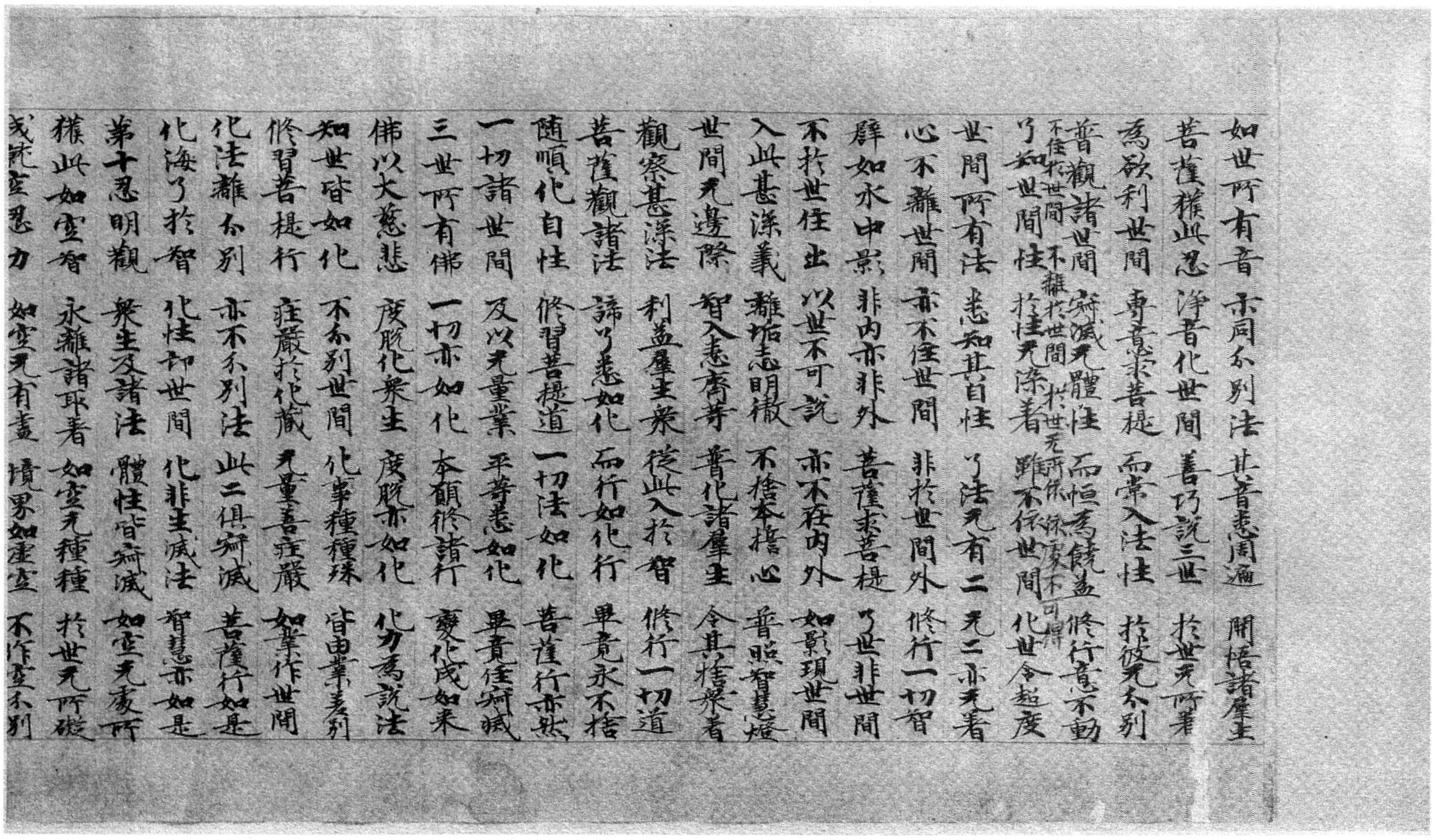

如世所有音 不同分別法 其音悉周遍 開悟諸群生
菩薩獲此忍 淨音化世間 善巧說三世 於世无所著
為欲利世間 專意求菩提 而常入法性 於彼无分別
普觀諸世間 寂滅无體性 而恒為饒益 修行意不動
不住於世間 不離於世間 於世无所依 依處不可得
了知世間性 於性无染著 雖不依世間 化世令超度
世間所有法 悉知其自性 了法无有二 无二亦无著
心不離世間 亦不住世間 非於世間外 修行一切智
譬如水中影 非內亦非外 菩薩求菩提 了世非世間
不於世住出 以世不可說 亦不住內外 如影現世間
入此甚深義 離垢悉明徹 不捨本誓心 普照智慧燈
世間无邊際 智入悉齊等 普化諸群生 令其捨衆著
觀察甚深法 利益群生衆 從此入於智 修行一切道
菩薩觀諸法 諦了悉如化 而行如化行 畢竟永不捨
隨順化自性 修習菩提道 一切法如化 菩薩行亦然
一切諸世間 及以无量業 平等悉如化 畢竟住寂滅
三世所有佛 一切亦如化 本願修諸行 變化成如來
佛以大慈悲 度脫化衆生 度脫亦如化 化力為說法
知世皆如化 不分別世間 化事種種殊 皆由業差別
修習菩提行 莊嚴於化藏 无量善莊嚴 如業作世間
化法離分別 亦不分別法 此二俱寂滅 菩薩行如是
化海了於智 化性印世間 化非生滅法 智慧亦如是
第十忍明觀 衆生及諸法 體性皆寂滅 如空无處所
獲此如空智 永離諸取著 如空无種種 於世无所礙
成就空忍力 如空无有盡 境界如虛空 不作空分別

BD00164號F 大方廣佛華嚴經(唐譯八十卷本 兌廢稿)卷四四 (2–1)

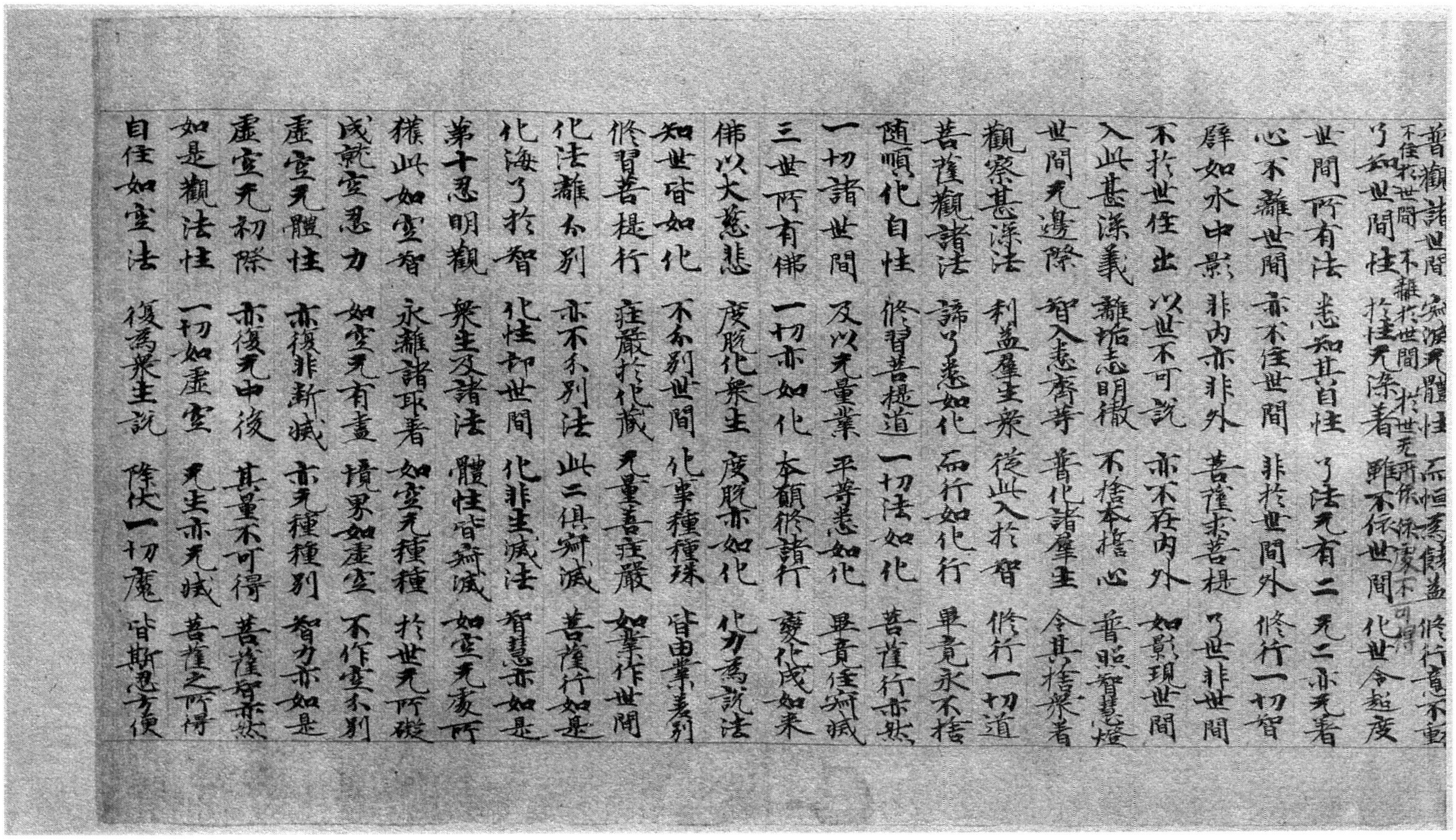

普觀諸世間 寂滅无體性 而恒為饒益 修行意不動
不住於世間 不離於世間 於世无所依 依處不可得
了知世間性 於性无染著 雖不依世間 化世令超度
世間所有法 悉知其自性 了法无有二 无二亦无著
心不離世間 亦不住世間 非於世間外 修行一切智
譬如水中影 非內亦非外 菩薩求菩提 了世非世間
不於世住出 以世不可說 亦不住內外 如影現世間
入此甚深義 離垢悉明徹 不捨本誓心 普照智慧燈
世間无邊際 智入悉齊等 普化諸群生 令其捨衆著
觀察甚深法 利益群生衆 從此入於智 修行一切道
菩薩觀諸法 諦了悉如化 而行如化行 畢竟永不捨
隨順化自性 修習菩提道 一切法如化 菩薩行亦然
一切諸世間 及以无量業 平等悉如化 畢竟住寂滅
三世所有佛 一切亦如化 本願修諸行 變化成如來
佛以大慈悲 度脫化衆生 度脫亦如化 化力為說法
知世皆如化 不分別世間 化事種種殊 皆由業差別
修習菩提行 莊嚴於化藏 无量善莊嚴 如業作世間
化法離分別 亦不分別法 此二俱寂滅 菩薩行如是
化海了於智 化性印世間 化非生滅法 智慧亦如是
第十忍明觀 衆生及諸法 體性皆寂滅 如空无處所
獲此如空智 永離諸取著 如空无種種 於世无所礙
成就空忍力 如空无有盡 境界如虛空 不作空分別
虛空无體性 亦復非斷滅 亦无種種別 智力亦如是
虛空无初際 亦復无中後 其量不可得 菩薩智亦然
如是觀法性 一切如虛空 无生亦无滅 菩薩之所得
自住如空法 復為衆生說 降伏一切魔 皆斯忍方便

BD00164號F 大方廣佛華嚴經(唐譯八十卷本 兌廢稿)卷四四 (2–2)

羅泥羅爲一計羅計羅計羅爲一細羅細羅
細羅爲一髀羅髀羅髀羅爲一謎羅謎羅
謎羅爲一娑攞荼娑攞荼娑攞荼爲一謎魯
陁謎魯陁謎魯陁爲一契魯陁契魯陁契魯陁
爲一摩覩羅摩覩羅摩覩羅爲一娑毋羅娑
毋羅娑毋羅爲一阿野娑阿野娑阿野娑爲
一迦麼羅迦麼羅迦麼羅爲一摩伽婆摩伽
婆摩伽婆爲一阿怛羅阿怛羅阿怛羅爲一
醯魯耶醯魯耶醯魯耶爲一薛魯婆薛魯
婆薛魯婆爲一羯羅波羯羅波羯羅波爲一
訶婆婆訶婆婆訶婆婆爲一毗婆上羅毗婆羅
毗婆羅爲一那婆上羅那婆羅那婆羅爲一
摩攞羅摩攞羅摩攞羅爲一娑婆上羅
娑婆羅娑婆羅爲一迷攞普迷攞普迷攞普爲
一者麼羅者麼羅者麼羅爲一馱麼羅馱麼
羅爲一鉢攞麼陁鉢攞麼陁鉢攞麼陁
爲一毗伽摩毗伽摩毗伽摩爲一烏波跋多烏
波跋多烏波跋多爲一演說演說演說爲一
无盡无盡无盡爲一出生出生出生爲一无
我无我无我爲一阿畔多阿畔多阿畔多
爲一青蓮花青蓮花青蓮花爲一鉢頭摩鉢
頭摩鉢頭摩爲一僧祇僧祇僧祇爲一趣趣

BD00164號G　大方廣佛華嚴經（唐譯八十卷本　兌廢稿）卷四五　（2–1）

爲一摩覩羅摩覩羅摩覩羅爲一娑毋羅娑
毋羅娑毋羅爲一阿野娑阿野娑阿野娑爲
一迦麼羅迦麼羅迦麼羅爲一摩伽婆摩伽
婆摩伽婆爲一阿怛羅阿怛羅阿怛羅爲一
醯魯耶醯魯耶醯魯耶爲一薛魯婆薛魯
婆薛魯婆爲一羯羅波羯羅波羯羅波爲一
訶婆婆訶婆婆訶婆婆爲一毗婆上羅毗婆羅
毗婆羅爲一那婆上羅那婆羅那婆羅爲一
摩攞羅摩攞羅摩攞羅爲一娑婆上羅
娑婆羅娑婆羅爲一迷攞普迷攞普迷攞普爲
一者麼羅者麼羅者麼羅爲一馱麼羅馱麼
羅爲一鉢攞麼陁鉢攞麼陁鉢攞麼陁
爲一毗伽摩毗伽摩毗伽摩爲一烏波跋多烏
波跋多烏波跋多爲一演說演說演說爲一
无盡无盡无盡爲一出生出生出生爲一无
我无我无我爲一阿畔多阿畔多阿畔多
爲一青蓮花青蓮花青蓮花爲一鉢頭摩鉢
頭摩鉢頭摩爲一僧祇僧祇僧祇爲一趣趣
趣爲一至至至爲一阿僧祇阿僧祇阿僧祇
爲一阿僧祇轉阿僧祇轉阿僧祇轉爲一
无量无量无量爲一无量轉无量轉无量轉无邊無邊无邊爲一无邊轉无邊轉无邊
轉爲一无等无等无等爲一无等轉无等

BD00164號G　大方廣佛華嚴經（唐譯八十卷本　兌廢稿）卷四五　（2–2）

終无染着一切諸佛於諸佛所修學三業
唯行佛行非二乘行皆為迴向一切智性成
於无上正等菩提一切諸佛放大光明其光
平等照一切處及照一切諸佛之法令諸菩薩
心得清淨滿一切智一切諸佛捨離世樂不
貪不染而普願世間離苦得樂无諸戲論一切
諸佛愍諸衆生受種種苦守護佛種行佛境
界出離生死逮十力地是為十佛子諸佛世尊
有十種无障礙住何等為十所謂一切諸佛皆
能往一切世界无障礙住一切諸佛皆能住
一切世界无障礙住一切諸佛皆能於一切世
界行住坐卧无障礙住一切諸佛皆能於一
切世界演說正法无障礙住一切諸佛皆能
於一切世界住兜率天宮无障礙住一切諸佛
皆能入法界一切三世无障礙住一切諸佛
皆能坐法界一切道場无障礙住一切諸佛
皆能念念觀一切衆生心行以三種自在教
化調伏无障礙住一切諸佛皆能以一身住
无量不思議佛所及一切處利益衆生无障
礙住一切諸佛皆能開示无量諸佛所說正
法无障礙住是為十佛子諸佛世尊有十種
最勝无上莊嚴何等為十一切諸佛皆悉具
足諸相隨好是為諸佛第一最勝无上身莊

BD00164號H　大方廣佛華嚴經（唐譯八十卷本　兌廢稿）卷四六　（2–1）

貪不染而普願世間離苦得樂无諸戲論一切
諸佛愍諸衆生受種種苦守護佛種行佛境
界出離生死逮十力地是為十佛子諸佛世尊
有十種无障礙住何等為十所謂一切諸佛皆
能往一切世界无障礙住一切諸佛皆能住
一切世界无障礙住一切諸佛皆能於一切世
界行住坐卧无障礙住一切諸佛皆能於一
切世界演說正法无障礙住一切諸佛皆能
於一切世界住兜率天宮无障礙住一切諸佛
皆能入法界一切三世无障礙住一切諸佛
皆能坐法界一切道場无障礙住一切諸佛
皆能念念觀一切衆生心行以三種自在教
化調伏无障礙住一切諸佛皆能以一身住
无量不思議佛所及一切處利益衆生无障
礙住一切諸佛皆能開示无量諸佛所說正
法无障礙住是為十佛子諸佛世尊有十種
最勝无上莊嚴何等為十一切諸佛皆悉具
足諸相隨好是為諸佛第一最勝无上身莊
嚴一切諸佛皆悉具足六十種音一一音有
五百分一一分无量百千清淨之音以為嚴
好能於法界一切衆中无諸恐怖大師子吼
演說如來甚深法義衆生聞者靡不歡隨
其根欲悉得調伏是為諸佛第二最勝无上

BD00164號H　大方廣佛華嚴經（唐譯八十卷本　兌廢稿）卷四六　（2–2）

者終不為彼不如理者旡功德者不脩行者說
等應當受持此法於是法中勿生執著何以
故如來所說最為業一為於最上應供有情
而發問故我以勝法而為解說云何勝法謂
旡法想迦葉如是菩薩具足護持最初淨戒
心不貢高不造旡間業不犯比丘尼亦不親
近諸俗人家遠離殺生及不與取欲邪行法
離虛誑語離閒麁惡離穢語言遠離欲貪瞋
恚邪見既不自惱亦不惱他不與欲俱亦不
受欲不為慱戲亦不教化終不親近不男之
人不往婬女寡婦處女之家不近他妻亦不親
近羅捕魚鳥畋獵魁膾旃荼羅等於飲酒人
不執其手而與闘諍離此諸事如避惡狗旃
荼羅輩由住慈心於彼一切所遠離者乃至
不起一念惡心有二十處應當遠離何等二
十謂離女人亦不與他調戲麁言論義諍訟
於父毋處及佛法僧離不恭敬若諸女人減
二十衆不為說法除有男子終不往詣比丘
尼僧說法會處不應聞評諸比丘尼不與女
人作其書疏或為他人傳書送彼應付丈夫
勿付婦女於一切時親族別請終不受之不
以欲心經須臾頃住女人前又亦不應捨離

BD00164號 I　大寶積經卷一　（2–1）

旡法想迦葉如是菩薩具足護持最初淨戒
心不貢高不造旡間業不犯比丘尼亦不親
近諸俗人家遠離殺生及不與取欲邪行法
離虛誑語離閒麁惡離穢語言遠離欲貪瞋
恚邪見既不自惱亦不惱他不與欲俱亦不
受欲不為慱戲亦不教化終不親近不男之
人不往婬女寡婦處女之家不近他妻亦不親
近羅捕魚鳥畋獵魁膾旃荼羅等於飲酒人
不執其手而與闘諍離此諸事如避惡狗旃
荼羅輩由住慈心於彼一切所遠離者乃至
不起一念惡心有二十處應當遠離何等二
十謂離女人亦不與他調戲麁言論義諍訟
於父毋處及佛法僧離不恭敬若諸女人減
二十衆不為說法除有男子終不往詣比丘
尼僧說法會處不應聞評諸比丘尼不與女
人作其書疏或為他人傳書送彼應付丈夫
勿付婦女於一切時親族別請終不受之不
以欲心經須臾頃住女人前又亦不應捨離
本居往其屏處而與女人共為談說不得隨
逐比丘尼行若比丘尼所施衣服不應受用
除在四衆演說法時為說法故有施衣者應
生是心猶如大地然後受之不應別觀施者
之面若聞有尼勸導施衣不應受用若比丘
尼勸請受食設令病苦終不受之况復旡病

BD00164號 I　大寶積經卷一　（2–2）

般若波羅蜜多是无瞋恚…
是破壞一切瞋恚事故世尊如是般若波羅
蜜多是无愚癡波羅蜜多佛言如是滅諸无
知黒闇事故世尊如是般若波羅蜜多是无
煩惱波羅蜜多佛言如是離分別故世尊如
是般若波羅蜜多是離有情波羅蜜多佛言
如是達諸有情无所有故世尊如是般若波
羅蜜多是无斷壞波羅蜜多佛言如是以一
切法无等起故世尊如是般若波羅蜜多是
无二邊波羅蜜多佛言如是離二邊故世尊
如是般若波羅蜜多是无雜壞波羅蜜多佛
言如是知一切法无雜壞故世尊如是般若
波羅蜜多是无取著波羅蜜多佛言如是起
過聲聞獨覺地故世尊如是般若波羅蜜多
是无分別波羅蜜多佛言如是一切分別不
可得故
世尊如是般若波羅蜜多是无分量波羅蜜
多佛言如是諸法分限不可得故世尊如是
般若波羅蜜多是如虛空波羅蜜多佛言如
是達一切法無滯礙故世尊如是般若波羅
蜜多是无常波羅蜜多佛言如是能永壞滅
一切法故世尊如是般若波羅蜜多是苦波

BD00165 號　大般若波羅蜜多經卷二九六　　（2–1）

煩惱波羅蜜多佛言如是離分別故世尊如
是般若波羅蜜多是離有情波羅蜜多佛言
如是達諸有情无所有故世尊如是般若波
羅蜜多是无斷壞波羅蜜多佛言如是以一
切法无等起故世尊如是般若波羅蜜多是
无二邊波羅蜜多佛言如是離二邊故世尊
如是般若波羅蜜多是无雜壞波羅蜜多佛
言如是知一切法无雜壞故世尊如是般若
波羅蜜多是无取著波羅蜜多佛言如是起
過聲聞獨覺地故世尊如是般若波羅蜜多
是无分別波羅蜜多佛言如是一切分別不
可得故
世尊如是般若波羅蜜多是无分量波羅蜜
多佛言如是諸法分限不可得故世尊如是
般若波羅蜜多是如虛空波羅蜜多佛言如
是達一切法無滯礙故世尊如是般若波羅
蜜多是无常波羅蜜多佛言如是能永壞滅
一切法故世尊如是般若波羅蜜多是苦波
羅蜜多佛言如是能永驅遣一切法故世尊
如是般若波羅蜜多是无我波羅蜜多佛言
如是於一切法无執著故世尊如是般若波
羅蜜多是空波羅蜜多…一切法
无所得故世尊如…
波羅蜜多佛言…

BD00165 號　大般若波羅蜜多經卷二九六　　（2–2）

此義
今聞是法音　……
昔來蒙佛教　不失於大乘　佛音甚希有
我已得漏盡　聞亦除憂惱　我處於山谷
若坐若經行　常思惟是事　嗚呼深自責　……
我等亦佛子　同入无漏法　不能於未來　演說无上道
金色三十二　十力諸解脫　同共一法中　而不得此事
八十種妙好　十八不共法　如是等功德　而我皆已失
我獨經行時　見佛在大衆　名聞滿十方　廣饒益衆生
自惟失此利　我為自欺誑　我常於日夜　每思惟是事
欲以問世尊　為失為不失　我常見世尊　稱讚諸菩薩
以是於日夜　籌量如此事　今聞佛音聲　隨宜而說法
无漏難思議　令衆至道場　我本著邪見　為諸梵志師
世尊知我心　拔邪說涅槃　我悉除邪見　於空法得證
爾時心自謂　得至於滅度　而今乃自覺　非是實滅度
若得作佛時　具三十二相　天人夜叉衆　龍神等恭敬
是時乃可謂　永盡滅无餘　佛於大衆中　說我當作佛
聞如是法音　疑悔悉已除　初聞佛所說　心中大驚疑
將非魔作佛　惱亂我心耶　佛以種種緣　譬喻巧言說
其心安如海　我聞疑網斷　佛說過去世　无量滅度佛
安住方便中　亦皆說是法　現在未來佛　其數无有量

BD00166 號　妙法蓮華經卷二　（29–1）

……
聞如是法音　疑悔悉已除　初聞佛所說　心中大驚疑
將非魔作佛　惱亂我心耶　佛以種種緣　譬喻巧言說
其心安如海　我聞疑網斷　佛說過去世　无量滅度佛
安住方便中　亦皆說是法　現在未來佛　其數无有量
亦以諸方便　演說如是法　如今者世尊　從生及出家
得道轉法輪　亦以方便說　世尊說實道　波旬无此事
以是我定知　非是魔作佛　我墮疑網故　謂是魔所為
聞佛柔軟音　深遠甚微妙　演暢清淨法　我心大歡喜
疑悔永已盡　安住實智中　我定當作佛　為天人所敬
轉无上法輪　教化諸菩薩
爾時佛告舍利弗吾今於天人沙門婆羅門
等大衆中說我昔曾於二萬億佛所為无上
道故常教化汝汝亦長夜隨我受學我以方
便引導汝故生我法中舍利弗我昔教汝志
願佛道汝今悉忘而便自謂已得滅度我今
還欲令汝憶念本願所行道故為諸聲聞說
是大乘經名妙法蓮華教菩薩法佛所護念
舍利弗汝於未來世過无量无邊不可思議
劫供養若干千万億佛奉持正法具足菩薩
所行之道當得作佛號曰華光如來應供正
遍知明行足善逝世間解无上士調御丈夫
天人師佛世尊國名離垢其土平正清淨
嚴飾安隱豐樂天人熾盛琉璃為地有八交道
黃金為繩以界其側其傍各有七寶行樹常
有華菓華光如來亦以三乘教化衆生舍利

BD00166 號　妙法蓮華經卷二　（29–2）

劫供養若干千万億佛奉持正法具足菩薩
所行之道當得作佛号曰華光如來應供正
遍知明行足善逝世間解无上士調御丈夫
天人師佛世尊國名離垢其土平正清淨
嚴飾安隱豐樂天人熾盛琉璃為地有八交道
黃金為繩以界其側其傍各有七寶行樹常
有華菓華光如來亦以三乘教化衆生舍利
弗彼佛出時雖非惡世以本願故說三乘法
其劫名大寶莊嚴何故名曰大寶莊嚴其國
中以菩薩為大寶故彼諸菩薩无量无邊不
可思議筭數譬喻所不能及非佛智力无能
知者若欲行時寶華承足此諸菩薩非初發
意皆久殖德本於无量百千万億佛所淨脩
梵行恒為諸佛之所稱歎常脩佛慧具大神
通善知一切諸法之門質直无偽志念堅固
如是菩薩充滿其國舍利弗華光佛壽十二
小劫除為王子未作佛時其國人民壽八小
劫華光如來過十二小劫授堅滿菩薩阿耨
多羅三藐三菩提記告諸比丘是堅滿菩薩
次當作佛号曰華足安行多陁阿伽度阿羅訶
三藐三佛陁其佛國土亦復如是舍利弗是
華光佛滅度之後正法住世三十二小劫像
法住世亦三十二小劫尒時世尊欲重宣
此義而說偈言
舍利弗來世　成佛普智尊　号名曰華光　當度无量衆

BD00166 號　妙法蓮華經卷二　（29–3）

多羅三藐三菩提記告諸比丘是堅滿菩薩
次當作佛号曰華足安行多陁阿伽度阿羅訶
三藐三佛陁其佛國土亦復如是舍利弗是
華光佛滅度之後正法住世三十二小劫像
法住世亦三十二小劫尒時世尊欲重宣
此義而說偈言
舍利弗來世　成佛普智尊　号名曰華光　當度无量衆
供養无數佛　具足菩薩行　十力等功德　證於无上道
過无量劫已　劫名大寶嚴　世界名離垢　清淨无瑕穢
以琉璃為地　金繩界其道　七寶雜色樹　常有華菓實
彼國諸菩薩　志念常堅固　神通波羅蜜　皆已悉具足
於无數佛所　善學菩薩道　如是等大士　華光佛所化
佛為王子時　棄國捨世榮　於最末後身　出家成佛道
華光佛住世　壽十二小劫　其國人民衆　壽命八小劫
佛滅度之後　正法住於世　三十二小劫　廣度諸衆生
正法滅盡已　像法三十二　舍利廣流布　天人普供養
華光佛所為　其事皆如是　其兩足聖尊　最勝无倫疋
彼即是汝身　宜應自欣慶
尒時四部衆比丘比丘尼優婆塞優婆夷天
龍夜叉乾闥婆阿脩羅迦樓羅緊那羅摩睺
羅伽等大衆見舍利弗於佛前受阿耨多羅
三藐三菩提記心大歡喜踊躍无量各各脫
身所著上衣以供養佛釋提桓因梵天王等
與无數天子亦以天妙衣天曼陁羅華摩訶
曼陁羅華等供養[illegible]

BD00166 號　妙法蓮華經卷二　（29–4）

龍夜叉乾闥婆阿脩羅迦樓羅緊那羅摩睺
羅伽等大衆見舍利弗於佛前受阿耨多羅
三藐三菩提記心大歡喜踊躍无量各各脫
身所著上衣以供養佛釋提桓因梵天王等
與无數天子亦以天妙衣天曼陀羅華摩訶
曼陀羅華等供養於佛所散天衣住虛空中
而自迴轉諸天伎樂百千万種於虛空中一時
俱作雨衆天華而作是言佛昔於波羅柰初
轉法輪今乃復轉无上最大法輪尒時諸天
子欲重宣此義而說偈言
昔於波羅柰　轉四諦法輪　分別說諸法　五衆之生滅
今復轉最妙　无上大法輪　是法甚深奧　少有能信者
我等從昔來　數聞世尊說　未曾聞如是　深妙之上法
世尊說是法　我等皆隨喜　大智舍利弗　今得受尊記
我等亦如是　必當得作佛　於一切世間　最尊无有上
佛道叵思議　方便隨宜說　我所有福業　今世若過世
及見佛功德　盡迴向佛道
尒時舍利弗白佛言世尊我今无復疑悔親
於佛前得受阿耨多羅三藐三菩提記是諸
千二百心自在者昔住學地佛常教化言我
法能離生老病死究竟涅槃是學无學人亦
各自以離我見及有无見等謂得涅槃而今
於世尊前聞所未聞皆墮疑惑善哉世尊願
為四衆說其因緣令離疑悔尒時佛告舍利
弗我先不言諸佛世尊以種種因緣譬喻言

BD00166號　妙法蓮華經卷二　（29–5）

千二百心自在者昔住學地佛常教化言我
法能離生老病死究竟涅槃是學无學人亦
各自以離我見及有无見等謂得涅槃而今
於世尊前聞所未聞皆墮疑惑善哉世尊願
為四衆說其因緣令離疑悔尒時佛告舍利
弗我先不言諸佛世尊以種種因緣譬喻言
辭方便說法皆為阿耨多羅三藐三菩提耶
是諸所說皆為化菩薩故然舍利弗今當復
以譬喻更明此義諸有智者以譬喻得解舍
利弗若國邑聚落有大長者其年衰邁財
富无量多有田宅及諸僮僕其家廣大唯有
一門多諸人衆一百二百乃至五百人止住其
中堂閣朽故墻壁頹落柱根腐敗梁棟傾危
周帀俱時欻然火起焚燒舍宅長者諸子若
十二十或至三十在此宅中長者見是大火
從四面起即大驚怖而作是念我雖能於此
所燒之門安隱得出而諸子等於火宅內樂
著嬉戲不覺不知不驚不怖火來逼身苦痛
切己心不猒患无求出意舍利弗是長者作
是思惟我身手有力當以衣裓若以几案從
舍出之復更思惟是舍唯有一門而復狹小
諸子幼稚未有所識戀著戲處或當墮落為
火所燒我當為說怖畏之事此舍已燒宜時
疾出无令為火之所燒害作是念已如所思惟
具告諸子汝等速出父雖憐愍善言誘喻

BD00166號　妙法蓮華經卷二　（29–6）

舍出之復更思惟是舍唯有一門而復狹小
諸子幼稚未有所識戀著戲處或當墮落為
火所燒我當為說怖畏之事此舍已燒宜時
疾出无令為火之所燒害作是念已如所思惟
具告諸子汝等速出父雖憐愍善言誘喻
而諸子等樂著嬉戲不肯信受不驚不畏了
无出心亦復不知何者是火何者為舍云何
為失但東西走戲視父而已尒時長者即作
是念此舍已為大火所燒我及諸子若不時
出必為所焚我今當設方便令諸子等得免
斯害父知諸子先心各有所好種種珎玩奇
異之物情必樂著而告之言汝等所可玩好
希有難得汝若不取後必憂悔如此種種羊
車鹿車牛車今在門外可以遊戲汝等於
此火宅宜速出來隨汝所欲皆當與汝尒時諸子
聞父所說珎玩之物適其願故心各勇銳互
相推排競共馳走爭出火宅是時長者見諸
子等安隱得出皆於四衢道中露地而坐无
復障礙其心泰然歡喜踊躍時諸子等各白
父言父先所許玩好之具羊車鹿車牛車願
時賜與舍利弗尒時長者各賜諸子等一
大車其車高廣衆寶莊校周帀欄楯四面懸
鈴又於其上張設幰蓋亦以珎奇雜寶而嚴
飾之寶繩交絡垂諸華瓔重敷綩綖安置丹
枕駕以白牛膚色充潔形體姝好有大筋力

BD00166號　妙法蓮華經卷二　（29–7）

大車其車高廣衆寶莊校周帀欄楯四面懸
鈴又於其上張設幰蓋亦以珎奇雜寶而嚴
飾之寶繩交絡垂諸華瓔重敷綩綖安置丹
枕駕以白牛膚色充潔形體姝好有大筋力
行步平正其疾如風又多僕從而侍衛之所
以者何是大長者財富无量種種諸藏悉皆
充溢而作是念我財物无極不應以下劣小車
與諸子等今此幼童皆是吾子愛无偏黨
我有如是七寶大車其數无量應當等心各
各與之不宜差別所以者何以我此物周給一
國猶尚不匱何况諸子是時諸子各乘大車
得未曾有非本所望舍利弗於汝意云何
是長者等與諸子珎寶大車寧有虛妄不舍
利弗言不也世尊是長者但令諸子得免火
難全其軀命非為虛妄何以故若全身命便
為已得玩好之具况復方便於彼火宅而拔
濟之世尊若是長者乃至不與最小一車猶
不虛妄何以故是長者先作是意我以方便
令子得出以是因緣无虛妄也何况長者自
知財富无量欲饒益諸子等與大車佛告舍
利弗善哉善哉如汝所言舍利弗如來亦復
如是則為一切世間之父於諸怖畏衰惱憂
患无明闇蔽永盡无餘而悉成就无量知見
力无所畏有大神力及智慧力具足方便智
慧波羅蜜大慈大悲常无懈惓恒求善事利

BD00166號　妙法蓮華經卷二　（29–8）

如是則為一切世間之父於諸怖畏衰惱憂
患无明暗蔽永盡无餘而悉成就无量知見
力无所畏有大神力及智慧力具足方便智
慧波羅蜜大慈大悲常无懈惓恒求善事利
益一切而生三界朽故火宅為度衆生生老
病死憂悲苦惱愚癡暗蔽三毒之火教化令
得阿耨多羅三藐三菩提見諸衆生為生老
病死憂悲苦惱之所燒煑亦以五欲財利故受
種種苦又以貪著追求故現受衆苦後受地
獄畜生餓鬼之苦若生天上及在人間貧窮
困苦愛別離苦怨憎會苦如是等種種諸苦
衆生沒在其中歡喜遊戲不覺不知不驚不
怖亦不生猒不求解脫於此三界火宅東西
馳走雖遭大苦不以為患舍利弗佛見此
已便作是念我為衆生之父應拔其苦難與
无量无邊佛智慧樂令其遊戲舍利弗如来
復作是念若我但以神力及智慧力捨於方
便為諸衆生讚如来知見力无所畏者衆生
不能以是得度所以者何是諸衆生未免生
老病死憂悲苦惱而為三界火宅所燒何由
能解佛之智慧舍利弗如彼長者雖復身
手有力而不用之但以慇懃方便勉濟諸子火
宅之難然後各與珍寶大車如来亦復如是
雖有力无所畏而不用之但以智慧方便於
三界火宅拔濟衆生為說三乘聲聞辟支佛

BD00166號　妙法蓮華經卷二　（29–9）

宅之難然後各與珍寶大車如来亦復如是
雖有力无所畏而不用之但以智慧方便於
三界火宅拔濟衆生為說三乘聲聞辟支佛
佛乘而作是言汝等莫得樂住三界火宅勿
貪麤弊色聲香味觸也若貪著生愛則為所
燒汝速出三界當得三乘聲聞辟支佛佛乘
我今為汝保任此事終不虛也汝等但當勤
脩精進如来以是方便誘進衆生復作是言
汝等當知此三乘法皆是聖所稱歎自在无
繫无所依求乘是三乘以无漏根力覺道禪
定解脫三昧等而自娛樂便得无量安隱快
樂舍利弗若有衆生內有智性從佛世尊聞
法信受慇懃精進欲速出三界自求涅槃是
名聲聞乘如彼諸子為求羊車出於火宅若
有衆生從佛世尊聞法信受慇懃精進求自
然慧樂獨善寂深知諸法因緣是名辟支佛
乘如彼諸子為求鹿車出於火宅若有衆生
從佛世尊聞法信受勤脩精進求一切智佛
智自然智无師智如来知見力无所畏愍念
安樂无量衆生利益天人度脫一切是名大
乘菩薩求此乘故名為摩訶薩如彼諸子為
求牛車出於火宅舍利弗如彼長者見諸子
等安隱得出火宅到无畏處自惟財富无量
等以大車而賜諸子如来亦復如是為一切
衆生之父若見无量億千衆生以佛教門出

BD00166號　妙法蓮華經卷二　（29–10）

求牛車出於火宅舍利弗如彼長者見諸子
等安隱得出火宅到无畏處自惟財富无量
等以大車而賜諸子如来亦復如是為一切
衆生之父若見无量億千衆生以佛教門出
三界苦怖畏險道得涅槃樂如来尒時便作
是念我有无量无邊智慧力无畏等諸佛法
藏是諸衆生皆是我子等與大乘不令有人
獨得滅度皆以如来滅度而滅度之是諸衆
生脫三界者悉與諸佛禪定解脫等娛樂之
具皆是一相一種聖所稱歎能生淨妙第一
之樂舍利弗如彼長者初以三車誘引諸子
然後但與大車寶物莊嚴安隱第一然彼長
者无虛妄之咎如来亦復如是无有虛妄初
說三乘引導衆生然後但以大乘而度脫之
何以故如来有无量智慧力无所畏諸法之藏
能與一切衆生大乘之法但不盡能受舍利
弗以是因緣當知諸佛方便力故於一佛乘
分別說三佛欲重宣此義而說偈言
譬如長者 有一大宅 其宅久故 而復頓弊
堂舍高危 柱根摧朽 梁棟傾斜 基陛頹毀
墻壁圮坼 泥塗褫落 覆苫亂墜 椽梠差脫
周障屈曲 雜穢充遍 有五百人 止住其中
鵄梟鵰鷲 烏鵲鳩鴿 蚖蛇蝮蝎 蜈蚣蚰蜒
守宮百足 狖狸鼷鼠 諸惡虫輩 交橫馳走
屎尿臭處 不淨流溢 蜣蜋諸虫 而集其上

BD00166號　妙法蓮華經卷二　（29–11）

周障屈曲 雜穢充遍 有五百人 止住其中
鵄梟鵰鷲 烏鵲鳩鴿 蚖蛇蝮蝎 蜈蚣蚰蜒
守宮百足 狖狸鼷鼠 諸惡虫輩 交橫馳走
屎尿臭處 不淨流溢 蜣蜋諸虫 而集其上
狐狼野干 咀嚼踐蹋 嚌齧死屍 骨肉狼藉
由是群狗 競來搏撮 飢羸慞惶 處處求食
鬪諍齟掣 啀喍嘷吠 其舍恐怖 變狀如是
處處皆有 魑魅魍魎 夜叉惡鬼 食噉人肉
毒虫之屬 諸惡禽獸 孚乳產生 各自藏護
夜叉競來 爭取食之 食之既飽 惡心轉熾
鬪諍之聲 甚可怖畏 鳩槃荼鬼 蹲踞土埵
或時離地 一尺二尺 往返遊行 縱逸嬉戲
捉狗兩足 撲令失聲 以脚加頸 怖狗自樂
復有諸鬼 其身長大 裸形黑瘦 常住其中
發大惡聲 叫呼求食 復有諸鬼 其咽如針
復有諸鬼 首如牛頭 或食人肉 或復噉狗
頭髮蓬亂 殘害凶險 飢渴所逼 叫喚馳走
夜叉餓鬼 諸惡鳥獸 飢急四向 窺看窓牖
如是諸難 恐畏无量 是朽故宅 屬于一人
其人近出 未久之間 於後舍宅 欻然火起
四面一時 其焰俱熾 棟梁椽柱 爆聲震裂
摧折墮落 墻壁崩倒 諸鬼神等 揚聲大叫
鵰鷲諸鳥 鳩槃荼等 周慞惶怖 不能自出
惡獸毒虫 藏竄孔穴 毗舍闍鬼 亦住其中
薄福德故 為火所逼 共相殘害 飲血噉肉

BD00166號　妙法蓮華經卷二　（29–12）

摧折墮落　墻壁崩倒　諸鬼神等　揚聲大叫
鵰鷲諸鳥　鳩槃荼等　周章惶怖　不能自出
惡獸毒虫　藏竄孔穴　毗舍闍鬼　亦住其中
薄福德故　為火所逼　共相殘害　飲血噉肉
野干之屬　並已前死　諸大惡獸　競來食噉
臭烟熢㶿　四面充塞　蜈蚣蚰蜒　毒蛇之類
為火所燒　爭走出穴　鳩槃荼鬼　隨取而食
又諸餓鬼　頭上火然　飢渴熱惱　周章悶走
其宅如是　甚可怖畏　毒害火災　衆難非一
是時宅主　在門外立　聞有人言　汝諸子等
先因遊戲　來入此宅　稚小无知　歡娛樂著
長者聞已　驚入火宅　方宜救濟　令无燒害
告喻諸子　說衆患難　惡鬼毒虫　災火蔓莚
衆苦次第　相續不絕　毒蛇蚖蝮　及諸夜叉
鳩槃荼鬼　野干狐狗　鵰鷲鵄梟　百足之屬
飢渴惱急　甚可怖畏　此苦難處　況復大火
諸子无知　雖聞父誨　猶故樂著　嬉戲不已
是時長者　而作是念　諸子如此　益我愁惱
今此舍宅　无一可樂　而諸子等　耽湎嬉戲
不受我教　將為火害　即便思惟　設諸方便
告諸子等　我有種種　珍玩之具　妙寶好車
羊車鹿車　大牛之車　今在門外　汝等出來
吾為汝等　造作此車　隨意所樂　可以遊戲
諸子聞說　如此諸車　即時奔競　馳走而出
到於空地　離諸苦難　長者見子　得出火宅
住於四衢　坐師子座　而自慶言　我今快樂

羊車鹿車　大牛之車　今在門外　汝等出來
吾為汝等　造作此車　隨意所樂　可以遊戲
諸子聞說　如此諸車　即時奔競　馳走而出
到於空地　離諸苦難　長者見子　得出火宅
住於四衢　坐師子座　而自慶言　我今快樂
此諸子等　生育甚難　愚小无知　而入險宅
多諸毒虫　魑魅可畏　大火猛焰　四面俱起
而此諸子　貪樂嬉戲　我已救之　令得脫難
是故諸人　我今快樂　尒時諸子　知父安坐
皆詣父所　而白父言　願賜我等　三種寶車
如前所許　諸子出來　當以三車　隨汝所欲
今正是時　唯垂給與　長者大富　庫藏衆多
金銀琉璃　車𤦲馬瑙　以衆寶物　造諸大車
莊校嚴飾　周帀欄楯　四面懸鈴　金繩交絡
真珠羅網　張施其上　金華諸瓔　處處垂下
衆綵雜飾　周帀圍繞　柔軟繒纊　以為茵蓐
上妙細疊　價直千億　鮮白淨潔　以覆其上
有大白牛　肥壯多力　形體姝好　以駕寶車
多諸儐從　而侍衛之　以是妙車　等賜諸子
諸子是時　歡喜踊躍　乘是寶車　遊於四方
嬉戲快樂　自在无礙　告舍利弗　我亦如是
衆聖中尊　世間之父　一切衆生　皆是吾子
深著世樂　无有慧心　三界无安　猶如火宅
衆苦充滿　甚可怖畏　常有生老　病死憂患
如是等火　熾然不息　如來已離　三界火宅

衆聖中尊 世間之父 一切衆生 皆是吾子
深著世樂 无有慧心 三界无安 猶如火宅
衆苦充滿 甚可怖畏 常有生老 病死憂患
如是等火 熾然不息 如來已離 三界火宅
寂然閑居 安處林野 今此三界 皆是我有
其中衆生 悉是吾子 而今此處 多諸患難
唯我一人 能為救護 雖復教詔 而不信受
於諸欲染 貪著深故 是以方便 為說三乘
令諸衆生 知三界苦 開示演說 出世間道
是諸子等 若心決定 具足三明 及六神通
有得緣覺 不退菩薩 汝舍利弗 我為衆生
以此譬喻 說一佛乘 汝等若能 信受是語
一切皆當 得成佛道 是乘微妙 清淨第一
於諸世間 為无有上 佛所悅可 一切衆生
所應稱讚 供養礼拜 无量億千 諸力解脫
禪定智慧 及佛餘法 得如是乘 令諸子等
日夜劫數 常得遊戲 與諸菩薩 及聲聞衆
乘此寶乘 直至道場 以是因緣 十方諦求
更无餘乘 除佛方便 告舍利弗 汝諸人等
皆是吾子 我則是父 汝等累劫 衆苦所燒
我皆濟拔 令出三界 我雖先說 汝等滅度
但盡生死 而實不滅 今所應作 唯佛智慧
若有菩薩 於是衆中 能一心聽 諸佛實法
諸佛世尊 雖以方便 所化衆生 皆是菩薩
若人小智 深著愛欲 為此等故 說於苦諦

BD00166號　妙法蓮華經卷二　（29–15）

我皆濟拔 令出三界 我雖先說 汝等滅度
但盡生死 而實不滅 今所應作 唯佛智慧
若有菩薩 於是衆中 能一心聽 諸佛實法
諸佛世尊 雖以方便 所化衆生 皆是菩薩
若人小智 深著愛欲 為此等故 說於苦諦
衆生心喜 得未曾有 佛說苦諦 真實无異
若有衆生 不知苦本 深著苦因 不能暫捨
為是等故 方便說道 諸苦所因 貪欲為本
若滅貪欲 无所依止 滅盡諸苦 名第三諦
為滅諦故 脩行於道 離諸苦縛 名得解脫
是人於何 而得解脫 但離虛妄 名為解脫
其實未得 一切解脫 佛說是人 未實滅度
斯人未得 无上道故 我意不欲 令至滅度
我為法王 於法自在 安隱衆生 故現於世
汝舍利弗 我此法印 為欲利益 世間故說
在所遊方 勿妄宣傳 若有聞者 隨喜頂受
當知是人 阿鞞跋致 若有信受 此經法者
是人已曾 見過去佛 恭敬供養 亦聞是法
若人有能 信汝所說 則為見我 亦見於汝
及比丘僧 并諸菩薩 斯法華經 為深智說
淺識聞之 迷惑不解 一切聲聞 及辟支佛
於此經中 力所不及 汝舍利弗 尚於此經
以信得入 況餘聲聞 其餘聲聞 信佛語故
隨順此經 非己智分 又舍利弗 憍慢懈怠
計我見者 莫說此經 凡夫淺識 深著五欲

BD00166號　妙法蓮華經卷二　（29–16）

及比丘僧　并諸菩薩　斯法華經　為深智說
淺識聞之　迷惑不解　一切聲聞　及辟支佛
於此經中　力所不及　汝舍利弗　尚於此經
以信得入　況餘聲聞　其餘聲聞　信佛語故
隨順此經　非己智分　又舍利弗　憍慢懈怠
計我見者　莫說此經　凡夫淺識　深著五欲
聞不能解　亦勿為說　若人不信　毀謗此經
則斷一切　世間佛種　或復顰蹙　而懷疑惑
汝當聽說　此人罪報　若佛在世　若滅度後
其有誹謗　如斯經典　見有讀誦　書持經者
輕賤憎嫉　而懷結恨　此人罪報　汝今復聽
其人命終　入阿鼻獄　具足一劫　劫盡更生
如是展轉　至无數劫　從地獄出　當墮畜生
若狗野干　其形頦瘦　黧黮疥癩　人所觸嬈
又復為人　之所惡賤　常困飢渴　骨肉枯竭
生受楚毒　死被瓦石　斷佛種故　受斯罪報
若作駝驢　或生驢中　身常負重　加諸杖捶
但念水草　餘无所知　謗斯經故　獲罪如是
有作野干　來入聚落　身體疥癩　又无一目
為諸童子　之所打擲　受諸苦痛　或時致死
於此死已　更受蟒身　其形長大　五百由旬
聾騃无足　宛轉腹行　為諸小虫　之所唼食
晝夜受苦　无有休息　謗斯經故　獲罪如是
若得為人　諸根闇鈍　矬陋攣躄　盲聾背傴
有所言說　人不信受　口氣常臭　鬼魅所著

BD00166號　妙法蓮華經卷二　（29–17）

聾騃无足　宛轉腹行　為諸小虫　之所唼食
晝夜受苦　无有休息　謗斯經故　獲罪如是
若得為人　諸根闇鈍　矬陋攣躄　盲聾背傴
有所言說　人不信受　口氣常臭　鬼魅所著
貧窮下賤　為人所使　多病痟瘦　无所依怙
雖親附人　人不在意　若有所得　尋復忘失
若脩醫道　順方治病　更增他疾　或復致死
若自有病　无人救療　設服良藥　而復增劇
若他反逆　抄劫竊盜　如是等罪　橫罹其殃
如斯罪人　永不見佛　衆聖之王　說法教化
如斯罪人　常生難處　狂聾心亂　永不聞法
於无數劫　如恒河沙　生輒聾瘂　諸根不具
常處地獄　如遊園觀　在餘惡道　如己舍宅
駝驢猪狗　是其行處　謗斯經故　獲罪如是
若得為人　聾盲瘖瘂　貧窮諸衰　以自莊嚴
水腫乾痟　疥癩癰疽　如是等病　以為衣服
身常臭處　垢穢不淨　深著我見　增益瞋恚
婬欲熾盛　不擇禽獸　謗斯經故　獲罪如是
告舍利弗　謗斯經者　若說其罪　窮劫不盡
以是因緣　我故語汝　无智人中　莫說此經
若有利根　智慧明了　多聞強識　求佛道者
如是之人　乃可為說　若人曾見　億百千佛
殖諸善本　深心堅固　如是之人　乃可為說
若人精進　常脩慈心　不惜身命　乃可為說
若人恭敬　无有異心　離諸凡愚　獨處山澤

BD00166號　妙法蓮華經卷二　（29–18）

若有利根　智慧明了　多聞強識　求佛道者
如是之人　乃可為說　若人曾見　億百千佛
殖諸善本　深心堅固　如是之人　乃可為說
若人精進　常脩慈心　不惜身命　乃可為說
若人恭敬　无有異心　離諸凡愚　獨處山澤
如是之人　乃可為說　又舍利弗　若見有人
捨惡知識　親近善友　如是之人　乃可為說
若見佛子　持戒清潔　如淨明珠　求大乘經
如是之人　乃可為說　若人无瞋　質直柔軟
常愍一切　恭敬諸佛　如是之人　乃可為說
復有佛子　於大眾中　以清淨心　種種因緣
譬喻言辭　說法无礙　如是之人　乃可為說
若有比丘　為一切智　四方求法　合掌頂受
但樂受持　大乘經典　乃至不受　餘經一偈
如是之人　乃可為說　如是至心　求佛舍利
如是求經　得已頂受　其人不復　志求餘經
亦未曾念　外道典籍　如是之人　乃可為說
告舍利弗　我說是相　求佛道者　窮劫不盡
如是等人　則能信解　汝當為說　妙法華經

妙法蓮華經信解品第四

命時慧命須菩提摩訶迦旃延摩訶迦葉摩
訶目揵連從佛所聞未曾有法世尊授舍利
弗阿耨多羅三藐三菩提記發希有心歡喜
踊躍即從座起整衣服偏袒右肩右膝著地
一心合掌曲躬恭敬瞻仰尊顏而白佛言我

訶目揵連從佛所聞未曾有法世尊授舍利
弗阿耨多羅三藐三菩提記發希有心歡喜
踊躍即從座起整衣服偏袒右肩右膝著地
一心合掌曲躬恭敬瞻仰尊顏而白佛言我
等居僧之首年並朽邁自謂已得涅槃无所
堪任不復進求阿耨多羅三藐三菩提世尊
往昔說法既久我時在座身體疲懈但念空
无相无作於菩薩法遊戲神通淨佛國土成
就眾生心不憙樂所以者何世尊令我等出
於三界得涅槃證又今我等年已朽邁於佛
教化菩薩阿耨多羅三藐三菩提不生一念
好樂之心我等今於佛前聞授聲聞阿耨多
羅三藐三菩提記心甚歡喜得未曾有不謂
於今忽然得聞希有之法深自慶幸獲大善
利无量珍寶不求自得世尊我等今者樂說
譬喻以明斯義譬若有人年既幼稚捨父逃
逝久住他國或十二十至五十歲年既長大
加復窮困馳騁四方以求衣食漸漸遊行遇
向本國其父先來求子不得中止一城其家
大富財寶无量金銀琉璃珊瑚虎珀頗梨珠
等其諸倉庫悉皆盈溢多有僮僕臣佐吏
民象馬車乘牛羊无數出入息利乃遍他國商
估賈客亦甚眾多時貧窮子遊諸聚落經
歷國邑遂到其父所止之城父每念子與子離

民象馬車乘牛羊无數出入息利乃遍他國商
估賈客亦甚衆多時貧窮子遊諸聚落經
歷國邑遂到其父所止之城父每念子與子離
別五十餘年而未曾向人說如此事但自思惟
心懷悔恨自念老朽多有財物金銀珎寶
倉庫盈溢无有子息一旦終沒財物散失无
所委付是以慇懃每憶其子復作是念我若
得子委付財物坦然快樂无復憂慮世尊尒
時窮子傭賃展轉遇到父舍住立門側遙見
其父踞師子床寶几承足諸婆羅門剎利居
士皆恭敬圍繞以真珠瓔珞價直千万莊嚴
其身吏民僮僕手執白拂侍立左右覆以寶
帳垂諸華幡香水灑地散衆名華羅列寶物
出內取與有如是等種種嚴飾威德特尊窮
子見父有大力勢即懷恐怖悔來至此竊作
是念此或是王或是王等非我傭力得物之
處不如往至貧里肆力有地衣食易得若久
住此或見逼迫強使我作作是念已疾走而
去時富長者於師子座見子便識心大歡喜
即作是念我財物庫藏今有所付我常思念
此子无由見之而忽自來甚適我願我雖年
朽猶故貪惜即遣傍人急追將還尒時使者
疾走往捉窮子驚愕稱怨大喚我不相犯何
爲見捉使者執之逾急強牽將還于時窮子
自念无罪而被囚執此必定死轉更惶怖悶

BD00166號　妙法蓮華經卷二　（29–21）

此子无由見之而忽自來甚適我願我雖年
朽猶故貪惜即遣傍人急追將還尒時使者
疾走往捉窮子驚愕稱怨大喚我不相犯何
爲見捉使者執之逾急強牽將還于時窮子
自念无罪而被囚執此必定死轉更惶怖悶
絕躄地父遙見之而語使言不須此人勿強
將來以冷水灑面令得醒悟莫復與語所以
者何父知其子志意下劣自知豪貴爲子所
難審知是子而以方便不語他人云是我子
使者語之我今放汝隨意所趣窮子歡喜得
未曾有從地而起往至貧里以求衣食尒時
長者將欲誘引其子而設方便密遣二人形
色憔悴无威德者汝可詣彼徐語窮子此有
作處倍與汝直窮子若許將來使作若言欲
何所作便可語之雇汝除糞我等二人亦共
汝作時二使人即求窮子既已得之具陳上
事尒時窮子先取其價尋與除糞其父見子
愍而怪之又以他日於窗牖中遙見子身羸
瘦憔悴糞土塵坌污穢不淨即脫瓔珞細
軟上服嚴飾之具更著麤弊垢膩之衣塵土
坌身右手執持除糞之器狀有所畏語諸作
人汝等勤作勿得懈息以方便故得近其子後
復告言咄男子汝常此作勿復餘去當加汝
價諸有所須瓫器米麵鹽酢之屬莫自疑難
亦有老弊使人須者相給好自安意我如汝

BD00166號　妙法蓮華經卷二　（29–22）

人汝等勤作勿得懈息以方便故得近其子後
復告言咄男子汝常此作勿復餘去當加汝
價諸有所須瓫器米麵塩酢之屬莫自疑難
亦有老弊使人須者相給好自安意我如汝
父勿復憂慮所以者何我年老大而汝少壯
汝常作時无有欺怠瞋恨怨言都不見汝有
此諸惡如餘作人自今已後如所生子即時長
者更與作字名之為兒尒時窮子雖欣此
遇猶故自謂客作賤人由是之故於二十年
中常令除糞過是已後心相體信入出无難
然其所止猶在本處世尊尒時長者有疾自
知將死不久語窮子言我今多有金銀珎寶
倉庫盈溢其中多少所應取與汝悉知之我
心如是當體此意所以者何今我與汝便為
不異宜加用心无令漏失尒時窮子即受教
勅領知衆物金銀珎寶及諸庫藏而无悕
取一食之意然其所止故在本處下劣之心亦
未能捨復經少時父知子意漸已通泰成就
大志自鄙先心臨欲終時而命其子并會親
族國王大臣剎利居士皆悉已集即自宣言
諸君當知此是我子我之所生於某城中捨
吾逃走跉跰辛苦五十餘年其本字某我名
某甲昔在本城懷憂推覓忽於此間遇會得
之此實我子我實其父今我所有一切財物
皆是子有先所出內是子所知世尊是時窮

BD00166號　妙法蓮華經卷二　(29–23)

族國王大臣剎利居士皆悉已集即自宣言
諸君當知此是我子我之所生於某城中捨
吾逃走跉跰辛苦五十餘年其本字某我名
某甲昔在本城懷憂推覓忽於此間遇會得
之此實我子我實其父今我所有一切財物
皆是子有先所出內是子所知世尊是時窮
子聞父此言即大歡喜得未曾有而作是念
我本无心有所悕求今此寶藏自然而至世
尊大富長者則是如來我等皆似佛子如來
常說我等為子世尊我等三苦故於生死
中受諸熱惱迷惑无知樂著小法今日世尊令
我等思惟蠲除諸法戲論之糞我等於中
勤加精進得至涅槃一日之價既得此已心
大歡喜自以為足便自謂於佛法中勤精進
故所得弘多然世尊先知我等心著弊欲樂
於小法便見縱捨不為分別汝等當有如來
知見寶藏之分世尊以方便力說如來智慧
我等從佛得涅槃一日之價以為大得於此
大乘无有志求我等又因如來智慧為諸菩
薩開示演說而自於此无有志願所以者何
佛知我等心樂小法以方便力隨我等說而
我等不知真是佛子今我等知世尊於佛
智慧无所悋惜所以者何我等昔來真是佛
子而但樂小法若我等有樂大之心佛則為
我說大乘法此經中唯說一乘而昔於菩薩

BD00166號　妙法蓮華經卷二　(29–24)

大乘无有志求我等又因如来智慧為諸菩
薩開示演說而自於此无有志願所以者何
佛知我等心樂小法以方便力随我等說而
我等不知真是佛子今我等知世尊於佛
智慧无所悋惜所以者何我等昔来真是佛
子而但樂小法若我等有樂大之心佛則為
我說大乘法此經中唯說一乘而昔於菩薩
前毀呰聲聞樂小法者然佛實以大乘教
化是故我等說本无心有所悕求今法王大寶
自然而至如佛子所應得者皆已得之尒時摩
訶迦葉欲重宣此義而說偈言
我等今日　聞佛音教　歡喜踊躍　得未曾有
佛說聲聞　當得作佛　无上寶聚　不求自得
譬如童子　幼稚无識　捨父逃逝　遠到他土
周流諸國　五十餘年　其父憂念　四方推求
求之既疲　頓止一城　造立舍宅　五欲自娯
其家巨富　多諸金銀　車𤦲馬瑙　真珠琉璃
象馬牛羊　輦轝車乘　田業僮僕　人民衆多
出入息利　乃遍他國　商估賈人　无處不有
千万億衆　圍繞恭敬　常為王者　之所愛念
群臣豪族　皆共宗重　以諸緣故　往来者衆
豪富如是　有大力勢　而年朽邁　益憂念子
夙夜惟念　死時將至　癡子捨我　五十餘年
庫藏諸物　當如之何　尒時窮子　求索衣食
從邑至邑　從國至國　或有所得　或无所得

BD00166 號　妙法蓮華經卷二　（29–25）

群臣豪族　皆共宗重　以諸緣故　往来者衆
豪富如是　有大力勢　而年朽邁　益憂念子
夙夜惟念　死時將至　癡子捨我　五十餘年
庫藏諸物　當如之何　尒時窮子　求索衣食
從邑至邑　從國至國　或有所得　或无所得
飢餓羸瘦　體生瘡癬　漸次經歷　到父住城
傭賃展轉　遂至父舍　尒時長者　於其門内
施大寶帳　處師子座　眷屬圍繞　諸人侍衛
或有計筭　金銀寶物　出内財產　注記券疏
窮子見父　豪貴尊嚴　謂是國王　若是王等
驚怖自恠　何故至此　覆自念言　我若久住
或見逼迫　强驅使作　思惟是已　馳走而去
借問貧里　欲往傭力　長者是時　在師子座
遥見其子　嘿而識之　即勑使者　追捉將来
窮子驚喚　迷悶躃地　是人執我　必當見煞
何用衣食　使我至此　長者知子　愚癡狹劣
不信我言　不信是父　即以方便　更遣餘人
眇目矬陋　无威德者　汝可語之　云何相雇
除諸糞穢　倍與汝價　窮子聞之　歡喜隨来
為除糞穢　淨諸房舍　長者於牖　常見其子
念子愚劣　樂為鄙事　於是長者　著弊垢衣
執除糞器　往到子所　方便附近　語令勤作
既益汝價　并塗足油　飲食充足　薦席厚煖
如是苦言　汝當勤作　又以軟語　若如我子
長者有智　漸令入出　經二十年　執作家事

BD00166 號　妙法蓮華經卷二　（29–26）

[illegible]
執除糞器　往到子所　方便附近　語令勤作
既益汝價　并塗足油　飲食充足　薦席厚暖
如是苦言　汝當勤作　又以軟語　若如我子
長者有智　漸令入出　經二十年　執作家事
示其金銀　真珠頗梨　諸物出入　皆使令知
猶處門外　止宿草菴　自念貧事　我无此物
父知子心　漸已曠大　欲與財物　即聚親族
國王大臣　剎利居士　於此大眾　說是我子
捨我他行　經五十歲　自見子來　已二十年
昔於某城　而失是子　周行求索　遂來至此
凡我所有　舍宅人民　悉已付之　恣其所用
子念昔貧　志意下劣　今於父所　大獲珍寶
并及舍宅　一切財物　甚大歡喜　得未曾有
佛亦如是　知我樂小　未曾說言　汝等作佛
而說我等　得諸无漏　成就小乘　聲聞弟子
佛勅我等　說最上道　修習此者　當得成佛
我承佛教　為大菩薩　以諸因緣　種種譬喻
若干言辭　說无上道　諸佛子等　從我聞法
日夜思惟　精勤修習　是時諸佛　即授其記
汝於來世　當得作佛　一切諸佛　秘藏之法
但為菩薩　演其實事　而不為我　說斯真要
如彼窮子　得近其父　雖知諸物　心不悕取
我等雖說　佛法寶藏　自无志願　亦復如是
我等內滅　自謂為足　唯了此事　更无餘事
我等若聞　淨佛國土　教化眾生　都无欣樂

BD00166號　妙法蓮華經卷二　（29-27）

汝於來世　當得作佛　一切諸佛　秘藏之法
但為菩薩　演其實事　而不為我　說斯真要
如彼窮子　得近其父　雖知諸物　心不悕取
我等雖說　佛法寶藏　自无志願　亦復如是
我等內滅　自謂為足　唯了此事　更无餘事
我等若聞　淨佛國土　教化眾生　都无欣樂
所以者何　一切諸法　皆悉空寂　无生无滅
无大无小　无漏无為　如是思惟　不生喜樂
我等長夜　於佛智慧　无貪无著　无復志願
而自於法　謂是究竟　我等長夜　修習空法
得脫三界　苦惱之患　住最後身　有餘涅槃
佛所教化　得道不虛　則為已得　報佛之恩
我等雖為　諸佛子等　說菩薩法　以求佛道
而於是法　永无願樂　導師見捨　觀我心故
初不勸進　說有實利　如富長者　知子志劣
以方便力　柔伏其心　然後乃付　一切財物
佛亦如是　現希有事　知樂小者　以方便力
調伏其心　乃教大智　我等今日　得未曾有
非先所望　而今自得　如彼窮子　得无量寶
世尊我今　得道得果　於无漏法　得清淨眼
我等長夜　持佛淨戒　始於今日　得其果報
法王法中　久修梵行　今得无漏　无上大果
我等今者　真是聲聞　以佛道聲　令一切聞
我等今者　真阿羅漢　於諸世間　天人魔梵
普於其中　應受供養　世尊大恩　以希有事

BD00166號　妙法蓮華經卷二　（29-28）

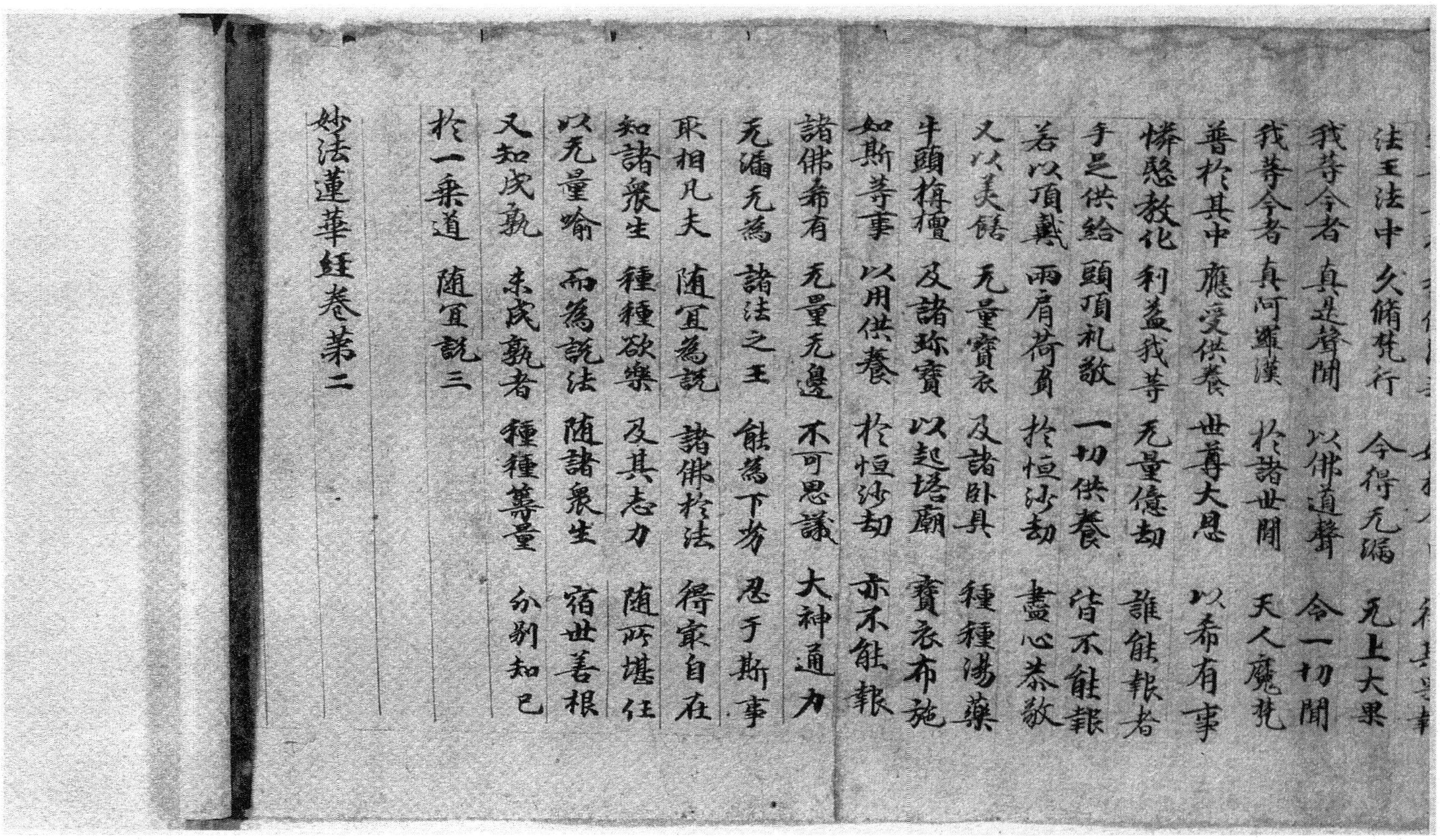
法王法中　久脩梵行　今得无漏　无上大果
我等今者　真是聲聞　以佛道聲　令一切聞
我等今者　真阿羅漢　於諸世間　天人魔梵
普於其中　應受供養　世尊大恩　以希有事
憐愍教化　利益我等　无量億劫　誰能報者
手足供給　頭頂礼敬　一切供養　皆不能報
若以頂戴　兩肩荷負　於恒沙劫　盡心恭敬
又以美饍　无量寶衣　及諸卧具　種種湯藥
牛頭栴檀　及諸珎寶　以起塔廟　寶衣布施
如斯等事　以用供養　於恒沙劫　亦不能報
諸佛希有　无量无邊　不可思議　大神通力
无漏无為　諸法之王　能為下劣　忍于斯事
取相凡夫　隨宜為說　諸佛於法　得最自在
知諸衆生　種種欲樂　及其志力　隨所堪任
以无量喻　而為說法　隨諸衆生　宿世善根
又知成熟　未成熟者　種種籌量　分別知已
於一乘道　隨宜說三
妙法蓮華經卷第二

BD00166 號　妙法蓮華經卷二　　（29–29）

BD00167 號背　勘記　　（1–1）

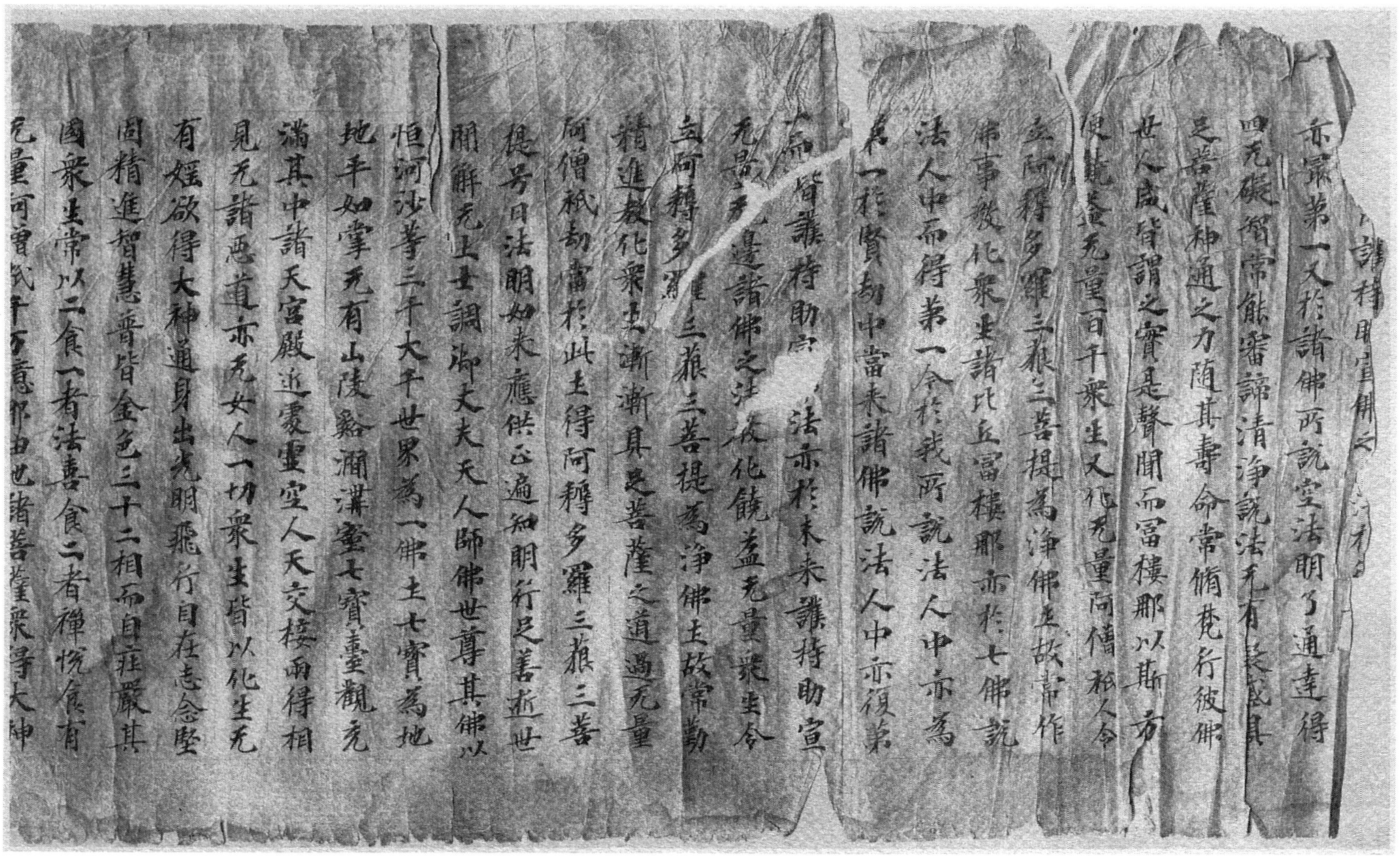

護持助宣佛之[illegible]
亦最第一又於諸佛所說空法明了通達得
四无礙智常能審諦清淨說法无有疑惑具
足菩薩神通之力隨其壽命常脩梵行彼佛
世人咸皆謂之實是聲聞而富樓那以斯方
便饒益无量百千衆生又化无量阿僧祇人令
立阿耨多羅三藐三菩提爲淨佛土故常作
佛事教化衆生諸比丘富樓那亦於七佛說
法人中而得第一今於我所說法人中亦爲
第一於賢劫中當來諸佛說法人中亦復第
一而皆護持助宣佛法亦於未來護持助宣
无量无邊諸佛之法教化饒益无量衆生令
立阿耨多羅三藐三菩提爲淨佛土故常勤
精進教化衆生漸漸具足菩薩之道過无量
阿僧祇劫當於此土得阿耨多羅三藐三菩
提号曰法明如來應供正遍知明行足善逝世
間解无上士調御丈夫天人師佛世尊其佛以
恒河沙等三千大千世界爲一佛土七寶爲地
地平如掌无有山陵谿澗溝壑七寶臺觀充
滿其中諸天宮殿近處虛空人天交接兩得相
見无諸惡道亦无女人一切衆生皆以化生无
有婬欲得大神通身出光明飛行自在志念堅
固精進智慧普皆金色三十二相而自莊嚴其
國衆生常以二食一者法喜食二者禪悅食有
无量阿僧祇千万億那由他諸菩薩衆得大神

BD00167 號　妙法蓮華經卷四　（15–1）

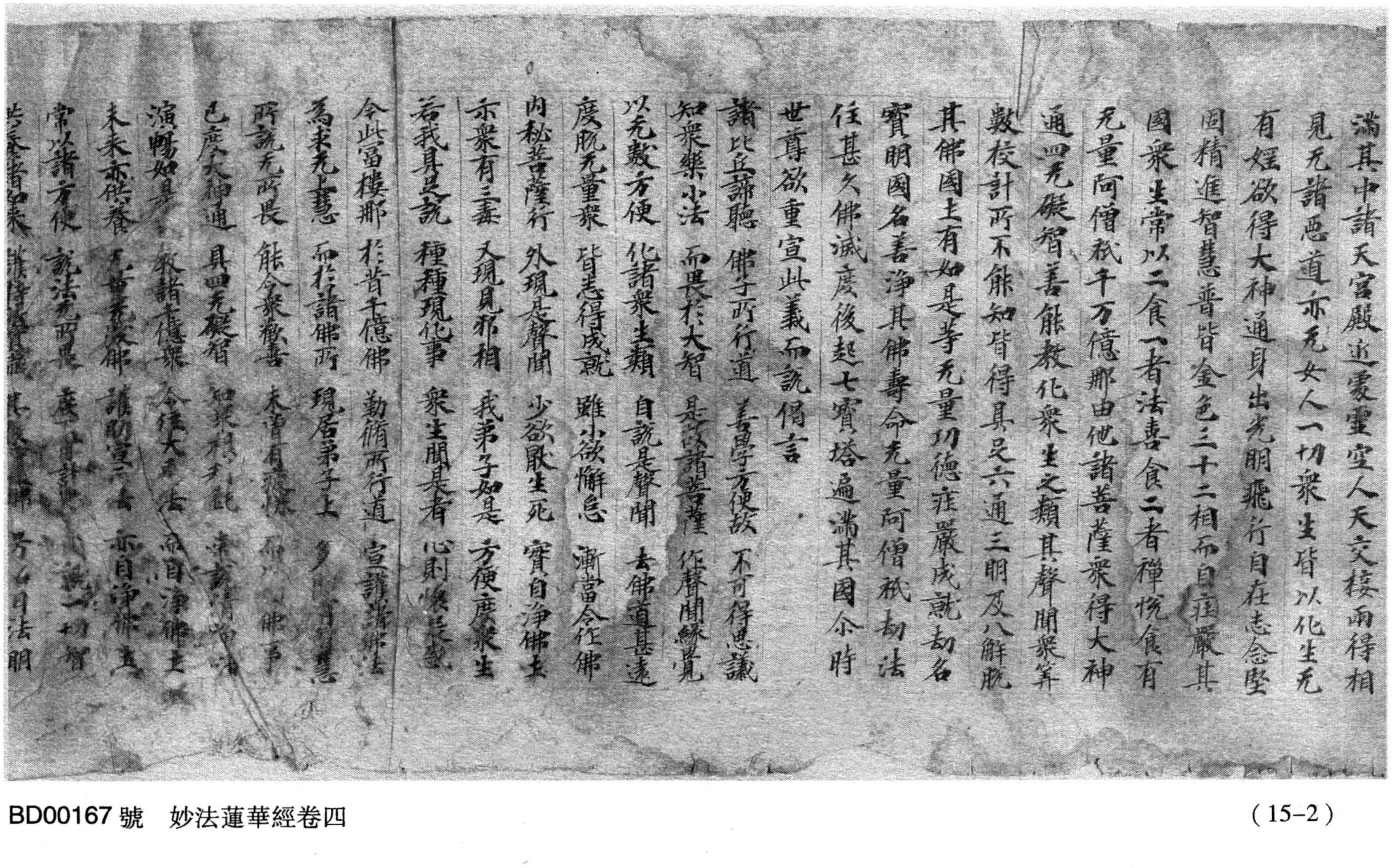

滿其中諸天宮殿近處虛空人天交接兩得相
見无諸惡道亦无女人一切衆生皆以化生无
有婬欲得大神通身出光明飛行自在志念堅
固精進智慧普皆金色三十二相而自莊嚴其
國衆生常以二食一者法喜食二者禪悅食有
无量阿僧祇千万億那由他諸菩薩衆得大神
通四无礙智善能教化衆生之類其聲聞衆筭
數校計所不能知皆得具足六通三明及八解脫
其佛國土有如是等无量功德莊嚴成就劫名
寶明國名善淨其佛壽命无量阿僧祇劫法
住甚久佛滅度後起七寶塔遍滿其國尒時
世尊欲重宣此義而說偈言
諸比丘諦聽　佛子所行道　善學方便故　不可得思議
知衆樂小法　而畏於大智　是故諸菩薩　作聲聞緣覺
以无數方便　化諸衆生類　自說是聲聞　去佛道甚遠
度脫无量衆　皆悉得成就　雖小欲懈怠　漸當令作佛
內祕菩薩行　外現是聲聞　少欲厭生死　實自淨佛土
示衆有三毒　又現邪見相　我弟子如是　方便度衆生
若我具足說　種種現化事　衆生聞是者　心則懷疑惑
今此富樓那　於昔千億佛　勤脩所行道　宣護諸佛法
爲求无上慧　而於諸佛所　現居弟子上　多聞有智慧
所說无所畏　能令衆歡喜　未曾有疲倦　而以助佛事
已度大神通　具四无礙智　知諸根利鈍　常說清淨法
演暢如是義　教諸千億衆　令住大乘法　而自淨佛土
未來亦供養　无量无數佛　護助宣正法　亦自淨佛土
常以諸方便　說法无所畏　度不可計衆　成就一切智
供養諸如來　護持法寶藏　其後得成佛　号名曰法明

BD00167 號　妙法蓮華經卷四　（15–2）

已度大神通　具四无礙智　知諸根利鈍　常說清淨法
演暢如是義　教諸千億衆　令住大乘法　而自淨佛土
未來亦供養　无量无數佛　護助宣正法　亦自淨佛土
常以諸方便　說法无所畏　度不可計衆　成就一切智
供養諸如來　護持法寶藏　其後得成佛　号名曰法明
其國名善淨　七寶所合成　劫名為寶明　菩薩衆甚多
其數无量億　皆度大神通　威德力具足　充滿其國土
聲聞亦无數　三明八解脫　得四无礙智　以是等為僧
其國諸衆生　婬欲皆已斷　純一變化生　具相莊嚴身
法喜禪悅食　更无餘食想　无有諸女人　亦无諸惡道
富樓那比丘　功德悉成滿　當得斯淨土　賢聖衆甚多
如是无量事　我今但略說
尒時千二百阿羅漢心自在者作是念我等歡
喜得未曾有若世尊各見授記如餘大弟子
者不亦快乎佛知此等心之所念告摩訶迦
葉是千二百阿羅漢我今當現前次第與
受阿耨多羅三藐三菩提記於此衆中我
大弟子憍陳如比丘當供養六万二千億佛然
後得成為佛号曰普明如來應供正遍知明
行足善逝世間解无上士調御丈夫天人師
佛世尊其五百阿羅漢優樓頻螺迦葉伽耶
迦葉那提迦葉迦留陁夷優陁夷阿㝹樓馱
離婆多劫賓那薄拘羅周陁莎伽陁等皆當
得阿耨多羅三藐三菩提盡同一号名曰普明
尒時世尊欲重宣此義而說偈言
憍陳如比丘　當見无量佛　過阿僧祇劫　乃成等正覺
常放大光明　具足諸神通　名聞遍十方　一切之所敬

BD00167號　妙法蓮華經卷四　（15–3）

迦葉那提迦葉迦留陁夷優陁夷阿㝹樓馱
離婆多劫賓那薄拘羅周陁莎伽陁等皆當
得阿耨多羅三藐三菩提盡同一号名曰普明
尒時世尊欲重宣此義而說偈言
憍陳如比丘　當見无量佛　過阿僧祇劫　乃成等正覺
常放大光明　具足諸神通　名聞遍十方　一切之所敬
常說无上道　故号為普明　其國土清淨　菩薩皆勇猛
咸昇妙樓閣　遊諸十方國　以无上供具　奉獻於諸佛
作是供養已　心懷大歡喜　須臾還本國　有如是神力
佛壽六万劫　正法住倍壽　像法復倍是　法滅天人憂
其五百比丘　次第當作佛　同号曰普明　轉次而授記
我滅度之後　某甲當作佛　其所化世間　亦如我今日
國土之嚴淨　及諸神通力　菩薩聲聞衆　正法及像法
壽命劫多少　皆如上所說　迦葉汝已知　五百自在者
餘諸聲聞衆　亦當復如是　其不在此會　汝當為宣說
尒時五百阿羅漢於佛前得授記已歡喜踊躍
即從座起到於佛前頭面礼足悔過自責世
尊我等常作是念自謂已得究竟滅度今
乃知之如无智者所以者何我等應得如來智
慧而便自以小智為足世尊譬如有人至親友
家醉酒而臥是時親友官事當行以无價寶
珠繫其衣裏與之而去其人醉臥都不覺知
起已遊行到於他國為衣食故勤力求索甚
大艱難若少有所得便以為足於後親友會
遇見之而作是言咄哉丈夫何為衣食乃至
如是我昔欲令汝得安樂五欲自恣於某年日

BD00167號　妙法蓮華經卷四　（15–4）

珠繫其衣裹與之而去其人醉卧都不覺知
起已遊行到於他國為衣食故勤力求索甚
大艱難若少有所得便以為足於後親友會
遇見之而作是言咄哉丈夫何為衣食乃至
如是我昔欲令汝得安樂五欲自恣於某年日
月以无價寶珠繫汝衣裏今故現在而汝不
知勤苦憂惱以求自活甚為癡也汝今可以此
寶貿易所須常可如意无所乏短佛亦如是
為菩薩時教化我等令發一切智心而尋廢忘
不知不覺既得阿羅漢道自謂滅度資生艱
難得少為足一切智願猶在不失今者世尊覺
悟我等作如是言諸比丘汝等所得非究竟
滅我久令汝等種佛善根以方便故示涅槃相
而汝謂為實得滅度世尊我今乃知實是菩
薩得受阿耨多羅三藐三菩提記以是因緣
甚大歡喜得未曾有尒時阿若憍陳如等欲重
宣此義而說偈言
我等聞无上　安隱授記聲　歡喜未曾有　礼无量智佛
今於世尊前　自悔諸過咎　於无量佛寶　得少涅槃分
如无智愚人　便自以為足　譬如貧窮人　往至親友家
其家甚大富　具設諸餚饍　以无價寶珠　繫著内衣裏
默與而捨去　時卧不覺知　是人既已起　遊行詣他國
求衣食自濟　資生甚艱難　得少便為足　更不願好者
不覺内衣裏　有无價寶珠　與珠之親友　後見此貧人
苦切責之已　示以所繫珠　貧人見此珠　其心大歡喜
富有諸財物　五欲而自恣　我等亦如是　世尊於長夜

BD00167號　妙法蓮華經卷四　（15–5）

求衣食自濟　資生甚艱難　得少便為足　更不願好者
不覺内衣裏　有无價寶珠　與珠之親友　後見此貧人
苦切責之已　示以所繫珠　貧人見此珠　其心大歡喜
富有諸財物　五欲而自恣　我等亦如是　世尊於長夜
常愍見教化　令種无上願　我等无智故　不覺亦不知
得少涅槃分　自足不求餘　今佛覺悟我　言非實滅度
得佛无上慧　尒乃為真滅　我今從佛聞　受記莊嚴事
及轉次受決　身心遍歡喜
妙法蓮華經授學无學人記品第九
尒時阿難羅睺羅而作是念我等每自思惟設
得受記不亦快乎即從座起到於佛前頭面
礼足俱白佛言世尊我等於此亦應有分唯
有如來我等所歸又我等為一切世間天人阿
脩羅所見知識阿難常為侍者護持法藏
羅睺羅是佛之子若佛見授阿耨多羅三藐
三菩提記者我願既滿衆望亦足尒時學无
學聲聞弟子二千人皆從座起偏袒右肩到
於佛前一心合掌瞻仰世尊如阿難羅睺羅所
願住立一面尒時佛告阿難汝於來世當得作
佛号山海慧自在通王如來應供正遍知明行
足善逝世間解无上士調御丈夫天人師佛世
尊當供養六十二億佛護持法藏然後得阿
耨多羅三藐三菩提教化二十千万億恒河沙
諸菩薩等令成阿耨多羅三藐三菩提國
名常立勝幡其土清淨瑠璃為地劫名妙
音遍滿其佛壽命无量千万億阿僧祇劫

BD00167號　妙法蓮華經卷四　（15–6）

尊當供養六十二億佛護持法藏然後得阿
耨多羅三藐三菩提教化二十千万億恒河沙
諸菩薩等令成阿耨多羅三藐三菩提國
名常立勝幡其土清淨瑠璃爲地劫名妙
音遍滿其佛壽命无量千万億阿僧祇劫
若人於千萬億无量阿僧祇劫中筭數校計
不能得知正法住世倍於壽命像法住世復
倍正法阿難是山海慧自在通王佛爲十方
无量千万億恒河沙等諸佛如來所共讚歎
稱其功德尒時世尊欲重宣此義而說偈言
我今僧中說　阿難持法者　當供養諸佛　然後成正覺
号曰山海慧　自在通王佛　其國土清淨　名常立勝幡
教化諸菩薩　其數如恒沙　佛有大威德　名聞滿十方
壽命无有量　以愍衆生故　正法倍壽命　像法復倍是
如恒河沙等　无數諸衆生　於此佛法中　種佛道因緣
尒時會中新發意菩薩八千人咸作是念我
等尚不聞諸大菩薩得如是記有何因緣而
諸聲聞得如是決尒時世尊知諸菩薩心之所
念而告之曰諸善男子我與阿難等於空王
佛所同時發阿耨多羅三藐三菩提心阿難
常樂多聞我常勤精進是故我已得成阿耨
多羅三藐三菩提而阿難護持我法亦護
将來諸佛法藏教化成就諸菩薩衆其本願
如是故獲斯記阿難面於佛前自聞受記及
國土莊嚴所願具足心大歡喜得未曾有即時
憶念過去无量千万億諸佛法藏通達无㝵

BD00167 號　妙法蓮華經卷四　（15–7）

多羅三藐三菩提而阿難護持我法亦護
将來諸佛法藏教化成就諸菩薩衆其本願
如是故獲斯記阿難面於佛前自聞受記及
國土莊嚴所願具足心大歡喜得未曾有即時
憶念過去无量千万億諸佛法藏通達无㝵
如今所聞亦識本願尒時阿難而說偈言
世尊甚希有　令我念過去　无量諸佛法　如今日所聞
我今无所疑　安住於佛道　方便爲侍者　護持諸佛法
尒時佛告羅睺羅汝於來世當得作佛号蹈七
寶華如來應供正遍知明行足善逝世間解
无上士調御丈夫天人師佛世尊當供養十
世界微塵等數諸佛如來常爲諸佛而作長
子猶如今也是蹈七寶華佛國土莊嚴壽命
劫數所化弟子正法像法亦如山海慧自在
通王如來无異亦爲此佛而作長子過是已
後當得阿耨多羅三藐三菩提尒時世尊欲
重宣此義而說偈言
我爲太子時　羅睺爲長子　我今成佛道　受法爲法子
於未來世中　見无量億佛　皆爲其長子　一心求佛道
羅睺羅密行　唯我能知之　現爲我長子　以示諸衆生
无量億千万　功德不可數　安住於佛法　以求无上道
尒時世尊見學无學二千人其意柔軟寂然
清淨一心觀佛佛告阿難汝見是學无學二千
人不唯然已見阿難是諸人等當供養五十
世界微塵數諸佛如來恭敬尊重護持法
藏末後同時於十方國各得成佛皆同一号

BD00167 號　妙法蓮華經卷四　（15–8）

清淨一心觀佛佛告阿難汝見是學无學二千
人不唯然已見阿難是諸人等當供養五十
世界微塵數諸佛如來恭敬尊重護持法
藏末後同時於十方國各得成佛皆同一号
名曰寶相如來應供正遍知明行足善逝世
間解无上士調御丈夫天人師佛世尊壽命
一劫國土莊嚴聲聞菩薩正法像法皆悉同
等尒時世尊欲重宣此義而說偈言
是二千聲聞　今於我前住　悉皆與授記　未來當成佛
所供養諸佛　如上說塵數　護持其法藏　後當成正覺
各於十方國　悉同一名号　俱時坐道場　以證无上慧
皆名為寶相　國土及弟子　正法與像法　悉等无有異
咸以諸神通　度十方衆生　名聞普周遍　漸入於涅槃
尒時學无學二千人聞佛授記歡喜踊躍而
說偈言
世尊慧燈明　我聞授記音　心歡喜充滿　如甘露見灌
妙法蓮華經法師品第十
尒時世尊因藥王菩薩告八万大士藥王汝
見是大衆中无量諸天龍王夜叉乾闥婆阿
脩羅迦樓羅緊那羅摩睺羅伽人與非人及
比丘比丘尼優婆塞優婆夷求聲聞者求辟
支佛者求佛道者如是等類咸於佛前聞妙
法華經一偈一句乃至一念隨喜者我皆與
授記當得阿耨多羅三藐三菩提佛告藥王
又如來滅度之後若有人聞妙法華經乃至一
偈一句一念隨喜者我亦與授阿耨多羅三藐

BD00167 號　妙法蓮華經卷四　（15–9）

支佛者求佛道者如是等類咸於佛前聞妙
法華經一偈一句乃至一念隨喜者我皆與
授記當得阿耨多羅三藐三菩提佛告藥王
又如來滅度之後若有人聞妙法華經乃至一
偈一句一念隨喜者我亦與授阿耨多羅三藐
三菩提記若復有人受持讀誦解說書寫妙
法華經乃至一偈於此經卷敬視如佛種種
供養華香瓔珞末香塗香燒香繒蓋幢幡
衣服伎樂乃至合掌恭敬藥王當知是諸人
等已曾供養十万億佛於諸佛所成就大願
愍衆生故生此人間藥王若有人問何等衆
生於未來世當得作佛應示是諸人等於未
來世必得作佛何以故若善男子善女人於
法華經乃至一句受持讀誦解說書寫種種
供養經卷華香瓔珞末香塗香燒香繒蓋
幢幡衣服伎樂合掌恭敬是人一切世間所
應瞻奉應以如來供養而供養之當知此人
是大菩薩成就阿耨多羅三藐三菩提哀愍
衆生願生此間廣演分別妙法華經何況盡
能受持種種供養者藥王當知是人自捨清
淨業報於我滅度後愍衆生故生於惡世廣
演此經若是善男子善女人我滅度後能竊
為一人說法華經乃至一句當知是人則如來
使如來所遣行如來事何況於大衆中廣為
人說藥王若有惡人以不善心於一劫中現於
佛前常毀罵佛其罪尚輕若人以一惡言毀

BD00167 號　妙法蓮華經卷四　（15–10）

演此經若是善男子善女人我滅度後能竊
爲一人說法華經乃至一句當知是人則如來
使如來所遣行如來事何況於大眾中廣爲
人說藥王若有惡人以不善心於一劫中現於
佛前常毀罵佛其罪尚輕若人以一惡言毀
呰在家出家讀誦法華經者其罪甚重藥
王其有讀誦法華經者當知是人以佛莊嚴
而自莊嚴則爲如來肩所荷擔其所至方
應隨向礼一心合掌恭敬供養尊重讚歎華香
瓔珞末香塗香燒香繒蓋幢幡衣服餚饌作
諸伎樂人中上供而供養之應持天寶而以
散之天上寶聚應以奉獻所以者何是人歡
喜說法須臾聞之即得究竟阿耨多羅三藐
三菩提故尒時世尊欲重宣此義而說偈言
若欲住佛道　成就自然智　常當勤供養　受持法華者
其有欲疾得　一切種智慧　當受持是經　并供養持者
若有能受持　妙法華經者　當知佛所使　愍念諸眾生
諸有能受持　妙法華經者　捨於清淨土　愍眾故生此
當知如是人　自在所欲生　能於此惡世　廣說無上法
應以天華香　及天寶衣服　天上妙寶聚　供養說法者
吾滅後惡世　能持是經者　當合掌礼敬　如供養世尊
上饌眾甘美　及種種衣服　供養是佛子　兾得須臾聞
若能於後世　受持是經者　我遣在人中　行於如來事
若於一劫中　常懷不善心　作色而罵佛　獲無量重罪
其有讀誦持　是法華經者　須臾加惡言　其罪復過彼
有人求佛道　而於一劫中　合掌在我前　以無數偈讚

BD00167號　妙法蓮華經卷四　（15-11）

上饌眾甘美　及種種衣服　供養是佛子　兾得須臾聞
若能於後世　受持是經者　我遣在人中　行於如來事
若於一劫中　常懷不善心　作色而罵佛　獲無量重罪
其有讀誦持　是法華經者　須臾加惡言　其罪復過彼
有人求佛道　而於一劫中　合掌在我前　以無數偈讚
由是讚佛故　得無量功德　歎美持經者　其福復過彼
於十八億劫　以最妙色聲　及與香味觸　供養持經者
如是供養已　若得須臾聞　則應自欣慶　我今獲大利
藥王今告汝　我所說諸經　而於此經中　法華最第一
尒時佛復告藥王菩薩摩訶薩我所說經典
無量千万億已說今說當說而於其中此法華
經最爲難信難解藥王此經是諸佛秘要之
藏不可分布妄授與人諸佛世尊之所守護
從昔已來未曾顯說而此經者如來現在猶
多怨嫉況滅度後藥王當知如來滅後其能
書持讀誦供養爲他人說者如來則爲以衣
覆之又爲他方現在諸佛之所護念是人有
大信力及志願力諸善根力當知是人與如
來共宿則爲如來手摩其頭藥王在在處處
若說若讀若誦若書若經卷所住處皆應
起七寶塔極令高廣嚴飾不須復安舍利所
以者何此中已有如來全身此塔應以一切華
香瓔珞繒蓋幢幡伎樂歌頌供養恭敬尊
重讚歎若有人得見此塔礼拜供養當知是
等皆近阿耨多羅三藐三菩提藥王多有人
在家出家行菩薩道若不能得見聞讀誦

BD00167號　妙法蓮華經卷四　（15-12）

香瓔珞繒蓋幢幡伎樂歌頌供養恭敬尊
重讚嘆若有人得見此塔礼拜供養當知是
等皆近阿耨多羅三藐三菩提藥王多有人
在家出家行菩薩道若不能得見聞讀誦
書持供養是法華經者當知是人未善行菩
薩道若有得聞是經典者乃能善行菩薩之
道其有衆生求佛道者若見若聞是法華經聞
已信解受持者當知是人得近阿耨多羅三
藐三菩提藥王譬如有人渴乏須水於彼高原
穿鑿求之猶見乾土知水尚遠施功不已轉
見濕土遂漸至泥其心決定知水必近菩薩
亦復如是若未聞未解未能修習是法華
經當知是人去阿耨多羅三藐三菩提尚遠
若得聞解思惟修習必知得近阿耨多羅三
藐三菩提所以者何一切菩薩阿耨多羅三
藐三菩提皆屬此經此經開方便門示真實
相是法華經藏深固幽遠无人能到今佛教
化成就菩薩而為開示藥王若有菩薩聞是
法華經驚疑怖畏當知是為新發意菩薩若
聲聞人聞是經驚疑怖畏當知是為增上慢
者藥王若有善男子善女人如來滅後欲為
四衆說是法華經者云何應說是善男子善
女人入如來室著如來衣坐如來座尒乃應
為四衆廣說斯經如來室者一切衆生中大
慈悲心是如來衣者柔和忍辱心是如來座

BD00167 號　妙法蓮華經卷四　（15–13）

者藥王若有善男子善女人如來滅後欲為
四衆說是法華經者云何應說是善男子善
女人入如來室著如來衣坐如來座尒乃應
為四衆廣說斯經如來室者一切衆生中大
慈悲心是如來衣者柔和忍辱心是如來座
者一切法空是安住是中然後以不懈怠心為
諸菩薩及四衆廣說是法華經藥王我於
餘國遣化人為其集聽法衆亦遣化比丘比丘
尼優婆塞優婆夷聽其說法是諸化人聞法
信受隨順不逆若說法者在空閑處我時廣
遣天龍鬼神乾闥婆阿脩羅等聽其說法我
雖在異國時時令說法者得見我身若於此
經忘失句逗我還為說令得具足尒時世尊
欲重宣此義而說偈言
欲捨諸懈怠　應當聽此經　是經難得聞　信受者亦難
如人渴須水　穿鑿於高原　猶見乾燥土　知去水尚遠
漸見濕土泥　決定知近水　藥王汝當知　如是諸人等
不聞法華經　去佛智甚遠　若聞是深經　決了聲聞法
是諸經之王　聞已諦思惟　當知此人等　近於佛智慧
若人說此經　應入如來室　著於如來衣　而坐如來座
處衆无所畏　廣為分別說　大慈悲為室　柔和忍辱衣
諸法空為座　處此為說法　若說此經時　有人惡口罵
加刀杖瓦石　念佛故應忍　我千万億土　現淨堅固身
於无量億劫　為衆生說法　若我滅度後　能說此經者
我遣化衆生　比丘比丘尼　及清信士女　供養於法師

BD00167 號　妙法蓮華經卷四　（15–14）

諸法空為座　處此為說法　若說此經時　有人惡口罵
加刀杖瓦石　念佛故應忍　我千万億土　現淨堅固身
於无量億劫　為衆生說法　若我滅度後　能說此經者
我遣化衆生　比丘比丘尼　及清信士女　供養於法師
引導諸衆生　集之令聽法　若人欲加惡　刀杖及瓦石
則遣變化人　為之作衛護　若說法之人　獨在空閑處
寂寞无人聲　讀誦此經典　我尒時為現　清淨光明身
若忘失章句　為說令通利　若人具是德　或為四衆說
空處讀誦經　皆得見我身　若人在空閑　我遣天龍王
夜叉鬼神等　為作聽法衆　是人樂說法　分別无罣㝵
諸佛護念故　能令大衆喜　若親近法師　速得菩薩道
隨順是師學　得見恒沙佛

妙法蓮華經見寶塔品第十一

尒時佛前有七寶塔高五百由旬縱廣二百
五十由旬從地踊出住在空中種種寶物而莊
校之五千欄楯龕室千萬无數幢幡以為嚴
飾垂寶瓔珞寶鈴万億而懸其上四面皆出
多摩羅跋栴檀之香充遍世界其諸幡蓋以
金銀瑠璃車𤦲馬瑙真珠玫瑰七寶合成高至
四天王宮三十三天雨天曼陀羅華供養寶塔
餘諸天龍夜叉乾闥婆阿脩羅迦樓羅緊那
羅摩睺羅伽人非人等千万億衆以一切華

BD00167號　妙法蓮華經卷四　（15-15）

滴乳或無所食或恒熱服現如是等種種苦行經於六年一無虧失
然實菩薩無斯苦行難度有情而自見有菩薩如是現苦行時有六十
那庾多諸天人衆同見此事安住三乘復有天人宿善根力深樂
大乘則見菩薩坐七寶臺處分心不動舒顏含咲入於等持時經六年
方從定起有天人衆深樂大乘欲聞者則見菩薩端坐說法經六年
大德當知如是菩薩方便善巧行深般若波羅蜜多能降天魔伏諸
外道大悲化度一切有情既經六年從定而起隨順世法詣無
垢河洗浴出已於河邊立有牧牛女構百乳牛以飲一牛構此
乳用作乳糜奉獻菩薩復有六億天龍藥叉健達縛等各持種
種香美飲食而來奉獻咸作是言大士大士唯願受我飲食供養
菩薩是時皆悉為受時牧牛女天龍藥叉健達縛等不相見各
見菩薩獨受其供時有無量諸天人等同見受供咸得悟道是故
菩薩為示現等菩薩亦時實不洗浴亦不受彼人天等供大德當知如是菩薩
行深般若波羅蜜多方便善巧示現行詣菩提樹時有天子名曰
妙光為天神衆周遍掃飾灑以香水散以妙花時此三千大千世界
四大天王領自天衆雨天妙花供養菩薩天主帝釋時亦天王領自天衆
住虛空中奏天樂音讚歎菩薩善足天王領自天衆持七寶網彌覆
世界其網四角懸以金鈴皆雨衆寶供養菩薩善化天王領自天衆
持紫金網彌覆世界作諸天樂雨種種花供養菩薩自在天王領自在
天衆諸龍藥叉健達縛等各持種種上妙供具供養菩薩堪忍界主
大梵天王既見菩薩詣菩提樹告一切梵天衆言汝等當知今此
菩薩因甲冑而自莊嚴不違本誓心無厭倦諸菩薩行皆已滿足通
達無量化有情行諸菩薩地皆得自在於諸有情心得清淨善知
[illegible]

……自在天王領自在
天衆諸龍藥叉健達縛等各持種種上妙供具供養菩薩堪忍界主
大梵天王既見菩薩獲斯事已既告一切梵天衆言汝等當知今此
菩薩堅固甲冑而自莊嚴不違本誓心無厭怠諸菩薩行皆已滿足通
達無量衆生情行諸菩薩地皆得自在於諸衆生情心得清淨善知
一切根性差別通達如來甚深秘藏超覺一切魔王三業集
諸善本不待外緣一切如來共所灌頂含藏識用解脫門大將導
師摧滅魔軍燄於大千界獨稱勇猛善施法藥爲大醫王解脫灌
頂受法王位放智慧光普照一切八法不染譬如蓮花諸根持門无
不通達深廣難測猶若大海安固不動如妙高山智慧清淨無
諸垢濁內外皎潔如末尼珠於諸法得皆得自在梵行清白已到
究竟如是菩薩行深般若波羅蜜多方便善巧爲度衆生情積穢
塵結跏趺坐降伏魔惡爲成十力四無所畏四無礙解及十八佛不
共法求無量無邊諸佛功德轉大法輪作師子吼以普施一切衆生
各隨所宜皆令滿足爲諸衆生情法眼清淨以無上法降伏外道
欲求諸佛本願成就於一切法而得自在汝等可往供養菩薩大慈當如
如是菩薩行深般若波羅蜜多方便善巧示現行詣獲度時於雙
足下千輻輪相放大光明無量最妙光明普照地獄傍生鬼界其
中衆生遇斯光者即皆離苦身心安樂時龍宮内有大龍王
名迦樓迦遇斯光已生大歡喜告諸龍言此妙光明來照我
等令我等身心安樂我於往昔曾見光時有如來出興
于世今既有此殊妙光明定知世間有佛出現宜共嚴辦種種香
花衆妙珍財幢幡花蓋作諸伎樂往詣供養於是龍王將諸
眷屬賷持供具普興大雲降灑香雨往詣菩薩作諸伎樂旋
繞供養右遶菩薩而讚嘆言菩薩妙光明普令歡樂決定當於
佛出無異種種奇珍莊嚴大地所生草木悉成寶江河皆
靜無風浪聲唯此定知佛出於世猶梵日月光明不現亞
超清淨佛出無異譬如有人少失父母年既長大忽然還
得歡喜踊躍不能自勝一切世間覩佛出現亦共歡喜復

設供養已右遶菩薩讚嘆言哉妙光明普令歡樂決定寂
從出無畏種種奇妙莊嚴大地所生草木悉皆成寶江河皆
靜無風浪聲唯此定知從出於世我梵日月光明不現惡
趣清淨從出無畏譬如有人少失父母年既長大忽然還
得歡喜踊躍不能自勝一切世間觀從出現者共歡慶亦復
如是我於過去曾供諸佛今值法王人中師子是則我亦生
不空過大德當知如是菩薩深般若波羅蜜多方便善巧復
樹下受草敷座右遶七帀正念端坐下告有情見如是於諸
大菩薩見有八万四千天子各別敷一大師子座諸師子座衆寶
合成七寶羅網弥覆其上各於四角用懸妙金鈴幢幡
繒蓋處處羅列菩薩遍此八万四千師子座上俱各安坐而
諸天子未相見各謂菩薩獨坐我座證得無上正等菩提以
是因緣深生歡喜於無上覺皆得不退大德當知如是
菩薩深般若波羅蜜多方便善巧眉間毫相放大光明普照
三千大千世界諸魔宮殿皆失威光時諸魔王咸作是念
以何緣故有此光明映蔽我等威光宮殿悲非菩薩坐菩提座
將證無上正等菩提念已共觀方見菩薩樹下坐金剛座見
已驚怖召集魔軍無量百千種種形貌種種仗種種幢幡
出種種聲能令聞者發毛孔皆流血菩薩爾時以大悲力令
魔軍衆不能出聲是名菩薩深般若波羅蜜多方便善巧大
德當知如是菩薩深般若波羅蜜多方便善巧憶念過去
無量億劫精進修行布施淨戒安忍精進靜慮般若
歡喜捨念住正斷神足根力覺支道支解脫妙觀三
明八解皆悉圓滿念已即申金色臂右手自摩其頂乃至
遍身作如是言我欲為彼有情衆苦而起大悲時諸魔
王及彼眷屬聞菩薩語即皆顛仆菩薩爾時以大悲力令諸魔
衆聞空中聲汝可歸依能施無畏救護一切淨戒大仙魔

四八解皆悉圓滿。念已，即申金色臂，右手自舉其頂，乃至
遍身，作如是言：我欲齊救有情，衆苦而起大悲。時諸魔
王及彼眷屬聞菩薩語，即皆顛仆。菩薩爾時以大悲力，令諸魔
衆聞空中聲：汝可歸依能施無畏救護一切淨戒大仙。魔
及眷屬聞此聲已，猶伏在地，作如是言：唯願大仙救濟我
命。是時菩薩依深般若波羅蜜多方便善巧，放大光明，其有
遇者，皆離怖畏。魔及眷屬覩斯神變，悲怖歡喜，二事交
懷。大德當知，如是菩薩行深般若波羅蜜多方便善巧，令諸
有情所見各別。謂或有見如是降魔，或有有情不見斯
事。或見菩薩但居草座，或見菩薩處師子座，或見菩薩在地而
坐，或見空中坐師子座，見菩提樹其相各別，謂或見是
榛梓羅樹，或有見是天圓彩樹，或見此樹衆寶合成，
或見此樹高七多羅，或見此樹八萬四千踰繕那量。有見師
子座四萬二千踰繕那量。在此樹下菩薩坐已，或見菩薩遊
戲空中，或見坐於菩提樹下。如是菩薩行深般若波羅蜜多
方便善巧，示現種種神通變化，度諸有情。大德當知，如是
菩薩深般若波羅蜜多方便善巧，坐菩提座，十方各如殑伽
沙界無量無數無邊菩薩皆悉來集，住虛空中，發種種聲
安慰菩薩，令身安樂，心生歡喜：善哉大士，勇猛精進，速度
成辦廣大吉祥。心如金剛，勿生怖懼。神通遊戲，剎樂有
情。能一剎那證一切智。如是菩薩處菩提座，魔來擾亂，都
不生眩。一剎那心方便善巧能與般若波羅蜜多理趣相應，
已至究竟，通達一切知見齊等。大德當知，如是菩薩深般若
波羅蜜多方便善巧坐菩提座，十方各如殑伽沙界所有諸佛
異口同音讚言：善哉善哉，大士乃能通達自然智、無礙智、
平等智、無師智，大悲莊嚴。大德當知，如是菩薩深般若波羅
蜜多方便善巧能作如是種種示現，諸有情類或見菩薩
得菩提，或見菩薩久已成佛，或有但見一世界中四大天王各奉獻鉢

波羅蜜多方便善巧坐菩提座十方各如殑伽沙界所有諸佛
異口同音讚言善哉善哉大士乃能通達自然智無礙智
平等智無師智大悲莊嚴大法當知如是菩薩行深般若波羅
蜜多方便善巧能作如是種種示現諸有情類或見菩薩今
得菩提或見菩薩已成佛或有但見一世界中四大天王各奉獻鉢
或復有見十方各如殑伽沙界四大天王各奉獻鉢爾時菩薩為
有情故執受眾鉢重疊掌中以手按之合成一鉢四
天王各不相見皆謂世尊獨受我鉢爾時便有六萬天
子乘宿善力先來獻供彼於過去作是願言若菩薩
當成佛時願受我等最初供養發是語時三萬菩薩得
無生忍復有三萬六千菩薩於無上正等菩提得不退轉
八万人天遠塵離垢生淨法眼無量無邊諸有情類俱
發無上正等覺心
大法當知爾時菩薩依深般若波羅蜜多方便善巧將欲示
現轉大法輪堪忍界主持髻梵王遍時便與六十八萬
諸梵天眾來至佛所頂禮雙足合掌恭敬右遶七匝而三讚
言唯願大悲哀愍我等轉大法輪唯願大悲哀愍我等轉大
法輪唯願大悲哀愍我等轉大法輪既三請已即便化作大
師子座其座高廣四万二千踰繕那量種種莊嚴堅固
安隱時十方界各有無量天主帝釋皆為如來敷師子
座量及莊嚴亦復如是菩薩爾時現神通力令彼諸天各見
菩薩其座上而轉法輪菩薩既坐此師子座入無邊境三摩
地門放大光明照十方面各如殑伽沙等世界復令彼界六種
變動其中有情眾苦暫息身心安樂暫遠離貪瞋癡
亦無不善修善法相向猶如父母子時此三千大千世界雜有間
禪於一毛孔天龍藥叉健達縛阿素洛揭路荼緊捺洛莫
呼洛伽人非人等充滿其中若諸有情應聞若法而受化者
聞六說之應聞所說無我寂靜遠離究竟空寂之法而受化

BD00168 號　般若第分中略集義

地門放大光明照十方面各如殑伽沙等世界復令彼界六種
變動其中有情衆苦暫息身心安樂暫遠離貪瞋癡
等惡不善法蕰於佛猶如母子時此三千大千世界諸有聞
禪於一毛孔天龍藥叉健達縛阿素洛揭路荼緊捺洛莫
呼洛伽人非人等充滿其中若諸有情應聞若法而受化者
聞佛說法應聞法無我寂靜遠離無常空法而受化
者各復如是應聞如幻而受化者聞說如幻應聞如夢響
像光影陽焰變化乃法香城法而受化者各復如是應聞空
無相無願解脫門而受化者聞佛說空無相無願時有情
類或聞如來說一切法從因緣生或聞說蘊或聞說界或聞
說處或聞說苦或聞說集或聞說滅或聞說道或有
聞說念住正斷神足根力覺支道支或有聞說解上妙
觀或有聞說諸聲聞法或有聞說諸獨覺法或有聞說
諸菩薩如是菩薩行深般若波羅蜜多方便善巧示現種種轉法
輪於隨諸有情根性差別各得利樂深心歡喜時舍利子
謂慈氏菩薩言天王菩薩行深般若波羅蜜多方便善巧所有境
界甚深甚深難思難議難可測難入衆菩薩言大菩薩行深般
若波羅蜜多方便善巧功德殊勝無量無邊我今所說百分
千分乃至鄔波尼殺曇分不得其一唯有如來乃能盡說我今
所說彼少分者皆承如來威神之力何以故諸佛境界不可思
議一生所繫諸菩薩衆說其功德尚不能盡況餘菩薩大菩薩當知
諸佛境界寂靜離說無分別智及後所得乃所能了大菩薩當
知為菩薩摩訶薩欲得證入諸佛境界應學般若波羅蜜多
方便善巧究竟通達健行三摩地如幻三摩地金剛有三摩
地金剛輪三摩地無動慧三摩地遍通達三摩地不緣境界
三摩地師子自在三摩地王三摩地功德莊嚴三摩地寂靜慧三摩
地普超越三摩地無染著三摩地慧莊嚴王三摩地無求之三
摩地等覺三摩地正覺三摩地究竟三摩地歡喜三摩地

方便善巧究竟通達住於三摩地如幻三摩地金剛三摩
地金剛輪三摩地無動慧三摩地遍通達三摩地不緣境界
三摩地師子自在三摩地王三摩地一切法莊嚴三摩地寂靜慧三摩
地普超越三摩地無染著三摩地慧莊嚴王三摩地無求三
摩地菩覺三摩地正覺三摩地悅意三摩地歡喜三摩地
清淨三摩地火焰三摩地光明三摩地難勝三摩地常現前
三摩地不和合三摩地無生三摩地通達三摩地帝勝三摩地
超過境三摩地一切智慧三摩地幢相三摩地大悲三摩地安樂
三摩地愛念三摩地及不見法三摩地求大法當知名菩薩摩訶薩
能學般若波羅蜜多方便善巧便能究竟通達此亦無量
無邊殑伽沙數三摩地門乃能證入諸佛境界其心安隱無
所怖畏如師子王不畏禽獸何以故若菩薩摩訶薩於是亦
諸三摩地見者可得皆無怖畏不見其前有一惡敵何以故
舍利子是菩薩摩訶薩行深般若波羅蜜多方便善巧心無
所緣緣無所住譬如有人生無色界八万大劫唯有一識無有
住處緣無所緣如是菩薩行深般若波羅蜜多方便善巧心
無所緣緣無所住何以故是諸菩薩心不行無行處心不想無
於處心不緣無緣處心不著無著處心不亂無亂處心無
高下心無違順無邊無盡無分別離無分別智奢摩他毗
鉢舍那心不隨智心不自住名不住地不依眼住不依耳鼻
舌身意住不依色不依聲香味觸法住心不在內亦不在外
不在兩間心不緣法名不緣智不住三世不住離世法是法即大法
當知是諸菩薩行深般若波羅蜜多方便善巧不取一法而於諸法
智見無礙心行淨故見一切法皆是無相不取見於見無分別離
諸藏論大法當知是諸菩薩行深般若波羅蜜多方便善巧不
與一切肉眼天眼慧眼法眼佛眼相應非不相應名復不與一切
天耳他心宿住神境漏盡諸智相應非不相應大法當知甚
深般若波羅蜜多方便善巧與一切法皆非相應非不相應

智見無礙心行淨故見一切法皆是無垢不可見了……

諸藏論大法當知是諸菩薩行深般若波羅蜜多方便善巧不
与一切肉眼天眼慧眼法眼佛眼相離非不相離亦復不与一切
天耳他心宿住神境漏盡諸智相離非不相離大法當知甚
深般若波羅蜜多方便善巧与一切法皆非相離非不相離
諸菩薩摩訶薩行深般若波羅蜜多方便善巧於一切法得平
等智能觀一切有情心行一切染淨皆如實知於佛十力四無所
畏四無礙解及十八佛不共法等無量無邊諸佛功德皆不失念
是諸菩薩行深般若波羅蜜多方便善巧無功用心達一切法
無心意識常在寂定不起寂定教化有情施作佛事常不
休息於諸佛法得無礙智無心染著譬如化佛化作如來所
化如來無心意識無身業無語業無意業而
能施作一切佛事饒益有情何以故由神力故如是菩薩行深般若
波羅蜜多方便善巧之所化作無身業無語業無意
業無功用心常作佛事饒益有情何以故舍利子諸菩薩摩訶
薩行深般若波羅蜜多方便善巧通達諸法皆如幻等心無
分別而諸有情恒聞說法大法當知是諸菩薩所有智慧不
住有為不住無為不住諸蘊及諸界處不住內外及兩中間不
住善惡及世出世不住雜染不住清淨有漏無漏有為無為不住三世
及離三世不住處空擇非擇滅是諸菩薩行深般若波羅蜜多
方便善巧雖常如是心無所住而能通達諸法於諸佛境發智光
功用心為諸有情宣說諸法常在寂靜而教化有情無有休息
是諸菩薩有勢力發光功用心為他說法是諸菩薩由深般若波
羅蜜多方便善巧常無怖畏何以故執金剛神常隨左右若坐
若臥恒常隨逐而守護故大法當知若菩薩摩訶薩聞說如
是甚深般若波羅蜜多心不驚怖無惑無疑當知已得受
記何以故信受般若波羅蜜多方便善巧近佛境界以
此一心即能通達一切佛法故利樂有情不見有情

若因恒常隨逐而守衛故大德當知若菩薩摩訶薩聞說如
是甚深般若波羅蜜多心不驚怖無惑無疑當知已得受
獲記何以故信受般若波羅蜜多方便善巧近佛境界以
此一心即能通達一切佛法達佛法故利樂有情不見有情
與佛法異何以故有情佛法理無二故

爾時曼殊室利菩薩摩訶薩從座而起頂禮佛足偏覆
左肩右膝著地合掌恭敬白言世尊諸菩薩摩訶薩經幾劫
數行深般若波羅蜜多供養幾佛而能對揚如來所說甚
深般若波羅蜜多如毗沙門天王者佛告曼殊室利菩薩摩訶
薩言善男子如是如是不可思議若非無量百千大劫修集
衆行種諸善根則不得聞甚深般若波羅蜜多功德名字
善男子十方各如殑伽沙界其中所有諸殑伽沙尚可知數是
菩薩摩訶薩行深般若波羅蜜多所經劫數供養幾佛俱不可知
善男子過去無量無數無邊難思議劫有佛出世名曰多聞
十號具足劫名增上國名日光多聞如來爲諸菩薩摩訶薩說清
淨法門言善男子汝應精勤修諸善行勿顧身命時彼會
中有一菩薩名精進力即從座起頂禮佛足偏覆右肩右膝著
地合掌恭敬而白佛言世尊所說汝應精勤修諸善行勿顧
身命我解佛所說義者諸菩薩摩訶薩宜應懈怠不修善行
乃能速證無上菩提所以者何若諸菩薩勤修衆善是則不能
久住生死利樂有情然諸菩薩行深般若波羅蜜多伏斷煩惱
久住生死終不自爲速證菩提但爲利樂諸有情故菩薩以處生
死爲樂不以涅槃而爲樂也何以故諸菩薩摩訶薩以化有情而爲
樂故涅槃無樂方便善巧說種種法門令得安樂若勤修善便
速盡漏不能利樂一切有情是故菩薩觀察生死多諸苦惱起
大悲心不捨有情成就本願世尊諸菩薩摩訶薩具方便力久住
生死得見無量無邊如來承受無量無邊正法首无量

BD00168 號　般若第分中略集義　(14–9)

死為樂不以涅槃而為樂也何以故諸菩薩摩訶薩以化衆生情而為
樂故謂隨所樂方便善巧說種種法門令得安樂若勤於善便
速盡漏不能利樂一切衆生情是故菩薩觀察生死多諸苦惱起
大悲心不捨衆生情成就本願世尊諸菩薩摩訶薩具方便力久住
生死得見無量無邊如來聽受無量無邊正法化道无量
无邊衆生情是故菩薩為如是等不厭生死不樂涅槃世尊諸菩薩摩訶
薩若觀生死而起厭怖欣樂涅槃則隨非道不能利樂一切衆生情
通達如來甚深境界云何非道謂樂聲聞及獨覺地於衆生情
類無大悲心所以者何聲聞獨覺所行之道非諸菩薩摩訶薩道
何以故聲聞獨覺厭怖生死欣樂涅槃不能具足福德智慧以是
善故非菩薩道時多聞仏即便讚歎精進力言善哉善哉如汝所說諸
菩薩摩訶薩應修自行力皆非道時精進力白言世尊何謂菩薩自
所行道多聞仏言菩薩成就一切福慧以大悲力不捨衆生情未離聲
聞及獨覺地得無生忍不捨三界無所希望生長善根方便善
巧修行一切波羅蜜多以智慧力無分別心生長善根成就盡智
無量功德雖知諸法無二可生而方便現生雖知衆生情無一實衆生
而方便化導知一切法皆離自性觀諸仏土雖如虛空而能巧便
嚴淨仏土知一切仏法身無像方便示現相好莊嚴隨諸衆生情心
所好樂即能方便而授與之菩薩心雖常寂靜而說諸法化道
衆生情令以巧便遠離喧雜修諸寂定知自性空悉能通達
甚深智慧能以方便為他說法不證聲聞獨覺乘果勤求如來
所證解脫不捨菩薩一切道行善男子是名菩薩自所行道曼殊室利時
精進力從彼如來聞說菩薩所行境界得未曾有即復白言聞仏
言希有世尊如我解仏所說義者菩薩具足方便善巧觀一切法
無非是道譬如虛空含容衆色如是菩薩具大方便所行之道
攝一切法又如虛空一切草木花菓香樹因之生長如是諸物不離
空界不能殊淨不令歡喜如是菩薩具大方便甚深般若波羅蜜
多觀一切法皆悉是道謂與生故若聲聞法若獨覺法若菩薩法若

言希有世尊如我解佛所說義者菩薩具是方便善巧觀一切法
無非是道譬如虛空含容衆色如是菩薩具大方便所行之道
攝一切法又如虛空一切草木花菓香樹因之生長如是諸物於虛
空界不能染淨不令瞋喜如是菩薩具大方便甚深般若波羅蜜
多觀一切法皆悉是道謂異生法若聲聞法若獨覺法若菩薩法若
染法何以故是諸菩薩所通達故譬如大火若遇草木必无退還是
諸草木皆順益火發其光明如是諸法無不皆順菩薩道故是菩薩
道譬如金剛自體堅密刀不能斫火不能燒水不能爛毒不能
損如是菩薩方便智慧獨覺聲聞及諸外道一切煩惱所不能
壞如水清珠能清濁水如是菩薩甚深般若波羅蜜多能使有
情一切煩惱悉得清淨譬如良藥妙寶神珠毒不共居能消
衆毒如是菩薩深般若波羅蜜多方便善巧不與一切煩惱共居
而能斷滅一切煩惱以是因緣所說諸法皆是菩薩摩訶薩道曼
殊室利彼精進力說是法時八千菩薩俱發無上正等覺心二
百菩薩得無生忍曼殊室利彼精進力即是今者寬勝天王
爾時曼殊室利菩薩復白佛言世尊云何諸菩薩摩訶薩行深般
若波羅蜜多得堅固力護持正法佛告曼殊室利菩薩言善男
子若菩薩摩訶薩寧棄身命不捨正法於他謙下不起憍慢
卑賤恥辱其心能忍飢渴有情施將飲食在危難者能
施無畏於諸疾病如法療治貧乏有情令豐財寶諸佛靈廟
修建嚴飾與之掩過善者先揚惡者有情則施安樂是菩
薩摩訶薩行深般若波羅蜜多得堅固力護持正法曼殊室利
復白佛言世尊云何諸菩薩摩訶薩行深般若波羅蜜多能調伏
心佛告曼殊室利菩薩言善男子若菩薩摩訶薩行深般若波羅
蜜多不顧他過先思己過以心性調直離諂曲行不自矜高意常寂
定是菩薩摩訶薩能調伏心曼殊室利復白佛言若菩薩摩訶薩
行深般若波羅蜜多能調伏心當生何趣佛告曼殊室利菩薩言
善男子若菩薩摩訶薩行深般若波羅蜜多能調伏心或生天上

BD00168號　般若第分中略集義　　（14–11）

審之不顛倒先思後行心性調直離諂曲行不自矜高意常集
更是菩薩摩訶薩能調伏心曼殊室利復白佛言若菩薩摩訶薩
行深般若波羅蜜多能調伏心當生何趣佛告曼殊室利菩薩言
善男子若菩薩摩訶薩行深般若波羅蜜多能調伏心或生天上
或生人中若生天上則為帝釋或作梵王堪忍界主生人趣
作轉輪王或作餘王長者居士天上人中常得值佛是菩薩摩訶
薩行深般若波羅蜜多能調伏心生如是趣曼殊室利復白
佛言世尊正信流出何法佛告曼殊室利菩薩正信流出乃真
善友世尊多聞流出何法佛言多聞流出妙慧世尊布施
流出何法佛言布施流出大富世尊淨戒流出何法佛言淨戒
流出善趣世尊安忍流出何法佛言安忍流出容受一切有情
世尊精進流出何法佛言精進流出能辦一切佛法世尊靜慮
流出何法佛言靜慮流出遠離一切散動世尊般若流出何法
佛言般若流出遠離一切煩惱世尊聽法流出何法佛言聽法
流出遠離一切疑網世尊正問流出何法佛言正問流出於法決
定妙智世尊居靜流出何法佛言居靜流出勝定及諸神通
世尊正修流出何法佛言正修流出最道世尊無常聲流出何
法佛言無常聲流出於境無所攝護世尊苦聲流出何法
佛言苦聲流出無生世尊無我聲流出何法佛言無我聲
流出棄除我所執世尊空聲流出何法佛言空聲流出寂靜
世尊正念流出何法佛言正念流出聖見世尊多心遠離流出何法
佛言多心遠離流出一切妙定之神通世尊聖道流出何法佛言聖
道流出聖果世尊勝解流出何法佛言勝解流出成就一切解
脫世尊佛生流出何法佛言佛生流出一切種子爾時寬孫
前白佛言云何佛生佛告寬孫初發無上正等覺心世尊
云何而發無上正等覺心佛言大王如來大悲世尊云何聖
大悲佛言不捨一切有情世尊云何不捨有情佛言應知
不捨三寶世尊雖能不捨三寶佛言一切無貪皆不等

復世尊從生死出何法佛言從生死出一切菩提分法尒時寶孫
前白佛言云何佛生從告寶孫如發無上正等覺心世尊
云何而發無上正等覺心佛言天王如來大悲世尊云何聖
大悲佛言不捨一切有情世尊云何不捨有情佛言應如
不捨三寶世尊雖能不捨三寶佛言一切無煩惱者尒時
寶孫從白佛言甚奇世尊希有善逝諸佛秘密甚深微妙
雖說法空無生無滅本來寂靜而不破壞善惡業果遠離
斷常世尊頗有有情聞如是法不起敬信生毀謗不佛言亦
有世尊如是有情曾過去世修行善業得受人身由近惡友
於甚深般若波羅蜜多法不能敬信生毀謗心則爲辜負
過去善業諸佛見法實爲深重假使有人以己肉血供養諸
佛亦不能報如佛見故我等今者增長善根得大法樂住大
自在天人恭敬世尊諸菩薩摩訶薩行深般若波羅蜜多應
知佛見親近善友當勤修行佛復說是法時衆中二万五千
菩薩得無生忍四万五千諸天人衆俱發無上正等覺心一万二
千諸天子衆遠塵離垢生淨法眼

般若第分中略集義一卷

BD00168號　般若第分中略集義　（14–13）

過去善業諸佛見法寶爲深重假使多人以己肉血供養諸
佛宗不能報以佛見故我等今者增長善根得大法樂住大
自在天人衆故世尊諸菩薩摩訶薩〃深般若波羅蜜多應
知佛見親近善友當勤修行說佛復說是法時衆中二万五千
菩薩得無生忍四万五千諸天人衆俱發無上正等覺心一万二
千諸天子衆遠塵離垢生淨法眼

般若第分中略集義一卷

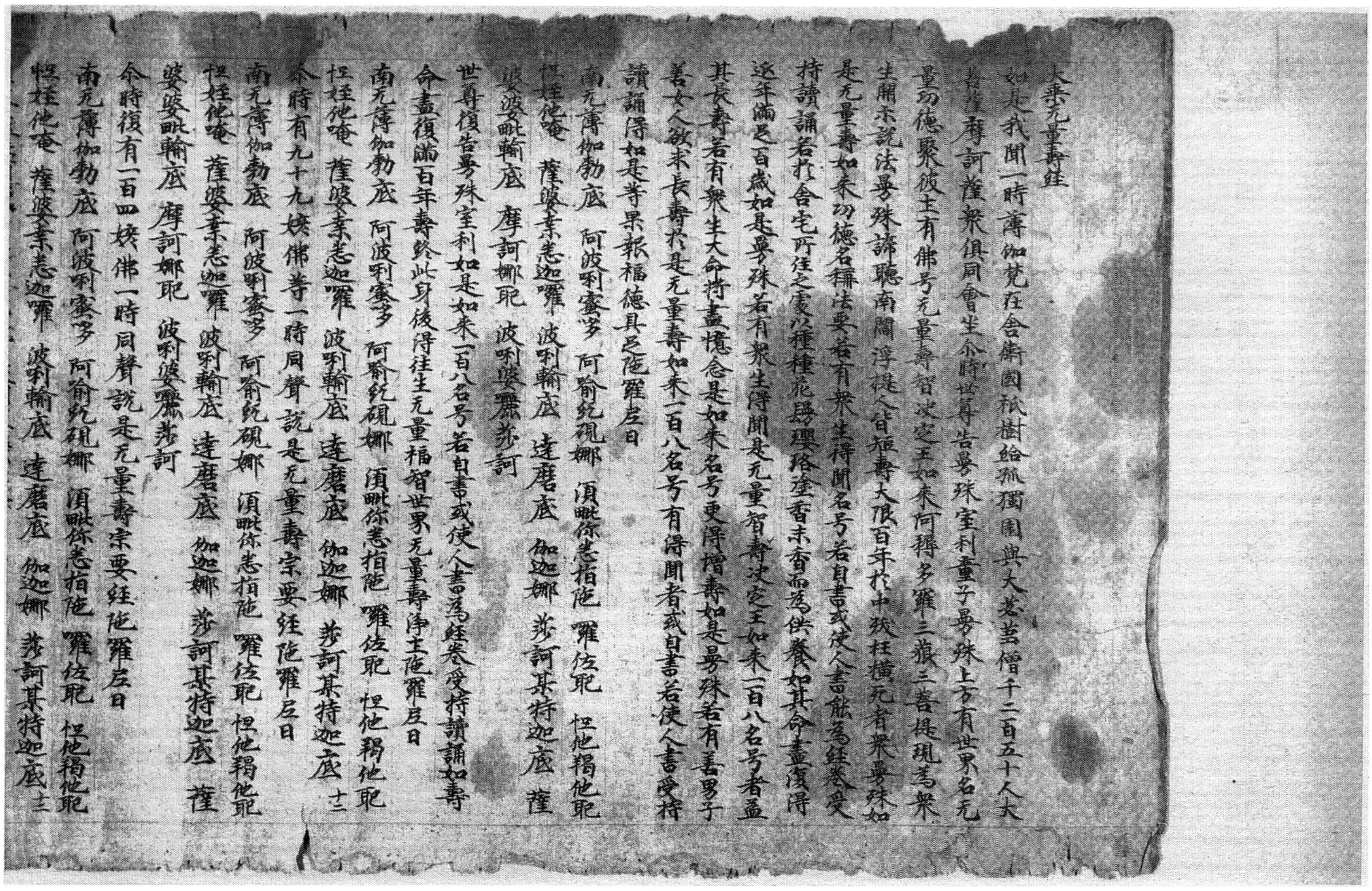
大乘无量壽経
如是我聞一時薄伽梵在舍衛國秖樹給孤獨園與大苾芻僧千二百五十人大
菩薩摩訶薩衆俱同會坐尒時世尊告曼殊室利童子曼殊上方有世界名无
量功徳聚彼土有佛号无量壽智决定王如來阿耨多羅三藐三菩提現為衆
生開示說法曼殊諦聽南閻浮提人皆短壽大限百年於中夭枉横死者衆曼殊如
是无量壽如來功徳名稱法要若有衆生得聞名号若自書或使人書能為経巻受
持讀誦若於舍宅所住之處以種種花鬘瓔珞塗香末香而為供養如其命盡復得
延年滿足百歲如是曼殊若有衆生得聞是无量智壽决定王如來一百八名号者益
其長壽若有衆生大命將盡憶念是如來名号更得增壽如是曼殊若有善男子
善女人欲求長壽於是无量壽如來一百八名号有得聞者或自書若使人書受持
讀誦得如是等果報福徳具足陁羅尼日
南无薄伽勃底　阿波唎蜜多　阿喻紇硯娜　須毗你恙指陁　囉佐耶　怛他羯他耶
怛姪他唵　薩婆桒悉迦囉　波唎輸底　達磨底　伽迦娜　莎訶某特迦底　薩
婆婆毗輸底　摩訶娜耶　波唎婆嚹莎訶
世尊復告曼殊室利如是如來一百八名号若自書或使人書為経巻受持讀誦如壽
命盡復滿百年壽終此身後得往生无量福智世界无量壽淨土陁羅尼日
南无薄伽勃底　阿波唎蜜多　阿喻紇硯娜　須毗你恙指陁　囉佐耶　怛他羯他耶
怛姪他唵　薩婆桒悉迦囉　波唎輸底　達磨底　伽迦娜　莎訶某特迦底　十二
尒時有九十九姟佛等一時同聲說是无量壽宗要経陁羅尼日
南无薄伽勃底　阿波唎蜜多　阿喻紇硯娜　須毗你恙指陁　囉佐耶　怛他羯他耶
怛姪他唵　薩婆桒悉迦囉　波唎輸底　達磨底　伽迦娜　莎訶某特迦底　薩
婆婆毗輸底　摩訶娜耶　波唎婆嚹莎訶
尒時復有一百四姟佛一時同聲說是无量壽宗要経陁羅尼日
南无薄伽勃底　阿波唎蜜多　阿喻紇硯娜　須毗你恙指陁　囉佐耶　怛他羯他耶
怛姪他唵　薩婆桒悉迦囉　波唎輸底　達磨底　伽迦娜　莎訶某特迦底　十三

BD00169 號　無量壽宗要經

（6–1）

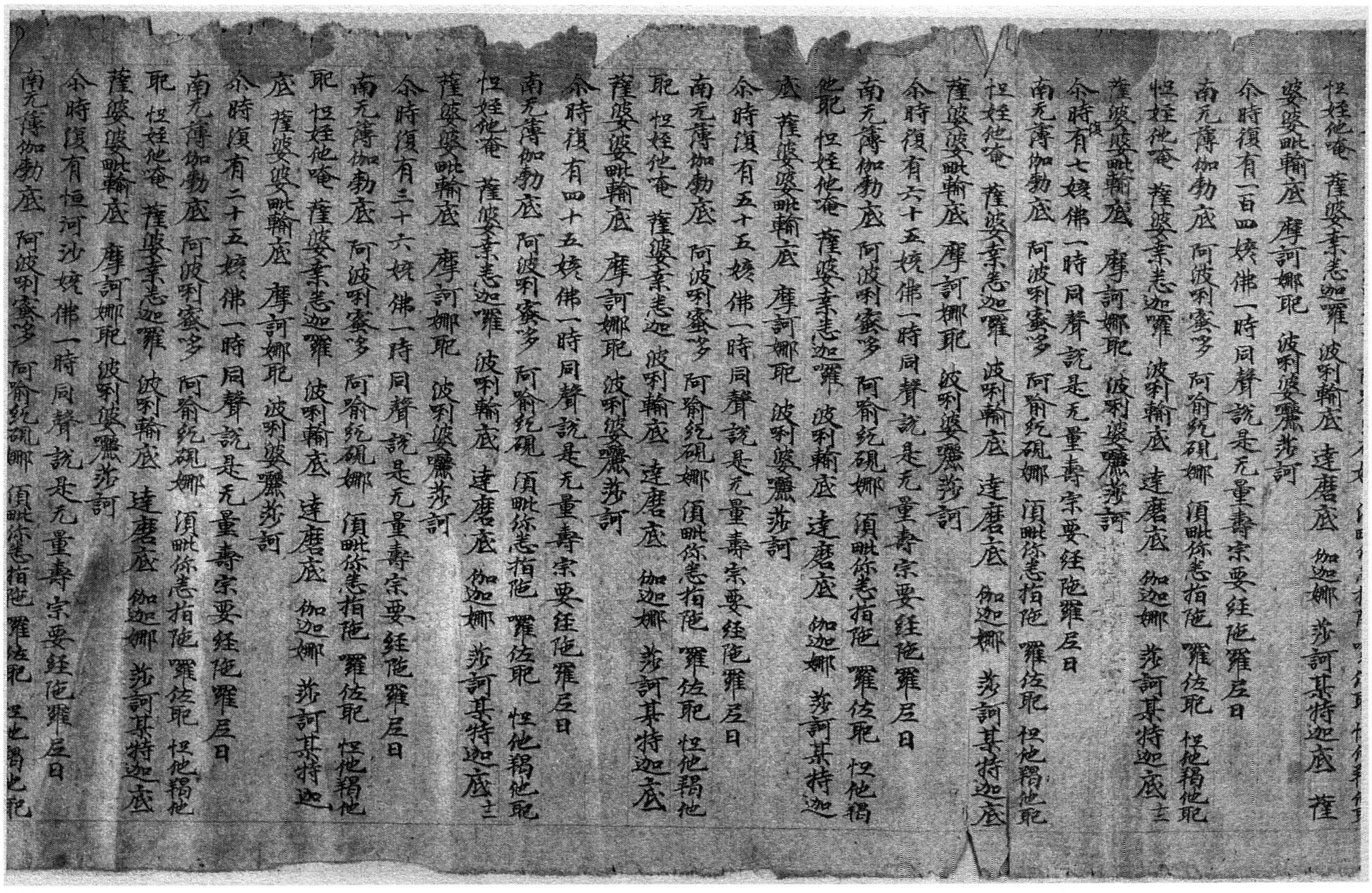
怛姪他唵　薩婆桒悉迦囉　波唎輸底　達磨底　伽迦娜　莎訶某特迦底　薩
婆婆毗輸底　摩訶娜耶　波唎婆嚹莎訶
尒時復有一百四姟佛一時同聲說是无量壽宗要経陁羅尼日
南无薄伽勃底　阿波唎蜜多　阿喻紇硯娜　須毗你恙指陁　囉佐耶　怛他羯他耶
怛姪他唵　薩婆桒悉迦囉　波唎輸底　達磨底　伽迦娜　莎訶某特迦底　十三
薩婆婆毗輸底　摩訶娜耶　波唎婆嚹莎訶
尒時復有七姟佛一時同聲說是无量壽宗要経陁羅尼日
南无薄伽勃底　阿波唎蜜多　阿喻紇硯娜　須毗你恙指陁　囉佐耶　怛他羯他耶
怛姪他唵　薩婆桒悉迦囉　波唎輸底　達磨底　伽迦娜　莎訶某特迦底
薩婆婆毗輸底　摩訶娜耶　波唎婆嚹莎訶
尒時復有六十五姟佛一時同聲說是无量壽宗要経陁羅尼日
南无薄伽勃底　阿波唎蜜多　阿喻紇硯娜　須毗你恙指陁　囉佐耶　怛他羯
他耶　怛姪他唵　薩婆桒悉迦囉　波唎輸底　達磨底　伽迦娜　莎訶某特迦
底　薩婆婆毗輸底　摩訶娜耶　波唎婆嚹莎訶
尒時復有五十五姟佛一時同聲說是无量壽宗要経陁羅尼日
南无薄伽勃底　阿波唎蜜多　阿喻紇硯娜　須毗你恙指陁　囉佐耶　怛他羯他
耶　怛姪他唵　薩婆桒悉迦　波唎輸底　達磨底　伽迦娜　莎訶某特迦底
薩婆婆毗輸底　摩訶娜耶　波唎婆嚹莎訶
尒時復有四十五姟佛一時同聲說是无量壽宗要経陁羅尼日
南无薄伽勃底　阿波唎蜜多　阿喻紇硯娜　須毗你恙指陁　囉佐耶　怛他羯他耶
怛姪他唵　薩婆桒悉迦囉　波唎輸底　達磨底　伽迦娜　莎訶某特迦底　十三
薩婆婆毗輸底　摩訶娜耶　波唎婆嚹莎訶
尒時復有三十六姟佛一時同聲說是无量壽宗要経陁羅尼日
南无薄伽勃底　阿波唎蜜多　阿喻紇硯娜　須毗你恙指陁　囉佐耶　怛他羯他
耶　怛姪他唵　薩婆桒悉迦囉　波唎輸底　達磨底　伽迦娜　莎訶某特迦
底　薩婆婆毗輸底　摩訶娜耶　波唎婆嚹莎訶
尒時復有二十五姟佛一時同聲說是无量壽宗要経陁羅尼日
南无薄伽勃底　阿波唎蜜多　阿喻紇硯娜　須毗你恙指陁　囉佐耶　怛他羯他
耶　怛姪他唵　薩婆桒悉迦囉　波唎輸底　達磨底　伽迦娜　莎訶某特迦底
薩婆婆毗輸底　摩訶娜耶　波唎婆嚹莎訶
尒時復有恒河沙姟佛一時同聲說是无量壽宗要経陁羅尼日
南无薄伽勃底　阿波唎蜜多　阿喻紇硯娜　須毗你恙指陁　囉佐耶　怛他羯他耶

BD00169 號　無量壽宗要經

（6–2）

尒時復有二十五殑佛一時同聲說是无量壽宗要經陀羅尼曰
南无薄伽勃底 阿波唎蜜多 阿喻紇硯娜 須毗你悉指陀 囉佐耶 怛他羯他
耶 怛姪他唵 薩婆桑悉迦囉 波唎輸底 達磨底 伽迦娜 莎訶某持迦底
薩婆婆毗輸底 摩訶娜耶 波唎婆嚩莎訶
尒時復有恒河沙殑佛一時同聲說是无量壽宗要經陀羅尼曰
南无薄伽勃底 阿波唎蜜多 阿喻紇硯娜 須毗你悉指陀 囉佐耶 怛他羯他耶
怛姪他唵 薩婆桑悉迦囉 波唎輸底 達磨底 伽迦娜 莎訶某持迦底 薩婆
婆婆毗輸底 摩訶娜耶 波唎婆嚩莎訶
善男子若有自書寫教人書寫是无量壽宗要經如其命盡復得長壽而滿百年陀羅尼曰
南无薄伽勃底 阿波唎蜜多 阿喻紇硯娜 須毗你悉指陀 囉佐耶 怛他羯他耶 怛姪
他唵 薩婆桑悉迦囉 波唎輸底 達磨底 伽迦娜 莎訶某持迦底 薩婆婆毗
輸底 摩訶娜耶 波唎婆嚩莎訶
若有自書寫教人書寫是无量壽宗要經讀誦受持畢竟不墮地獄在在所
生得宿命智陀羅尼曰
南无薄伽勃底 阿波唎蜜多 阿喻紇硯娜 須毗你悉指陀 囉佐耶 怛他羯他耶
怛姪他唵 薩婆桑悉迦囉 波唎輸底 達磨底 伽迦娜 莎訶某持迦底 十二
薩婆婆毗輸底 摩訶娜耶 波唎婆嚩莎訶
若有自書寫教人書寫是无量壽宗要經受持讀誦如同書寫八万四千一切經典陀羅尼曰
南无薄伽勃底 阿波唎蜜多 阿喻紇硯娜 須毗你悉指陀 囉佐耶 怛他羯他耶 怛
姪他唵 薩婆桑悉迦囉 波唎輸底 達磨底 伽迦娜 莎訶某持迦底 薩婆
婆毗輸底 摩訶娜耶 波唎婆嚩莎訶
若有自書寫教人書寫是无量壽宗要經即是書寫八万四千部經建立塔廟陀羅尼曰
南无薄伽勃底 阿波唎蜜多 阿喻紇硯娜 須毗你悉指陀 囉佐耶 怛他羯他耶 怛
姪他唵 薩婆桑悉迦囉 波唎輸底 達磨底 伽迦娜 莎訶某持迦底 薩婆
婆毗輸底 摩訶娜耶 波唎婆嚩莎訶
若有自書寫教人書寫是无量壽宗要經能消五无間等一切重罪陀羅尼曰
南无薄伽勃底 阿波唎蜜多 阿喻紇硯娜 須毗你悉指陀 囉佐耶 怛他羯他耶
怛姪他唵 薩婆桑悉迦囉 波唎輸底 達磨底 伽迦娜 莎訶某持迦底 十一
薩婆婆毗輸底 摩訶娜耶 波唎婆嚩莎訶
若有自書寫教人書寫是无量壽宗要經受持讀誦設有重罪猶如須弥盡能除滅
陀羅尼曰
南无薄伽勃底 阿波唎蜜多 阿喻紇硯娜 須毗你悉指陀 囉佐耶 怛他羯他耶

BD00169 號　無量壽宗要經　　（6–3）

南无薄伽勃底 阿波唎蜜多 阿喻紇硯娜 須毗你悉指陀 囉佐耶 怛他羯他耶
怛姪他唵 薩婆桑悉迦囉 波唎輸底 達磨底 伽迦娜 莎訶某持迦底 十一
薩婆婆毗輸底 摩訶娜耶 波唎婆嚩莎訶
若有自書寫教人書寫是无量壽宗要經受持讀誦設有重罪猶如須弥盡能除滅
陀羅尼曰
南无薄伽勃底 阿波唎蜜多 阿喻紇硯娜 須毗你悉指陀 囉佐耶 怛他羯他耶
怛姪他唵 薩婆桑悉指迦囉 波唎輸底 達磨底 伽迦娜 莎訶某持迦底
薩婆婆毗輸底 摩訶娜耶 波唎婆嚩莎訶
若有自書寫教人書寫是无量壽宗要經受持讀誦若魔子之眷屬夜叉
羅刹不得其便終无枉死陀羅尼曰
南无薄伽勃底 阿波唎蜜多 阿喻紇硯娜 須毗你悉指陀 囉佐耶 怛他羯他耶
怛姪他唵 薩婆桑悉迦囉 波唎輸底 達磨底 伽迦娜 莎訶某持迦底 薩
婆婆毗輸底 摩訶娜耶 波唎婆嚩莎訶
若有自書寫教人書寫是无量壽宗要經受持讀誦當命終時有九十九殑佛現
其人前蒙千佛授手能遊一切佛刹莫於此經生於疑惑陀羅尼曰
南无薄伽勃底 阿波唎蜜多 阿喻紇硯娜 須毗你悉指陀 囉佐耶 怛他羯他耶 六
怛姪他唵 薩婆桑悉迦囉 波唎輸底 達磨底 伽迦娜 莎訶某持迦底 薩婆
婆毗輸底 摩訶娜耶 波唎婆嚩莎訶
若有自書寫教人書寫是无量壽宗要經受持讀誦常得四天王隨其衛護陀羅尼曰
南无薄伽勃底 阿波唎蜜多 阿喻紇硯娜 須毗你悉指陀 囉佐耶 怛他羯他耶
怛姪他唵 薩婆桑悉迦囉 波唎輸底 達磨底 伽迦娜 莎訶某持迦底 薩
婆婆毗輸底 摩訶娜耶 波唎婆嚩莎訶
若有自書寫教人書寫是无量壽宗要經受持讀誦當得往生西方極樂世界
阿弥陀淨土陀羅尼曰
南无薄伽勃底 阿波唎蜜多 阿喻紇硯娜 須毗你悉指陀 囉佐耶 怛他羯他耶
怛姪他唵 薩婆桑悉迦囉 波唎輸底 達磨底 伽迦娜 莎訶某持迦底
薩婆婆毗輸底 摩訶娜耶 波唎婆嚩莎訶
若有方所自書寫使人書寫是无量壽經典之處則為是塔皆應恭敬作礼若
是畜生或為鳥獸得聞是經如是等類皆當不久得成一切種智陀羅尼曰
南无薄伽勃底 阿波唎蜜多 阿喻紇硯娜 須毗你悉指陀 囉佐耶 怛他羯他耶
怛姪他唵 薩婆桑悉迦囉 波唎輸底 達磨底 伽迦娜 莎訶某持迦底 薩
婆婆毗輸底 摩訶娜耶 波唎婆嚩莎訶

BD00169 號　無量壽宗要經　　（6–4）

怛姪他唵 薩婆桒悉迦羅 波唎輸底 達磨底 伽迦娜 莎訶其特迦底
薩婆婆毗輸底 摩訶娜耶 波唎婆曬莎訶
若有方所自書寫使人書寫是无量壽經典之處則為是塔皆應恭敬作礼若
是畜生或為鳥獸得聞是經如是等類皆當不久得成一切種智陁羅尼曰
南无薄伽勃底 阿波唎蜜多 阿喻紇硯娜 須毗你悉指陁 囉佐耶 怛他羯他耶
怛姪他唵 薩婆桒悉迦羅 波唎輸底 達磨底 伽迦娜 莎訶其特迦底 薩
婆婆毗輸底 摩訶娜耶 波唎婆曬莎訶
若有於是无量壽經自書寫若使人書畢竟不受女人之身陁羅尼曰
南无薄伽勃底 阿波唎蜜多 阿喻紇硯娜 須毗你悉指陁 囉佐耶 怛他羯他耶
怛姪他唵 薩婆桒悉迦羅 波唎輸底 達磨底 伽迦娜 莎訶其特迦底
薩婆婆毗輸底 摩訶娜耶 波唎婆曬莎訶
若有能於是經少分能惠施者等於三千大千世界滿中七寶布施陁羅尼曰
南无薄伽勃底 阿波唎蜜多 阿喻紇硯娜 須毗你悉指陁 囉佐耶 怛他羯他耶
怛姪他唵 薩婆桒悉迦羅 波唎輸底 達磨底 伽迦娜 莎訶其特迦底 十二
薩婆婆毗輸底 摩訶娜耶 波唎婆曬莎訶
若有能供養是經者則是供養一切諸經等无有異陁羅尼曰
南无薄伽勃底 阿波唎蜜多 阿喻紇硯娜 須毗你悉指陁 囉佐耶 怛他羯他
耶 怛姪他唵 薩婆桒悉迦羅 波唎輸底 達磨底 伽迦娜 莎訶其特迦底
薩婆婆毗輸底 摩訶娜耶 波唎婆曬莎訶
如是毗婆尸佛 尸弃佛 毗舍浮佛 俱留孫佛 俱那含牟尼佛 迦葉佛 釋迦牟尼佛 若有
人以七寶供養如是七佛其福有限書寫受持是无量壽經典所生功德不可限量陁羅尼曰
南无薄伽勃底 阿波唎蜜多 阿喻紇硯娜 須毗你悉指陁 囉佐耶 怛他羯他耶
怛姪他唵 薩婆桒悉迦羅 波唎輸底 達磨底 伽迦娜 莎訶其特迦底 十二
薩婆婆毗輸底 摩訶娜耶 波唎婆曬莎訶
若有七寶等於須弥以用布施其福上能知其限量是无量壽經典其福不可知數陁羅尼曰
南无薄伽勃底 阿波唎蜜多 阿喻紇硯娜 須毗你悉指陁 囉佐耶 怛他羯他耶
怛姪他唵 薩婆桒悉迦羅 波唎輸底 達磨底 伽迦娜 莎訶其特迦底
薩婆婆毗輸底 摩訶娜耶 波唎婆曬莎訶
如是四大海水可知滴數是无量壽經典所生果報不可數量陁羅尼曰
南无薄伽勃底 阿波唎蜜多 阿喻紇硯娜 須毗你悉指陁 囉佐耶 怛他羯他
耶 怛姪他唵 薩婆桒悉迦 波唎輸底 達磨底 伽迦娜 莎訶其特迦底 十三
薩婆婆毗輸底 摩訶娜耶 波唎婆曬莎訶

BD00169 號　無量壽宗要經　（6–5）

薩婆婆毗輸底 摩訶娜耶 波唎婆曬莎訶
如是毗婆尸佛 尸弃佛 毗舍浮佛 俱留孫佛 俱那含牟尼佛 迦葉佛 釋迦牟尼佛 若有
人以七寶供養如是七佛其福有限書寫受持是无量壽經典所生功德不可限量陁羅尼曰
南无薄伽勃底 阿波唎蜜多 阿喻紇硯娜 須毗你悉指陁 囉佐耶 怛他羯他耶
怛姪他唵 薩婆桒悉迦羅 波唎輸底 達磨底 伽迦娜 莎訶其特迦底 十二
薩婆婆毗輸底 摩訶娜耶 波唎婆曬莎訶
若有七寶等於須弥以用布施其福上能知其限量是无量壽經典其福不可知數陁羅尼曰
南无薄伽勃底 阿波唎蜜多 阿喻紇硯娜 須毗你悉指陁 囉佐耶 怛他羯他耶
怛姪他唵 薩婆桒悉迦羅 波唎輸底 達磨底 伽迦娜 莎訶其特迦底
薩婆婆毗輸底 摩訶娜耶 波唎婆曬莎訶
如是四大海水可知滴數是无量壽經典所生果報不可數量陁羅尼曰
南无薄伽勃底 阿波唎蜜多 阿喻紇硯娜 須毗你悉指陁 囉佐耶 怛他羯他
耶 怛姪他唵 薩婆桒悉迦 波唎輸底 達磨底 伽迦娜 莎訶其特迦底 十三
薩婆婆毗輸底 摩訶娜耶 波唎婆曬莎訶
若有自書寫使人書寫是无量壽經典又能護持供養即如恭敬供養一切十
方佛土如來无有別異陁羅尼曰
南无薄伽勃底 阿波唎蜜多 阿喻紇硯娜 須毗你悉指陁 囉佐耶 怛他羯他耶
怛姪他唵 薩婆桒悉迦羅 波唎輸底 達磨底 伽迦娜 莎訶其特迦底 薩婆
婆毗輸底 摩訶娜耶 波唎婆曬莎訶
布施力能成正覺 悟布施力人師子 布施力能聲普聞 慈悲階漸最能入
持戒力能成正覺 悟持戒力人師子 持戒力能聲普聞 慈悲階漸最能入
忍辱力能成正覺 悟忍辱力人師子 忍辱力能聲普聞 慈悲階漸最能入
精進力能成正覺 悟精進力人師子 精進力能聲普聞 慈悲階漸最能入
禪定力能成正覺 悟禪定力人師子 禪定力能聲普聞 慈悲階漸最能入
智慧力能成正覺 悟智慧力人師子 智慧力能聲普聞 慈悲階漸最能入
尒時如來說是經已一切世間天人阿脩羅揵闥婆等聞佛所說皆大
歡喜信受奉行

BD00169 號　無量壽宗要經　（6–6）

須菩提若三千大千世界中所有諸須彌山
王如是等七寶聚有人持用布施若人以此
般若波羅蜜經乃至四句偈等受持讀誦
為他人說於前福德百分不及一百千萬億分
乃至筭數譬喻所不能及
須菩提於意云何汝等勿謂如來作是念我
當度眾生須菩提莫作是念何以故實无有
眾生如來度者若有眾生如來度者如來則
有我人眾生壽者須菩提如來說有我者則
非有我而凡夫之人以為有我須菩提凡夫者
如來說則非凡夫須菩提於意云何可以三
十二相觀如來不須菩提言如是如是以三
十二相觀如來佛言須菩提若以三十二相
觀如來者轉輪聖王則是如來須菩提白
佛言世尊如我解佛所說義不應以三十二
相觀如來尒時世尊而說偈言
若以色見我　以音聲求我　是人行邪道　不能見如來
須菩提汝若作是念如來不以具足相故得
阿耨多羅三藐三菩提須菩提莫作是念如
來不以具足相故得阿耨多羅三藐三菩提
須菩提汝若作是念發阿耨多羅三藐三菩
提者說諸法斷滅相莫作是念何以故發阿

BD00170 號　金剛般若波羅蜜經　（3–1）

須菩提汝若作是念如來不以具足相故得
阿耨多羅三藐三菩提須菩提莫作是念如
來不以具足相故得阿耨多羅三藐三菩提
須菩提汝若作是念發阿耨多羅三藐三菩
提者說諸法斷滅相莫作是念何以故發阿
耨多羅三藐三菩提者於法不說斷滅相須
菩提若菩薩以滿恒河沙等世界七寶布施
若復有人知一切法无我得成於忍此菩薩
勝前菩薩所得功德須菩提以諸菩薩不受
福德故須菩提白佛言世尊云何菩薩不受
福德須菩提菩薩所作福德不應貪著是
故說不受福德須菩提若有人言如來若來
若去若坐若卧是人不解我所說義何以故
如來者无所從來亦无所去故名如來
須菩提若善男子善女人以三千大千世界
碎為微塵於意云何是微塵眾寧為多不
甚多世尊何以故若是微塵眾實有者佛
則不說是微塵眾所以者何佛說微塵眾則
非微塵眾是名微塵眾世尊如來所說三千
大千世界則非世界是名世界何以故若世界實
有者則是一合相如來說一合相則非一合相
是名一合相須菩提一合相者則是不可說但
凡夫之人貪著其事須菩提若人言佛說我
見人見眾生見壽者見須菩提於意云何是
人解我所說義不世尊是人不解如來所說義

BD00170 號　金剛般若波羅蜜經　（3–2）

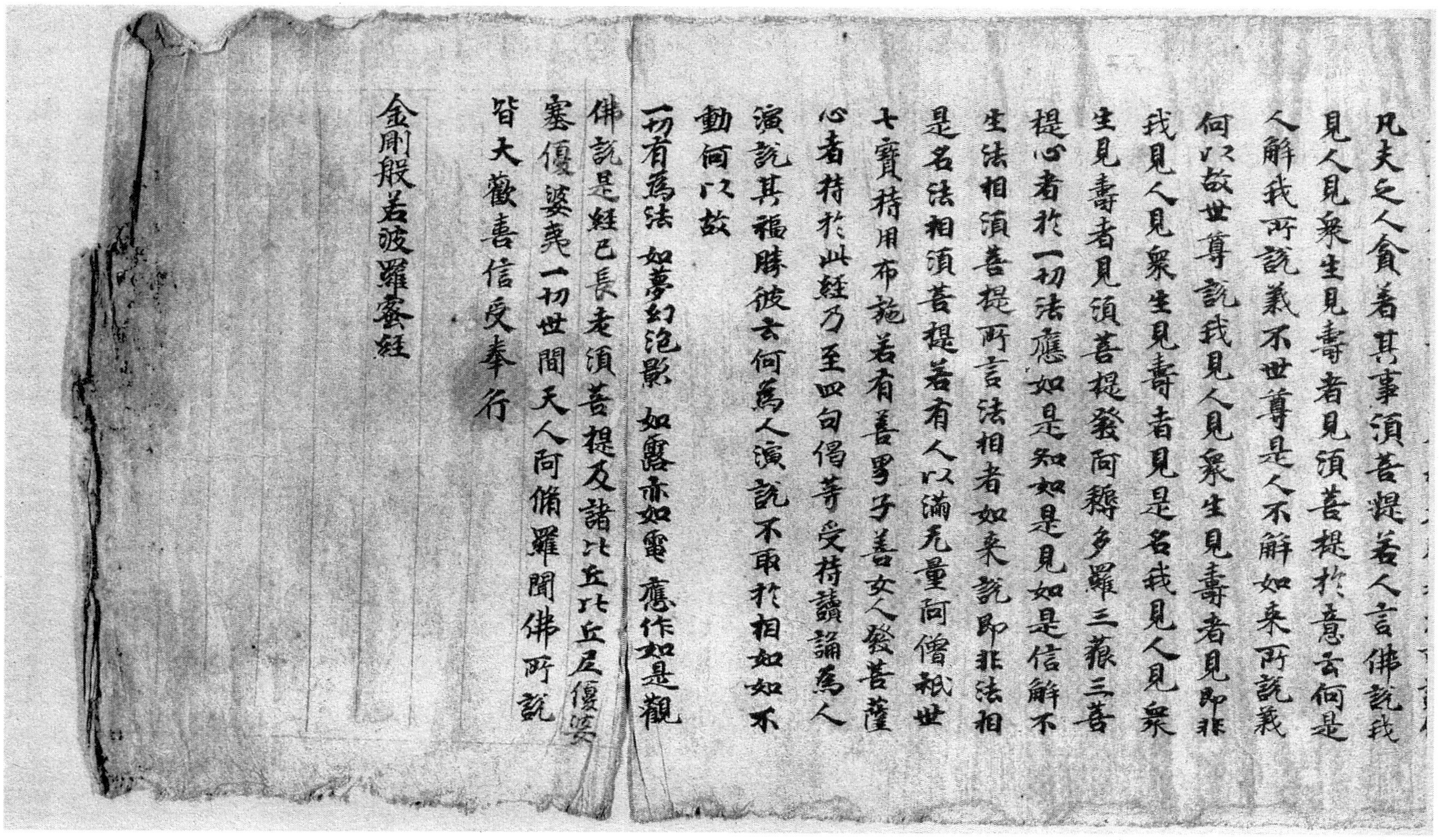
凡夫之人貪著其事須菩提若人言佛說我
見人見衆生見壽者見須菩提於意云何是
人解我所說義不世尊是人不解如來所說義
何以故世尊說我見人見衆生見壽者見即非
我見人見衆生見壽者見是名我見人見衆
生見壽者見須菩提發阿耨多羅三藐三菩
提心者於一切法應如是知如是見如是信解不
生法相須菩提所言法相者如來說即非法相
是名法相須菩提若有人以滿无量阿僧祇世
七寶持用布施若有善男子善女人發菩薩
心者持於此經乃至四句偈等受持讀誦爲人
演說其福勝彼云何爲人演說不取於相如如不
動何以故
一切有爲法　如夢幻泡影　如露亦如電　應作如是觀
佛說是經已長老須菩提及諸比丘比丘尼優婆
塞優婆夷一切世間天人阿脩羅聞佛所說
皆大歡喜信受奉行
金剛般若波羅蜜經

BD00170號　金剛般若波羅蜜經

（3–1）

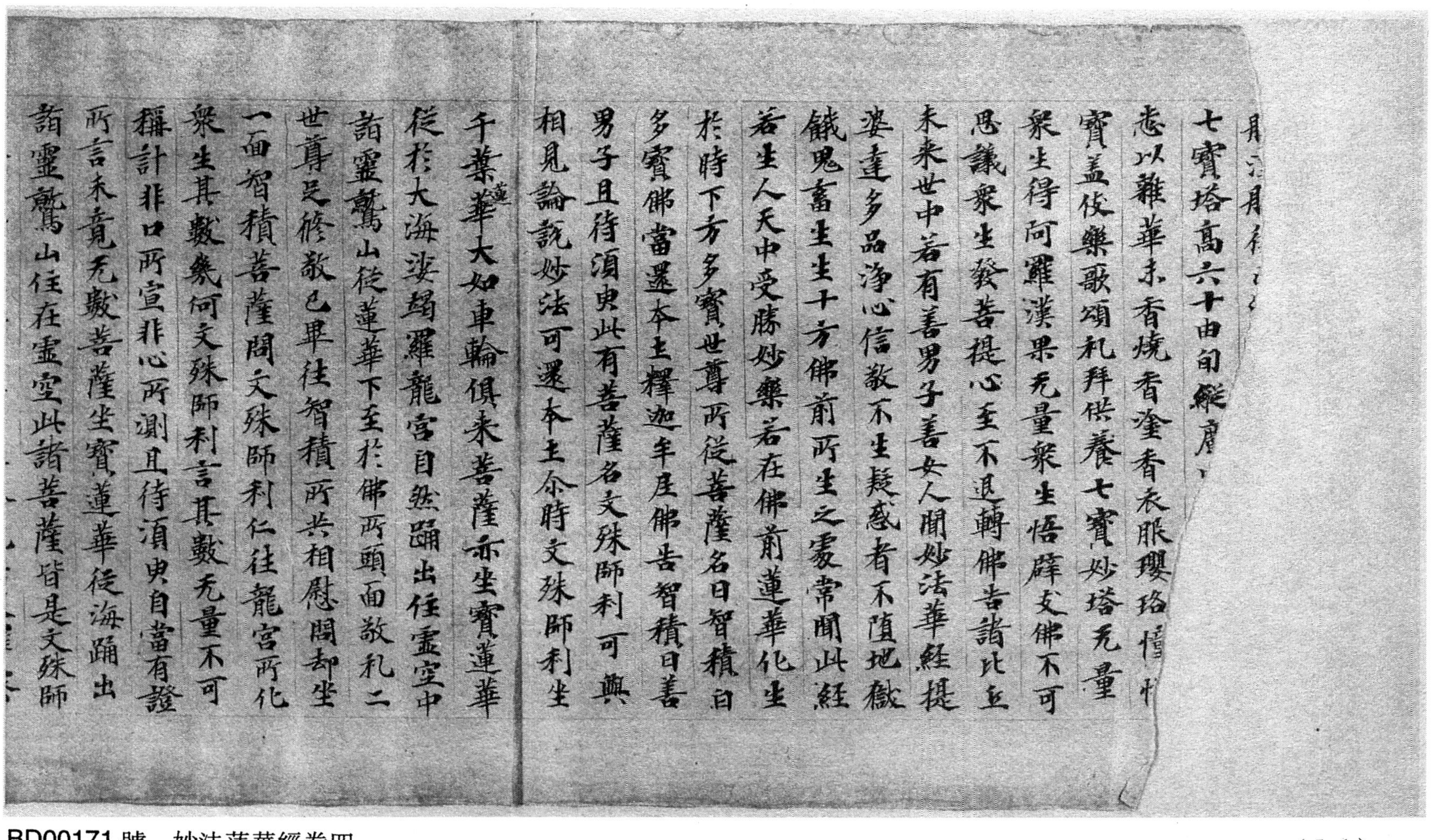
七寶塔高六十由旬縱廣
悉以雜華末香燒香塗香衣服瓔珞幢幡
寶蓋伎樂歌頌禮拜供養七寶妙塔无量
衆生得阿羅漢果无量衆生悟辟支佛不可
思議衆生發菩提心至不退轉佛告諸比丘
未來世中若有善男子善女人聞妙法華經提
婆達多品淨心信敬不生疑惑者不墮地獄
餓鬼畜生生十方佛前所生之處常聞此經
若生人天中受勝妙樂若在佛前蓮華化生
於時下方多寶世尊所從菩薩名曰智積白
多寶佛當還本土釋迦牟尼佛告智積曰善
男子且待須臾此有菩薩名文殊師利可與
相見論說妙法可還本土尒時文殊師利坐
千葉蓮華大如車輪俱來菩薩亦坐寶蓮華
從於大海娑竭羅龍宮自然踊出住虛空中
詣靈鷲山從蓮華下至於佛所頭面敬禮二
世尊足修敬已畢往智積所共相慰問却坐
一面智積菩薩問文殊師利仁往龍宮所化
衆生其數幾何文殊師利言其數无量不可
稱計非口所宣非心所測且待須臾自當有證
所言未竟无數菩薩坐寶蓮華從海踊出
詣靈鷲山住在虛空此諸菩薩皆是文殊師

BD00171號　妙法蓮華經卷四

（5–1）

衆生其數幾何文殊師利言其數无量不可
稱計非口所宣非心所測且待須臾自當有證
所言未竟无數菩薩坐寶蓮華從海踊出
詣靈鷲山住在虛空此諸菩薩皆是文殊師
利之所化度具菩薩行皆共論說六波羅蜜
本聲聞人在虛空中說聲聞行今皆脩行大
乘空義文殊師利謂智積曰於海教化其
事如是尒時智積菩薩以偈讚曰
大智德勇健　化度无量衆　今此諸大會　及我皆已見
演暢實相義　開闡一乘法　廣度諸衆生　令速成菩提
文殊師利言我於海中唯常宣說妙法華經
智積問文殊師利言此經甚深微妙諸經中
寶世所希有頗有衆生懃加精進脩行此經
速得佛不文殊師利言有娑竭羅龍王女年
始八歲智慧利根善知衆生諸根行業得陁
羅尼諸佛所說甚深秘藏悉能受持深入禪
定了達諸法於剎那頃發菩提心得不退轉
辯才无导慈念衆生猶如赤子功德具足心
念口演微妙廣大慈悲仁讓志意和雅能至
菩提智積菩薩言我見釋迦如來於无量劫
難行苦行積功累德求菩提道未曾止息觀
三千大千世界乃至无有如芥子許非是菩
薩捨身命處為衆生故然後乃得成菩提道
不信此女於須臾頃便成正覺言論未訖時龍
王女忽現於前頭面礼敬却住一面以偈讚曰
深達罪福相　遍照於十方　微妙淨法身　具三十二相

BD00171號　妙法蓮華經卷四　（5–2）

薩捨身命處為衆生故然後乃得成菩提道
不信此女於須臾頃便成正覺言論未訖時龍
王女忽現於前頭面礼敬却住一面以偈讚曰
深達罪福相　遍照於十方　微妙淨法身　具三十二相
以八十種好　用莊嚴法身　天人所戴仰　龍神咸恭敬
一切衆生類　无不宗奉者　又聞成菩提　唯佛當證知
我闡大乘教　度脫苦衆生
時舍利弗龍女言汝謂不久得无上道是事難
信所以者何女身垢穢非是法器云何能得
无上菩提佛道懸曠經无量劫懃苦積行
具脩諸度然後乃成又女人身猶有五障一
者不得作梵天王二者帝釋三者魔王四者
轉輪聖王五者佛身云何女身速得成佛尒
時龍女有一寶珠價直三千大千世界持以
上佛佛即受之龍女謂智積菩薩尊者舍利
弗言我獻寶珠世尊納受是事疾不荅言甚
疾女言以汝神力觀我成佛復速於此當時衆
會皆見龍女忽然之間變成男子具菩薩行
即往南方无垢世界坐寶蓮華成等正覺三
十二相八十種好普為十方一切衆生演說妙
法尒時娑婆世界菩薩聲聞天龍八部人與
非人皆遙見彼龍女成佛普為時會人天
說法心大歡喜悉遙敬礼无量衆生聞法解
悟得不退轉无量衆生得受道記无垢世界
六反震動娑婆世界三千衆生住不退地三千
衆生發菩提心而得受記智積菩薩及舍利

BD00171號　妙法蓮華經卷四　（5–3）

非人皆遥見彼龍女成佛普爲時會人天
説法心大歡喜悉遥敬礼无量衆生聞法解
悟得不退轉无量衆生得受道記无垢世界
六反震動娑婆世界三千衆生住不退地三千
衆生發菩提心而得受記智積菩薩及舍利
弗一切衆會默然信受

妙法蓮華經勸持品第十三

尒時藥王菩薩摩訶薩及大樂説菩薩摩訶
薩與二万菩薩眷屬倶皆於佛前作是誓言
唯願世尊不以爲慮我等於佛滅後當奉持
讀誦説此經典後惡世衆生善根轉少多增
上慢貪利供養增不善根遠離解脱雖難
可教化我等當起大忍力讀誦此經持説書
寫種種供養不惜身命尒時衆中五百阿羅
漢授記者白佛言世尊我等亦自誓願於異
國土廣説此經復有學无學八千人得授
記者從座而起合掌向佛作是誓言世尊我等
亦當於他國土廣説此經所以者何是娑婆
國中人多弊惡懷增上慢功德淺薄瞋濁諂
曲心不實故尒時姨母摩訶波闍波提比丘
尼與學无學比丘尼六千人倶從座而起一
心合掌瞻仰尊顔目不暫捨於時世尊告
憍曇弥何故憂色而視如來汝心將无謂我
不説汝名授阿耨多羅三藐三菩提記耶憍
曇弥我先惣説一切聲聞皆已授記今汝欲
知記者將來之世當於六万八千億諸佛法中

BD00171號　妙法蓮華經卷四　（5–4）

記者從座而起合掌向佛作是誓言世尊我等
亦當於他國土廣説此經所以者何是娑婆
國中人多弊惡懷增上慢功德淺薄瞋濁諂
曲心不實故尒時姨母摩訶波闍波提比丘
尼與學无學比丘尼六千人倶從座而起一
心合掌瞻仰尊顔目不暫捨於時世尊告
憍曇弥何故憂色而視如來汝心將无謂我
不説汝名授阿耨多羅三藐三菩提記耶憍
曇弥我先惣説一切聲聞皆已授記今汝欲
知記者將來之世當於六万八千億諸佛法中
爲大法師及六千學无學比丘尼倶爲法師
汝如是漸漸具菩薩道當得作佛号一切
衆生憙見如來應供正遍知明行足善逝世
間解无上士調御丈夫天人師佛世尊憍曇
弥是一切衆生憙見佛及六千菩薩轉次授
記得阿耨多羅三藐三菩提尒時羅睺羅母
耶輸陀羅比丘尼作是念世尊於授記中獨
不説我名佛告耶輸陀羅汝於來世百千万
億諸佛法中脩菩薩行爲大法師漸具佛道
於善國中當得作佛号具足千万光相如來

BD00171號　妙法蓮華經卷四　（5–5）

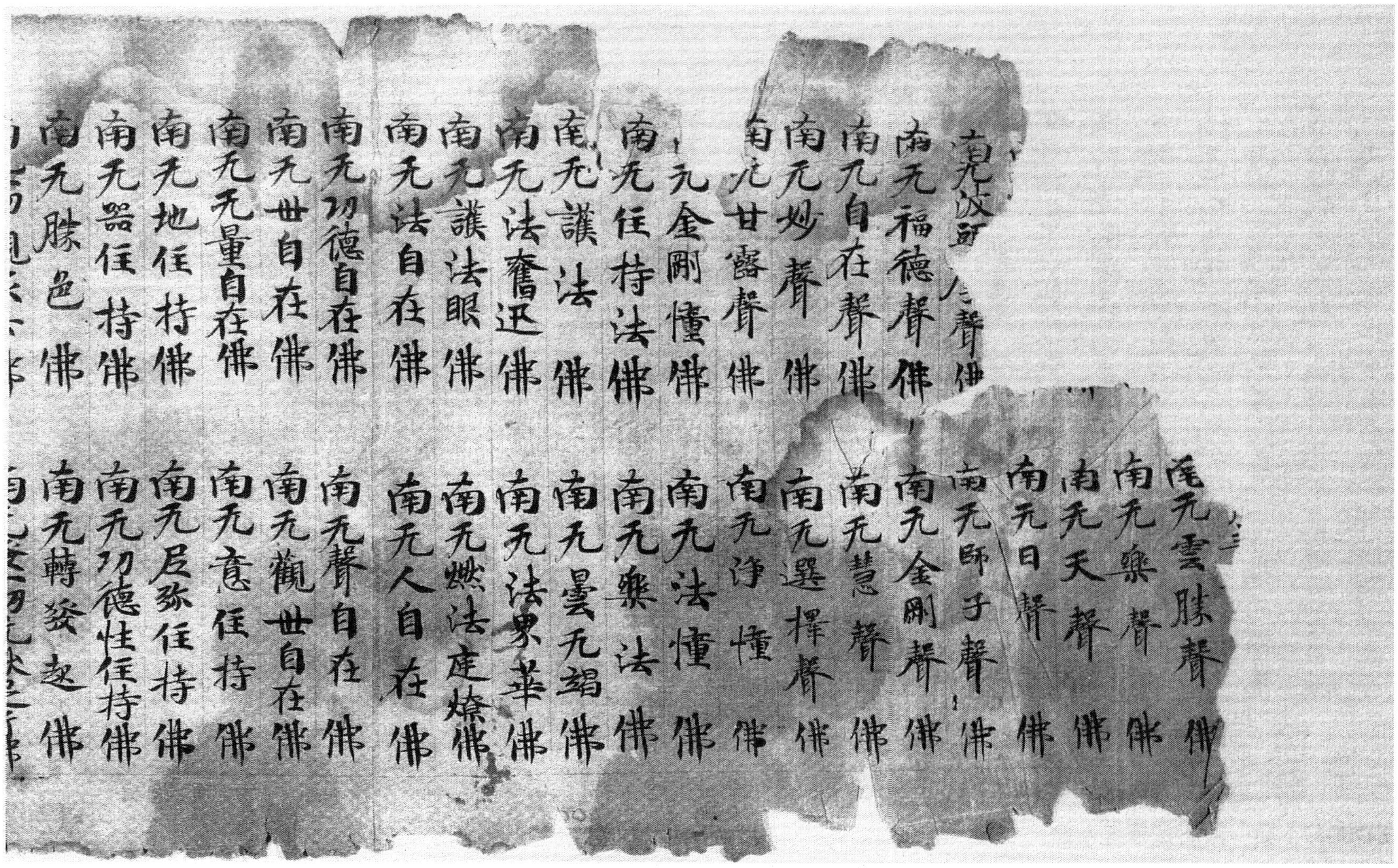

□无波頭□聲佛　南无雲勝聲佛
南无福德聲佛　南无樂聲佛
南无自在聲佛　南无天聲佛
南无妙聲佛　南无日聲佛
南无甘露聲佛　南无師子聲佛
□无金剛幢佛　南无金剛聲佛
南无任持法佛　南无慧聲佛
南无讃法佛　南无選擇聲佛
南无法奮迅佛　南无淨幢佛
南无讃法眼佛　南无法幢佛
南无法自在佛　南无樂法佛
南无功德自在佛　南无曇无竭佛
南无世自在佛　南无法界華佛
南无无量自在佛　南无燃法庭燎佛
南无地任持佛　南无人自在佛
南无器任持佛　南无聲自在佛
南无勝色佛　南无觀世自在佛
南无意任持佛
南无尼弥任持佛
南无功德性任持佛
南无轉發趣佛

BD00172 號　佛名經（二十卷本）卷三　（24–1）

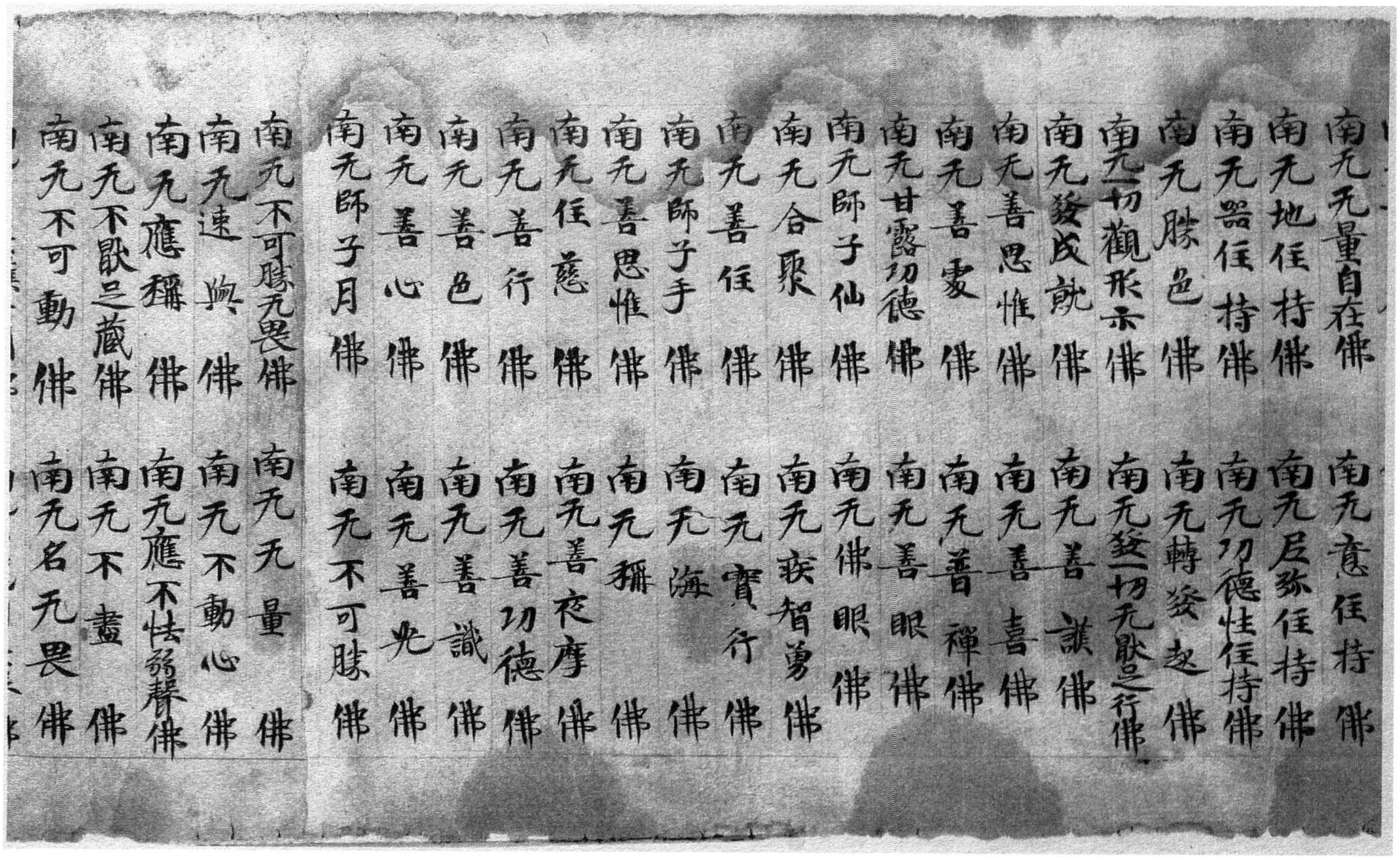

南无无量自在佛　南无意任持佛
南无地任持佛　南无尼弥任持佛
南无器任持佛　南无功德性任持佛
南无勝色佛　南无轉發趣佛
南无一切觀形示佛　南无發一切无厭足行佛
南无發成就佛　南无善讃佛
南无善思惟佛　南无善喜佛
南无善處佛　南无普禪佛
南无甘露功德佛　南无善眼佛
南无師子仙佛　南无佛眼佛
南无合聚佛　南无疾智勇佛
南无善任佛　南无寶行佛
南无師子手佛　南无海佛
南无善思惟佛　南无稱佛
南无任慈佛　南无善衣摩佛
南无善行佛　南无善功德佛
南无善色佛　南无善識佛
南无善心佛　南无善光佛
南无師子月佛　南无不可勝佛
南无不可勝无畏佛　南无无量佛
南无速興佛　南无不動心佛
南无應稱佛　南无應不怯弱聲佛
南无不厭足藏佛　南无不盡佛
南无不可動佛　南无名无畏佛

BD00172 號　佛名經（二十卷本）卷三　（24–2）

南无師子月佛　南无不可勝佛
南无不可勝无畏佛　南无无量佛
南无速與佛　南无不動心佛
南无應稱佛　南无應不怯弱聲佛
南无不歇足藏佛　南无不盡佛
南无不可動佛　南无名无畏佛
南无名自在護世間佛　南无名龍自在聲佛
南无名法行廣慧佛　南无名妙勝自在相通稱佛
南无名妙勝自在勝佛　南无名樂法奮迅佛
南无名法界莊嚴佛　南无名大乘莊嚴佛
南无名寂靜王佛　南无名解脫行佛
南无名大海深留超王佛　南无名合衆那羅延王佛
南无名散壞堅魔輪佛　南无名精進根寶王佛
南无名佛法波頭摩佛　南无名得佛眼多陁利佛
南无名隨前覺覺佛　南无名平等作佛
南无名初發心念遠離一切驚怖无煩惱起稱佛
南无名金剛奮迅佛　南无名寶像光明奮迅佛
南无名破壞魔輪佛　南无名初發心念不退轉輪佛
南无名寶蓋起无畏光明佛　南无名教化菩薩佛
南无名初發心念斷疑斷煩惱佛　南无名光明破闇起三昧王佛
是諸佛如來名十方世界衆生无眼者誦
此得眼
南无十千同名星宿佛　南无一切星宿如來
南无三千同名釋迦牟尼佛　南无一切釋迦牟尼如來

BD00172號　佛名經（二十卷本）卷三　（24-3）

南无名寶蓋起无畏光明佛　南无名教化菩薩佛
南无名初發心念斷疑斷煩惱佛　南无名光明破闇起三昧王佛
是諸佛如來名十方世界衆生无眼者誦
此得眼
南无十千同名星宿佛　南无一切星宿如來
南无三千同名釋迦牟尼佛　南无一切釋迦牟尼如來
南无二億同名拘隣佛　南无一切拘隣如來
南无六億同名寶法勝決定佛　南无一切寶法勝決定如來
南无六億同名日月燈佛　南无一切日月燈如來
南无千五百同名大威德佛　南无一切大威德如來
南无千五百同名日佛　南无一切日如來
南无四万四千同名面佛　南无一切面如來
南无万千同名堅固自在佛　南无一切堅固自在如來
南无万八千同名普護佛　南无一切普護如來
南无千八百同名舍摩他佛　南无舍摩他如來
劫名善眼彼劫中有七十二那由他如來成佛
我悉歸命彼諸如來
劫名善見彼劫中有七十二億如來成佛
我悉歸命彼諸如來
劫名淨讚歎彼劫中有一万八千如來成佛
我悉歸命彼諸如來
劫名善行彼劫中有三万二千如來成佛
我悉歸命彼諸如來
劫名莊嚴彼劫中有八万四千如來成佛

BD00172號　佛名經（二十卷本）卷三　（24-4）

劫名淨讚歎彼劫中有一万八千如來成佛
我悉歸命彼諸如來
劫名善行彼劫中有三万二千如來成佛
我悉歸命彼諸如來
劫名莊嚴彼劫中有八万四千如來成佛
我悉歸命彼諸如來
南无現在住十方世界不捨命說法諸佛
所謂安樂世界中阿弥陁如來為上首
樂世界中阿閦如來為上首
袈裟幢世界中碎金剛堅如來為上首
不退輪吼世界中清淨光波頭摩華身如來為上首
无垢世界中法幢如來為上首
善燈世界中師子如來為上首
善住世界中盧舍那藏為上首
難過世界中功德華身如來為上首
莊嚴慧世界中一切通光明如來為上首
鏡輪光明世界中月智如來為上首
華勝世界中波頭摩勝如來為上首
波頭華勝世界中賢勝如來為上首
不瞬世界中普賢如來為上首
普賢世界中自在王如來為上首
不可勝世界中成就一切義如來為上首
娑婆世界中釋迦牟尼如來為上首
善勝勝如來為上首
自在幢王如來為上首

BD00172號　佛名經（二十卷本）卷三　（24–5）

不可勝世界中成就一切義如來為上首
娑婆世界中釋迦牟尼如來為上首
善勝勝如來為上首
自在幢王如來為上首
作火光如來為上首
无畏觀如來為上首
如是等上首諸佛我以身業口業意業
遍滿十方一時礼拜讚歎供養所謂彼佛所
說彼佛所說法甚深境界不可量境界不
可思議境界无量境界等我悉以身業口
業意業遍滿十方礼拜讚歎供養所謂彼
佛世界中不退菩薩僧不退聲聞僧我悉
以身業口業意業遍滿十方頭面礼足讚
歎供養
南无名降伏魔人自在佛　南无名降伏貪自在佛
南无名降伏瞋自在佛　南无名降伏癡自在佛
南无名降伏怒自在佛　南无名降伏見自在佛
南无名降伏諸戲自在佛　南无名了達法自在佛
南无名得神通自在稱佛　南无名得勝業自在稱佛
南无名起施自在稱佛　南无名起清淨戒自在稱佛
南无名起忍辱人自在稱佛　南无名起精進自在稱佛
南无名起禪人自在稱佛　南无名福德清淨光明自在佛
南无名起陁羅尼自在稱佛　南无高勝如來
南无光明勝如來　南无大勝如來

BD00172號　佛名經（二十卷本）卷三　（24–6）

南无名趣禪之自在稱佛　南无名稱德清淨光明自在佛
南无名趣陀羅尼自在稱佛　南无高勝如来
南无光明勝如来　南无大勝如来
南无散香上勝如来　南无多寶如来
南无月上勝如来　南无賢上勝如来
南无波頭摩上勝如来　南无无量上勝如来
南无波頭摩上勝如来　南无三昧手勝如来
南无大海深勝如来　南无善說名勝如来
南无阿僧祇精進住勝如来　南无樂一切法莊嚴如来
南无寶輪威德上勝如来　南无无量幢幰金色上勝如来
南无功德海瑠璃金山金色光明如来　南无寶華普照勝如来
南无无邊功德光焰勝如来　南无日輪上光明勝如来
南无趣多羅王勝如来　南无樹王乳勝如来
南无法海潮勝如来　南无智清淨功德勝如来
南无樂劫大勝如来　南无不可思議光明勝如来
南无寶月光明勝如来　南无寶賢幢勝如来
南无寶成就勝如来　南无寶集勝如来
南无成就義勝如来　南无奮迅勝如来
南无不空勝如来　南无聞勝如来
南无海勝如来　南无住持勝如来
南无善行勝如来　南无龍勝如来
南无波頭摩勝如来　南无福德勝如来
南无智勝如来　南无妙勝如来
南无賢勝如来　南无勝賢勝如来
南无栴檀勝如来　南无勝栴檀勝如来

BD00172號　佛名經（二十卷本）卷三　（24–7）

南无波頭摩勝如来　南无福德勝如来
南无智勝如来　南无妙勝如来
南无賢勝如来　南无勝賢勝如来
南无栴檀勝如来　南无勝栴檀勝如来
南无无量光明如来　南无幢勝如来
南无勝幢如来　南无无憂勝如来
南无離一切憂勝如来　南无寶杖如来
南无善寶杖如来　南无句蘇摩勝如来
南无華勝如来　南无三奮迅勝如来
南无樹提勝如来　南无大勝如来
南无廣功德勝如来　南无衆勝如来
南无普光世界普華无畏王如来
南无清淨光世界積增長勝上王如来
南无普蓋世界名均寶莊如来彼如来
授羅納光菩薩阿耨多羅三藐三菩提記
南无一寶髻世界名无量寶境界如来彼
如来授不空奮迅境界菩薩阿耨多羅三
藐三菩提記
南无相威德王世界名无量聲如来彼如
来授名即發心轉法輪菩薩阿耨多羅三
藐三菩提記
南无名稱世界名須弥留聚集如来彼如
来授名光明輪勝威德菩薩阿耨多羅三
藐三菩提記　四百
南无善王世界名虛空府如来彼如来受

BD00172號　佛名經（二十卷本）卷三　（24–8）

南无名稱世界名須弥留聚集如来彼如
来授名光明輪勝威德菩薩阿耨多羅三
藐三菩提記　四百
南无善住世界名虛空寂如来彼如来授
名月菩薩阿耨多羅三藐三菩提記
南无地輪世界名稱力王如来彼如来授名
智稱菩薩阿耨多羅三藐三菩提記
南无月起光世界名放光明如来彼如来授
名光輪菩薩阿耨多羅三藐三菩提記
南无袈裟幢世界名離袈裟如来彼如来
授名无量寶發起菩薩阿耨多羅三藐三
菩提記
南无波頭摩華世界名種種華勝成就如来
彼如来授名无量精進菩薩阿耨多羅三藐
三菩提記
南无一蓋世界名遠離諸怖毛竪如来彼
如来授名羅網光明菩薩阿耨多羅三藐
三菩提記
南无種種幢世界名須弥留聚如来彼如来
授名勝菩薩阿耨多羅三藐三菩提記
南无普光世界名无鄣㝵眼如来彼如来
授名智勝菩薩阿耨多羅三藐三菩提記
南无賢世界名旃檀屋如来彼如来授名
智功德幢菩薩阿耨多羅三藐三菩提記

BD00172號　佛名經（二十卷本）卷三　（24–9）

授名智勝菩薩阿耨多羅三藐三菩提記
南无賢世界名旃檀屋如来彼如来授名
智功德幢菩薩阿耨多羅三藐三菩提記
南无賢慧世界名合聚如来彼如来授名妙
智菩薩阿耨多羅三藐三菩提記
南无寶首世界名羅網光明如来彼如来授
名智功德菩薩阿耨多羅三藐三菩提記
南无安樂首世界名寶蓮華勝如来彼如
来授名波頭摩勝功德菩薩阿耨多羅三
藐三菩提記
南无稱世界名智華寶光明如来彼如来授
名第一莊嚴菩薩阿耨多羅三藐三菩提記
南无賢辟世界名起賢光明如来彼如来授
名寶光明菩薩阿耨多羅三藐三菩提記
南无无畏世界名滅散一怖畏如来彼如来
授名无畏菩薩阿耨多羅三藐三菩提記
南无弥留幢世界名弥留序如来彼如来授
名合聚菩薩阿耨多羅三藐三菩提記
南无遠離一切憂惱鄣㝵世界名无畏王如
来彼如来授名多聲菩薩阿耨多羅三藐
三菩提記
南无法世界名作法如来彼如来授名智作
菩薩阿耨多羅三藐三菩提記
南无善住世界名百一十光明如来彼如来
授名勝光明菩薩阿耨多羅三藐三菩提記

BD00172號　佛名經（二十卷本）卷三　（24–10）

南无法世界名作法如来彼如来授名智作
菩薩阿耨多羅三藐三菩提記
南无善住世界名百一十光明如来彼如来
授名勝光明菩薩阿耨多羅三藐三菩提記
南无共光明世界名千上光明如来彼如来授
名普光明菩薩阿耨多羅三藐三菩提記
南无多伽羅世界名智光明如来彼如来授名
善眼菩薩阿耨多羅三藐三菩提記
南无香世界名寶勝光明如来彼如来授名
无量光明菩薩阿耨多羅三藐三菩提記
南无光明首世界名无量光明如来彼如来
授名藥王菩薩阿耨多羅三藐三菩提記
南无上首賢世界名无鄣㝵聲如来彼如来
授名淨聲菩薩阿耨多羅三藐三菩提記
南无法世界名羅網光如来彼如来授名勝
菩薩阿耨多羅三藐三菩提記
南无賢入世界名寶智慧如来彼如来授名
智香菩薩阿耨多羅三藐三菩提記
南无憂鉢羅世界名无量勝如来彼如来授
名曇无竭菩薩阿耨多羅三藐三菩提記
南无清淨世界名无量莊嚴如来彼如来授名
寶莊嚴菩薩阿耨多羅三藐三菩提記
南无覺住世界名憂鉢羅勝如来彼如来授
名波頭摩勝菩薩阿耨多羅三藐三菩提記
南无波頭摩住世界名智住如来彼如来授

BD00172 號　佛名經（二十卷本）卷三　（24–11）

寶莊嚴菩薩阿耨多羅三藐三菩提記
南无覺住世界名憂鉢羅勝如来彼如来授
名波頭摩勝菩薩阿耨多羅三藐三菩提記
南无波頭摩住世界名智住如来彼如来授
名寶滿足菩薩阿耨多羅三藐三菩提記
南无智力世界名揵迦牟尼如来彼如来授
名寶牟尼菩薩阿耨多羅三藐三菩提記
南无十方稱世界名智稱如来彼如来授名
无邊精進菩薩阿耨多羅三藐三菩提記
南无喜世界名堅自在如来彼如来授名寶
堅菩薩阿耨多羅三藐三菩提記
南无月世界名寶娑羅如来彼如来授名普
香菩薩阿耨多羅三藐三菩提記
南无娑婆世界名大勝如来彼如来授名大
勝天王菩薩阿耨多羅三藐三菩提記
南无一蓋世界名寶輪如来彼如来授名星
宿鵰菩薩阿耨多羅三藐三菩提記
南无過一切憂鄣㝵世界名不空說如来彼
如来授名不空說菩薩阿耨多羅三藐三菩
提記
南无遠離憂惱世界名功德成就如来彼如
来授名无邊勝威德菩薩阿耨多羅三藐
三菩提記
南无寂靜世界名稱王如来彼如来授名勇
德菩薩阿耨多羅三藐三菩提記

BD00172 號　佛名經（二十卷本）卷三　（24–12）

授名无邊勝威德菩薩阿耨多羅三藐
三菩提記
南无寂静世界名稱王如来彼如来授名勇
德菩薩阿耨多羅三藐三菩提記
南无不空見世界名不空奮迅如来彼如来
名不空發行菩薩阿耨多羅三藐三菩提記
南无香世界名香光明如来彼如来授名寶
藏菩薩阿耨多羅三藐三菩提記
南无无量吼聲世界名无鄣㝵聲如来彼
如来授名无分別發行菩薩阿耨多羅三藐
三菩提記
南无月輪光明世界名稱力王如来彼如来
授名智稱菩薩阿耨多羅三藐三菩提記
南无寶輪世界名寶上勝如来彼如来授
名大道師菩薩阿耨多羅三藐三菩提記
南无寶輪世界名善眼如来彼如来授名樂
行菩薩阿耨多羅三藐三菩提記
南无法世界名波頭摩勝如来彼如来授名
大法菩薩阿耨多羅三藐三菩提記
南无名須弥頂上王如来彼如来授名智力
菩薩阿耨多羅三藐三菩提記
南无名波頭摩勝如来彼如来授名勝德菩
薩阿耨多羅三藐三菩提記
南无陁羅尼輪世界名香光明如来彼如来
授名陁羅尼自在王菩薩阿耨多羅三藐

BD00172號　佛名經（二十卷本）卷三　（24–13）

南无名波頭摩勝如来彼如来授名勝德菩
薩阿耨多羅三藐三菩提記
南无陁羅尼輪世界名香光明如来彼如来
授名陁羅尼自在王菩薩阿耨多羅三藐
三菩提記
南无金光明世界名十方稱發如来彼如来
授名智稱發行菩薩阿耨多羅三藐三菩提
記
南无智起世界名普清淨增上雲聲王如
来彼如来授名星宿王菩薩阿耨多羅三
藐三菩提記
南无常光明世界名无量光明如来彼如来
授名大光明菩薩阿耨多羅三藐三菩提記
南无燃燈世界名无量智成如来彼如来授
名功德王光明菩薩阿耨多羅三藐三菩提記
南无燃燈作世界名无量種奮迅如来彼如
来授名无鄣㝵發菩薩阿耨多羅三藐三菩
提記
南无種種幢世界名上首如来彼如来授名
那羅延菩薩阿耨多羅三藐三菩提記
南无十方稱世界名佛華成就勝如来彼
如来授名无畏奮迅菩薩阿耨多羅三藐
三菩提記
南无金剛住世界名佛華增上王如来彼如
来授名寶火菩薩阿耨多羅三藐三菩提記

BD00172號　佛名經（二十卷本）卷三　（24–14）

南无十方稱世界名佛華成就勝如來彼
如來授名无鈌奮迅菩薩阿耨多羅三藐
三菩提記
南无金剛住世界名佛華增上王如來彼如
來授名寶火菩薩阿耨多羅三藐三菩提記
南无旃檀窟世界寶形如來彼如來授名觀
世音菩薩阿耨多羅三藐三菩提記
南无藥王世界名不空如來彼如來授名不空
發行菩薩阿耨多羅三藐三菩提記
南无藥王勝上世界名无邊功德精進發如來
彼如來授名不受武攝受菩薩阿耨多羅
三藐三菩提記
南无普莊嚴世界發心生莊嚴一切衆生心如
來彼如來授名佛華手菩薩阿耨多羅三
藐三菩提記
南无普蓋世界名蓋歸如來彼如來授名寶
行菩薩阿耨多羅三藐三菩提記
南无華上光明世界名日輪威德王如來彼
如來授名善住菩薩阿耨多羅三藐三菩提記
南无善莊嚴世界名衆生光明如來彼如來
授名寶面菩薩阿耨多羅三藐三菩提記
南无賢世界名无畏如來彼如來授名不驚
怖菩薩阿耨多羅三藐三菩提記
南无波頭摩世界名波頭摩勝光明如來彼
如來授名智象菩薩阿耨多羅三藐三菩提記

BD00172 號　佛名經（二十卷本）卷三　（24–15）

南无善莊嚴世界名衆生光明如來彼如來
授名寶面菩薩阿耨多羅三藐三菩提記
南无賢世界名无畏如來彼如來授名不驚
怖菩薩阿耨多羅三藐三菩提記
南无波頭摩世界名波頭摩勝光明如來彼
如來授名智象菩薩阿耨多羅三藐三菩提記
南无憂鉢羅世界名智憂鉢勝如來彼如來
授名无境界行菩薩阿耨多羅三藐三菩提記
南无寶上世界名寶作如來彼如來授名法作
菩薩阿耨多羅三藐三菩提記
南无月世界名无量頭如來彼如來授名散
華菩薩阿耨多羅三藐三菩提記
南无善住世界名寶聚如來彼如來授名藥
王菩薩阿耨多羅三藐三菩提記
南无百光明世界名莎羅自在王如來彼如
來授名勝惠菩薩阿耨多羅三藐三菩提記
南无華首世界名寶光明如來彼如來授名
日德菩薩阿耨多羅三藐三菩提記
南无普山世界名寶山如來彼如來授名大
德菩薩阿耨多羅三藐三菩提記
南无憂蓋入世界名上首如來彼如來授名
上莊嚴菩薩阿耨多羅三藐三菩提記
南无无憂世界名發无邊功德如來彼如來
授名不發觀菩薩阿耨多羅三藐三菩提記
南无一切功德住世界名善上首如來彼如來

BD00172 號　佛名經（二十卷本）卷三　（24–16）

南无憂蓋入世界名上首如来彼如来授名
上莊嚴菩薩阿耨多羅三藐三菩提記
南无无憂世界名發无邊功德如来彼如来
授名不發觀菩薩阿耨多羅三藐三菩提記
南无一切功德住世界名善上首如来彼如来
授名普至菩薩阿耨多羅三藐三菩提記
南无寶光明世界名須弥光明如来彼如来
授名善住菩薩阿耨多羅三藐三菩提記
南无一切功德住世界名无量境界如来彼如
来授名藥王菩薩阿耨多羅三藐三菩提記
南无莊嚴菩提世界名高妙去如来彼如来
授名思益勝慧菩薩阿耨多羅三藐三菩提記
南无无垢世界名寶華成就功德如来彼如来
授名得勝慧菩薩阿耨多羅三藐三菩提記
南无雲世界名奮迅如来彼如来授名自在
觀菩薩阿耨多羅三藐三菩提記
南无華網寶世界名一切發衆生信發心如来
彼如来授名勝慧菩薩阿耨多羅三藐三菩提記
南无星宿行世界名樂星宿起如来彼如来
授名憂菩薩阿耨多羅三藐三菩提記
南无寶華世界名勝衆如来彼如来授名妙
勝菩薩阿耨多羅三藐三菩提記
南无无量至世界名无量華如来彼如来授
名香烏菩薩阿耨多羅三藐三菩提記
南无華世界名寶勝如来彼如来授名遠

BD00172號　佛名經（二十卷本）卷三　（24–17）

勝菩薩阿耨多羅三藐三菩提記
南无无量至世界名无量華如来彼如来授
名香烏菩薩阿耨多羅三藐三菩提記
南无華世界名寶勝如来彼如来授名遠
離諸有菩薩阿耨多羅三藐三菩提記
南无種種幢世界名月勝功德如来彼如来
授名斷一切諸難菩薩阿耨多羅三藐三菩
提記
南无可樂世界名即發心轉法輪如来彼如来
授名不退轉輪菩薩阿耨多羅三藐三菩提記
南无无畏世界名十方稱名如来彼如来授名
智稱菩薩阿耨多羅三藐三菩提記
南无自在世界名伽陵伽如来　南无安樂世界名日輪燈明如来
南无无畏世界名寶勝如来　南无成就世界名智起如来
南无純樂世界名功德王如来　南无善行華世界名无邊寶如来
南无金剛輪世界名无畏如来　南无起世界名智積如来
南无善清淨世界名无觀想發行如来　南无普明世界名光明輪威德王勝如来
南无高幢世界名因慧如来　南无德世界名那羅延如来
南无无垢世界名无垢幢如来　南无遠離一切憂惱世界名安隱如来
南无智世界名遠離諸惱如来　南无功德樂世界名清淨慧如来
南无无量功德具足世界名善思惟發如来
南无平等平等世界名降伏諸怨如来
南无无畏世界名憂波羅勝如来
南无十二部經般若海藏
南无密迹金剛力士經　南无菩薩處胎經

BD00172號　佛名經（二十卷本）卷三　（24–18）

南无平等平等世界降伏諸怨如　来
南无无畏世界憂波羅勝如来
南无十二部经般若海藏
南无密迹金剛力士经　南无菩薩處胎经
南无大悲　经　南无深密解脱经
南无大集賢護菩薩经　南无大方等陁羅尼经
南无海龍王经　南无央掘摩羅经
南无无所有菩薩经　南无僧伽吒经
南无觀察諸法经　南无七佛神呪经
南无菩薩本行经　南无稱揚諸佛功德经
南无菩薩藏经　南无力莊嚴三昧经
南无須真天子经　南无首楞嚴三昧经
南无般舟三昧经　南无等目菩薩所問三昧经
南无諸大菩薩摩訶薩衆
南无文殊師利菩薩　南无觀世音菩薩
南无大勢至菩薩　南无普賢菩薩
南无龍勝菩薩　南无勝成就菩薩
南无勝藏菩薩　南无波頭摩勝菩薩
南无成就有菩薩　南无地持菩薩
南无寶掌菩薩　南无寶印手菩薩
南无師子意菩薩　南无師子奮迅吼聲菩薩
南无虛空藏菩薩　南无發心即轉法輪菩薩
南无一切衆生樂說菩薩　南无山樂說菩薩
南无大海意菩薩　南无龍德菩薩
南无聲聞緣覺一切辟支佛

BD00172 號　佛名經（二十卷本）卷三　（24–19）

南无虛空藏菩薩　南无發心即轉法輪菩薩
南无一切衆生樂說菩薩　南无山樂說菩薩
南无大海意菩薩　南无龍德菩薩
南无聲聞緣覺一切辟支佛
南无毗耶離辟支佛　南无俱薩羅辟支佛
南无婆蘇陁羅辟支佛　南无无毒淨心辟支佛
南无寶无垢辟支佛　南无聲聞緣覺一切賢聖
南无過現未来三世諸佛歸命懺悔
弟子等今者即我身心寂靜无諂无鄣正
是生善滅惡之時復應各起四種觀行以
為滅罪作前方便何等為四一者觀於因
緣二者觀於果報三者觀我身心四者觀
如来身第一觀因緣者知我此罪藉以无明
不善思惟无正觀力不識其過遠離善友諸
佛菩薩隨逐魔道行耶險徑如魚吞鉤不知其患
如蠶作繭自縈自縛如蛾赴火自燒自爛以是
因緣不能自出第二觀於果報者所有諸惡
不善之業三世流轉苦果无窮沈溺无邊長
夜大海為諸煩惱羅刹所食未来生死冥然
无崖設使報徳轉輪聖王王四天下飛行自
在七寶具足命終之後不免惡趣四空果報三
界尊極福盡還作牛領中虫況復其餘无福
德者而復懈怠不懃懺悔此亦譬如抱石沉
淵求出良難第三觀我自身雖有正因靈

BD00172 號　佛名經（二十卷本）卷三　（24–20）

无崖設使莘德轉輪聖王王四天下飛行自
在七寶具足命終之後不免惡趣四空果報三
界尊極福盡還作牛領中虫况復其餘无福
德者而復懈怠不懃懺悔此亦譬如抱石沉
渊求出良難第三觀我自身雖有正因靈
覺之性而為煩惱黑暗叢林之所覆蔽无
了因力不能得顯我今應當發起勝心破列
无明顛倒重鄣斷滅生死虛僞苦因顯發如
來大明覺惠建立无上涅槃妙果第四觀如來
身无為寂照離四句絶百非衆德具足湛然
常住雖復方便入於滅度慈悲救接未曾
暫捨生如是心可謂滅罪之良津除鄣之要
行是故弟子等今日至心歸依十方諸佛
南无東方勝藏珠光佛　南无南方寶積示現佛
南无西方法勇智燈佛　南无北方最勝降伏佛
南无東南方龍自在王佛　南无西南方轉一切生死佛
南无西北方无邊智自在佛　南无東北方无邊功德月佛
南无下方海智神通佛　南无上方一切勝王佛
如是十方盡虛空界一切三寶
弟子等无始以來至於今日長養煩惱日深
日厚日滋日茂覆蓋慧眼令无所見斷除衆
善不得相續起鄣不得見佛不聞正法不值
聖僧煩惱起鄣不見過去未來一切善惡業
行是煩惱鄣受人天尊貴是煩惱鄣生色
无色界禪定福樂是煩惱鄣不得自在神

BD00172 號　佛名經（二十卷本）卷三　（24–21）

善不得相續起鄣不得見佛不聞正法不值
聖僧煩惱起鄣不見過去未來一切善惡業
行是煩惱鄣受人天尊貴是煩惱鄣生色
无色界禪定福樂是煩惱鄣不得自在神
通飛騰隱顯遍至十方諸佛淨土聽法是煩
惱鄣學安那般那數息不淨觀諸煩惱鄣學慈
悲喜捨因緣是煩惱鄣學七方便三觀義是
煩惱鄣學四念處煖頂忍是煩惱鄣學聞思
脩第一法是煩惱鄣學空平等中道解是煩
惱鄣學八正道亦相是煩惱鄣學七覺分不
亦相是煩惱鄣學於道品因緣觀是煩惱鄣
學八解脫九空是煩惱鄣學於十智三三昧是
煩惱鄣學三明六通四无导是煩惱鄣學六
度四等是煩惱鄣學四攝法廣化是煩惱鄣
學大乘心四弘誓願是煩惱鄣學十明十行
是煩惱鄣學十迴向十願是煩惱鄣初地二
地三地四地明解是煩惱鄣五地六地七地
諸智見是煩惱鄣學八地九地十地雙照是
煩惱鄣如是乃至鄣學佛果百万阿僧祇
諸行上煩惱如是行鄣无量无邊
弟子今日成心歸依向十方佛尊法聖衆慚
愧懺悔願皆消滅願藉此懺悔鄣於諸行一
切煩惱願弟子等在在處處自在受生不
為法業之所迴轉以如意通於一念頃遍至
十方淨諸佛土攝化衆生於諸禪定甚深

BD00172 號　佛名經（二十卷本）卷三　（24–22）

諸行上火悩如是行章无量无邊
弟子今日成心歸依向十方佛尊法聖衆慚
愧懺悔願皆消滅願藉此懺悔罪於諸行一
切煩惱願弟子等在在處處自在受生不
為法業之所迴轉以如意通於一念頃遍至
十方淨諸佛土攝化衆生於諸禪定甚深
境界及諸知見通達无㝵心能普同一切諸
法樂說无窮而不染著得心自在得法自在智
大乘蓮華寶達菩薩問荅報應沙門經苐三
尒時寶達菩薩更入地獄名為鐵衣地獄云
何名鐵衣地獄其地獄縱廣方圓十六由旬
其地獄中地有鐵鋒鑄利如鋒鋸遍布其地
煙炎同燃鐵衣火燒垠赫遊行獄中東門之
中有八百沙門仰頭呼天搥匈大叫唱如是言
我今何罪來入此中宛轉倒地不能復前馬
頭羅剎手捉三鈷鐵叉望背而鐘匈前而出
遍身火燃馬頭羅剎手捉鐵鉤望髖而鉻鐵
鉤若著大炎俱起罪人宛轉而不肯前馬頭
羅剎手捉鐵鉾望頭而搥復有鐵狗來食
其肉復有餓鬼來飲其血其地獄鐵衣脊乱
來著罪人或有著頭或有著腳遍身火然一日
一夜受罪无量寶達菩薩問馬頭羅剎曰
此諸罪人沙門云何受如是罪馬頭羅剎荅
曰此諸沙門罪人受佛淨戒不護威儀捨正
法服便著俗衣皆不如法違佛禁戒惡因緣

BD00172號　佛名經（二十卷本）卷三　（24–23）

鉤若著大炎俱起罪人宛轉而不肯前馬頭
羅剎手捉鐵鉾望頭而搥復有鐵狗來食
其肉復有餓鬼來飲其血其地獄鐵衣脊乱
來著罪人或有著頭或有著腳遍身火然一日
一夜受罪无量寶達菩薩問馬頭羅剎曰
此諸罪人沙門云何受如是罪馬頭羅剎荅
曰此諸沙門罪人受佛淨戒不護威儀捨正
法服便著俗衣皆不如法違佛禁戒惡因緣
故隨此地獄寶達聞之悲泣而言
云何沙門子　名出三界人　云何不自慎　隨此惡道中
云何不自慎　受此大苦痛　云何得安隱　名為解脫人
寶達菩薩說偈已悃淚而去
佛名經卷苐三

BD00172號　佛名經（二十卷本）卷三　（24–24）

行之
夫天人師佛世
億佛皆同一号㝡初威
正法滅後於像法中增
力尒時有一菩薩比丘名
得大勢以何因緣名常不輕是比丘
所見若比丘比丘尼優婆塞優婆夷皆
礼拜讃歎而作是言我深敬汝等不敢輕
慢所以　　皆行菩薩道當得作佛而
是比丘　　讀誦經典但行礼拜乃至遠見
四衆亦復故往礼拜讃嘆而作是言我不敢
輕於汝等汝等皆當作佛四衆之中有生瞋
恚心不淨者惡口罵詈言是无智比丘從何
所來自言我不輕汝而與我等授記當得作
佛我等不用如是虛妄授記如此經歷多年
常被罵詈不生瞋恚常作是言汝當作佛說
是語時衆人或以杖木瓦石而打擲之避走
遠住猶高聲唱言我不敢輕汝汝等皆當作
佛以其常作是語故增上慢比丘比丘尼優
婆塞優婆夷号之為常不輕是比丘臨欲終
時於虛空中具聞威音王佛先所說法華經
二十千万億偈悉能受持即得如上眼根清
淨耳鼻舌身意根清淨得是六根清淨已更

BD00173號　妙法蓮華經（八卷本）卷七　（20–1）

佛以其常作是語故增上慢比丘比丘尼優
婆塞優婆夷号之為常不輕是比丘臨欲終
時於虛空中具聞威音王佛先所說法華經
二十千万億偈悉能受持即得如上眼根清
淨耳鼻舌身意根清淨得是六根清淨已更
增壽命二百万億那由他歲廣為人說是法
華經於時增上慢四衆比丘比丘尼優婆塞
優婆夷輕賤是人為作不輕名者見其得大
神通力樂說辯力大善寂力聞其所說皆信
伏隨從是菩薩復化千万億衆令住阿耨多
羅三藐三菩提命終之後得值二千億佛皆
号日月燈明於其法中說是法華經以是因
緣復值二千億佛同号雲自在燈王於此諸
佛法中受持讀誦為諸四衆說此經典故得
是常眼清淨耳鼻舌身意諸根清淨於四衆
中說法心无所畏得大勢是常不輕菩薩摩
訶薩供養如是若干諸佛恭敬尊重讚嘆種
諸善根於後復值千万億佛亦於諸佛法中
說是經典功德成就當得作佛得大勢於意
云何尒時常不輕菩薩豈異人乎則我身是
若我於宿世不受持讀誦此經為他人說者
不能疾得阿耨多羅三藐三菩提我於先佛
所受持讀誦此經為人說故疾得阿耨多羅
三藐三菩提得大勢彼時四衆比丘比丘尼
優婆塞優婆夷以瞋恚意輕賤我故二百億
劫常不值佛不聞法不見僧千劫於阿鼻地
獄受大苦惱畢是罪已復遇常不輕菩薩教
化阿耨多羅三藐三菩提得大勢於汝意云

BD00173號　妙法蓮華經（八卷本）卷七　（20–2）

優婆塞優婆夷以瞋恚意輕賤我故二百億
劫常不值佛不聞法不見僧千劫於阿鼻地
獄受大苦惱畢是罪已復遇常不輕菩薩教
化阿耨多羅三藐三菩提得大勢於汝意云
何尒時四衆常輕是菩薩者豈異人乎今此
會中跋陁婆羅等五百菩薩師子月等五百
比丘尼思佛等五百優婆塞皆於阿耨多羅
三藐三菩提不退轉者是得大勢當知是法
華經大饒益諸菩薩摩訶薩能令至於阿耨
多羅三藐三菩提是故諸菩薩摩訶薩於如
來滅後常應受持讀誦解說書寫是經尒時
世尊欲重宣此義而說偈言
過去有佛 号威音王 神智无量 將導一切
天人龍神 所共供養 是佛滅後 法欲盡時
有一菩薩 名常不輕 時諸四衆 計著於法
不輕菩薩 往到其所 而語之言 我不輕汝
汝等行道 皆當作佛 諸人聞已 輕毀罵詈
不輕菩薩 能忍受之 其罪畢已 臨命終時
得聞此經 六根清淨 神通力故 增益壽命
復為諸人 廣說是經 諸著法衆 皆蒙菩薩
教化成就 令住佛道 不輕命終 值无數佛
說是經故 得无量福 漸具功德 疾成佛道
彼時不輕 則我身是 時四部衆 著法之者
聞不輕言 汝當作佛 以是因緣 值无數佛
此會菩薩 五百之衆 并及四部 清信士女
今於我前 聽法者是 我於前世 勸是諸人
聽受斯經 第一之法 開示教人 令住涅槃
世世受持 如是經典 億億万劫 至不可議

BD00173號　妙法蓮華經（八卷本）卷七　（20–3）

聞不輕言 汝當作佛 以是因緣 值无數佛
此會菩薩 五百之衆 并及四部 清信士女
今於我前 聽法者是 我於前世 勸是諸人
聽受斯經 第一之法 開示教人 令住涅槃
世世受持 如是經典 億億万劫 至不可議
時乃得聞 是法華經 億億万數 至不可議
諸佛世尊 時說是經 是故行者 於佛滅後
聞如是經 勿生疑惑 應當一心 廣說此經
世世值佛 疾成佛道

妙法蓮華經如來神力品第廿一

尒時千世界微塵等菩薩摩訶薩從地踊出
者皆於佛前一心合掌瞻仰尊顏而白佛言
世尊我等於佛滅後世尊分身所在國土滅
度之處當廣說此經所以者何我等亦自欲
得是真淨大法受持讀誦解說書寫而供養
之尒時世尊於文殊師利等无量百千万億
舊住娑婆世界菩薩摩訶薩及諸比丘比丘
尼優婆塞優婆夷天龍夜叉乾闥婆阿脩羅
迦樓羅緊那羅摩睺羅伽人非人等一切衆
前現大神力出廣長舌上至梵世一切毛孔
放於无量无數色光皆悉遍照十方世界衆
寶樹下師子座上諸佛亦復如是出廣長舌
放无量光釋迦牟尼佛及寶樹下諸佛現神
力時滿百千歲然後還攝舌相一時謦欬俱
共彈指是二音聲遍至十方諸佛世界地皆
六種震動其中衆生天龍夜叉乾闥婆阿脩
羅迦樓羅緊那羅摩睺羅伽人非人等以佛
神力故皆見此娑婆世界无量无邊百千万

BD00173號　妙法蓮華經（八卷本）卷七　（20–4）

共彈指是二音聲遍至十方諸佛世界地皆
六種震動其中衆生天龍夜叉乹闥婆阿脩
羅迦樓羅緊那羅摩睺羅伽人非人等以佛
神力故皆見此娑婆世界无量无邊百千万
億衆寶樹下師子座上諸佛及見釋迦牟尼
佛共多寶如来在寶塔中坐師子座又見无
量无邊百千万億菩薩摩訶薩及諸四衆恭
敬圍繞釋迦牟尼佛既見是已皆大歡喜得
未曾有即時諸天於虛空中高聲唱言過此
无量无邊百千万億阿僧祇世界有國名娑
婆是中有佛名釋迦牟尼今為諸菩薩摩訶
薩說大乘經名妙法蓮華教菩薩法佛所護
念汝等當深心隨喜亦當礼拜供養釋迦牟
尼佛彼諸衆生聞虛空中聲已合掌向娑婆
世界作如是言南无釋迦牟尼佛南无釋迦
牟尼佛以種種華香瓔珞幡蓋及諸嚴身之
具珎寶妙物皆共遙散娑婆世界所散諸物
從十方來譬如雲集變成寶帳遍覆此間諸
佛之上于時十方世界通達无礙如一佛土
尒時佛告上行等菩薩大衆諸佛神力如是
无量无邊不可思議若我以是神力於无量
无邊百千万億阿僧祇劫為囑累故說此經
功德猶不能盡以要言之如来一切所有之
法如来一切自在神力如来一切秘要之藏
如来一切甚深之事皆於此經宣示顯說是
故汝等於如来滅後應一心受持讀誦解說
書寫如說脩行所在國土若有受持讀誦解
說書寫如說脩行若經卷所住之處若於園

BD00173號　妙法蓮華經（八卷本）卷七　（20–5）

如来一切甚深之事皆於此經宣示顯說是
故汝等於如来滅後應一心受持讀誦解說
書寫如說脩行所在國土若有受持讀誦解
說書寫如說脩行若經卷所住之處若於園
中若於林中若於樹下若於僧坊若白衣舍
若在殿堂若山谷曠野是中皆應起塔供養
所以者何當知是處即是道場諸佛於此得
阿耨多羅三藐三菩提諸佛於此轉于法輪
諸佛於此而般涅槃尒時世尊欲重宣此義
而說偈言
諸佛救世者　住於大神通　為悅衆生故　現无量神力
舌相至梵天　身放无數光　為求佛道者　現此希有事
諸佛謦欬聲　及彈指之聲　周聞十方國　地皆六種動
以佛滅度後　能持是經者　諸佛皆歡喜　現无量神力
囑累是經故　讚美受持者　於无量劫中　猶故不能盡
是人之功德　无邊无有窮　如十方虛空　不可得邊際
能持是經者　則為已見我　亦見多寶佛　及諸分身者
又見我今日　教化諸菩薩　能持是經者　令我及分身
滅度多寶佛　一切皆歡喜　十方現在佛　并過去未來
亦見亦供養　亦令得歡喜　諸佛坐道場　所得秘要法
能持是經者　不久亦當得　能持是經者　於諸法之義
名字及言辭　樂說无窮盡　如風於空中　一切无鄣礙
於如來滅後　知佛所說經　因緣及次第　隨義如實說
如日月光明　能除諸幽冥　斯人行世間　能滅衆生闇
教无量菩薩　畢竟住一乘　是故有智者　聞此功德利
於我滅度後　應受持斯經　是人於佛道　決定无有疑
妙法蓮華經囑累品第廿二

BD00173號　妙法蓮華經（八卷本）卷七　（20–6）

名字及言辭　樂說无窮盡　如風於空中　一切无鄣礙
於如来滅後　知佛所說經　因緣及次第　隨義如實說
如日月光明　能除諸幽冥　斯人行世間　能滅衆生闇
教无量菩薩　畢竟住一乘　是故有智者　聞此功德利
於我滅度後　應受持斯經　是人於佛道　決定无有疑

妙法蓮華經囑累品第廿二

尒時釋迦牟尼佛從法座起現大神力以右
手摩无量菩薩摩訶薩頂而作是言我於无
量百千万億阿僧祇劫脩習是難得阿耨多
羅三藐三菩提法今以付囑汝等汝等應當
一心流布此法廣令增益如是三摩諸菩薩
摩訶薩頂而作是言我於无量百千万億阿
僧祇劫脩習是難得阿耨多羅三藐三菩提
法今以付囑汝等汝等當受持讀誦廣宣此
法令一切衆生普得聞知所以者何如来有
大慈悲无諸慳悋亦无所畏能與衆生佛之
智慧如来智慧自然智慧如来是一切衆生
之大施主汝等亦應隨學如来之法勿生慳
悋於未来世若有善男子善女人信如来智
慧者當為演說此法華經使得聞知為令其
人得佛慧故若有衆生不信受者當於如来
餘深妙法中示教利喜汝等若能如是則為
已報諸佛之恩時諸菩薩摩訶薩聞佛作是
說已皆大歡喜遍滿其身益加恭敬曲躬低
頭合掌向佛俱發聲言如世尊勑當具奉行
唯然世尊願不有慮諸菩薩摩訶薩衆如是
三反俱發聲言如世尊勑當具奉行唯然世
尊願不有慮尒時釋迦牟尼佛令十方来諸

BD00173號　妙法蓮華經（八卷本）卷七　（20–7）

頭合掌向佛俱發聲言如世尊勑當具奉行
唯然世尊願不有慮諸菩薩摩訶薩衆如是
三反俱發聲言如世尊勑當具奉行唯然世
尊願不有慮尒時釋迦牟尼佛令十方来諸
分身佛各還本土而作是言諸佛各隨所安
多寶佛塔還可如故說是語時十方无量分
身諸佛坐寶樹下師子座上者及多寶佛并
上行等无邊阿僧祇菩薩大衆舍利弗等聲
聞四衆及一切世間天人阿脩羅等聞佛所
說皆大歡喜

妙法蓮華經藥王菩薩本事品第廿三

尒時宿王華菩薩白佛言世尊藥王菩薩云
何遊於娑婆世界世尊是藥王菩薩有若干
百千万億那由他難行苦行善哉世尊願少
解說諸天龍神夜叉乾闥婆阿脩羅迦樓羅
緊那羅摩睺羅伽人非人等又他國土諸来
菩薩及此聲聞衆聞皆歡喜尒時佛告宿王
華菩薩乃往過去无量恒河沙劫有佛号曰
月淨明德如来應供正遍知明行足善逝世
間解无上士調御丈夫天人師佛世尊其佛
有八十億大菩薩摩訶薩七十二恒河沙大
聲聞衆佛壽四万二千劫菩薩壽命亦等彼
國无有女人地獄餓鬼畜生阿脩羅等及以
諸難地平如掌瑠璃所成寶樹莊嚴寶帳覆
上垂寶華幡寶瓶香鑪周遍國界七寶為臺
一樹一臺其樹去臺盡一箭道此諸寶樹皆
有菩薩聲聞而坐其下諸寶臺上各有百億
諸天作天伎樂歌歎於佛以為供養尒時彼

BD00173號　妙法蓮華經（八卷本）卷七　（20–8）

一樹一臺其樹去臺盡一箭道此諸寶樹皆
有菩薩聲聞而坐其下諸寶臺上各有百億
諸天作天伎樂歌嘆於佛以為供養尒時彼
佛為一切衆生喜見菩薩及衆菩薩諸聲聞
衆說法華經是一切衆生喜見菩薩樂習苦
行於日月淨明德佛法中精進經行一心求
佛滿万二千歲已得現一切色身三昧得此
三昧已心大歡喜即作念言我得現一切色
身三昧皆是得聞法華經力我今當供養日
月淨明德佛及法華經即時入是三昧於虛
空中雨曼陁羅華摩訶曼陁羅華細末堅黑
栴檀滿虛空中如雲而下又雨海此岸栴檀
之香此香六銖價直娑婆世界以供養佛作
是供養已從三昧起而自念言我雖以神力
供養於佛不如以身供養即服諸香栴檀薰
陸兜樓婆畢力迦沉水膠香又飲瞻蔔諸華
香油滿千二百歲已香油塗身於日月淨明
德佛前以天寶衣而自纏身灌諸香油以神
通力願而自然身光明遍照八十億恒河沙
世界其中諸佛同時讚言善哉善哉善男子
是真精進是名真法供養如來若以華香瓔
珞燒香末香塗香天繒幡蓋及海此岸栴檀
之香如是等種種諸物供養所不能及假使
國城妻子布施亦所不及善男子是名第一
之施於諸施中最尊最上以法供養諸如来
故作是語已而各嘿然其身火然千二百歲
過是已後其身乃盡一切衆生喜見菩薩作

國城妻子布施亦所不及善男子是名第一
之施於諸施中最尊最上以法供養諸如来
故作是語已而各嘿然其身火然千二百歲
過是已後其身乃盡一切衆生喜見菩薩作
如是法供養已命終之後復生日月淨明德
佛國中於淨德王家結跏趺坐忽然化生即
為其父而說偈言
大王今當知 我經行彼處 即時得一切 現諸身三昧
勤行大精進 捨所愛之身
說是偈已而白父言日月淨明德佛今故現
在我先供養佛已得解一切衆生語言陁羅
尼復聞是法華經八百千万億那由他甄迦
羅頻婆羅阿閦婆等偈大王我今當還供養
此佛白已即坐七寶之臺上昇虛空高七多
羅樹往到佛所頭面礼足合十指爪以偈讚
佛
容顏甚奇妙 光明照十方 我適曾供養 今復還親近
尒時一切衆生喜見菩薩說是偈已而白佛
言世尊世尊猶故在世尒時日月淨明德佛
告一切衆生喜見菩薩善男子我涅槃時到
滅盡時至汝可安施牀座我於今夜當般涅
槃又勑一切衆生喜見菩薩善男子我以佛
法囑累於汝及諸菩薩大弟子并阿耨多羅
三藐三菩提法亦以三千大千七寶世界諸
寶樹寶臺及給侍諸天悉付於汝我滅度後
所有舍利亦付囑汝當令流布廣設供養應
起若干千塔如是日月淨明德佛勑一切衆

三藐三菩提法亦以三千大千七寶世界諸
寶樹寶臺及給侍諸天悉付於汝我滅度後
所有舍利亦付囑汝當令流布廣設供養應
起若干千塔如是日月淨明德佛勅一切衆
生喜見菩薩已於夜後分入於涅槃尒時一
切衆生喜見菩薩見佛滅度悲感懊惱戀慕
於佛即以海此岸栴檀爲𧂐供養佛身而以
燒之火滅已後收取舍利作八万四千寶瓶
以起八万四千塔高三世界表刹莊嚴垂諸
幡蓋懸衆寶鈴尒時一切衆生喜見菩薩復
自念言我雖作是供養心猶未足我今當更
供養舍利便語諸菩薩大弟子及天龍夜叉
等一切大衆汝等當一心念我今供養日月
淨明德佛舍利作是語已即於八万四千塔
前然百福莊嚴臂七万二千歲而以供養令
无數求聲聞衆无量阿僧祇人發阿耨多羅
三藐三菩提心皆使得住現一切色身三昧
尒時諸菩薩天人阿脩羅等見其无臂憂惱
悲哀而作是言此一切衆生喜見菩薩是我
等師教化我者而今燒臂身不具足于時一
切衆生喜見菩薩於大衆中立此誓言我捨
兩臂必當得佛金色之身若實不虛令我兩
臂還復如故作是誓已自然還復由斯菩薩
福德智慧淳厚所致當尒之時三千大千世
界六種震動天雨寶華一切人天得未曾有
佛告宿王華菩薩於汝意云何一切衆生喜
見菩薩豈異人乎今藥王菩薩是也其所捨

BD00173 號　妙法蓮華經（八卷本）卷七　（20–11）

福德智慧淳厚所致當尒之時三千大千世
界六種震動天雨寶華一切人天得未曾有
佛告宿王華菩薩於汝意云何一切衆生喜
見菩薩豈異人乎今藥王菩薩是也其所捨
身布施如是无量百千万億那由他數宿王
華若有發心欲得阿耨多羅三藐三菩提者
能然手指乃至足一指供養佛塔勝以國城
妻子及三千大千國土山林河池諸珎寶物
而供養者若復有人以七寶滿三千大千世
界供養於佛及大菩薩辟支佛阿羅漢是人
所得功德不如受持此法華經乃至一四句
偈其福冣多宿王華譬如一切川流江河諸
水之中海爲第一此法華經亦復如是於諸
如來所說經中冣爲深大又如土山黑山小
鐵圍山大鐵圍山及十寶山衆山之中須弥
山爲第一此法華經亦復如是於諸經中冣
爲其上又如衆星之中月天子冣爲第一此
法華經亦復如是於千万億種諸經法中冣
爲照明又如日天子能除諸闇此經亦復如
是能破一切不善之闇又如諸小王中轉輪
聖王冣爲第一此經亦復如是於衆經中冣
爲其尊又如帝釋於三十三天中王此經亦
復如是諸經中王又如大梵天王一切衆生
之父此經亦復如是一切賢聖學无學及發
菩薩心者之父又如一切凡夫人中須陁洹
斯陁含阿那含阿羅漢辟支佛爲第一此經
亦復如是一切如來所說若菩薩所說若聲

BD00173 號　妙法蓮華經（八卷本）卷七　（20–12）

菩薩心者之父又如一切凡夫人中須陁洹
斯陁含阿那含阿羅漢辟支佛為第一此經
亦復如是一切如來所說若菩薩所說若聲
聞所說諸經法中最為第一有能受持是經
典者亦復如是於一切眾生中亦為第一一
切聲聞辟支佛中菩薩為第一此經亦復如
是於一切諸經法中最為第一如佛為諸法
王此經亦復如是諸經中王宿王華此經能
救一切眾生者此經能令一切眾生離諸苦
惱此經能大饒益一切眾生充滿其願如清
涼池能滿一切諸渴乏者如寒者得火如裸
者得衣如商人得主如子得母如渡得船如
病得醫如暗得燈如貧得寶如民得王如賈
客得海如炬除暗此法華經亦復如是能令
眾生離一切苦一切病痛能解一切生死之
縛若人得聞此法華經若自書若使人書所
得功德以佛智慧籌量多少不得其邊若書
是經卷華香瓔珞燒香末香塗香幡蓋衣服
種種之燈蘇燈油燈諸香油燈瞻蔔油燈須
曼那油燈波羅羅油燈婆利師迦油燈那婆
摩利油燈供養所得功德亦復无量宿王華
若有人聞是藥王菩薩本事品者亦得无量
无邊功德若有女人聞是藥王菩薩本事品
能受持者盡是女身後不復受若如來滅後
後五百歲中若有女人聞是經典如說脩行
於此命終即往安樂世界阿弥陁佛大菩薩
眾圍繞住處生蓮華中寶座之上不復為貪

BD00173號　妙法蓮華經（八卷本）卷七　（20–13）

後五百歲中若有女人聞是經典如說脩行
於此命終即往安樂世界阿弥陁佛大菩薩
眾圍繞住處生蓮華中寶座之上不復為貪
欲所惱亦復不為瞋恚愚癡所惱亦復不為
憍慢嫉妬諸垢所惱得菩薩神通无生法忍
得是忍已眼根清淨以是清淨眼根見七百
万二千億那由他恒河沙等諸佛如來是時
諸佛遙共讚言善哉善哉善男子汝能於釋
迦牟尼佛法中受持讀誦思惟是經為他人
說所得福德无量无邊火不能燒水不能漂
汝之功德千佛共說不能令盡汝今已能破
諸魔賊壞生死軍諸餘怨敵皆悉摧滅善男
子百千諸佛以神通力共守護汝於一切世
間天人之中无如汝者唯除如來其諸聲聞
辟支佛乃至菩薩智慧禪定无有與汝等者
宿王華此菩薩成就如是功德智慧之力若
有人聞是藥王菩薩本事品能隨喜讚善者
是人現世口中常出青蓮華香身毛孔中常
出牛頭栴檀之香所得功德如上所說是故
宿王華以此藥王菩薩本事品囑累於汝我
滅度後後五百歲中廣宣流布於閻浮提无
令斷絕惡魔魔民諸天龍夜叉鳩槃荼等得
其便也宿王華汝當以神通之力守護是經
所以者何此經則為閻浮提人病之良藥若
人有病得聞是經病即消滅不老不死宿王
華汝若見有受持是經者應以青蓮華盛滿
末香供散其上散已作是念言此人不久必
當取草坐於道場破諸魔軍當吹法螺擊大

BD00173號　妙法蓮華經（八卷本）卷七　（20–14）

人有病得聞是經病即消滅不老不死宿王
華汝若見有受持是經者應以青蓮華盛滿
末香供散其上散已作是念言此人不久必
當取草坐於道場破諸魔軍當吹法螺擊大
法鼓度脫一切眾生老病死海是故求佛道
者見有受持是經典人應當如是生恭敬心
說是藥王菩薩本事品時八万四千菩薩得
解一切眾生語言陁羅尼多寶如來於寶塔
中讚宿王華菩薩言善哉善哉宿王華汝成
就不可思議功德乃能問釋迦牟尼佛如此
之事利益无量一切眾生

妙法蓮華經妙音菩薩品第廿四

尒時釋迦牟尼佛放大人相肉髻光明及放
眉間白毫相光遍照東方百八万億那由他
恒河沙等諸佛世界過是數已有世界名淨
光莊嚴其國有佛号淨華宿王智如來應供
正遍知明行足善逝世間解无上士調御丈
夫天人師佛世尊為无量无邊菩薩大眾恭
敬圍繞而為說法釋迦牟尼佛白毫光明遍
照其國尒時一切淨光莊嚴國中有一菩薩
名曰妙音久已殖眾德本供養親近无量百
千万億諸佛而悉成就甚深智慧得妙幢相
三昧法華三昧淨德三昧宿王戲三昧无緣
三昧智印三昧解一切眾生語言三昧集一
切功德三昧清淨三昧神通遊戲三昧慧炬
三昧莊嚴王三昧淨光明三昧淨藏三昧不
共三昧日旋三昧得如是等百千万億恒河

BD00173號　妙法蓮華經（八卷本）卷七　（20–15）

三昧莊嚴王三昧淨光明三昧淨藏三昧不
共三昧日旋三昧得如是等百千万億恒河
沙等諸大三昧釋迦牟尼佛光照其身即白
淨華宿王智佛言世尊我當往詣娑婆世界
礼拜親近供養釋迦牟尼佛及見文殊師利
法王子菩薩藥王菩薩勇施菩薩宿王華菩
薩上行意菩薩莊嚴王菩薩藥上菩薩尒時
淨華宿王智佛告妙音菩薩汝莫輕彼國生
下劣想善男子彼娑婆世界高下不平土石
諸山穢惡充滿佛身卑小諸菩薩眾其形亦
小而汝身四万二千由旬我身六百八十万
由旬汝身第一端正百千万福光明殊妙是
故汝往莫輕彼國若佛菩薩及國土生下劣
想妙音菩薩白其佛言世尊我今詣娑婆世
界皆是如來之力如來神通遊戲如來功德
智慧莊嚴於是妙音菩薩不起于座身不動
搖而入三昧以三昧力於耆闍崛山去法座
不遠化作八万四千眾寶蓮華閻浮檀金為
莖白銀為葉金剛為鬚甄叔迦寶以為其臺
尒時文殊師利法王子見是蓮華而白佛言
世尊是何因緣先現此瑞有若干千万蓮華
閻浮檀金為莖白銀為葉金剛為鬚甄叔迦
寶以為其臺尒時釋迦牟尼佛告文殊師利
是妙音菩薩摩訶薩欲從淨華宿王智佛國
與八万四千菩薩圍繞而來至此娑婆世界
供養親近礼拜於我亦欲供養聽法華經文
殊師利白佛言世尊是菩薩種何善本脩何

BD00173號　妙法蓮華經（八卷本）卷七　（20–16）

與八万四千菩薩圍繞而來至此娑婆世界
供養親近礼拜於我亦欲供養聽法華經文
殊師利白佛言世尊是菩薩種何善本脩何
功德而能有是大神通力行何三昧願為我
等說是三昧名字我等亦欲勤脩行之行此
三昧乃能見是菩薩色相大小威儀進止唯
願世尊以神通力彼菩薩来令我得見尒時
釋迦牟尼佛告文殊師利此久滅度多寶如
来當為汝等而現其相時多寶佛告彼菩薩
善男子来文殊師利法王子欲見汝身于時
妙音菩薩於彼國沒與八万四千菩薩俱共
發來所經諸國六種震動皆悉雨於七寶蓮
華百千天樂不鼓自鳴是菩薩目如廣大青
蓮華葉正使和合百千万月其面貌端正復
過於此身真金色无量百千功德莊嚴威德
熾盛光明照曜諸相具足如那羅延堅固之
身入七寶臺上昇虛空去地七多羅樹諸菩
薩衆恭敬圍繞而來詣此娑婆世界耆闍崛
山到已下七寶臺以價直百千瓔珞持至釋
迦牟尼佛所頭面礼足奉上瓔珞而白佛言
世尊淨華宿王智佛問訊世尊少病少惱起
居輕利安樂行不四大調和不世事可忍不
衆生易度不无多貪欲瞋恚愚癡嫉妬慳慢
不无不孝父母不敬沙門耶見不善心不攝
五情不世尊衆生能降伏諸魔怨不久滅度
多寶如来在七寶塔中來聽法不又問訊多
寶如来安隱少惱堪忍久住不世尊我今欲

不无不孝父母不敬沙門耶見不善心不攝
五情不世尊衆生能降伏諸魔怨不久滅度
多寶如来在七寶塔中来聽法不又問訊多
寶如来安隱少惱堪忍久住不世尊我今欲
見多寶佛身唯願世尊示我令見尒時釋迦
牟尼佛語多寶佛是妙音菩薩欲得相見時
多寶佛告妙音言善哉善哉汝能為供養釋
迦牟尼佛及聽法華經并見文殊師利等故
来至此尒時華德菩薩白佛言世尊是妙音
菩薩種何善根脩何功德有是神力佛告華
德菩薩過去有佛名雲雷音王多陀阿伽度
阿羅呵三藐三佛陀國名現一切世間劫名
憙見妙音菩薩於万二千歲以十万種伎樂
供養雲雷音王佛并奉上八万四千七寶鉢
以是因緣果報今生淨華宿王智佛國有是
神力華德於汝意云何尒時雲雷音王佛所
妙音菩薩伎樂供養奉上寶器者豈異人乎
今此妙音菩薩摩訶薩是華德是妙音菩薩
已曾供養親近无量諸佛久植德本又值恒河
沙等百千万億那由他佛華德汝但見妙音
菩薩其身在此而是菩薩現種種身處處為
諸衆生說是經典或現梵王身或現帝釋身
或現自在天身大自在天身或現天大將軍
身或現毗沙門天王身或現轉輪聖王身或
現諸小王身或現長者身或現居士身或現
宰官身或現婆羅門身或現比丘比丘尼優

身或現毗沙門天王身或現轉輪聖王身或
現諸小王身或現長者身或現居士身或現
宰官身或現婆羅門身或現比丘比丘尼優
婆塞優婆夷身或現長者居士婦女身或現
宰官婦女身或現婆羅門婦女身或現童男
童女身或現天龍夜叉乾闥婆阿脩羅迦樓
羅緊那羅摩睺羅伽人非人等身而說是經
諸有地獄餓鬼畜生及衆難處皆能救濟乃
至於王後宮變為女身而說是經華德是
妙音菩薩能救護娑婆世界諸衆生者是妙
音菩薩如是種種變化現身在此娑婆國土
為諸衆生說是經典於神通變化智慧无所
損減是菩薩以若干智慧明照娑婆世界令
一切衆生各得所知於十方恒河沙世界中
亦復如是若應以聲聞形得度者現聲聞形
而為說法應以辟支佛形得度者現辟支佛
形而為說法應以菩薩形得度者現菩薩形
而為說法應以佛形得度者即現佛形而為
說法如是種種隨所應度而為現形乃至應
以滅度而得度者亦現滅度華德妙音菩薩
摩訶薩成就大神通智慧之力其事如是尒
時華德菩薩白佛言世尊是妙音菩薩深種
善根世尊是菩薩住何三昧而能如是在所
變現度脫衆生佛告華德菩薩善男子其三
昧名現一切色身妙音菩薩住是三昧中能
如是饒益无量衆生說是妙音菩薩品時與
妙音菩薩俱來者八万四千人皆得現一切

BD00173號　妙法蓮華經（八卷本）卷七　（20–19）

而為說法應以辟支佛形得度者現辟支佛
形而為說法應以菩薩形得度者現菩薩形
而為說法應以佛形得度者即現佛形而為
說法如是種種隨所應度而為現形乃至應
以滅度而得度者亦現滅度華德妙音菩薩
摩訶薩成就大神通智慧之力其事如是尒
時華德菩薩白佛言世尊是妙音菩薩深種
善根世尊是菩薩住何三昧而能如是在所
變現度脫衆生佛告華德菩薩善男子其三
昧名現一切色身妙音菩薩住是三昧中能
如是饒益无量衆生說是妙音菩薩品時與
妙音菩薩俱來者八万四千人皆得現一切
色身三昧此娑婆世界无量菩薩亦得是三
昧及陀羅尼尒時妙音菩薩摩訶薩供養釋
迦牟尼佛及多寶佛塔已還歸本土所經諸
國六種震動雨寶蓮華作百千万億種種伎
樂既到本國與八万四千菩薩圍繞至淨華
宿王智佛所白佛言世尊我到娑婆世界饒
益衆生見釋迦牟尼佛及見多寶佛塔礼拜
供養又見文殊師利法王子菩薩及見藥王
菩薩得勤精進力菩薩勇施菩薩等亦令是
八万四千菩薩得現一切色身三昧說是妙
音菩薩來往品時四万二千天子得无生法
忍華德菩薩得法華三昧

BD00173號　妙法蓮華經（八卷本）卷七　（20–20）

惠佛身善入佛慧通達大智到於彼岸名稱
普聞无量世界能度无數百千衆生
其名曰文殊師利菩薩觀世音菩薩得大勢
菩薩常精進菩薩不休息菩薩寶掌菩薩藥
王菩薩勇施菩薩寶月菩薩月光菩薩滿月
菩薩大力菩薩无量力菩薩越三界菩薩颰
陀婆羅菩薩弥勒菩薩寶積菩薩導師菩薩
如是等菩薩摩訶薩八万人俱
尒時釋提桓因與其眷屬二万天子俱復有
名月天子普香天子寶光天子四大天王與
其眷屬万天子俱自在天子大自在天子與
其眷屬三万天子俱娑婆世界主梵天王尸
棄大梵光明大梵等與其眷屬万二千天子
俱有八龍王難陀龍王跋難陀龍王娑伽羅
龍王和脩吉龍王德叉迦龍王阿那婆達多
龍王摩那斯龍王優鉢羅龍王等各與若干
百千眷屬俱有四緊那羅王法緊那羅王妙
法緊那羅王大法緊那羅王持法緊那羅王
各與若干百千眷屬俱有四乾闥婆王樂乾
闥婆王樂音乾闥婆王美乾闥婆王美音乾
闥婆王各與若干百千眷屬俱有四阿脩羅
王婆稚阿脩羅王佉羅騫馱阿脩羅王毗摩
質多羅阿脩羅王羅睺羅阿脩羅王各與若

BD00174 號　妙法蓮華經卷一　（24–1）

百千眷屬俱有四緊那羅王法緊那羅王妙
法緊那羅王大法緊那羅王持法緊那羅王
各與若干百千眷屬俱有四乾闥婆王樂乾
闥婆王樂音乾闥婆王美乾闥婆王美音乾
闥婆王各與若干百千眷屬俱有四阿脩羅
王婆稚阿脩羅王佉羅騫馱阿脩羅王毗摩
質多羅阿脩羅王羅睺羅阿脩羅王各與若
千百千眷屬俱有四迦樓羅王大威德迦樓
羅王大身迦樓羅王大滿迦樓羅王如意迦
樓羅王各與若千百千眷屬俱韋提希子阿
闍世王與若千百千眷屬俱各礼佛足退坐
一面
尒時世尊四衆圍遶供養恭敬尊重讚歎為
諸菩薩說大乘經名无量義教菩薩法佛所
護念佛說此經已結跏趺坐入於无量義處
三昧身心不動是時天雨曼陀羅華摩訶曼
陀羅華曼殊沙華摩訶曼殊沙華而散佛上
及諸大衆普佛世界六種震動尒時會中比
丘比丘尼優婆塞優婆夷天龍夜叉乾闥婆
阿脩羅迦樓羅緊那羅摩睺羅伽人非人及
諸小王轉輪聖王是諸大衆得未曾有歡
喜合掌一心觀佛尒時佛放眉間白豪相光
照于東方万八千世界靡不周遍下至阿鼻
地獄上至阿迦尼吒天於此世界盡見彼土
六趣衆生又見彼土現在諸佛及聞諸佛所
說經法并見彼諸比丘比丘尼優婆塞優婆
夷諸脩行得道者復見諸菩薩摩訶薩種種

BD00174 號　妙法蓮華經卷一　（24–2）

喜合掌一心觀佛尒時佛放眉間白毫相光
照于東方万八千世界靡不周遍下至阿鼻
地獄上至阿迦尼吒天於此世界盡見彼土
六趣衆生又見彼土現在諸佛及聞諸佛所
說經法并見彼諸比丘比丘尼優婆塞優婆
夷諸脩行得道者復見諸菩薩摩訶薩種種
因緣種種信解種種相貌行菩薩道復見諸
佛般涅槃者復見諸佛般涅槃後以佛舍利
起七寶塔
尒時弥勒菩薩作是念今者世尊現神變相以
何因緣而有此瑞今佛世尊入于三昧是
不可思議現希有事當以問誰誰能荅者復
作此念是文殊師利法王之子已曾親近供
養過去无量諸佛必應見此希有之相我今
當問尒時比丘比丘尼優婆塞優婆夷及諸
天龍鬼神等咸作此念是佛光明神通之相
今當問誰尒時弥勒菩薩欲自決疑又觀四
衆比丘比丘尼優婆塞優婆夷及諸天龍鬼
神等衆會之心而問文殊師利言以何因緣
而有此瑞神通之相放大光明照于東方万
八千土悉見彼佛國界莊嚴於是弥勒菩薩
欲重宣此義以偈問曰
文殊師利　導師何故　眉間白毫　大光普照
雨曼陁羅　曼殊沙華　旃檀香風　悅可衆心
以是因緣　地皆嚴淨　而此世界　六種震動
時四部衆　咸皆歡喜　身意快然　得未曾有

文殊師利　導師何故　眉間白毫　大光普照
雨曼陁羅　曼殊沙華　旃檀香風　悅可衆心
以是因緣　地皆嚴淨　而此世界　六種震動
時四部衆　咸皆歡喜　身意快然　得未曾有
眉間光明　照于東方　万八千土　皆如金色
從阿鼻獄　上至有頂　諸世界中　六道衆生
生死所趣　善惡業緣　受報好醜　於此悉見
又覩諸佛　聖主師子　演說經典　微妙第一
其聲清淨　出柔耎音　教諸菩薩　无數億万
梵音深妙　令人樂聞　各於世界　講說正法
種種因緣　以无量喻　照明佛法　開悟衆生
若人遭苦　猒老病死　為說涅槃　盡諸苦際
若人有福　曾供養佛　志求勝法　為說緣覺
若有佛子　脩種種行　求无上慧　為說淨道
文殊師利　我住於此　見聞若斯　及千億事
如是衆多　今當略說
我見彼土　恒沙菩薩　種種因緣　而求佛道
或有行施　金銀珊瑚　真珠摩尼　車𤦲馬瑙
金剛諸珎　奴婢車乘　寶飾輦轝　歡喜布施
迴向佛道　願得是乘　三界第一　諸佛所歎
或有菩薩　駟馬寶車　蘭楯華蓋　軒飾布施
復有菩薩　身肉手足　及妻子施　求无上道
又見菩薩　頭目身體　欣樂施與　求佛智慧
文殊師利　我見諸王　往詣佛所　問无上道
便捨樂土　宮殿臣妾　剃除鬚髮　而被法服
或見菩薩　而作比丘　獨處閑靜　樂誦經典
又見菩薩　勇猛精進　入於深山　思惟佛道

文殊師利　我見諸王　往詣佛所　問无上道
便捨樂土　宮殿臣妾　剃除鬚髮　而被法服
或見菩薩　而作比丘　獨處閑靜　樂誦經典
又見菩薩　勇猛精進　入於深山　思惟佛道
又見離欲　常處空閑　深脩禪定　得五神通
又見菩薩　安禪合掌　以千万偈　讚諸法王
復見菩薩　智深志固　能問諸佛　聞悉受持
又見佛子　定慧具足　以无量喻　為衆講法
欣樂說法　化諸菩薩　破魔兵衆　而擊法鼓
又見菩薩　寂然宴嘿　天龍恭敬　不以為喜
又見菩薩　處林放光　濟地獄苦　令入佛道
又見佛子　未嘗睡眠　經行林中　勤求佛道
又見具戒　威儀无缺　淨如寶珠　以求佛道
又見佛子　住忍辱力　增上慢人　惡罵捶打
皆悉能忍　以求佛道
又見菩薩　離諸戲咲　及癡眷屬　親近智者
一心除亂　攝念山林　億千万歲　以求佛道
或見菩薩　餚饍飲食　百種湯藥　施佛及僧
名衣上服　價直千万　或无價衣　施佛及僧
千万億種　栴檀寶舍　衆妙卧具　施佛及僧
清淨園林　華菓茂盛　流泉浴池　施佛及僧
如是等施　種種微妙　歡喜无猒　求无上道
或有菩薩　說寂滅法　種種教詔　无數衆生
或見菩薩　觀諸法性　无有二相　猶如虛空
又見佛子　心无所着　以此妙慧　求无上道
文殊師利　又有菩薩　佛滅度後　供養舍利

BD00174號　妙法蓮華經卷一　　（24–5）

如是等施　種種微妙　歡喜无猒　求无上道
或有菩薩　說寂滅法　種種教詔　无數衆生
或見菩薩　觀諸法性　无有二相　猶如虛空
又見佛子　心无所着　以此妙慧　求无上道
文殊師利　又有菩薩　佛滅度後　供養舍利
又見佛子　造諸塔廟　无數恒沙　嚴飾國界
寶塔高妙　五千由旬　縱廣正等　二千由旬
一一塔廟　各千幢幡　珠交露幔　寶鈴和鳴
諸天龍神　人及非人　香華伎樂　常以供養
文殊師利　諸佛子等　為供舍利　嚴飾塔廟
國界自然　殊特妙好　如天樹王　其華開敷
佛放一光　我及衆會　見此國界　種種殊妙
諸佛神力　智慧希有　放一淨光　照无量國
我等見此　得未曾有　佛子文殊　願決衆疑
四衆欣仰　瞻仁及我　世尊何故　放斯光明
佛子時荅　決疑令喜　何所饒益　演斯光明
佛坐道場　所得妙法　為欲說此　為當授記
示諸佛土　衆寶嚴淨　及見諸佛　此非小緣
文殊當知　四衆龍神　瞻察仁者　為說何等
是時文殊師利語彌勒菩薩摩訶薩及諸大
士善男子等如我惟忖今佛世尊欲說大法
雨大法雨吹大法蠡擊大法鼓演大法義諸
善男子我於過去諸佛曾見此瑞放斯光已
即說大法是故當知今佛現光亦復如是欲
令衆生咸得聞知一切世間難信之法故現
斯瑞諸善男子如過去无量无邊不可思議
阿僧祇劫尒時有佛号日月燈明如來應供

BD00174號　妙法蓮華經卷一　　（24–6）

即說大法是故當知今佛現光亦復如是欲
令衆生咸得聞知一切世間難信之法故現
斯瑞諸善男子如過去无量无邊不可思議
阿僧祇劫尒時有佛号日月燈明如來應供
正遍知明行足善逝世間解无上士調御丈
夫天人師佛世尊演說正法初善中善後善
其義深遠其語巧妙純一无雜具足清白梵
行之相為求聲聞者說應四諦法度生老病
死究竟涅槃為求辟支佛者說應十二因緣
法為諸菩薩說應六波羅蜜令得阿耨多羅
三藐三菩提成一切種智
次復有佛亦名日月燈明次復有佛亦名日
月燈明如是二万佛皆同一字号日月燈明
又同一姓姓頗羅墮弥勒當知初佛後佛皆
同一字名日月燈明十号具足所可說法初
中後善其冣後佛未出家時有八子一名有
意二名善意三名无量意四名寶意五名增
意六名除疑意七名嚮意八名法意是八王
子威德自在各領四天下是諸王子聞父出
家得阿耨多羅三藐三菩提悉捨王位亦隨
出家發大乘意常脩梵行皆為法師已於千
万億佛所殖衆德本是時日月燈明佛說大
乘經名无量義教菩薩法佛所護念說是經
已即於大衆中結加趺坐入於无量義處三
昧身心不動是時天雨曼陁羅華摩訶曼陁
羅華曼殊沙華摩訶曼殊沙華而散佛上及

BD00174 號　妙法蓮華經卷一　　（24–7）

乘經名无量義教菩薩法佛所護念說是經
已即於大衆中結加趺坐入於无量義處三
昧身心不動是時天雨曼陁羅華摩訶曼陁
羅華曼殊沙華摩訶曼殊沙華而散佛上及
諸大衆普佛世界六種震動尒時會中比丘
比丘尼優婆塞優婆夷天龍夜叉乾闥婆阿
脩羅迦樓羅緊那羅摩睺羅伽人非人及諸
小王轉輪聖王等是諸大衆得未曾有歡喜
合掌一心觀佛
尒時如來放眉間白豪相光照東方万八千
佛土靡不周遍如今所見是諸佛土弥勒當
知尒時會中有二十億菩薩樂欲聽法是諸
菩薩見此光明普照佛土得未曾有欲知此
光所為因緣時有菩薩名曰妙光有八百弟
子是時日月燈明佛從三昧起因妙光菩薩
說大乘經名妙法蓮華教菩薩法佛所護念
六十小劫不起于座時會聽者亦坐一處六
十小劫身心不動聽佛所說謂如食頃是時
衆中无有一人若身若心而生懈惓日月燈
明佛於六十小劫說是經已即於梵魔沙門
婆羅門及天人阿脩羅衆中而宣此言如來
於今日中夜當入无餘涅槃時有菩薩名曰
德藏日月燈明佛即授其記告諸比丘是德
藏菩薩次當作佛号曰淨身多陁阿伽度阿
羅訶三藐三佛陁佛授記已便於中夜入无
餘涅槃

BD00174 號　妙法蓮華經卷一　　（24–8）

於今日中夜當入无餘涅槃時有菩薩名曰
德藏日月燈明佛即授其記告諸比丘是德
藏菩薩次當作佛号曰淨身多陁阿伽度阿
羅訶三藐三佛陁佛授記已便於中夜入无
餘涅槃
佛滅度後妙光菩薩持妙法蓮華經滿八十
小劫為人演說日月燈明佛八子皆師妙光
妙光教化令其堅固阿耨多羅三藐三菩提
是諸王子供養无量百千万億佛已皆成佛
道其最後成佛者名曰然燈八百弟子中有
一人号曰求名貪著利養雖復讀誦衆經而
不通利多所忘失故号求名是人亦以種諸
善根因緣故得值无量百千万億諸佛供養
恭敬尊重讚歎弥勒當知尒時妙光菩薩豈
異人乎我身是也求名菩薩汝身是也今見
此瑞與本无異是故惟忖今日如來當說大
乘經名妙法蓮華教菩薩法佛所護念尒時
文殊師利於大衆中欲重宣此義而說偈言
我念過去世　无量无數劫　有佛人中尊　号日月燈明
世尊演說法　度无量衆生　无數億菩薩　令入佛智慧
佛未出家時　所生八王子　見大聖出家　亦隨脩梵行
時佛說大乘　經名无量義　於諸大衆中　而為廣分別
佛說此經已　即於法座上　加趺坐三昧　名无量義處
天雨曼陁華　天皷自然鳴　諸天龍鬼神　供養人中尊
一切諸佛土　即時大震動　佛放眉間光　現諸希有事
此光照東方　万八千佛土　示一切衆生　生死業報處

BD00174號　妙法蓮華經卷一　（24–9）

佛說此經已　即於法座上　加趺坐三昧　名无量義處
天雨曼陁華　天皷自然鳴　諸天龍鬼神　供養人中尊
一切諸佛土　即時大震動　佛放眉間光　現諸希有事
此光照東方　万八千佛土　亦一切衆生　生死業報處
有見諸佛土　以衆寶莊嚴　琉璃頗梨色　斯由佛光照
及見諸天人　龍神夜叉衆　乾闥緊那羅　各供養其佛
又見諸如來　自然成佛道　身色如金山　端嚴甚微妙
如淨琉璃中　內現真金像　世尊在大衆　敷演深法義
一一諸佛土　聲聞衆无數　因佛光所照　悉見彼大衆
或有諸比丘　在於山林中　精進持淨戒　猶如護明珠
又見諸菩薩　行施忍辱等　其數如恒沙　斯由佛光照
又見諸菩薩　深入諸禪定　身心寂不動　以求无上道
又見諸菩薩　知法寂滅相　各於其國土　說法求佛道
尒時四部衆　見日月燈明　現大神通相　其心皆歡喜
各各自相問　是事何因緣
天人所奉尊　適從三昧起　讚妙光菩薩　汝為世間眼
一切所歸信　能奉持法藏　如我所說法　唯汝能證知
世尊既讚歎　令妙光歡喜　說是法華經　滿六十小劫
不起於此座　所說上妙法　是妙光法師　悉皆能受持
佛說是法華　令衆歡喜已　尋即於是日　告於天人衆
諸法實相義　已為汝等說　我今於中夜　當入於涅槃
汝一心精進　當離於放逸　諸佛甚難值　億劫時一遇
世尊諸子等　聞佛入涅槃　各各懷悲惱　佛滅一何速
聖主法之王　安慰无量衆　我若滅度時　汝等勿憂怖
是德藏菩薩　於无漏實相　心已得通達　其次當作佛
号曰為淨身　亦度无量衆

BD00174號　妙法蓮華經卷一　（24–10）

汝一心精進　當離於放逸　諸佛甚難值　億劫時一遇
世尊諸子等　聞佛入涅槃　各各懷悲惱　佛滅一何速
聖主法之王　安慰无量衆　我若滅度時　汝等勿憂怖
是德藏菩薩　於无漏實相　心已得通達　其次當作佛
号曰為淨身　亦度无量衆
佛此夜滅度　如薪盡火滅　分布諸舍利　而起无量塔
比丘比丘尼　其數如恒沙　倍復加精進　以求无上道
是妙光法師　奉持佛法藏　八十小劫中　廣宣法華經
是諸八王子　妙光所開化　堅固无上道　當見无數佛
供養諸佛已　随順行大道　相繼得成佛　轉次而授記
最後天中天　号曰燃燈佛　諸仙之導師　度脫无量衆
是妙光法師　時有一弟子　心常懷懈怠　貪著於名利
求名利无猒　多遊族姓家　棄捨所習誦　廢忘不通利
以是因緣故　号之為求名　亦行衆善業　得見无數佛
供養於諸佛　随順行大道　具六波羅蜜　今見釋師子
其後當作佛　号名曰彌勒　廣度諸衆生　其數无有量
彼佛滅度後　懈怠者汝是　妙光法師者　今則我身是
我見燈明佛　本光瑞如此　以是知今佛　欲說法華經
今相如本瑞　是諸佛方便　今佛放光明　助發實相義
諸人今當知　合掌一心待　佛當雨法雨　充足求道者
諸求三乘人　若有疑悔者　佛當為除斷　令盡无有餘

妙法蓮華經方便品第二

尒時世尊從三昧安詳而起告舍利弗諸佛
智慧甚深无量其智慧門難解難入一切聲
聞辟支佛所不能知所以者何佛曾親近百
千万億无數諸佛盡行諸佛无量道法勇猛
精進名稱普聞成就甚深未曾有法随宜所

智慧甚深无量其智慧門難解難入一切聲
聞辟支佛所不能知所以者何佛曾親近百
千万億无數諸佛盡行諸佛无量道法勇猛
精進名稱普聞成就甚深未曾有法随宜所
說意趣難解舍利弗吾從成佛已来種種因
緣種種譬喻廣演言教无數方便引導衆生
令離諸著所以者何如来方便知見波羅蜜
皆已具足舍利弗如来知見廣大深遠无量
无导无所畏禪定解脫三昧深入无際成就
一切未曾有法舍利弗如来能種種分別巧
說諸法言辭柔軟悅可衆心舍利弗取要
言之无量无邊未曾有法佛悉成就止舍利
弗不須復說所以者何佛所成就第一希有
難解之法唯佛與佛乃能究盡諸法實相所
謂諸法如是相如是性如是體如是力如是
作如是因如是緣如是果如是報如是本末
究竟等尒時世尊欲重宣此義而說偈言
世雄不可量　諸天及世人　一切衆生類　无能知佛者
佛力无所畏　解脫諸三昧　及佛諸餘法　无能測量者
本從无數佛　具足行諸道　甚深微妙法　難見難可了
於无量億劫　行此諸道已　道場得成果　我已悉知見
如是大果報　種種性相義　我及十方佛　乃能知是事
是法不可示　言辭相寂滅　諸餘衆生類　无有能得解
除諸菩薩衆　信力堅固者　諸佛弟子衆　曾供養諸佛
一切漏已盡　住是最後身　如是諸人等　其力所不堪
假使滿世間　皆如舍利弗　盡思共度量　不能測佛智

除諸菩薩衆　信力堅固者　諸佛弟子衆　曾供養諸佛
一切漏已盡　住是最後身　如是諸人等　其力所不堪
假使滿世間　皆如舍利弗　盡思共度量　不能測佛智
正使滿十方　皆如舍利弗　及餘諸弟子　亦滿十方剎
盡思共度量　亦復不能知　辟支佛利智　无漏最後身
亦滿十方界　其數如竹林　斯等共一心　於億无量劫
欲思佛實智　莫能知少分　新發意菩薩　供養无數佛
了達諸義趣　又能善說法　如稻麻竹葦　充滿十方剎
一心以妙智　於恒河沙劫　咸皆共思量　不能知佛智
不退諸菩薩　其數如恒沙　一心共思求　亦復不能知
又告舍利弗　无漏不思議　甚深微妙法　我今已具得
唯我知是相　十方佛亦然　舍利弗當知　諸佛語无異
於佛所說法　當生大信力　世尊法久後　要當說真實
告諸聲聞衆　及求緣覺乘　我令脫苦縛　逮得涅槃者
佛以方便力　示以三乘教　衆生處處著　引之令得出
尒時大衆中有諸聲聞漏盡阿羅漢阿若憍
陳如等千二百人及發聲聞辟支佛心比丘
比丘尼優婆塞優婆夷各作是念今者世尊
何故慇懃稱歎方便而作是言佛所得法甚
深難解有所言說意趣難知一切聲聞辟支
佛所不能及佛說一解脫義我等亦得此法
到於涅槃而今不知是義所趣尒時舍利弗
知四衆心疑自亦未了而白佛言世尊何因
何緣慇懃稱歎諸佛第一方便甚深微妙難
解之法我自昔來未曾從佛聞如是說今者
四衆咸皆有疑唯願世尊敷演斯事世尊何

BD00174號　妙法蓮華經卷一　（24–13）

知四衆心疑自亦未了而白佛言世尊何因
何緣慇懃稱歎諸佛第一方便甚深微妙難
解之法我自昔來未曾從佛聞如是說今者
四衆咸皆有疑唯願世尊敷演斯事世尊何
故慇懃稱歎甚深微妙難解之法尒時舍利
弗欲重宣此義而說偈言
慧日大聖尊　久乃說是法　自說得如是　力无畏三昧
禪定解脫等　不可思議法　道場所得法　无能發問者
我意難可測　亦无能問者　无問而自說　稱歎所行道
智慧甚微妙　諸佛之所得　无漏諸羅漢　及求涅槃者
今皆墮疑網　佛何故說是　其求緣覺者　比丘比丘尼
諸天龍鬼神　及乾闥婆等　相視懷猶豫　瞻仰兩足尊
是事為云何　願佛為解說　於諸聲聞衆　佛說我第一
我今自於智　疑惑不能了　為是究竟法　為是所行道
佛口所生子　合掌瞻仰待　願出微妙音　時為如實說
諸天龍神等　其數如恒沙　求佛諸菩薩　大數有八万
又諸万億國　轉輪聖王至　合掌以敬心　欲聞具足道
尒時佛告舍利弗止止不須復說若說是事
一切世間諸天及人皆當驚疑舍利弗重白
佛言世尊唯願說之唯願說之所以者何是
會无數百千万億阿僧祇衆生曾見諸佛諸
根猛利智慧明了聞佛所說則能敬信尒
時舍利弗欲重宣此義而說偈言
法王无上尊　唯說願勿慮　是會无量衆　有能敬信者
佛復止舍利弗若說是事一切世間天人阿
脩羅皆當驚疑增上慢比丘將墜於大坑

BD00174號　妙法蓮華經卷一　（24–14）

根猛利智慧明了聞佛所說則能敬信尒
時舍利弗欲重宣此義而說偈言
法王无上尊　唯說願勿慮　是會无量衆　有能敬信者
佛復止舍利弗若說是事一切世間天人阿
脩羅皆當驚疑增上慢比丘將墜於大坑
尒時世尊重說偈言
止止不須說　我法妙難思　諸增上慢者　聞必不敬信
尒時舍利弗重白佛言世尊唯願說之唯願
說之今此會中如我等比百千万億世世已
曾從佛受化如此人等必能敬信長夜安隱
多所饒益尒時舍利弗欲重宣此義而說偈
言
无上兩足尊　願說第一法　我為佛長子　唯垂分別說
是會无量衆　能敬信此法　佛已曾世世　教化如是等
皆一心合掌　欲聽受佛語　我等千二百　及餘求佛者
願為此衆故　唯垂分別說　是等聞此法　則生大歡喜
尒時世尊告舍利弗汝已慇懃三請豈得
不說汝今諦聽善思念之吾當為汝分別解說
說此語時會中有比丘比丘尼優婆塞優婆
夷五千人等即從坐起禮佛而退所以者何
此輩罪根深重及增上慢未得謂得未證謂
證有如此失是以不住世尊嘿然而不制止
尒時佛告舍利弗我今此衆无復枝葉純有
貞實舍利弗如是增上慢人退亦佳矣汝今
善聽當為汝說舍利弗言唯然世尊願樂欲
聞佛告舍利弗如是妙法諸佛如來時乃說

諸有如此失是以不住世尊嘿然而不制止
尒時佛告舍利弗我今此衆无復枝葉純有
貞實舍利弗如是增上慢人退亦佳矣汝今
善聽當為汝說舍利弗言唯然世尊願樂欲
聞佛告舍利弗如是妙法諸佛如來時乃說
之如優曇鉢華時一現耳舍利弗汝等當信
佛之所說言不虛妄舍利弗諸佛隨宜說法
意趣難解所以者何我以无數方便種種因
緣譬喻言辭演說諸法是法非思量分別之
所能解唯有諸佛乃能知之所以者何諸佛
世尊唯以一大事因緣故出現於世舍利弗
云何名諸佛世尊唯以一大事因緣故出現
於世諸佛世尊欲令衆生開佛知見使得清
淨故出現於世欲示衆生佛知見故出現於
世欲令衆生悟佛知見故出現於世欲令衆
生入佛知見道故出現於世舍利弗是為諸
佛以一大事因緣故出現於世
佛告舍利弗諸佛如來但教化菩薩諸有所
作常為一事唯以佛之知見示悟衆生舍利
弗如來但以一佛乘故為衆生說法无有餘
乘若二若三舍利弗一切十方諸佛法亦如
是舍利弗過去諸佛以无量无數方便種種
因緣譬喻言辭而為衆生演說諸法是法皆
為一佛乘故是諸衆生從諸佛聞法究竟皆
得一切種智舍利弗未來諸佛當出於世亦
以无量无數方便種種因緣譬喻言辭而為
衆生演說諸法是法皆為一佛乘故是諸衆

因緣辟喻言辭而為衆生演說諸法是法皆
為一佛乘故是諸衆生從諸佛聞法究竟皆
得一切種智舍利弗未來諸佛當出於世亦
以无量无數方便種種因緣辟喻言辭而為
衆生演說諸法是法皆為一佛乘故是諸衆
生從佛聞法究竟皆得一切種智舍利弗現
在十方无量百千万億佛土中諸佛世尊多
所饒益安樂衆生是諸佛亦以无量无數方
便種種因緣辟喻言辭而為衆生演說諸法
是法皆為一佛乘故是諸衆生從佛聞法究
竟皆得一切種智舍利弗是諸佛但教化菩
薩欲以佛之知見示衆生故欲以佛之知見
悟衆生故欲令衆生入佛知見故舍利弗我
今亦復如是知諸衆生有種種欲深心所
著隨其本性以種種因緣辟喻言辭方便力
故而為說法舍利弗如此皆為得一佛乘一
切種智故舍利弗十方世界中尚无二乘何
況有三
舍利弗諸佛出於五濁惡世所謂劫濁煩惱
濁衆生濁見濁命濁如是舍利弗劫濁亂時
衆生垢重慳貪嫉妬成就諸不善根故諸佛
以方便力於一佛乘分別說三舍利弗若我
弟子自謂阿羅漢辟支佛者不聞不知諸佛
如來但教化菩薩事此非佛弟子非阿羅漢
非辟支佛又舍利弗是諸比丘比丘尼自謂
已得阿羅漢是最後身究竟涅槃便不復志

BD00174號　妙法蓮華經卷一　（24–17）

弟子自謂阿羅漢辟支佛者不聞不知諸佛
如來但教化菩薩事此非佛弟子非阿羅漢
非辟支佛又舍利弗是諸比丘比丘尼自謂
已得阿羅漢是最後身究竟涅槃便不復志
求阿耨多羅三藐三菩提當知此輩皆是增
上慢人所以者何若有比丘實得阿羅漢若
不信此法无有是處除佛滅度後現前无佛
所以者何佛滅度後如是等經受持讀誦解
義者是人難得若遇餘佛於此法中便得決
了舍利弗汝等當一心信解受持佛語諸佛如
來言无虛妄无有餘乘唯一佛乘介時世
尊欲重宣此義而說偈言
比丘比丘尼　有懷增上慢　優婆塞我慢　優婆夷不信
如是四衆等　其數有五千　不自見其過　於戒有缺漏
護惜其瑕疵　是小智已出　衆中之糟糠　佛威德故去
斯人尠福德　不堪受是法　此衆无枝葉　唯有諸貞實
舍利弗善聽　諸佛所得法　无量方便力　而為衆生說
衆生心所念　種種所行道　若干諸欲性　先世善惡業
佛悉知是已　以諸緣辟喻　言辭方便力　令一切歡喜
或說脩多羅　伽陁及本事　本生未曾有　亦說於因緣
辟喻并祇夜　優波提舍經　鈍根樂小法　貪著於生死
於諸无量佛　不行深妙道　衆苦所惱亂　為是說涅槃
我設是方便　令得入佛慧　未曾說汝等　當得成佛道
所以未曾說　說時未至故　今正是其時　決定說大乘
我此九部法　隨順衆生說　入大乘為本　以故說是經
有佛子心淨　柔軟亦利根　无量諸佛所　而行深妙道

BD00174號　妙法蓮華經卷一　（24–18）

我設是方便　令得入佛慧　未曾說汝等　當得成佛道
所以未曾說　說時未至故　今正是其時　決定說大乘
我此九部法　隨順衆生說　入大乘為本　以故說是經
有佛子心淨　柔軟亦利根　无量諸佛所　而行深妙道
為此諸佛子　說是大乘經
我記如是人　來世成佛道　以深心念佛　修持淨戒故
此等聞得佛　大喜充遍身　佛知彼心行　故為說大乘
聲聞若菩薩　聞我所說法　乃至於一偈　皆成佛无疑
十方佛土中　唯有一乘法　无二亦无三　除佛方便說
但以假名字　引導於衆生　說佛智慧故　諸佛出於世
唯此一事實　餘二則非真　終不以小乘　濟度於衆生
佛自住大乘　如其所得法　定慧力莊嚴　以此度衆生
自證无上道　大乘平等法　若以小乘化　乃至於一人
我則墮慳貪　此事為不可　若人信歸佛　如來不欺誑
亦无貪嫉意　斷諸法中惡　故佛於十方　而獨无所畏
我以相嚴身　光明照世間　无量衆所尊　為說實相印
舍利弗當知　我本立誓願　欲令一切衆　如我等无異
如我昔所願　今者已滿足　化一切衆生　皆令入佛道
若我遇衆生　盡教以佛道　无智者錯亂　迷惑不受教
我知此衆生　未曾修善本　堅著於五欲　癡愛故生惱
以諸欲因緣　墜墮三惡道　輪迴六趣中　備受諸苦毒
受胎之微形　世世常增長　薄德少福人　衆苦所逼迫
入邪見稠林　若有若无等　依止此諸見　具足六十二
深著虛妄法　堅受不可捨　我慢自矜高　諂曲心不實
於千万億劫　不聞佛名字　亦不聞正法　如是人難度
是故舍利弗　我為設方便　說諸盡苦道　示之以涅槃

入邪見稠林　若有若无等　依止此諸見　具足六十二
深著虛妄法　堅受不可捨　我慢自矜高　諂曲心不實
於千万億劫　不聞佛名字　亦不聞正法　如是人難度
是故舍利弗　我為設方便　說諸盡苦道　示之以涅槃
我雖說涅槃　是亦非真滅　諸法從本來　常自寂滅相
佛子行道已　來世得作佛
我有方便力　開示三乘法　一切諸世尊　皆說一乘道
今此諸大衆　皆應除疑惑　諸佛語无異　唯一无二乘
過去无數劫　无量滅度佛　百千万億種　其數不可量
如是諸世尊　種種緣譬喻　无數方便力　演說諸法相
是諸世尊等　皆說一乘法　化无量衆生　令入於佛道
又諸大聖衆　知一切世間　天人群生類　深心之所欲
更以異方便　助顯第一義　若有衆生類　值諸過去佛
若聞法布施　或持戒忍辱　精進禪智等　種種修福德
如是諸人等　皆已成佛道　諸佛滅度已　若人善軟心
如是諸衆生　皆已成佛道　諸佛滅度已　供養舍利者
起万億種塔　金銀及頗梨　車璖與馬瑙　玫瑰瑠璃珠
清淨廣嚴飾　莊校於諸塔　或有起石廟　栴檀及沈水
木榓并餘材　塼瓦泥土等　若於曠野中　積土成佛廟
乃至童子戲　聚沙為佛塔　如是諸人等　皆已成佛道
若人為佛故　建立諸形像　刻彫成衆相　皆已成佛道
或以七寶成　鍮石赤白銅　白鑞及鈆錫　鐵木及與泥
或以膠漆布　嚴飾作佛像　如是諸人等　皆已成佛道
綵畫作佛像　百福莊嚴相　自作若使人　皆已成佛道
乃至童子戲　若草木及筆　或以指爪甲　而畫作佛像
如是諸人等　漸漸積功德　具足大悲心　皆已成佛道

或以膠漆布 嚴飾作佛像 如是諸人等 皆已成佛道
綵畫作佛像 百福莊嚴相 自作若使人 皆已成佛道
乃至童子戲 若草木及筆 或以指爪甲 而畫作佛像
如是諸人等 漸漸積功德 具足大悲心 皆已成佛道
但化諸菩薩 度脫无量衆 若人於塔廟 寶像及畫像
以華香幡蓋 敬心而供養 若使人作樂 擊鼓吹角貝
簫笛琴箜篌 琵琶鐃銅鈸 如是衆妙音 盡持以供養
或以歡喜心 歌唄頌佛德 乃至一小音 皆已成佛道
若人散亂心 乃至以一華 供養於畫像 漸見无數佛
或有人礼拜 或復但合掌 乃至舉一手 或復小低頭
以此供養像 漸見无量佛 自成无上道 廣度无數衆
入无餘涅槃 如薪盡火滅
若人散亂心 入於塔廟中 一稱南无佛 皆已成佛道
於諸過去佛 現在或滅度 若有聞是法 皆已成佛道
未來諸世尊 其數无有量 是諸如來等 亦方便說法
一切諸如來 以无量方便 度脫諸衆生 入佛无漏智
若有聞法者 无一不成佛 諸佛本誓願 我所行佛道
普欲令衆生 亦同得此道 未來世諸佛 雖說百千億
无數諸法門 其實為一乘 諸佛兩足尊 知法常无性
佛種從緣起 是故說一乘 是法住法位 世間相常住
於道場知已 導師方便說 天人所供養 現在十方佛
其數如恒沙 出現於世間 安隱衆生故 亦說如是法
知第一寂滅 以方便力故 雖示種種道 其實為佛乘
知衆生諸行 深心之所念 過去所習業 欲性精進力
及諸根利鈍 以種種因緣 譬喻亦言辭 隨應方便說
今我亦如是 安隱衆生故 以種種法門 宣示於佛道

BD00174號 妙法蓮華經卷一 (24–21)

知第一寂滅 以方便力故 雖示種種道 其實為佛乘
知衆生諸行 深心之所念 過去所習業 欲性精進力
及諸根利鈍 以種種因緣 譬喻亦言辭 隨應方便說
今我亦如是 安隱衆生故 以種種法門 宣示於佛道
我以智慧力 知衆生性欲 方便說諸法 皆令得歡喜
舍利弗當知 我以佛眼觀 見六道衆生 貧窮无福慧
入生死險道 相續苦不斷 深著於五欲 如犛牛愛尾
以貪愛自蔽 盲瞑无所見 不求大勢佛 及與斷苦法
深入諸邪見 以苦欲捨苦 為是衆生故 而起大悲心
我始坐道場 觀樹亦經行 於三七日中 思惟如是事
我所得智慧 微妙最第一 衆生諸根鈍 著樂癡所盲
如斯之等類 云何而可度
尒時諸梵王 及諸天帝釋 護世四天王 及大自在天
并餘諸天衆 眷屬百千万 恭敬合掌礼 請我轉法輪
我即自思惟 若但讚佛乘 衆生沒在苦 不能信是法
破法不信故 墜於三惡道 我寧不說法 疾入於涅槃
尋念過去佛 所行方便力 我今所得道 亦應說三乘
作是思惟時 十方佛皆現 梵音慰喻我 善哉釋迦文
第一之導師 得是无上法 隨諸一切佛 而用方便力
我等亦皆得 最妙第一法 為諸衆生類 分別說三乘
少智樂小法 不自信作佛 是故以方便 分別說諸果
雖復說三乘 但為教菩薩
舍利弗當知 我聞聖師子 深淨微妙音 稱南无諸佛
復作如是念 我出濁惡世 如諸佛所說 我亦隨順行
思惟是事已 即趣波羅柰 諸法寂滅相 不可以言宣
以方便力故 為五比丘說 是名轉法輪 便有涅槃音

BD00174號 妙法蓮華經卷一 (24–22)

少智樂小法　不自信作佛　是故以方便　分別說諸果
雖復說三乘　但為教菩薩
舍利弗當知　我聞聖師子　深淨微妙音　稱南无諸佛
復作如是念　我出濁惡世　如諸佛所說　我亦隨順行
思惟是事已　即趣波羅柰　諸法寂滅相　不可以言宣
以方便力故　為五比丘說　是名轉法輪　便有涅槃音
及以阿羅漢　法僧差別名　從久遠劫來　讚示涅槃法
生死苦永盡　我常如是說　舍利弗當知　我見佛子等
志求佛道者　无量千万億　咸以恭敬心　皆來至佛所
曾從諸佛聞　方便所說法　我即作是念　如來所以出
為說佛慧故　今正是其時　舍利弗當知　鈍根小智人
著相憍慢者　不能信是法　今我喜无畏　於諸菩薩中
正直捨方便　但說无上道　菩薩聞是法　疑網皆已除
千二百羅漢　悉亦當作佛　如三世諸佛　說法之儀式
我今亦如是　說无分別法　諸佛興出世　懸遠值遇難
正使出于世　說是法復難　无量无數劫　聞是法亦難
能聽是法者　斯人亦復難
譬如優曇華　一切皆愛樂　天人所希有　時時乃一出
聞法歡喜讚　乃至發一言　則為已供養　一切三世佛
是人甚希有　過於優曇華　汝等勿有疑　我為諸法王
普告諸大眾　但以一乘道　教化諸菩薩　无聲聞弟子
汝等舍利弗　聲聞及菩薩　當知是妙法　諸佛之秘要
以五濁惡世　但樂著諸欲　如是等眾生　終不求佛道
當來世惡人　聞佛說一乘　迷惑不信受　破法墮惡道
有慚愧清淨　志求佛道者　當為如是等　廣讚一乘道
舍利弗當知　諸佛法如是　以万億方便　隨宜而說法
其不習學者　不能曉了此　汝等既已知　諸佛之世師

BD00174號　妙法蓮華經卷一　（24–23）

著相憍慢者　不能信是法　今我喜无畏　於諸菩薩中
正直捨方便　但說无上道　菩薩聞是法　疑網皆已除
千二百羅漢　悉亦當作佛　如三世諸佛　說法之儀式
我今亦如是　說无分別法　諸佛興出世　懸遠值遇難
正使出于世　說是法復難　无量无數劫　聞是法亦難
能聽是法者　斯人亦復難
譬如優曇華　一切皆愛樂　天人所希有　時時乃一出
聞法歡喜讚　乃至發一言　則為已供養　一切三世佛
是人甚希有　過於優曇華　汝等勿有疑　我為諸法王
普告諸大眾　但以一乘道　教化諸菩薩　无聲聞弟子
汝等舍利弗　聲聞及菩薩　當知是妙法　諸佛之秘要
以五濁惡世　但樂著諸欲　如是等眾生　終不求佛道
當來世惡人　聞佛說一乘　迷惑不信受　破法墮惡道
有慚愧清淨　志求佛道者　當為如是等　廣讚一乘道
舍利弗當知　諸佛法如是　以万億方便　隨宜而說法
其不習學者　不能曉了此　汝等既已知　諸佛之世師
隨宜方便事　无復諸疑惑　心生大歡喜　自知當作佛

妙法蓮華經卷第一

BD00174號　妙法蓮華經卷一　（24–24）

末方……
末你 阿毗師……
訶囉 翰婆……
利多引 薄虎郁
歎引 落訶
佛告舍利子此無染著陀羅尼句……
能善安住能正受持者當知是人於一
若百劫若千劫若百千劫所發正願
盡身亦不被刀仗毒藥水火猛獸……
何以故舍利子此無染著陀羅尼是
母未來諸佛母現在諸佛母舍利
有人以十阿僧企耶三千大千世界
寶奉施諸佛及以上妙衣服飲食種種供養
經無數劫若復有人於此陀羅尼乃至一句
能受持者所生之福倍多於彼何以故舍利
子此無染著陀羅尼甚深法門是諸佛母故
時具壽舍利子及諸大衆聞是法已皆大歡
喜咸願受持
金光明最勝王經如意寶珠品第十四
尒時世尊於大衆中告阿難陀曰汝等當知
有陀羅尼名如意寶珠遠離一切災厄亦能
遮止諸惡雷電過去如來應正等覺所共宣
說我於今時於此經中亦為汝等大衆宣說
能於人天為大利益哀愍世間擁護一切令
得安樂時諸大衆及阿難陀聞佛語已各各
至誠瞻仰世尊聽受神呪 佛言汝等諦聽於
此東方有光明電王名阿揭多南方有光明

BD00175 號　金光明最勝王經卷七　（17–1）

遮止諸惡雷電過去如來應正等覺所共宣
說我於今時於此經中亦為汝等大衆宣說
能於人天為大利益哀愍世間擁護一切令
得安樂時諸大衆及阿難陀聞佛語已各各
至誠瞻仰世尊聽受神呪 佛言汝等諦聽於
此東方有光明電王名阿揭多南方有光明
電王名設羝嚕西方有光明電王名主多光
北方有光明電王名蘇多末尼若有善男子
善女人得聞如是電王名字及知方處者此
人即便遠離一切怖畏之事及諸災橫悉皆
消殄若於住處書此四方電王名者於所住
處無雷電怖亦無災厄及諸障惱非時枉死
悉皆遠離尒時世尊即說呪曰
怛姪他 你弭你弭 你弭
尼民 達哩 室哩盧迦盧羯你
室哩輸攞波你 曷路叉曷路叉
我某甲及此住處一切恐怖所有苦惱雷電
霹靂乃至枉死悉皆遠離莎訶
尒時觀自在菩薩摩訶薩在大衆中即從座
起偏袒右肩合掌恭敬白佛言世尊我今亦
於佛前略說如意寶珠神呪於諸人天為大
利益哀愍世間擁護一切令得安樂有大威
力所求如願即說呪曰
怛姪他 喝帝 毗喝帝 你喝帝
鉢喇窒體 鞞 鉢喇底丁耶 蜜窒囇
戍提目羝毗七 末麗 鉢喇婆莎 囇
安荼入 嚩囇 般荼囇 稅平 帝
般荼囉婆死你 曷囇羯荼引 囇

BD00175 號　金光明最勝王經卷七　（17–2）

力所求如願即說呪曰
怛姪他 唱㖶 毗唱㖶你 唱㖶
鉢喇室體 雞 鉢唎底丁卯 竇室囇
戍提目弖毗匕 末囇 鉢喇婆莎 恬𦲑囇
娑茶齊入 囇般茶囇 稅齊平㖶
般荼囉婆死你 唱囇 羯荼 引囇
刧 畢 囇 水揭羅 悪 綺
達 地 目 企 昌 路 叉 昌 路 叉
我某甲及此住處一切恐怖所有苦惱乃至
枉死悉皆遠離願我莫見罪惡之事常家
聖觀自在菩薩大悲威光之所護念莎訶
尒時執金剛秘密主菩薩即從座起合掌恭
敬白佛言世尊我今亦說陁羅尼呪名曰無
勝於諸人天為大利益哀愍世間擁護一切
有大威力所求如願即說呪曰
怛姪他母你母你 母尼囇末底末底
蘇末底莫訶末底 呵呵呵 磨婆 以
那悉底㖶引波跛 跋析羅波 你
悪甜火合姪嘌 荼上 莎訶
世尊我此神呪名曰無勝擁護若有男女一
心受持書寫讀誦憶念不忘我於晝夜常護
是人於一切恐怖乃至枉死悉皆遠離
尒時索訶世界主梵天王即從座起合掌恭
敬白佛言世尊我亦有陁羅尼微妙法門於
諸人天為大利益哀愍世間擁護一切有大
威力所求如願即說呪曰
怛 姪 他 䫂里弭里地里莎訶
跋囉甜魔布囇 跋囉甜 末 泥

BD00175號　金光明最勝王經卷七　（17–3）

尒時索訶世界主梵天王即從座起合掌恭
敬白佛言世尊我亦有陁羅尼微妙法門於
諸人天為大利益哀愍世間擁護一切有大
威力所求如願即說呪曰
怛 姪 他 䫂里弭里地里莎訶
跋囉甜魔布囇 跋囉甜 末 泥
跋囉甜麼揭鞞 補澀跛僧悉怛囇莎訶
世尊我此神呪名曰梵治悉能擁護持是呪
者令離憂惱及諸罪業乃至枉死悉皆遠離
尒時帝釋天主即從座起合掌恭敬白佛言
世尊我亦有陁羅尼名跋析羅扇你是大明
呪能除一切恐怖厄難乃至枉死悉皆遠離
牀苦與樂利益人天即說呪曰
怛姪他毗你婆喇你 畔 拖 唐 彈 㵸
磨臓你擻擻尒矅哩 健陁哩 旃 荼 哩
摩登耆上 卜羯死 薩羅跋喇 鞞去
㗚娜末住荅麼嗢多喇你 莫呼剌你達剌你 計
所羯囉婆 枳 捨伐哩奢伐哩莎訶
尒時多聞天王持國天王增長天王廣目天
王俱從座起合掌恭敬白佛言世尊我今亦
有神呪名施一切衆生無畏於諸苦惱常為
擁護令得安樂增益壽命無諸患苦乃至枉
死悉皆遠離即說呪曰
怛姪他補澀閉 蘇補澀 閉
度麼鉢喇呵嚾 阿雞耶鉢喇設悉㖶
扇㖶涅 自 㖶 忙揭例窣 覩㖶
悉吻鼻 㖶 莎訶
尒時復有諸大龍王所謂末那斯龍王電光

BD00175號　金光明最勝王經卷七　（17–4）

死悉皆遠離即說呪曰
怛姪他 補濕閉 蘇補濕 閉
度度鉢喇呵囉 阿離耶鉢喇設悉帝
扇帝涅目帝 忙揭例 窣覩帝
悉吵鼻 帝 莎訶
尒時復有諸大龍王所謂末那斯龍王電光
龍王無熱池龍王電舌龍王妙光龍王俱從
座起合掌恭敬白佛言世尊我亦有如意寶
珠陁羅尼能遮惡電除諸恐怖能於人天為
大利益哀愍世間擁護一切有大威力所求
如願乃至枉死悉皆遠離一切毒藥皆令止
息一切造作蠱道呪術不吉祥事悉令除滅
我今以此神呪奉獻世尊唯願哀愍慈悲納
受當令我等離此龍趣永捨慳貪何以故由
此慳貪於生死中受諸苦惱我等願斷慳貪
種子即說呪曰
怛姪他 阿折囇 阿末囇 阿蜜㗚帝
惡叉嚢 阿弊嚢 柰尼鉢喇耶 法帝
薩婆 波跛 鉢喇苫摩尼嚢 莎訶
阿 離 嚢 般豆穪波尼嚢 莎訶
世尊若有善男子善女人口中誦此陁羅尼
明呪或書經卷受持讀誦恭敬供養者終無
雷電霹靂及諸恐怖苦惱憂患乃至枉死悉
皆遠離所有毒藥蠱魅厭禱害至虎狼師
子毒虵之類乃至蚊虻悉不為害
尒時世尊普告大衆善哉善哉此等神呪皆
有大力能隨衆生心所求事悉令圓滿為大
利益除不至心汝等勿疑時諸大衆聞佛語

BD00175號　金光明最勝王經卷七　（17–5）

皆遠離所有毒藥蠱魅厭禱害至虎狼師
子毒虵之類乃至蚊虻悉不為害
尒時世尊普告大衆善哉善哉此等神呪皆
有大力能隨衆生心所求事悉令圓滿為大
利益除不至心汝等勿疑時諸大衆聞佛語
已歡喜信受
金光明最勝王經大辯才天女品第十五
尒時大辯才天女於大衆中即從座起頂礼
佛足白佛言世尊若有法師說是金光明最
勝王經者我當益其智慧具足莊嚴言說之
辯若彼法師於此經中文字句義所有忘失
皆令憶持能善開悟復與陁羅尼總持無礙
又此金光明最勝王經為彼有情已於百千佛
佛所種諸善根當受持者於贍部洲廣行流
布不速隱沒復令無量有情聞是經典皆得
不可思議捷利辯才無盡大慧善解衆論及
諸技術能出生死速趣無上正等菩提於現
世中增益壽命資身之具悉令圓滿世尊我
當為彼持經法師及餘有情於此經典樂聽聞
者說其呪藥洗浴之法彼人所有惡星災
變與初生時星屬相違疫病之苦鬪諍戰陣
惡夢鬼神蠱毒厭魅呪術起屍如是諸惡為
障難者悉令除滅諸有智者應作如是洗浴
之法當取香藥三十二味所謂
菖蒲 跋者　牛黃 瞿盧折娜　苜蓿香 塞畢力迦
麝香 莫訶婆伽　雄黃 末捺眵羅　合昏樹 尸利灑
白及 因達囉喝悉哆　芎藭 闍莫迦　苟杞根 苫弭
松脂 室利薜瑟得迦　桂皮 咄者　香附子 目窣哆

BD00175號　金光明最勝王經卷七　（17–6）

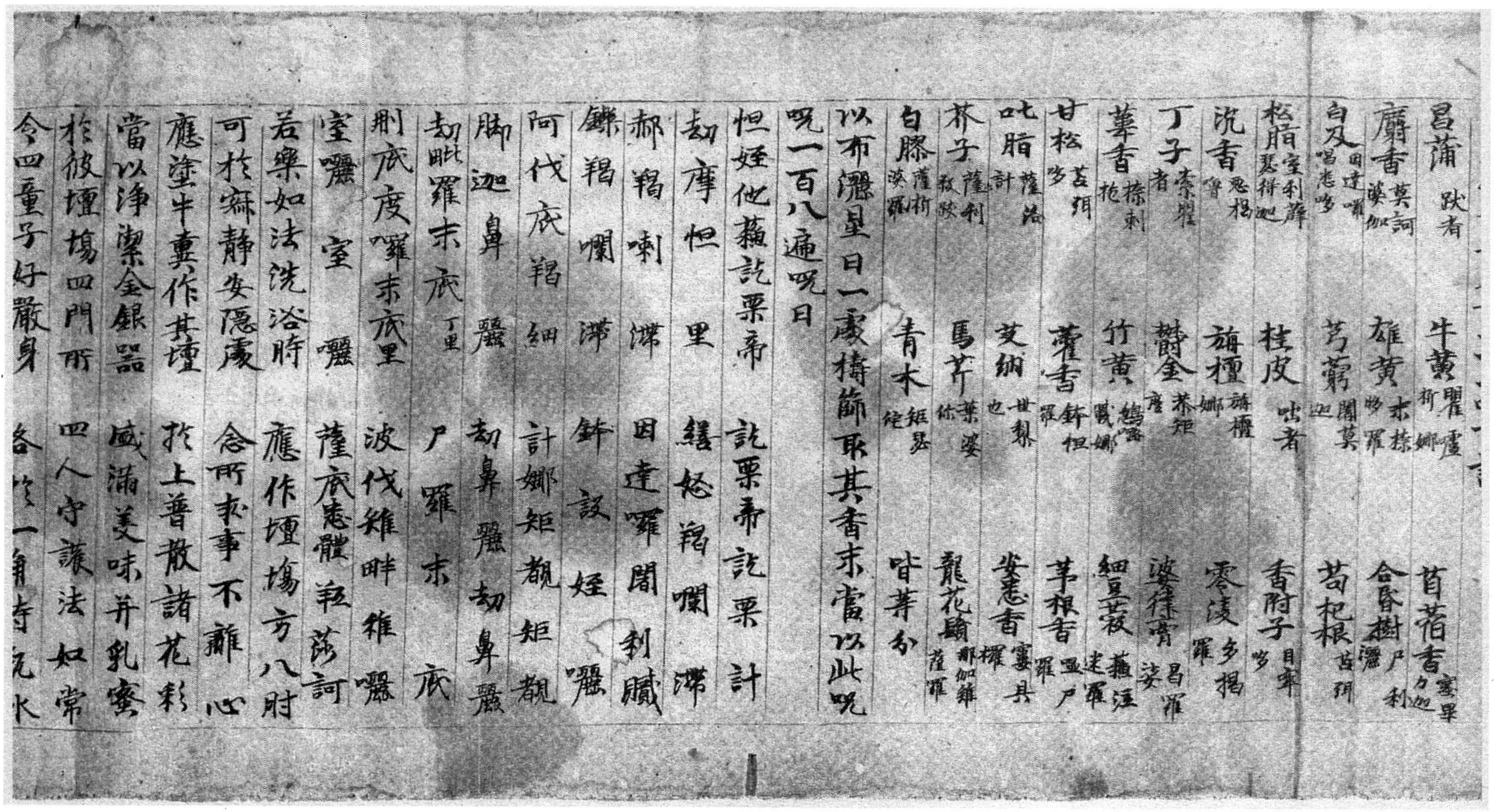

菖蒲 跋者 牛黃 瞿盧折娜 苜蓿香 塞畢力迦
麝香 莫訶婆伽 雄黃 末捺眵羅 合昏樹 尸利灑
白及 因達囉喝悉哆 芎藭 闍莫迦 苟杞根 苦弭
松脂 室利薜瑟得迦 桂皮 咄者 香附子 目窣哆
沈香 惡揭嚕 旃檀 旃檀娜 零凌 多揭羅
丁子 索瞿者 鬱金 茶矩麼 婆律膏 曷羅娑
葉香 捺刺拖 竹黃 鵝路戰娜 細豆蔻 蘇泣迷羅
甘松 苦弭哆 藿香 鉢怛羅 茅根香 嗢尸羅
叱脂 薩洛計 艾納 世黎也 安息香 窶具攞
芥子 薩利殺跛 馬芹 葉婆你 龍花鬚 那伽雞薩羅
白膠 薩折羅娑 青木 矩瑟侘 皆等分
以布灑星日一處擣篩取其香末當以此呪
呪一百八遍呪曰
怛姪他蘇訖栗帝 訖栗帝訖栗計
劫摩怛里 繕怒羯囒滯
郝羯喇滯 因達囉闍利膩
鑠羯囒滯 鉢設姪囇
阿伐底羯細 計娜矩覩矩覩
脚迦鼻囇 劫鼻囇 劫鼻囇
劫毗羅末底 丁里 尸羅末底
删底度囉末底里 波伐雒畔雒囇
室囇 室囇 薩底悉體 莎訶
若樂如法洗浴時 應作壇場方八肘
可於寂靜安隱處 念所求事不離心
應塗牛糞作其壇 於上普散諸花彩
當以淨潔金銀器 盛滿美味并乳蜜
於彼壇場四門所 四人守護法如常
令四童子好嚴身 各於一角持瓶水

BD00175 號　金光明最勝王經卷七　（17–7）

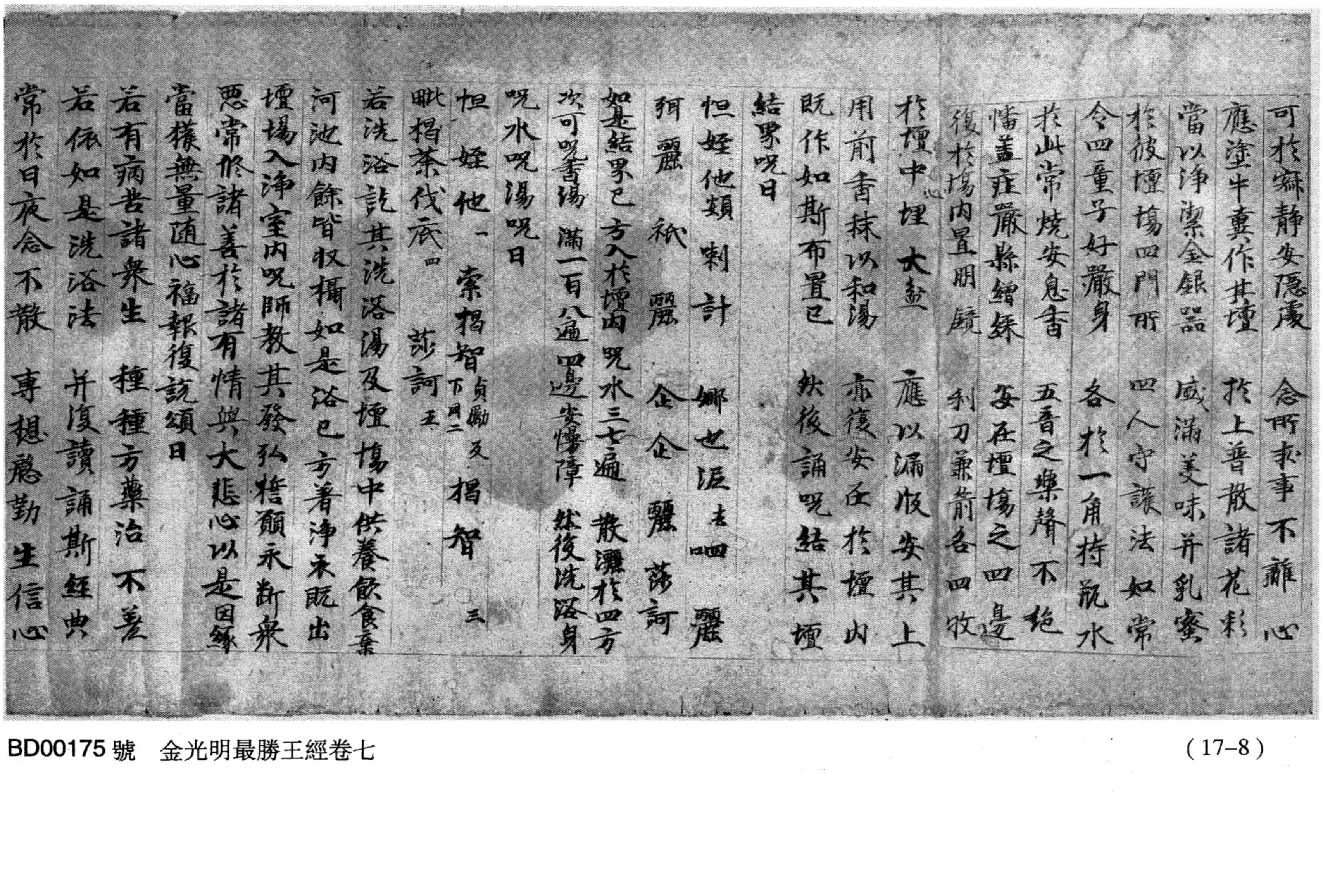

可於寂靜安隱處 念所求事不離心
應塗牛糞作其壇 於上普散諸花彩
當以淨潔金銀器 盛滿美味并乳蜜
於彼壇場四門所 四人守護法如常
令四童子好嚴身 各於一角持瓶水
於此常燒安息香 五音之樂聲不絕
幡蓋莊嚴懸繒綵 安在壇場之四邊
復於場內置明鏡 利刀兼箭各四枚
於壇中心埋大盆 應以漏版安其上
用前香抹以和湯 亦復安在於壇內
既作如斯布置已 然後誦呪結其壇
結界呪曰
怛姪他頞喇計 娜也泥 去呬 囇
弭囇 祇 囇 企企 囇 莎訶
如是結界已 方入於壇內 呪水三七遍 散灑於四方
次可呪香湯 滿一百八遍 四邊安幔障 然後洗浴身
呪水呪湯呪曰
怛姪他 一 索揭智 貞勵反下同 二 揭智 三
毗揭荼伐底 四 莎訶 五
若洗浴訖其洗浴湯及壇場中供養飲食棄
河池內餘皆收攝如是浴已方著淨衣既出
壇場入淨室內呪師教其發弘誓願永斷衆
惡常修諸善於諸有情興大悲心以是因緣
當獲無量隨心福報復說頌曰
若有病苦諸衆生 種種方藥治不差
若依如是洗浴法 并復讀誦斯經典
常於日夜念不散 專想慇懃生信心

BD00175 號　金光明最勝王經卷七　（17–8）

當獲無量隨心福報復說頌曰
若有病苦諸衆生　種種方藥治不差
若依如是洗浴法　并復讀誦斯經典
常於日夜念不散　專想慇勤生信心
所有患苦盡消除　解脫貧窮足財寶
四方星辰及日月　威神擁護得延年
吉祥安隱福德增　災變厄難皆除遣
次誦護身呪三七遍呪曰
怛姪他　三謎　毗三謎　莎訶
索揭　毗揭滯　毗揭滯　莎訶
毗揭荼(丁耶反)伐底　莎訶
娑揭　囉　三步多也　莎訶
塞　建　陀　摩多也　莎訶
尼攞建　陀也　莎訶
阿鉢　囉　市　哆　毗梨耶也　莎訶
呬　摩　槃　哆　三步多也　莎訶
阿　你　蜜　攞　薄怛囉也　莎訶
南謨薄伽伐都　跋囉甜摩寫　莎訶
南謨薩囉酸(蘇活反)底　莫訶提鼻囊　莎訶
悉甸覩漫(此云成就)(我某甲)　曼怛囉鉢陀　莎訶
怛喇覩仳姪哆　跋囉甜摩奴末覩　莎訶
爾時大辯才天女說洗浴法壇場呪已前禮
佛足白佛言世尊若有苾芻苾芻尼鄔波索
迦鄔波斯迦受持讀誦書寫流布是妙經王
如說行者若在城邑聚落曠野山林僧尼住
處我為是人將諸眷屬作天伎樂來詣其

BD00175號　金光明最勝王經卷七　（17–9）

佛足白佛言世尊若有苾芻苾芻尼鄔波索
迦鄔波斯迦受持讀誦書寫流布是妙經王
如說行者若在城邑聚落曠野山林僧尼住
處我為是人將諸眷屬作天伎樂來詣其
所而為擁護除諸病苦流星變怪疫疾鬪諍王
法所拘惡夢惡神為障礙者蠱道厭術悉皆
除殄饒益是等持經之人苾芻等衆及諸
聽者皆令速渡生死大海不退菩提
爾時世尊聞是說已讚辯才天女言善哉善
哉天女汝能安樂利益無量無邊有情說此
神呪及以香水壇場法式果報難思汝當擁
護最勝經王勿令隱沒常得流通爾時大
辯才天女禮佛足已還復本座
爾時法師授記憍陳如婆羅門承佛威力於
大衆前讚辯才天女曰
聰明勇健辯才天　人天供養悉應受
名聞世間遍充滿　能與一切衆生願
依高山頂勝住處　葺茅為室在中居
恒結耎草以為衣　在處常翹於一足
諸天大衆皆來集　咸同一心申讚請
唯願智慧辯才天　以妙言詞施一切
爾時辯才天女即便受請為說呪曰
怛姪他慕囉只囇　阿伐帝(貞厲反)　阿伐吒伐底(丁里反下同)
馨遏𨨞名具𨨞　名具羅伐底
婆具師末喇只三末底　毗三末底　惡近(入)喇
莫近喇怛囉只　怛囉者　伐底

BD00175號　金光明最勝王經卷七　（17–10）

怛姪他 恭麗只囇 阿代帝(鄔貞) 阿代吒代底(丁里下同)
㵎遏餘名具餘 名具羅伐底
𤁻具師末喇只三末底 毗三末底惡近(入)喇
莫近喇怛囉只 怛囉者伐底
質質哩室里蜜里 末難地曇去
末喇只 八囉娑畢喇裹
盧迦逝瑟䟕(丑世反) 盧迦失囇瑟恥
盧迦畢喇裹 悉馱跋喇帝
毗麼目企(轄利反) 輸只析喇
阿鉢喇底羯帝 阿鉢底喝哆勃地
南毋只南毋只 莫訶提鼻
鉢喇底近(入)喇㕭(火恨反)娑(上) 南摩塞迦囉
我某甲勃地 達哩奢(上)呬
勃地阿鉢喇底喝哆 婆(上)跋覩
市婆諾毗輸娑覩 舍悉怛囉輸路迦
曷怛囉畢得迦 迦婢耶地敱
怛姪他 莫訶鉢喇婆鼻
呬里蜜里呬里蜜里 毗析喇覩謎勃地
我某甲勃地輸提 薄伽伐點提毗餤
薩羅酸(蘇活)點(丁焔引) 羯囉(魯家)滯雞由囇
雞由囉末底 呬里蜜里呬里蜜里
阿婆訶耶阿 莫訶提鼻
勃陁薩帝娜 達摩薩帝娜
僧伽薩帝娜 因達囉薩帝娜
跋嘍拏薩帝娜 裹盧雞薩底婆地娜
羝釰薩帝娜 薩底代者泥娜

BD00175號　金光明最勝王經卷七　　（17–11）

阿婆訶耶阿 莫訶提鼻
勃陁薩帝娜 達摩薩帝娜
僧伽薩帝娜 因達囉薩帝娜
跋嘍拏薩帝娜 裹盧雞薩底婆地娜
羝釰薩帝娜 薩底代者泥娜
阿婆訶耶阿 莫訶提鼻
呬里蜜里呬里蜜里 毗析喇覩
我某甲勃地 南謨薄伽代底(丁利)
莫訶提鼻薩囉酸底 悉旬覩
曷怛囉鉢陁㴉 莎訶
尒時辯才天女說是呪已吉婆羅門言善哉
大士能為衆生求妙辯才及諸珎寶神通智
慧廣利一切速證菩提如是應知受持法式
即說頌曰
先可誦此陁羅尼　令使純熟無謬失
歸敬三寶諸天衆　請求加護願隨心
敬礼諸佛及法寶　菩薩獨覺聲聞衆
次礼梵王并帝釋　及護世者四天王
一切常修梵行人　悉可至誠慇重敬
可於寂靜蘭若處　大聲誦前呪讚法
應在佛像天龍前　隨其所有修供養
於彼一切衆生類　發起慈悲哀愍心
世尊妙相紫金身　繫想正念心无亂
世尊護念說教法　隨彼根機令習定
於其句義善思惟　復依空性而修習
應在世尊形像前　一心正念而安坐
即得妙智三摩地　并獲最勝陁羅尼

BD00175號　金光明最勝王經卷七　　（17–12）

世尊護念說教法　隨彼根機令習定
於其句義善思惟　復依實性而修習
應在世尊形像前　一心正念而安坐
即得妙智三摩地　并獲最勝陁羅尼
如來金口演說法　妙響調伏諸人天
舌相隨緣現希有　廣長能覆三千界
如是諸佛妙音聲　至誠憶念心無畏
諸佛皆由發弘願　得此舌相不思議
宣說諸法皆非有　譬如虛空無所著
諸佛音聲及舌相　繫念思量願圓滿
若見供養辯才天　或見弟子隨師教
授此秘法令修學　尊重隨心皆得成
若人欲得最上智　應當一心持此法
增長福智諸功德　必定成就勿生疑
若求財者得多財　求名稱者獲名稱
求出離者得解脫　必定成就勿生疑
無量無邊諸功德　隨其內心之所願
若能如是依行者　必得成就勿生疑
當於淨處著淨衣　應作壇場隨大小
以四淨瓶盛美味　香花供養可隨時
懸諸繒綵并幡蓋　塗香抹香遍嚴飾
供養佛及辯才天　求見天身皆遂願
應三七日誦前呪　可對大辯天神前
若其不見此天神　應更用心經九日
於後夜中猶不見　更求清淨勝妙處
如法應盡辯才天　供養誦持心無捨

BD00175號　金光明最勝王經卷七　（17–13）

供養佛及辯才天　求見天身皆遂願
應三七日誦前呪　可對大辯天神前
若其不見此天神　應更用心經九日
於後夜中猶不見　更求清淨勝妙處
如法應盡辯才天　供養誦持心無捨
晝夜不生於懈怠　自利利他無窮盡
所獲果報施群生　於所求願皆成就
若不遂意經三月　六月九月或一年
慇勤求請心不移　天眼他心皆悉得
尒時憍陳如婆羅門聞是說已歡喜踊躍
未曾有告諸大衆作如是言汝等人天一切
大衆如是當知皆一心聽我今更欲依世諦
法讚彼勝妙辯才天女即說頌曰
敬礼天女那羅延　於世界中得自在
我今讚歎彼尊者　皆如往昔仙人說
吉祥成就心安隱　聰明慚愧有名聞
為母能生於世間　勇猛常行大精進
於軍陣處戰恒勝　長養調伏心慈忍
現為閻羅之長姊　常著青色野蠶衣
好醜容儀皆具有　眼目能令見者怖
無量勝行超世間　歸信之人咸攝受
或在山巖深險處　或居坎窟及河邊
或在大樹諸叢林　天女多依此中住
假使山林野人輩　亦常供養於天女
以孔雀羽作幢旗　於一切時常護世
師子虎狼恒圍遶　牛羊雞等亦相依
振大鈴鐸出音聲　頻陁山衆皆聞響

BD00175號　金光明最勝王經卷七　（17–14）

或在山巖深險處 或居坎窟及河邊
或在大樹諸叢林 天女多依此中住
假使山林野人輩 亦常供養於天女
以孔雀羽作幢旗 於一切時常護世
師子虎狼恒圍遶 牛羊雞等亦相依
振大鈴鐸出音聲 頻陁山衆皆聞響
或執三戟頭圓髻 左右恒持日月旗
黑月九日十一日 於此時中當供養
或現婆藪大天妹 見有鬪戰心常愍
觀察一切有情中 天女最勝無過者
權現牧牛歡喜女 與天戰時常得勝
能久安住於世間 亦為和忍及暴惡
大婆羅門四明法 幻化呪等悉皆通
於天仙中得自在 能為種子及大地
諸天女等集會時 如大海潮必來應
於諸龍神藥叉衆 咸為上首能調伏
於諸女中最梵行 出言猶如世間主
於王住處如蓮花 若在河津喻橋栰
面貌猶如盛滿月 具足多聞作依處
辯才勝出若高峯 念者皆與為洲渚
阿蘇羅等諸天衆 咸共稱讚其功德
乃至千眼帝釋主 以殷重心而觀察
衆生若有希求事 悉能令彼速得成
亦令聰辯具聞持 於大地中為第一
於此十方世界中 如大燈明常普照
乃至神鬼諸禽獸 咸皆遂彼所求心
於諸女中若山峯 同昔仙人久住世

BD00175號　金光明最勝王經卷七　（17–15）

阿蘇羅等諸天衆 咸共稱讚其功德
乃至千眼帝釋主 以殷重心而觀察
衆生若有希求事 悉能令彼速得成
亦令聰辯具聞持 於大地中為第一
於此十方世界中 如大燈明常普照
乃至神鬼諸禽獸 咸皆遂彼所求心
於諸女中若山峯 同昔仙人久住世
如少女天常離欲 實語猶如大世主
普見世間差別類 乃至欲界諸天宮
唯有天女獨稱尊 不見有情能勝者
若於戰陣恐怖處 或見墮在火坑中
河津險難賊盜時 悉能令彼除怖畏
或被王法所枷縛 或為怨讎行殺害
若能專注心不移 決定解脫諸憂苦
於善惡人皆擁護 慈悲愍念常現前
是故我以至誠心 稽首歸依大天女
爾時婆羅門復以呪讚天女曰
敬禮敬禮世間尊 於諸母中最為勝
三種世間咸供養 面貌容儀人樂觀
種種妙德以嚴身 目如脩廣青蓮葉
福智光明名稱滿 譬如無價末尼珠
我今讚歎最勝者 悉能成辦所求心
真實功德妙吉祥 譬如蓮花極清淨
身色端嚴皆樂見 衆相希有不思議
能放無垢智光明 於諸念中為最勝
猶如師子獸中上 常以八臂自莊嚴
各持弓箭刀矟斧 長杵鐵輪并羂索
端正樂觀如滿月 言詞無滯

BD00175號　金光明最勝王經卷七　（17–16）

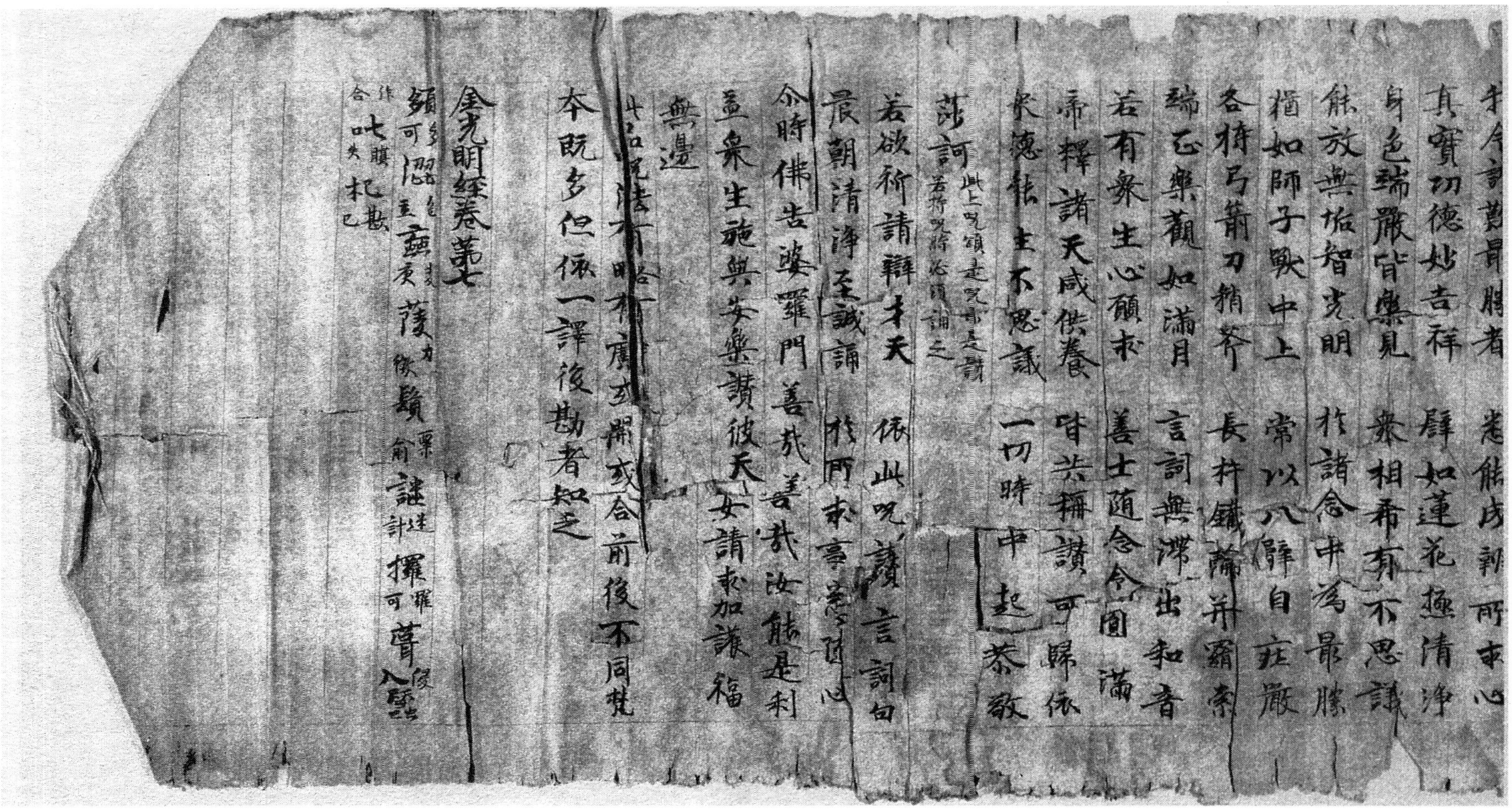

于今讚歎最勝者　悉能成就所求心
真寶功德妙吉祥　譬如蓮花極清淨
身色端嚴皆樂見　衆相希有不思議
能放無垢智光明　於諸念中為最勝
猶如師子獸中上　常以八臂自莊嚴
各持弓箭刀矟斧　長杵鐵輪并羂索
端正樂觀如滿月　言詞無滯出和音
若有衆生心願求　善士隨念令圓滿
帝釋諸天咸供養　皆共稱讚可歸依
衆德能生不思議　一切時中起恭敬
莎訶 此上呪頌是呪亦是讚 若持呪時必須誦之
若欲祈請辯才天　依此呪讚言詞句
晨朝清淨至誠誦　於所求事悉隨心
尒時佛告婆羅門善哉善哉汝能是利
益衆生施與安樂讚彼天女請求加護福
無邊
此品呪法有略有廣或開或合前後不同梵本既多但依一譯後勘者知之
金光明經卷第七
[illegible]

BD00175 號　金光明最勝王經卷七　（17–17）

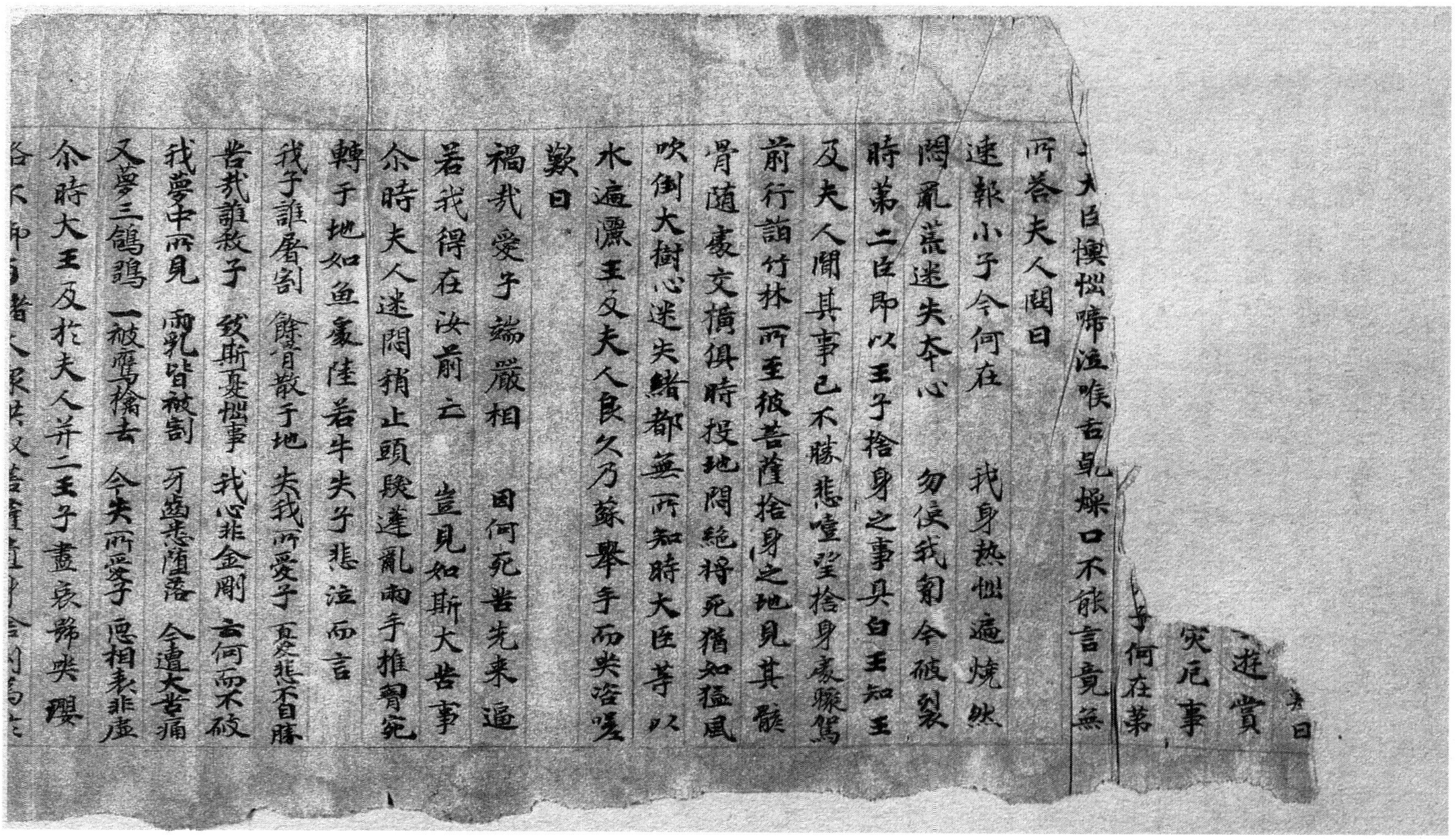

[illegible]日
[illegible]遊賞
[illegible]究尼事
[illegible]何在第
大臣懊惱啼泣喉舌乾燥口不能言竟無
所答夫人問曰
速報小子今何在　我身熱惱遍燒然
悶亂荒迷失本心　勿使我胸今破裂
時第二臣即以王子捨身之事具白王知王
及夫人聞其事已不勝悲噎望捨身處驟駕
前行詣竹林所至彼菩薩捨身之地見其骸
骨隨處交橫俱時投地悶絕將死猶如猛風
吹倒大樹心迷失緒都無所知時大臣等以
水遍灑王及夫人良久乃蘇舉手而哭咨嗟
歎曰
禍哉愛子端嚴相　因何死苦先來逼
若我得在汝前亡　豈見如斯大苦事
尒時夫人迷悶稍止頭髮蓬亂兩手推胸宛
轉于地如魚處陸若牛失子悲泣而言
我子誰屠割　餘骨散于地　失我所愛子　憂悲不自勝
苦哉誰殺子　致斯憂惱事　我心非金剛　云何而不破
我夢中所見　兩乳皆被割　牙齒悉墮落　今遭大苦痛
又夢三鴿鶵　一被鷹擒去　今失所愛子　惡相表非虛
尒時大王及於夫人并二王子盡哀號哭瓔
[illegible]

BD00176 號　金光明最勝王經卷一〇　（13–1）

若我得在汝前亡　豈見如斯大苦事
尒時夫人迷悶稍止頭髮蓬亂兩手推胷宛
轉于地如魚處陸若牛失子悲泣而言
我子誰屠割　餘骨散于地　失我所愛子　憂悲不自勝
苦哉誰殺子　致斯憂惱事　我心非金剛　云何而不破
我夢中所見　兩乳皆被割　牙齒悉墮落　今遭大苦痛
又夢三鴿鶵　一被鷹擒去　今失所愛子　惡相表非虛
尒時大王及於夫人并二王子盡哀號哭瓔
珞不御與諸人衆共收菩薩遺身舍利為於
供養置窣覩波中阿難陀汝等應知此即是
彼菩薩舍利復告阿難陀我於昔時雖具煩
惱貪瞋癡等能於地獄餓鬼傍生五趣之中
隨緣救濟令得出離何況今時煩惱皆盡無
復餘習號天人師具一切智而不能為一一
衆生經於多劫在地獄中及於餘處代受衆
苦令出生死煩惱輪迴尒時世尊欲重宣此
義而說頌言
我念過去世　無量無數劫　或時作國王　或復為王子
常行於大施　及捨所愛身　願出離生死　至妙菩提處
昔時有大國　國主名大車　王子名勇猛　常施心無悋
王子有二兄　號大渠大天　三人同出遊　漸至山林所
見虎飢所逼　便生如是心　此虎飢火燒　更無餘可食
大士覩如斯　恐其將食子　捨身無所顧　救子不令傷
大地及諸山　一時皆震動　江海皆騰躍　驚波水逆流
天地失光明　昏冥無所見　林野諸禽獸　飛奔失所依
二兄怪不還　憂慼生悲苦　即與諸侍從　林藪遍尋求

BD00176號　金光明最勝王經卷一〇　（13–2）

見虎飢所逼　便生如是心　此虎飢火燒　更無餘可食
大士覩如斯　恐其將食子　捨身無所顧　救子不令傷
大地及諸山　一時皆震動　江海皆騰躍　驚波水逆流
天地失光明　昏冥無所見　林野諸禽獸　飛奔失所依
二兄怪不還　憂慼生悲苦　即與諸侍從　林藪遍尋求
兄弟共籌議　復往深山處　四顧無所有　見虎處空林
其母并七子　口皆有血汙　殘骨并餘髮　縱橫在地中
復見有流血　散在竹林所　二兄既見已　心生大恐怖
悶絕俱躃地　荒迷不覺知　塵土坌其身　六情皆失念
王子諸侍從　啼泣心憂惱　以水灑令蘇　舉手號咷哭
菩薩捨身時　慈母在宮內　五百諸婇女　共受於妙樂
夫人之兩乳　忽然自流出　遍體如針刺　苦痛不能安
欻生失子想　憂箭苦傷心　即白大王知　陳斯苦惱事
悲泣不堪忍　哀聲向王說　大王今當知　我生大苦惱
兩乳忽流出　禁止不隨心　如針遍刺身　煩冤胷欲破
我先夢惡徵　必當失愛子　願王濟我命　知兒存與亡
夢見三鴿鶵　小者是愛子　忽被鷹擒去　悲愁難具陳
我今沒憂海　趣死將不久　恐子命不全　願為速求覓
又聞外人語　小子求不得　我今意不安　願王哀愍我
夫人白王已　舉身而躃地　悲痛心悶絕　荒迷不覺知
婇女見夫人　悶絕在於地　舉聲皆大哭　憂惶失所依
王聞如是語　懷憂不自勝　因命諸群臣　尋求所愛子
皆共出城外　隨處而追覓　涕泣問諸人　王子今何在
今者為存亡　誰知所去處　云何令得見　適我憂惱心
諸人悲共傳　咸言王子死　聞者皆傷悼　悲歎苦難裁
尒時大車王　悲號從座起　即就夫人處　以水灑其身

BD00176號　金光明最勝王經卷一〇　（13–3）

王聞如是語　懷憂不自勝　因命諸群臣　尋求所愛子
皆共出城外　隨處而追覓　涕泣問諸人　王子今何在
今者為存亡　誰知所去處　云何令得見　適我憂惱心
諸人悉共傳　咸言王子死　聞者皆傷悼　悲歎苦難裁
尒時大車王　悲號從座起　即就夫人處　以水灑其身
夫人蒙水灑　久乃得醒悟　悲啼以問王　我兒今在不
王告夫人曰　我已使諸人　四向求王子　尚未有消息
王又告夫人　汝莫生煩惱　且當自安慰　可共出追尋
王即与夫人　嚴駕而前進　號動聲悽感　憂心若火然
士庶百千万　亦隨王出城　各欲求王子　悲號聲不絕
王求愛子故　目視於四方　見有一人來　被髮身塗血
遍體蒙塵土　悲泣逆前來　王見是惡相　倍復生憂惱
王便舉兩手　哀號不自裁　初有一大臣　急怛至王所
進白大王曰　幸願勿悲哀　王之所愛子　今雖求未獲
不久當來至　以釋大王憂　王復更前行　見次大臣至
其臣詣王所　流淚白王言　二子今現存　被憂火所逼
其第三王子　已被無常吞　見餓虎初生　將欲食其子
彼薩埵王子　見此起悲心　願求無上道　當度一切眾
繫想妙菩提　廣大深如海　即上高山頂　投身餓虎前
虎飢不能食　以竹自傷頸　遂噉王子身　唯有餘骸骨
時王及夫人　聞已俱悶絕　心沒於憂海　煩惱火燒然
臣以栴檀水　灑王及夫人　俱起大悲號　舉手推胸臆
第三大臣來　白王如是語　我見二王子　悶絕在林中
臣以冷水灑　尒乃豐蘇息　顧視於四方　如猛火周遍
暫起而還伏　悲號不自勝　舉手以哀言　稱歎弟希有
王聞如是說　倍增憂火煎　夫人大號咷　高聲作是語

BD00176號　金光明最勝王經卷一〇　（13–4）

第三大臣來　白王如是語　我見二王子　悶絕在林中
臣以冷水灑　尒乃豐蘇息　顧視於四方　如猛火周遍
暫起而還伏　悲號不自勝　舉手以哀言　稱歎弟希有
王聞如是說　倍增憂火煎　夫人大號咷　高聲作是語
我之小子偏重愛　已為無常羅剎吞
餘有二子今現存　復被憂火所燒逼
我今速可之山下　安慰令其保餘命
即便馳駕望前路　一心詣彼捨身崖
路逢二子行啼泣　推胸懊惱失容儀
父母見已抱憂悲　俱往山林捨身處
既至菩薩捨身地　共聚悲號生大苦
脫去瓔珞盡哀心　收取菩薩身餘骨
与諸人眾同供養　共造七寶窣覩波
以彼舍利置函中　整駕懷憂趣城邑
復告阿難陀　往時薩埵者　即我牟尼是　勿生於異念
王是父淨飯　后是母摩耶　太子謂慈氏　次男殊室利
虎是大世主　五兒五苾芻　一是大目連　一是舍利子
我為汝等說　往昔利他緣　如是菩薩行　成佛因當學
菩薩捨身時　發如是弘誓　願我身餘骨　來世益眾生
此是捨身處　七寶窣覩波　以經無量時　遂沉於厚地
由昔本願力　隨緣興濟度　為利於人天　從地而涌出
尒時世尊說是往昔因緣之時，無量阿僧企
耶人天大眾皆大悲喜，歎未曾有，悉發阿耨
多羅三藐三菩提心。復告樹神：我為報恩故，
致礼敬。佛攝神力，其窣覩波還沒于地。

金光明最勝王經十方菩薩讚歎品第廿七

BD00176號　金光明最勝王經卷一〇　（13–5）

耶人天大衆皆大悲歎未曾有悉發阿耨
多羅三藐三菩提心復告樹神我為報恩故
致礼敬佛攝神力其窣覩波還沒于地

金光明最勝王經十方菩薩讚歎品第廿七

尒時釋迦牟尼如来説是經時於十方世界
有无量百千万億諸菩薩衆各從本土詣
鷲峯山至世尊所五輪着地礼世尊已一心
合掌異口同音而讚歎曰

佛身微妙真金色　其光普照等金山
清淨柔耎若蓮花　无量妙彩而嚴飾
三十二相遍莊嚴　八十種好皆圓備
光明炳著无與等　離垢猶如淨滿月
其聲清徹甚微妙　如師子吼震雷音
八種微妙應群機　超勝迦陵頻伽等
百福妙相以嚴容　光明具足淨无垢
智慧明燈如大海　功德廣大若虛空
圓光遍滿十方界　隨緣普濟諸有情
煩惱愛染習皆除　法炬恒然不休息
哀愍利益諸衆生　現在未来能与樂
常為宣説第一義　令證涅槃真寂靜
佛説甘露殊勝法　能与甘露微妙義
引入甘露涅槃城　令受甘露无為樂
常於生死大海中　解脫一切衆生苦
令彼能住安隱路　恒与難思如意樂
如来徳海甚深廣　非諸譬喻所能知
於衆常起大悲心　方便精勤恒不息
如来智海无邊際　一切人天共測量

BD00176號　金光明最勝王經卷一〇　（13–6）

令彼能住安隱路　恒与難思如意樂
如来徳海甚深廣　非諸譬喻所能知
於衆常起大悲心　方便精勤恒不息
如来智海无邊際　一切人天共測量
假使千万億劫中　不能得知其少分
我今略讚佛功德　於徳海中唯一渧
迴斯福聚施群生　皆願速證菩提果

尒時世尊告諸菩薩言善哉善哉汝等善能
如是讚佛功德利益有情廣興佛事能滅諸
衆生無量福

金光明最勝王經妙幢菩薩讚歎品第廿八

尒時妙幢菩薩即從座起偏袒右肩右膝著
地合掌向佛而説讚曰

牟尼百福相圓滿　無量功德以嚴身
廣大清淨人樂觀　猶如千日光明照
燄彩无邊光熾盛　如妙寶聚相端嚴
如日初出映虛空　紅白分明間金色
亦如金山光普照　悉能周遍百千土
能滅衆生无量苦　皆与无邊勝妙樂
諸相具足悉嚴淨　衆生樂觀无厭足
頭髮柔耎紺青色　猶如黑蜂集妙花
大喜大捨淨莊嚴　大慈大悲皆具足
衆妙相好為嚴飾　菩提分法之所成
如来能施衆福利　令彼常獲大安樂
種種妙徳共莊嚴　光明普照千万土
如来光相極圓滿　猶如赫日遍空中

BD00176號　金光明最勝王經卷一〇　（13–7）

大喜大捨淨莊嚴　大慈大悲皆具足
衆妙相好爲嚴飾　菩提分法之所成
如來能施衆福利　令彼常蒙大安樂
種種妙德共莊嚴　光明普照千万土
如來光相極圓滿　猶如赫日遍空中
佛如須弥功德具　亦現能周於十方
如來金口妙端嚴　齒白齊密如珂雪
如來面貌無倫匹　眉間毫相常右旋
光潤鮮白等頗梨　猶如滿月居空界
佛告妙幢菩薩汝能如是讚佛功德不可思
議利益一切令未知者隨順修學
金光明最勝王經菩提樹神讚歎品第廿九
尒時菩提樹神亦以伽他讚世尊曰
敬礼如來清淨慧　敬礼常求正法慧
敬礼能離非法慧　敬礼恒無分別慧
希有世尊無邊行　希有難見比優曇
希有如海鎮山王　希有善逝光无量
希有調御知慈愍　希有釋種明逾日
能說如是經中寶　哀愍利益諸群生
牟尼寂靜諸根定　能入寂靜涅槃城
能住寂靜等持門　能知寂靜深境界
兩足中尊住空寂　聲聞弟子身亦空
一切法體性皆无　一切衆生悉空寂
我常憶念於諸佛　我常樂見諸世尊
我常發起慇重心　常得值遇如來日
我常頂礼於世尊　願常渴仰心不捨
悲泣流淚情无間　常得奉事不知厭

BD00176 號　金光明最勝王經卷一〇　（13–8）

兩足中尊住空寂　聲聞弟子身亦空
一切法體性皆无　一切衆生悉空寂
我常憶念於諸佛　我常樂見諸世尊
我常發起慇重心　常得值遇如來日
我常頂礼於世尊　願常渴仰心不捨
悲泣流淚情无間　常得奉事不知厭
唯願世尊起悲心　和顏常得令我見
佛及聲聞衆清淨　願常普濟於人天
佛身本淨若虛空　亦如幻燄及水月
願說涅槃甘露法　能生一切功德聚
世尊所有淨境界　慈悲正行不思議
聲聞獨覺非所量　大仙菩薩不能測
唯願如來哀愍我　常令覩見大悲身
三業無倦奉慈尊　速出生死歸真際
尒時世尊聞是讚已以梵音聲告樹神曰善
哉善哉善女天汝能於我真實無妄清淨法
身自利利他宣揚妙相以此功德令汝速證
最上菩提一切有情同所修習若得聞者皆
入甘露無生法門
金光明最勝王經大辯才天女讚歎品第卅
尒時大辯才天女即從座起合掌恭敬以直
言詞讚世尊曰
南謨釋迦牟尼如來應正等覺身真金色咽
如螺貝面如滿月目類青蓮脣口赤好如頗
梨色鼻高脩直如截金鋌齒白齊密如拘物
頭花身光普照如百千日光彩暎徹如贍部

BD00176 號　金光明最勝王經卷一〇　（13–9）

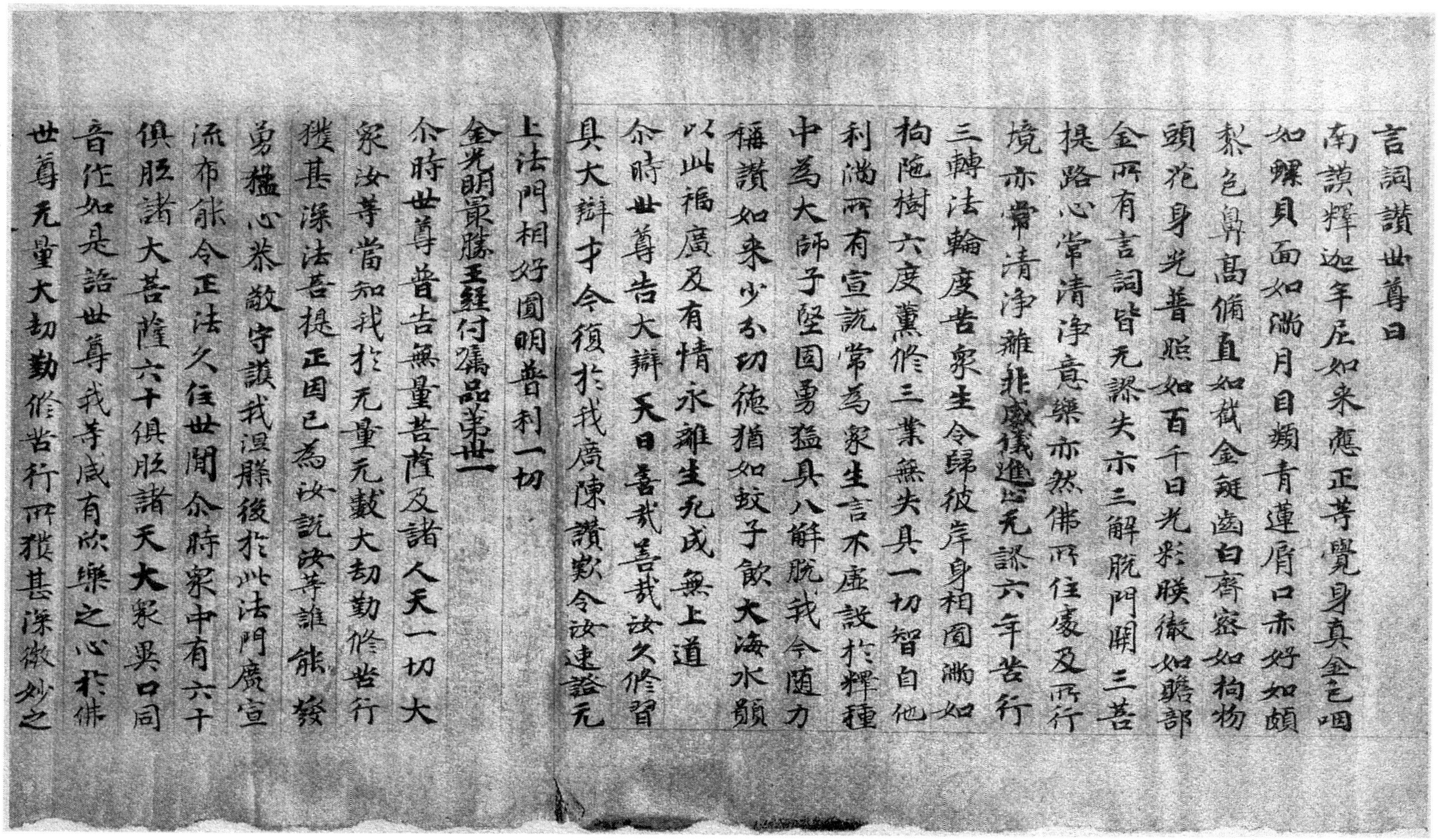

言詞讚世尊曰
南謨釋迦牟尼如來應正等覺身真金色咽
如螺貝面如滿月目類青蓮脣口赤好如頗
梨色鼻高脩直如截金鋌齒白齊密如拘物
頭花身光普照如百千日光彩映徹如贍部
金所有言詞皆无誤失示三解脫門開三菩
提路心常清淨意樂亦然佛所住處及所行
境亦常清淨離非威儀進止无誤六年苦行
三轉法輪度苦衆生令歸彼岸身相圓滿如
拘陁樹六度薰脩三業無失具一切智自他
利滿所有宣說常為衆生言不虛設於釋種
中為大師子堅固勇猛具八解脫我今隨力
稱讚如來少分功德猶如蚊子飲大海水願
以此福廣及有情永離生死成無上道
尒時世尊告大辯天曰善哉善哉汝久脩習
具大辯才今復於我廣陳讚歎令汝速證无
上法門相好圓明普利一切
金光明最勝王經付囑品第卅一
尒時世尊普告無量菩薩及諸人天一切大
衆汝等當知我於无量无數大劫勤脩苦行
獲甚深法菩提正因已為汝說汝等誰能發
勇猛心恭敬守護我涅槃後於此法門廣宣
流布能令正法久住世間尒時衆中有六十
俱胝諸大菩薩六十俱胝諸天大衆異口同
音作如是語世尊我等咸有欣樂之心於佛
世尊无量大劫勤脩苦行所獲甚深微妙之

BD00176 號　金光明最勝王經卷一〇　（13–10）

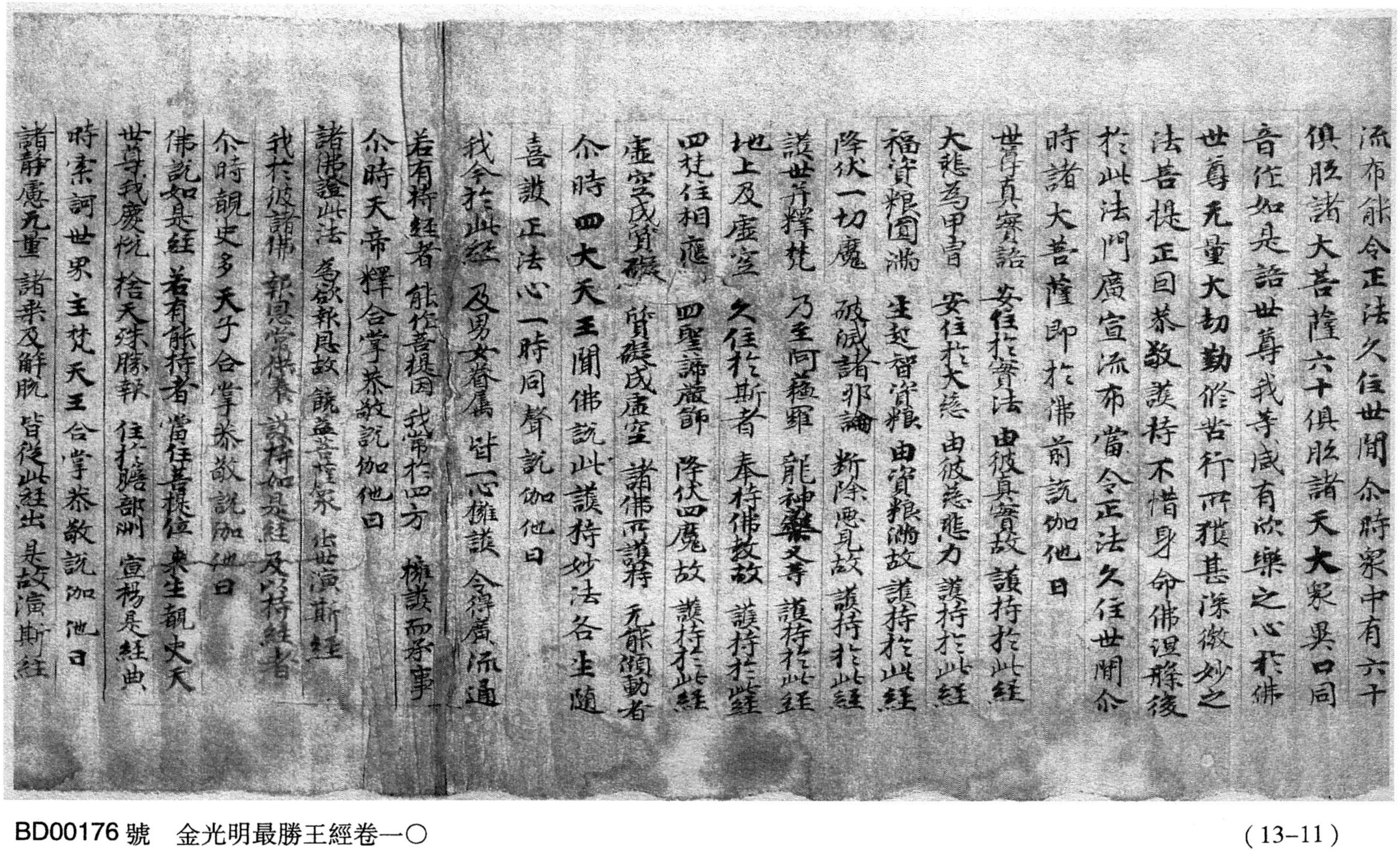

流布能令正法久住世間尒時衆中有六十
俱胝諸大菩薩六十俱胝諸天大衆異口同
音作如是語世尊我等咸有欣樂之心於佛
世尊无量大劫勤脩苦行所獲甚深微妙之
法菩提正因恭敬護持不惜身命佛涅槃後
於此法門廣宣流布當令正法久住世間尒
時諸大菩薩即於佛前說伽他曰
世尊真實語　安住於實法　由彼真實故　護持於此經
大悲為甲冑　安住於大慈　由彼慈悲力　護持於此經
福資糧圓滿　生起智資糧　由資糧滿故　護持於此經
降伏一切魔　破滅諸邪論　斷除惡見故　護持於此經
護世并釋梵　乃至阿蘇羅　龍神藥叉等　護持於此經
地上及虛空　久住於斯者　奉持佛教故　護持於此經
四梵住相應　四聖諦嚴飾　降伏四魔故　護持於此經
虛空成質礙　質礙成虛空　諸佛所護持　無能傾動者
尒時四大天王聞佛說此護持妙法各生隨
喜護正法心一時同聲說伽他曰
我今於此經　及男女眷屬　皆一心擁護　令得廣流通
若有持經者　能作菩提因　我常於四方　擁護而承事
尒時天帝釋合掌恭敬說伽他曰
諸佛證此法　為欲報恩故　饒益菩薩衆　出世演斯經
我於彼諸佛　報恩常供養　護持如是經　及以持經者
尒時覩史多天子合掌恭敬說伽他曰
佛說如是經　若有能持者　當住菩提位　來生覩史天
世尊我慶悅　捨天殊勝報　住於贍部洲　宣揚是經典
時索訶世界主梵天王合掌恭敬說伽他曰
諸靜慮无量　諸乘及解脫　皆從此經出　是故演斯經

BD00176 號　金光明最勝王經卷一〇　（13–11）

尒時覩史多天子合掌恭敬說伽他曰
佛說如是經　若有能持者　當住菩提位　來生覩史天
世尊我慶悅　捨天殊勝報　住於贍部洲　宣揚是經典
時索訶世界主梵天王合掌恭敬說伽他曰
諸靜慮无量　諸乘及解脫　皆從此經出　是故演斯經
若說是經處　我捨梵天樂　為聽如是經　亦常為擁護
尒時魔王子名曰商主合掌恭敬說伽他曰
若有受持此　正義相應經　不隨魔所行　淨除魔惡業
我等於此經　亦當勤守護　發大精進意　隨處廣流通
尒時魔王合掌恭敬說伽他曰
若有持此經　能伏諸煩惱　如是衆生類　擁護令安樂
若有說是經　諸魔不得便　由佛威神故　我當擁護彼
尒時妙吉祥天子亦於佛前說伽他曰
諸佛妙菩提　於此經中說　若持此經者　是供養如來
我當持此經　為俱胝天說　恭敬聽聞者　勸至菩提處
尒時慈氏菩薩合掌恭敬說伽他曰
若見住菩提　与為不請友　乃至捨身命　為護此經王
我聞如是法　當往覩史天　由世尊加護　廣為人天說
尒時上坐大迦攝波合掌恭敬說伽他曰
佛於聲聞乘　說我慧智慧　我今隨自力　護持如是經
若有持此經　我當攝受彼　受其詞辯力　常隨讚善哉
尒時具壽阿難陁合掌向佛說伽他曰
我親從佛聞　无量衆經典　未曾聞如是　深妙法中王
我今聞是經　親於佛前受　諸樂菩提者　當為廣宣通
尒時世尊見諸菩薩人天大衆各各發心於
此經典流通擁護勸進菩薩廣利衆生讚言

BD00176號　金光明最勝王經卷一〇　（13–12）

尒時具壽阿難陁合掌向佛說伽他曰
我親從佛聞　无量衆經典　未曾聞如是　深妙法中王
我今聞是經　親於佛前受　諸樂菩提者　當為廣宣通
尒時世尊見諸菩薩人天大衆各各發心於
此經典流通擁護勸進菩薩廣利衆生讚言
善哉善哉汝等能於如是微妙經王虔誠流
布乃至於我般涅槃後不令散滅即是无上
菩提正因所獲功德於恒沙劫說不能盡若
有苾芻苾芻尼鄔波索迦鄔波斯迦及餘善
男子善女人等供養恭敬書寫流通為人解
說所獲功德亦復如是是故汝等應勤修習
尒時無量無邊恒沙大衆聞佛說已皆大歡
喜信受奉行

金光明最勝王經卷第十

䳒去閑　航胡郎　鵄仕于　揄巨今　鋋庭項　瘠情昔　捫胡辛　鯁庚杏

BD00176號　金光明最勝王經卷一〇　（13–13）

BD00176 號背　便粟歷（擬）　　（1–1）

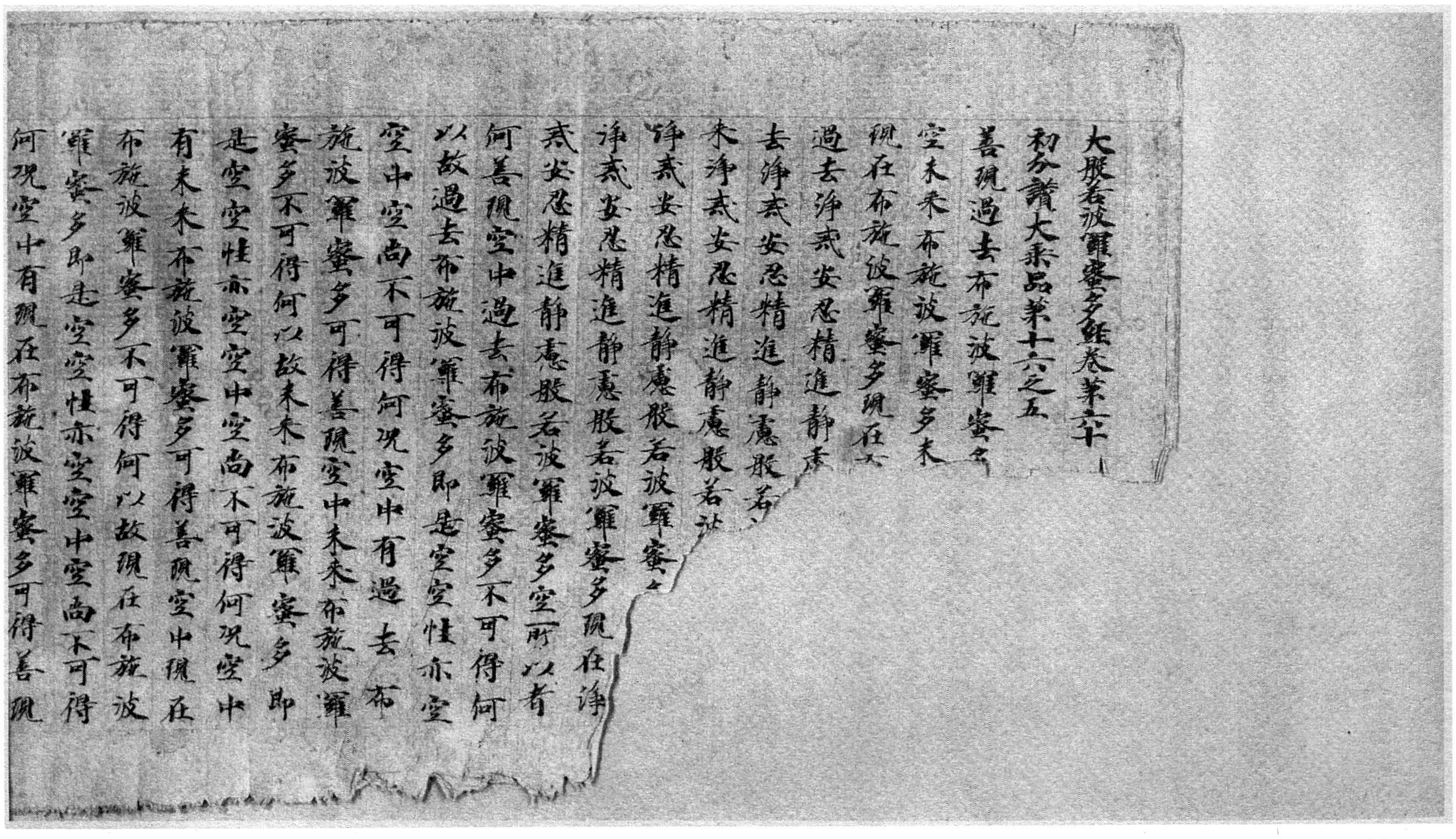

大般若波羅蜜多經卷第六十
初分讚大乘品第十六之五
善現過去布施波羅蜜多
空未來布施波羅蜜多未
現在布施波羅蜜多現在
過去淨戒安忍精進靜
去淨戒安忍精進靜慮般若
未淨戒安忍精進靜慮般若波
淨戒安忍精進靜慮般若波羅蜜
淨戒安忍精進靜慮般若波羅蜜多現在淨
戒安忍精進靜慮般若波羅蜜多空所以者
何善現空中過去布施波羅蜜多不可得何
以故過去布施波羅蜜多即是空空性亦空
空中空尚不可得何況空中有過去布
施波羅蜜多可得善現空中未來布施波羅
蜜多不可得何以故未來布施波羅蜜多即
是空空性亦空空中空尚不可得何況空中
有未來布施波羅蜜多可得善現空中現在
布施波羅蜜多不可得何以故現在布施波
羅蜜多即是空空性亦空空中空尚不可得
何況空中有現在布施波羅蜜多可得善現

BD00177 號　大般若波羅蜜多經卷六〇　　（3–1）

施波羅蜜多可得善現空中未來布施波羅
蜜多不可得何以故未來布施波羅蜜多即
是空空性亦空空中空尚不可得何況空中
有未來布施波羅蜜多可得善現空中現在
布施波羅蜜多不可得何以故現在布施波
羅蜜多即是空空性亦空空中空尚不可得
何況空中有現在布施波羅蜜多可得善現
過去未來現在布施波羅蜜多不可得何以故
過去未來現在布施波羅蜜多即是空空
性亦空空中空尚不可得何況空中有過去
未來現在布施波羅蜜多可得善現空中過
去淨戒安忍精進靜慮般若波羅蜜多不可
得何以故過去淨戒安忍精進靜慮般若波
羅蜜多即是空空性亦空空中空尚不可得
何況空中有過去淨戒安忍精進靜慮般若
波羅蜜多可得善現空中未來淨戒安忍精
進靜慮般若波羅蜜多不可得何以故未來
淨戒安忍精進靜慮般若波羅蜜多即是空
空性亦空空中空尚不可得何況空中有未
來淨戒安忍精進靜慮般若波羅蜜多可得
善現空中現在淨戒安忍精進靜慮般若波
羅蜜多不可得何以故現在淨戒安忍精進
靜慮般若波羅蜜多即是空空性亦空空中
空尚不可得何況空中有現在淨戒安忍精
進靜慮般若波羅蜜多可得善現空中過去
未來現在淨戒安忍精進靜慮般若波羅蜜
多不可得何以故過去未來現在淨戒安忍

BD00177 號　大般若波羅蜜多經卷六〇　（3–2）

波羅蜜多可得善現空中未來淨戒安忍精
進靜慮般若波羅蜜多不可得何以故未來
淨戒安忍精進靜慮般若波羅蜜多即是空
空性亦空空中空尚不可得何況空中有未
來淨戒安忍精進靜慮般若波羅蜜多可得
善現空中現在淨戒安忍精進靜慮般若波
羅蜜多不可得何以故現在淨戒安忍精進
靜慮般若波羅蜜多即是空空性亦空空中
空尚不可得何況空中有現在淨戒安忍精
進靜慮般若波羅蜜多可得善現空中過去
未來現在淨戒安忍精進靜慮般若波羅蜜
多不可得何以故過去未來現在淨戒安忍
精進靜慮般若波羅蜜多即是空空性亦空
空中空尚不可得何況空中有過去未來現
在淨戒安忍精進靜慮般若波羅蜜多可得
善現過去四靜慮過去四靜慮空未來四靜
慮未來四靜慮空現在四靜慮現在四靜慮空
過去四无量四无色定過去四无量四无色
定空未來四无量四无色定未來四无量四
无色定空現在四无量四无色定現在四无
量四无色定空所以者何善現空中過去四
靜慮不可得何以故過去四靜慮即是空空
性亦空空中空尚不可得何況空中有過去
四靜慮可得善現空中未來四靜慮不可得
何以故未來四靜慮即是空空性亦空空

BD00177 號　大般若波羅蜜多經卷六〇　（3–3）

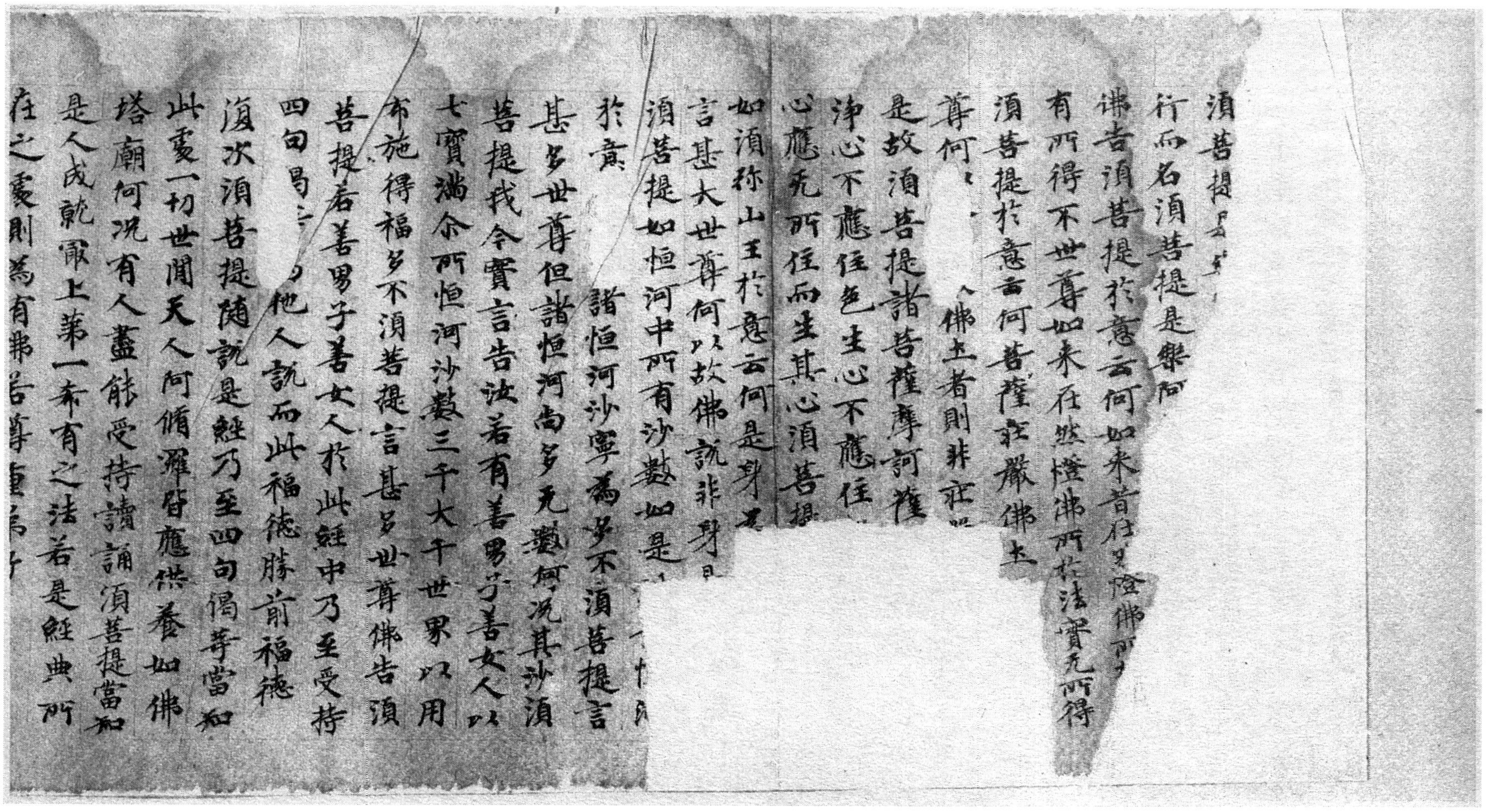

須菩提[illegible]
行而名須菩提是樂阿
佛告須菩提於意云何如來昔在然燈佛所
有所得不世尊如來在然燈佛所於法實无所得
須菩提於意云何菩薩莊嚴佛土
尊何[illegible]佛土者則非莊
是故須菩提諸菩薩摩訶薩
淨心不應住色生心不應住
心應无所住而生其心須菩提
如須彌山王於意云何是身為
言甚大世尊何以故佛說非身
須菩提如恒河中所有沙數如是
於意[illegible]諸恒河沙寧為多不須菩提言
甚多世尊但諸恒河尚多无數何況其沙須
菩提我今實言告汝若有善男子善女人以
七寶滿尒所恒河沙數三千大千世界以用
布施得福多不須菩提言甚多世尊佛告須
菩提若善男子善女人於此經中乃至受持
四句偈等為他人說而此福德勝前福德
復次須菩提隨說是經乃至四句偈等當知
此處一切世間天人阿脩羅皆應供養如佛
塔廟何況有人盡能受持讀誦須菩提當知
是人成就最上第一希有之法若是經典所
在之處則為有佛若尊重

BD00178 號　金剛般若波羅蜜經　　（11–1）

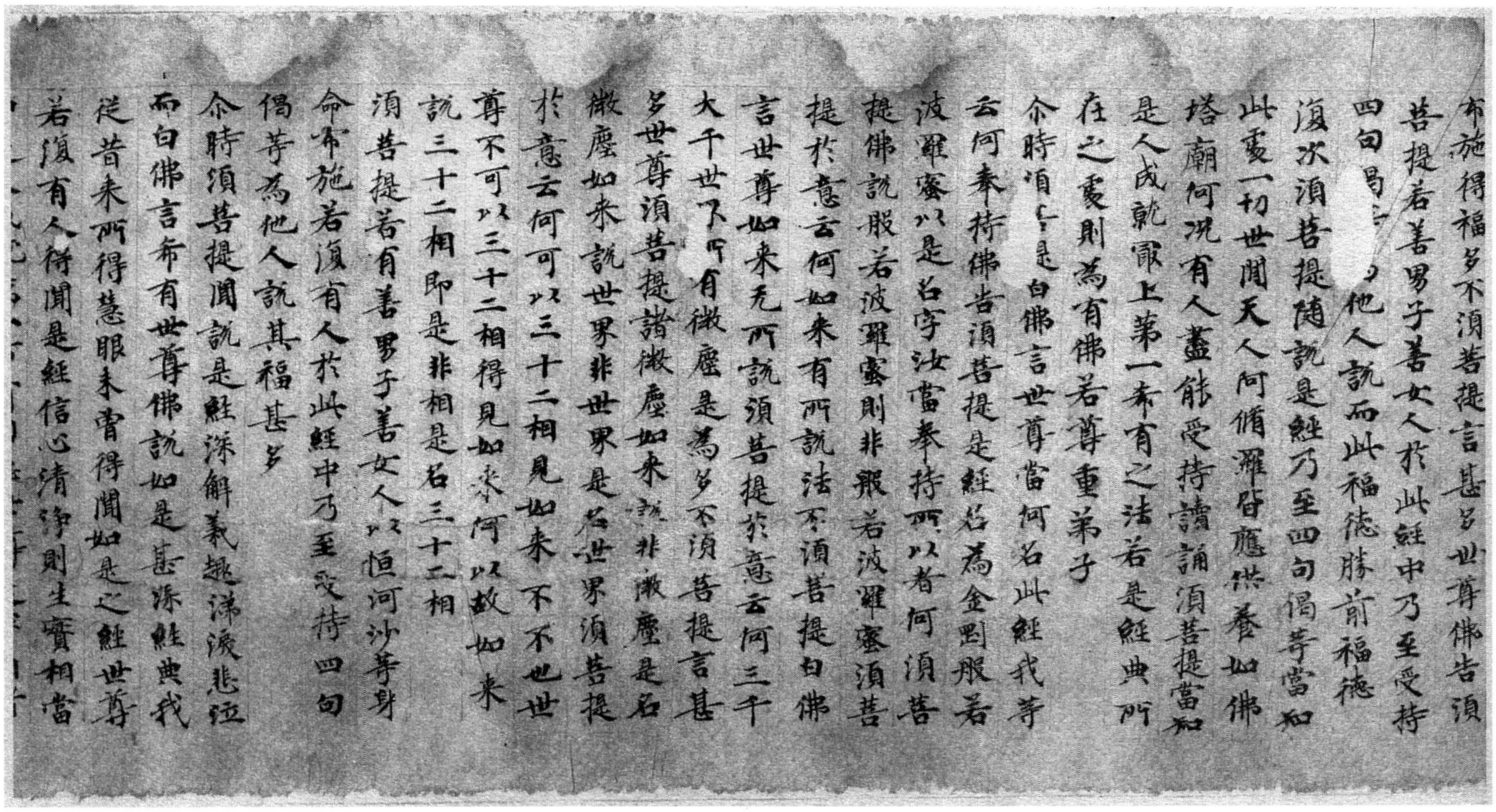

布施得福多不須菩提言甚多世尊佛告須
菩提若善男子善女人於此經中乃至受持
四句偈等為他人說而此福德勝前福德
復次須菩提隨說是經乃至四句偈等當知
此處一切世間天人阿脩羅皆應供養如佛
塔廟何況有人盡能受持讀誦須菩提當知
是人成就最上第一希有之法若是經典所
在之處則為有佛若尊重弟子
尒時須菩提白佛言世尊當何名此經我等
云何奉持佛告須菩提是經名為金剛般若
波羅蜜以是名字汝當奉持所以者何須菩
提佛說般若波羅蜜則非般若波羅蜜須菩
提於意云何如來有所說法不須菩提白佛
言世尊如來无所說須菩提於意云何三千
大千世界所有微塵是為多不須菩提言甚
多世尊須菩提諸微塵如來說非微塵是名
微塵如來說世界非世界是名世界須菩提
於意云何可以三十二相見如來不不也世
尊不可以三十二相得見如來何以故如來
說三十二相即是非相是名三十二相
須菩提若有善男子善女人以恒河沙等身
命布施若復有人於此經中乃至受持四句
偈等為他人說其福甚多
尒時須菩提聞說是經深解義趣涕淚悲泣
而白佛言希有世尊佛說如是甚深經典我
從昔來所得慧眼未曾得聞如是之經世尊
若復有人得聞是經信心清淨則生實相當

BD00178 號　金剛般若波羅蜜經　　（11–2）

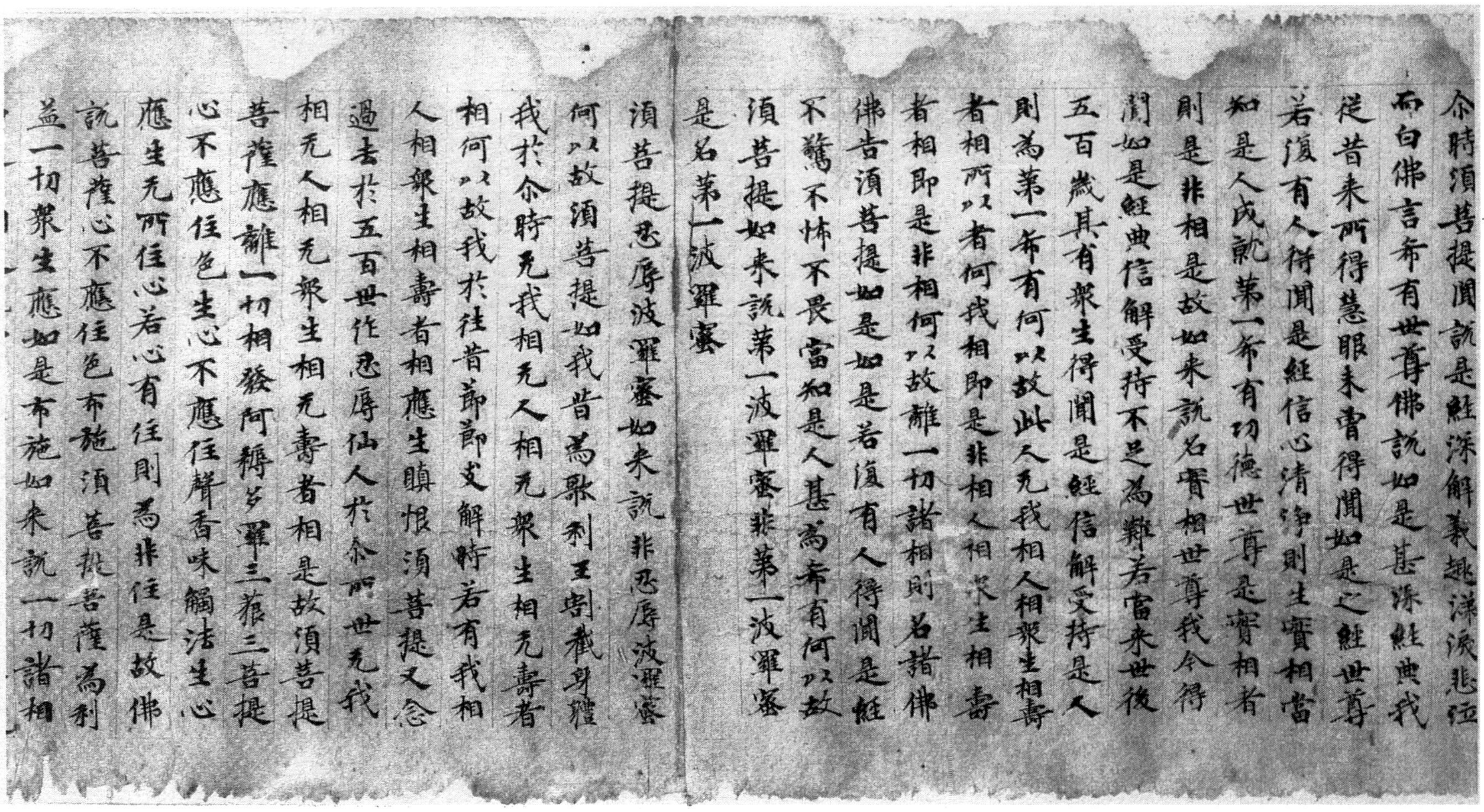

尒時須菩提聞說是經深解義趣涕淚悲泣
而白佛言希有世尊佛說如是甚深經典我
從昔來所得慧眼未曾得聞如是之經世尊
若復有人得聞是經信心清淨則生實相當
知是人成就第一希有功德世尊是實相者
則是非相是故如來說名實相世尊我今得
聞如是經典信解受持不足為難若當來世後
五百歲其有眾生得聞是經信解受持是人
則為第一希有何以故此人无我相人相眾生相壽
者相所以者何我相即是非相人相眾生相壽
者相即是非相何以故離一切諸相則名諸佛
佛告須菩提如是如是若復有人得聞是經
不驚不怖不畏當知是人甚為希有何以故
須菩提如來說第一波羅蜜非第一波羅蜜
是名第一波羅蜜
須菩提忍辱波羅蜜如來說非忍辱波羅蜜
何以故須菩提如我昔為歌利王割截身體
我於尒時无我相无人相无眾生相无壽者
相何以故我於往昔節節支解時若有我相
人相眾生相壽者相應生瞋恨須菩提又念
過去於五百世作忍辱仙人於尒所世无我
相无人相无眾生相无壽者相是故須菩提
菩薩應離一切相發阿耨多羅三藐三菩提
心不應住色生心不應住聲香味觸法生心
應生无所住心若心有住則為非住是故佛
說菩薩心不應住色布施須菩提菩薩為利
益一切眾生應如是布施如來說一切諸相

BD00178號　金剛般若波羅蜜經　　（11–3）

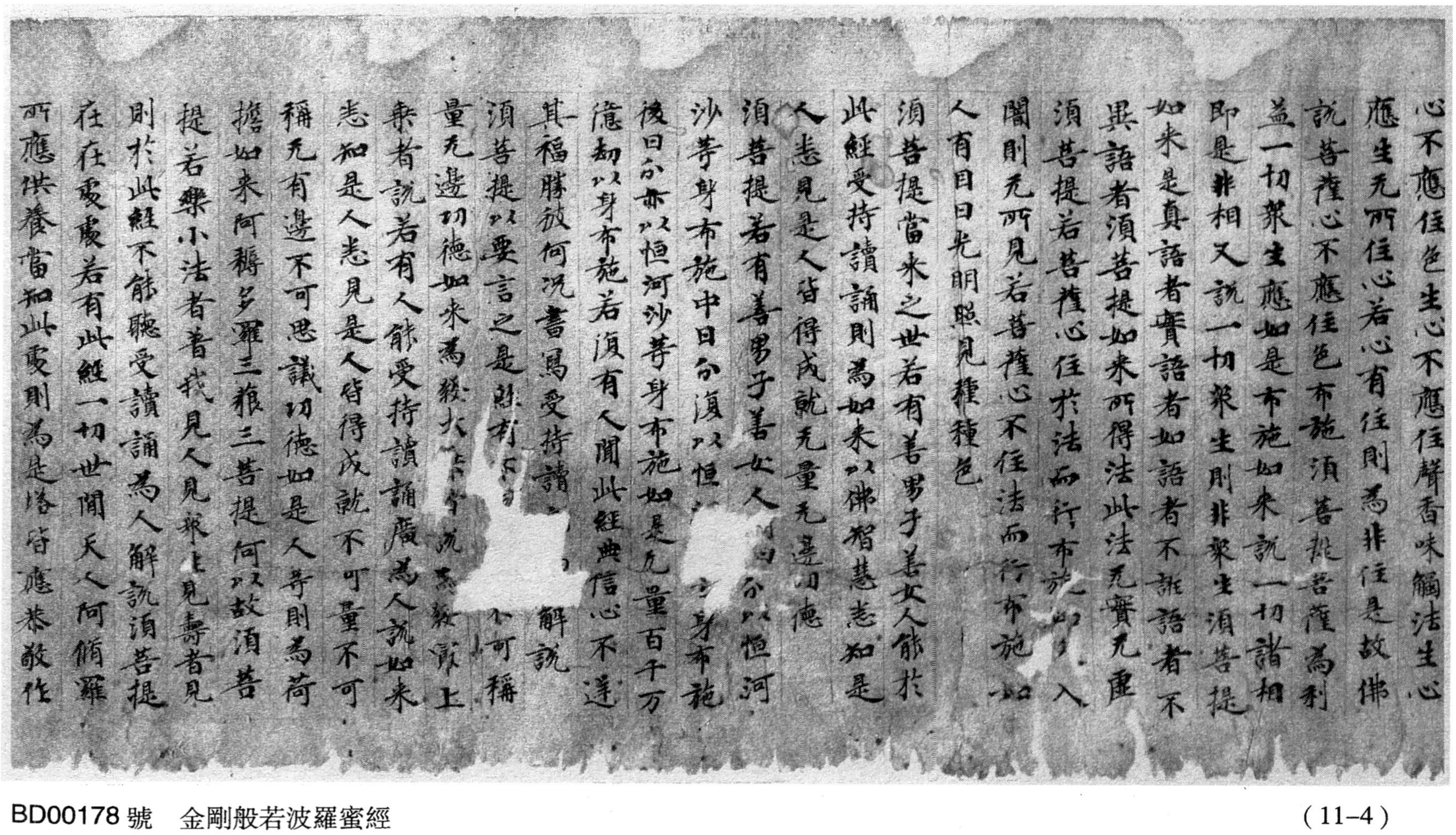

心不應住色生心不應住聲香味觸法生心
應生无所住心若心有住則為非住是故佛
說菩薩心不應住色布施須菩提菩薩為利
益一切眾生應如是布施如來說一切諸相
即是非相又說一切眾生則非眾生須菩提
如來是真語者實語者如語者不誑語者不
異語者須菩提如來所得法此法无實无虛
須菩提若菩薩心住於法而行布施如人入
闇則无所見若菩薩心不住法而行布施如
人有目日光明照見種種色
須菩提當來之世若有善男子善女人能於
此經受持讀誦則為如來以佛智慧悉知是
人悉見是人皆得成就无量无邊功德
須菩提若有善男子善女人初日分以恒河
沙等身布施中日分復以恒河沙等身布施
後日分亦以恒河沙等身布施如是无量百千万
億劫以身布施若復有人聞此經典信心不逆
其福勝彼何況書寫受持讀誦為人解說
須菩提以要言之是經有不可思議不可稱
量无邊功德如來為發大乘者說為發最上
乘者說若有人能受持讀誦廣為人說如來
悉知是人悉見是人皆得成就不可量不可
稱无有邊不可思議功德如是人等則為荷
擔如來阿耨多羅三藐三菩提何以故須菩
提若樂小法者著我見人見眾生見壽者見
則於此經不能聽受讀誦為人解說須菩提
在在處處若有此經一切世間天人阿脩羅
所應供養當知此處則為是塔皆應恭敬作

BD00178號　金剛般若波羅蜜經　　（11–4）

提若樂小法者著我見人見衆生見壽者見
則於此經不能聽受讀誦為人解說須菩提
在在處處若有此經一切世間天人阿脩羅
所應供養當知此處則為是塔皆應恭敬作
礼圍遶以諸華香而散其處
復次須菩提善男子善女人受持讀誦此經
若為人輕賤是人先世罪業應墮惡道以今
世人輕賤故先世罪業則為消滅當得阿耨
多羅三藐三菩提須菩提我念過去无量阿
僧祇劫於然燈佛前得值八百四千万億那
由他諸佛悉皆供養承事无空過者若復有
人於後末世能受持讀誦此經所得功德於
我所供養諸佛功德百分不及一千万億分
乃至筭數譬喻所不能及須菩提若善男子
善女人於後末世有受持讀誦此經所得功德
我若具說者或有人聞心則狂亂狐疑不信須菩
提當知是經義不可思議果報亦不可思議
尒時須菩提白佛言世尊善男子善女人發阿
耨多羅三藐三菩提心云何應住云何降
伏其心佛告須菩提善男子善女人發阿耨
多羅三藐三菩提者當生如是心我應滅度
一切衆生滅度一切衆生已而无有一衆生
實滅度者何以故若菩薩有我相人相衆生
相壽者相則非菩薩所以者何須菩提實无
有法發阿耨多羅三藐三菩提者
須菩提於意云何如來於然燈佛所有法得
阿耨多羅三藐三菩提不不也世尊如我解

BD00178 號　金剛般若波羅蜜經　（11–5）

有法發阿耨多羅三藐三菩提者
須菩提於意云何如來於然燈佛所有法得
阿耨多羅三藐三菩提不不也世尊如我解
佛所說義佛於然燈佛所无有法得阿耨多
羅三藐三菩提佛言如是如是須菩提實无
有法如來得阿耨多羅三藐三菩提須菩提
若有法如來得阿耨多羅三藐三菩提者然
燈佛則不與我受記汝於來世當得作佛号釋
迦牟尼以實无有法得阿耨多羅三藐三菩
提是故然燈佛與我受記作是言汝於來世
當得作佛号釋迦牟尼何以故如來者即諸
法如義若有人言如來得阿耨多羅三藐三
菩提須菩提實无有法佛得阿耨多羅三藐
三菩提須菩提如來所得阿耨多羅三藐三
菩提於是中无實无虛是故如來說一切法
皆是佛法須菩提所言一切法者即非一切
法是故名一切法
須菩提譬如人身長大須菩提言世尊如來
說人身長大則為非大身是名大身
須菩提菩薩亦如是若作是言我當滅度无
量衆生則不名菩薩何以故須菩提實无有
法名為菩薩是故佛說一切法无我无人无
衆生无壽者須菩提若菩薩作是言我當莊
嚴佛土是不名菩薩何以故如來說莊嚴佛
土者即非莊嚴是名莊嚴須菩提若菩薩通
達无我法者如來說名真是菩薩
須菩提於意云何如來有肉眼不如是世尊
如來有肉眼須菩提於意云何如來有天眼

BD00178 號　金剛般若波羅蜜經　（11–6）

嚴佛土是不名菩薩何以故如来説莊嚴佛
土者即非莊嚴是名莊嚴須菩提若菩薩通
達无我法者如来説名真是菩薩
須菩提於意云何如来有肉眼不如是世尊
如来有肉眼須菩提於意云何如来有天眼
不如是世尊如来有天眼須菩提於意云何
如来有慧眼不如是世尊如来有慧眼須菩
提於意云何如来有法眼不如是世尊如来
有法眼須菩提於意云何如来有佛眼不如
是世尊如来有佛眼須菩提於意云何恒河
中所有沙佛説是沙不如是世尊如来説是
沙須菩提於意云何如一恒河中所有沙有
如是等恒河是諸恒河所有沙數佛世界
如是寧為多不甚多世尊佛告須菩提尒所
國土中所有衆生若干種心如来悉知何以故
如来説諸心皆為非心是名為心所以者何
須菩提過去心不可得現在心不可得未来
心不可得須菩提於意云何若有人滿三千
不得
大千世界七寶以用布施是人以是
福多不如是世尊此人以是因緣得
須菩提若福德有實如来不説得福
福德无故如来説得福德多
須菩提於意云何佛可以具足色身
也世尊如来不應以具足色身見何
説具足色身即非具足色身是
身須菩提於意云何如来可以具
不不也世尊如来不應以具足諸
故如来説諸相具足即非具足是名

BD00178號　金剛般若波羅蜜經　（11–7）

説具足色身即非具足色身是
身須菩提於意云何如来可以具
不不也世尊如来不應以具足諸
故如来説諸相具足即非具足是名
須菩提汝勿謂如来作是念我當有
莫作是念何以故若人言如来有所説法
為謗佛不能解我所説故須菩提説法者无
法可説是名説法
須菩提白佛言世尊佛得阿耨多羅三藐三
菩提為无所得耶如是如是須菩提我於阿
耨多羅三藐三菩提乃至无有少法可得是
名阿耨多羅三藐三菩提復次須菩提是法平
等无有高下是名阿耨多羅三藐三菩提
以无我无人无衆生无壽者脩一切善法則
得阿耨多羅三藐三菩提須菩提所言善法
者如来説非善法是名善法
須菩提若三千大千世界中所有諸須弥山
王如是等七寶聚有人持用布施若人以此
般若波羅蜜經乃至四句偈等受持讀誦為
他人説於前福德百分不及一百千万億分
乃至筭數譬喻所不能及
須菩提於意云何汝等勿謂如来作是念我
當度衆生須菩提莫作是念何以故實无有
衆生如来度者若有衆生如来度者如来則
有我人衆生壽者須菩提如来説有我者則
非有我而凡夫之人以為有我須菩提凡夫
者如来説則非凡夫
須菩提於意云何可以卅二相觀如来不須

BD00178號　金剛般若波羅蜜經　（11–8）

有我人衆生壽者須菩提如來說有我者則
非有我而凡夫之人以為有我須菩提凡夫
者如來說則非凡夫
須菩提於意云何可以卅二相觀如來不須
菩提言如是如是以卅二相觀如來佛言須
菩提若以卅二相觀如來者轉輪聖王則是
如來須菩提白佛言世尊如我解佛所說義
不應以卅二相觀如來尒時世尊而說偈言
若以色見我 以音聲求我 是人行邪道 不能見如來
須菩提汝若作是念如來不以具足相故得
阿耨多羅三藐三菩提須菩提莫作是念如
來不以具足相故得阿耨多羅三藐三菩提
須菩提汝若作是念發阿耨多羅三藐三菩
提者說諸法斷滅莫作是念何以故發阿耨
多羅三藐三菩提者於法不說斷滅相須菩
提若菩薩以滿恒河沙等世界七寶布施若
復有人知一切法无我得成於忍此菩薩勝
前菩薩所得功德須菩提以諸菩薩不受福
德故須菩提白佛言世尊云何菩薩不受福
德須菩提菩薩所作福德不應貪著是故說
不受福德
須菩提若有人言如來若來若去若坐若卧
是人不解我所說義何以故如來者无所從
來亦无所去故名如來
須菩提若善男子善女人以三千大千世界
碎為微塵於意云何是微塵衆寧為多不甚
多世尊何以故若是微塵衆實有者佛則不

BD00178號　金剛般若波羅蜜經　（11–9）

來亦无所去故名如來
須菩提若善男子善女人以三千大千世界
碎為微塵於意云何是微塵衆寧為多不甚
多世尊何以故若是微塵衆實有者佛則不
說是微塵衆所以者何佛說微塵衆則非微
塵衆是名微塵衆世尊如來所說三千大千
世界則非世界是名世界何以故若世界實
有者則是一合相如來說一合相則非一合相
是名一合相須菩提一合相者則是不可說
但凡夫之人貪著其事須菩提若人言佛說
我見人見衆生見壽者見須菩提於意云何
是人解我所說義不世尊是人不解如來所
說義何以故世尊說我見人見衆生見壽者
見即非我見人見衆生見壽者見是名我見
人見衆生見壽者見須菩提發阿耨多羅三
藐三菩提心者於一切法應如是知如是見如
是信解不生法相須菩提所言法相者如來
說即非法相是名法相須菩提若有人以
滿无量阿僧祇世界七寶持用布施若有善
男子善女人發菩薩心者持於此經乃至四
句偈等受持讀誦為人演說其福勝彼云何
為人演說不取於相如如不動何以故
一切有為法 如夢幻泡影 如露亦如電 應作如是觀
佛說是經已長老須菩提及諸比丘比丘尼
優婆塞優婆夷一切世間天人阿脩羅聞佛
所說皆大歡喜信受奉持
金剛般若波羅蜜經

BD00178號　金剛般若波羅蜜經　（11–10）

是信解不生法相須菩提所言法相者如來
說即非法相是名法相須菩提若有人以
滿无量阿僧祇世界七寶持用布施若有善
男子善女人發菩薩心者持於此經乃至四
句偈等受持讀誦為人演說其福勝彼云何
為人演說不取於相如如不動何以故
一切有為法如夢幻泡影如露亦如電應作如是觀
佛說是經已長老須菩提及諸比丘比丘尼
優婆塞優婆夷一切世間天人阿脩羅聞佛
所說皆大歡喜信受奉持
金剛般若波羅蜜經

BD00178 號　金剛般若波羅蜜經　（11–11）

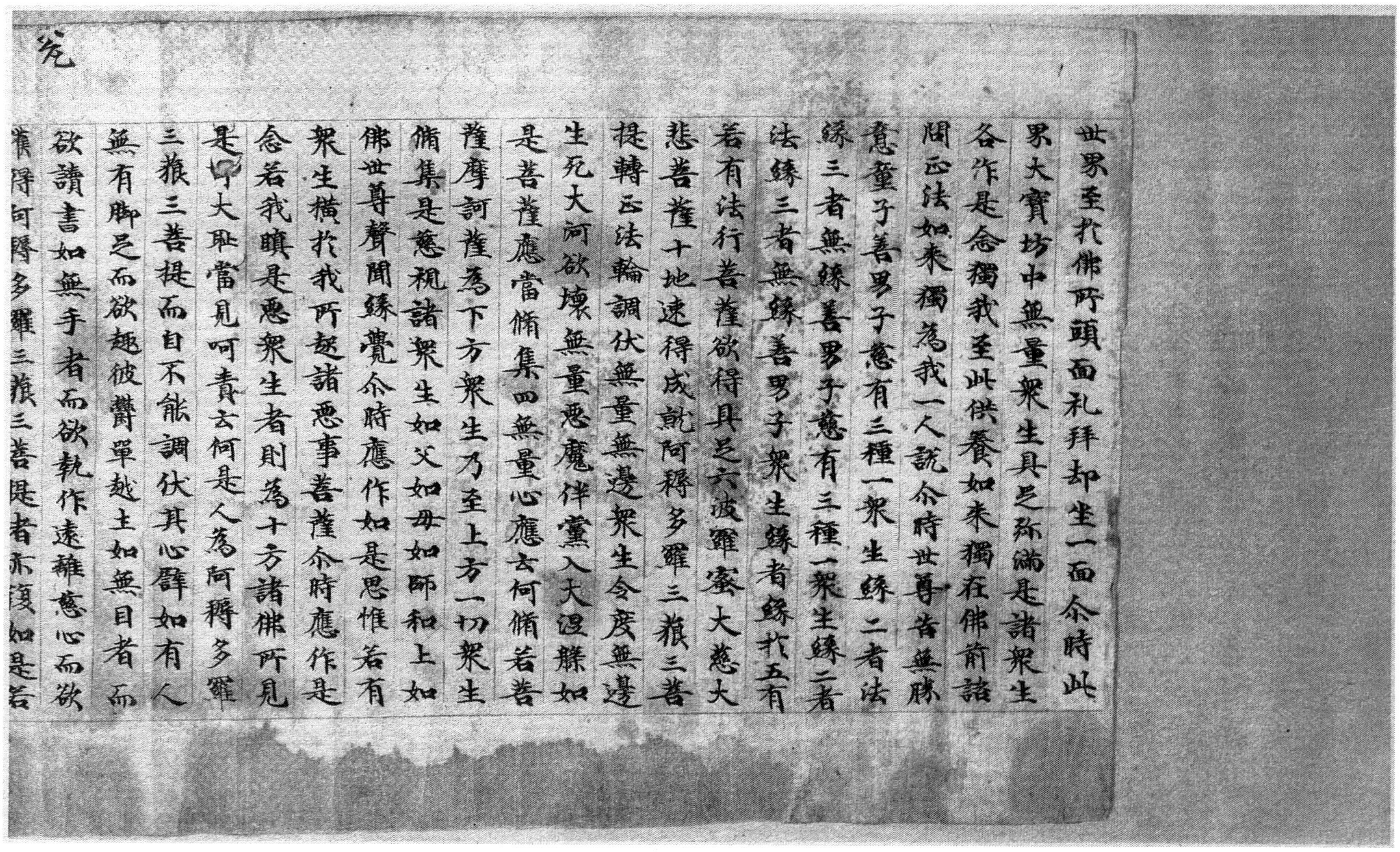

兌
世界至於佛所頭面礼拜却坐一面尒時此
界大寶坊中無量衆生具足弥滿是諸衆生
各作是念獨我至此供養如來獨在佛前諮
聞正法如來獨為我一人說尒時世尊告無勝
意童子善男子慈有三種一衆生緣二者法
緣三者無緣善男子悲有三種一衆生緣二者
法緣三者無緣善男子衆生緣者緣於五有
若有法行菩薩欲得具足六波羅蜜大慈大
悲菩薩十地速得成就阿耨多羅三藐三菩
提轉正法輪調伏無量無邊衆生令度無邊
生死大河欲壞無量惡魔伴黨入大涅槃如
是菩薩應當脩集四無量心云何脩若菩
薩摩訶薩為下方衆生乃至上方一切衆生
脩集是慈視諸衆生如父如母如師和上如
佛世尊聲聞緣覺尒時應作如是思惟若有
衆生橫於我所起諸惡事菩薩尒時應作是
念若我瞋是惡衆生者則為十方諸佛所見
是即大耻當見呵責云何是人為阿耨多羅
三藐三菩提而自不能調伏其心譬如有人
無有脚足而欲越彼欝單越土如無目者而
欲讀書如無手者而欲執作遠離慈心而欲
求得阿耨多羅三藐三菩提者亦復如是若

BD00179 號　大方等大集經（兌廢稿）卷二三　（2–1）

兑

法緣三者無緣善男子衆生緣者緣於五有
若有法行菩薩欲得具足六波羅蜜大慈大
悲菩薩十地速得成就阿耨多羅三藐三菩
提轉正法輪調伏無量無邊衆生令度無邊
生死大河欲壞無量惡魔伴黨入大涅槃如
是菩薩應當修集四無量心應云何修若菩
薩摩訶薩為下方衆生乃至上方一切衆生
修集是慈視諸衆生如父如母如師和上如
佛世尊聲聞緣覺尒時應作如是思惟若有
衆生横於我所起諸惡事菩薩尒時應作是
念若我瞋是惡衆生者則為十方諸佛所見
是即大恥當見呵責云何是人為阿耨多羅
三藐三菩提而自不能調伏其心譬如有人
無有脚足而欲趣彼欝單越主如無目者而
欲讀書如無手者而欲執作遠離慈心而欲
獲得阿耨多羅三藐三菩提者亦復如是若
不能斷如是瞋心尚不能得聲聞菩提何况
阿耨多羅三藐三菩提若我不能調伏自心
當為諸佛聲聞緣覺天龍八部之所呵責若
我不能調伏自心當得大罪受地獄苦不得
我不能調

BD00179 號　大方等大集經（兑廢稿）卷二三　（2–2）

除去所有及諸
殊師利既入其舍
獨寢一牀時維摩詰言
師利不来相而来不見相而見文
殊師利言如是居士若来已更不来若去已
更不去所以者何来者无所從来去者无所
至所可見者更不可見且置是事居士是疾
寧可忍不療治有損不至增乎世尊慇懃致
問无量居士是疾何所因起其生久如當云
何滅維摩詰言從癡有愛則我病生以一切
衆生病是故我病若一切衆生得不病者則
我病滅所以者何菩薩為衆生故入生死有
生死則有病若衆生得離病者則菩薩无復
病譬如長者唯有一子其子得病父母亦病
若子病愈父母亦愈菩薩如是於諸衆生愛
之若子衆生病則菩薩病衆生病愈菩薩亦
愈又言是病何所因起菩薩疾者以大悲起
文殊師利言居士此室何以空无侍者維摩
詰言諸佛國土亦復皆空又問以何為空答
曰以空空又問空何用空答曰以无分別空
故空又問空可分別耶答曰分別亦空又問
空當於何求答曰當於六十二見中求又問

BD00180 號　維摩詰所說經卷中　（28–1）

諸言諸佛國土亦復皆空又問以何爲空答
曰以空空又問空何用空答曰以无分別空
故空又問空可分別耶答曰分別亦空又問
空當於何求答曰當於六十二見中求又問
六十二見當於何求答曰當於諸佛解脫中
求又問諸佛解脫當於何求答曰當於一切
衆生心行中求又仁所問何无侍者一切衆
魔及諸外道皆吾侍也所以者何衆魔者樂
生死菩薩於生死而不捨外道者樂諸見菩
薩於諸見而不動文殊師利言居士所疾爲
何等相維摩詰言我病无形不可見又問此
病身合耶心合耶答曰非身合身相離故亦
非心合心如幻故又問地大水大火大風大於
此四大何大之病答曰是病非地大亦不
離地大水火風大亦復如是而衆生病從四
大起以其有病是故我病
尒時文殊師利問維摩詰言菩薩應云何慰
喻有疾菩薩維摩詰言說身无常不說猒離
於身說身有苦不說樂於涅槃說身无我而
說教導衆生說身空寂不說畢竟寂滅說
悔先罪而不說入於過去以己之疾愍於彼疾
當識宿世无數劫苦當念饒益一切衆生憶
所脩福念於淨命勿生憂惱常起精進當
作醫王療治衆病菩薩應如是慰喻有疾菩
薩令其歡喜

BD00180號　維摩詰所說經卷中　（28–2）

當識宿世无數劫苦當念饒益一切衆生憶
所脩福念於淨命勿生憂惱常起精進當
作醫王療治衆病菩薩應如是慰喻有疾菩
薩令其歡喜
文殊師利言居士有疾菩薩云何調伏其心
維摩詰言有疾菩薩應作是念今我此病皆
從前世妄想顛倒諸煩惱生无有實法誰受
病者所以者何四大合故假名爲身四大无
主身亦无我又此病起皆由著我是故於我
不應生著既知病本即除我想及衆生想當
起法想應作是念但以衆法合成此身起唯
法起滅唯法滅又此法者各不相知起時不
言我起滅時不言我滅彼有疾菩薩爲滅法
想當作是念此法想者亦是顛倒者是
即大患我應離之云何爲離離我我所云何
離我我所謂離二法云何離二法謂不念內
外諸法行於平等云何平等謂我等涅槃等
所以者何我及涅槃此二皆空以何爲空但
以名字故空如此二法无決定性得是平等
无有餘病唯有空病空病亦空是有疾菩薩
以无所受而受諸受未具佛法亦不滅受而
取證也設身有苦念惡趣衆生起大悲心我
既調伏亦當調伏一切衆生但除其病而不
除法爲斷病本而教道之何謂病本謂有攀
緣從有攀緣則爲病本何所攀緣謂之三界

BD00180號　維摩詰所說經卷中　（28–3）

以无所受而受諸受未具佛法亦不滅受而
取證也設身有苦念惡趣衆生起大悲心我
既調伏亦當調伏一切衆生但除其病而不
除法為斷病本而教道之何謂病本謂有攀
緣從有攀緣則為病本何所攀緣謂之三界
云何斷攀緣以无所得若无所得則无攀緣
何謂无所得謂離二見何謂二見謂内見外見
是无所得文殊師利是為有疾菩薩伏其
心為斷老病死苦是菩薩菩提若不如是已
所脩治為无惠利譬如勝怨乃可為勇如是
兼除老病死者菩薩之謂也彼有疾菩薩應
復作是念如我此病非真非有衆生病亦非
真非有作是觀時於諸衆生若起大悲愛見
即應捨離所以者何菩薩斷除客塵煩惱
而起大悲愛見悲者則於生死有疲厭心若能
離此无有疲厭在在所生不為愛見之所覆也
所生无縛能為衆生說法解縛如佛所說
解彼縛斯有是處是故菩薩不應起縛何謂
縛何謂解貪著禪味是菩薩縛以方便生是
菩薩解又无方便慧縛有方便慧解无慧方
便縛有慧方便解何謂无方便慧縛謂菩薩
以愛見心莊嚴佛土成就衆生於空无相无作
法中而自調伏是名无方便慧縛何謂有方
便慧解謂不以愛見心莊嚴佛土成就衆生
於空无相无作法中以自調伏而不疲厭
是名有方便慧解何謂无慧方便縛謂菩薩

以愛見心莊嚴佛土成就衆生於空无相无作
法中而自調伏是名无方便慧縛何謂有方
便慧解謂不以愛見心莊嚴佛土成就衆生
於空无相无作法中以自調伏而不疲厭
是名有方便慧解何謂无慧方便縛謂菩薩
住貪欲瞋恚耶見等諸煩惱而殖衆德本是
名无慧方便縛何謂有慧方便解謂離諸貪
欲瞋恚耶見等諸煩惱而殖衆德本迴向阿
耨多羅三藐三菩提是名有慧方便解
文殊師利彼有疾菩薩應如是觀諸法又復
觀身无常苦空非我是名為慧雖身有疾常
在生死饒益一切而不厭惓是名方便又復
觀身身不離病病不離身是病是身非新非
故是名為慧設身有疾而不永滅是名方便
文殊師利有疾菩薩應如是調伏其心不住
其中亦復不住不調伏心所以者何若住不
調伏心是愚人法若住調伏心是聲聞法是
故菩薩不當住於調伏心離此二法是
是菩薩行在於生死不為汙行住於涅槃不
永滅度是菩薩行非凡夫行非賢聖行是菩
薩行非垢行非淨行是菩薩行雖過魔行而
現降伏魔是菩薩行求一切智无非時求是
菩薩行雖觀諸法不生而不入正位是菩薩
行雖觀十二緣起而入諸耶見是菩薩行雖
攝一切衆生而不愛著是菩薩行雖

行非淨行是菩薩行雖過魔行而
現降伏魔是菩薩行求一切智无非時求是
菩薩行雖觀諸法不生而不入正位是菩薩
行雖觀十二緣起而入諸耶見是菩薩行雖
攝一切衆生而不愛著是菩薩行雖樂遠離
而不依身心盡是菩薩行雖行三界而不壞
法性是菩薩行雖行於空殖衆徳本是菩
薩行雖行无相而度衆生是菩薩行雖行无
作而現受身是菩薩行无起而起一切善
行是菩薩行雖行六波羅蜜而遍知衆生
心心數法是菩薩行六通而不盡漏是
菩薩行雖行四无量心而不貪著生於梵世
是菩薩行雖行禪定解脱三昧而不隨禪生
是菩薩行雖行四念處而不永離身受心法
是菩薩行雖行四正勤而不捨身心精進是
菩薩行雖行四如意足而得自在神通是菩
薩行雖行五根而分別衆生諸根利鈍是菩
薩行雖行五力而樂求佛十力是菩薩行雖
行七覺分而分別佛之智慧是菩薩行雖行
八正道而樂行无量佛道是菩薩行雖行止
觀助道之法而不畢竟墮於寂滅是菩薩行
雖行諸法不生不滅而以相好莊嚴其身是
菩薩行雖現聲聞辟支佛威儀而不捨佛法
是菩薩行雖隨諸法究竟淨相而隨所應爲
現其身是菩薩行雖觀諸佛國土永寂如空

菩薩行雖現聲聞辟支佛威儀而不捨佛法
是菩薩行雖隨諸法究竟淨相而隨所應爲
現其身是菩薩行雖觀諸佛國土永寂如空
而現種種清淨佛土是菩薩行雖得佛道轉
于法輪入於涅槃而不捨於菩薩之道是菩
薩行說是語時文殊師利所將大衆其中八
千天子皆發阿耨多羅三藐三菩提心

不思議品第六

尒時舍利弗見此室中无有牀座作是念斯
諸菩薩大弟子衆當於何坐長者維摩詰知
其意語舍利弗言云何仁者爲法來耶求牀
座耶舍利弗言我爲法來非爲牀座維摩詰
言唯舍利弗夫求法者不貪軀命何况牀座
夫求法者非有色受想行識之求非有界入
之求非有欲色无色之求唯舍利弗夫求法
者不著佛求不著法求不著衆求夫求法者
无見苦求无斷集求无造盡證脩道之求所
以者何法戲論若言我當見苦斷集證滅
脩道是則戲論求法也唯舍利弗法名寂
滅若行生滅是生滅非求法也法名无染
若染於法乃至涅槃是則染著非求法也法
无行處若行於法是則行處非求法也法无
取捨若取捨法是則取捨非求法也法无處
所若著處所是則著處非求法也法名无相
若隨相識是則求相非求法也法不可住若
住於法是則住法非求法也法不可見聞覺

取捨若取捨法是則取捨非求法也法无處
所若著處所是則著處非求法也法名无相
若隨相識是則求相非求法也法不可住若
住於法是則住法非求法也法不可見聞覺
知若行見聞覺知是則見聞覺知非求法也
法名无為若行有為是求有為非求法也是
故舍利弗若求法者於一切法應无所求說
是語時五百天子於諸法中得法眼淨
尒時長者維摩詰問文殊師利仁者遊於无
量千万億阿僧祇國何等佛土有好上妙功
德成就師子之座文殊師利言居士東方度
卅六恒河沙國有世界名須弥相其佛号須
弥燈王今現在彼佛身長八万四千由旬其
師子座高八万四千由旬嚴飾第一於是長
者維摩詰現神通力即時彼佛遣三万二千
師子座高廣嚴淨來入維摩詰室諸菩薩大
弟子釋梵四天王等昔所未見其室廣博悉皆
苞容三万二千師子座无所妨礙於毗耶離
城及閻浮提四天下亦不迫迮悉見如故尒
時維摩詰語文殊利就師子座與諸菩薩
上人俱坐當自立身如彼坐像其得神通菩
薩即自變形為四万二千由旬坐師子座諸
新發意菩薩及大弟子皆不能昇尒時維摩
詰語舍利弗就師子座舍利弗言居士此座
高廣吾不能昇維摩詰言唯舍利弗為須弥
燈[illegible]

BD00180 號　維摩詰所說經卷中　（28–8）

薩即自變形為四万二千由旬坐師子座諸
新發意菩薩及大弟子皆不能昇尒時維摩
詰語舍利弗就師子座舍利弗言居士此座
高廣吾不能昇維摩詰言唯舍利弗為須弥
燈王如來作礼乃可得坐於是新發意菩薩
及大弟子即為須弥燈王如來作礼便得坐
師子座舍利弗言居士未曾有也如是小室
乃容受此高廣之座於毗耶離城无所妨礙
又於閻浮提聚落城邑及四天下諸天龍王
鬼神宮殿亦不迫迮維摩詰言唯舍利弗諸
佛菩薩有解脫名不可思議若菩薩住是解
脫者以須弥之高廣內芥子中无所增減須
弥山王本相如故而四天王忉利諸天不覺
不知己之所入唯應度者乃見須弥入芥子
中是名不可思議解脫法門又以四大海水
入一毛孔不嬈魚鱉黿鼉水性之屬而彼大
海本相如故諸龍鬼神阿脩羅等不覺不知
己之所入於此衆亦无所嬈又舍利弗住
不可思議解脫菩薩斷取三千大千世界如
陶家輪著右掌中擲過恒河沙世之外其中
衆生不覺不知己之所往又復還置本處
都不使人有往來想而此世界本相如故又
舍利弗或有衆生樂久住世而可度者菩薩
即演七日以為一劫令彼衆生謂之一劫或
有衆生不樂久住而可度者菩薩即促一劫
以為七日令彼衆生謂之七日又舍利弗住

BD00180 號　維摩詰所說經卷中　（28–9）

舍利弗或有衆生樂久住世而可度者菩薩
即演七日以為一劫令彼衆生謂之一劫或
有衆生不樂久住而可度者菩薩即促一劫
以為七日令彼衆生謂之七日又舍利弗住
不可思議解脫菩薩以一切佛土嚴飾之事
集在一國示於衆生又菩薩以一佛土衆生
置之右掌飛到十方遍示一切而不動本處
又舍利弗十方衆生供養諸佛之具菩薩於
一毛孔皆令得見又十方國土所有日月星
宿於一毛孔普使見之又舍利弗十方世界
所有諸風菩薩悉能吸著口中而身无損外
諸樹木亦不摧折又十方世界劫盡燒時以
一切火内於腹中火事如故而不為害又於
下方過恒河沙等諸佛世界取一佛土舉著
上方過恒沙无數世界如持針鋒舉一棗
葉而无所嬈又舍利弗住不可思議解脫菩
薩能以神通現作佛身或現辟支佛身或現
聲聞身或現帝釋身或現梵王身或現世主
身或現轉輪王身又十方世界所有衆聲上
中下音皆能變之令作佛聲演出无常苦空
无我之音及十方諸佛所說種種之法皆於
其中普令得聞舍利弗我今略說菩薩不可
思議解脫之力若廣說者窮劫不盡是時迦
葉聞說菩薩不可思議解脫法門歎未曾有

BD00180 號　維摩詰所說經卷中　（28–10）

其中普令得聞舍利弗我今略說菩薩不可
思議解脫之力若廣說者窮劫不盡是時迦
葉聞說菩薩不可思議解脫法門歎未曾有
謂舍利弗辟如有人於盲者前現衆色像非
彼所見一切聲聞聞是不可思議解脫法門
不能解了為若此也智者聞是其誰不發阿
耨多羅三藐三菩提心我等何為永絶其根
於此大乘已如敗種一切聲聞聞是不可思
議解脫法門皆應號泣聲震三千大千世界
一切菩薩應大喜慶頂受此法若有菩薩信
解不可思議解脫門者一切魔衆无如之何
大迦葉說是語時三万二千天子皆發阿耨
多羅三藐三菩提心
尒時維摩詰語大迦葉仁者十方无量阿僧
祇世界中作魔王者多是住不可思議解脫
菩薩以方便力教化衆生現作魔王又迦葉
十方无量菩薩或有人從乞手足耳鼻頭目
髓腦血肉皮骨聚落城邑妻子奴婢象馬車
乘金銀瑠璃車𤦲馬瑙珊瑚虎珀真珠珂貝
衣服飲食如此乞者多是住不可思議解脫
菩薩以方便力而往試之令其堅固所以者
何住不可思議解脫菩薩有威德力故行逼
迫示諸衆生如是難事凡夫下劣无有力勢
不能如是逼迫菩薩辟如龍象蹴蹹非驢所
堪是名住不可思議解脫菩薩智慧方便之

BD00180 號　維摩詰所說經卷中　（28–11）

迫示諸衆生如是難事凡夫下劣无有力勢
不能如是逼迫菩薩譬如龍象蹴蹋非驢所
堪是名住不可思議解脫菩薩智慧方便之
門
觀衆生品第七
尒時文殊師利問維摩詰言菩薩云何觀於
衆生維摩詰言譬如幻師見所幻人菩薩觀
衆生為若此如智者見水中月如鏡中見其
面像如熱時焔如呼聲響如空中雲如水聚
沫如水上泡如芭蕉堅如電久住如第五大
如第六陰如第七情如十三入如十九界菩
薩觀衆生為若此如无色界色如燋穀牙如
須陁洹身見如阿那含入胎如阿羅漢三毒
如得忍菩薩貪恚毀禁如佛煩惱習如盲者
見色如入滅盡定出入息如空中鳥跡如石
女兒如化人煩惱如夢所見已悟如滅度者
受身如无烟之火菩薩觀衆生為若此
文殊師利言若菩薩作是觀者云何行慈維
摩詰言菩薩作是觀已自念我當為衆生
說如斯法是即真實慈也行寂滅慈无所生故
行不熱慈无煩惱故行之慈等三世故行
無諍慈无所起故行不二慈内外不合故行
不壞慈畢竟盡故行堅慈心无毀故行清
淨慈諸法性淨故行无邊慈如虛空故行阿
羅漢慈破結賊故行菩薩慈安衆生故行如

BD00180號　維摩詰所說經卷中　（28–12）

無諍慈无所起故行不二慈内外不合故行
不壞慈畢竟盡故行堅慈心无毀故行清
淨慈諸法性淨故行无邊慈如虛空故行阿
羅漢慈破結賊故行菩薩慈安衆生故行如
来慈得如相故行佛之慈覺衆生故行自然
慈无因得故行菩提慈等一味故行无等慈
斷諸愛故行大悲慈導以大乘故行无猒慈
觀空无我故行法施慈无遺惜故行持戒慈
化毀禁故行忍辱慈護彼我故行精進慈荷
負衆生故行禪定慈不受味故行智慧慈无
不知時故行方便慈一切示現故行无隱慈
直心清淨故行深心慈无雜行故行无誑慈
不虛假故行安樂慈令得佛樂故菩薩之
慈為若此也
文殊師利又問何謂為悲荅曰菩薩所作功
德皆與一切衆生共之何謂為喜荅曰有所
饒益歡喜无悔何謂為捨荅曰所作福祐无
所希望文殊師利又問生死有畏菩薩當何
所依維摩詰言菩薩於生死畏中當依如来
功德之力文殊師利又問菩薩欲依如来功
德之力當於何住荅曰菩薩欲依如来功德
之力者當住度脫一切衆生又問欲度衆生當
何所除荅曰欲度衆生除其煩惱又問欲除
煩惱當何所行荅曰當行正念又問云何行
於正念荅曰當行不生不滅又問何法不生

BD00180號　維摩詰所說經卷中　（28–13）

何所除荅曰欲度衆生除其煩惱又問欲除
煩惱當何所行荅曰當行正念又問云何行
於正念荅曰當行不生不滅又問何法不生
何法不滅荅曰不善不生善法不滅又問善
不善孰為本荅身為本又問身孰為本荅
曰欲貪為本又問欲貪孰為本荅曰虛妄分
別為本又問虛妄分別孰為本荅曰顛倒想
為本又問顛倒想孰為本荅无住為本又
問无住孰為本荅曰无住則无本文殊師利從
无住本立一切法
時維摩詰室有一天女見諸大人聞所說法
便現其身即以天華散諸菩薩大弟子上華
至諸菩薩即皆墮落至大弟子便著不墮一
切弟子神力去華不能令去尒時天問舍利
弗何故去華荅曰此華不如法是以去之天
曰勿謂此華為不如法所以者何是華无所
分別仁者自生分別想耳若於佛法出家有
所分別為不如法若无分別是則如法觀諸
菩薩華不著者以斷一切分別想故譬如人
畏時非人得其便如是弟子畏生死故色聲
香味觸得其便已離畏者一切五欲无能為
也結習未盡華著身耳結習盡者華不著也
舍利弗言天止此室其已久如荅曰我止此
室如耆年解脫舍利弗言止此久耶天曰耆
年解脫亦何如久舍利弗默然

BD00180 號　維摩詰所說經卷中　（28–14）

也結習未盡華著身耳結習盡者華不著也
舍利弗言天止此室其已久如荅曰我止此
室如耆年解脫舍利弗言止此久耶天曰耆
年解脫亦何如久舍利弗默然不荅天曰如
何耆舊大智而默荅曰解脫无所言說故
吾於是不知所云天曰言說文字皆解脫相
所以者何解脫者不內不外不在兩間文字
亦不內不外不在兩間是故舍利弗无離文
字說解脫也所以者何一切諸法皆是解脫
相舍利弗言不復以離婬怒癡為解脫乎天
曰佛為增上慢人說離婬怒癡為解脫耳若
无增上慢者佛說婬怒癡性即是解脫舍利
弗言善哉善哉天女汝何所得以何為證辯
乃如是天曰无得无證故辯如是所以者何
若有得有證者則於佛法為增上慢
舍利弗問天汝於三乘為何志求天曰以聲
聞法化衆生故我為聲聞以因緣法化衆生
故我為辟支佛以大悲法化衆生故我為大乘
舍利弗如人入瞻蔔林唯嗅瞻蔔不嗅餘香
如是若入此室但聞佛功德之香不樂聞聲
聞辟支佛功德香也舍利弗其有釋梵四天
王諸天龍鬼神等入此室者聞斯上人講說
正法皆樂佛功德之香發心而出舍利弗吾
止此室十有二年初不聞說聲聞辟支佛法

BD00180 號　維摩詰所說經卷中　（28–15）

聞辟支佛功德香也舍利弗其有釋梵四天
王諸天龍鬼神等入此室者聞斯人上講說
正法皆樂佛功德之香發心而出舍利弗吾
止此室十有二年初不聞說聲聞辟支佛法
但聞菩薩大慈大悲不可思議諸佛之法舍
利弗此室常現八未曾有難得之法何等為
八此室常以金色光照晝夜无異不以日月
所照為明是為一未曾有難得之法此室入
者不為諸垢之所惱也是為未曾有難得
之法此室常有釋梵四天王他方菩薩來會
不絕是為三未曾有難得之法此室常說六
波羅蜜不退轉法是為四未曾有難得之法
此室常作天人第一之樂絃出无量法化之
聲是為五未曾有難得之法此室有四大藏
眾寶積滿周窮濟乏求得无盡是為六未曾
有難得之法此室釋迦牟尼佛阿弥陁佛阿
閦佛寶德寶炎寶月寶嚴難勝師子響一切
利成如是等十方无量諸佛是上人念時即
皆為來廣說諸秘要法藏說已還去是為
七未曾有難得之法此室一切諸天嚴飾宮
殿諸佛淨土皆於中現是為八未曾有難得
之法舍利弗此室常現八未曾有難得之法
誰有見斯不思議事而復樂於聲聞法乎
舍利弗言汝何以不轉女身天曰我從十二
年來求女人相了不可得當何所轉譬如幻

BD00180號　維摩詰所說經卷中　（28–16）

[illegible]八未曾有難得
之法舍利弗此室常現八未曾有難得之法
誰有見斯不思議事而復樂於聲聞法乎
舍利弗言汝何以不轉女身天曰我從十二
年來求女人相了不可得當何所轉譬如幻
師化作幻女若有人問何以不轉女身是人
為正問不舍利弗言不也幻无定相當何所
轉天曰一切諸法亦復如是无有定相云何
乃問不轉女身即時天女以神通力變舍利
弗令如天女天自化身如舍利弗而問言何
以不轉女身舍利弗以天女像而荅言我今
不知何轉而變為女身天曰舍利弗若能轉
此女身則一切女人亦當能轉如舍利弗非
女而現女身一切女人亦復如是雖現女身
而非女也是故佛說一切諸法非男非女即
時天女還攝神力舍利弗身還復如故天問
舍利弗女身色相今何所在舍利弗言女身
色相无在无不在天曰一切諸法亦復如是
无在无不在夫无在无不在者佛所說也舍
利弗問天汝於此沒當生何所天曰佛化所
生吾如彼生曰佛化所生非沒生也天曰眾生
猶然无沒生也舍利弗問天汝久如當得
阿耨多羅三藐三菩提天曰如舍利弗還為
凡夫我乃當成阿耨多羅三藐三菩提舍利
弗言我作凡夫无有是處天曰我得阿耨多
[illegible]

BD00180號　維摩詰所說經卷中　（28–17）

生吾如彼生曰佛化所生非沒也　天曰衆生
猶然无沒生也舍利弗問天汝久如當得
阿耨多羅三藐三菩提天曰如舍利弗還爲
凡夫我乃當成阿耨多羅三藐三菩提舍利
弗言我作凡夫无有是處天曰我得阿耨多
羅三藐三菩提亦无是處所以者何菩提无
住處是故无有得者舍利弗言今諸佛得阿
耨多羅三藐三菩提已得當得如恒河沙皆
謂何乎天曰皆以世俗文字數故說有三世
非謂菩提有去來今天曰舍利弗汝得阿羅
漢道耶曰无所得故而得天曰諸佛菩薩亦
復如是无所得故而得尒時維摩詰語舍利
弗是天女曾已供養九十二億佛已能遊戲
菩薩神通所願具足得无生忍住不退轉以
本願故隨意能現教化衆生

佛道品第八

尒時文殊師利問維摩詰言菩薩云何通達
佛道維摩詰言若菩薩行於非道是爲通達
佛道又問云何菩薩行於非道答曰若菩薩
行五无間而无惱恚至于地獄无諸罪垢至
于畜生无有无明憍慢等過至于餓鬼而具
足功德行色无色界不以爲勝示行貪欲離
諸染著示行瞋恚於諸衆生无有恚閡示行
愚癡而以智慧調伏其心示行慳貪而捨內

BD00180號　維摩詰所說經卷中　(28–18)

佛道又問云何菩薩行於非道答曰若菩薩
行五无間而无惱恚至于地獄无諸罪垢至
于畜生无有无明憍慢等過至于餓鬼而具
足功德行色无色界不以爲勝示行貪欲離
諸染著示行瞋恚於諸衆生无有恚閡示行
愚癡而以智慧調伏其心示行慳貪而捨內
外所有不惜身命示行毀禁而安住淨戒乃
至小罪猶懷大懼示行瞋恚而常慈忍示行
懈怠而勤脩功德示行亂意而常念定示行
愚癡而通達世間出世間慧示行諂僞而善
方便隨諸經義示行憍慢而於衆生猶如橋
梁示行諸煩惱而心常清淨示入於魔而順
佛智慧不隨他教示入聲聞而爲衆生說未
聞法示入辟支佛而成就大悲教化衆生示
入貧窮而有寶手功德无盡示入形殘而具
諸相好以自莊嚴示入下賤而生佛種性中
具諸功德示入羸劣醜陋而得那羅延身一
切衆生之所樂見示入老病而永斷病根超
越死畏示有資生而恒觀无常實无所貪示
有妻妾婇女而常遠離五欲淤泥現於訥鈍
而成就辯才惣持无失示入邪濟而以正濟
度諸衆生現遍入諸道而斷其因緣現於涅
槃而不斷生死文殊師利菩薩能如是行於
非道是爲通達佛道
於是維摩詰問文殊師利何等爲如來種文

BD00180號　維摩詰所說經卷中　(28–19)

脫而不斷生死文殊師利菩薩能如是行於
非道是為通達佛道
於是維摩詰問文殊師利何等為如來種文
殊師利言有身為種无明有愛為種貪恚癡
為種四顛倒為種五蓋為種六入為種七識
處為種八邪法為種九惱處為種十不善道
為種以要言之六十二見及一切煩惱皆是
佛種曰何謂也荅曰若見无為入正位者不
能復發阿耨多羅三藐三菩提心譬如高原
陸地不生蓮華卑濕淤泥乃生此華如是見
无為法入正位者終不復能生於佛法煩惱
泥中乃有衆生起佛法耳又如殖種於空終
不得生糞壤之地乃能滋茂如是入无為正
位者不生佛法起於我見如須弥山猶能發
于阿耨多羅三藐三菩提心生佛法矣是故
當知一切煩惱為如來種譬如不下巨海不
能得无價寶珠如是不入煩惱大海則不
能生一切智寶
尒時大迦葉歎言善哉善哉文殊師利快說
此語誠如所言塵勞之疇為如來種我等今
者不復堪任發阿耨多羅三藐三菩提心乃
至五无間罪猶能發意生於佛法而今我等
永不能發譬如根敗之士其於五欲不能復
利如是聲聞諸結斷者於佛法中无所復益
永不志願是故文殊師利凡夫於佛法有反

BD00180號　維摩詰所說經卷中　（28–20）

者不復堪任發阿耨多羅三藐三菩提心乃
至五无間罪猶能發意生於佛法而今我等
永不能發譬如根敗之士其於五欲不能復
利如是聲聞諸結斷者於佛法中无所復益
永不志願是故文殊師利凡夫於佛法有反
復而聲聞无也所以者何凡夫聞佛法能起
无上道心不斷三寶正使聲聞終身聞佛法
力无畏等永不能發无上道意尒時會中有
菩薩名普現色身問維摩詰言居士父母妻
子親戚眷屬吏民知識悉為是誰奴婢僮僕
象馬車乘皆何所在於是維摩詰以偈荅曰
智度菩薩母　方便以為父　一切衆導師　无不由是生
法喜以為妻　慈悲心為女　善心誠實男　畢竟空寂舍
弟子衆塵勞　隨意之所轉　道品善知識　由是成正覺
諸度法等侶　四攝為妓女　歌詠誦法言　以此為音樂
揔持之園苑　无漏法林樹　覺意淨妙華　解脫智慧果
八解之浴池　定水湛然滿　布以七淨華　浴此无垢人
象馬五通馳　大乘以為車　調御以一心　遊於八正路
相具以嚴容　衆好飾其姿　慚愧之上服　深心為華鬘
富有七財寶　教授以滋息　如所說脩行　迴向為大利
四禪為牀座　從於淨命生　多聞增智慧　以為自覺音
甘露法之食　解脫味為漿　淨心以澡浴　戒品為塗香
摧滅煩惱賊　勇健无能踰　降伏四種魔　勝幡建道場
雖知无起滅　示彼故有生　悉現諸國土　如日无不見
供養於十方　无量億如來　諸佛及己身　无有分別想

BD00180號　維摩詰所說經卷中　（28–21）

摧滅煩惱賊　勇健无能踰　降伏四種魔　勝幡建道場
雖知无起滅　示彼故有生　悉現諸國土　如日无不見
供養於十方　无量億如來　諸佛及己身　无有分別想
雖知諸佛國　及與衆生空　而常脩淨土　教化於群生
諸有衆生類　形聲及威儀　无畏力菩薩　一時能盡現
覺知衆魔事　而示隨其行　以善方便智　隨意皆能現
或示老病死　成就諸群生　了知如幻化　通達无有礙
或現劫盡燒　天地皆洞然　衆人有常想　照令知无常
无數億衆生　俱來請菩薩　一時到其舍　化令向佛道
經書禁呪術　工巧諸伎藝　盡現行此事　饒益諸群生
世間衆道法　悉於中出家　因以解人惑　而不墮邪見
或作日月天　梵王世界主　或時作地水　或復作風火
劫中有疾疫　現作諸藥草　若有服之者　除病消衆毒
劫中有飢饉　現身作飲食　先救彼飢渴　却以法語人
劫中有刀兵　為之起慈悲　化彼諸衆生　令住无諍地
若有大戰陣　立之以等力　菩薩現威勢　降伏使和安
一切國土中　諸有地獄處　輙往到于彼　勉濟其苦惱
一切國土中　畜生相噉食　皆現生於彼　為之作利益
示受於五欲　亦復現行禪　令魔心憒亂　不能得其便
火中生蓮華　是可謂希有　在欲而行而　希有亦如是
或現作婬女　引諸好色者　先以欲鉤牽　後令入佛智
或為邑中主　或作商人導　國師及大臣　以祐利衆生
諸有貧窮者　現為无盡藏　因以勸導之　令發菩提心
我心憍慢者　為現大力士　消伏諸貢高　令住佛上道

或為邑中主　或作商人導　國師及大臣　以祐利衆生
諸有貧窮者　現為无盡藏　因以勸導之　令發菩提心
我心憍慢者　為現大力士　消伏諸貢高　令住佛上道
其有恐懼衆　居前而安慰　先施以无畏　後令發道心
或現離婬欲　為五通仙人　開導諸群生　令住戒忍慈
見須供事者　現為作僮僕　既悅可其意　乃發以道心
隨彼之所須　得入於佛道　以善方便力　皆能給足之
如是道无量　所行无有崖　智慧无邊際　度脫无數衆
假令一切佛　於无數億劫　讚歎其功德　猶尚不能盡
誰聞如是法　不發菩提心　除彼不肖人　癡冥无智者

入不二法門品第九

爾時維摩詰謂衆菩薩言諸仁者云何菩薩
入不二法門各隨所樂說之會中有菩薩名
法自在說言諸仁者生滅為二法本不生今
則无滅得此无生法忍是為入不二法門
德首菩薩曰我我所為二因有我故便有我
所若无有則无我所是為入不二法門
睒不菩薩曰受不受為二若法不受則不可
得以不可得故无取无捨无作无行是為入
不二法門
德頂菩薩曰垢淨為二見垢實性則无淨相
順於滅相是為入不二法門
善宿菩薩曰是動是念為二不動則无念无
念則无分別通達此者是為入不法門
善眼菩薩曰一相无相為二若知一相即是
无相亦不取无相入於平等是為入不二法

善宿菩薩曰是動是念為二不動則无念无
念則无分別通達此者是為入不法門
善眼菩薩曰一相无相為二若知一相即是
无相亦不取无相入於平等是為入不二法
門
妙臂菩薩曰菩薩心聲聞心為二觀心相空
如幻化者无菩薩心无聲聞心是為入不二
法門
弗沙菩薩曰善不善為二若不起善不善入
无相際而通達者是為入不二法門
師子菩薩曰罪福為二若達罪性則與福无
異以金剛慧決了此相无縛无解者是為入
不二法門
師子意菩薩曰有漏无漏為二若得諸法等
則不起漏不漏想不著於相亦不住无相是
為入不二法門
淨解菩薩曰有為无為為二若離一切數則
心如虛空以清淨慧无所礙者是為入不二
法門
那羅延菩薩曰世間出世間為二世間性空
即是出世間於其中不入不出不溢不散是
為入不二法門
善意菩薩曰生死涅槃為二若見生死性則
无生死无縛无解不然不滅如是解者是為
入不二法門

BD00180 號　維摩詰所說經卷中　（28–24）

為入不二法門
善意菩薩曰生死涅槃為二若見生死性則
无生死无縛无解不然不滅如是解者是為
入不二法門
現見菩薩曰盡不盡為二法若究竟盡若不
盡皆是无盡相无盡相即是空空則无有盡
不盡相如是入者是為入不二法門
普守菩薩曰我无我為二我尚不可得非我
何可得見我實性者不復起二是為入不二
法門
電天菩薩曰明无明為二无明實性即是明
明亦不可取離一切數於其中平等无二者
是為入不二法門
喜見菩薩曰色色空為二色即是空非色滅
空色性自空如是受想行識識空為二識即
是空非識滅空識性自空於其中而通達者
是為入不二法門
明相菩薩曰四種異空種異為二四種性即
是空種性如前際後際空故中際亦空若能
如是知諸種性者是為入不二法門
妙意菩薩曰眼色為二若知眼性於色不貪
不恚不癡是名寂滅如是耳聲鼻香味身
觸意法為二若知意性於法不貪不恚不癡
是名寂滅安住其中是為入不二法門
无盡意菩薩曰布施迴向一切智為二布施

BD00180 號　維摩詰所說經卷中　（28–25）

妙意菩薩曰眼色為二若知眼性於色不貪
不恚不癡是名寂滅如是耳聲鼻香味身
觸意法為二若知意性於法不貪不恚不癡
是名寂滅安住其中是為入不二法門
无盡意菩薩曰布施迴向一切智為二布施
性即是迴向一切智性如是持戒忍辱精進
禪定智慧迴向一切智為二智慧性即是迴
向一切智性於其中入一相者是為入不二
法門
深慧菩薩曰是空是无相是无作為二空即
是无相无相即是无作若空无相无作則无
心意識於一解脫門即是三解脫門者是為
入不二法門
寂根菩薩曰佛法衆為二佛即是法法即是
衆是三寶皆无為相與虛空等一切法亦尒
能隨此行者是為入不二法門
心无礙菩薩曰身身滅為二身即是身滅所
以者何見身實相者不起見身及見滅身身
與滅身无二无分別於其中不驚不懼者是
為入不二法門
上善菩薩曰身口意善為二是三業皆无作
相身无作相即口无作相口无作相即意无
作相是三業无作相即一切法无作相能如
是隨无作慧者是為入不二法門
福田菩薩曰福行罪行不動行為二三行實
性即是空則无福行无罪行无不動行於

BD00180 號　維摩詰所說經卷中　（28–26）

作相是三業无作相即一切法无作相能如
是隨无作慧者是為入不二法門
福田菩薩曰福行罪行不動行為二三行實
性即是空則无福行无罪行无不動行於
此三行而不起者是為入不二法門
華嚴菩薩曰從我起二為二見我實相者不
起二法若不住二法則无有識无所識者是
為入不二法門
德藏菩薩曰有所得相為二若无所得則无
取捨无取捨者為入不二法門
月上菩薩曰闇與明為二无闇无明无有
二所以者何如入滅受想定无闇无明一切法
亦復如是於其中平等入者是為入不二法
門
寶印手菩薩曰樂涅槃不樂世間為二若不
樂涅槃不厭世間則无有二所以者何若有
縛則有解若本无縛其誰求解无縛无解則
无樂厭是為入不二法門
珠頂王菩薩曰正道耶道為二住正道者則
不分別是耶是正離此二者是為入不二法
門
樂實菩薩曰實不實為二實見者尚不見實
何況非實所以者何非肉眼所見慧眼乃能見
而此慧眼无見无不見是為入不二法門
如是諸菩薩各各說已問文殊師利何等是

BD00180 號　維摩詰所說經卷中　（28–27）

不分別是耶是正離此二者是為入不二法
門
樂實菩薩曰實不實為二實見者尚不見實
何況非實所以者何非肉眼所見慧乃能見
而此慧眼无見无不見是為入不二法門
如是諸菩薩各各說已問文殊師利何等是
菩薩入不二法門文殊利曰如我意者於
一切法无言无說无示无識離諸問荅是為
入不二法門於是文殊師利問維摩詰言我
等各自說已仁者當說何等是菩薩入不二
法門時維摩詰默然无言文殊師利歎言善
哉善哉乃至无有文字語言是真入不二法
門說是入不二法門時於此衆中五千菩薩皆
不入二法門得无生法忍

維摩詰經卷第二

BD00180號　維摩詰所說經卷中　（28–28）

日在神通是菩
薩行雖行五根而分別衆生諸根利鈍是菩
薩行雖行五力而樂求佛十力是菩薩行雖
行七覺分而分別佛之智慧是菩薩行雖行
八正道而樂行无量佛法是菩薩行雖行止
觀助道之法而不畢竟墮於寂滅是菩薩
行雖行諸法不生不滅而以相好莊嚴其身
是菩薩行雖現聲聞辟支佛威儀而不捨佛
法是菩薩行雖隨諸法究竟淨相而隨所應
為現其身是菩薩行雖觀諸佛國土永寂如
空而現種種清淨佛土是菩薩行雖得佛道
轉于法輪入於涅槃而不捨於菩薩之道是
菩薩行說是語時文殊師利所將大衆其中
八千天子皆發阿耨多羅三藐三菩提心

不思議品第六

尒時舍利弗見此室中无有床坐作是念斯
諸菩薩大弟子衆當於何坐長者維摩詰
知其意語舍利弗言云何仁者為法來耶求
牀座耶舍利弗言我為法來非求牀座維
摩詰言唯舍利弗夫求法者不貪軀命
何況牀座夫求法者非有色受想行識之求
非有界入之求非有欲色无色之求唯舍利

BD00181號　維摩詰所說經卷中　（7–1）

牀座邪舍利弗言我爲法來非求牀座維
摩詰言唯舍利弗夫求法者不貪軀命
何況牀座夫求法者非有色受想行識之求
非有界入之求非有欲色无色之求唯舍利
弗夫求法者不著佛求不著法求不著衆求
夫求法者无見苦求无斷集求无造盡證脩
道之求所以者何法无戲論若言我當見苦斷
集滅證脩道是則戲論非求法也唯舍利弗法
名寂滅若行生滅是求生滅非求法也法名无
染若染於法乃至涅槃是則染著非求法也法无
行處若行於法是則行處非求法也法无取
捨若取捨法是則取捨非求法也法无處所
若著處所是則著處非求法也法名无相若
隨相識是則求相非求法也法不可住若住
於法是則住法非求法也法不可見聞覺知
若行見聞覺知是則見聞覺知非求法也法
名无爲若行有爲是求有爲非求法也是
故舍利弗若求法者於一切法應无所求說是
語時五百天子於諸法中得法眼淨
尒時長者維摩詰問文殊師利仁者遊於无
量千万億阿僧祇國何等佛土有好上妙功
德成就師子之座文殊師利言居士東方度
卅六恒河沙國有世界名須弥相其佛号須
弥燈王今現在彼佛身長八万四千由旬其師

BD00181號　維摩詰所說經卷中　（7–2）

卅六恒河沙國有世界名須弥相其佛号須
弥燈王今現在彼佛身長八万四千由旬其師
子座高八万四千由旬嚴餝第一於是長者
維摩詰現神通力即時彼佛遣三万二千
師子座高廣嚴淨來入維摩詰室諸菩薩大
弟子釋梵四天王等昔所未見其室廣博悉
苞容三万二千師子座无所妨礙於毗耶離
城及閻浮提四天下亦不迫迮悉見如故尒時
維摩詰語文殊師利就師子座與諸菩薩上人
俱坐當自立身如彼坐像其得神通菩薩即
自變形爲四万二千由旬坐師子座諸新發
意菩薩及大弟子皆不能昇尒時維摩詰
語舍利弗就師子座舍利弗言居士此座
高廣吾不能昇維摩詰言唯舍利弗爲須
弥燈王如來作礼乃可得坐於是新發意
菩薩及大弟子即爲須弥燈王如來作礼便
得坐師子座舍利弗言居士未曾也也如是小
室乃容受此高廣之座於毗耶離城无所妨礙
又於閻浮提聚落城邑及四天下諸天龍王鬼
神宮殿亦不迫迮維摩詰言唯舍利弗諸佛菩
薩有解脫名不可思議若菩薩住是解脫
者以須弥之高廣內芥子中无所增減須
弥山王本相如故而四天王忉利諸天不覺不
知已之所入唯應度者乃見須弥入芥子中是

BD00181號　維摩詰所說經卷中　（7–3）

薩有解脫名不可思議若菩薩住是解脫
者以須弥之高廣内芥子中无所增減須
弥山王本相如故而四天王忉利諸天不覺不
知已之所入唯應度者乃見須弥入芥子中是
名不可思議解脫法門又以四大海水入一毛
孔不嬈魚鼈黿鼉水性之屬而彼大海本
相如故諸龍鬼神阿脩羅等不覺不知己之所
入於此衆生亦无所嬈又舍利弗住不可思
議解脫菩薩斷取三千大千世界如陶家輪
着右掌中擲過恒河沙世界之外其中衆生
不覺不知己之所往又復還置本處都不
使人有往来想而此世界本相如故又舍利
弗或有衆生樂久住世而可度者菩薩即
演七日以爲一劫令彼衆生謂之一劫或有
衆生不樂久住而可度者菩薩即促一劫以
爲七日令彼衆生謂之七日又舍利弗住不
可思議解脫菩薩以一切佛土嚴飾之事集
在一國示於衆生又菩薩以一佛土衆生置
之右掌飛到十方遍示一切而不動本處
又舍利弗十方衆生供養諸佛之具菩薩於
一毛孔皆令得見又十方國土所有日月星
宿於一毛孔普使見之又舍利弗十方世界所
有諸風菩薩悉能吸着口中而身无損外諸
樹木亦不摧折又十方世界劫盡燒時以一切
火内於腹中火事如故而不爲害又於下方過

BD00181號　維摩詰所說經卷中　（7–4）

有諸風菩薩悉能吸着口中而身无損外諸
樹木亦不摧折又十方世界劫盡燒時以一切
火内於腹中火事如故而不爲害又於下方過
恒河沙等諸佛世界取一佛土舉着上方過
恒河沙无數世界如持針鋒舉一棗葉而
无所嬈又舍利弗住不可思議解脫菩薩
能以神通現作佛身或現辟支佛身或現聲
聞身或現帝釋身或現梵王身或現世主身
或現轉輪王身又十方世界所有衆聲上
中下皆能變之令作佛聲出无常苦空
无我之音及十方諸佛所說種種之法皆於
其中普令得聞舍利弗我今略說菩薩不可
思議解脫之力若廣說者窮劫不盡是時
大迦葉聞說菩薩不可思議解脫法門歎
未曾有謂舍利弗譬如有人於盲者前現
衆色像非彼所見一切聲聞聞是不可思議解
脫法門不能解了爲若此也智者聞是其誰
不發阿耨多羅三藐三菩提心我等何爲永絕
其根於此大乘已如敗種一切聲聞聞是不可
思議解脫法門皆應號泣聲震三千大千
世界一切菩薩應大欣慶頂受此法若有
菩薩信解不可思議解脫門者一切魔衆无
如之何大迦葉說是語時三万二千天子皆
發阿耨多羅三藐三菩提心
尒時維摩詰語大迦葉仁者十方无量阿

BD00181號　維摩詰所說經卷中　（7–5）

薩信解不可思議解脫門者一切魔衆无
如之何大迦葉說是語時三万二千天子皆
發阿耨多羅三藐三菩提心
尒時維摩詰語大迦葉仁者十方无量阿
僧祇世界中作魔王者多是住不可思議解
脫菩薩以方便力教化衆生現作魔王又迦
葉十方无量菩薩或有人從乞手足耳鼻頭
目髓惱血肉皮骨聚落城邑妻子奴婢象馬
車乘金銀瑠璃車璖馬瑙珊瑚虎珀真珠珂
貝衣服飲食如此乞者多是住不可思議解脫
菩薩以方便力而往試之令其堅固所以者
何住不可思議解脫菩薩有威德力故行逼
迫示諸衆生如是難事凡夫下劣无有力勢
不能如是逼迫菩薩譬如龍象蹴蹋非驢所
堪是名住不可思議解脫菩薩智慧方便之門
觀衆生品第七
尒時文殊師利問維摩詰言菩薩云何觀於
衆生維摩詰言譬如幻師見所幻人菩薩觀
衆生為若此如智者見水中月如鏡中見其
面像如熱時焰如呼聲響如空中雲如水聚
沫如水上泡如芭蕉堅如電久住如第五大如
第六陰如第七情如十三入如十九界菩薩觀
衆生為若此如无色界色如燋穀牙如須陁
洹身見如阿那含入胎如阿羅漢三毒如得

BD00181 號　維摩詰所說經卷中　（7–6）

衆生為若此如智者見水中月如鏡中見其
面像如熱時焰如呼聲響如空中雲如水聚
沫如水上泡如芭蕉堅如電久住如第五大如
第六陰如第七情如十三入如十九界菩薩觀
衆生為若此如无色界色如燋穀牙如須陁
洹身見如阿那含入胎如阿羅漢三毒如得
忍菩薩貪恚毀禁如佛煩惱習如盲者見
色如入滅盡定出入息如空中鳥跡如石女兒
如化人煩惱如夢所見已寤如滅度者受身
如无烟之火菩薩觀衆生為若此
文殊師利言若菩薩作是觀者云何行慈維
摩詰言菩薩作是觀已自念我當為衆生
說如斯法是即真實慈也行寂滅慈无所生
故行不熱慈无煩惱故行等之慈等三世故
行无諍慈无所起故行不二慈內外不合故
行不壞慈畢竟盡故行堅固慈心无毀故行
清淨慈諸法性淨故行无邊慈如虛空故行
阿羅漢慈破結賊故行菩薩慈安衆生故行
行佛之慈覺衆生故行自
行菩提慈等一味
故行大悲慈導以大
我故行法施慈无遺
慈

BD00181 號　維摩詰所說經卷中　（7–7）

BD00181 號背　雜寫　　　　(1–1)

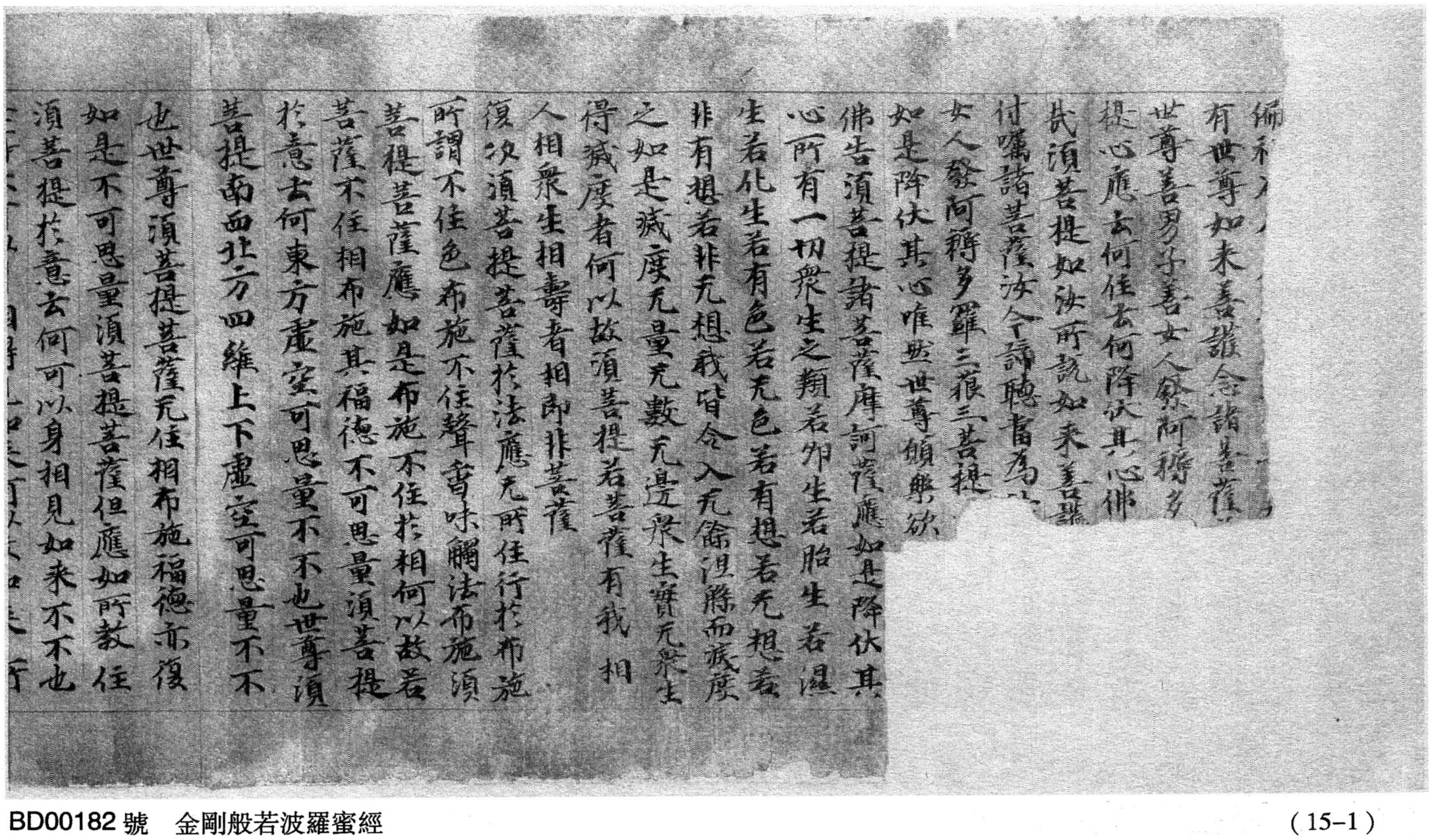

有世尊如来善護念諸菩薩
世尊善男子善女人發阿耨多
提心應云何住云何降伏其心佛
哉須菩提如汝所說如来善護
付囑諸菩薩汝今諦聽當為
女人發阿耨多羅三藐三菩提
如是降伏其心唯然世尊願樂欲
佛告須菩提諸菩薩摩訶薩應如是降伏其
心所有一切衆生之類若卵生若胎生若濕
生若化生若有色若无色若有想若无想若
非有想若非无想我皆令入无餘涅槃而滅度
之如是滅度无量无數无邊衆生實无衆生
得滅度者何以故須菩提若菩薩有我相
人相衆生相壽者相即非菩薩
復次須菩提菩薩於法應无所住行於布施
所謂不住色布施不住聲香味觸法布施須
菩提菩薩應如是布施不住於相何以故若
菩薩不住相布施其福德不可思量須菩提
於意云何東方虛空可思量不不也世尊須
菩提南西北方四維上下虛空可思量不不
也世尊須菩提菩薩无住相布施福德亦復
如是不可思量須菩提菩薩但應如所教住
須菩提於意云何可以身相見如来不不也

BD00182 號　金剛般若波羅蜜經　　　　(15–1)

菩提南西北方四維上下虛空可思量不不
也世尊須菩提菩薩无住相布施福德亦復
如是不可思量須菩提菩薩但應如所教住
須菩提於意云何可以身相見如來不不也
世尊不可以身相得見如來何以故如來所
說身相即非身相佛告須菩提凡所有相皆
是虛妄若見諸相非相則見如來
須菩提白佛言世尊頗有衆生得聞如是言
說章句生實信不佛告須菩提莫作是說
如來滅後後五百歲有持戒脩福者於此章
句能生信心以此為實當知是人不於一佛二
佛三四五佛而種善根已於无量千万佛所
種諸善根聞是章句乃至一念生淨信者須
菩提如來悉知悉見是諸衆生得如是无量
福德何以故是諸衆生无復我相人相衆生
相壽者相无法相亦无非法相何以故是諸
衆生若心取相則為著我人衆生壽者若取
法相即著我人衆生壽者何以故若取非法
相即著我人衆生壽者是故不應取法不應
取非法以是義故如來常說汝等比丘知我
說法如筏喻者法尚應捨何況非法
須菩提於意云何如來得阿耨多羅三藐三
菩提耶如來有所說法耶須菩提言如我解
佛所說義无有定法名阿耨多羅三藐三菩
提亦无有定法如來可說何以故如來所說
法皆不可取不可說非法非非法所以者何
一切賢聖皆以无為法而有差別

BD00182號　金剛般若波羅蜜經　（15–2）

說法如筏喻者法尚應捨何況非法
須菩提於意云何如來得阿耨多羅三藐三
菩提耶如來有所說法耶須菩提言如我解
佛所說義无有定法名阿耨多羅三藐三菩
提亦无有定法如來可說何以故如來所說
法皆不可取不可說非法非非法所以者何
一切賢聖皆以无為法而有差別
須菩提於意云何若人滿三千大千世界七
寶以用布施是人所得福德寧為多不須菩
提言甚多世尊何以故是福德即非福德性
是故如來說福德多若復有人於此經中受
持乃至四句偈等為他人說其福勝彼何以
故須菩提一切諸佛及諸佛阿耨多羅三藐
三菩提法皆從此經出須菩提所謂佛法者
即非佛法
須菩提於意云何須陁洹能作是念我得須
陁洹果不須菩提言不也世尊何以故須陁
洹名為入流而无所入不入色聲香味觸法
是名須陁洹須菩提於意云何斯陁含能作
是念我得斯陁含果不須菩提言不也世尊
何以故斯陁含名一往來而實无往來是名
斯陁含須菩提於意云何阿那含能作是念
我得阿那含果不須菩提言不也世尊何以
故阿那含名為不來而實无來是故名阿那
含須菩提於意云何阿羅漢能作是念我得
阿羅漢道不須菩提言不也世尊何以故實
无有法名阿羅漢世尊若阿羅漢作是念我

BD00182號　金剛般若波羅蜜經　（15–3）

我得阿那含果不須菩提言不也世尊何以
故阿那含名為不来而實无来是故名阿那
含須菩提於意云何阿羅漢能作是念我得
阿羅漢道不須菩提言不也世尊何以故實
无有法名阿羅漢世尊若阿羅漢作是念我
得阿羅漢道即為著我人衆生壽者世尊佛
說我得无諍三昧人中最為第一是第一離
欲阿羅漢我不作是念我是離欲阿羅漢世
尊我若作是念我得阿羅漢道世尊則不說
須菩提是樂阿蘭那行者以須菩提實无所
行而名須菩提是樂阿蘭那行
佛告須菩提於意云何如来昔在然燈佛所
於法有所得不世尊如来在然燈佛所於法
實无所得須菩提於意云何菩薩莊嚴佛
土不不也世尊何以故莊嚴佛土者則非莊
嚴是名莊嚴是故須菩提諸菩薩摩訶薩應
如是生清淨心不應住色生心不應住聲香味
觸法生心應无所住而生其心須菩提譬如有
人身如須弥山王於意云何是身為大不須
菩提言甚大世尊何以故佛說非身是名大
身須菩提如恒河中所有沙數如是沙等恒
河於意云何是諸恒河沙寧為多不須菩提
言甚多世尊但諸恒河尚多无數何況其沙
須菩提我今實言告汝若有善男子善女人
以七寶滿尒所恒河沙數三千大千世界以用
布施得福多不須菩提言甚多世尊佛告須

BD00182號　金剛般若波羅蜜經　（15–4）

以七寶滿尒所恒河沙數三千大千世界以用
布施得福多不須菩提言甚多世尊佛告須
菩提若善男子善女人於此經中乃至受持
四句偈等為他人說而此福德勝前福德復
次須菩提隨說是經乃至四句偈等當知此
處一切世間天人阿脩羅皆應供養如佛塔
廟何況有人盡能受持讀誦須菩提當知
是人成就最上第一希有之法若是經典所
在之處則為有佛若尊重弟子
尒時須菩提白佛言世尊當何名此經我等
云何奉持佛告須菩提是經名為金剛般若
波羅蜜以是名字汝當奉持所以者何須菩
提佛說般若波羅蜜則非般若波羅蜜須菩
提於意云何如来有所說法不須菩提白佛
言世尊如来无所說須菩提於意云何三千
大千世界所有微塵是為多不須菩提言甚
多世尊須菩提諸微塵如来說非微塵是名
微塵如来說世界非世界是名世界須菩提
於意云何可以卅二相見如来不不也世尊
何以故如来說卅二相即是非相是名卅二
相須菩提若有善男子善女人以恒河沙等
身命布施若復有人於此經中乃至受持四
句偈等為他人說其福甚多
尒時須菩提聞說是經深解義趣涕淚悲泣
而白佛言希有世尊佛說如是甚深經典我

BD00182號　金剛般若波羅蜜經　（15–5）

於意云何可以卅二相見如来不不也世尊
何以故如来說卅二相即是非相是名卅二
相須菩提若有善男子善女人以恒河沙等
身命布施若復有人於此經中乃至受持四
句偈等為他人說其福甚多
尒時須菩提聞說是經深解義趣涕淚悲泣
而白佛言希有世尊佛說如是甚深經典我
從昔来所得慧眼未曾得聞如是之經世尊
若復有人得聞是經信心清淨則生實相當
知是人成就第一希有功德世尊是實相者
則是非相是故如来說名實相世尊我今得
聞如是經典信解受持不足為難若當来世
後五百歲其有衆生得聞是經信解受持是
人則為第一希有何以故此人无我相人相
衆生相壽者相所以者何我相即是非相人
相衆生相壽者相即是非相何以故離一切
諸相則名諸佛
佛告須菩提如是如是若復有人得聞是經
不驚不怖不畏當知是人甚為希有何以故
須菩提如来說第一波羅蜜非第一波羅蜜
是名第一波羅蜜須菩提忍辱波羅蜜如来
說非忍辱波羅蜜何以故須菩提如我昔為
歌利王割截身體我於尒時无我相无人相
无衆生相无壽者相何以故我於往昔節節
支解時若有我相人相衆生相壽者相應生

BD00182 號　金剛般若波羅蜜經　（15–6）

是名第一波羅蜜須菩提忍辱波羅蜜如来
說非忍辱波羅蜜何以故須菩提如我昔為
歌利王割截身體我於尒時无我相无人相
无衆生相无壽者相何以故我於往昔節節
支解時若有我相人相衆生相壽者相應生
瞋恨須菩提又念過去於五百世作忍辱仙
人於尒所世无我相无人相无衆生相无壽
者相是故須菩提菩薩應離一切相發阿耨
多羅三藐三菩提心不應住色生心不應住
聲香味觸法生心應生无所住心若心有住
則為非住是故佛說菩薩心不應住色布施
須菩提菩薩為利益一切衆生應如是布施
如来說一切諸相即是非相又說一切衆生
則非衆生須菩提如来是真語者實語者如
語者不誑語者不異語者須菩提如来所得
法此法无實无虛須菩提若菩薩心住於法
而行布施如人入闇則无所見若菩薩心不
住法而行布施如人有目日光明照見種種
色須菩提當来之世若有善男子善女人能
於此經受持讀誦則為如来以佛智慧悉知
是人悉見是人皆得成就无量无邊功德
須菩提若有善男子善女人初日分以恒河
沙等身布施中日分復以恒河沙等身布施
後日分亦以恒河沙等身布施如是无量百
千万億劫以身布施若復有人聞此經典信
心不逆其福勝彼何況書寫受持讀誦為人

BD00182 號　金剛般若波羅蜜經　（15–7）

是人悉見是人皆得成就无量无邊功德
須菩提若有善男子善女人初日分以恒河
沙等身布施中日分復以恒河沙等身布施
後日分亦以恒河沙等身布施如是无量百
千万億劫以身布施若復有人聞此經典信
心不逆其福勝彼何況書寫受持讀誦為人
觧說須菩提以要言之是經有不可思議不
可稱量无邊功德如來為發大乘者說為發
最上乘者說若有人能受持讀誦廣為人說
如來悉知是人悉見是人皆成就不可量不
可稱无有邊不可思議功德如是人等則為
荷擔如來阿耨多羅三藐三菩提何以故須
菩提若樂小法者著我見人見衆生見壽者
見則於此經不能聽受讀誦為人觧說須菩
提在在處處若有此經一切世間天人阿脩
羅所應供養當知此處則為是塔皆應恭敬
作礼圍繞以諸華香而散其處
復次須菩提善男子善女人受持讀誦此經
若為人輕賤是人先世罪業應墮惡道以今
世人輕賤故先世罪業則為消滅當得阿耨
多羅三藐三菩提須菩提我念過去无量阿
僧祇劫於然燈佛前得值八百四千万億那
由他諸佛悉皆供養承事无空過者若復有
人於後末世能受持讀誦此經所得功德於
我所供養諸佛功德百分不及一千万億分
乃至筭數譬喻所不能及須菩提若善男子

BD00182號　金剛般若波羅蜜經　（15–8）

僧祇劫於然燈佛前得值八百四千万億那
由他諸佛悉皆供養承事无空過者若復有
人於後末世能受持讀誦此經所得功德於
我所供養諸佛功德百分不及一千万億分
乃至筭數譬喻所不能及須菩提若善男子
善女人於後末世有受持讀誦此經所得功
德我若具說者或有人聞心則狂亂狐疑不
信須菩提當知是經義不可思議果報亦不
可思議
尒時須菩提白佛言世尊善男子善女人發
阿耨多羅三藐三菩提心云何應住云何降
伏其心佛告須菩提善男子善女人發阿耨
多羅三藐三菩提者當生如是心我應滅度
一切衆生滅度一切衆生已而无有一衆生
實滅度者何以故若菩薩有我相人相衆
生相壽者相則非菩薩所以者何須菩提實
无有法發阿耨多羅三藐三菩提者須菩提
於意云何如來於然燈佛所有法得阿耨多
羅三藐三菩提不不也世尊如我觧佛所說義
佛於然燈佛所无有法得阿耨多羅三藐三
菩提佛言如是如是須菩提實无有法如來
得阿耨多羅三藐三菩提須菩提若有法如
來得阿耨多羅三藐三菩提然燈佛則不與
我受記汝於來世當得作佛号釋迦牟尼
以實无有法得阿耨多羅三藐三菩提是故
然燈佛與我受記作是言汝於來世當得作

BD00182號　金剛般若波羅蜜經　（15–9）

佛於然燈佛所无有法得阿耨多羅三藐三
菩提佛言如是如是須菩提實无有法如来
得阿耨多羅三藐三菩提須菩提若有法如
来得阿耨多羅三藐三菩提然燈佛則不與
我受記汝於来世當得作佛号釋迦牟尼
以實无有法得阿耨多羅三藐三菩提是故
然燈佛與我受記作是言汝於来世當得作
佛号釋迦牟尼何以故如来者即諸法如義
若有人言如来得阿耨多羅三藐三菩提須
菩提實无有法佛得阿耨多羅三藐三菩提
須菩提如来所得阿耨多羅三藐三菩提於
是中无實无虛是故如来說一切法皆是佛
法須菩提所言一切法者即非一切法是故
名一切法須菩提譬如人身長大須菩提言
世尊如来說人身長大則為非大身是名大
身須菩提菩薩亦如是若作是言我當滅度
无量衆生則不名菩薩何以故須菩提實无有
法名為菩薩是故佛說一切法无我无人无
衆生无壽者須菩提若菩薩作是言我當莊
嚴佛土是不名菩薩何以故如来說莊嚴佛
土者即非莊嚴是名莊嚴須菩提若菩薩通
達无我法者如来說名真是菩薩
須菩提於意云何如来有肉眼不如是世尊
如来有肉眼須菩提於意云何如来有天眼
不如是世尊如来有天眼須菩提於意云何
如来有慧眼不如是世尊如来有慧眼須菩

BD00182號　金剛般若波羅蜜經　（15–10）

達无我法者如来說名真是菩薩
須菩提於意云何如来有肉眼不如是世尊
如来有肉眼須菩提於意云何如来有天眼
不如是世尊如来有天眼須菩提於意云何
如来有慧眼不如是世尊如来有慧眼須菩
提於意云何如来有法眼不如是世尊如来
有法眼須菩提於意云何如来有佛眼不如
是世尊如来有佛眼須菩提於意云何恒河
中所有沙佛說是沙不如是世尊如来說是
沙須菩提於意云何如一恒河中所有沙有
如是等恒河是諸恒河所有沙數佛世界如
是寧為多不甚多世尊佛告須菩提尒所國
土中所有衆生若干種心如来悉知何以故
如来說諸心皆為非心是名為心所以者何
須菩提過去心不可得現在心不可得未来
心不可得須菩提於意云何若有人滿三千
大千世界七寶以用布施是人以是因緣得
福多不如是世尊此人以是因緣得福甚多
須菩提若福德有實如来不說得福德多以
福德无故如来說得福德多
須菩提於意云何佛可以具足色身見不不
也世尊如来不應以色身見何以故如来說
具足色身即非具足色身是名具足色身須
菩提於意云何如来可以具足諸相見不不
也世尊如来不應以具足諸相見何以故如

BD00182號　金剛般若波羅蜜經　（15–11）

也世尊如來不應以色身見何以故如來說
具足色身即非具足色身是名具足色身須
菩提於意云何如來可以具足諸相見不不
也世尊如來不應以具足諸相見何以故如
來說諸相具足即非具足是名諸相具足須
菩提汝勿謂如來作是念我當有所說法莫
作是念何以故若人言如來有所說法即為
謗佛不能解我所說故須菩提說法者无法
可說是名說法須菩提白佛言世尊佛得阿
耨多羅三藐三菩提為无所得耶如是如是
須菩提我於阿耨多羅三藐三菩提乃至无
有少法可得是名阿耨多羅三藐三菩提
復次須菩提是法平等无有高下是名阿耨
多羅三藐三菩提以无我无人无衆生无壽
者脩一切善法則得阿耨多羅三藐三菩提
須菩提所言善法者如來說非善法是名善
法須菩提若三千大千世界中所有諸須弥
山王如是等七寶聚有人持用布施若人以
此般若波羅蜜經乃至四句偈等受持讀誦為他
人說於前福德百分不及一百千萬億分乃
至筭數譬喻所不能及
須菩提於意云何汝等勿謂如來作是念我
當度衆生須菩提莫作是念何以故實无有
衆生如來度者若有衆生如來度者如來則

BD00182號　金剛般若波羅蜜經　（15–12）

須菩提於意云何汝等勿謂如來作是念我
當度衆生須菩提莫作是念何以故實无有
衆生如來度者若有衆生如來度者如來則
有我人衆生壽者須菩提如來說有我者則
非有我而凡夫之人以為有我須菩提凡夫
者如來說則非凡夫須菩提於意云何可以
三十二相觀如來不須菩提言如是如是以
三十二相觀如來佛言須菩提若以三十二
相觀如來者轉輪聖王則是如來須菩提白
佛言世尊如我解佛所說義不應以三十二
相觀如來尒時世尊而說偈言
若以色見我　以音聲求我　是人行邪道　不能見如來
須菩提汝若作是念如來不以具足相故得
阿耨多羅三藐三菩提須菩提莫作是念如
來不以具足相故得阿耨多羅三藐三菩提
須菩提汝若作是念發阿耨多羅三藐三菩
提者說諸法斷滅莫作是念何以故發阿耨
多羅三藐三菩提者於法不說斷滅相須菩
提若菩薩以滿恒河沙等世界七寶布施若
復有人知一切法无我得成於忍此菩薩勝
前菩薩所得功德須菩提以諸菩薩不受福
德故須菩提白佛言世尊云何菩薩不受福
德須菩提菩薩所作福德不應貪著是故說
不受福德須菩提若有人言如來若來若去

BD00182號　金剛般若波羅蜜經　（15–13）

德須菩提菩薩所作福德不應貪著是故說
不受福德須菩提若有人言如來若來若去
若坐若卧是人不解我所說義何以故如來
者无所從來亦无所去故名如來
須菩提若善男子善女人以三千大千世界
碎為微塵於意云何是微塵衆寧為多不甚
多世尊何以故若是微塵衆實有者佛則不
說是微塵衆所以者何佛說微塵衆則非微
塵衆是名微塵衆世尊如來所說三千大千
世界則非世界是名世界何以故若世界實
有者則是一合相如來說一合相則非一合
相是名一合相須菩提一合相者則是不可
說但凡夫之人貪著其事須菩提若人言佛
說我見人見衆生見壽者見須菩提於意云
何是人解我所說義不世尊是人不解如來
所說義何以故世尊說我見人見衆生見壽
者見即非我見人見衆生見壽者見是名我
見人見衆生見壽者見須菩提發阿耨多羅
三藐三菩提心者於一切法應如是知如是
見如是信解不生法相須菩提所言法相者
如來說即非法相是名法相須菩提若有人
以滿无量阿僧祇世界七寶持用布施若有
善男子善女人發菩薩心者持於此經乃至
四句偈等受持讀誦為人演說其福勝彼云
何為人演說不取於相如如不動何以故

BD00182號　金剛般若波羅蜜經　（15–14）

何是人解我所說義不世尊是人不解如來
所說義何以故世尊說我見人見衆生見壽
者見即非我見人見衆生見壽者見是名我
見人見衆生見壽者見須菩提發阿耨多羅
三藐三菩提心者於一切法應如是知如是
見如是信解不生法相須菩提所言法相者
如來說即非法相是名法相須菩提若有人
以滿无量阿僧祇世界七寶持用布施若有
善男子善女人發菩薩心者持於此經乃至
四句偈等受持讀誦為人演說其福勝彼云
何為人演說不取於相如如不動何以故
一切有為法　如夢幻泡影　如露亦如電　應作如是觀
佛說是經已長老須菩提及諸比丘比丘尼
優婆塞優婆夷一切世間天人阿脩羅聞佛
所說皆大歡喜信受奉行

金剛般若波羅蜜經

BD00182號　金剛般若波羅蜜經　（15–15）

BD00182 號背　雜寫　　（2–1）

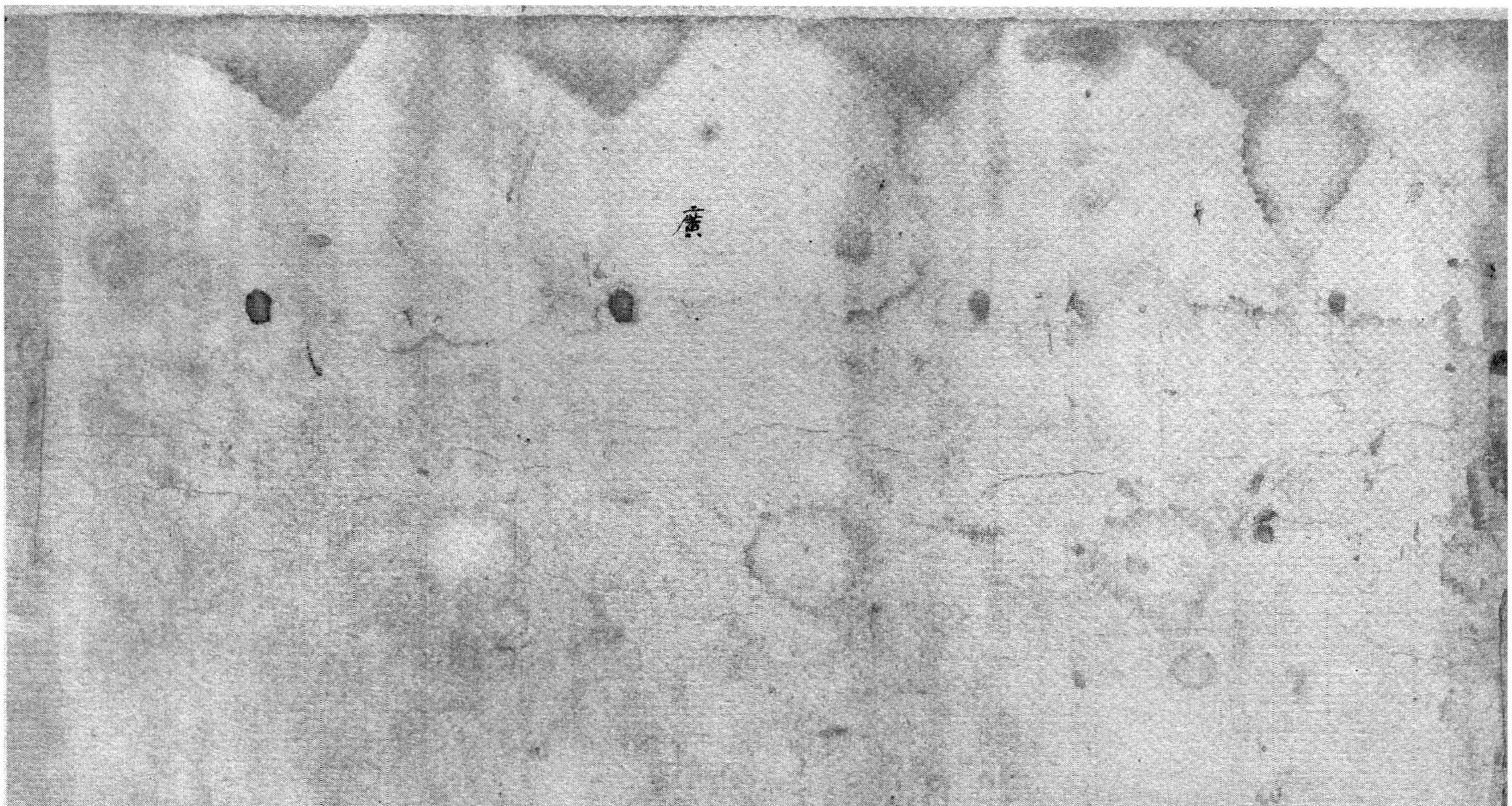

BD00182 號背　雜寫　　（2–2）

女□□養者　得无量功德　女□
以頌曰
況復持此經　兼布施持戒　忍辱樂禪定　不瞋不惡口
恭敬於塔廟　謙下諸比丘　遠離自高心　常思惟智慧
有問難不瞋　隨義為解說　若能行是行　功德不可量
若見此法師　成就如是德　應以天華散　天衣覆其身
頭面接足禮　生心如佛想　又應作是念　不久詣道場
得无漏无為　廣利諸人天　其所住止處　經行若坐臥
乃至說一偈　是中應起塔　莊嚴令妙好　種種以供養
佛子住此地　是則佛受用　常在於其中　經行及坐臥

妙法蓮華經隨喜功德品第十八

尒時弥勒菩薩摩訶薩白佛言世尊若有善
男子善女人聞是法華經隨喜者得幾所福
而說偈言
世尊滅度後　其有聞是經　若能隨喜者　為得幾所福
尒時佛告弥勒菩薩摩訶薩阿逸多如來滅
後若比丘比丘尼優婆塞優婆夷及餘智者
若長若幼聞是經隨喜已從法會出至於餘
處若在僧坊若空閑地若城邑巷陌聚落田
里如其所聞為父母宗親善友知識隨力演
說是諸人等聞已隨喜復行轉教餘人聞已
亦隨喜轉教如是展轉至第五十阿逸多其
第五十善男子善女人隨喜功德我今說之
汝當善聽若四百万億阿僧祇世界六趣四

BD00183號　妙法蓮華經（八卷本）卷六　（7–1）

若長若幼聞是經隨喜已從法會出至於餘
處若在僧坊若空閑地若城邑巷陌聚落田
里如其所聞為父母宗親善友知識隨力演
說是諸人等聞已隨喜復行轉教餘人聞已
亦隨喜轉教如是展轉至第五十阿逸多其
第五十善男子善女人隨喜功德我今說之
汝當善聽若四百万億阿僧祇世界六趣四
生衆生卵生胎生濕生化生若有形无形有
想无想非有想非无想无足二足四足多足
如是等在衆生數者有人求福隨其所欲娛
樂之具皆給與之一一衆生與滿閻浮提金
銀琉璃車璖馬瑙珊瑚虎珀諸妙珎寶及象
馬車乘七寶所成宮殿樓閣等是大施主如
是布施滿八十年已而作是念我已施衆生娛
樂之具隨意所欲然此衆生皆已衰老年過
八十髮白面皺將死不久我當以佛法而訓
導之即集此衆生宣布法化示教利喜一時
皆得須陁洹道斯陁含道阿那含道阿羅漢
道盡諸有漏於深禪定皆得自在具八解脫
於汝意云何是大施主所得功德寧為多不
弥勒白佛言世尊是人功德甚多无量无邊
若是施主但施衆生一切樂具功德无量何
況令得阿羅漢果佛告弥勒我今分明語汝
是人以一切樂具施於四百万億阿僧祇世
界六趣衆生又令得阿羅漢果所得功德不
如是第五十人聞法華經一偈隨喜功德百

BD00183號　妙法蓮華經（八卷本）卷六　（7–2）

況令得阿羅漢果佛告弥勒我今分明語汝
是人以一切樂具施於四百万億阿僧祇世
界六趣衆生又令得阿羅漢果所得功德不
如是第五十人聞法華經一偈隨喜功德百
分千分百千万億分不及其一乃至筭數譬
喻所不能知阿逸多如是第五十人展轉聞
法華經隨喜功德尚无量无邊阿僧祇何況
最初於會中聞而隨喜者其福復勝无量无
邊阿僧祇不可得比又阿逸多若人為是經
故往詣僧坊若坐若立須臾聽受緣是功德
轉身所生得好上妙象馬車乘珎寶輦輿及
乘天宮若復有人於講法處坐更有人來勸
令坐聽若分座令坐是人功德轉身得帝釋
坐處若梵天王坐處若轉輪聖王所坐之處
阿逸多若復有人語餘人言有經名法華可
共往聽即受其教乃至須臾間聞是人功德
轉身得與陁羅尼菩薩共生一處利根智慧
百千万世終不瘖瘂口氣不臭舌常无病口
亦无病齒不垢黑不黃不踈亦不缺落不差
不曲脣不下垂亦不褰縮不麁澁不瘡緊亦
不缺壞亦不喎邪不厚不大亦不黧黑无諸
可惡鼻不匾㔸亦不曲戾面色不黑亦不狭
長亦不窪曲无有一切不可喜相脣舌牙齒
悉皆嚴好鼻脩高直面貌圓滿眉高而長額
廣平正人相具足世世所生見佛聞法信受

可惡鼻不匾㔸亦不曲戾面色不黑亦不狭
長亦不窪曲无有一切不可喜相脣舌牙齒
悉皆嚴好鼻脩高直面貌圓滿眉高而長額
廣平正人相具足世世所生見佛聞法信受
教誨阿逸多汝且觀是勸於一人令往聽法
功德如此何況一心聽說讀誦而於大衆為
人分別如說脩行尒時世尊欲重宣此義而
說偈言

若人於法會　得聞是經典　乃至於一偈　隨喜為他說
如是展轉教　至于第五十　最後人獲福　今當分別之
如有大施主　供給无量衆　具滿八十歲　隨意之所欲
見彼衰老相　髮白而面皺　齒踈形枯竭　念其死不久
我今應當教　令得於道果　即為方便說　涅槃真實法
世皆不牢固　如水沫泡炎　汝等咸應當　疾生猒離心
諸人聞是法　皆得阿羅漢　具足六神通　三明八解脫
最後第五十　聞一偈隨喜　是人福勝彼　不可為譬喻
如是展轉聞　其福尚无量　何況於法會　初聞隨喜者
若有勸一人　將引聽法華　言此經深妙　千万劫難遇
即受教往聽　乃至須臾聞　斯人之福報　今當分別說
世世无口患　齒不踈黃黑　脣不厚褰缺　无有可惡相
舌不乾墨短　鼻高脩且直　額廣而平正　面目悉端嚴
為人所喜見　口氣无臭穢　優鉢華之香　常從其口出
若故詣僧坊　欲聽法華經　須臾聞歡喜　今當說其福
後生天人中　得妙象馬車　珎寶之輦輿　及乘天宮殿
若於講法處　勸人坐聽經　是福因緣得　釋梵轉輪座
何況一心聽　解說其義趣　如說而脩行　其福不可限

後生天人中　得妙象馬車　珍寶之輦轝　及乘天宮殿
若於講法處　勸人坐聽經　是福因緣得　釋梵轉輪座
何況一心聽　解說其義趣　如說而修行　其福不可限
妙法蓮華經法師功德品第十九
尒時佛告常精進菩薩摩訶薩若善男子善
女人受持是法華經若讀若誦若解說若書
寫是人當得八百眼功德千二百耳功德八
百鼻功德千二百舌功德八百身功德千二
百意功德以是功德莊嚴六根皆令清淨是
善男子善女人父母所生清淨肉眼見於三
千大千世界內外所有山林河海下至阿鼻
地獄上至有頂亦見其中一切衆生及業因
緣果報生處悉見悉知尒時世尊欲重宣此
義而說偈言
若於大衆中　以无所畏心　說是法華經　汝聽其功德
是人得八百　功德殊勝眼　以是莊嚴故　其目甚清淨
父母所生眼　悉見三千界　內外彌樓山　須彌及鐵圍
并諸餘山林　大海江河水　下至阿鼻獄　上至有頂天
其中諸衆生　一切皆悉見　雖未得天眼　肉眼力如是
復次常精進若善男子善女人受持此經若
讀若誦若解說若書寫得千二百耳功德以
是清淨耳聞三千大千世界下至阿鼻地獄
上至有頂其中內外種種語言音聲象聲馬
聲牛聲車聲啼哭聲愁嘆聲螺聲鼓聲鍾聲
鈴聲咲聲語聲男聲女聲童子聲童女聲法

是清淨耳聞三千大千世界下至阿鼻地獄
上至有頂其中內外種種語言音聲象聲馬
聲牛聲車聲啼哭聲愁嘆聲螺聲鼓聲鍾聲
鈴聲咲聲語聲男聲女聲童子聲童女聲法
聲非法聲苦聲樂聲凡夫聲聖人聲喜聲不
喜聲天聲龍聲夜叉聲乾闥婆聲阿脩羅聲
迦樓羅聲緊那羅聲摩睺羅伽聲火聲水聲
風聲地獄聲畜生聲餓鬼聲比丘聲比丘尼
聲聲聞聲辟支佛聲菩薩聲佛聲以要言之
三千大千世界中一切內外所有諸聲雖未
得天耳以父母所生清淨常耳皆悉聞知如
是分別種種音聲而不壞耳根尒時世尊欲
重宣此義而說偈言
父母所生耳　清淨无濁穢　以此常耳聞　三千世界聲
象馬車牛聲　鍾鈴螺鼓聲　琴瑟箜篌聲　簫笛之音聲
清淨好歌聲　聽之而不著　无數種人聲　聞悉能解了
又聞諸天聲　微妙之歌音　及聞男女聲　童子童女聲
山川嶮谷中　迦陵頻伽聲　命命等諸鳥　悉聞其音聲
地獄衆苦痛　種種楚毒聲　餓鬼飢渴逼　求索飲食聲
諸阿脩羅等　居在大海邊　自共言語時　出于大音聲
如是說法者　安住於此間　遙聞是衆聲　而不壞耳根
十方世界中　禽獸鳴相呼　其說法之人　於此悉聞之
其諸梵天上　光音及遍淨　乃至有頂天　言語之音聲
法師住於此　悉皆得聞之　一切比丘衆　及諸比丘尼
若讀誦經典　若為他人說　法師住於此　悉皆得聞之
復有諸菩薩　讀誦於經法　若為他人說　撰集解其義

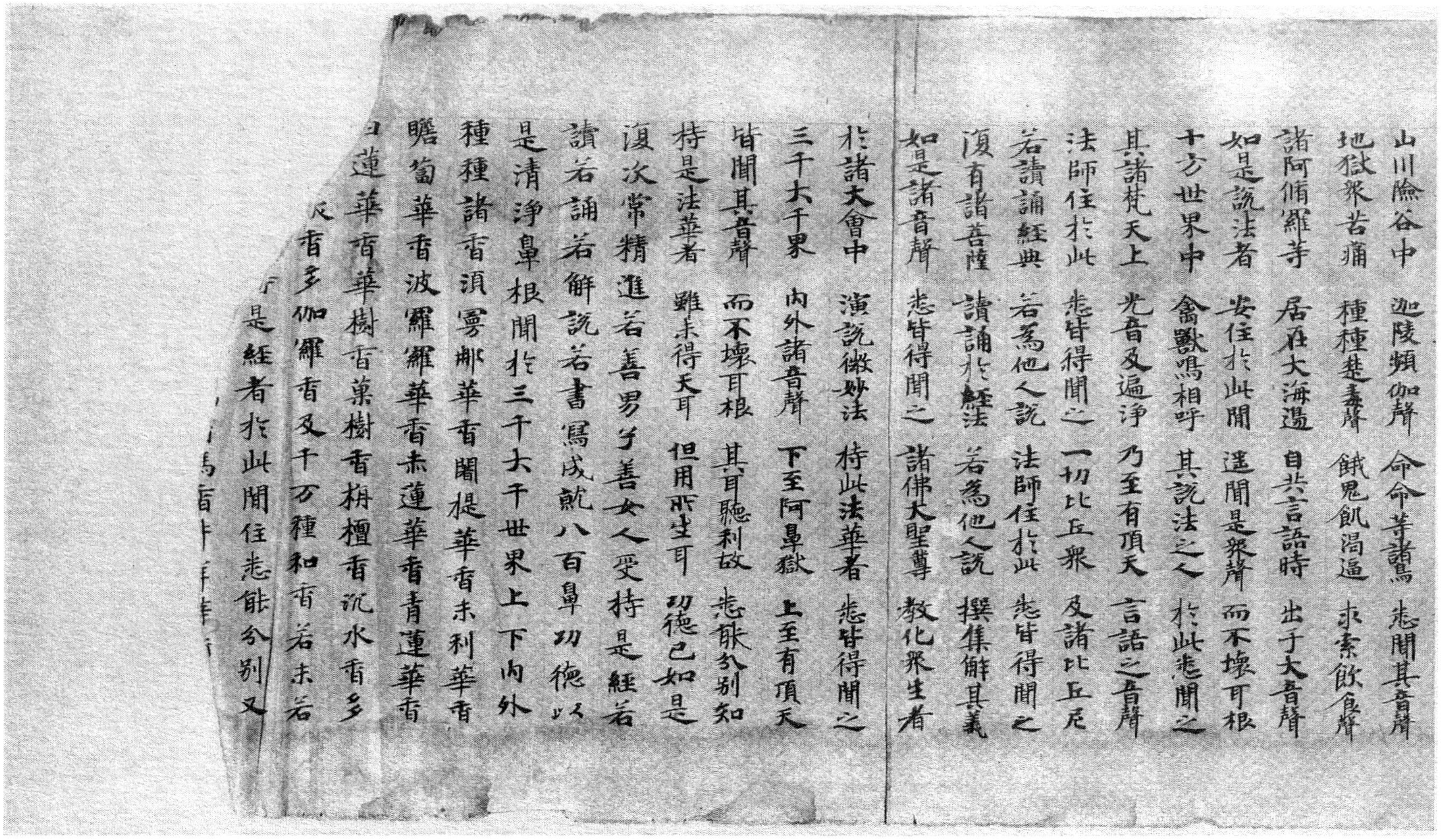
山川險谷中 迦陵頻伽聲 命命等諸鳥 悉聞其音聲
地獄衆苦痛 種種楚毒聲 餓鬼飢渴逼 求索飲食聲
諸阿脩羅等 居在大海邊 自共言語時 出于大音聲
如是說法者 安住於此間 遙聞是衆聲 而不壞耳根
十方世界中 禽獸鳴相呼 其說法之人 於此悉聞之
其諸梵天上 光音及遍淨 乃至有頂天 言語之音聲
法師住於此 悉皆得聞之 一切比丘衆 及諸比丘尼
若讀誦經典 若為他人說 法師住於此 悉皆得聞之
復有諸菩薩 讀誦於經法 若為他人說 撰集解其義
如是諸音聲 悉皆得聞之 諸佛大聖尊 教化衆生者
於諸大會中 演說微妙法 持此法華者 悉皆得聞之
三千大千界 內外諸音聲 下至阿鼻獄 上至有頂天
皆聞其音聲 而不壞耳根 其耳聰利故 悉能分別知
持是法華者 雖未得天耳 但用所生耳 功德已如是
復次常精進 若善男子善女人 受持是經 若
讀若誦若解說若書寫 成就八百鼻功德 以
是清淨鼻根 聞於三千大千世界上下內外
種種諸香 須曼那華香 闍提華香 末利華香
瞻蔔華香 波羅羅華香 赤蓮華香 青蓮華香
白蓮華香 華樹香 菓樹香 栴檀香 沈水香 多
[...]香多伽羅香 及千万種和香 若末若
[...]是經者 於此間住 悉能分別 又

BD00183號　妙法蓮華經（八卷本）卷六　（7–7）

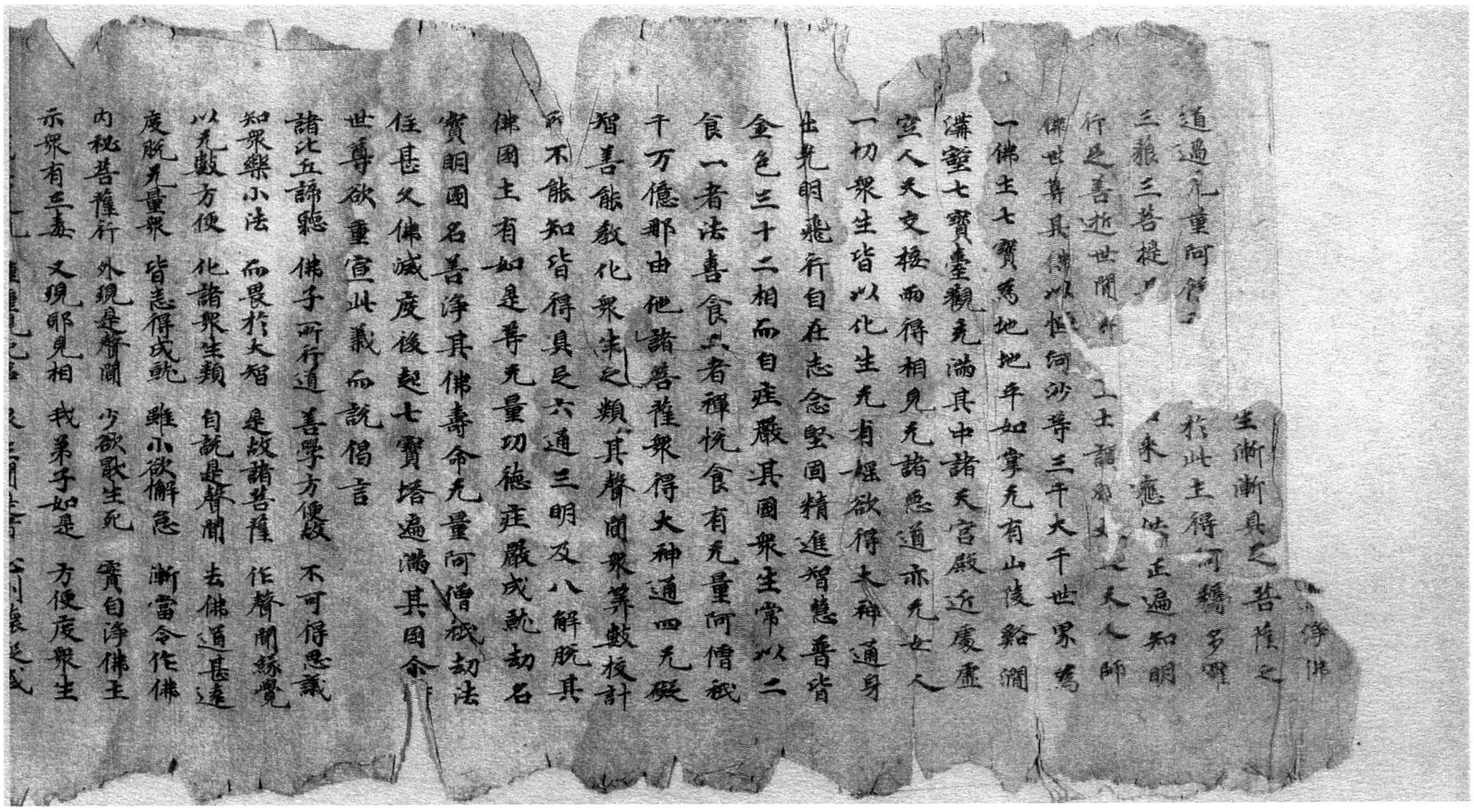
[...]淨佛
[...]生漸漸具足菩薩之
道過无量阿僧[...]於此土得阿耨多羅
三藐三菩提[...]來應供正遍知明
行足善逝世間解无上士調御丈夫天人師
佛世尊其佛以恒河沙等三千大千世界為
一佛土七寶為地地平如掌无有山陵谿澗
溝壑七寶臺觀充滿其中諸天宮殿近處虛
空人天交接兩得相見无諸惡道亦无女人
一切衆生皆以化生无有婬欲得大神通身
出光明飛行自在志念堅固精進智慧普皆
金色三十二相而自莊嚴其國衆生常以二
食一者法喜食二者禪悅食有无量阿僧祇
千万億那由他諸菩薩衆得大神通四无礙
智善能教化衆生之類其聲聞衆算數校計
所不能知皆得具足六通三明及八解脫其
佛國土有如是等无量功德莊嚴成就劫名
寶明國名善淨其佛壽命无量阿僧祇劫法
住甚久佛滅度後起七寶塔遍滿其國爾時
世尊欲重宣此義而說偈言
諸比丘諦聽 佛子所行道 善學方便故 不可得思議
知衆樂小法 而畏於大智 是故諸菩薩 作聲聞緣覺
以无數方便 化諸衆生類 自說是聲聞 去佛道甚遠
度脫无量衆 皆悉得成就 雖小欲懈怠 漸當令作佛
內祕菩薩行 外現是聲聞 少欲厭生死 實自淨佛土
示衆有三毒 又現邪見相 我弟子如是 方便度衆生

BD00184號　妙法蓮華經卷四　（27–1）

知衆樂小法　而畏於大智　是故諸菩薩　作聲聞緣覺
以无數方便　化諸衆生類　自說是聲聞　去佛道甚遠
度脫无量衆　皆悉得成就　雖小欲懈怠　漸當令作佛
內秘菩薩行　外現是聲聞　少欲猒生死　實自淨佛土
示衆有三毒　又現耶見相　我弟子如是　方便度衆生
若我具足說　種種現化事　衆生聞是者　心則懷疑惑
今此富樓那　於昔千億佛　勤脩所行道　宣護諸佛法
為求无上慧　而於諸佛所　現居弟子上　多聞有智慧
所說无所畏　能令衆歡喜　未曾有疲惓　而以助佛事
已度大神通　具四无礙智　知衆根利鈍　常說清淨法
演暢如是義　教諸千億衆　令住大乘法　而自淨佛土
未來亦供養　无量无數佛　護助宣正法　亦自淨佛土
常以諸方便　說法无所畏　度不可計衆　成就一切智
供養諸如來　護持法寶藏　其後當作佛　号名曰法明
其國名善淨　七寶所合成　劫名為寶明　菩薩衆甚多
其數无量億　皆度大神通　威德力具足　充滿其國土
聲聞亦无數　三明八解脫　得四无礙智　以是等為僧
其國諸衆生　婬欲皆已斷　純一變化生　具相莊嚴身
法喜禪悅食　更无餘食想　无有諸女人　亦无諸惡道
富樓那比丘　功德悉成滿　當得斯淨土　賢聖衆甚多
如是无量事　我今但略說
尒時千二百阿羅漢心自在者作是念我等
歡喜得未曾有若世尊各見授記如餘大弟
子者不亦快乎佛知此等心之所念告摩訶
迦葉是千二百阿羅漢我今當現前次第與
受阿耨多羅三藐三菩提記於此衆中我大
弟子憍陳如比丘當供養六万二千億佛然
後得成為佛号曰普明如來應供正遍知明
行足善逝世間解无上士調御丈夫天人師

BD00184號　妙法蓮華經卷四　（27–2）

迦葉是千二百阿羅漢我今當現前次第與
受阿耨多羅三藐三菩提記於此衆中我大
弟子憍陳如比丘當供養六万二千億佛然
後得成為佛号曰普明如來應供正遍知明
行足善逝世間解无上士調御丈夫天人師
佛世尊其五百阿羅漢優樓頻螺迦葉伽耶
迦葉那提迦葉迦留陀夷優陀夷阿㝹樓䭾
離婆多劫賓那薄拘羅周陀莎伽陀等皆當
得阿耨多羅三藐三菩提盡同一号名曰普
明尒時世尊欲重宣此義而說偈言
憍陳如比丘　當見无量佛　過阿僧祇劫　乃成等正覺
常放大光明　具足諸神通　名聞遍十方　一切之所敬
常說无上道　故号為普明　其國土清淨　菩薩皆勇猛
咸昇妙樓閣　遊諸十方國　以无上供具　奉獻於諸佛
作是供養已　心懷大歡喜　須臾還本國　有如是神力
佛壽六万劫　正法住倍壽　像法復倍是　法滅天人憂
其五百比丘　次第當作佛　同号曰普明　轉次而授記
我滅度之後　某甲當作佛　其所化世間　亦如我今日
國土之嚴淨　及諸神通力　菩薩聲聞衆　正法及像法
壽命劫多少　皆如上所說　迦葉汝已知　五百自在者
餘諸聲聞衆　亦當復如是　其不在此會　汝當為宣說
尒時五百阿羅漢於佛前得受記已歡喜踊
躍即從座起到於佛前頭面禮足悔過自責
世尊我等常作是念自謂已得究竟滅度今
乃知之如无智者所以者何我等應得如來
智慧而便自以小智為足世尊譬如有人至
親友家醉酒而卧是時親友官事當行以无
價寶珠繫其衣裏與之而去其人醉卧都不

BD00184號　妙法蓮華經卷四　（27–3）

世尊我等常作是念自謂已得究竟滅度今
乃知之如无智者所以者何我等應得如來
智慧而便自以小智為足世尊譬如有人至
親友家醉酒而卧是時親友官事當行以无
價寶珠繫其衣裏與之而去其人醉卧都不
覺知起已遊行到於他國為衣食故勤力求
索甚大艱難若少有所得便以為足於後親
友會遇見之而作是言咄哉丈夫何為衣食
乃至如是我昔欲令汝得安樂五欲自恣於
某年日月以无價寶珠繫汝衣裏今故現在
而汝不知勤苦憂惱以求自活甚為癡也汝
今可以此寶貿易所須常可如意无所乏短
佛亦如是為菩薩時教化我等令發一切智
心而尋廢忘不知不覺既得阿羅漢道自謂
滅度資生艱難得少為足一切智願猶在不
失今者世尊覺悟我等作如是言諸比丘汝
等所得非究竟滅我久令汝等種佛善根以
方便故示涅槃相而汝謂為實得滅度世尊
我今乃知實是菩薩得受阿耨多羅三藐三
菩提記以是因緣甚大歡喜得未曾有尒時
阿若憍陳如等欲重宣此義而說偈言
我等聞无上　安隱授記聲　歡喜未曾有　礼无量智佛
今於世尊前　自悔諸過咎　於无量佛寶　得少涅槃分
如无智愚人　便自以為足　譬如貧窮人　往至親友家
其家甚大富　具設諸餚饍　以无價寶珠　繫著內衣裏
嘿與而捨去　時卧不覺知　是人既已起　遊行詣他國
求衣食自濟　資生甚艱難　得少便為足　更不願好者
不覺內衣裏　有无價寶珠　與珠之親友　後見此貧人
苦切責之已　示以所繫珠　貧人見此珠　其心大歡喜

BD00184 號　妙法蓮華經卷四　（27–4）

其家甚大富　具設諸餚饍　以无價寶珠　繫著內衣裏
嘿與而捨去　時卧不覺知　是人既已起　遊行詣他國
求衣食自濟　資生甚艱難　得少便為足　更不願好者
不覺內衣裏　有无價寶珠　與珠之親友　後見此貧人
苦切責之已　示以所繫珠　貧人見此珠　其心大歡喜
富有諸財物　五欲而自恣　我等亦如是　世尊於長夜
常愍見教化　令種无上願　我等无智故　不覺亦不知
得少涅槃分　自足不求餘　今佛覺悟我　言非實滅度
得佛无上慧　尒乃為真滅　我今從佛聞　授記莊嚴事
及轉次受決　身心遍歡喜

妙法蓮華經授學无學人記品第九

尒時阿難羅睺羅而作是念我等每自思惟
設得受記不亦快乎即從座起到於佛前頭
面礼足俱白佛言世尊我等於此亦應有分
唯有如來我等所歸又我等為一切世間天
人阿脩羅所見知識阿難常為侍者護持法
藏羅睺羅是佛之子若佛見授阿耨多羅三
藐三菩提記者我願既滿衆望亦足尒時學
无學聲聞弟子二千人皆從座起偏袒右肩
到於佛前一心合掌瞻仰世尊如阿難羅睺
羅所願住立一面尒時佛告阿難汝於來世
當得作佛号山海慧自在通王如來應供正
遍知明行足善逝世間解无上士調御丈夫
天人師佛世尊當供養六十二億諸佛護持
法藏然後得阿耨多羅三藐三菩提教化二
十千万億恒河沙諸菩薩等令成阿耨多羅
三藐三菩提國名常立勝幡其土清淨瑠璃
為地劫名妙音遍滿其佛壽命无量千万億
阿僧祇劫若人於千万億无量阿僧祇劫中

BD00184 號　妙法蓮華經卷四　（27–5）

法藏然後得阿耨多羅三藐三菩提教化二
十千万億恒河沙諸菩薩等令成阿耨多羅
三藐三菩提國名常立勝幡其土清淨瑠璃
為地劫名妙音遍滿其佛壽命无量千万億
阿僧祇劫若人於千万億无量阿僧祇劫中
筭數校計不能得知正法住世倍於壽命像
法住世復倍正法阿難是山海慧自在通王
佛為十方无量千万億恒河沙等諸佛如來
所共讚歎稱其功德尒時世尊欲重宣此義
而說偈言
我今僧中說　阿難持法者　當供養諸佛　然後成正覺
号曰山海慧　自在通王佛　其國土清淨　名常立勝幡
教化諸菩薩　其數如恒河　佛有大威德　名聞滿十方
壽命无有量　以愍衆生故　正法倍壽命　像法復倍是
如恒河沙等　无數諸衆生　於此佛法中　種佛道因緣
尒時會中新發意菩薩八千人咸作是念我
等尚不聞諸大菩薩得如是記有何因緣而
諸聲聞得如是決尒時世尊知諸菩薩心之
所念而告之曰諸善男子我與阿難等於空
王佛所同時發阿耨多羅三藐三菩提心阿
難常樂多聞我常勤精進是故我已得成阿
耨多羅三藐三菩提而阿難護持我法亦護
將來諸佛法藏教化成就諸菩薩衆其本願
如是故獲斯記阿難面於佛前自聞授記及
國土莊嚴所願具足心大歡喜得未曾有即
時憶念過去无量千万億諸佛法藏通達无
礙如今所聞亦識本願尒時阿難而說偈言
世尊甚希有　令我念過去　无量諸佛法　如今日所聞

國土莊嚴所願具足心大歡喜得未曾有即
時憶念過去无量千万億諸佛法藏通達无
礙如今所聞亦識本願尒時阿難而說偈言
世尊甚希有　令我念過去　无量諸佛法　如今日所聞
我今无復疑　安住於佛道　方便為侍者　護持諸佛法
尒時佛告羅睺羅汝於來世當得作佛号蹈
七寶華如來應供正遍知明行足善逝世間
解无上士調御丈夫天人師佛世尊當供養
十世界微塵等數諸佛如來常為諸佛而作
長子猶如今也是蹈七寶華佛國土莊嚴壽
命劫數所化弟子正法像法亦如山海慧自
在通王如來无異亦為此佛而作長子過是
已後當得阿耨多羅三藐三菩提尒時世尊
欲重宣此義而說偈言
我為太子時　羅睺為長子　我今成佛道　受法為法子
於未來世中　見无量億佛　皆為其長子　一心求佛道
羅睺羅密行　唯我能知之　現為我長子　以示諸衆生
无量億千万　功德不可數　安住於佛法　以求无上道
尒時世尊見學无學二千人其意柔軟寂然
清淨一心觀佛佛告阿難汝見是學无學二
千人不唯然已見阿難是諸人等當供養五
十世界微塵數諸佛如來恭敬尊重護持法
藏末後同時於十方國各得成佛皆同一号
名曰寶相如來應供正遍知明行足善逝世
間解无上士調御丈夫天人師佛世尊壽命
一劫國土莊嚴聲聞菩薩正法像法皆悉同
等尒時世尊欲重宣此義而說偈言
是二千聲聞　今於我前住　悉皆與授記　未來當成佛
所共養諸佛　如上說塵數　護持其法藏　後當成正覺

一劫國土莊嚴聲聞菩薩正法像法悉同
等爾時世尊欲重宣此義而說偈言
是二千聲聞　今於我前住　悉皆與受記　未來當成佛
所供養諸佛　如上說塵數　護持其法藏　後當成正覺
各於十方國　悉同一名号　俱時坐道場　以證无上慧
皆名爲寶相　國土及弟子　正法與像法　悉等无有異
咸以諸神通　度十方衆生　名聞普周遍　漸入於涅槃
爾時學无學二千人聞佛授記歡喜踊躍而
說偈言
世尊慧燈明　我聞授記音　心歡喜充滿　如甘露見灌
妙法蓮華經法師品第十
爾時世尊因藥王菩薩告八万大士藥王汝
見是大衆中无量諸天龍王夜叉乾闥婆阿
脩羅迦樓羅緊那羅摩睺羅伽人與非人及
比丘比丘尼優婆塞優婆夷求聲聞者求辟
支佛者求佛道者如是等類咸於佛前聞妙
法華經一偈一句乃至一念隨喜者我皆
與受記當得阿耨多羅三藐三菩提佛告藥王
又如來滅度之後若有人聞妙法華經乃至
一偈一句一念隨喜者我亦與受阿耨多羅
三藐三菩提記若復有人受持讀誦解說書
寫妙法華經乃至一偈於此經卷敬視如佛
種種供養華香瓔珞末香塗香燒香繒蓋幢
幡衣服伎樂乃至合掌恭敬藥王當知是諸
人等已曾供養十万億佛於諸佛所成就大
願愍衆生故生此人間藥王若有人問何等
衆生於未來世當得作佛應示是諸人等於
未來世必得作佛何以故若善男子善女人

BD00184號　妙法蓮華經卷四　（27–8）

人等已曾供養十万億佛於諸佛所成就大
願愍衆生故生此人間藥王若有人問何等
衆生於未來世當得作佛應示是諸人等於
未來世必得作佛何以故若善男子善女人
於法華經乃至一句受持讀誦解說書寫種
種供養經卷華香瓔珞末香塗香燒香繒蓋
幢幡衣服伎樂合掌恭敬是人一切世間所
應瞻奉應以如來供養而供養之當知此人
是大菩薩成就阿耨多羅三藐三菩提哀愍
衆生願生此間廣演分別妙法華經何況盡
能受持種種供養者藥王當知是人自捨清
淨業報於我滅度後愍衆生故生於惡世廣
演此經若是善男子善女人我滅度後能竊
爲一人說法華經乃至一句當知是人則如
來使如來所遣行如來事何況於大衆中廣
爲人說藥王若有惡人以不善心於一劫中
現於佛前常毀罵佛其罪尚輕若人以一惡
言毀呰在家出家讀誦法華經者其罪甚重
藥王其有讀誦法華經者當知是人以佛莊
嚴而自莊嚴則爲如來肩所荷擔其所至方
應隨向禮一心合掌恭敬供養尊重讚歎華
香瓔珞末香塗香燒香繒蓋幢幡衣服餚饌
作諸伎樂人中上供而供養之應持天寶而
以散之天上寶聚應以奉獻所以者何是人
歡喜說法須臾聞之即得究竟阿耨多羅三
藐三菩提故爾時世尊欲重宣此義而說偈
言
若欲住佛道　成就自然智　常當勤供養　受持法華者
其有欲疾得　一切種智慧　當受持是經　并供養持者

BD00184號　妙法蓮華經卷四　（27–9）

藐三菩提故尒時世尊欲重宣此義而說偈
言
若欲住佛道　成就自然智　常當勤供養　受持法華者
其有欲疾得　一切種智慧　當受持是經　并供養持者
若有能受持　妙法華經者　當知佛所使　愍念諸衆生
諸有能受持　妙法華經者　捨於淸淨土　愍衆故生此
當知如是人　自在所欲生　能於此惡世　廣說无上法
應以天華香　及天寶衣服　天上妙寶聚　供養說法者
吾滅後惡世　能持是經者　當合掌禮敬　如供養世尊
上饌衆甘美　及種種衣服　供養是佛子　兾得須臾聞
若能於後世　受持是經者　我遣在人中　行於如來事
若於一劫中　常懷不善心　作色而罵佛　獲无量重罪
其有讀誦持　是法華經者　須臾加惡言　其罪復過彼
有人求佛道　而於一劫中　合掌在我前　以无數偈讚
由是讚佛故　得无量功德　歎美持經者　其福復過彼
於八十億劫　以最妙色聲　及與香味觸　供養持經者
如是供養已　若得須臾聞　則應自欣慶　我今獲大利
藥王今告汝　我所說諸法　而於此經中　法華最第一
尒時佛復告藥王菩薩摩訶薩我所說經典
无量千億已說今說當說而於其中此法華
經最爲難信難解藥王此經是諸佛秘要之
藏不可分布妄授與人諸佛世尊之所守護
從昔已來未曾顯說而此經者如來現在猶
多怨嫉况滅度後藥王當知如來滅後其能
書持讀誦供養爲他人說者如來則爲以衣
覆之又爲他方現在諸佛之所護念是人有
大信力及志願力諸善根力當知是人與如
來共宿則爲如來手摩其頭藥王在在處處
若說若讀若誦若書若經卷所住處皆應起

BD00184號　妙法蓮華經卷四　（27–10）

書持讀誦供養爲他人說者如來則爲以衣
覆之又爲他方現在諸佛之所護念是人有
大信力及志願力諸善根力當知是人與如
來共宿則爲如來手摩其頭藥王在在處處
若說若讀若誦若書若經卷所住處皆應起
七寶塔極令高廣嚴飾不須復安舍利所以
者何此中已有如來全身此塔應以一切華
香瓔珞繒蓋幢幡伎樂歌頌供養恭敬尊重
讚歎若有人得見此塔禮拜供養當知是等
皆近阿耨多羅三藐三菩提藥王多有人在
家出家行菩薩道若不能得見聞讀誦書持
供養是法華經者當知是人未善行菩薩道
若有得聞是經典者乃能善行菩薩之道其
有衆生求佛道者若見若聞是法華經聞已
信解受持者當知是人得近阿耨多羅三藐
三菩提藥王譬如有人渴乏須水於彼高原
穿鑿求之猶見乾土知水尚遠施功不已轉
見濕土遂漸至泥其心決定知水必近菩薩
亦復如是若未聞未解未能修習是法華經
當知是人去阿耨多羅三藐三菩提尚遠若
得聞解思惟修習必知得近阿耨多羅三藐
三菩提所以者何一切菩薩阿耨多羅三藐
三菩提皆屬此經此經開方便門示眞實
相是法華經藏深固幽遠无人能到今佛教化
成就菩薩而爲開示藥王若有菩薩聞是法
華經驚疑怖畏當知是爲新發意菩薩若聲
聞人聞是經驚疑怖畏當知是爲增上慢者
藥王若有善男子善女人如來滅後欲爲四
衆說是法華經者云何應說是善男子善

BD00184號　妙法蓮華經卷四　（27–11）

華經驚疑怖畏當知是為新發意菩薩若聲
聞人聞是經驚疑怖畏當知是為增上慢者
藥王若有善男子善女人如來滅後欲為四
衆說是法華經者云何應說是善男子善女
人入如來室著如來衣坐如來座尒乃應為
四衆廣說斯經如來室者一切衆生中大慈
悲心是如來衣者柔和忍辱心是如來座者
一切法空是安住是中然後以不懈怠心為
諸菩薩及四衆廣說是法華經藥王我於餘
國遣化人為其集聽法衆亦遣化比丘比丘
尼優婆塞優婆夷聽其說法是諸化人聞法
信受隨順不逆若說法者在空閑處我時廣
遣天龍鬼神乾闥婆阿脩羅等聽其說法我
雖在異國時時令說法者得見我身若於此
經忘失句逗我還為說令得具足尒時世尊
欲重宣此義而說偈言
欲捨諸懈怠　應當聽此經　是經難得聞　信受者亦難
如人渴須水　穿鑿於高原　猶見乾燥土　知去水尚遠
漸見濕土泥　決定知近水　藥王汝當知　如是諸人等
不聞法華經　去佛智甚遠　若聞是深經　決了聲聞法
是諸經之王　聞已諦思惟　當知此人等　近於佛智慧
若人說此經　應入如來室　著於如來衣　而坐如來座
處衆无所畏　廣為分別說　大慈悲為室　柔和忍辱衣
諸法空為座　處此為說法　若說此經時　有人惡口罵
加刀杖瓦石　念佛故應忍　我千万億土　現淨堅固身
於无量億劫　為衆生說法　若我滅度後　能說此經者
我遣化四衆　比丘比丘尼　及清信士女　供養於法師
引導諸衆生　集之令聽法　若人欲加惡　刀杖及瓦石

BD00184號　妙法蓮華經卷四　（27–12）

加刀杖瓦石　念佛故應忍　我千万億土　現淨堅固身
於无量億劫　為衆生說法　若我滅度後　能說此經者
我遣化四衆　比丘比丘尼　及清信士女　供養於法師
引導諸衆生　集之令聽法　若人欲加惡　刀杖及瓦石
則遣變化人　為之作衛護　若說法之人　獨在空閑處
寂寞无人聲　讀誦此經典　我尒時為現　清淨光明身
若忘失章句　為說令通利　若人具是德　或為四衆說
空處讀誦經　皆得見我身　若人在空閑　我遣天龍王
夜叉鬼神等　為作聽法衆　是人樂說法　分別无罣礙
諸佛護念故　能令大衆喜　若親近法師　速得菩薩道
隨順是師學　得見恒沙佛
妙法蓮華經見寶塔品第十一
尒時佛前有七寶塔高五百由旬縱廣二百
五十由旬從地踊出住在空中種種寶物而
莊校之五千欄楯龕室千万无數幢幡以為
嚴飾垂寶瓔珞寶鈴万億而懸其上四面皆
出多摩羅跋栴檀之香充遍世界其諸幡蓋
以金銀瑠璃車𤦲馬瑙真珠玫瑰七寶合成
高至四天王宮三十三天雨天曼陀羅華供
養寶塔餘諸天龍夜叉乾闥婆阿脩羅迦樓
羅緊那羅摩睺羅伽人非人等千万億衆以
一切華香瓔珞幡蓋伎樂供養寶塔恭敬尊
重讚歎尒時寶塔中出大音聲歎言善哉善
哉釋迦牟尼世尊能以平等大慧教菩薩法
佛所護念妙法華經為大衆說如是如是釋
迦牟尼世尊如所說者皆是真實尒時四衆
見大寶塔住在空中又聞塔中所出音聲皆
得法喜怪未曾有從座而起恭敬合掌却住

BD00184號　妙法蓮華經卷四　（27–13）

佛所護念妙法華經為大衆說如是如是釋
迦牟尼世尊如所說者皆是真實尒時四衆
見大寶塔住在空中又聞塔中所出音聲皆
得法喜怪未曾有從座而起恭敬合掌却住
一面尒時有菩薩摩訶薩名大樂說知一切
世間天人阿脩羅等心之所疑而白佛言世
尊以何因緣有此寶塔從地踊出又於其中
發是音聲尒時佛告大樂說菩薩此寶塔中
有如來全身乃往過去東方无量千万億阿
僧祇世界國名寶淨彼中有佛号曰多寶其
佛行菩薩道時作大誓願若我成佛滅度之
後於十方國土有說法華經處我之塔廟為
聽是經故踊現其前為作證明讚言善哉彼
佛成道已臨滅度時於天人大衆中告諸比
丘我滅度後欲供養我全身者應起一大塔
其佛神通願力十方世界在在處處若有說
法華經者彼之寶塔皆踊出其前全身在於
塔中讚言善哉善哉大樂說今多寶如來塔
聞說法華經故從地踊出讚言善哉善哉是
時大樂說菩薩以如來神力故白佛言世尊
我等願欲見此佛身佛告大樂說菩薩摩訶
薩是多寶佛有深重願若我寶塔為聽法華
經故出於諸佛前時其有欲以我身示四衆
者彼佛分身諸佛在於十方世界說法盡還
集一處然後我身乃出現耳大樂說我分身
諸佛在於十方世界說法者今應當集大樂
說白佛言世尊我等亦願欲見世尊分身諸
佛礼拜供養尒時佛放白豪一光即見東方
五百万億那由他恒河沙等國土諸佛彼諸

說白佛言世尊我等亦願欲見世尊分身諸
佛礼拜供養尒時佛放白豪一光即見東方
五百万億那由他恒河沙等國土諸佛彼諸
國土皆以頗梨為地寶樹寶衣以為莊嚴无
數千万億菩薩充滿其中遍張寶幔寶網羅
上彼國諸佛以大妙音而說諸法及見无量
万億菩薩遍滿諸國為衆說法南西北方四維
上下白豪相光所照之處亦復如是尒時
十方諸佛各告衆菩薩言善男子我今應往
娑婆世界釋迦牟尼佛所并供養多寶如來
寶塔時娑婆世界即變清淨瑠璃為地寶樹
莊嚴黃金為繩以界八道无諸聚落村營城
邑大海江河山川林藪燒大寶香曼陁羅華
遍布其地以寶網幔羅覆其上懸諸寶鈴唯
留此會衆移諸天人置於他土是時諸佛各
將一大菩薩以為侍者至娑婆世界各到寶
樹下一一寶樹高五百由旬枝葉華菓次弟
莊嚴諸寶樹下皆有師子之座高五由旬亦
以大寶而校飾之尒時諸佛各於此座結跏
趺坐如是展轉遍滿三千大千世界而於釋
迦牟尼佛一方所分之身猶故未盡時釋迦
牟尼佛欲容受所分身諸佛故八方各更變
二百万億那由他國皆令清淨无有地獄餓
鬼畜生及阿脩羅又移諸天人置於他土所
化之國亦以瑠璃為地寶樹莊嚴樹高五百
由旬枝葉華菓次弟嚴飾樹下皆有寶師子
座高五由旬種種諸寶以為莊校亦无大海
江河及目真隣陁山摩訶目真隣陁山鐵圍

由旬枝葉華菓次第嚴飾樹下皆有寶師子
座高五由旬種種諸寶以為莊挍亦无大海
江河及目真隣陁山摩訶目真隣陁山鐵圍
山大鐵圍山須弥山等諸山王通為一佛國
土寶地平正寶交露幔遍覆其上懸諸幡蓋
燒大寶香諸天寶華遍布其地釋迦牟尼佛
為諸佛當來坐故復於八方各變二百万億
那由他國皆令清淨无有地獄餓鬼畜生及
阿脩羅又移諸天人置於他土所化之國亦
以瑠璃為地寶樹莊嚴樹高五百由旬枝葉
華菓次第莊嚴樹下皆有寶師子座高五由
旬亦以大寶而校飾之亦无大海江河及目
真隣陁山摩訶目真隣陁山鐵圍山大鐵圍
山須弥山等諸山王通為一佛國土寶地平
正寶交露幔遍覆其上懸諸幡蓋燒大寶香
諸天寶華遍布其地尒時東方釋迦牟尼所
分之身百千万億那由他恒河沙等國土中
諸佛各各說法來集於此如是次第十方諸
佛皆悉來集坐於八方尒時一一方四百万
億那由他國土諸佛如來遍滿其中是時諸
佛各在寶樹下坐師子座皆遣侍者問訊釋
迦牟尼佛各賫寶華滿掬而告之言善男子
汝往詣耆闍崛山釋迦牟尼佛所如我辭曰
少病少惱氣力安樂及菩薩聲聞衆悉安隱
不以此寶華散佛供養而作是言彼某甲佛
與欲開此寶塔諸佛遣使亦復如是尒時釋
迦牟尼佛見所分身佛悉已來集各各坐於
師子之座皆聞諸佛與欲同開寶塔即從座

與欲開此寶塔諸佛遣使亦復如是尒時釋
迦牟尼佛見所分身佛悉已來集各各坐於
師子之座皆聞諸佛與欲同開寶塔即從座
起住虛空中一切四衆起立合掌一心觀佛
於是釋迦牟尼佛以右指開七寶塔戶出大
音聲如却關鑰開大城門即時一切衆會皆
見多寶如來於寶塔中坐師子座全身不散
如入禪定又聞其言善哉善哉釋迦牟尼佛
快說是法華經我為聽是經故而來至此尒
時四衆等見過去无量千万億劫滅度佛說
如是言歎未曾有以天寶華聚散多寶佛
及釋迦牟尼佛上尒時多寶佛於寶塔中分
半座與釋迦牟尼佛而作是言釋迦牟尼佛
可就此座即時釋迦牟尼佛入其塔中坐其半
座結跏趺坐尒時大衆見二如來在七寶塔
中師子座上結跏趺坐各作是念佛座高遠
唯願如來以神通力令我等輩俱處虛空即
時釋迦牟尼佛以神通力接諸大衆皆在虛
空以大音聲普告四衆誰能於此娑婆國土
廣說妙法華經今正是時如來不久當入涅
槃佛欲以此妙法華經付囑有在尒時世尊
欲重宣此義而說偈言
聖主世尊　雖久滅度　在寶塔中　尚為法來
諸人云何　不勤為法　此佛滅度　无鞅數劫
處處聽法　以難遇故　彼佛本願　我滅度後
在在所往　常為聽法　又我分身　无量諸佛
如恒沙等　來欲聽法　及見滅度　多寶如來
各捨妙土　及弟子衆　天人龍神　諸供養事

在在所往 常為聽法 又我分身 无量諸佛
如恒沙等 來欲聽法 及見滅度 多寶如來
各捨妙土 及弟子衆 天人龍神 諸供養事
令法久住 故來至此 為坐諸佛 以神通力
移无量衆 令國清淨 諸佛各各 詣寶樹下
如清涼池 蓮華莊嚴 其寶樹下 諸師子座
佛坐其上 光明嚴飾 如夜闇中 燃大炬火
身出妙香 遍十方國 衆生蒙薰 喜不自勝
譬如大風 吹小樹枝 以是方便 令法久住
告諸大衆 我滅度後 誰能護持 讀說斯經
今於佛前 自說誓言 其多寶佛 雖久滅度
以大誓願 而師子吼 多寶如來 及與我身
所集化佛 當知此意 諸佛子等 誰能護法
當發大願 令得久住 其有能護 此經法者
則為供養 我及多寶 此多寶佛 處於寶塔
常遊十方 為是經故 亦復供養 諸來化佛
莊嚴光飾 諸世界者 若說此經 則為見我
多寶如來 及諸化佛 諸善男子 各諦思惟
此為難事 宜發大願 諸餘經典 數如恒沙
雖說此等 未足為難 若接須弥 擲置他方
无數佛土 亦未為難 若以足指 動大千界
遠擲他國 亦未為難 若立有頂 為衆演說
无量餘經 亦未為難 若佛滅後 於惡世中
能說此經 是則為難 假使有人 手把虛空
而以遊行 亦未為難 於我滅後 若自書持
若使人書 是則為難 若以大地 置足甲上
升於梵天 亦未為難 佛滅度後 於惡世中
暫讀此經 是則為難 假使劫燒 擔負乾草
入中不燒 亦未為難 我滅度後 若持此經

BD00184號　妙法蓮華經卷四　（27–18）

若使人書 是則為難 若以大地 置足甲上
升於梵天 亦未為難 佛滅度後 於惡世中
暫讀此經 是則為難 假使劫燒 擔負乾草
入中不燒 亦未為難 我滅度後 若持此經
為一人說 是則為難 若持八万 四千法藏
十二部經 為人演說 令諸聽者 得六神通
雖能如是 亦未為難 於我滅後 聽受此經
問其義趣 是則為難 若人說法 令千万億
无量无數 恒沙衆生 得阿羅漢 具六神通
雖有是益 亦未為難 於我滅後 若能奉持
如斯經典 是則為難 我為佛道 於无量土
從始至今 廣說諸經 而於其中 此經第一
若有能持 則持佛身 諸善男子 於我滅後
誰能護持 讀誦此經 今於佛前 自說誓言
此經難持 若暫持者 我則歡喜 諸佛亦然
如是之人 諸佛所歎 是則勇猛 是則精進
是名持戒 行頭陀者 則為疾得 无上佛道
能於來世 讀持此經 是真佛子 住淳善地
佛滅度後 能解其義 是諸天人 世間之眼
於恐畏世 能須臾說 一切天人 皆應供養

妙法蓮華經提婆達多品第十二

尒時佛告諸菩薩及天人四衆吾於過去无
量劫中求法華經无有懈惓於多劫中常作
國王發願求於无上菩提心不退轉為欲
滿足六波羅蜜勤行布施心无恡惜象馬七珎
國城妻子奴婢僕從頭目髓腦身肉手足不
惜軀命時世人民壽命无量為於法故捐捨
國位委政太子擊鼓宣令四方求法誰能為

BD00184號　妙法蓮華經卷四　（27–19）

滿足六波羅蜜勤行布施心无悋惜象馬七珎
國城妻子奴婢僕從頭目髓腦身肉手足不
惜軀命時世人民壽命无量為於法故捐捨
國位委政太子擊鼓宣令四方求法誰能為
我說大乘者吾當終身供給走使時有仙人
來白王言我有大乘名妙法華若不違我當
為宣說王聞仙言歡喜踊躍即隨仙人供給
所須採菓汲水拾薪設食乃至以身而為床
座身心无惓于時奉事經於千歲為於法故
精勤給侍令无所乏尒時世尊欲重宣此義
而說偈言
我念過去劫　為求大法故　雖作世國王　不貪五欲樂
椎鍾告四方　誰有大法者　若為我解說　身當為奴僕
時有阿私仙　來白於大王　我有微妙法　世間所希有
若能脩行者　吾當為汝說　時王聞仙言　心生大喜悅
即便隨仙人　供給於所須　採薪及菓蓏　隨時恭敬與
情存妙法故　身心无懈惓　普為諸衆生　勤求於大法
亦不為己身　及以五欲樂　故為大國王　勤求獲此法
遂致得成佛　今故為汝說
佛告諸比丘尒時王者則我身是時仙人者
今提婆達多是由提婆達多善知識故令我
具足六波羅蜜慈悲喜捨三十二相八十種
好紫磨金色十力四无所畏四攝法十八不
共神通道力成等正覺廣度衆生皆因提婆
達多善知識故告諸四衆提婆達多却後過
无量劫當得成佛号曰天王如來應供正遍
知明行足善逝世間解无上士調御丈夫天
人師佛世尊世界名天道時天王佛住世二

BD00184號　妙法蓮華經卷四　（27–20）

无量劫當得成佛号曰天王如來應供正遍
知明行足善逝世間解无上士調御丈夫天
人師佛世尊世界名天道時天王佛住世二
十中劫廣為衆生說於妙法恒河沙衆生得
阿羅漢果无量衆生發緣覺心恒河沙衆生
發无上道心得无生忍至不退轉時天王佛
般涅槃後正法住世二十中劫全身舍利起
七寶塔高六十由旬縱廣四十由旬諸天人
民悉以雜華末香燒香塗香衣服瓔珞幢幡
寶蓋伎樂歌頌礼拜供養七寶妙塔无量衆
生得阿羅漢无量衆生悟辟支佛不可思議
衆生發菩提心至不退轉佛告諸比丘未來
世中若有善男子善女人聞妙法華經提婆
達多品淨心信敬不生疑惑者不墮地獄餓
鬼畜生生十方佛前所生之處常聞此經若
生人天中受勝妙樂若在佛前蓮華化生於
時下方多寶世尊所從菩薩名曰智積白
多寶佛當還本土釋迦牟尼佛告智積曰善男
子且待須臾此有菩薩名文殊師利可與相
見論說妙法可還本土尒時文殊師利坐千
葉蓮華大如車輪俱來菩薩亦坐寶華從於
大海娑竭龍宮自然踊出住虛空中詣靈鷲
山從蓮華下至於佛所頭面敬礼二世尊足
脩敬已畢往智積所共相慰問却坐一面智
積菩薩問文殊師利仁往龍宮所化衆生其
數幾何文殊師利言其數无量不可稱計非
口所宣非心所測且待須臾自當有證所言
未竟无數菩薩坐寶蓮華從海踊出詣靈鷲

BD00184號　妙法蓮華經卷四　（27–21）

大海娑竭龍宮自然踊出住虛空中詣靈鷲
山從蓮華下至於佛所頭面敬礼二世尊足
脩敬已畢往智積所共相慰問却坐一面智
積菩薩問文殊師利仁往龍宮所化衆生其
數幾何文殊師利言其數无量不可稱計非
口所宣非心所測且待須臾自當有證所言
未竟无數菩薩坐寶蓮華從海踊出詣靈鷲
山住在虛空此諸菩薩皆是文殊師利之所
化度具菩薩行皆共論說六波羅蜜本聲聞
人在虛空中說聲聞行今皆脩行大乘空義
文殊師利謂智積曰於海教化其事如是尒
時智積菩薩以偈讚曰
大智德勇健　化度无量衆　今此諸大會　及我皆已見
演暢實相義　開闡一乘法　廣度諸群生　令速成菩提
文殊師利言我於海中唯常宣說妙法華經
智積問文殊師利言此經甚深微妙諸經中
寶世所希有頗有衆生勤加精進脩行此經
速得佛不文殊師利言有娑竭羅龍王女年
始八歲智慧利根善知衆生諸根行業得陁
羅尼諸佛所說甚深秘藏悉能受持深入禪
定了達諸法於刹那頃發菩提心得不退轉
辯才无礙慈念衆生猶如赤子功德具足心
念口演微妙廣大慈悲仁讓志意和雅能至
菩提智積菩薩言我見釋迦如來於无量劫
難行苦行積功累德求菩薩道未曾止息觀
三千大千世界乃至无有如芥子許非是菩
薩捨身命處為衆生故然後乃得成菩提道
不信此女於須臾頃便成正覺言論未訖時

BD00184 號　妙法蓮華經卷四　（27–22）

難行苦行積功累德求菩薩道未曾止息觀
三千大千世界乃至无有如芥子許非是菩
薩捨身命處為衆生故然後乃得成菩提道
不信此女於須臾頃便成正覺言論未訖時
龍王女忽現於前頭面礼敬却住一面以偈
讚曰
深達罪福相　遍照於十方　微妙淨法身　具相三十二
以八十種好　用莊嚴法身　天人所戴仰　龍神咸恭敬
一切衆生類　无不宗奉者　又聞成菩提　唯佛當證知
我闡大乘教　度脫苦衆生
時舍利弗語龍女言汝謂不久得无上道是
事難信所以者何女身垢穢非是法器云何
能得无上菩提佛道懸曠經无量劫勤苦積
行具脩諸度然後乃成又女人身猶有五障
一者不得作梵天王二者帝釋三者魔王四
者轉輪聖王五者佛身云何女身速得成佛
尒時龍女有一寶珠價直三千大千世界持
以上佛佛即受之龍女謂智積菩薩尊者舍
利弗言我獻寶珠世尊納受是事疾不荅言
甚疾女言以汝神力觀我成佛復速於此當
時衆會皆見龍女忽然之間變成男子具菩
薩行即往南方无垢世界坐寶蓮華成等正
覺三十二相八十種好普為十方一切衆生
演說妙法尒時娑婆世界菩薩聲聞天龍八
部人與非人皆遙見彼龍女成佛普為時會
人天說法心大歡喜悉遙敬礼无量衆生聞
法解悟得不退轉无量衆生得受道記无垢
世界六反震動娑婆世界三千衆生住不退

BD00184 號　妙法蓮華經卷四　（27–23）

覺三十二相八十種好普為十方一切衆生
演說妙法尒時娑婆世界菩薩聲聞天龍八
部人與非人皆遥見彼龍女成佛普為時會
人天說法心大歡喜悉遥敬礼无量衆生聞
法解悟得不退轉无量衆生得受道記无垢
世界六反震動娑婆世界三千衆生住不退
地三千衆生發菩提心而得受記智積菩薩
及舍利弗一切衆會黙然信受
妙法蓮華經持品第十三
尒時藥王菩薩摩訶薩及大樂說菩薩摩訶
薩與二万菩薩眷屬俱皆於佛前作是誓言
唯願世尊不以為慮我等於佛滅後當奉持
讀誦說此經典後悪世衆生善根轉少多增
上慢貪利供養增不善根遠離解脫雖難可
教化我等當起大忍力讀誦此經持說書寫
種種供養不惜身命尒時衆中五百阿羅漢
得受記者白佛言世尊我等亦自誓願於異
國土廣說此經復有學无學八千人得受記
者從座而起合掌向佛作是誓言世尊我等
亦當於他國土廣說此經所以者何是娑婆
國中人多弊悪懷增上慢功德淺薄瞋濁諂
曲心不實故尒時佛姨母摩訶波闍波提比
丘尼與學无學比丘尼六千人俱從座而起
一心合掌瞻仰尊顔目不暫捨於時世尊告
憍曇弥何故憂色而視如来汝心將无謂我
不說汝名授阿耨多羅三藐三菩提記耶憍
曇弥我先揔說一切聲聞皆已授記今汝欲
知記者將来之世當於六万八千億諸佛法

BD00184號　妙法蓮華經卷四　(27–24)

憍曇弥何故憂色而視如来汝心將无謂我
不說汝名授阿耨多羅三藐三菩提記耶憍
曇弥我先揔說一切聲聞皆已授記今汝欲
知記者將来之世當於六万八千億諸佛法
中為大法師及六千學无學比丘尼俱為法
師汝如是漸漸具菩薩道當得作佛号一切
衆生憙見如来應供正遍知明行足善逝世
間解无上士調御丈夫天人師佛世尊憍曇
弥是一切衆生憙見佛及六千菩薩轉次授
記得阿耨多羅三藐三菩提尒時羅睺羅母
耶輸陁羅比丘尼作是念世尊於授記中獨
不說我名佛告耶輸陁羅汝於来世百千万億
諸佛法中脩菩薩行為大法師漸具佛道於
善國中當得作佛号具足千万光相如来應
供正遍知明行足善逝世間解无上士調御
丈夫天人師佛世尊佛壽无量阿僧祇劫尒
時摩訶波闍波提比丘尼及耶輸陁羅比丘
尼并其眷屬皆大歡喜得未曾有即於佛前
而說偈言
世尊導師　安隱天人　我等聞記　心安具足
諸比丘尼說是偈已白佛言世尊我等亦能
於他方國土廣宣此經尒時世尊視八十万
億那由他諸菩薩摩訶薩是諸菩薩皆是阿
惟越致轉不退法輪得諸陁羅尼即從座起
至於佛前一心合掌而作是念若世尊告勅
我等持說此經者當如佛教廣宣斯法復作
是念佛今嘿然不見告勅我當云何時諸菩
薩敬順佛意并欲自滿本願便於佛前作師
子吼而發誓言世尊我等於如来滅後周旋

BD00184號　妙法蓮華經卷四　(27–25)

生於佛前一心合掌而作是念若世尊告勑
我等持說此經者當如佛教廣宣斯法復作
是念佛今默然不見告勑我當云何時諸菩
薩敬順佛意并欲自滿本願便於佛前作師
子吼而發誓言世尊我等於如來滅後周旋
往反十方世界能令眾生書寫此經受持讀
誦解說其義如法脩行正憶念皆是佛之威
力唯願世尊在於他方遙見守護即時諸菩
薩俱同發聲而說偈言

唯願不為慮　於佛滅度後　恐怖惡世中　我等當廣說
有諸无智人　惡口罵詈等　及加刀杖者　我等皆當忍
惡世中比丘　邪智心諂曲　未得謂為得　我慢心充滿
或有阿練若　納衣在空閑　自謂行真道　輕賤人間者
貪著利養故　與白衣說法　為世所恭敬　如六通羅漢
是人懷惡心　常念世俗事　假名阿練若　好出我等過
而作如是言　此諸比丘等　為貪利養故　說外道論議
自作此經典　誑惑世間人　為求名聞故　分別於是經
常在大眾中　欲毀我等故　向國王大臣　婆羅門居士
及餘比丘眾　誹謗說我惡　謂是邪見人　說外道論議
我等敬佛故　悉忍是諸惡　為斯所輕言　汝等皆是佛
如此輕慢言　皆當忍受之　濁劫惡世中　多有諸恐怖
惡鬼入其身　罵詈毀辱我　我等敬信佛　當著忍辱鎧
為說是經故　忍此諸難事　我不愛身命　但惜无上道
我等於來世　護持佛所囑　世尊自當知　濁世惡比丘
不知佛方便　隨宜所說法　惡口而顰蹙　數數見擯出
遠離於塔寺　如是等眾惡　念佛告勑故　皆當忍是事
諸聚落城邑　其有求法者　我皆到其所　說佛所囑法
我是世尊使　處眾无所畏　我當善說法　願佛安隱住

BD00184號　妙法蓮華經卷四　（27–26）

而作如是言　此諸比丘等　為貪利養故　說外道論議
自作此經典　誑惑世間人　為求名聞故　分別於是經
常在大眾中　欲毀我等故　向國王大臣　婆羅門居士
及餘比丘眾　誹謗說我惡　謂是邪見人　說外道論議
我等敬佛故　悉忍是諸惡　為斯所輕言　汝等皆是佛
如此輕慢言　皆當忍受之　濁劫惡世中　多有諸恐怖
惡鬼入其身　罵詈毀辱我　我等敬信佛　當著忍辱鎧
為說是經故　忍此諸難事　我不愛身命　但惜无上道
我等於來世　護持佛所囑　世尊自當知　濁世惡比丘
不知佛方便　隨宜所說法　惡口而顰蹙　數數見擯出
遠離於塔寺　如是等眾惡　念佛告勑故　皆當忍是事
諸聚落城邑　其有求法者　我皆到其所　說佛所囑法
我是世尊使　處眾无所畏　我當善說法　願佛安隱住
我於世尊前　諸來十方佛　發如是誓言　佛自知我心

妙法蓮華經卷第四

BD00184號　妙法蓮華經卷四　（27–27）

大般若波羅蜜多經卷第二百卌七

BD00185 號背　大般若波羅蜜多經卷二三七護首　　（1–1）

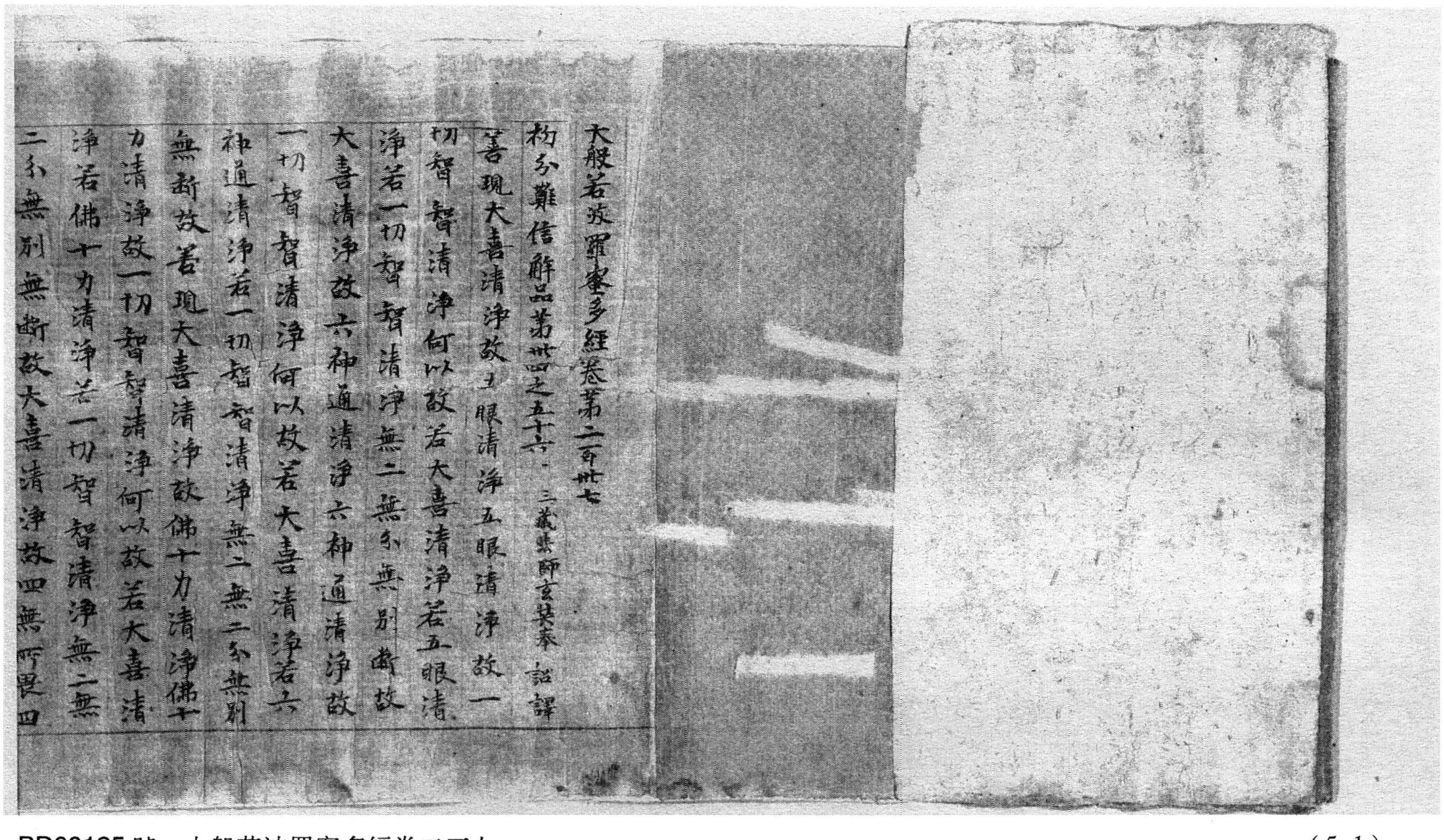
大般若波羅蜜多經卷第二百卌七
初分難信解品第卅四之五十六　三藏法師玄奘奉　詔譯
善現大喜清淨故五眼清淨五眼清淨故一
切智智清淨何以故若大喜清淨若五眼清
淨若一切智智清淨無二無二分無別無斷故
大喜清淨故六神通清淨六神通清淨故
一切智智清淨何以故若大喜清淨若六
神通清淨若一切智智清淨無二無二分無別
無斷故善現大喜清淨故佛十力清淨佛十
力清淨故一切智智清淨何以故若大喜清
淨若佛十力清淨若一切智智清淨無二無
二分無別無斷故大喜清淨故四無所畏四

BD00185 號　大般若波羅蜜多經卷二三七　　（5–1）

淨若一切智智清淨無二無二分無別斷故
大喜清淨故六神通清淨六神通清淨故
一切智智清淨何以故若大喜清淨若六
神通清淨若一切智智清淨無二無二分無別
無斷故善現大喜清淨故佛十力清淨佛十
力清淨故一切智智清淨何以故若大喜清
淨若佛十力清淨若一切智智清淨無二無
二分無別無斷故大喜清淨故四無所畏四
無礙解大慈大悲大捨十八佛不共法清淨
四無所畏乃至十八佛不共法清淨故一切智
智清淨何以故若大喜清淨若四無所畏乃
至十八佛不共法清淨若一切智智清淨無
二無二分無別無斷故善現大喜清淨故無
忘失法清淨無忘失法清淨故一切智智清
淨何以故若大喜清淨若無忘失法清淨若
一切智智清淨無二無二分無別無斷故大
喜清淨故恒住捨性清淨恒住捨性清淨故
一切智智清淨何以故若大喜清淨若恒住
捨性清淨若一切智智清淨無二無二分無別
無斷故善現大喜清淨故一切智清淨一切
智清淨故一切智智清淨何以故若大喜
清淨若一切智清淨若一切智智清淨無二
無二分無別無斷故大喜清淨故道相智一
切相智清淨道相智一切相智清淨故一切
智智清淨何以故若大喜清淨若道相智一
切相智清淨若一切智智清淨無二無二分
無別無斷故善現大喜清淨故一切陁羅尼

BD00185號　大般若波羅蜜多經卷二三七　（5–2）

無二分無別無斷故大喜清淨故道相智一
切相智清淨道相智一切相智清淨故一切
智智清淨何以故若大喜清淨若道相智一
切相智清淨若一切智智清淨無二無二分
無別無斷故善現大喜清淨故一切陁羅尼
門清淨一切陁羅尼門清淨故一切智智清
淨何以故若大喜清淨若一切陁羅尼門清
淨若一切智智清淨無二無二分無別無斷
故大喜清淨故一切三摩地門清淨一切三
摩地門清淨故一切智智清淨何以故若大
喜清淨若一切三摩地門清淨若一切智智
清淨無二無二分無別無斷故
善現大喜清淨故預流果清淨預流果清淨
故一切智智清淨何以故若大喜清淨若預
流果清淨若一切智智清淨無二無二分無
別無斷故大喜清淨故一來不還阿羅漢果
清淨一來不還阿羅漢果清淨故一切智智
清淨何以故若大喜清淨若一來不還阿羅
漢果清淨若一切智智清淨無二無二分無
別無斷故善現大喜清淨故獨覺菩提清淨
獨覺菩提清淨故一切智智清淨何以故若
大喜清淨若獨覺菩提清淨若一切智智清
淨無二無二分無別無斷故善現大喜清淨
故一切菩薩摩訶薩行清淨一切菩薩摩訶
薩行清淨故一切智智清淨何以故若大喜
清淨若一切菩薩摩訶薩行清淨若一切智
智清淨無二無二分無別無斷故善現大喜淨

BD00185號　大般若波羅蜜多經卷二三七　（5–3）

別無斷故善現大喜清淨故獨覺菩提清淨
獨覺菩提清淨故一切智智清淨何以故若
大喜清淨若獨覺菩提清淨若一切智智清
淨無二無二分無別無斷故善現大喜清淨
故一切菩薩摩訶薩行清淨一切菩薩摩訶
薩行清淨故一切智智清淨何以故若大喜
清淨若一切菩薩摩訶薩行清淨若一切智
智清淨無二無二分無別無斷故善現大喜清
淨故諸佛無上正等菩提清淨諸佛無上
正等菩提清淨故一切智智清淨何以故若
大喜清淨若諸佛無上正等菩提清淨若一
切智智清淨無二無二分無別無斷故
復次善現大捨清淨故色清淨色清淨故一
切智智清淨何以故若大捨清淨若色清淨
若一切智智清淨无二无二分无別无斷故
大捨清淨故受想行識清淨受想行識清淨
故一切智智清淨何以故若大捨清淨若受想
行識清淨若一切智智清淨无二无二分无
別无斷故善現大捨清淨故眼處清淨眼
處清淨故一切智智清淨何以故若大捨
清淨若眼處清淨若一切智智清淨无二
无二分无別无斷故大捨清淨故耳鼻舌身意
處清淨耳鼻舌身意處清淨故一切智智清
淨何以故若大捨清淨若耳鼻舌身意處
清淨若一切智智清淨无二无二分无別无斷
故善現大捨清淨故色處清淨色處清淨故
切智智清淨何以故若大捨清淨若色處清

別无斷故善現大捨清淨故眼處清淨眼
處清淨故一切智智清淨何以故若大捨
清淨若眼處清淨若一切智智清淨无二无
二分无別无斷故大捨清淨故耳鼻舌身意
處清淨耳鼻舌身意處清淨故一切智智清
淨何以故若大捨清淨若耳鼻舌身意處
清淨若一切智智清淨无二无二分无別无斷
故善現大捨清淨故色處清淨色處清淨故
一切智智清淨何以故若大捨清淨若色處清
淨若一切智智清淨无二无二分无別无斷
故大捨清淨故聲香味觸法處清淨聲香味
觸法處清淨故一切智智清淨何以故若大
捨清淨若聲香味觸法處清淨若一切智智
清淨无二无二分无別无斷故善現大捨清
淨故眼界清淨眼界清淨故一切智智清淨
何以故若大捨清淨若眼界清淨若一切智
智清淨无二无二分无別无斷故大捨清淨
故色界眼識界及眼觸眼觸為緣所生諸受
清淨色界乃至眼觸為緣所生諸受清淨故

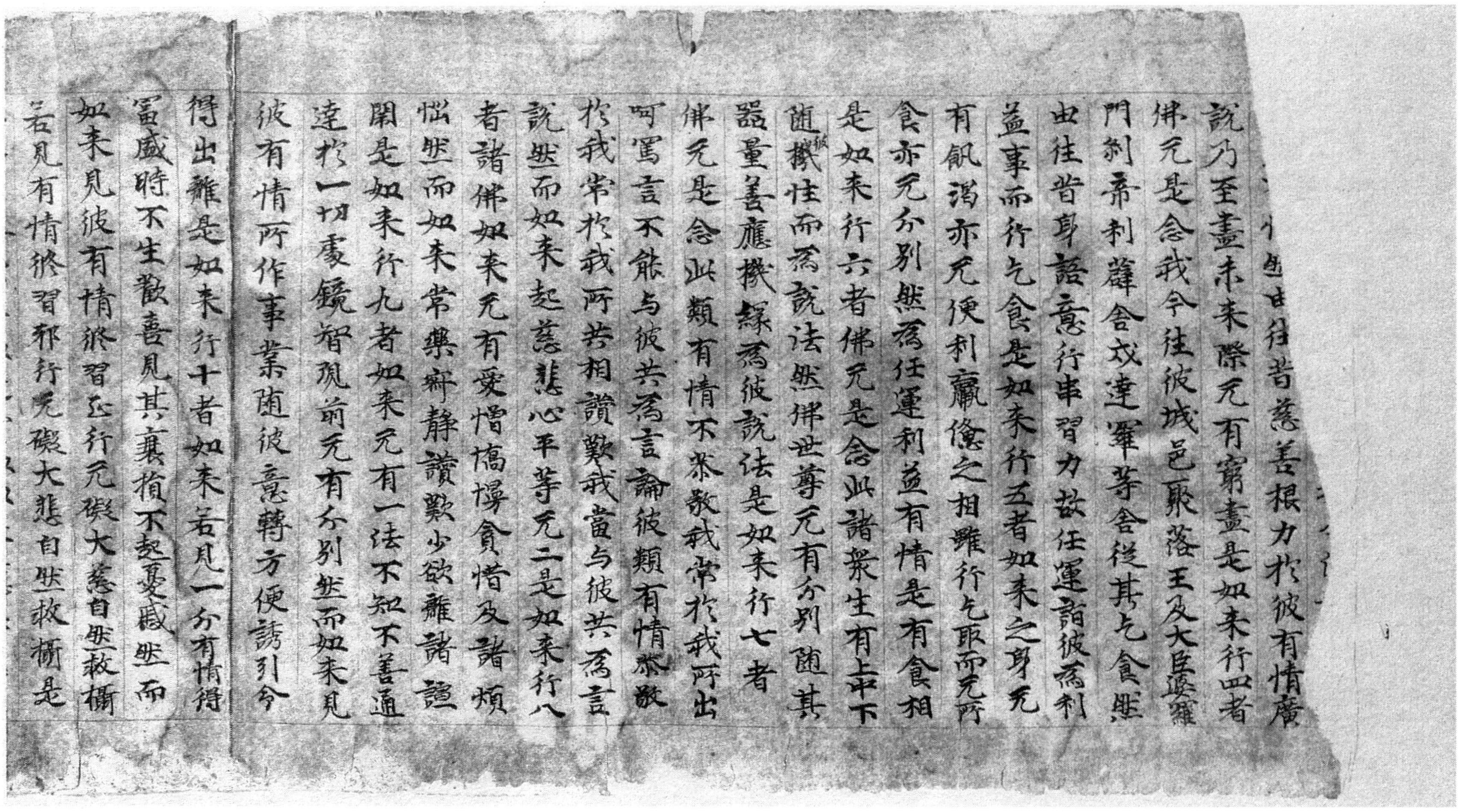
…由往昔慈善根力於彼有情廣
說乃至盡未來際无有窮盡是如來行四者
佛无是念我今往彼城邑聚落王及大臣婆羅
門刹帝利薜舍戍達羅等舍從其乞食然
由往昔身語意行串習力故任運詣彼為利
益事而行乞食是如來行五者如來之身无
有飢渴亦无便利羸惓之相雖行乞取而无所
食亦无分別然為任運利益有情是有食相
是如來行六者佛无是念此諸衆生有上中下
隨彼機性而為說法然佛世尊无有分別隨其
器量善應機緣為彼說法是如來行七者
佛无是念此類有情不恭敬我常於我所出
呵罵言不能与彼共為言論彼類有情恭敬
於我常於我所共相讚歎我當与彼共為言
說然而如來起慈悲心平等无二是如來行八
者諸佛如來无有愛憎憍慢貪惜及諸煩
惱然而如來常樂寂靜讚歎少欲離諸諠
閙是如來行九者如來无有一法不知不善通
達於一切處鏡智現前无有分別然而如來見
彼有情所作事業隨彼意轉方便誘引令
得出離是如來行十者如來若見一分有情得
富盛時不生歡喜見其衰損不起憂慼然而
如來見彼有情修習正行无礙大慈自然救攝
若見有情修習邪行无礙大悲自然救攝是

BD00186號　金光明最勝王經卷一　（2–1）

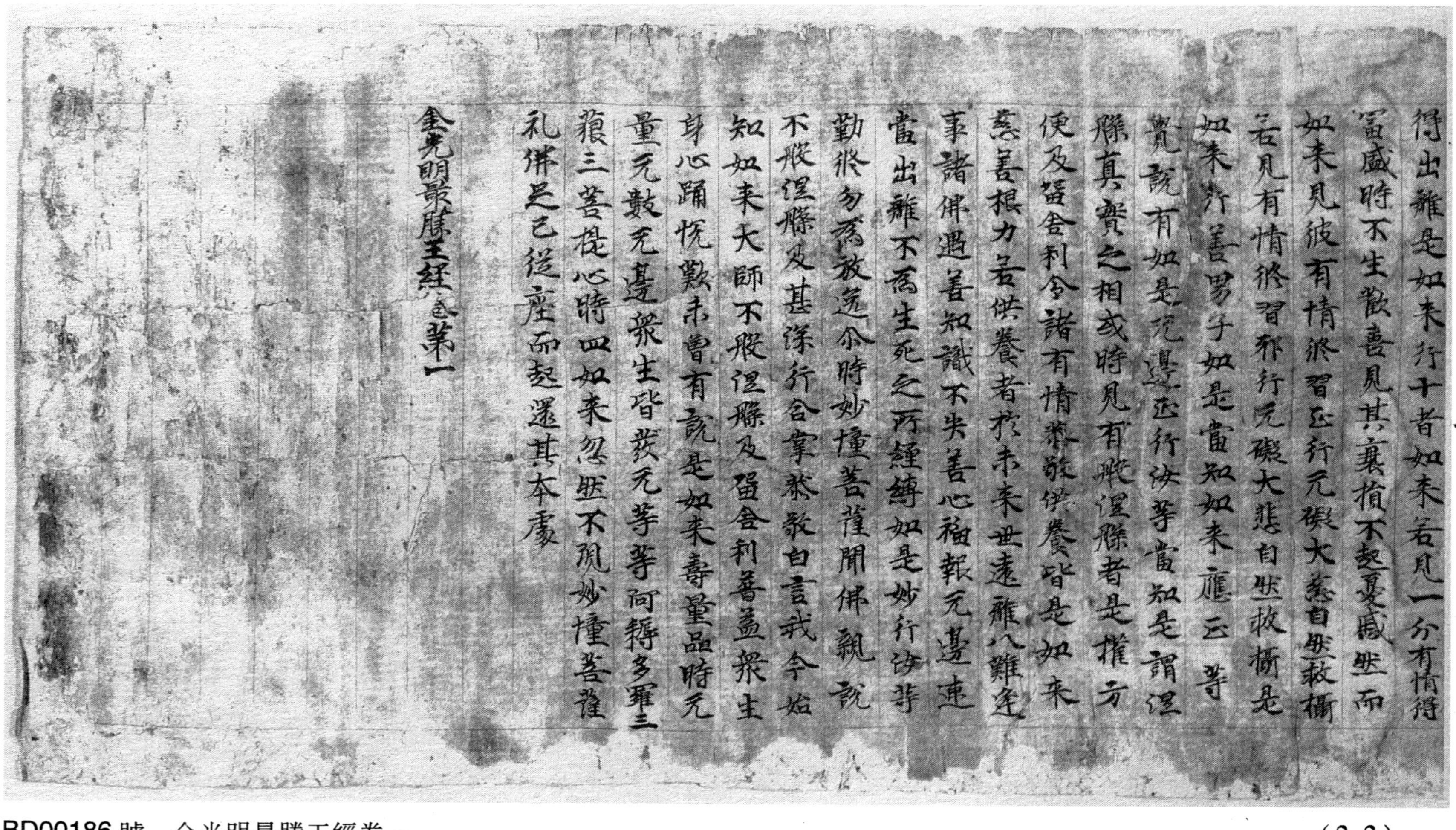
得出離是如來行十者如來若見一分有情得
富盛時不生歡喜見其衰損不起憂慼然而
如來見彼有情修習正行无礙大慈自然救攝
若見有情修習邪行无礙大悲自然救攝是
如來行善男子如是當知如來應正等
覺說有如是无邊正行汝等當知是謂涅
槃真實之相或時見有般涅槃者是權方
便及留舍利令諸有情恭敬供養皆是如來
慈善根力若供養者於未來世遠離八難逢
事諸佛遇善知識不失善心福報无邊速
當出離不為生死之所纏縛如是妙行汝等
勤修勿為放逸尒時妙幢菩薩親聞佛說
不般涅槃及甚深行合掌恭敬白言我今始
知如來大師不般涅槃及留舍利普益衆生
身心踊悅歎未曾有說是如來壽量品時无
量无數无邊衆生皆發无等等阿耨多羅三
藐三菩提心時四如來忽然不現妙幢菩薩
礼佛足已從座而起還其本處
金光明最勝王經卷第一

BD00186號　金光明最勝王經卷一　（2–2）

BD00186 號背　便粟歷（擬）　　（1–1）

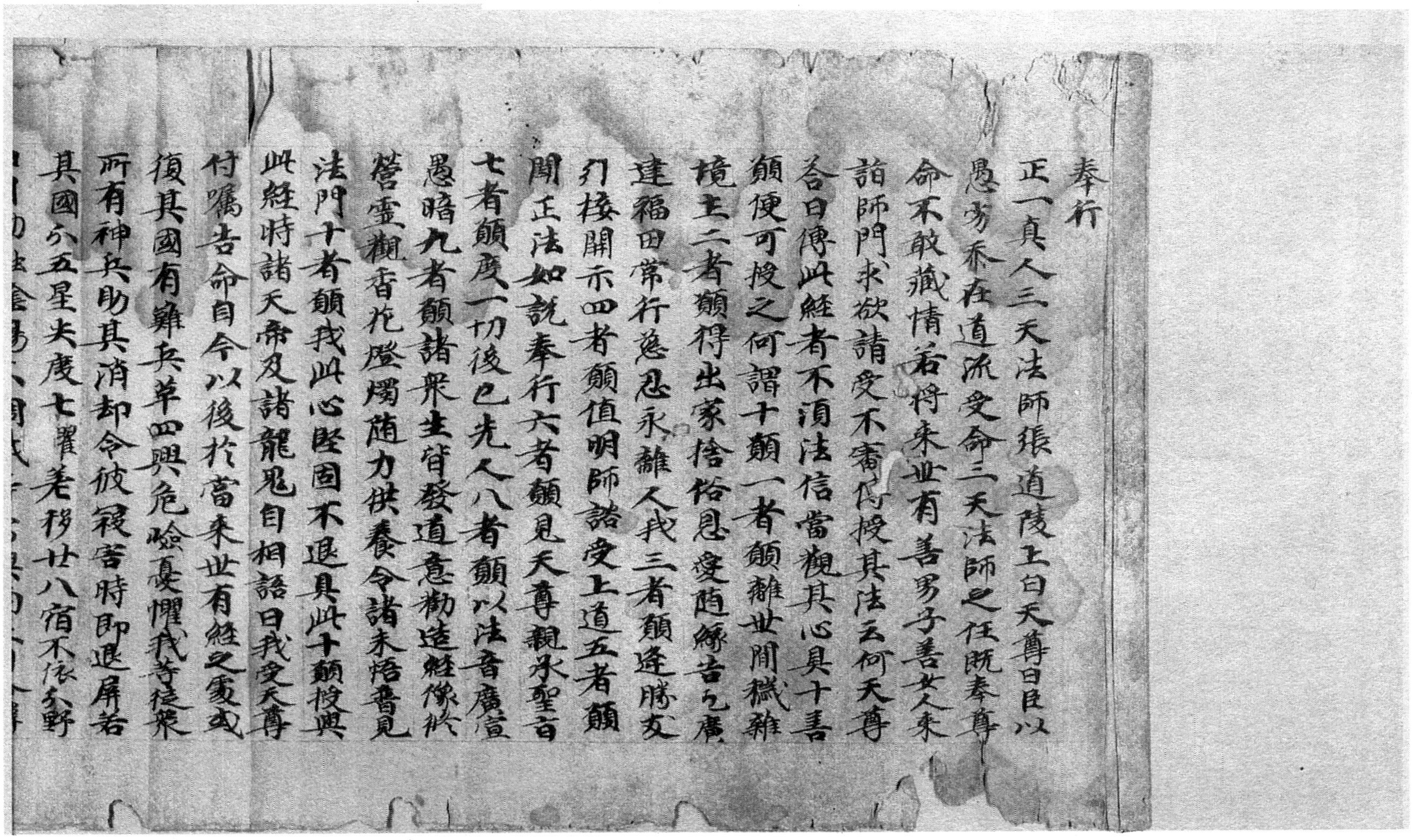

奉行
正一真人三天法師張道陵上白天尊曰臣以
愚劣忝在道流受命三天法師之任既奉尊
命不敢藏情若將來世有善男子善女人來
詣師門求欲請受不審何授其法云何天尊
答曰傳此經者不須法信當觀其心具十善
願便可授之何謂十願一者願離世間穢雜
境界二者願得出家捨俗恩愛隨緣普化廣
建福田常行慈忍永離人我三者願逢勝友
引接開示四者願值明師諮受上道五者願
聞正法如說奉行六者願見天尊親承聖旨
七者願度一切後己先人八者願以法音廣宣
愚暗九者願諸衆生皆發道意勸造經像於
營靈觀香花燈燭隨力供養令諸未悟普見
法門十者願我此心堅固不退具此十願授與
此經時諸天帝及諸龍鬼自相語曰我受天尊
付囑告命自今以後於當來世有經之處或
復其國有難兵革四興危險憂懼我等徒衆
所有神兵助其消却令彼寇害時即退屏若
其國分五星失度七曜差移廿八宿不依分野

BD00187 號　太玄真一本際經卷一　　（2–1）

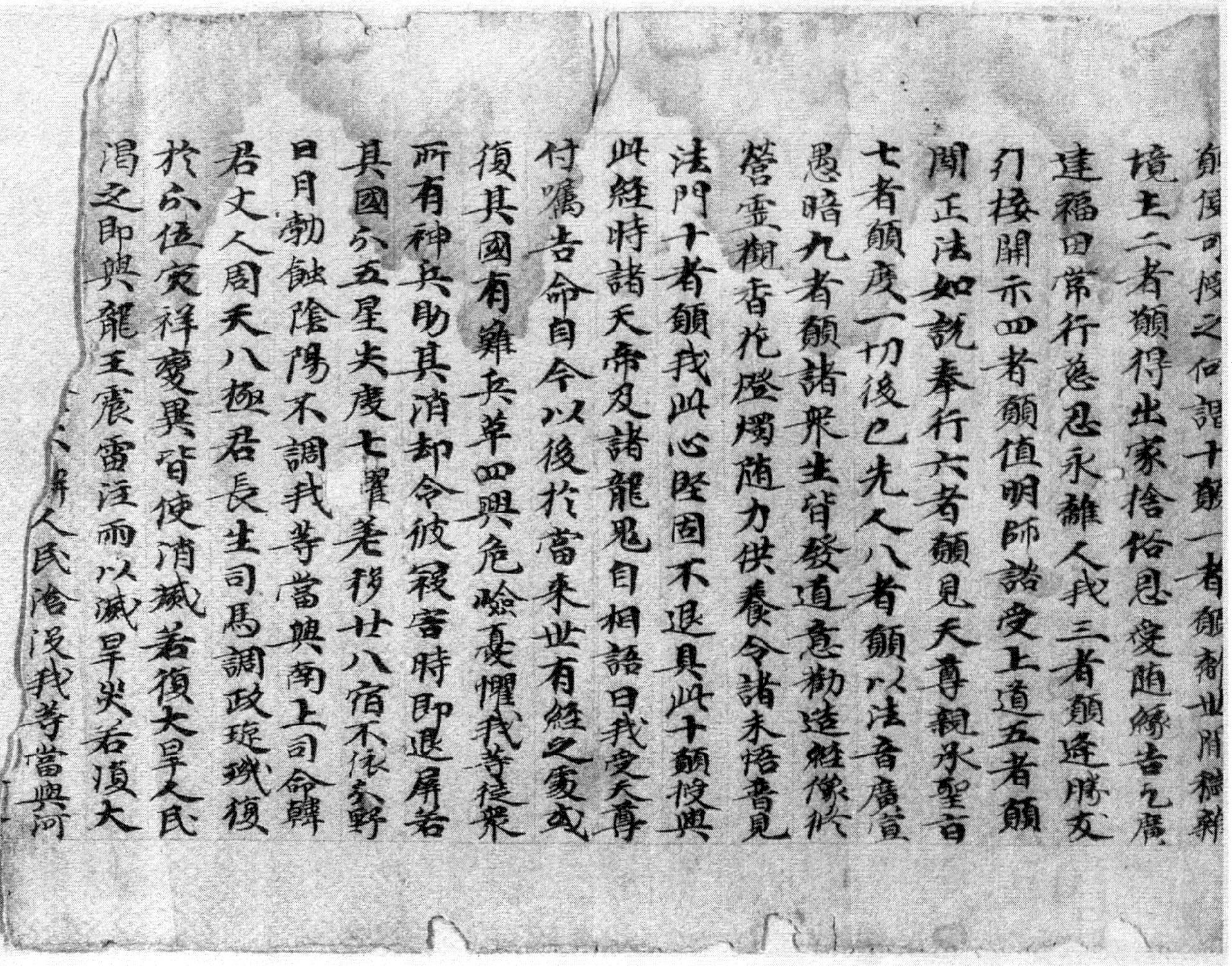
願度可度之何謂十願一者願離世間穢雜
境土二者願得出家捨俗恩愛隨緣告乞廣
建福田常行慈忍永離人我三者願逢勝友
引接開示四者願值明師諮受上道五者願
聞正法如說奉行六者願見天尊親承聖旨
七者願度一切後己先人八者願以法音廣宣
愚暗九者願諸衆生皆發道意勸造經像供
營靈觀香花燈燭隨力供養令諸未悟普見
法門十者願我此心堅固不退具此十願授與
此經時諸天帝及諸龍鬼自相語曰我受天尊
付囑吉命自今以後於當來世有經之處或
復其國有難兵革四興危嶮憂懼我等徒衆
所有神兵助其消却令彼寇害時即退屏若
其國土五星失度七曜差移廿八宿不依常野
日月勃蝕陰陽不調我等當與南上司命輔
君丈人司天八極君長生司馬調政璇璣復
於六位災祥變異皆使消滅若復大旱人民
渴之即與龍王震雷注雨以滅旱災若復大
……人民淪沒我等當與河

BD00187 號　太玄真一本際經卷一　（2–2）

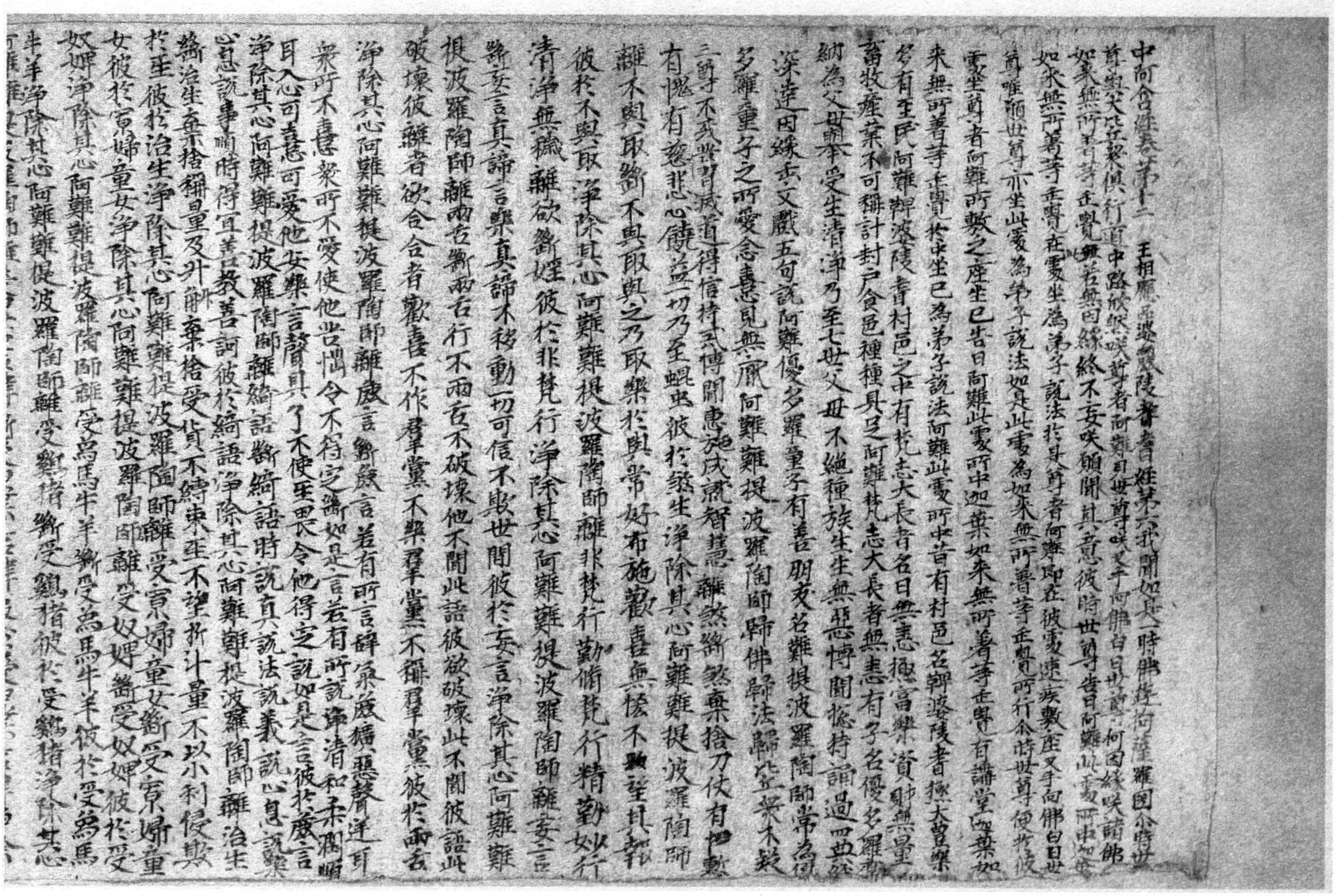
中阿含經卷第十二

BD00188 號　中阿含經鈔（擬）　（13–1）

衆所不喜衆所不愛使他苦惱令不得定斷如是言若有所說清和柔潤順
耳入心可喜可愛他安樂言聲具了不使生畏令他得定說如是言彼於麁言
淨除其心阿難難提波羅陶師離綺語斷綺語時說真說法說義說止息說樂
止息說諍事順時得宜善教善訶彼於綺語淨除其心阿難難提波羅陶師離治生
斷治生棄捨稱量及斗斛亦不受貨不縛束人不望折斗量不以小利侵欺
於生彼於治生淨除其心阿難難提波羅陶師離受寡婦童女斷受寡婦童
女彼於寡婦童女淨除其心阿難難提波羅陶師離受奴婢斷受奴婢彼於受
奴婢淨除其心阿難難提波羅陶師離受象馬牛羊斷受象馬牛羊彼於受象馬
牛羊淨除其心阿難難提波羅陶師離受雞猪斷受雞猪彼於受雞猪淨除其心
阿難難提波羅陶師離受田業店肆斷受田業店肆彼於受田業店肆淨除
其心阿難難提波羅陶師離受生稻麥豆斷受生稻麥豆彼於受生稻麥豆淨
除其心阿難難提波羅陶師離酒斷酒彼於飲酒淨除其心阿難難提波羅陶師
離高廣大床斷高廣大床彼於高廣大床淨除其心阿難難提波羅陶師離華
鬘瓔珞塗香脂粉斷華鬘瓔珞塗香脂粉彼於華鬘瓔珞塗香脂粉淨除
其心阿難難提波羅陶師離歌舞倡伎及往觀聽斷歌舞倡伎及往觀聽彼於
歌舞倡伎及往觀聽淨除其心阿難難提波羅陶師離受生色像寶斷受
生色像寶彼於生色像寶淨除其心阿難難提波羅陶師離過中食斷過中食
常一食不夜食學時食彼於過中食淨除其心阿難難提波羅陶師盡
形壽手離鏵鍬不自掘地亦不教他若水岸崩土及鼠壤土取用作器舉著
一面語買者曰汝等若有豌豆稻麥大小麻豆蜱豆芥子寫已持器去隨意所欲
阿難難提波羅陶師盡壽供侍父母父母無目唯仰於生是故供侍向難難提
波羅陶師過夜平旦往詣迦葉如來無所著等正覺所到已作礼却坐一面迦葉
如來無所著等正覺為彼說法勸發渴仰成就歡喜無量方便為彼說法勸
發渴仰成就歡喜已嘿然而住向難於是難提波羅陶師迦葉如來無所
著等正覺為其說法勸發渴仰成就歡喜已即從坐起礼迦葉如來無
所著等正覺足繞三匝而去尒時優多羅童子乘白馬車與五百童子俱過夜
平旦從鞞婆陵耆村邑出往至一無事處欲教若干國來諸弟子等令讀梵
志書於是優多羅童子遙見難提波羅陶師來見已便問難提波羅汝從何來
難提波羅答曰我今從迦葉如來無所著等正覺所供養礼事來優多羅汝
可共我往詣迦葉如來無所著等正覺所供養礼事於是優多羅童子
荅曰難提波羅我不欲見禿頭沙門禿頭沙門不應得道

中阿含經卷第十三

王相應品烏鳥喻經第一　我聞如是一時佛遊王舍城在竹林加
蘭哆園尒時世尊告諸比丘昔轉輪王欲試珠寶時便集四種軍象軍馬
軍車軍步軍集四種軍已於夜闇中豎立高幢安珠置上出至園觀珠之光明
[illegible]

BD00188號　中阿含經鈔(擬)

(13–2)

平旦從鞞婆陵耆村邑出往至一無事處欲教若干國來諸弟子等令讀梵
志書於是優多羅童子遙見難提波羅陶師來見已便問難提波羅汝從何來
難提波羅答曰我今從迦葉如來無所著等正覺所供養礼事來優多羅汝
可共我往詣迦葉如來無所著等正覺所供養礼事於是優多羅童子
荅曰難提波羅我不欲見禿頭沙門禿頭沙門不應得道

中阿含經卷第十三

王相應品烏鳥喻經第一　我聞如是一時佛遊王舍城在竹林加
蘭哆園尒時世尊告諸比丘昔轉輪王欲試珠寶時便集四種軍象軍馬
軍車軍步軍集四種軍已於夜闇中豎立高幢安珠置上出至園觀珠之光明
照四種軍明之所及方半由延彼時有梵志而作是念我寧可往見轉輪王及四
種軍觀瑠璃珠尒時梵志復作是念且置見轉輪王及四種軍觀瑠璃珠我
寧可往至彼林間於是梵志便往詣林到已入中至一樹下坐已未久有一獼
猴來梵志見已而問之曰善來獼猴汝從何來為欲何去答曰梵志此池本
時清泉盈溢饒藕多華魚鼈滿中我昔所依而今枯竭梵志當知我欲捨
去彼大河我今欲去唯畏於生時彼獼猴與此梵志共論是已便
捨而去梵志故復有究暮烏來梵志見已而問之曰善來究暮烏汝從何來
為欲何去答曰梵志此池本時清泉盈溢饒藕多華魚鼈滿中我昔所
依而今枯竭梵志當知我欲捨去依彼死牛聚處或依死驢或依死
至聚處栖宿我今欲去唯畏於生彼究暮烏與此梵志共論是已便捨而去梵志
故坐復有鵄烏來梵志見已而問之曰善來鵄烏汝從何來為欲何去答曰梵
志我從大塚復至大墓塚害而來我今欲食死烏之宍馬死牛死至之宍我今欲
去唯畏於生時彼鵄烏與此梵志共論是已便捨而去梵志故坐復有食吐
烏來梵志見已而問之曰善來食吐烏汝從何來為欲何去答曰梵志汝見何
者就烏去耶我食彼吐我今欲去鵄畏於生彼食吐烏與此梵志共論是
已便捨而去梵志故坐復有豺獸來梵志見已而問之曰善來豺獸
汝從何來為欲何去答曰梵志我從深澗至深澗從榛棘至榛棘從僻靜
至僻靜處來我今欲食死象之肉死馬死牛死人之肉我今欲去唯畏於生
時彼豺獸與此梵志共論是已便捨而去梵志故坐復有烏鳥來梵志見已
而問之曰善來烏鳥汝從何來為欲何去答曰梵志汝強項狂何為問我汝
從何來為欲何去時烏鳥面訶梵志已便捨而去梵志故坐復有狌狌獸來梵志
見已而問之曰善來狌狌汝從何來為欲何去答曰梵志我從國至國從亂至
亂從林至林飲清泉水食好菓來我今欲去不畏於生彼狌狌獸與此梵志
共論是已便捨而去佛告諸比丘吾說此喻欲令解義汝等當知此說有義時彼
獼猴與此梵志共論是已便捨而去者說此喻有何義耶若有比丘依村邑
行比丘平旦著衣持鉢入村乞食不護於身不守諸根不立正念而彼說法或
佛所說或聲聞所說　因此得利衣被飲食牀褥湯藥諸生活具彼得利[illegible]

BD00188號　中阿含經鈔(擬)

(13–3)

見已而問之曰善來牲牲犲汝從何來為欲何去答曰梵志我從園至園從觀至
觀從林至林飲清泉水食好菓來我今欲去不畏於生彼牲牲獸與此梵志
共論是已便捨而去佛告諸比丘吾說此喻欲令解義汝等當知此說有義時彼
獮猴與此梵志共論是已便捨而去吾說此喻有何義耶若有比丘依村邑
行比丘平旦著衣持鉢入村乞食不護於身不守諸根不立正念而彼說法或
佛所說或聲聞所說因此得利衣被飲食牀蓐湯藥諸生活具彼得利已染
著觸猗不見灾患不能捨離隨意而用彼比丘行惡法成就惡法弟在其邊
生聲腐敗非梵行稱梵行非沙門稱沙門猶梵志見獮獸已而問之曰善來
獮獸汝從何來為何去答曰梵志此池本清泉盈溢饒藕多華魚鱉滿中我
昔所依而今枯槁梵志當知我欲捨去入彼大河我今欲去唯畏於王吾說比丘亦
復如是入惡不善穢汙法中為當來有煩惱苦報生老病死因是以比丘莫行
如獮莫依非法以自存命當淨身行淨口意行住無事中著糞掃衣常
行乞食次第乞食少欲知足樂住遠離而習精勤立正念正智正定正慧常
當遠離應學如是彼究暮鳥與此梵志共論是已便捨而去吾說此喻
有何義耶若有比丘依村邑行比丘平旦著衣持鉢入村乞食不護於身不守
諸根不立正念彼入他家教化說法或佛所說或聲聞所說因此得利衣被飲食
牀蓐湯藥諸生活具彼得利已染著觸猗不見灾患不能捨離隨意而用
彼比丘行惡法成就惡法弟在其邊生聲腐敗非梵行稱梵行非沙門稱沙門
猶梵志見究暮已而問之曰善來究暮汝從何來為欲何去答曰梵志此池本時
清泉盈溢饒藕多華魚鱉滿中我昔依而今枯槁梵志當知我今欲去依
彼死牛聚處栖宿或依死驢或依死人聚處栖宿我今欲去唯畏於王吾說比丘
亦復如是依惡不善穢汙之法為當來有本煩熱苦報生老病死因是以比丘莫
行如究暮莫依非法以自存命當淨身行淨口意行住無事中著糞掃衣常
行乞食次第乞食少欲知足樂住遠離而習精勤立正念正智正定正慧常當
遠離應學如是時彼鵄鳥與此梵志共論是已便捨而去吾說此喻有何義耶
若有比丘依村邑行比丘平旦著衣持鉢入村乞食不護於身不守諸根不立正念
彼入他家教化說法或佛所說或聲聞所說因此得利衣被飲食牀蓐湯藥諸生活
具彼得利已染著觸猗不見灾患不能捨離隨意而用彼比丘行惡法成就
惡法弟在其邊生聲腐敗非梵行稱梵行非沙門稱沙門猶如梵志見鵄
鳥已而問之曰善來鵄鳥汝從何來為欲何去答曰梵志我從大墓復至
大墓殺害而來我今欲食死象之肉死馬死牛死人之肉我今欲去唯畏於王
吾說比丘亦復如是是以比丘莫行如鵄鳥莫依非法以自存命當淨身
行淨口意行住無事中著糞掃衣常行乞食次第乞食少欲知足樂住遠

BD00188號　中阿含經鈔（擬）　（13–4）

惡法弟在其邊生聲腐敗非梵行稱梵行非沙門稱沙門猶如梵志見鵄
鳥已而問之曰善來鵄鳥汝從何來為欲何去答曰梵志我從大墓復至
大墓殺害而來我今欲食死象之肉死馬死牛死人之肉我今欲去唯畏於王
吾說比丘亦復如是是以比丘莫行如鵄鳥莫依非法以自存命當淨身
行淨口意行住無事中著糞掃衣常行乞食次第乞食少欲知足樂住遠
離而習精勤立正念正智正定正慧常當遠離應學如是彼食吐鳥與此
梵志共論是已便捨而去吾說此喻有何義耶若有比丘依村邑行比丘平旦
著衣持鉢入村乞食不護於身不守諸根不立正念彼入比丘尼房教化
說法或佛所說或聲聞所說彼比丘尼入若干家說惡受信施物持與比丘因此得利
衣被飲食牀蓐湯藥諸生活具彼得利已染著觸猗不見灾患不能捨離
隨意而用彼比丘行惡法成就惡法弟在其邊生聲腐敗非梵行稱梵行非沙
門稱沙門猶如梵志見食吐鳥已而問之曰汝從何來為欲何去答曰梵志汝見向者
食吐鳥去耶我食彼吐我今欲去唯畏於王吾說比丘亦復如是是以比丘莫行如
食吐鳥莫依非法以自存命當淨身行淨口意行住無事中著糞掃衣常
行乞食次第乞食少欲知足樂住遠離而習精勤立正念正智正定正慧
常當遠離應學如是彼犲獸與此梵志共論是已便捨而去吾說
此喻有何義耶若有比丘依貧村住彼若知村邑及城郭中多有智慧
精進梵行者即便避去若知村邑及城郭中無有智慧精進梵行者而
來住中或九匝或十匝諸比丘見已便問賢者何處遊行彼即答曰諸賢
我於其處貧村邑行諸比丘聞已即作是念此賢者難行而行
乃能依貧村邑行諸比丘等便共恭敬禮事供養因此得利衣被
飲食牀蓐湯藥諸生活具彼得利已染著觸猗不見灾患不能捨離隨意
而用彼比丘行惡法成就惡法弟在其邊生聲腐敗非梵行稱梵行非沙門稱
沙門猶如梵志見犲獸已而問之曰善來犲獸汝從何來為欲何去答曰梵志
我從深澗至深澗從榛莽至榛莽從僻靜至僻靜處來我今欲食死象之肉死
馬死牛死人之肉我今欲去畏於王吾說比丘亦復如是是以比丘莫行如犲莫
依非法以自存命當淨身行淨口意行住無事中著糞掃衣常行乞食次第
乞食少欲知足樂住遠離而習精勤立正念正智正定正慧常當遠離應
學如是彼時烏梟面詞梵志已便捨而去吾說此喻有何義耶若有比丘依
貧無事處受食彼若知村邑及城郭中多有智慧精進梵行者即便避
去若知村邑及城郭中無有智慧精進梵行者而來住中二匝三匝諸比丘見已

BD00188號　中阿含經鈔（擬）　（13–5）

乞食少欲知足樂住遠離而習精勤正念正智正定正慧常當遠離應
學如是彼時烏鳥面訶梵志已便捨而去吾說此喻有何義耶若有比丘依
貧無事處受夏坐彼若知村邑及城郭中多有智慧精進梵行者即便遊
去若知村邑及城郭中無有智慧精進梵行者而來住中二匝三匝諸比丘見已
問曰賢者何處夏坐答曰諸賢我今依某貧無事處而受夏坐我不如
彼諸愚惡癡葦作衣成就具足五事而住於中中前中後中後中前口隨其
味味隨其口求而求索而索行諸比丘聞已即作是念此賢者難行而行
所以何此賢者乃能依某貧無事處而受夏坐諸比丘等便共恭敬礼事供
養因此得利衣被飲食牀蓐湯藥諸生活具彼得利已染著耀擒不見災患
不能捨離隨意而用彼比丘行惡戒成就惡法最在其邊生穢汙濁非梵行
稱梵行非沙門稱沙門猶如梵志見烏鳥已而問之曰善來烏鳥汝從何來
為欲何去答曰梵志汝癡頑騃狂何為問我汝從何來為欲何去吾說比丘亦復
如是以比丘莫行如烏鳥莫依非法以自存命當淨身行淨口意行住無事
中著糞掃衣常行乞食少欲知足樂住遠離而習精勤正念正智正定
正慧常當遠離應學如是彼梵志共論是已便捨而去吾說此喻
有何義耶若有比丘依村邑行比丘平旦著衣持鉢入村乞食善護於身守攝
諸根立於正念彼從村邑乞食已竟食訖中後收舉衣鉢澡洗手足以尼師
檀著於肩上或至無事處或至樹下或至空屋中敷尼師檀結跏趺坐正身正
願反念不向斷除貪伺心無有諍見他財物諸生活具不起貪伺欲令我
得彼於貪伺淨除其心如是瞋恚睡眠掉悔斷疑度惑於善法中無有猶豫彼
於疑惑淨除其心彼已斷此五蓋心穢慧羸離欲離惡不善之法至得第四
禪成就遊彼得如是定心清淨無穢無煩柔軟善住得不動心趣向漏盡
智通作證彼便知此苦如真知此苦習知此苦滅知此苦滅道如真知此漏知
此漏習知此漏滅知此漏滅道如真彼如是知如是見已則欲漏心解脫有漏無
明漏心解脫解脫已便知解脫生已盡梵行已立所作已辦不更受有知如真猶如梵
志見雉雉已而問之曰善來雉雉汝從何來為欲何去答曰梵志我從園至園從觀
至觀從林至林飲清泉水噉好菓菜我今欲去不畏於人吾說比丘亦復如
是是以比丘莫行如獼莫行如究暮莫行如鵄梟莫行如食吐烏莫行如豺莫行如
為當行如雉雉所以者何世中無著真人至如雉雉歎佛說如是彼諸比丘聞佛所
說歡喜奉行　烏鳥喻經第一竟
中阿含經卷十八　中阿含長壽王品八念經第三　我聞如是一時佛遊婆奇

BD00188號　中阿含經鈔（擬）　（13-6）

是是以比丘莫行如獼莫行如究暮莫行如鵄梟莫行如食吐烏莫行如豺莫行如
為當行如雉雉所以者何世中無著真人至如雉雉歎佛說如是彼諸比丘聞佛所
說歡喜奉行　烏鳥喻經第一竟
中阿含經卷十八　中阿含長壽王品八念經第三　我聞如是一時佛遊婆奇
瘦在鼉山怖林鹿野園中尒時阿那律陀在枝提瘦水渚林中彼時尊
者阿那律陀在安靜處晏坐思惟心作是念道從無欲非有欲得道從知足非
無厭得道從遠離非樂住會非住聚會非合聚會得道精勤非懈怠得
道從正念非邪念得道從定意非亂意得道從智慧非愚癡得於
是世尊以他心智知尊者阿那律陀心中所念所思所行世尊知已即入如
其像定以如其像定猶若力士屈申臂頃如是世尊從婆奇瘦
鼉山怖林鹿野園中忽沒不現往枝提瘦水渚林中尊者阿那律陀前是
時世尊便從定寤歎尊者阿那律陀曰善哉善哉阿那律陀謂汝在安靜
處晏坐思惟心作是念道從無欲非有欲得道從知足非無厭得道從遠離非
樂聚會非住聚會非合聚會得道從精勤非懈怠得道從正念非邪念得
道從定意非亂意得道從智慧非愚癡得阿那律陀汝從如來更受
第八大人之念受已便思道從不戲樂不戲行不戲非戲非樂戲非行戲得阿那律
陀若汝成就此大人八念者汝必能離欲離惡不善之法至得第四禪成就
遊阿那律陀若汝成就大人八念而復得此四增上心現法樂居易不難得者如
王王臣有好箱篋盛滿種種衣中前欲著便取著之中時中後若欲著衣便
取著之隨意自在阿那律陀汝亦如是得糞掃衣為第一服汝心無欲行此住止
行阿那律陀若汝成就大人八念而復得此四增上心現法樂居易不難得者如
王王臣有好廚宰種種淨妙甘美餚饌阿那律陀汝亦如是常行乞食為第
一饌汝心無欲行此住止行阿那律陀若汝成就大人八念而復得此四增上心現
法樂居易不難得者如王王臣有好屋舍或樓閣宮殿阿那律陀汝亦如是
依樹下止為第一舍汝心無欲行此住止行阿那律陀若汝成就大人八念而復得
此四增上心現法樂居易不難得者如王王臣有好床坐敷以氍氀毾㲪
覆以錦綺羅穀有襯體被兩頭安枕加陵伽波和邏波遮悉多羅那阿那律陀
汝亦如是草座葉座為第一座汝心無欲行此住止行阿那律陀若汝成就大人八念
而復得此四增上心現法樂居易不難得者如是汝若遊東方必得安樂無衆苦
患若遊南方西方北方者必得安樂無衆苦患阿那律陀若汝成就大人八念而

BD00188號　中阿含經鈔（擬）　（13-7）

[illegible]
而復得此四增上心現法樂居易不難得者如是汝若遊東方必得安樂無衆苦
患若遊南方西方北方者必得安樂無衆苦患阿那律陁若汝成就大王八念而
復得此四增上心現法樂居易不難得者我當不說汝諸善法究說衰退但當晝
夜增長善法而不衰退阿那律陁若汝成就大王八念而復得此四增上心現法樂
居易不難得者汝於二果必得其一或於現世得究竟智或有餘得阿那
含阿那律陁汝當成就此大王八念亦應得此四增上心現法樂居易不
難得已然後於枝提瘦水渚林中受夏坐也尒時世尊為尊者阿那
律陁說法勸發渴仰成就歡喜無量方便為彼說法勸發渴仰成就
歡喜已入如其象定以如其象定猶若力士屈申臂頃如是世尊從枝
提瘦水渚林中忽沒不見住婆奇瘦鼉山怖林鹿野園中彼時尊者
阿難執拂侍佛於是世尊便從定覺迴顧告曰阿難若有比丘遊鼉山怖
林鹿野園中者令彼一切皆集講堂集講堂已還來白我尊者阿難
受佛教已稽首礼足即行宣勅諸有比丘遊鼉山怖林鹿野園中者令彼一切
皆集講堂集講堂已還詣佛所頭面礼足却住一面白曰世尊諸有比丘遊
鼉山怖林鹿野園中者已令一切皆集講堂唯願世尊自當知時於是世尊將
尊者阿難往詣講堂於比丘衆前敷座而坐坐已告曰諸比丘我今為汝說大
王八念汝等諦聽善思念之時諸比丘受教而聽佛言大王八念者謂道從無
欲非有欲得道從知足非無猒得道從遠離非樂聚會非住聚會非
合聚會得道從精勤非懈怠得道從正念非邪念得道從定意非
亂意得道從智慧非愚癡得道從不戲樂不戲行不戲非戲非樂戲
非行戲得云何道從無欲非有欲得謂比丘得無欲自知得無欲不令他至知我
無欲得知足得遠離得精勤得正念得定意得智慧得不戲自知得不戲不
欲令他知我無欲是謂道從無欲非有欲得云何道從知足非無猒得謂
比丘行知足衣取覆形食取充軀是謂道從知足非無猒得云何道從遠
離非樂聚會非住聚會非合聚會得謂比丘行遠離成就二遠離身
及心俱遠離是謂道從遠離非樂聚會非住聚會非合聚會得云何
道從精勤非懈怠得謂比丘常行精進斷惡不善修諸善法恒自起意
專一堅固為諸善本不捨方便是謂道從精勤非懈怠得云何道從正念
非邪念得謂比丘觀內身如身觀內覺心法如法是謂道從正念非邪念得

BD00188號　中阿含經鈔（擬）

（13–8）

專一堅固為諸善本不捨方便是謂道從精勤非懈怠得云何道從正念
非邪念得謂比丘觀內身如身觀內覺心法如法是謂道從正念非邪念得
云何道從定意非亂意得謂比丘離欲離惡不善之法至得第四禪成就遊是謂
道從定意非亂意得云何道從智慧非愚癡得謂比丘修行智慧觀興
衰法得如是智聖慧明達分別曉了以正盡苦是謂道從智慧非愚
癡得云何道從不戲不戲樂不戲行不戲非戲非樂戲非行戲得謂比丘意常
滅戲樂住無餘涅槃心恒樂住歡喜意解是謂道從不戲樂不戲行不戲
非戲非樂戲非行戲得諸比丘阿那律陁比丘成就此大王八念已然後於枝提瘦水
渚林中受夏坐也我以此教彼在遠離獨住心無放逸脩行精勤彼在遠離
獨住心無放逸脩行精勤已族姓子所為剃除鬚髮著袈裟衣至信捨家無家
學道者唯無上梵行訖於現法中自知自覺自作證成就遊生已盡梵行已立
所作已辦不更受有知如真是時尊者阿那律陁得阿羅訶心正解脫得
長老上尊則於尒時而說頌曰　遠知我思念　無上世間師　正身心入定
乘虛忽來到　如我心所念　為說而復過　諸佛樂不戲　遠離一切戲
既從彼知法　樂住正法中　逮得三昧達　佛法作已辦　我不樂於死　亦不願於生
隨時任所適　立正念正智　辯邪離於未　我壽在彼盡　當在竹林下　無餘般涅槃
佛說如是尊者阿那律陁及諸比丘聞佛所說歡喜奉行　八念經第三竟
中阿含長壽王品娑雞帝三族姓子經第六
我聞如是一時佛遊娑雞帝在青林中尒時娑雞帝有三族姓子尊者阿那律
陁尊難提尊者金毗羅並皆年少新出家學共來入此正法不久尒時世
尊問諸比丘此三族姓子並皆年少新出家學共來入此正法不久此三族姓子頗
樂於此正法律中行梵行耶時諸比丘嘿然不荅世尊再三問諸比丘此三族姓子並
皆年少新出家學共來入此正法不久此三族姓子頗樂於此正法律中行梵行耶
時諸比丘亦復再三嘿然不荅於是世尊自問三族姓子告尊者阿那律陁汝等
三族姓子並皆年少新出家學共來入此正法不久阿那律陁汝等頗樂此正法
律中行梵行耶尊者阿那律陁白曰世尊如是我等樂此正法脩行梵行世
尊問曰阿那律陁汝等小時年幼童子清淨黑髮身體盛壯樂於遊戲
樂數澡浴嚴愛其身於後親親及其父母皆相愛戀悲泣啼哭不欲令
汝出家學道[illegible]

BD00188號　中阿含經鈔（擬）

（13–9）

三族姓子並皆乘火新出家學共來入此正法不久阿那律陀汝等頗樂此正法
律中行梵行邪尊者阿那律陀白日世尊如是我等樂此正法脩行梵行世
尊問日阿那律陀汝等小時乘幼童子清淨黑髮身體盛壯樂於遊戲
樂數澡浴嚴愛其身於後親親及其父母皆相愛戀悲泣啼哭不欲令
汝出家學道汝等故欲剃除鬚髮著袈裟衣至信捨家無家學道阿那律
陀汝等不畏王而行學道亦不畏賊不畏負債不畏恐怖不畏貧窮不得活
故而行學道但猒生老病死啼哭憂苦或復欲得大苦聚邊阿那律陀汝
等不以如是心故出家學道邪答曰如是阿那律陀若族姓子以如是心出家
學道者為知所由得無量善法邪尊者阿那律陀白世尊日世尊為法
本世尊為法主法由世尊唯願說之我等聞已得廣知義佛便告日阿那律
陀汝等諦聽善思念之我當為汝分別其義阿那律陀等受教而聽世尊告日阿
那律陀若為欲所覆惡法所纏者不得捨樂無上止息彼心生增伺瞋恚睡眠
心生不樂身生煩中多食心憂彼比丘便不能忍飢渴寒熱蚊蝱蠅蚤
風日所逼惡聲捶杖亦不能忍身遇諸疾極為苦痛至命欲絕諸不
可樂皆不堪耐所以者何以為欲所覆惡法所纏不得捨樂無上止息故
若有離欲非為惡法之所纏者必得捨樂及無上止息彼心不生增伺
瞋恚睡眠心不生不樂身不生煩中亦不多食心不慭憂彼比丘便能忍
飢渴寒熱蚊蝱蠅蚤風日所逼惡聲捶杖亦能之忍身遇諸疾極為
苦痛至命欲絕諸不可樂皆能堪耐所以者何以非為欲所覆故不為惡法
之所纏故又得捨樂無上止息故世尊問日阿那律陀如來以何義故或有
所除或有所用或有所堪或有所止或有所吐邪阿那律陀白世尊日世尊
為法本世尊為法主法由世尊唯願說之我等聞已得廣知義佛便告日
阿那律陀汝等諦聽善思念之我當為汝分別其義阿那律陀等受教
穢汙為當來有本煩熱苦報生老病死因如來非不盡非不知故或
有所除或有所用或有所堪或有所止或有所吐阿那律陀如來但因此
身故因六處故因壽命故或有所除或有所用或有所堪或有所止或有所
吐阿那律陀如來以此義故或有所除或有所用或有所堪或有所止或有所吐
世尊問日阿那律陀如來以何義故住無事處山林樹下樂居高巖寂無

BD00188號　中阿含經鈔（擬）　（13–10）

身故因六處故因壽命故或有所除或有所用或有所堪或有所止或有所
吐阿那律陀如來以此義故或有所除或有所用或有所堪或有所止或有所吐
世尊問日阿那律陀如來以何義故住無事處山林樹下樂居高巖寂無
音聲遠離無惡無有生民隨順晏坐邪尊者阿那律陀白世尊日世
尊為法本世尊為法主法由世尊唯願說之我等聞已得廣知義佛便告
日阿那律陀汝等諦聽善思念之我當為汝分別其義阿那律陀等受教而
聽世尊告日阿那律陀如來非為未得欲得未獲欲獲未塈欲塈故住無
事處山林樹下樂居高巖寂無音聲遠離無惡無有生民隨順晏
坐阿那律陀如來但以二義故住無事處山林樹下樂居高巖寂無音
聲遠離無惡無有生民隨順晏坐一者為自現法樂居故二者為慈愍
後生生故或有後生生效如來住無事處山林樹下樂居高巖寂無
音聲遠離無惡無有生民隨順晏坐阿那律陀如來以此義故住無事處
山林樹下樂居高巖寂無音聲遠離無惡無有生民隨順晏坐世尊
問日阿那律陀如來以何義故弟子命終記說某生某處某生某處
尊者阿那律陀白世尊日世尊為法本世尊為法主法由世尊唯
願說之我等聞已得廣知義佛便告日阿那律陀汝等諦聽善思
念之我當為汝分別其義阿那律陀等受教而聽世尊告日
阿那律陀如來非為趣為至誑亦不欺誑生亦不欲得生歡樂故弟
子命終記說某生某處某生其處阿那律陀如來但為清信族姓
男族姓女極信極愛極生喜悅聞此正法律已或心願效如是如
是故弟子命終記說某生某處某生某處若比丘聞某尊者
於某處命終彼為佛所記得究竟智生已盡梵行已立所作已辦不
更受有知如真或自見彼尊或復從他數數聞之彼如是有信
如是持戒如是博聞如是惠施如是智慧其至聞已憶彼尊者有信

BD00188號　中阿含經鈔（擬）　（13–11）

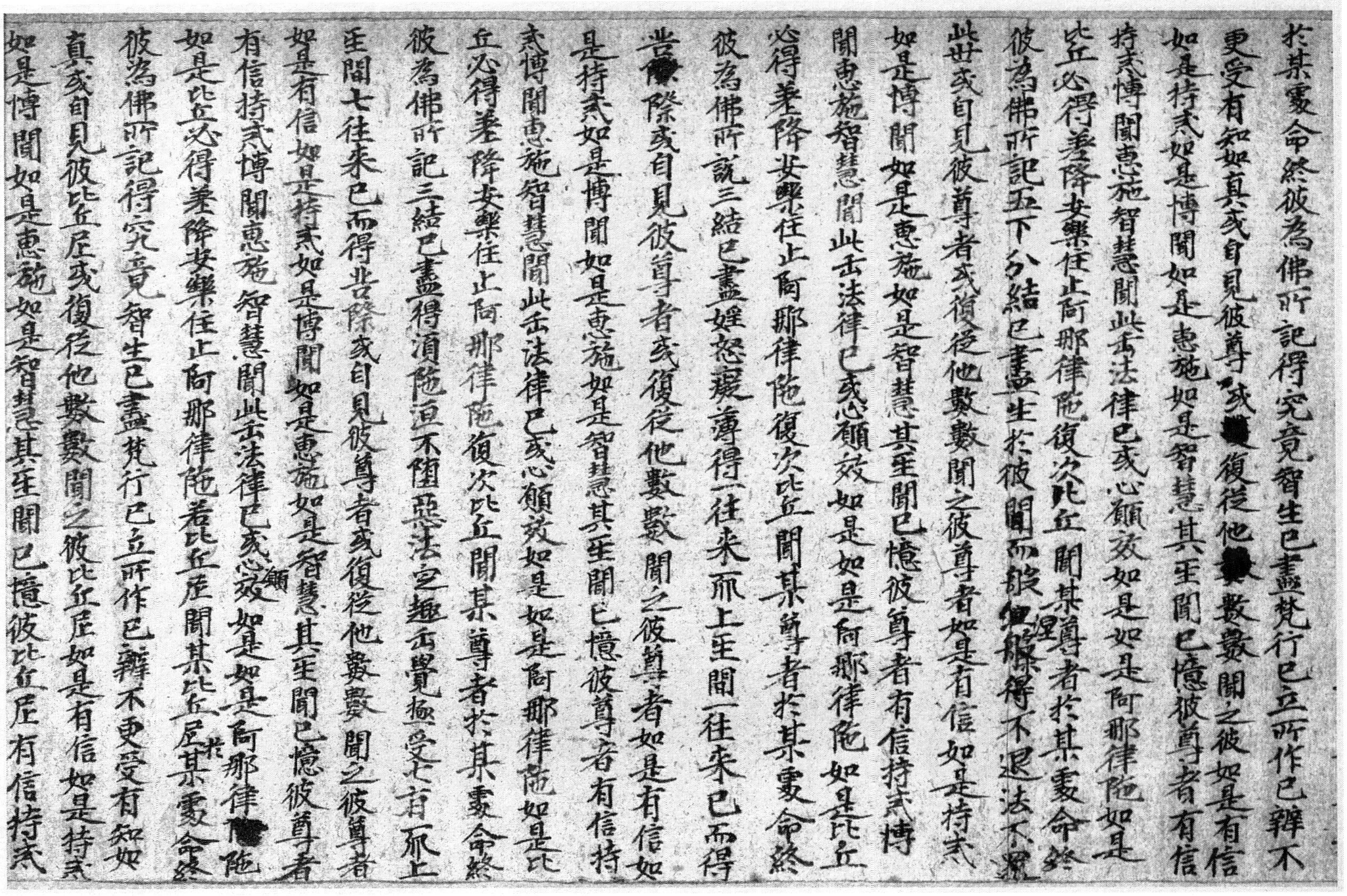

於某處命終彼為佛所記得究竟智生已盡梵行已立所作已辦不
更受有知如真或自見彼尊者或復從他數數聞之彼如是有信
如是持戒如是博聞如是惠施如是智慧其至聞已憶彼尊者有信
持戒博聞惠施智慧聞此正法律已或心願效如是如是阿那律陁如是
比丘必得差降安樂住止阿那律陁復次比丘聞某尊者於某處命終
彼為佛所記五下分結已盡生於彼間而般涅槃得不退法不還
此世或自見彼尊者或復從他數數聞之彼尊者如是有信如是持戒
如是博聞如是惠施如是智慧其至聞已憶彼尊者有信持戒博
聞惠施智慧聞此正法律已或心願效如是如是阿那律陁如是比丘
必得差降安樂住止阿那律陁復次比丘聞某尊者於某處命終
彼為佛所說三結已盡婬怒癡薄得一往來一往來已而得
苦際或自見彼尊者或復從他數數聞之彼尊者如是有信如
是持戒如是博聞如是惠施如是智慧其至聞已憶彼尊者有信持
戒博聞惠施智慧聞此正法律已或心願效如是如是阿那律陁如是比
丘必得差降安樂住止阿那律陁復次比丘聞某尊者於某處命終
彼為佛所記三結已盡得須陁洹不墮惡法定趣正覺極受七有天上
人間七往來已而得苦際或自見彼尊者或復從他數數聞之彼尊者
如是有信如是持戒如是博聞如是惠施如是智慧其至聞已憶彼尊者
有信持戒博聞惠施智慧聞此正法律已或心願效如是如是阿那律陁
如是比丘必得差降安樂住止阿那律陁若比丘尼聞某比丘尼某處命終
彼為佛所記得究竟智生已盡梵行已立所作已辦不更受有知如
真或自見彼比丘尼或復從他數數聞之彼比丘尼如是有信如是持戒
如是博聞如是惠施如是智慧其至聞已憶彼比丘尼有信持戒

BD00188 號　中阿含經鈔（擬）　（13–12）

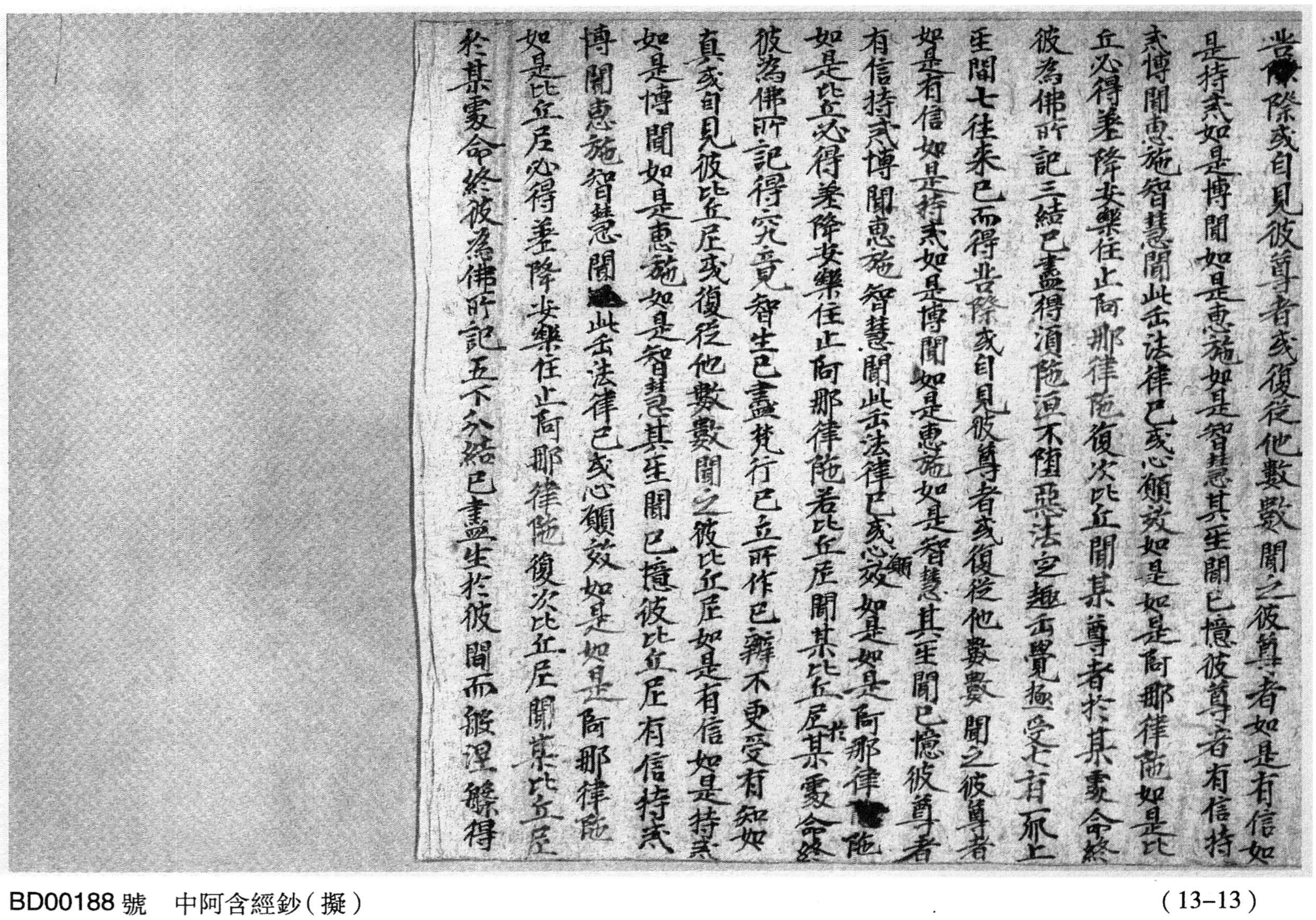

苦際或自見彼尊者或復從他數數聞之彼尊者如是有信如
是持戒如是博聞如是惠施如是智慧其至聞已憶彼尊者有信持
戒博聞惠施智慧聞此正法律已或心願效如是如是阿那律陁如是比
丘必得差降安樂住止阿那律陁復次比丘聞某尊者於某處命終
彼為佛所記三結已盡得須陁洹不墮惡法定趣正覺極受七有天上
人間七往來已而得苦際或自見彼尊者或復從他數數聞之彼尊者
如是有信如是持戒如是博聞如是惠施如是智慧其至聞已憶彼尊者
有信持戒博聞惠施智慧聞此正法律已或心願效如是如是阿那律陁
如是比丘必得差降安樂住止阿那律陁若比丘尼聞某比丘尼某處命終
彼為佛所記得究竟智生已盡梵行已立所作已辦不更受有知如
真或自見彼比丘尼或復從他數數聞之彼比丘尼如是有信如是持戒
如是博聞如是惠施如是智慧其至聞已憶彼比丘尼有信持戒
博聞惠施智慧聞此正法律已或心願效如是如是阿那律陁
如是比丘尼必得差降安樂住止阿那律陁復次比丘尼聞某比丘尼
於某處命終彼為佛所記五下分結已盡生於彼間而般涅槃得

BD00188 號　中阿含經鈔（擬）　（13–13）

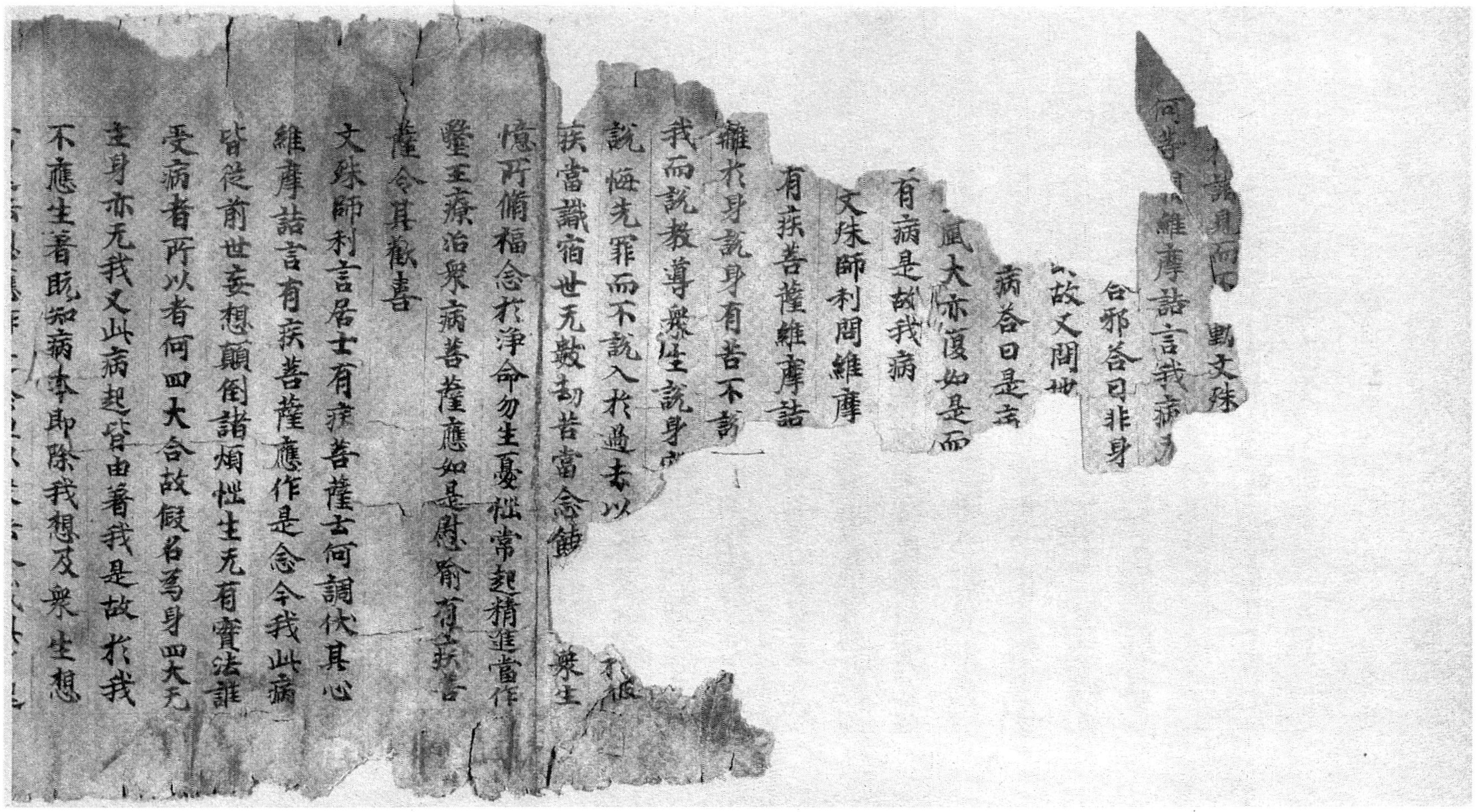
何等□…□默文殊
…維摩詰言我病…
合耶答曰非身
…故又問地…
病答曰是病…
風大亦復如是而
有病是故我病
文殊師利問維摩
有疾菩薩維摩詰
離於身說身有苦不說
我而說教導衆生說身空
說悔先罪而不說入於過去以…於彼
疾當識宿世无數劫苦當念饒…衆生
憶所脩福念於淨命勿生憂惱常起精進當作
醫王療治衆病菩薩應如是慰喻有疾菩
薩令其歡喜
文殊師利言居士有疾菩薩云何調伏其心
維摩詰言有疾菩薩應作是念今我此病
皆從前世妄想顛倒諸煩惱生无有實法誰
受病者所以者何四大合故假名爲身四大无
主身亦无我又此病起皆由著我是故於我
不應生著既知病本即除我想及衆生想

BD00189 號　維摩詰所說經卷中　（5–1）

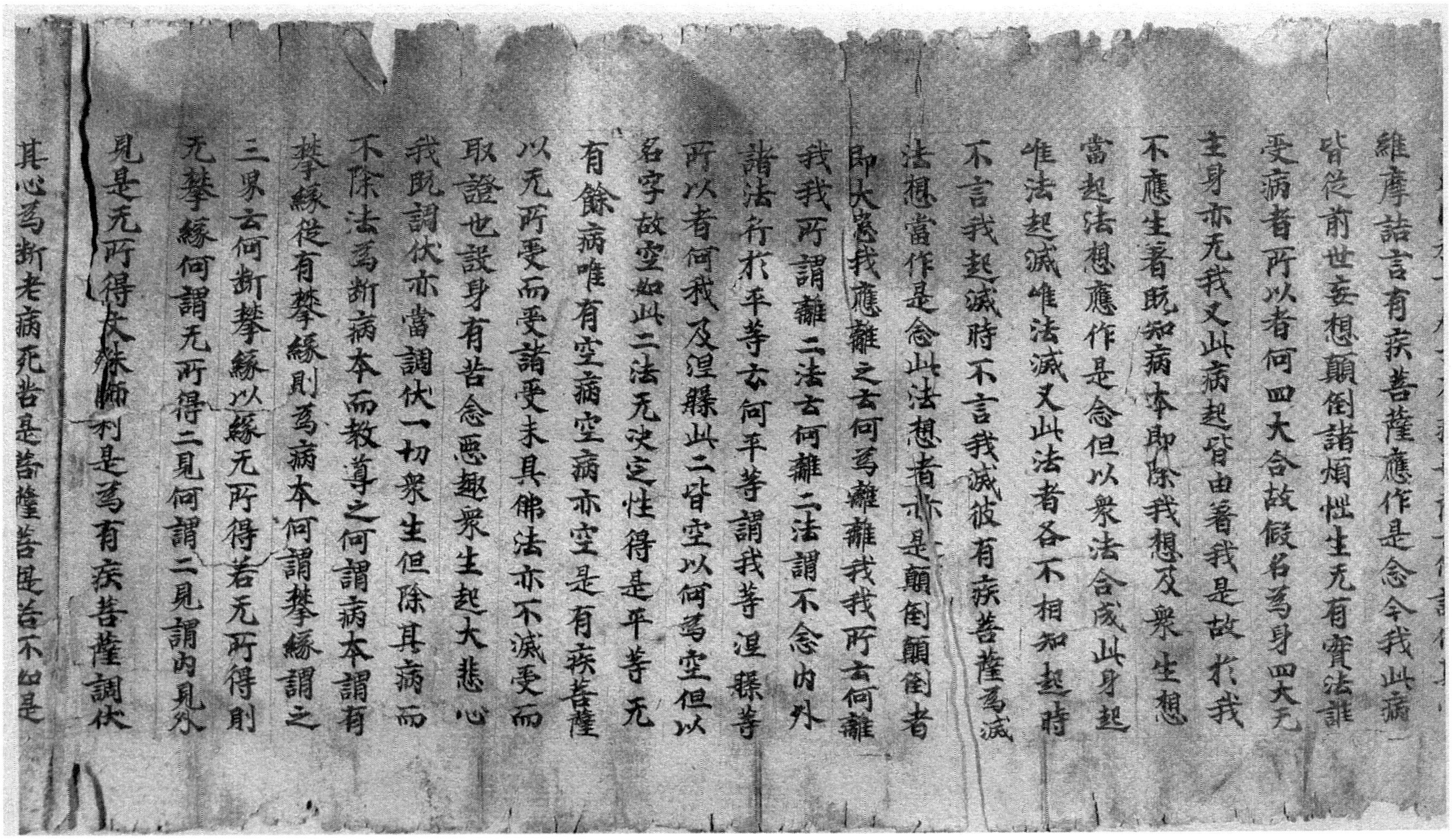
維摩詰言有疾菩薩應作是念今我此病
皆從前世妄想顛倒諸煩惱生无有實法誰
受病者所以者何四大合故假名爲身四大无
主身亦无我又此病起皆由著我是故於我
不應生著既知病本即除我想及衆生想
當起法想應作是念但以衆法合成此身起
唯法起滅唯法滅又此法者各不相知起時
不言我起滅時不言我滅彼有疾菩薩爲滅
法想當作是念此法想者亦是顛倒顛倒者
即是大患我應離之云何爲離離我我所云何離
我我所謂離二法云何離二法謂不念內外
諸法行於平等云何平等謂我等涅槃等
所以者何我及涅槃此二皆空以何爲空但以
名字故空如此二法无決定性得是平等无
有餘病唯有空病空病亦空是有疾菩薩
以无所受而受諸受未具佛法亦不滅受而
取證也設身有苦念惡趣衆生起大悲心
我既調伏亦當調伏一切衆生但除其病而
不除法爲斷病本而教導之何謂病本謂有
攀緣從有攀緣則爲病本何謂攀緣謂之
三界云何斷攀緣以无所得若无所得則
无攀緣何謂无所得謂離二見何謂二見謂內見外
見是无所得文殊師利是爲有疾菩薩調伏
其心爲斷老病死苦是菩薩菩提若不如是

BD00189 號　維摩詰所說經卷中　（5–2）

三界云何斷攀緣以緣无所得若无所得則
无攀緣何謂无所得二見何謂二見謂內見外
見是无所得文殊師利是爲有疾菩薩調伏
其心爲斷老病死苦是菩薩菩提若不如是
已所脩治爲无惠利譬如勝怨乃可爲勇如
是斷除老病死者菩薩之謂也彼有疾菩薩
應復作是念如我此病非真非有衆生病亦
非真非有作是觀時於諸衆生若起愛見大
悲即應捨離所以者何菩薩斷除客塵煩惱
而起大悲愛見悲者則於生死有疲厭心若
能離此无有疲厭在在所生不爲愛見之所
覆也所生无縛能爲衆生說法解縛如佛所
說若自有縛能解彼縛无有是處若自无縛
能解彼縛斯有是處是故菩薩不應起縛何
謂縛何謂解貪着禪味是菩薩縛以方便生
是菩薩解又无方便慧縛有方便慧解无慧
方便縛有慧方便解何謂无方便慧縛謂菩
薩以愛見心莊嚴佛土成就衆生於空无明无
作法中而自調伏是名无方便慧縛何謂有方
便慧解謂不以愛見心莊嚴佛土成就衆生
於空无相无作法中以自調伏而不疲厭是名
有方便慧解何謂无慧方便縛謂菩薩住
貪欲瞋恚耶見等諸煩惱而殖衆德本是
名无慧方便縛何謂有慧方便解謂離諸

於空无相无作法中以自調伏而不疲厭是名
有方便慧解何謂无慧方便縛謂菩薩住
貪欲瞋恚耶見等諸煩惱而殖衆德本是
名无慧方便縛何謂有慧方便解謂離諸
貪欲瞋恚耶見等諸煩惱而殖衆德本迴向
阿耨多羅三藐三菩提是名有慧方便解
文殊師利彼有疾菩薩應如是觀諸法又復
觀身无常苦空非我是名爲慧雖身有疾常
在生死饒益一切而不厭惓是名方便又復觀
身身不離病病不離身是病是身非新非故
是名爲慧設身有疾而不永滅是名方便
文殊師利有疾菩薩應如是調伏其心不住其
中亦復不住不調伏心所以者何若住不調伏
心是愚人法若住調伏心是聲聞法是故菩
薩不當住於調伏不調伏心離此二法是菩
薩行在於生死不爲汙行住於涅槃不永滅
度是菩薩行非凡夫行非賢聖行是菩
薩行非垢行非淨行是菩薩行雖過魔行
而現降衆魔是菩薩行求一切智无非時求
是菩薩行雖觀諸法不生而不入正位是菩
薩行雖觀十二緣起而入諸耶見是菩薩行
雖攝一切衆生而不愛著是菩薩行雖樂遠
離而不依身心盡是菩薩行雖行三界而不壞
法性是菩薩行雖行空而殖衆德本是
菩薩行雖行无相而度衆生是菩薩行雖

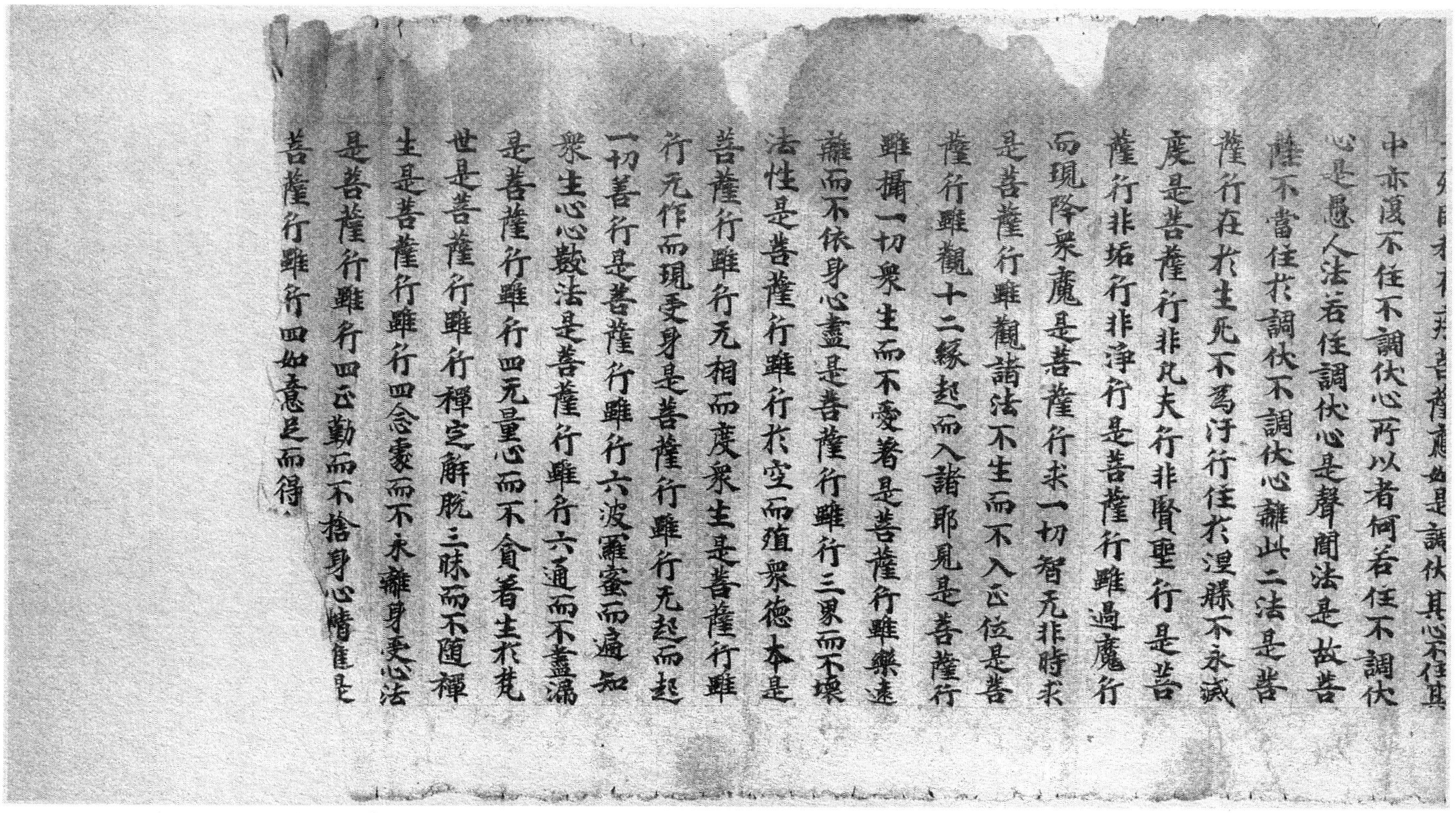
菩薩應如是調伏其心不住其
中亦復不住不調伏心所以者何若住不調伏
心是愚人法若住調伏心是聲聞法是故菩
薩不當住於調伏不調伏心離此二法是菩
薩行在於生死不爲汙行住於涅槃不永滅
度是菩薩行非凡夫行非賢聖行是菩
薩行非垢行非淨行是菩薩行雖過魔行
而現降衆魔是菩薩行求一切智无非時求
是菩薩行雖觀諸法不生而不入正位是菩
薩行雖觀十二緣起而入諸耶見是菩薩行
雖攝一切衆生而不愛著是菩薩行雖樂遠
離而不依身心盡是菩薩行雖行三界而不壞
法性是菩薩行雖行於空而殖衆德本是
菩薩行雖行无相而度衆生是菩薩行雖
行无作而現受身是菩薩行雖行无起而起
一切善行是菩薩行雖行六波羅蜜而遍知
衆生心心數法是菩薩行雖行六通而不盡漏
是菩薩行雖行四无量心而不貪著生於梵
世是菩薩行雖行禪定解脫三昧而不隨禪
生是菩薩行雖行四念處而不永離身受心法
是菩薩行雖行四正勤而不捨身心精進是
菩薩行雖行四如意足而得

BD00189號　維摩詰所說經卷中　（5–5）

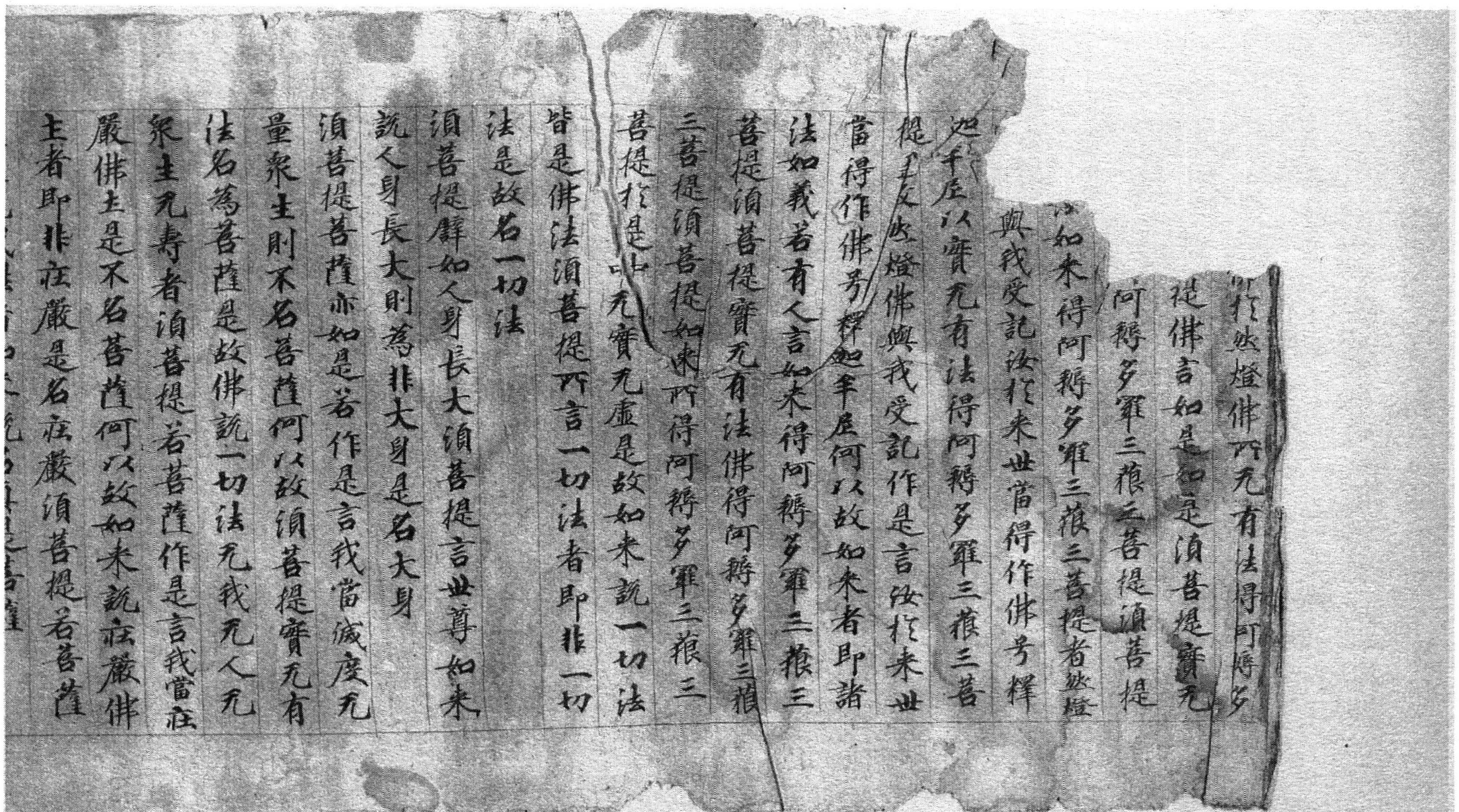
於然燈佛所无有法得阿耨多
提佛言如是如是須菩提實无
阿耨多羅三藐三菩提須菩提
法如來得阿耨多羅三藐三菩提者然燈
與我受記汝於來世當得作佛号釋
迦牟尼以實无有法得阿耨多羅三藐三菩
提是故然燈佛與我受記作是言汝於來世
當得作佛号釋迦牟尼何以故如來者即諸
法如義若有人言如來得阿耨多羅三藐三
菩提須菩提實无有法佛得阿耨多羅三藐
三菩提須菩提如來所得阿耨多羅三藐三
菩提於是中无實无虛是故如來說一切法
皆是佛法須菩提所言一切法者即非一切
法是故名一切法
須菩提譬如人身長大須菩提言世尊如來
說人身長大則爲非大身是名大身
須菩提菩薩亦如是若作是言我當滅度无
量衆生則不名菩薩何以故須菩提實无有
法名爲菩薩是故佛說一切法无我无人无
衆生无壽者須菩提若菩薩作是言我當莊
嚴佛土是不名菩薩何以故如來說莊嚴佛
土者即非莊嚴是名莊嚴須菩提若菩薩

BD00190號　金剛般若波羅蜜經　（6–1）

須菩提菩薩亦如是若作是言我當滅度无
量衆生則不名菩薩何以故須菩提實无有
法名為菩薩是故佛說一切法无我无人无
衆生无壽者須菩提若菩薩作是言我當莊
嚴佛土是不名菩薩何以故如來說莊嚴佛
土者即非莊嚴是名莊嚴須菩提若菩薩
通達无我法者如來說名真是菩薩
須菩提於意云何如來有肉眼不如是世尊
如來有肉眼須菩提於意云何如來有天眼
不如是世尊如來有天眼須菩提於意云何
如來有慧眼不如是世尊如來有慧眼須菩
提於意云何如來有法眼不如是世尊如來
有法眼須菩提於意云何如來有佛眼不如
是世尊如來有佛眼須菩提於意云何如恒
河中所有沙佛說是沙不如是世尊如來說是
沙須菩提於意云何如一恒河中所有沙有
如是等恒河是諸恒河所有沙數佛世界如
是寧為多不甚多世尊佛告須菩提尒所國
土中所有衆生若干種心如來悉知何以故如
來說諸心皆為非心是名為心所以者何須
菩提過去心不可得現在心不可得未來心
不可得須菩提於意云何若有人滿三千
大千世界七寶以用布施是人以是因緣得
福多不如是世尊此人以是因緣得福甚多
須菩提若福德有實如來不說得福德多以
福德无故如來說得福德多

BD00190號　金剛般若波羅蜜經　（6–2）

不可得須菩提於意云何若有人滿三千
大千世界七寶以用布施是人以是因緣得
福多不如是世尊此人以是因緣得福甚多
須菩提若福德有實如來不說得福德多以
福德无故如來說得福德多
須菩提於意云何佛可以具足色身見不不
也世尊如來不應以具足色身見何以故如來
說具足色身即非具足色身是名具足色
身須菩提於意云何如來可以具足諸相見
不不也世尊如來不應以具足諸相見何以
故如來說諸相具足即非具足是名諸相具
足須菩提汝勿謂如來作是念我當有所說
法莫作是念何以故若人言如來有所說法
即為謗佛不能解我所說故須菩提說法者
无法可說是名說法
須菩提白佛言世尊佛得阿耨多羅三藐三
菩提為无所得耶如是如是須菩提我於阿
耨多羅三藐三菩提乃至无有少法可得是
名阿耨多羅三藐三菩提復次須菩提是法
平等无有高下是名阿耨多羅三藐三菩提
以无我无人无衆生无壽者脩一切善法則
得阿耨多羅三藐三菩提須菩提所言善法
者如來說非善法是名善法
須菩提若三千大千世界中所有諸須弥山
王如是等七寶聚有人持用布施若人以此
般若波羅蜜經乃至四句偈等受持讀誦為

BD00190號　金剛般若波羅蜜經　（6–3）

者如来說非善法是名善法
須菩提若三千大千世界中所有諸須弥山
王如是等七寶聚有人持用布施若人以此
般若波羅蜜經乃至四句偈等受持讀誦為
他人說於前福德百分不及一百千万億分
乃至筭數譬喻所不能及
須菩提於意云何汝等勿謂如来作是念我
當度衆生須菩提莫作是念何以故實无有
衆生如来度者若有衆生如来度者如来則
有我人衆生壽者須菩提如来說有我者則
非有我而凡夫之人以為有我須菩提凡夫者
如来說則非凡夫
須菩提於意云何可以卅二相觀如来不須
菩提言如是如是以卅二相觀如来佛言須
菩提若以卅二相觀如来者轉輪聖王則是
如来須菩提白佛言世尊如我解佛所說義
不應以卅二相觀如来尒時世尊而說偈言
若以色見我　以音聲求我　是人行耶道　不能見如来
須菩提汝若作是念如来不以具足相故得
阿耨多羅三藐三菩提須菩提莫作是念如
来不以具足相故得阿耨多羅三藐三菩提
須菩提汝若作是念發阿耨多羅三藐三菩
提者說諸法斷滅莫作是念何以故發阿耨
多羅三藐三菩提者於法不說斷滅相須菩
提若菩薩以滿恒河沙等世界七寶布施若
復有人知一切法无我得成於忍此菩薩勝

BD00190 號　金剛般若波羅蜜經　（6–4）

多羅三藐三菩提者於法不說斷滅相須菩
提若菩薩以滿恒河沙等世界七寶布施若
復有人知一切法无我得成於忍此菩薩勝
前菩薩所得功德須菩提以諸菩薩不受福
德故須菩提白佛言世尊云何菩薩不受福
德須菩提菩薩所作福德不應貪著是故說
不受福德
須菩提若有人言如来若来若去若坐若
卧是人不解我所說義何以故如来者无所從
来亦无所去故名如来
須菩提若善男子善女人以三千大千世界
碎為微塵於意云何是微塵衆寧為多不
甚多世尊何以故若是微塵衆實有者佛則
不說是微塵衆所以者何佛說微塵衆則非微
塵衆是名微塵衆世尊如来所說三千大千
世界則非世界是名世界何以故若世界實
有者則是一合相如来說一合相則非一合
相是名一合相須菩提一合相者則是不可
說但凡夫之人貪著其事須菩提若人言佛
說我見人見衆生見壽者見須菩提於意云
何是人解我所說義不世尊是人不解如来
所說義何以故世尊說我見人見衆生見壽
者見即非我見人見衆生見壽者見是名我
見人見衆生見壽者見須菩提發阿耨多羅
三藐三菩提心者於一切法應如是知如是見

BD00190 號　金剛般若波羅蜜經　（6–5）

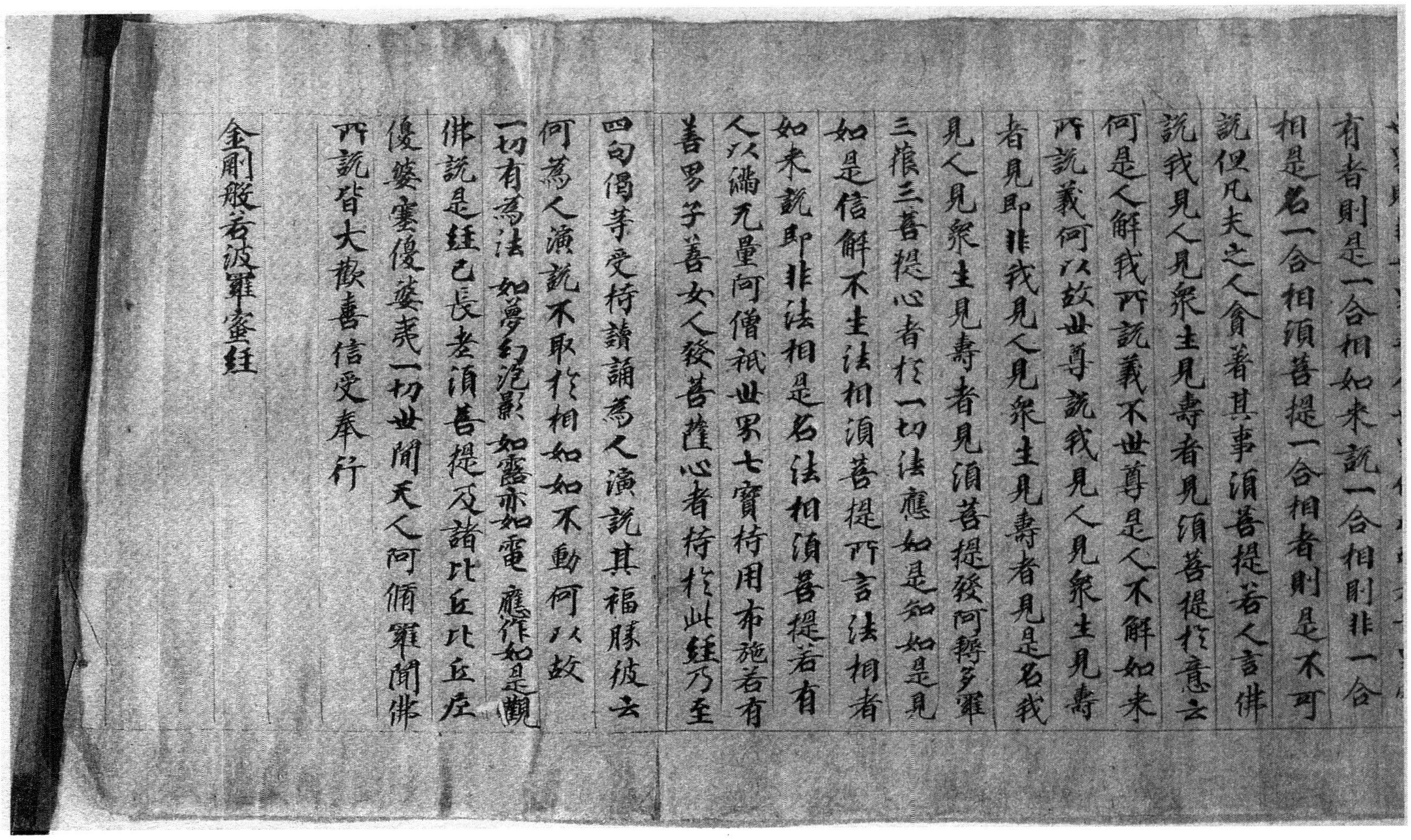

有者則是一合相如來說一合相則非一合
相是名一合相須菩提一合相者則是不可
說但凡夫之人貪著其事須菩提若人言佛
說我見人見衆生見壽者見須菩提於意云
何是人解我所說義不世尊是人不解如來
所說義何以故世尊說我見人見衆生見壽
者見即非我見人見衆生見壽者見是名我
見人見衆生見壽者見須菩提發阿耨多羅
三藐三菩提心者於一切法應如是知如是見
如是信解不生法相須菩提所言法相者
如來說即非法相是名法相須菩提若有
人以滿无量阿僧祇世界七寶持用布施若有
善男子善女人發菩薩心者持於此經乃至
四句偈等受持讀誦為人演說其福勝彼云
何為人演說不取於相如如不動何以故
一切有為法如夢幻泡影如露亦如電應作如是觀
佛說是經已長老須菩提及諸比丘比丘尼
優婆塞優婆夷一切世間天人阿脩羅聞佛
所說皆大歡喜信受奉行
金剛般若波羅蜜經

BD00190 號　金剛般若波羅蜜經　（6–6）

BD00191 號背　佛名經（十六卷本）卷六護首　（1–1）

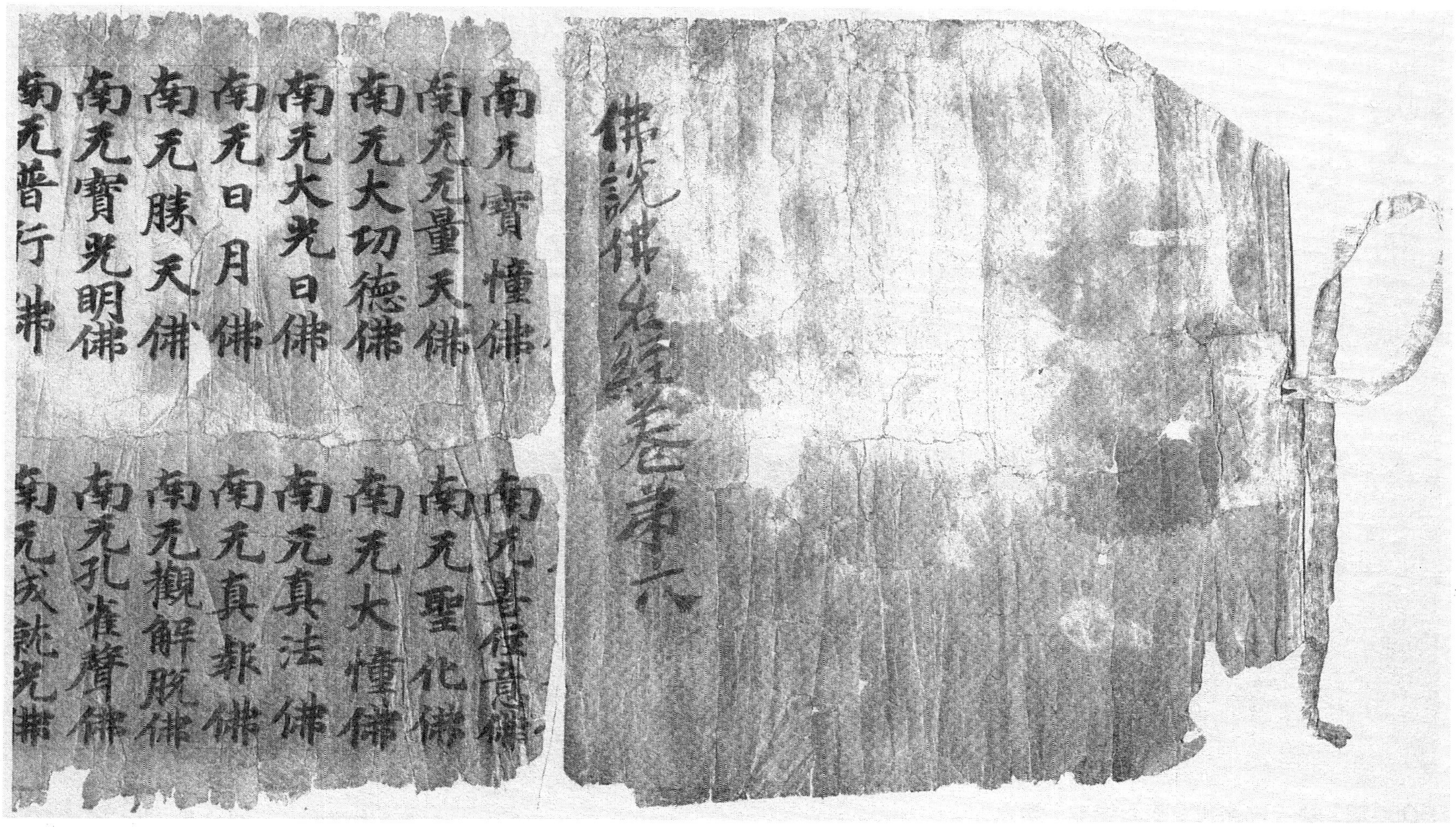

佛說佛名經卷第六

南无寶幢佛
南无无量天佛
南无大功德佛
南无大光日佛
南无日月佛
南无勝天佛
南无寶光明佛
南无普行佛

南无普[illegible]意佛
南无聖化佛
南无大幢佛
南无真法佛
南无真報佛
南无觀解脫佛
南无孔雀聲佛
南无成就光佛

BD00191 號　佛名經（十六卷本）卷六　（36–1）

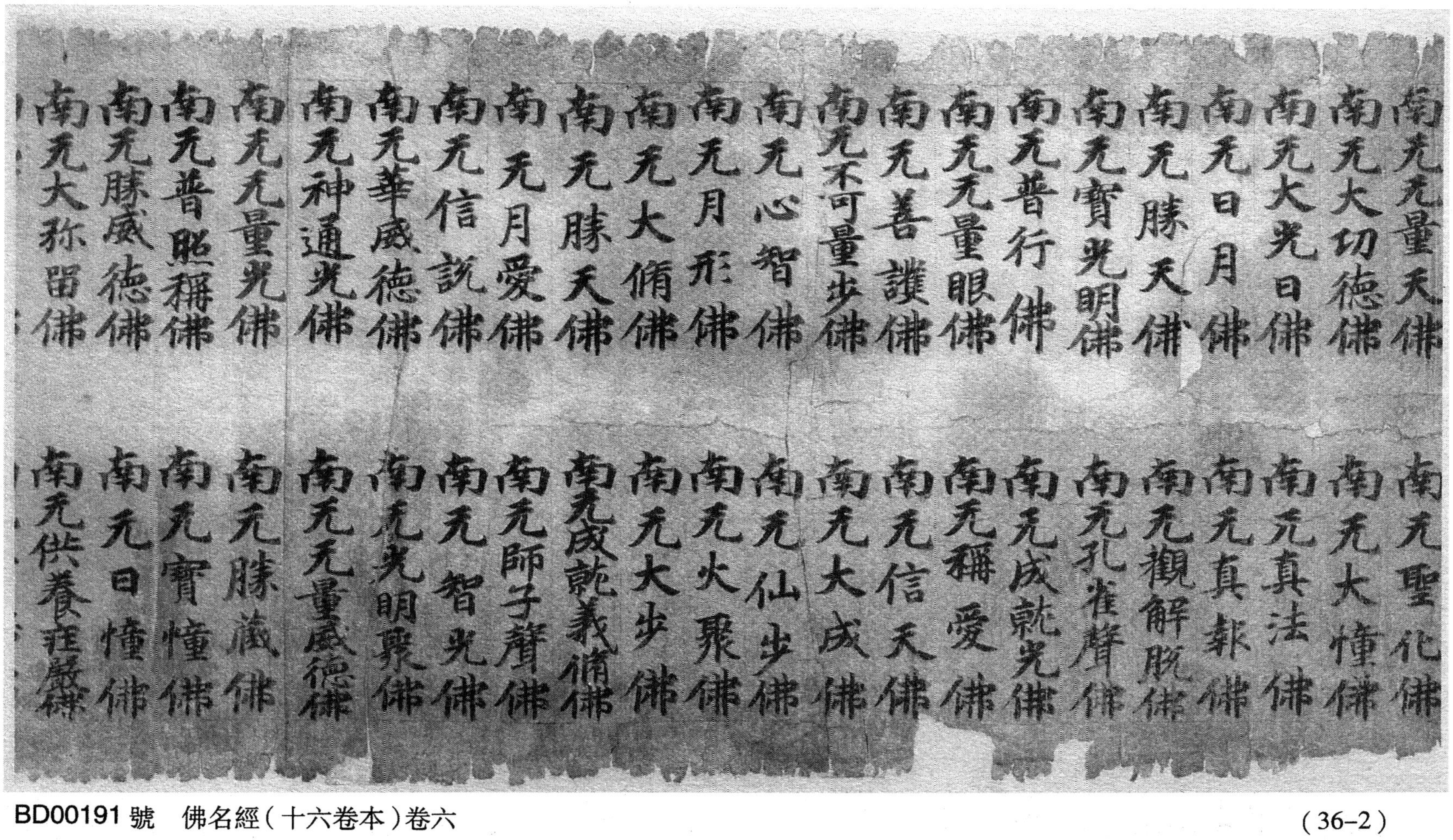

南无无量天佛
南无大功德佛
南无大光日佛
南无日月佛
南无勝天佛
南无寶光明佛
南无普行佛
南无无量眼佛
南无善護佛
南无不可量步佛
南无心智佛
南无月形佛
南无大脩佛
南无勝天佛
南无月愛佛
南无信説佛
南无華威德佛
南无神通光佛
南无无量光佛
南无普照稱佛
南无勝威德佛
南无大弥留佛

南无聖化佛
南无大幢佛
南无真法佛
南无真報佛
南无觀解脫佛
南无孔雀聲佛
南无成就光佛
南无稱愛佛
南无信天佛
南无大成佛
南无仙步佛
南无火聚佛
南无大步佛
南无成就義脩佛
南无光明聚佛
南无師子聲佛
南无智光佛
南无无量威德佛
南无勝藏佛
南无寶幢佛
南无日幢佛
南无供養莊嚴佛

BD00191 號　佛名經（十六卷本）卷六　（36–2）

南无普照稱佛　南无寶幢佛
南无勝威德佛　南无日幢佛
南无大弥留佛　南无供養莊嚴佛
南无世間聞名佛　南无勝德佛
南无勝稱佛　南无成就步佛
南无大供養佛　南无寶佛
南无不可降伏稱佛　南无應光明佛
南无大燈佛　南无行威儀畏佛
南无奮迅佛　南无无障㝵見佛
南无離疑佛　南无大行佛
南无不失步佛　南无天國土佛
南无喜喜佛　南无華光佛
南无能與光明佛　南无天愛佛
南无解脫光明佛　南无放光明佛
南无作功德佛　南无成智佛
南无道光佛　南无海佛
南无喜菩提佛　南无法光佛
南无大天佛　南无深智佛
從此以上四千六百佛十二部經一切賢聖
南无法自在佛　南无大信佛
南无心意佛　南无智光佛
南无不謀思佛　南无起福德佛

BD00191號　佛名經（十六卷本）卷六　（36-3）

南无心意佛　南无智光佛
南无不謀思佛　南无起福德佛
南无漏稱佛　南无大莊嚴佛
南无月光佛　南无天光佛
南无清淨行佛　南无功德愛佛
南无師子意佛　南无地清淨佛
南无寶光明佛　南无使光明佛
南无種種日佛　南无月愛佛
南无月蓋佛　南无普觀佛
南无无染佛　南无稱勝佛
南无月面佛　南无龍天佛
南无功德聚佛　南无功德智佛
南无華勝佛　南无世愛佛
南无甘露威德佛　南无寶幢佛
南无日光明佛　南无甘露光佛
南无說法愛佛　南无應愛佛
南无地光佛　南无功德作佛
南无華勝佛　南无功德辟佛
南无法燈佛　南无普光佛
南无梵聲佛　南无大莊嚴佛
南无解脫日佛　南无堅精進佛

BD00191號　佛名經（十六卷本）卷六　（36-4）

南无梵聲佛　南无大莊嚴佛
南无解脫日佛　南无堅精進佛
南无佛光明佛　南无切德稱佛
南无善智慧佛　南无不可量莊嚴佛
南无師子愛佛　南无切德步佛
南无上天佛　南无觀行佛
南无日天佛　南无電光佛
南无勝愛佛　南无祢留幢佛
南无華光佛　南无上意佛
南无香山佛　南无切德奮迅佛
南无勝意佛　南无信聖佛
南无寶洲佛　南无上威德佛
南无最後見佛　南无歡喜莊嚴佛
南无切德藏勝佛　南无无垢鏡佛
南无威德力佛　南无清淨眼佛
南无智行佛　南无不謀是佛
南无聖眼佛　南无樂解脫佛
南无大聲佛　南无上國土佛
南无脩行光明佛　南无念業佛
南无信切德佛　南无盧舍稱佛
南无照闇佛　南无愛自在佛

南无信切德佛　南无盧舍稱佛
南无照闇佛　南无愛自在佛
南无月光佛　南无上聲佛
南无切德勝佛　南无攝受擇佛
南无相王佛　南无離病智佛
南无能与聖佛　南无法洲佛
南无甘露切德佛　南无无瞋恨佛
南无甘露香佛　南无月明佛
南无吼聲佛　南无无畏日佛
南无得无畏佛　南无喜愛佛
南无不錯智佛　南无世愛佛
從此以上四千七百佛十二部經一切賢聖
南无天燈佛　南无信聖佛
南无天蓋佛　南无龍光佛
南无勝步佛　南无法威德佛
南无見有佛　南无慙愧面佛
南无勝色佛　南无普眼佛
南无切德光佛　南无勝積佛
南无定寶佛　南无切德幢佛
南无世自在劫佛　南无无畏親佛
南无攝智佛　南无降怨佛

南无定寶佛 南无切德幢佛
南无世自在劫佛 南无无畏親佛
南无攝智佛 南无降怨佛
南无去光明佛 南无勝積佛
南无一念光佛 南无力士奮迅佛
南无師子足佛 南无式愛佛
南无信世間佛 南无勝威德光明佛
南无師子奮迅鬚佛 南无无垢去佛
南无快定智佛 南无離无明佛
南无切德聚佛 南无攝慧佛
南无大智味佛 南无寶步佛
南无心日佛 南无觀方佛
南无信說佛 南无思惟忍佛
南无法蓋佛 南无不可降伏月佛
南无天華佛 南无天波頭摩佛
南无普威德佛 南无月明佛
南无切德莊嚴佛 南无相王佛
南无稱思惟佛 南无樹幢佛
南无淨行佛 南无威德步佛
南无信衆佛 南无善香佛
南无智者讚歎佛 南无智慧光明佛
南无智鎧佛 南无威德力佛

BD00191 號　佛名經（十六卷本）卷六　（36–7）

南无信衆佛 南无善香佛
南无智者讚歎佛 南无智慧光明佛
南无智鎧佛 南无威德力佛
南无勝威德佛 南无佛歡喜佛
南无勝信佛 南无一切愛佛
南无離諸佛 南无思義佛
南无大高佛 南无聖人面佛
南无黠慧信佛 南无攝菩提佛
南无妙聲佛 南无大成德佛
南无樂師子佛 南无普寶佛
南无一切世愛佛 南无分金剛佛
南无師子聲佛 南无過火佛
南无道師佛 南无人月佛
南无大莊嚴佛 南无日光佛
南无快佛 南无普摩尼香佛
南无舜行佛 南无攝稱佛
南无梵供養佛 南无大吼佛
南无應供佛 南无黠慧信佛
南无量願佛 南无世光佛
南无見忍佛 南无大華佛
南无有我佛 南无如意佛
南无善菩提根佛 南无地得佛

BD00191 號　佛名經（十六卷本）卷六　（36–8）

南无見忍佛　南无大華佛
南无有我佛　南无如意佛
南无善菩提根佛　南无地得佛
南无天德佛　南无不怯弱聲佛
南无普現佛　南无月光明佛
南无勝信佛　南无決定色佛
從此以上四千八百佛十二部經一切賢聖
南无方便心佛　南无智味佛
南无切德信佛　南无難降伏佛
南无普見佛　南无月光明佛
南无月蓋佛　南无世福佛
南无信供養佛　南无樂勝佛
南无善蓋佛　南无慚愧賢佛
南无能觀佛　南无師子聲佛
南无丈行佛　南无普信佛
南无器聲佛　南无勝愛佛
南无普行佛　南无普智佛
南无大奮迅佛　南无月幢佛
南无堅行佛　南无天供養佛
南无能驚怖佛　南无勝稱佛
南无成就一切切德佛　南无堅固佛
南无甘露光佛　南无大聲佛

BD00191 號　佛名經（十六卷本）卷六　（36–9）

南无能驚怖佛　南无勝稱佛
南无成就一切切德佛　南无堅固佛
南无甘露光佛　南无大聲佛
南无高聲佛　南无大力佛
南无大盡佛　南无信甘露佛
南无行菩提佛　南无勝聲思惟佛
南无高光佛　南无怖勝佛
南无樂種種聲佛　南无愛義佛
南无脩行信佛　南无離憂佛
南无善生佛　南无威德力佛
南无信切德佛　南无聲稱佛
南无放光明德佛　南无疑奮迅佛
南无勝王佛　南无林華佛
南无切德華佛　南无捨諍佛
南无大廣佛　南无大稱佛
南无虛空愛佛　南无甘露奮迅佛
南无日聚佛　南无月聲佛
南无天幢佛　南无与清淨佛
南无能日佛　南无快可見佛
南无堅意勝聲佛　南无雨甘露佛
南无无畏聲佛　南无善根聲佛

BD00191 號　佛名經（十六卷本）卷六　（36–10）

南无堅意勝聲佛　南无雨甘露佛
南无无畏聲佛　南无善根聲佛
南无勝聲佛　南无勝愛佛
南无甘露稱佛　南无法華佛
南无大莊嚴佛　南无世間尊重佛
南无勝意佛　南无弥留光佛
南无清淨思惟佛　南无高光明佛
南无破怨佛　南无甘露城佛
南无華佛　南无大稱佛
次礼十二部尊經大藏法輪
南无弥勒上下經　南无陁羅尼經
南无小泥洹經　南无摩登伽經
南无十論經　南无五戒經
南无不退輪經　南无入大乘輪經
南无付法藏經　南无楞伽經
南无楞伽阿拔多羅經　南无大夫文經
南无善臂菩薩經　南无弥勒發問經
南无法自在王經　南无勝鬘經
南无文殊師利經　南无佛說明度經
南无佛說安般經　南无十緣經
從此以上四千九百佛十二部經一切賢聖
南无佛說般泥洹經　南无佛說決定毗尼經

南无佛說安般經　南无十緣經
從此以上四千九百佛十二部經一切賢聖
南无佛說般泥洹經　南无佛說決定毗尼經
南无佛說觀弥勒菩薩生兜率天經
南无佛說危脆經　南无相經解脫經
南无寶車經　南无千佛名目七千佛名經
南无僧忍經
次礼十方諸大菩薩
南无日藏菩薩　南无不猒意菩薩
南无觀世音菩薩　南无湍尸利菩薩
南无執寶印菩薩　南无常舉手菩薩
南无弥勒菩薩　南无敬首菩薩
南无覺首菩薩　南无寶首菩薩
南无惠首菩薩　南无德首菩薩
南无目首菩薩　南无明首菩薩
南无法首菩薩　南无智首菩薩
南无賢首菩薩　南无法慧菩薩
南无切德林菩薩　南无金剛幢菩薩
南无金剛藏菩薩　南无善財童子菩薩
南无轉不退法輪菩薩　南无發心即轉法輪菩薩
南无離垢淨菩薩　南无除諸蓋菩薩
南无示威儀見皆愛喜菩薩

南无離垢淨菩薩　南无除諸蓋菩薩
南无示威儀見皆愛喜菩薩
南无妙相嚴淨王意菩薩
南无不誑一切衆生菩薩
南无无量功德海意菩薩
南无諸根常定不亂菩薩
南无寶意菩薩
次礼聲聞緣覺一切賢聖
南无何利多辟支佛　南无婆梨多辟支佛
南无多伽樓辟支佛　南无稱辟支佛
南无見辟支佛　南无愛見辟支佛
南无覺辟支佛　南无乾陁羅辟支佛
南无妻辟支佛　南无梨沙婆辟支佛
礼三寶已次復懺悔
已懺煩惱障已懺悔業障所除報障今當
次第披陳懺悔經中說言業報至時非
空非海中非入山石間无有地方所脱
之不受報唯有懺悔力乃能得除滅何以
知然釋提桓因五衰相見恐懼切心歸誠
三寶五相即滅得延天年如是等比經教
所明其事非一故知懺悔實能滅禍但凡
夫之人若不善友值携導則靡惡而不造致

BD00191號　佛名經（十六卷本）卷六　（36–13）

知然釋提桓因五衰相見恐懼切心歸誠
三寶五相即滅得延天年如是等比經教
所明其事非一故知懺悔實能滅禍但凡
夫之人若不善友值携導則靡惡而不造致
使大命將盡臨窮之際地獄惡相皆現在
前當尒之時悔懼交至不預脩善臨
窮方悔後將何及乎殃禍異處宿預
嚴持當獨趣入遠到地獄所任得前行
入於火鑊身心摧碎精神痛苦如此之時
欲求一礼一懺豈復可得衆生等莫自
恃盛年財寶勢力懶惰懈怠放逸自恣
死苦一至无問老少貧富貴賤皆悉摩
滅奄忽而至不令人知夫人命无常喻如
朝露出息雖存入息難保云何以此而不
懺悔旦手天使者既來无常煞鬼卒至
盛年壯色无得免者當尒之時華堂邃
宇何關人事高車大馬豈得自隨妻子
眷屬非復我親七珍寶飾遞為他玩以此
而言世間果報皆為幻化上天雖樂會
歸敗壞壽盡魂逝墮落三塗是故佛語
須跋陁言法師欝頭藍弗利根聰明能伏
煩惱至於非非想處命終還作畜生道

BD00191號　佛名經（十六卷本）卷六　（36–14）

歸敗壞壽盡魂逝墮落三塗是故佛語
須跋陁言法師鬱頭藍弗利根聰明能伏
煩惱至於非非想處命終還作畜生道
中飛狸之身況復餘者故知未登聖果已
還皆應流轉備經惡趣如不謹慎忽尒
一朝親嬰斯事捋不悔哉如今被罪行詣
公門已是小苦情地慞惶眷屬恐懼求
救百端地獄衆苦比於此者百千万倍
不得為喻衆等相与歷劫以来罪若
須彌云何聞此晏然不畏不驚不恐今
此精神復嬰斯苦實為可痛是故弟子
等運此單誠歸依佛
南无東方調御佛　南无南方金剛藏佛
南无西方登法果佛　南无北方无邊眼佛
南无東南方无憂德佛
南无西南方壞諸怖畏佛
南无西北方勇猛伏佛
南无東北方大力光明佛
南无下方歡喜路佛　南无上方香上王佛
如是盡虚空界一切三寶
弟子等從无始以来至於今日所有罪障
然其重者第一唯有阿鼻地獄如經所明
今當略說其相此獄周帀有七重鐵城

如是盡虚空界一切三寶
弟子等從无始以来至於今日所有罪障
然其重者第一唯有阿鼻地獄如經所明
今當略說其相此獄周帀有七重鐵城
復有七重鐵網羅覆其上下有七重刀
林无量猛火縱廣八万四千由旬罪人之
身遍滿其中罪業因緣不相妨㝵上火
徹下下火徹上東西南北通徹交過如魚
在熬脂膏皆盡此中罪苦亦復如是其
城四門有四大銅苟其身縱廣四千由旬
牙抓鋒鋩眼如掣電復有无量鐵觜諸
鳥奮翼飛騰噉罪人肉牛頭獄卒形如羅
刹而有九尾尾如鐵叉復有八頭頭上有
十八角有六十四眼一一眼中皆悉迸出
諸熱鐵丸燒罪人肉然其一瞋一怒皆吼之時
聲如礔礰復有无量自然刀輪空中而下
從罪人頂入從足而出於是罪人痛徹骨
髓苦切肝心如是經无量歲求生不得求死不
得如是等報今日皆悉稽顙慚愧懺悔其
餘地獄刀山劍樹身首脫落罪報懺悔鑊
湯爐炭地獄燒煑罪報懺悔鐵床銅柱
地獄熣燃罪報懺悔刀輪火車地獄擲轢
罪報懺悔拔舌犁耕地獄楚痛罪報懺

地獄熣燋罪報懺悔刀輪火車地獄擲轢
罪報懺悔拔舌犁耕地獄楚痛罪報懺
悔吞噉鐵丸烊銅灌口地獄五內消爛罪
報懺悔鐵碓鐵磨地獄骨肉灰粉罪報
懺悔黑繩鐵網地獄支節分離罪報懺
悔灰河沸屎地獄惱悶罪報懺悔醎水
寒氷地獄皮膚折裂裸凍罪報懺悔虎
狼鷹犬地獄更相殘害罪報懺悔刀兵
距地地獄更相樽撮斫刺罪報懺悔火坑地
獄炮炙罪報懺悔雨石相磕地獄形骸
破碎罪報懺悔衆合黑耳地獄解剔罪
報懺悔闇冥內山地獄斬斲罪報懺悔鋸
解釘身地獄斷截罪報懺悔鐵棒倒懸
地獄屠割罪報懺悔熣熱叫喚地獄煩惋
罪報懺悔大小鐵圍山間長夜冥冥不識
三光罪報懺悔阿波波地獄阿婆婆地獄阿
吒吒地獄阿羅羅地獄如是八寒八熱一切諸
地獄一一獄中復有八万四千鬲子地獄以
為眷屬此中罪苦炮㸑楚痛剥皮擗肉削
骨打髓抽腸拔肺无量諸苦不可聞不可
說南无佛今日在此中者或是我等无始以
来經生父母一切眷屬我等相與命終之後

骨打髓抽腸拔肺无量諸苦不可聞不可
說南无佛今日在此中者或是我等无始以
来經生父母一切眷屬我等相與命終之後
或當復墮如此獄中今日洗心單到叩頭
稽顙向十方佛大地菩薩求哀懺悔令此
一切報障畢竟消滅
願弟子等承是懺悔地獄等報所生功德
即時破壞阿鼻鐵城悲與淨土无惡道名
其餘地獄一切苦具轉為樂緣刀山劒樹變
成寶林鑊湯爐炭蓮華化生牛頭獄卒除
捨暴虐皆起慈悲无有惡念地獄衆生得離
苦果更不造因等受安樂如第三禪一時俱
發无上道心　礼一拜
南无安隱息佛　南无道威德佛
南无清淨心佛　南无天供養佛
南无度泥佛　南无離有佛
南无法華佛　南无大勝佛
南无可樂光明佛　南无火光佛
南无見愛佛　南无光明愛佛
南无喜聲佛　南无大施德佛
南无寶步佛　南无无滯导智佛
南无得威德佛　南无月藏佛

畫

南无見愛佛　南无光明愛佛
南无喜聲佛　南无大施德佛
南无寶步佛　南无无滞导智佛
南无得威德佛　南无月藏佛
南无淨光明佛　南无大莊嚴佛
南无得樂自在佛　南无妙光明佛
南无得樂自在佛　南无妙光明佛
南无寂光佛　南无離疑佛
南无无過智慧佛　南无成就行佛
南无清淨身佛　南无无畏愛佛
南无稱吼佛　南无大吼佛
南无善思佛　南无大思佛
南无清淨色佛　南无大奮迅佛
南无樂眼佛　南无命清淨佛
南无行清淨佛　南无離熱智佛
從此以上五千佛十二部經一切賢聖
南无應穚佛　南无善集智佛
南无普信佛　南无設尸威德佛
南无不死成佛　南无不護聲佛
南无化日佛　南无善住思惟佛
南无高信佛　南无須摩那光明佛
南无光明力佛　南无切德布佛

南无化日佛　南无善住思惟佛
南无高信佛　南无須摩那光明佛
南无光明力佛　南无切德布佛
南无法損蘇摩佛　南无淨威德佛
南无淨行佛　南无天色心佛
南无力佛　南无普觀佛
南无梵供養佛　南无聖華佛
南无虛空佛　南无降伏欝弥佛
南无无辟智佛　南无降伏剌佛
南无降伏城佛　南无應愛佛
南无式切德佛　南无平等勿思佛
南无不怯弱心佛　南无精進信佛
南无高光明佛　南无聞智佛
南无无导心聲佛　南无无畏光佛
南无甘露聲佛　南无種種日佛
南无勝黠慧佛　南无可脩敬佛
南无德王佛　南无護根佛
南无禪解脫佛　南无大威德佛
南无旃檀香佛　南无見信佛
南无妙橋梁佛　南无可觀佛
南无不可量智佛　南无千日威德佛
南无捨重擔佛　南无稱信佛

南无旃檀香佛 南无見信佛
南无妙橋梁佛 南无可觀佛
南无不可量智佛 南无千日威德佛
南无捨重擔佛 南无稱信佛
南无諸方聞佛 南无自在佛
南无无邊智佛 南无无垢光佛
南无甘露信佛 南无妙眼佛
南无解脫行佛 南无可樂見佛
南无高光明佛 南无大聲佛
南无大威德聚佛 南无光明幢佛
南无應供養佛 南无福德威德積佛
南无信相佛 南无大炎佛
南无應信佛 南无善住思惟佛
南无須提他佛 南无智作佛
南无普寶佛 南无日光佛
南无訖提他佛 南无灰眼佛
南无師子身佛 南无稱親光佛
南无清淨聲佛 南无怖樂佛
南无寂靜增上佛 南无寶威德佛
南无善成德供養佛 南无毛光佛
南无世間尊佛 南无善行淨佛
南无菩提他威德佛 南无應眼佛

BD00191號　佛名經（十六卷本）卷六　（36–21）

南无善成德供養佛 南无毛光佛
南无世間尊佛 南无善行淨佛
南无菩提他威德佛 南无應眼佛
南无大步佛 南无成義佛
南无安隱愛佛 南无天摩拉多佛
南无捨湯流佛 南无捨寶佛
南无智滿佛 南无橋佛
南无解脫賢佛 南无眾步佛
南无光明威德佛 南无慈力佛
南无月勝佛 南无寂光佛
從此以上五千一百佛十二部經一切賢聖
南无愛眼佛 南无睺尸羅聲佛
南无不死色佛 南无樂法佛
南无大月佛 南无无障导聲佛
南无切德奮迅佛 南无不死華佛
南无平等見佛 南无大月佛
南无切德味佛 南无十光佛
南无種種華佛 南无龍德佛
南无雲聲佛 南无切德步佛
南无思切德佛 南无大聲佛
南无了聲佛 南无遠離惡處佛
南无天華佛 南无快眼佛

BD00191號　佛名經（十六卷本）卷六　（36–22）

南无了聲佛　南无遠離恶處佛
南无天華佛　南无快眼佛
南无大燃燈佛　南无離癡行佛
南无堅固希佛　南无捨耶佛
南无相華佛　南无不可思議光明佛
南无普賢佛　南无月妙佛
南无樂德佛　南无清淨聲佛
南无勝慧佛　南无賢光佛
南无堅固華佛　南无光明意佛
南无福德佛　南无意成就佛
南无樂解脫佛　南无離濁河佛
南无調怨佛　南无不去捨佛
南无甘露光明佛
南无樂聲佛　南无不可量眼佛
南无快脩行佛　南无妙高光佛
南无集功德佛　南无可樂佛
南无大心佛　南无究天信佛
南无思惟甘露佛　南无黠慧佛
南无勝燈佛　南无堅意佛
南无力步佛　南无蓮華葉眼佛
南无菩提光明佛　南无妙吼聲佛
南无六通聲佛　南无威德力佛

南无菩提光明佛　南无妙吼聲佛
南无六通聲佛　南无威德力佛
南无人稱佛　南无勝華集佛
南无大髻佛　南无不隨他佛
南无畏行佛　南无不怯弱佛
南无離憂闇佛　南无過潮佛
南无月光佛　南无心勇猛佛
南无解脫慧佛　南无不取捨佛
南无薝蔔燈佛　南无勝火佛
南无善思意佛　南无勝威德色佛
南无信世間佛　南无妙慧佛
南无善善信佛　南无華光佛
南无人華佛　南无善香佛
南无勝功德佛　南无種種華佛
南无高勝佛　南无虛空劫佛
南无天信佛　南无可敬橋佛
南无月光佛　南无大聚佛
南无寂力佛　南无智地佛
南无高意佛　南无山王智佛
南无快昇佛　南无妙身佛
南无勝親佛　南无離疑佛
從此以上五千二百佛十二部經一切賢聖

南无快昇佛　南无妙身佛
南无勝親佛　南无離疑佛
從此以上五千二百佛十二部經一切賢聖
南无應行佛　南无勝香佛
南无无諍行佛　南无脩行功德佛
南无大精進心佛　南无然光明佛
南无攝步佛　南无脩行深心佛
南无香希佛　南无香手佛
南无寂静智佛　南无妙心佛
南无功德莊嚴佛　南无增上行佛
南无智意佛　南无功德山清淨聲佛
南无攝集佛　南无妙信佛
南无月見佛　南无功德王光明佛
南无法不可力佛　南无離諸疑奮迅佛
南无稱王佛　南无攝諸根佛
南无上去佛　南无甘露光佛
南无甘露心佛　南无諸衆上佛
南无髻佛　南无不可降伏色佛
南无普信佛　南无莊嚴王佛
南无甘露日佛　南无勝燈佛
南无波頭上佛　南无寶藏佛
南无普光佛　南无家勝王佛

南无髻佛　南无不可降伏色佛
南无普信佛　南无莊嚴王佛
南无甘露日佛　南无勝燈佛
南无波頭上佛　南无寶藏佛
南无普光佛　南无家勝王佛
南无普光明上勝積王佛
南无普現佛
南无普賢佛　南无還蓮華勝佛
南无自在轉法王佛　南无千世自在聲佛
南无千善无垢聲自在王佛
南无離千无畏聲自在王佛
南无千无垢威德自在王佛
南无五百聲自在王佛
南无五百樂自在聲佛　南无日龍歡喜佛
南无離畏稱王佛　南无妙光幢佛
南无離光聲佛　南无稱自在聲佛
南无妙法稱聲佛　南无勝藏稱王佛
南无不可思議意王佛　南无寶幢佛
南无火自在佛
南无聖智自在幢勇猛王佛
南无不可思慧佛　南无智藏佛
南无智高幢佛　南无智海王佛

南无聖智自在憧勇猛王佛
南无不可思慧佛　南无智藏佛
南无智高憧佛　南无智海王佛
南无大精進聲自在王佛
南无弥留勝劫佛
南无智顯脩自在種子善无垢吼自在王佛
南无降伏一切德海王佛　南无智成就力王佛
南无勝道自在王佛　南无勝闍精自在佛
南无華勝精智佛　南无金剛師子佛
南无成勝佛　南无賢勝佛
南无无邊光佛　南无師子喜佛
南无无盡智積佛　南无寶行佛
南无智波羅婆佛　南无師子稱佛
南无智功德王佛　南无法華雨佛
南无能作光佛　南无高山佛
南无法妙王无垢佛
南无香自在无垢眼佛
南无集大尋佛　南无无障尋力王佛
南无自福德力佛　南无智衣佛
南无自在佛　南无无量安隱佛
南无智集佛　南无大弥留佛
南无日藏佛　南无作一切德主嚴佛

BD00191 號　佛名經（十六卷本）卷六　（36–27）

南无自在佛　南无无量安隱佛
南无智集佛　南无大弥留佛
南无日藏佛　南无作一切德莊嚴佛
南无華憧佛　南无一切德光明佛
南无離一切德闍王佛
從此以上五千三百佛十二部經一切賢聖
南无一切德王佛　南无法憧佛
南无聲自在王佛　南无自護佛
南无金剛寂迹佛
南无寶自在佛　南无妙憧佛
南无山劫佛　南无樂雲佛
南无法作佛　南无莎羅王佛
南无普一切德堅固王佛　南无旃檀佛
南无善住佛　南无善至佛
南无憧勝燈佛　南无智步佛
南无堅憧佛　南无散法稱佛
南无降伏憍慢佛　南无一切德炎佛
南无智光明佛　南无智燃燈佛
南无无畏王佛　南无智聲憧攝佛
南无金剛燈佛　南无莊嚴王佛
南无勝數佛　南无善住意佛

BD00191 號　佛名經（十六卷本）卷六　（36–28）

南无智光明佛　南无智燃燈佛
南无无畏王佛　南无智聲幢攝佛
南无金剛燈佛　南无莊嚴王佛
南无勝數佛　南无善住意佛
南无月王佛　南无次藥降伏王佛
南无堅固自在王佛　南无師子步佛
南无那羅延勝藏佛　南无集寶藏佛
南无樹提藏佛　南无星宿差別稱佛
南无功德力堅固王佛　南无妙聲佛
南无梵聲佛　南无勝梵佛
南无堅固主佛　南无千香佛
南无波頭摩勝王佛　南无光輪光佛
南无大光明王佛　南无香波頭摩王佛
南无疾无邊功德海智上佛
南无閻浮影佛　南无功德山幢佛
南无師子幢佛　南无龍吼佛
南无華威德王佛　南无善香種子佛
南无无我甘露功德威德王劫佛
南无復有八千同名无我甘露功德威德
王劫佛
南无法智佛　南无龍自在解脫佛

BD00191號　佛名經（十六卷本）卷六

王劫佛
南无法智佛　南无龍自在解脫佛
南无金華佛　南无龍吼自在聲佛
南无寶積佛　南无華照佛
南无大香佛　南无須摩那華佛
南无山王佛　南无世眼佛
南无淨主佛　南无閻浮影佛
南无根本上佛　南无寶山佛
南无海藏佛　南无堅力佛
南无上聖佛　南无自在聖佛
南无拘隣佛　南无師子步佛
南无智幢佛　南无佛聞聲佛
南无廣勝佛　南无安佛
南无智光佛　南无大自在佛
南无舜世佛　南无手喜佛
南无尼拘律王佛　南无金銀佛
南无供養佛　南无日喜佛
南无寶炎佛　南无善眼佛
南无高淨佛　南无淨聖佛
南无吼聲佛　南无見義佛
南无稱喜佛　南无稱勝佛
次礼十二部尊經大藏法輪

BD00191號　佛名經（十六卷本）卷六

南无高淨佛　南无淨聖佛
南无吼聲佛　南无見義佛
南无稱善佛　南无稱勝佛
次礼十二部尊經大藏法輪
南无八龍王天神呪經　南无和休經
南无羅什辟喻經　南无稻芊經
從此以上五千四百佛十二部經一切賢聖
南无觀發諸王惡偈經　南无鸚鵡王經
南无佛說陁憐尼經　南无方便心論經
南无佛說王耶經　南无鉢記經
南无佛說四願經　南无佛說六字呪王經
南无佛說迦葉經　南无佛說中心經
南无照明三昧經　南无五夢經
南无賢者威儀經　南无法鏡經
南无老母人經　南无未曾有經
南无未生怨經　南无弥勒慧經
南无大泥洹經　南无薩和普王經
南无人本欲生經　南无十二因緣經
南无野雞經　南无我所經
次礼十方諸大菩薩
南无陁羅尼自在王菩薩
南无辯才莊嚴菩薩　南无須弥頂王菩薩
南无海德寶嚴淨意菩薩

南无陁羅尼自在王菩薩
南无辯才莊嚴菩薩　南无須弥頂王菩薩
南无海德寶嚴淨意菩薩
南无大嚴淨菩薩　南无大相菩薩
南无光相菩薩　南无光德菩薩
南无淨意菩薩　南无善王菩薩
南无堅勢菩薩　南无堅意菩薩
南无德王法王子菩薩　南无大自法王子菩薩
南无梵音法王子菩薩　南无妙色法王子菩薩
南无旃檀林法王子菩薩
南无師子吼音法王子菩薩
南无妙聲法王子菩薩
南无妙色形狠法王子菩薩
南无種種莊嚴法王子菩薩
南无燡幢法王子菩薩
南无頂生法王子菩薩
次礼聲聞緣覺一切賢聖
南无聞辟支佛　南无智身辟支佛
南无毗耶離辟支佛　南无俱薩羅辟支佛
南无波蘇陁羅辟支佛　南无无毒淨心辟支佛
南无寶无垢辟支佛　南无福德辟支佛
南无黑辟支佛　南无唯黑辟支佛

南无毗耶離居者　南无俱[illegible]辟支佛
南无波蘇陁羅辟支佛　南无无毒浄心辟支佛
南无寶无垢辟支佛　南无福德辟支佛
南无里辟支佛　南无唯里辟支佛
礼三寶已次復懺悔
已懺地獄報竟今當復次懺悔三悪道報
經中佛説多欲之人多求利故苦惱亦多
知足之人雖卧地上猶以為樂不知足之
者雖處天堂猶不稱意但世間人忽有急
難便能捨財不計多少而不知此身臨於
三塗深坑之上一息不還便應墮落忽有
知識營功德福令脩未来善法資粮執
慳心无肯作理夫如此者極為愚惑何以
故尒經中佛説生時不賷一文而来死亦不
持一文而去苦身積聚為之憂惱於已无
益徒為他有无善可恃无德可怙致使命
終隨諸悪道是故弟子等今日稽顙歸
到歸依佛
南无東方大光曜佛　南无南方盧空住佛
南无西方金剛步佛　南无北方无邊力佛
南无東南方无邊王佛
南无西南方壞諸怨賊佛
南无西北方離垢光佛

BD00191號　佛名經（十六卷本）卷六　（36–33）

南无東方大光曜佛　南无南方盧空住佛
南无西方金剛步佛　南无北方无邊力佛
南无東南方无邊王佛
南无西南方壞諸怨賊佛
南无西北方離垢光佛
南无東北方金色光音佛
南无下方師子遊戲佛　南无上方月幢王佛
如是十方盡虚空界一切三寶
弟子等今日次復懺悔畜生道中无所識知
罪報懺悔畜生道中負重牽犁償他宿
債罪報懺悔畜生道中不得自在為他所
刺屠割罪報懺悔畜生无足二足四足多足
罪報懺悔畜生道中身諸毛羽鱗甲之内
為諸小虫之所唼食罪報如是畜生道中
有无量罪報今日至誠皆悲懺悔
次復懺悔餓鬼道中長飢罪報懺悔餓
鬼百千万歳初不曽聞漿水之名罪報懺
悔餓鬼食噉膿血糞穢罪報懺悔餓鬼
動身之時一切支節火燃罪報懺悔餓鬼
腹大咽小罪報如是餓鬼道中无量苦報
今日稽顙皆悲懺悔
復次一切鬼神脩羅道中諂誑詐稱罪

BD00191號　佛名經（十六卷本）卷六　（36–34）

脹大咽小罪報如是餓鬼道中无量苦報
今日稽顙皆悲懺悔
復次一切鬼神脩羅道中諛諂詐稱罪
報懺悔鬼神道擔沙負石塡河塞海
罪報懺悔鬼神羅刹鳩槃荼諸惡鬼
神生噉血肉受此醜陋罪報如是鬼神
道中无量无邊一切罪報今日稽顙向十方佛
大地菩薩求哀懺悔悲令消滅願弟子等
承是懺悔畜生等報所生功德生生世世滅
愚癡垢自識業緣智慧明照斷惡道身願以懺
悔餓鬼等報所生功德生生世世永離慳
貪飢渴之苦常飡甘露解脫之味願以
懺悔鬼神脩羅等報所生功德生生世世質
直无諂離邪命因除醜陋果福利人天願弟
子等從今以去乃至道場決定不受四惡
道報唯除大悲為衆生故以誓願力處之
无厭 礼一拜

佛名經卷第六

BD00191號　佛名經（十六卷本）卷六　（36–35）

承是懺悔畜生等報所生功德生生世世滅
愚癡垢自識業緣智慧明照斷惡道身願以懺
悔餓鬼等報所生功德生生世世永離慳
貪飢渴之苦常飡甘露解脫之味願以
懺悔鬼神脩羅等報所生功德生生世世質
直无諂離邪命因除醜陋果福利人天願弟
子等從今以去乃至道場決定不受四惡
道報唯除大悲為衆生故以誓願力處之
无厭 礼一拜

佛名經卷第六

BD00191號　佛名經（十六卷本）卷六　（36–36）

BD00191 號背　勘記　（1–1）

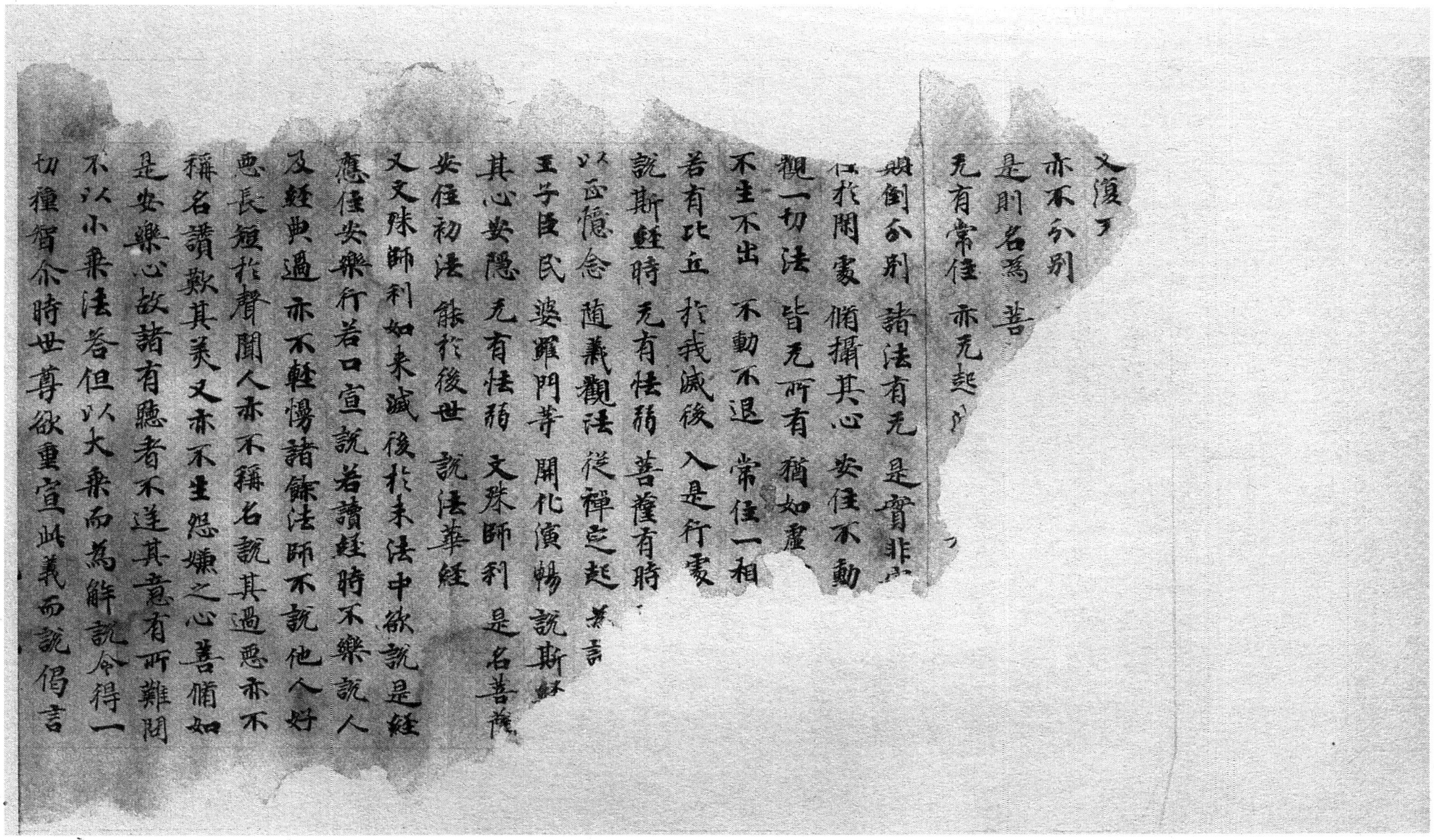

又復▢
亦不分別
是則名為 菩
无有常住 亦无起▢
顛倒分別 諸法有无 是實非▢
住於閑處 脩攝其心 安住不動
觀一切法 皆无所有 猶如虛▢
不生不出 不動不退 常住一相
若有比丘 於我滅後 入是行處
說斯經時 无有怯弱 菩薩有時
以正憶念 隨義觀法 從禪定起 為言
王子臣民 婆羅門等 開化演暢 說斯經
其心安隱 无有怯弱 文殊師利 是名菩薩
安住初法 能於後世 說法華經
又文殊師利如來滅後於末法中欲說是經
應住安樂行若口宣說若讀經時不樂說人
及經典過亦不輕慢諸餘法師不說他人好
惡長短於聲聞人亦不稱名說其過惡亦不
稱名讚歎其美又亦不生怨嫌之心善脩如
是安樂心故諸有聽者不逆其意有所難問
不以小乘法荅但以大乘而為解說令得一
切種智尒時世尊欲重宣此義而說偈言

BD00192 號　妙法蓮華經卷五　（3–1）

惡長短於聲聞人亦不稱名說其過惡亦不
稱名讚歎其美又亦不生怨嫌之心善脩如
是安樂心故諸有聽者不逆其意有所難問
不以小乘法荅但以大乘而為解說令得一
切種智尒時世尊欲重宣此義而說偈言
菩薩常樂 安隱說法 於清淨地 而施床座
以油塗身 澡浴塵穢 著新淨衣 內外俱淨
安處法座 隨問為說 若有比丘 及比丘尼
諸優婆塞 及優婆夷 國王王子 群臣士民
以微妙義 和顏為說 若有難問 隨義而荅
因緣譬喻 敷演分別 以是方便 皆使發心
漸漸增益 入於佛道 除嬾惰意 及懈怠想
離諸憂惱 慈心說法 晝夜常說 无上道教
以諸因緣 无量譬喻 開示衆生 咸令歡喜
衣服卧具 飲食醫藥 而於其中 无所悕望
但一心念 說法因緣 願成佛道 令衆亦尒
是則大利 安樂供養 我滅度後 若有比丘
能演說斯 妙法華經 心无嫉恚 諸惱障礙
亦无憂愁 及罵詈者 又无怖畏 加刀杖等
亦无擯出 安住忍故 智者如是 善脩其心
能住安樂 如我上說 其人功德 千万億劫
算數譬喻 說不能盡
又文殊師利菩薩摩訶薩於後末世法欲
滅時受持讀誦斯經典者无懷嫉妬諂誑之心
亦勿輕罵學佛道者求其長短若比丘比丘
尼優婆塞優婆夷求聲聞者求辟支佛者求
菩薩道者无得惱之令其疑悔語其人言汝
等去道甚遠終不能得一切種智所以者何

BD00192號　妙法蓮華經卷五　（3–2）

亦无擯出 安住忍故 智者如是 善脩其心
能住安樂 如我上說 其人功德 千万億劫
算數譬喻 說不能盡
又文殊師利菩薩摩訶薩於後末世法欲
滅時受持讀誦斯經典者无懷嫉妬諂誑之心
亦勿輕罵學佛道者求其長短若比丘比丘
尼優婆塞優婆夷求聲聞者求辟支佛者求
菩薩道者无得惱之令其疑悔語其人言汝
等去道甚遠終不能得一切種智所以者何
汝是放逸之人於道懈怠故又亦不應戲論
諸法有所諍競當於一切衆生起大悲想於
諸如來起慈父想於諸菩薩起大師想於十
方諸大菩薩常應深心恭敬禮拜於一切衆
生平等說法以順法故不多不少乃至深愛
法者亦不為多說文殊師利是菩薩摩訶薩
於後末世法欲滅時有成就是第三安樂行
者說是法時无能惱亂得好同學共讀誦是
經亦得大衆而來聽受聽已能持持已能誦
誦已能說說已能書若使人書供養經卷恭
敬尊重讚歎尒時世尊欲重宣此義而說偈
言
若欲說是經 當捨嫉恚慢 諂誑邪偽心 常脩質直行
不輕蔑於人 亦不戲論法 不令他疑悔 云汝不得佛
是佛子說法 常柔和能忍 慈悲於一切 不生懈怠心

BD00192號　妙法蓮華經卷五　（3–3）

十世界所有地種假使有人磨以為墨過於
東方千國土乃下一點大如微塵又過千國
土復下一點如是展轉盡地種墨於汝等意
云何是諸國土若算師若算師弟子能得邊
際知其數不不也世尊諸比丘是人所經國
土若點不點盡末為塵一塵一劫彼佛滅度
已來復過是數无量无邊百千万億阿僧祇
劫我以如來知見力故觀彼久遠猶若今日
尒時世尊欲重宣此義而說偈言
我念過去世　无量无邊劫　有佛兩足尊　名大通智勝
如人以力磨　三千大千土　盡此諸地種　皆悉以為墨
過於千國土　乃下一塵點　如是展轉點　盡此諸塵墨
如是諸國土　點與不點等　復盡末為塵　一塵為一劫
此諸微塵數　其劫復過是　彼佛滅度來　如是无量劫
如來无㝵智　知彼佛滅度　及聲聞菩薩　如見今滅度
諸比丘當知　佛智淨微妙　无漏无所㝵　通達无量劫
佛告諸比丘大通智勝佛壽五百四十万億
那由他劫其佛本坐道場破魔軍已垂得阿
耨多羅三藐三菩提而諸佛法不現在前如
是一小劫乃至十小劫結跏趺坐身心不動
而諸佛法猶不在前尒時忉利諸天先為彼
佛於菩提樹下敷師子座高一由旬佛於此
座當得阿耨多羅三藐三菩提適坐此座

BD00193號　妙法蓮華經卷三　　（16-1）

那由他劫其佛本坐道場破魔軍已垂得阿
耨多羅三藐三菩提而諸佛法不現在前如
是一小劫乃至十小劫結跏趺坐身心不動
而諸佛法猶不在前尒時忉利諸天先為彼
佛於菩提樹下敷師子座高一由旬佛於此
座當得阿耨多羅三藐三菩提適坐此座時
諸梵天王雨衆天華面百由旬香風時來吹
去萎華更雨新者如是不絕滿十小劫供養
於佛乃至滅度常雨此華四王諸天為供養
佛常擊天鼓其餘諸天作天伎樂滿十小劫
至于滅度亦復如是諸比丘大通智勝佛過
十小劫諸佛之法乃現在前成阿耨多羅三
藐三菩提其佛未出家時有十六子其第一
者名曰智積諸子各有種種珍異玩好之具
聞父得成阿耨多羅三藐三菩提皆捨所珍
往詣佛所諸母涕泣而隨送之其祖轉輪聖王
與一百大臣及餘百千萬億人民皆共圍繞
隨至道場咸欲親近大通智勝如來供養
恭敬尊重讚歎到已頭面礼足繞佛畢已一
心合掌瞻仰世尊以偈頌曰
大威德世尊　為度衆生故　於無量億歲　尒乃得成佛
諸願已具足　善哉吉無上　世尊甚希有　一坐十小劫
身體及手足　靜然安不動　其心常憺怕　未曾有散亂
究竟永寂滅　安住無漏法　今者見世尊　安隱成佛道
我等得善利　稱慶大歡喜　衆生常苦惱　盲瞑無導師
不識苦盡道　不知求解脫　長夜增惡趣　減損諸天衆
從冥入於冥　永不聞佛名　今佛得最上　安隱無漏道

BD00193號　妙法蓮華經卷三　　（16-2）

身體及手足　靜然安不動　其心常惔怕　未曾有散亂
究竟永寂滅　安住無漏法　今者見世尊　安隱成佛道
我等得善利　稱慶大歡喜　衆生常苦惱　盲瞑無導師
不識苦盡道　不知求解脫　長夜增惡趣　減損諸天衆
從瞑入於瞑　永不聞佛名　今佛得最上　安隱無漏道
我等及天人　為得最大利　是故咸稽首　歸命無上尊
尒時十六王子偈讚佛已　勸請世尊轉於法輪
咸作是言　世尊說法　多所安隱　憐愍饒益
諸天人民　重說偈言
世雄無等倫　百福自莊嚴　得無上智慧　願為世間說
度脫於我等　及諸衆生類　為分別顯示　令得是智慧
若我等得佛　衆生亦復然　世尊知衆生　深心之所念
亦知所行道　又知智慧力　欲樂及脩福　宿命所行業
世尊悉知已　當轉無上輪
佛告諸比丘　大通智勝佛得阿耨多羅三藐
三菩提時　十方各五百萬億諸佛世界六種震
動　其國中間幽瞑之處　日月威光所不能照
而皆大明　其中衆生各得相見　咸作是言
此中云何忽生衆生　又其國界諸天宮殿乃
至梵宮　六種震動　大光普照　遍滿世界　勝諸
天光　尒時東方五百萬億諸國土中梵天宮
殿光明照曜　倍於常明　諸梵天王各作是念
今者宮殿光明　昔所未有　以何因緣而現此
相　是時諸梵天王即各相詣　共議此事　時彼衆
中有一大梵天王　名救一切　為諸梵衆而說
偈言
我等諸宮殿　光明昔未有　此是何因緣　宜各共求之

BD00193號　妙法蓮華經卷三　（16-3）

今者宮殿光明　昔所未有　以何因緣而現此
相　是時諸梵天王即各相詣　共議此事　時彼衆
中有一大梵天王　名救一切　為諸梵衆而說
偈言
我等諸宮殿　光明昔未有　此是何因緣　宜各共求之
為大德天生　為佛出世間　而此大光明　遍照於十方
尒時五百萬億國土諸梵天王　與宮殿俱　各
以衣裓　盛諸天華　共詣西方　推尋是相　見大
通智勝如來　處于道場　菩提樹下　坐師子座
諸天　龍王　乾闥婆　緊那羅　摩睺羅伽　人非人
等　恭敬圍繞　及見十六王子請佛轉法輪　即
時諸梵天王頭面禮佛　繞百千帀　即以天華
而散佛上　其所散華如須彌山　并以供養佛
菩提樹　其菩提樹高十由旬　華供養已　各以
宮殿奉上彼佛　而作是言　唯見哀愍　饒益我
等　所獻宮殿　願垂納處　時諸梵天王即於佛
前　一心同聲　以偈頌曰
世尊甚希有　難可得值遇　具無量功德　能救護一切
天人之大師　哀愍於世間　十方諸衆生　普皆蒙饒益
我等所從來　五百萬億國　捨深禪定樂　為供養佛故
我等先世福　宮殿甚嚴飾　今以奉世尊　唯願哀納受
尒時諸梵天王偈讚佛已　各作是言　唯願世尊
轉於法輪　度脫衆生　開涅槃道　時諸梵天王
一心同聲　而說偈言
世雄兩足尊　唯願演說法　以大慈悲力　度苦惱衆生
尒時大通智勝如來默然許之　又諸比丘　東南
方五百萬億國土諸大梵王

BD00193號　妙法蓮華經卷三　（16-4）

尒時諸梵天王偈讚佛已各作是言唯願世尊
轉於法輪度脫衆生開涅槃道時諸梵天王
一心同聲而說偈言
世雄兩足尊 唯願演說法 以大慈悲力 度苦惱衆生
尒時大通智勝如來默然許之又諸比丘東南
方五百萬億國土諸大梵王各自見宮殿
光明照曜昔所未有歡喜踊躍生希有心即
各相詣共議此事時彼衆中有一大梵天王
名曰大悲為諸梵衆而說偈言
是事何因緣 而現如此相 我等諸宮殿 光明昔未有
為大德天生 為佛出世間 未曾見此相 當共一心求
過千萬億土 尋光共推之 多是佛出世 度脫苦衆生
尒時五百萬億諸梵天王與宮殿俱各以衣
裓盛諸天華共詣西北方推尋是相見大通
智勝如來處于道場菩提樹下坐師子座諸
天龍王乾闥婆緊那羅摩睺羅伽人非人等
恭敬圍繞及見十六王子請佛轉法輪時諸
梵天王頭面礼佛繞百千帀即以天華而散
佛上所散之華如須彌山并以供養佛菩提
樹華供養已各以宮殿奉上彼佛而作是言
唯見哀愍饒益我等所獻宮殿願垂納受尒
時諸梵天王即於佛前一心同聲以偈頌曰
聖主天中王 迦陵頻伽聲 哀愍衆生者 我等今敬礼
世尊甚希有 久遠乃一現 一百八十劫 空過無有佛
三惡道充滿 諸天衆減少 今佛出於世 為衆生作眼
世間所歸趣 救護於一切 為衆生之父 哀愍饒益者

BD00193號　妙法蓮華經卷三　(16–5)

世尊甚希有 久遠乃一現 一百八十劫 空過無有佛
三惡道充滿 諸天衆減少 今佛出於世 為衆生作眼
世間所歸趣 救護於一切 為衆生之父 哀愍饒益者
我等宿福慶 今得值世尊
尒時諸梵天王偈讚佛已各作是言唯願世
尊哀愍一切轉於法輪度脫衆生時諸梵天
王一心同聲而說偈言
大聖轉法輪 顯示諸法相 度苦惱衆生 令得大歡喜
衆生聞此法 得道若生天 諸惡道減少 忍善者增益
尒時大通智勝如來默然許之又諸比丘南方
五百萬億國土諸大梵王各自見宮殿光
明照曜昔所未有歡喜踊躍生希有心即各
相詣共議此事以何因緣我等宮殿有此光
曜而彼衆中有一大梵天王名曰妙法為諸
梵衆而說偈言
我等諸宮殿 光明甚威曜 此非無因緣 是相宜求之
過於百千劫 未曾見是相 為大德天生 為佛出世間
尒時五百萬億諸梵天王與宮殿俱各以衣
裓盛諸天華共詣北方推尋是相見大通智
勝如來處于道場菩提樹下坐師子座諸天
龍王乾闥婆緊那羅摩睺羅伽人非人等恭
敬圍繞及見十六王子請佛轉法輪時諸梵
天王頭面礼佛繞百千帀即以天華而散佛
上所散之華如須彌山并以供養佛菩提樹
華供養已各以宮殿奉上彼佛而作是言唯
見哀愍饒益我等所獻宮殿願垂納受尒時

BD00193號　妙法蓮華經卷三　(16–6)

王頭面禮佛繞百千帀即以天華而散佛
上所散之華如須弥山并以供養佛菩提樹
華供養已各以宮殿奉上彼佛而作是言唯
見哀愍饒益我等所獻宮殿願垂納受尒時
諸梵天王即於佛前一心同聲以偈頌曰
世尊甚難見　破諸煩惱者　過百三十劫　今乃得一見
諸飢渴衆生　以法雨充滿　昔所未曾見　無量智慧者
如優曇鉢華　今日乃值遇　我等諸宮殿　蒙光故嚴飾
世尊大慈愍　唯願垂納受
尒時諸梵天王偈讚佛已各作是言唯願世尊
轉於法輪令一切世間諸天魔梵沙門婆
羅門皆獲安隱而得度脫時諸梵天王一心
同聲以偈頌曰
唯願天人尊　轉無上法輪　擊于大法鼓　而吹大法螺
普雨大法雨　度無量衆生　我等咸歸請　當演深遠音
尒時大通智勝如來默然許之西南方乃至
下方亦復如是尒時上方五百萬億國土諸大
梵王皆悉自覩所止宮殿光明威曜昔所未
有歡喜踊躍生希有心即各相詣共議此事
以何因緣我等宮殿有斯光明時彼衆中有
一大梵天王名曰尸棄為諸梵衆而說
偈言
今以何因緣　我等諸宮殿　威德光明曜　嚴飾未曾有
如是之妙相　昔所未聞見　為大德天生　為佛出世間
尒時五百萬億諸梵天王與宮殿俱各以衣
裓盛諸天華共詣下方推尋是相見大通智
勝如來處于道場菩提樹下坐師子座諸天

BD00193號　妙法蓮華經卷三　（16–7）

威德光明曜　嚴飾未曾有
如是之妙相　昔所未聞見　為大德天生　為佛出世間
尒時五百萬億諸梵天王與宮殿俱各以衣
裓盛諸天華共詣下方推尋是相見大通智
勝如來處于道場菩提樹下坐師子座諸天
龍王乾闥婆緊那羅摩睺羅伽人非人等恭
敬圍繞及見十六王子請佛轉法輪時諸梵
天王頭面禮佛繞百千帀即以天華而散佛
上所散之華如須弥山并以供養佛菩提樹
華供養已各以宮殿奉上彼佛而作是言唯
見哀愍饒益我等所獻宮殿願垂納處時諸
梵天王即於佛前一心同聲以偈頌曰
善哉見諸佛　救世之聖尊　能於三界獄　勉出諸衆生
普智天人尊　哀愍群萌類　能開甘露門　廣度於一切
於昔無量劫　空過無有佛　世尊未出時　十方常闇暝
三惡道增長　阿修羅亦盛　諸天衆轉減　死多墮惡道
不從佛聞法　常行不善事　色力及智慧　斯等皆減少
罪業因緣故　失樂及樂想　住於邪見法　不識善儀則
不蒙佛所化　常墮於惡道　佛為世間眼　久遠時乃出
哀愍諸衆生　故現於世間　超出成正覺　我等甚欣慶
及餘一切衆　喜歎未曾有　我等諸宮殿　蒙光故嚴飾
今以奉世尊　唯垂哀納受　願以此功德　普及於一切
我等與衆生　皆共成佛道
尒時五百萬億諸梵天王偈讚佛已各白佛
言唯願世尊轉於法輪多所安隱多所度脫
時諸梵天王而說偈言

BD00193號　妙法蓮華經卷三　（16–8）

我等與衆生　皆共成佛道
尒時五百万億諸梵天王偈讚佛已各白佛
言唯願世尊轉於法輪多所安隱多所度脫
時諸梵天王而說偈言
世尊轉法輪　擊甘露法鼓　度苦惱衆生　開示涅槃道
唯願受我請　以大微妙音　哀愍而敷演　无量劫習法
尒時大通智勝如來受十方諸梵天王及十
六王子請即時三轉十二行法輪若沙門婆
羅門若天魔梵及餘世間所不能轉謂是苦
是苦集是苦滅是苦滅道及廣說十二因緣
法无明緣行行緣識識緣名色名色緣六入
六入緣觸觸緣受受緣愛愛緣取取緣有有
緣生生緣老死憂悲苦惱无明滅則行滅行
滅則識滅識滅則名色滅名色滅則六入滅
六入滅則觸滅觸滅則受滅受滅則愛滅愛
滅則取滅取滅則有滅有滅則生滅生滅則
老死憂悲苦惱滅佛於天人大衆之中說是
法時六百万億那由他人以不受一切法故
而於諸漏心得解脫皆得深妙禪定三明六
通具八解脫第二第三第四說法時千万億
恒河沙那由他等衆生亦以不受一切法故
而於諸漏心得解脫從是已後諸聲聞衆无
量无邊不可稱數尒時十六王子皆以童子
出家而為沙弥諸根通利智慧明了已曾
供養百千万億諸佛淨脩梵行求阿耨多羅三
藐三菩提俱白佛言世尊是諸无量千万億

BD00193號　妙法蓮華經卷三　（16–9）

出家而為沙弥諸根通利智慧明了已曾
供養百千万億諸佛淨脩梵行求阿耨多羅三
藐三菩提俱白佛言世尊是諸无量千万億
大德聲聞皆已成就世尊亦當為我等說阿
耨多羅三藐三菩提法我等聞已皆共脩學
世尊我等志願如來知見深心所念佛自證
知尒時轉輪聖王所將衆中八万億人見十
六王子出家亦求出家王即聽許尒時彼佛
受沙弥請過二万劫已乃於四衆之中說是
大乘經名妙法蓮華教菩薩法佛所護念說
是經已十六沙弥為阿耨多羅三藐三菩提
故皆共受持諷誦利說是經時十六菩薩
沙弥皆悉信受聲聞衆中亦有信解其餘
衆生千万億種皆生疑惑佛說是經於八千劫
未曾休廢說此經已即入靜室住於禪定八
万四千劫是時十六菩薩沙弥知佛入室寂
然禪定各昇法座亦於八万四千劫為四部
衆廣說分別妙法華經一一皆度六百万億
那由他恒河沙等衆生示教利喜令發阿耨
多羅三藐三菩提心大通智勝佛過八万
四千劫已從三昧起往詣法座安詳而坐普
告大衆是十六菩薩沙弥甚為希有諸根通利
智慧明了已曾供養无量千万億數諸佛於
諸佛所常脩梵行受持佛智開示衆生令入
其中汝等皆當數數親近而供養之所以者
何若聲聞辟支佛及諸菩薩能信是十六菩

BD00193號　妙法蓮華經卷三　（16–10）

諸佛所常脩梵行受持佛智開示衆生令入
其中汝等皆當數數親近而供養之所以者
何若聲聞辟支佛及諸菩薩能信是十六菩
薩所說經法受持不毀者是人皆當得阿耨
多羅三藐三菩提如來之慧佛告諸比丘是
十六菩薩常樂說是妙法蓮華經一一菩薩
所化六百萬億那由他恒河沙等衆生世世所
生與菩薩俱從其聞法悉皆信解以此因緣
得值四萬億諸佛世尊于今不盡諸比丘
我今語汝彼弟子十六沙彌今皆得阿耨
多羅三藐三菩提於十方國土現在說法有
無量百千萬億菩薩聲聞以為眷屬其二沙
彌東方作佛一名阿閦在歡喜國二名須彌
頂東南方二佛一名師子音二名師子相南
方二佛一名虛空住二名常滅西南方二佛
一名帝相二名梵相西方二佛一名阿彌陀
二名度一切世間苦惱西北方二佛一名多
摩羅跋栴檀香神通二名須彌相北方二佛
一名雲自在二名雲自在王東北方佛名壞
一切世間怖畏第十六我釋迦牟尼佛於娑
婆國土成阿耨多羅三藐三菩提諸比丘我
等為沙彌時各各教化無量百千萬億恒河
沙等衆生從我聞法為阿耨多羅三藐三菩
提此諸衆生于今有住聲聞地者我常教化
阿耨多羅三藐三菩提是諸人等應以是法
漸入佛道所以者何如來智慧難信難解介
時所化無量恒河沙

BD00193號　妙法蓮華經卷三　（16–11）

阿耨多羅三藐三菩提是諸人等應以是法
漸入佛道所以者何如來智慧難信難解介
時所化無量恒河沙等衆生者汝等諸比丘
及我滅度後未來世中聲聞弟子是也我滅
度後復有弟子不聞是經不知不覺菩薩所
行自於所得功德生滅度想當入涅槃我於
餘國作佛更有異名是人雖生滅度之想入
於涅槃而於彼土求佛智慧得聞是經唯以
佛乘而得滅度更無餘乘除諸如來方便說
法諸比丘若如來自知涅槃時到衆又清淨
信解堅固了達空法深入禪定便集諸菩薩
及聲聞衆為說是經世間無有二乘而得滅
度唯一佛乘得滅度耳比丘當知如來方便
深入衆生之性知其志樂小法深著五欲為
是等故說於涅槃是人若聞則便信受譬如
五百由旬險難惡道曠絕無人怖畏之處若
有多衆欲過此道至珍寶處有一導師聰慧
明達善知險道通塞之相將導衆人欲過此
難所將人衆中路懈退白導師言我等疲極
而復怖畏不能復進前路猶遠今欲退還導
師多諸方便而作是念此等可愍云何捨大
珍寶而欲退還作是念已以方便力於險道中
過三百由旬化作一城告衆人言汝等勿怖
莫得退還今此大城可於中止隨意所作
若入是城快得安隱若能前至寶所亦可得
去是時疲極之衆心大歡喜歎未曾有我等
今者免斯惡道快得安隱於是衆人前入化城

BD00193號　妙法蓮華經卷三　（16–12）

莫得退還今此大城可於中止隨意所作
若入是城快得安隱若能前至寶所亦可得
去是時疲極之衆心大歡喜歎未曾有我等
今者免斯惡道快得安隱於是衆人前入化城
生已度想生安隱想尒時導師知此人衆既
得止息無復疲倦即滅化城語衆人言汝
等去來寶處在近向者大城我所化作為止
息耳諸比丘如來亦復如是今為汝等作大
導師知諸生死煩惱惡道險難長遠應去應
度若衆生但聞一佛乘者則不欲見佛不欲
親近便作是念佛道長遠久受勤苦乃可得
成佛知是心怯弱下劣以方便力而於中道為
止息故說二涅槃若衆生住於二地如來尒
時即便為說汝等所作未辦汝所住地近於
佛慧當觀察籌量所得涅槃非真實也但
是如來方便之力於一佛乘分別說三如彼
導師為止息故化作大城既知息已而告之
言寶處在近此城非實我化作耳尒時世尊
欲重宣此義而說偈言
大通智勝佛 十劫坐道場 佛法不現前 不得成佛道
諸天神龍王 阿脩羅衆等 常雨於天華 以供養彼佛
諸天擊天鼓 并作衆伎樂 香風吹萎華 更雨新好者
過十小劫已 乃得成佛道 諸天及世人 心皆懷踊躍
彼佛十六子 皆與其眷屬 千萬億圍繞 俱行至佛所
頭面礼佛足 而請轉法輪 聖師子法雨 充我及一切
世尊甚難值 久遠時一現 為覺悟群生 震動於一切

彼佛十六子 皆與其眷屬 千萬億圍繞 俱行至佛所
頭面礼佛足 而請轉法輪 聖師子法雨 充我及一切
世尊甚難值 久遠時一現 為覺悟群生 震動於一切
東方諸世界 五百萬億國 梵宮殿光曜 昔所未曾有
諸梵見此相 尋來至佛所 散華以供養 并奉上宮殿
請佛轉法輪 以偈而讚歎 佛知時未至 受請默然坐
三方及四維 上下亦復尒 散華奉宮殿 請佛轉法輪
世尊甚難值 願以大慈悲 廣開甘露門 轉無上法輪
無量慧世尊 受彼衆人請 為宣種種法 四諦十二緣
無明至老死 皆從生緣有 如是衆過患 汝等應當知
宣暢是法時 六百萬億姟 得盡諸苦際 皆成阿羅漢
第二說法時 千萬恒沙衆 於諸法不受 亦得阿羅漢
從是後得道 其數無有量 萬億劫筭數 不能得其邊
時十六王子 出家作沙彌 皆共請彼佛 演說大乘法
我等及營從 皆當成佛道 願得如世尊 慧眼第一淨
佛知童子心 宿世之所行 以無量因緣 種種諸譬喻
說六波羅蜜 及諸神通事 分別真實法 菩薩所行道
說是法華經 如恒河沙偈 彼佛說經已 靜室入禪定
一心一處坐 八萬四千劫 是諸沙彌等 知佛禪未出
為無量億衆 說佛無上慧 各各坐法座 說是大乘經
於佛宴寂後 宣揚助法化 一一沙彌等 所度諸衆生
有六百萬億 恒河沙等衆 彼佛滅度後 是諸聞法者
在在諸佛土 常與師俱生 是十六沙彌 具足行佛道
今現在十方 各得成正覺 尒時聞法者 各在諸佛所
其有住聲聞 漸教以佛道 我在十六數 曾亦為汝說
是故以方便 引汝趣佛慧 以是本因緣 今說法華經

在在諸佛土　常與師俱生　是十六沙彌　具足行佛道
今現在十方　各得成正覺　爾時聞法者　各在諸佛所
其有住聲聞　漸教以佛道　我在十六數　曾亦為汝說
是故以方便　引汝趣佛慧　以是本因緣　今說法華經
令汝入佛道　慎勿懷驚懼　譬如險惡道　迥絕多毒獸
又復無水草　人所怖畏處　無數千萬眾　欲過此險道
其路甚曠遠　經五百由旬　時有一導師　強識有智慧
明了心決定　在險濟眾難　眾人皆疲惓　而白導師言
我等今頓乏　於此欲退還　導師作是念　此輩甚可愍
如何欲退還　而失大珍寶　尋時思方便　當設神通力
化作大城郭　莊嚴諸舍宅　周帀有園林　渠流及浴池
重門高樓閣　男女皆充滿　即作是化已　慰眾言勿懼
汝等入此城　各可隨所樂　諸人既入城　心皆大歡喜
皆生安隱想　自謂已得度　導師知息已　集眾而告言
汝等當前進　此是化城耳　我見汝疲極　中路欲退還
故以方便力　權化作此城　汝今勤精進　當共至寶所
我亦復如是　為一切導師　見諸求道者　中路而懈廢
不能度生死　煩惱諸險道　故以方便力　為息說涅槃
言汝等苦滅　所作皆已辦　既知到涅槃　皆得阿羅漢
爾乃集大眾　為說真實法　諸佛方便力　分別說三乘
唯有一佛乘　息處故說二　今為汝說實　汝所得非滅
為佛一切智　當發大精進　汝證一切智　十力等佛法
具三十二相　乃是真實滅　諸佛之導師　為息說涅槃
既知是息已　引入於佛慧

妙法蓮華經卷第三

BD00193號　妙法蓮華經卷三　（16–15）

重門高樓閣　男女皆充滿　即作是化已　慰眾言勿懼
汝等入此城　各可隨所樂　諸人既入城　心皆大歡喜
皆生安隱想　自謂已得度　導師知息已　集眾而告言
汝等當前進　此是化城耳　我見汝疲極　中路欲退還
故以方便力　權化作此城　汝今勤精進　當共至寶所
我亦復如是　為一切導師　見諸求道者　中路而懈廢
不能度生死　煩惱諸險道　故以方便力　為息說涅槃
言汝等苦滅　所作皆已辦　既知到涅槃　皆得阿羅漢
爾乃集大眾　為說真實法　諸佛方便力　分別說三乘
唯有一佛乘　息處故說二　今為汝說實　汝所得非滅
為佛一切智　當發大精進　汝證一切智　十力等佛法
具三十二相　乃是真實滅　諸佛之導師　為息說涅槃
既知是息已　引入於佛慧

妙法蓮華經卷第三

BD00193號　妙法蓮華經卷三　（16–16）

大乘无量壽經
如是我聞一時薄伽梵在舍衛國祇樹給孤獨園與大苾芻僧千二百五十人大菩薩摩訶薩衆
俱爾時世尊告曼殊室利童子曼殊上方有世界名无量功德聚彼土有佛名无
量智決定王如來阿耨多羅三藐三菩提現為衆生開示說法曼殊諦聽南閻浮提人命短
壽大限百年於中夭枉橫死者衆曼殊如是无量壽如來功德名稱法要若有衆生得聞名
號若自書或使人書能為經卷受持讀誦若於舍宅所住之處以種種花鬘瓔珞塗香末香
而為供養如其命盡復得延年滿足百歲如是曼殊若有衆生得聞是无量壽智決定王如來一百八
名號者益其長壽若有衆生大命將盡憶念是如來名號更得增壽如是曼殊若有善男子善
女人欲求長壽於是无量壽如來一百八名號有得聞者或自書若使人書受持讀誦得如是等
果報福德具足陀羅尼曰　南謨薄伽勃底一阿波唎蜜多二阿喻紇硯娜三
須毗你悉指陀四囉佐耶五怛他羯他耶六怛姪他唵七薩婆桑悉迦囉八鉢唎輸底九達磨底十
伽迦娜十一莎訶其特迦底十二莎婆娑毗輸底十三摩訶娜耶十四波唎婆唎莎訶十五
世尊復告曼殊室利如是如來一百八名號若有自書或使人書為經卷受持讀誦得壽命
盡復滿百年壽終此身後得往生无量福智世界无量壽淨土陀羅尼曰
南謨薄伽勃底一阿波唎蜜多二阿喻紇硯娜三須毗你斯指陀四羅佐耶五怛他羯他耶六怛姪他唵七
薩婆桑悉迦羅八鉢唎輸底九達磨底十伽迦娜十一莎訶其特迦底十二莎婆娑毗輸底十三
摩訶娜耶十四波唎婆唎莎訶十五　爾時有九十九俱胝佛等一時同聲
說是无量壽宗要經陀羅尼曰　南謨薄伽勃底一阿波唎蜜多二阿喻紇硯娜三
須毗你悉指陀四羅佐耶五怛他羯他耶六怛姪他唵七薩婆桑悉迦羅八鉢唎輸底九達磨底十
伽迦娜十一莎訶其特迦底十二莎婆娑毗輸底十三摩訶娜耶十四波唎婆唎莎訶十五
爾時復有一百四俱胝佛一時同聲說是无量壽宗要經陀羅尼曰
南謨薄伽勃底一阿波唎蜜多二阿喻紇硯娜三須毗你悉指陀四羅佐耶五怛他羯他耶六怛姪他唵七
薩婆桑悉迦羅八波唎輸底九達磨底十伽迦娜十一莎訶其特迦底十二薩婆娑毗輸底十三
摩訶娜耶十四波唎婆唎莎訶十五　爾時復有七俱胝佛一時同聲
說是无量壽宗要經陀羅尼曰　南謨薄伽勃底一阿波唎蜜多二阿喻紇
硯娜三須毗你悉指陀四羅佐耶五怛他羯他耶六怛姪他唵七薩婆桑悉迦羅八波唎輸底九達磨
底十伽迦娜十一莎訶其特迦底十二薩婆娑毗輸底十三摩訶娜耶十四波唎婆羅莎訶十五
爾時復有六十五俱胝佛一時同聲說是无量壽宗要經陀羅尼曰
南謨薄伽勃底一阿波唎蜜多二阿喻紇硯娜三須毗你悉指陀四羅佐耶五怛他羯他耶六怛姪他唵七

BD00194 號　無量壽宗要經　（5–1）

硯娜三須毗你悉指陀四羅佐耶五怛他羯他耶六怛姪他唵七薩婆桑悉迦羅八波唎輸底九達磨
底十伽迦娜十一莎訶其特迦底十二薩婆娑毗輸底十三摩訶娜耶十四波唎婆羅莎訶十五
爾時復有六十五俱胝佛一時同聲說是无量壽宗要經陀羅尼曰
南謨薄伽勃底一阿波唎蜜多二阿喻紇硯娜三須毗你悉指陀四羅佐耶五怛他羯他耶六怛姪他唵七
薩婆桑悉迦羅八波唎輸底九達磨底十伽迦娜十一莎訶其特迦底十二薩婆娑毗輸底十三
摩訶娜耶十四波唎婆羅莎訶十五　爾時復有五十五俱胝佛一時同聲
說是无量壽宗要經陀羅尼曰　南謨薄伽勃底一阿波唎蜜多二阿喻紇硯娜三
須毗你悉指陀四羅佐耶五怛他羯他耶六怛姪他唵七薩婆桑悉迦羅八波唎輸底九達磨底十
伽迦娜十一莎訶其特迦底十二薩婆娑毗輸底十三摩訶娜耶十四波唎婆羅莎訶十五
爾時復有四十五俱胝佛一時同聲說是无量壽宗要經陀羅尼曰
南謨薄伽勃底一阿波唎蜜多二阿喻紇硯娜三須毗你悉指陀四羅佐耶五怛他羯他耶六怛姪他唵七
薩婆桑悉迦羅八波唎輸底九達磨底十伽迦娜十一莎訶其特迦底十二薩婆娑毗輸底十三
摩訶娜耶十四波唎婆羅莎訶十五　爾時復有三十六俱胝佛一時同聲說
是无量壽宗要經陀羅尼曰　南謨薄伽勃底一阿波唎蜜多二阿喻紇硯娜三
須毗你悉指陀四羅佐耶五怛他羯他耶六怛姪他唵七薩婆桑悉迦羅八波唎輸底九達磨底十
伽迦娜十一莎訶其特迦底十二莎婆娑毗輸底十三摩訶娜耶十四波唎婆羅莎訶十五
爾時復有二十五俱胝佛一時同聲說是无量壽宗要經陀羅尼曰
南謨薄伽勃底一阿波唎蜜多二阿喻紇硯娜三須毗你悉指陀四羅佐耶五怛他羯他耶六怛姪他唵七
薩婆桑悉迦羅八波唎輸底九達磨底十伽迦娜十一莎訶其特迦底十二薩婆娑毗輸底十三
摩訶娜耶十四波唎婆羅莎訶十五　爾時復有恒河沙俱胝佛一時同聲
說是无量壽宗要經陀羅尼曰　南謨薄伽勃底一阿波唎蜜多二阿喻紇硯娜三
須毗你悉指陀四羅佐耶五怛他羯他耶六怛姪他唵七薩婆桑悉迦羅八波唎輸底九達磨底十
伽迦娜十一莎訶其特迦底十二薩婆娑毗輸底十三摩訶娜耶十四波唎婆羅莎訶十五
善男子若有自書寫教人書寫是无量壽宗要經如其命盡復得長壽
而滿年陀羅尼曰　南謨薄伽勃底一阿波唎蜜多二阿喻紇硯娜三
須毗你悉指陀四羅佐耶五怛他羯他耶六怛姪他唵七薩婆桑悉迦羅八波唎輸底九達磨底十
伽迦娜十一莎訶其特迦底十二薩婆娑毗輸底十三摩訶娜耶十四波唎婆羅莎訶十五
若有自書教人書寫是无量壽宗要經讀誦受持畢竟不墮地獄在在
所生得宿命智陀羅尼曰　南謨薄伽勃底一阿波唎蜜多二阿喻紇硯娜三
須毗你悉指陀四羅佐耶五怛他羯他耶六怛姪他唵七薩婆桑悉迦羅八波唎輸底九達磨底十
伽迦娜十一莎訶其特迦底十二薩婆娑毗輸底十三摩訶娜耶十四波唎婆羅莎訶十五
若有自書教人書寫是无量壽宗要經受持讀誦如同書寫八万四千一
切經典陀羅尼曰　南謨薄勃底一阿波唎蜜多二阿喻紇硯娜三
須毗你悉指陀四羅佐耶五怛他羯他耶六怛姪他唵七薩婆桑悉迦羅八波唎輸底九達磨底十

BD00194 號　無量壽宗要經　（5–2）

伽迦娜十一 莎訶桑特迦底十二 薩婆婆毗輸底十三 摩訶娜耶十四 波唎婆羅莎訶十五
若有自書教人書寫是无量壽宗要經讀誦受持畢竟不墮地獄 在在
所生得宿命智陁羅尼曰 南謨薄伽勃底一 阿波唎蜜哆二 阿喻紇硯娜三
須毗你悉指陁四 羅佐耶五 怛他羯他耶六 怛姪他唵七 薩婆桑悉迦羅八 波唎輸底九 達磨底十
伽迦娜十一 莎訶桑特迦底十二 薩婆婆毗輸底十三 摩訶娜耶十四 波唎婆羅莎訶十五
若有自書教人書寫是无量壽宗要經受持讀誦如同書寫八万四千一
切經典陁羅尼曰 南謨薄伽勃底一 阿波唎蜜哆二 阿喻紇硯娜三
須毗你悉指陁四 羅佐耶五 怛他羯他耶六 怛姪他唵七 薩婆桑悉迦羅八 波唎輸底九 達磨底十
伽迦娜十一 莎訶桑特迦底十二 薩婆婆毗輸底十三 摩訶娜耶十四 波唎婆羅莎訶十五
若有自書教人書寫是无量壽宗要經即是書寫八万四千部建立
塔廟陁羅尼曰 南謨薄伽勃底一 阿波唎蜜哆二 阿喻紇硯娜三
須毗你悉指陁四 羅佐耶五 怛他羯他耶六 怛姪他唵七 薩婆桑悉迦羅八 波唎輸底九 達磨底十
伽迦娜十一 莎訶桑特迦底十二 薩婆婆毗輸底十三 摩訶娜耶十四 波唎婆羅莎訶十五
若有自書寫教人書寫是无量壽宗要經能消五无間等一切重罪陁羅尼曰
南謨薄伽勃底一 阿波唎蜜哆二 阿喻紇硯娜三 須毗你悉指陁四 羅佐耶五 怛他羯他耶六 怛姪他唵七
薩婆桑悉迦羅八 波唎輸底九 達磨底十 伽迦娜十一 莎訶桑特迦底十二 薩婆婆毗輸底十三
摩訶娜耶十四 波唎婆羅莎訶十五 若有自書寫教人書寫是无量壽宗要經受
持讀誦設有重罪猶如須弥盡能除滅陁羅尼曰 南謨薄伽勃底一 阿波唎蜜哆二 阿喻紇
硯娜三 須毗你悉指陁四 羅佐耶五 怛他羯他耶六 怛姪他唵七 薩婆桑悉迦羅八 波唎輸底九 達
磨底十 伽迦娜十一 莎訶桑特迦底十二 薩婆婆毗輸底十三 摩訶娜耶十四 波唎婆羅莎訶十五
若有自書寫教人書寫是无量壽宗要經受持讀誦若魔魔之眷屬夜叉羅
剎不得其便終无枉死陁羅尼曰 南謨薄伽勃底一 阿波唎蜜哆二 阿喻紇硯娜三
須毗你悉指陁四 羅佐耶五 怛他羯他耶六 怛姪他唵七 薩婆桑悉迦羅八 波唎輸底九 達磨底十
伽迦娜十一 莎訶桑特迦底十二 薩婆婆毗輸底十三 摩訶娜耶十四 波唎婆羅莎訶十五
若有自書教人書寫是无量壽宗要經受持讀誦當命終時有九十九姟佛現其人前來千佛
授手能遊一切佛剎莫於此經生於疑惑陁羅尼曰 南謨薄伽勃底一 阿波唎蜜哆二 阿喻
紇硯娜三 須毗你悉指陁四 羅佐耶五 怛他羯他耶六 怛姪他唵七 薩婆桑悉迦羅八 波唎輸底九 達磨底十
伽迦娜十一 莎訶桑特迦底十二 薩婆婆毗輸底十三 摩訶娜耶十四 波唎婆羅莎訶十五
若有自書寫教人書寫是无量壽宗要經受持讀誦常得四天大王隨共
衛護陁羅尼曰 南謨薄伽勃底一 阿波唎蜜哆二 阿喻紇硯娜三
須毗你悉指陁四 羅佐耶五 怛他羯他耶六 怛姪他唵七 薩婆桑悉迦羅八 波唎輸底九 達磨底十
伽迦娜十一 莎訶桑特迦底十二 薩婆婆毗輸底十三 摩訶娜耶十四 波唎婆羅莎訶十五

BD00194號　無量壽宗要經　　（5–3）

若有自書教人書寫是无量壽宗要經受持讀誦當命終時有九十九姟佛現其人前來千佛
授手能遊一切佛剎莫於此經生於疑惑陁羅尼曰 南謨薄伽勃底一 阿波唎蜜哆二 阿喻
紇硯娜三 須毗你悉指陁四 羅佐耶五 怛他羯他耶六 怛姪他唵七 薩婆桑悉迦羅八 波唎輸底九 達磨底十
伽迦娜十一 莎訶桑特迦底十二 薩婆婆毗輸底十三 摩訶娜耶十四 波唎婆羅莎訶十五
若有自書寫教人書寫是无量壽宗要經受持讀誦常得四天大王隨共
衛護陁羅尼曰 南謨薄伽勃底一 阿波唎蜜哆二 阿喻紇硯娜三
須毗你悉指陁四 羅佐耶五 怛他羯他耶六 怛姪他唵七 薩婆桑悉迦羅八 波唎輸底九 達磨底十
伽迦娜十一 莎訶桑特迦底十二 薩婆婆毗輸底十三 摩訶娜耶十四 波唎婆羅莎訶十五
若有自書教人書寫是无量壽宗要經受持讀誦當得往生西方極樂世界
阿弥陁淨土陁羅尼曰 南謨薄伽勃底一 阿波唎蜜哆二 阿喻紇硯娜三
須毗你悉指陁四 羅佐耶五 怛他羯他耶六 怛姪他唵七 薩婆桑悉迦羅八 波唎輸底九 達磨底十
伽迦娜十一 莎訶桑特迦底十二 薩婆婆毗輸底十三 摩訶娜耶十四 波唎婆羅莎訶十五
若有方所自書寫使人書寫是无量壽經典之處則為是塔皆應恭敬作禮若是畜生或為鳥
獸得聞是經如是等類皆當不久得成一切種智陁羅尼曰
南謨薄伽勃底一 阿波唎蜜哆二 阿喻紇硯娜三 須毗你悉指陁四 羅佐耶五 怛他羯他耶六 怛姪他唵七
薩婆桑悉迦羅八 波唎輸底九 達磨底十 伽迦娜十一 莎訶桑特迦底十二 薩婆婆毗輸底十三
摩訶娜耶十四 波唎婆羅莎訶十五 若有於是无量壽經自書寫若使人
書畢竟不受女人之身陁羅尼曰 南謨薄伽勃底一 阿波唎蜜哆二 阿喻紇硯娜三
須毗你悉指陁四 羅佐耶五 怛他羯他耶六 怛姪他唵七 薩婆桑悉迦羅八 波唎輸底九 達磨底十
伽迦娜十一 莎訶桑特迦底十二 薩婆婆毗輸底十三 摩訶娜耶十四 波唎婆羅莎訶十五
若有能於是經少分能惠施者等於三千大千世界滿中七寶布施陁羅尼曰
南謨薄伽勃底一 阿波唎蜜哆二 阿喻紇硯娜三 須毗你悉指陁四 羅佐耶五 怛他羯他耶六 怛姪他唵七
薩婆桑悉迦羅八 波唎輸底九 達磨底十 伽迦娜十一 莎訶桑特迦底十二 薩婆婆毗輸底十三
摩訶娜耶十四 波唎婆羅莎訶十五 若有能供養是經者則是供養
一切諸經等无有異陁羅尼曰 南謨薄伽勃底一 阿波唎蜜哆二 阿喻紇硯娜三
須毗你悉指陁四 羅佐耶五 怛他羯他耶六 怛姪他唵七 薩婆桑悉迦羅八 波唎輸底九 達磨底十
伽迦娜十一 莎訶桑特迦底十二 薩婆婆毗輸底十三 摩訶娜耶十四 波唎婆羅莎訶十五
如是毗婆尸佛 尸棄佛 毗舍浮佛 俱留孫佛 俱那含牟尼佛 迦葉佛 釋迦牟尼佛
若有人以七寶供養如是七佛其福有限書寫受持是无量壽經典所有功德不可限量陁羅尼曰
南謨薄伽勃底一 阿波唎蜜哆二 阿喻紇硯娜三 須毗你悉指陁四 羅佐耶五 怛他羯他耶六 怛姪他唵七 薩婆桑悉迦羅八 波
唎輸底九 達磨底十 伽迦娜十一 莎訶桑特迦底十二 薩婆婆毗輸底十三 摩訶娜耶十四 波唎婆羅莎訶十五

BD00194號　無量壽宗要經　　（5–4）

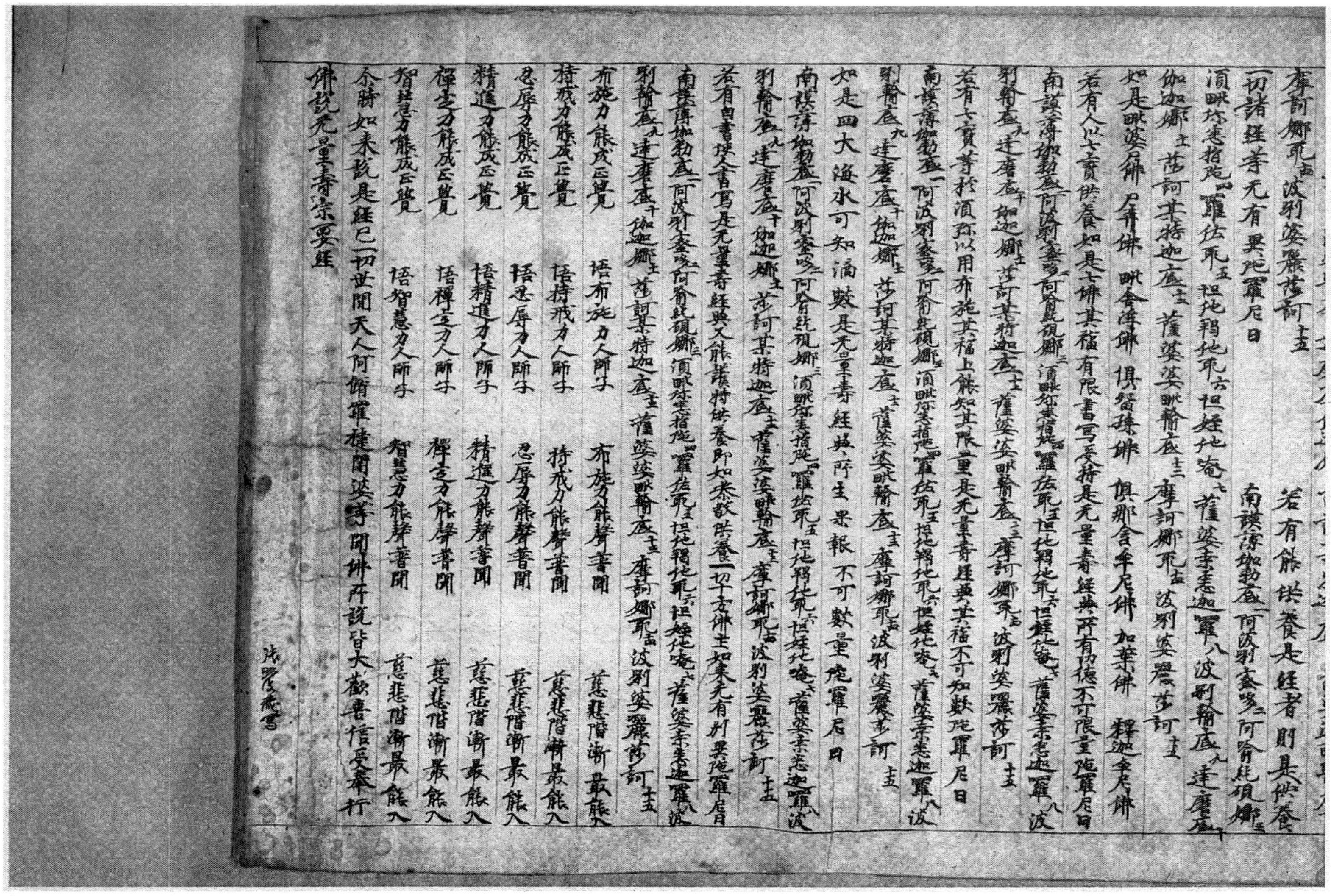
摩訶娜耶十四 波唎婆囉莎訶十五 若有能供養是經者則是供養
一切諸經等无有異陀羅尼曰 南謨薄伽勃底一 阿波唎蜜多二 阿喻紇硯那三
須毗你悉指陀四 囉佐耶五 怛他羯他耶六 怛姪他唵七 薩婆桑悉迦羅八 波唎輸底九 達磨底十
伽迦娜十一 莎訶某特迦底十二 薩婆婆毗輸底十三 摩訶娜耶十四 波唎婆囉莎訶十五
如是毗婆尸佛 尸棄佛 毗舍浮佛 俱留孫佛 俱那含牟尼佛 加葉佛 釋迦牟尼佛
若有人以七寶供養如是七佛其福有限書寫受持是无量壽經典所有功德不可限量陀羅尼曰
南謨薄伽勃底一 阿波唎蜜多二 阿喻紇硯那三 須毗你悉指陀四 囉佐耶五 怛他羯他耶六 怛姪他唵七 薩婆桑悉迦羅八 波
唎輸底九 達磨底十 伽迦娜十一 莎訶某特迦底十二 薩婆婆毗輸底十三 摩訶娜耶十四 波唎婆囉莎訶十五
若有七寶等於須弥以用布施其福上能知其限量是无量壽經典其福不可知數陀羅尼曰
南謨薄伽勃底一 阿波唎蜜多二 阿喻紇硯那三 須毗你悉指陀四 囉佐耶五 怛他羯他耶六 怛姪他唵七 薩婆桑悉迦羅八 波
唎輸底九 達磨底十 伽迦娜十一 莎訶某特迦底十二 薩婆婆毗輸底十三 摩訶娜耶十四 波唎婆囉莎訶十五
如是四大海水可知滴數是无量壽經典所生果報不可數量陀羅尼曰
南謨薄伽勃底一 阿波唎蜜多二 阿喻紇硯那三 須毗你悉指陀四 囉佐耶五 怛他羯他耶六 怛姪他唵七 薩婆桑悉迦羅八 波
唎輸底九 達磨底十 伽迦娜十一 莎訶某特迦底十二 薩婆婆毗輸底十三 摩訶娜耶十四 波唎婆囉莎訶十五
若有自書使人書寫是无量壽經典又能護持供養即如來敬禮供養一切十方佛土如來无有別異陀羅尼曰
南謨薄伽勃底一 阿波唎蜜多二 阿喻紇硯那三 須毗你悉指陀四 囉佐耶五 怛他羯他耶六 怛姪他唵七 薩婆桑悉迦羅八 波
唎輸底九 達磨底十 伽迦娜十一 莎訶某特迦底十二 薩婆婆毗輸底十三 摩訶娜耶十四 波唎婆囉莎訶十五
布施力能成正覺 悟布施力入師子 布施力能聲普聞 慈悲階漸最能入
持戒力能成正覺 悟持戒力入師子 持戒力能聲普聞 慈悲階漸最能入
忍辱力能成正覺 悟忍辱力入師子 忍辱力能聲普聞 慈悲階漸最能入
精進力能成正覺 悟精進力入師子 精進力能聲普聞 慈悲階漸最能入
禪定力能成正覺 悟禪定力入師子 禪定力能聲普聞 慈悲階漸最能入
智慧力能成正覺 悟智慧力入師子 智慧力能聲普聞 慈悲階漸最能入
尒時如來說是經已一切世間天人阿脩羅揵闥婆等聞佛所說皆大歡喜信受奉行
佛說无量壽宗要經
陳[illegible]寫

BD00194號　無量壽宗要經　（5–5）

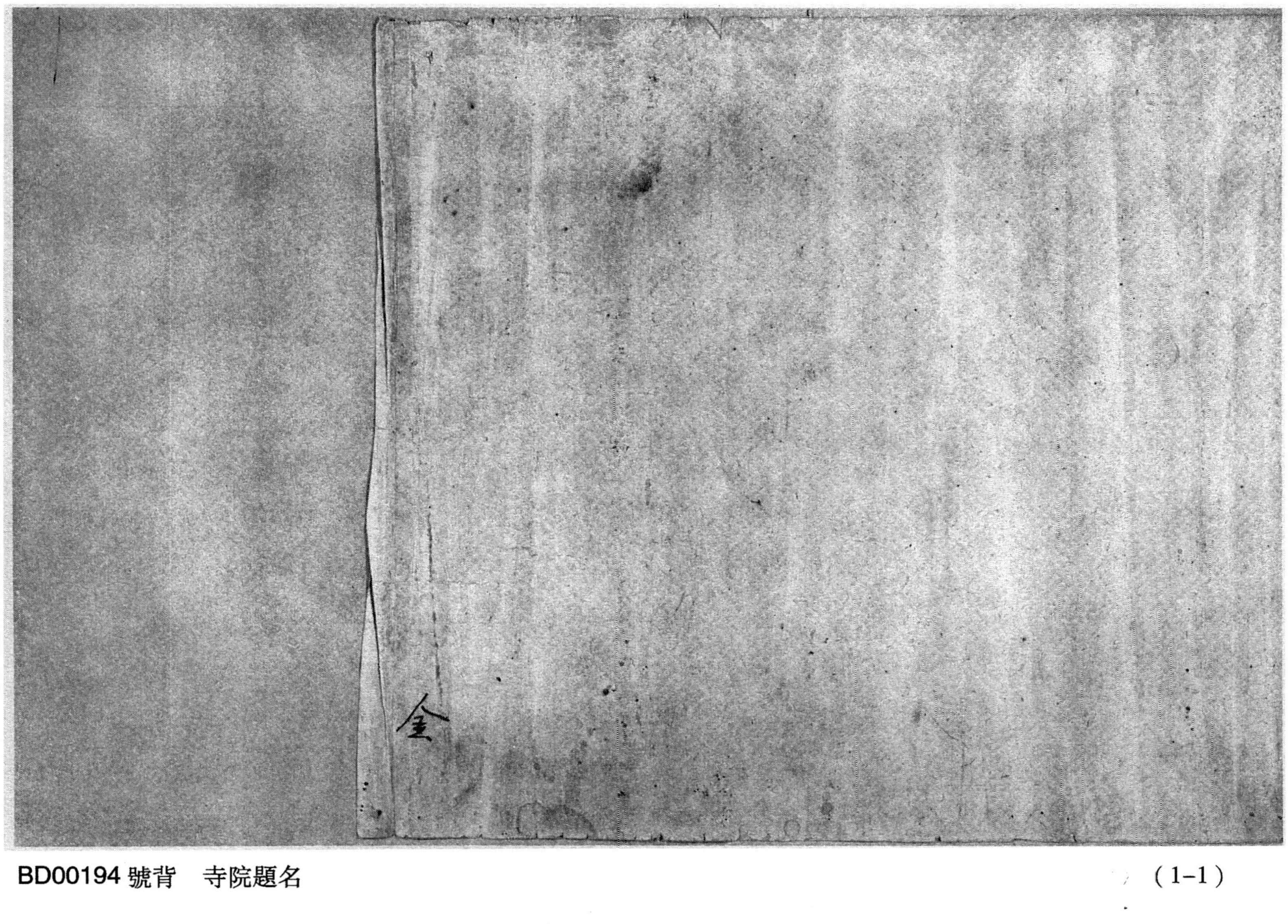
金

BD00194號背　寺院題名　（1–1）

須菩提於意云何可以卅
菩提言如是如是以卅二
菩提若以卅二相觀如來
如來須菩提白佛言世尊
不應以卅二相觀如來
若以色見我 以音聲求我
須菩提汝若作是念如來不以具足相故得
阿耨多羅三藐三菩提須菩提莫作是念如
來不以具足相故得阿耨多羅三藐三菩提
須菩提汝若作是念發阿耨多羅三藐三菩
提者說諸法斷滅莫作是念何以故發阿耨
多羅三藐三菩提者於法不說斷滅相須菩
提若菩薩以滿恒河沙等世界七寶布施若
復有人知一切法无我得成於忍此菩薩勝
前菩薩所得功德須菩提以諸菩薩不受
福德故須菩提白佛言世尊云何菩薩不受
福德須菩提菩薩所作福德不應貪著是故
說不受福德
須菩提若有人言如來若來若去若坐若臥
是人不解我所說義何以故如來者无所從
來亦无所去故名如來
須菩提若善男子善女人以三千大千世界
碎為微塵於意云何是微塵衆寧為多不甚
多世尊何以故若是微塵衆實有者佛則不
說是微塵衆所以者何佛說微塵衆則非微

BD00195號　金剛般若波羅蜜經　（3–1）

說不受福德
須菩提若有人言如來若來若去若坐若臥
是人不解我所說義何以故如來者无所從
來亦无所去故名如來
須菩提若善男子善女人以三千大千世界
碎為微塵於意云何是微塵衆寧為多不甚
多世尊何以故若是微塵衆實有者佛則不
說是微塵衆所以者何佛說微塵衆則非微
塵衆是名微塵衆世尊如來所說三千大千
世界則非世界是名世界何以故若世界實
有者則是一合相如來說一合相則非一合相
是名一合相須菩提一合相者則是不可說
但凡夫之人貪著其事須菩提若人言佛說
我見人見衆生見壽者見須菩提於意云何
是人解我所說義不不也世尊是人不解如
來所說義何以故世尊說我見人見衆生見
壽者見即非我見人見衆生見壽
我見人見衆生見壽者見須菩提發阿
羅三藐三菩提心者於一切法應如是知
見如是信解不生法相須菩提所言法相者如
來說即非法相是名法相須菩提若有人以
滿无量阿僧祇世界七寶持用布施若有善
男子善女人發菩薩心者持於此經乃至四
句偈等受持讀誦為人演說其福勝彼云何
為人演說不取於相如如不動何以故
一切有為法 如夢幻泡影 如露亦如電 應作如是觀
佛說是經已長老須菩提及諸比丘比丘尼
優婆塞優婆夷一切世間天人阿脩羅聞佛
所說皆大歡喜信受奉行

BD00195號　金剛般若波羅蜜經　（3–2）

BD00195 號　金剛般若波羅蜜經　（3–3）

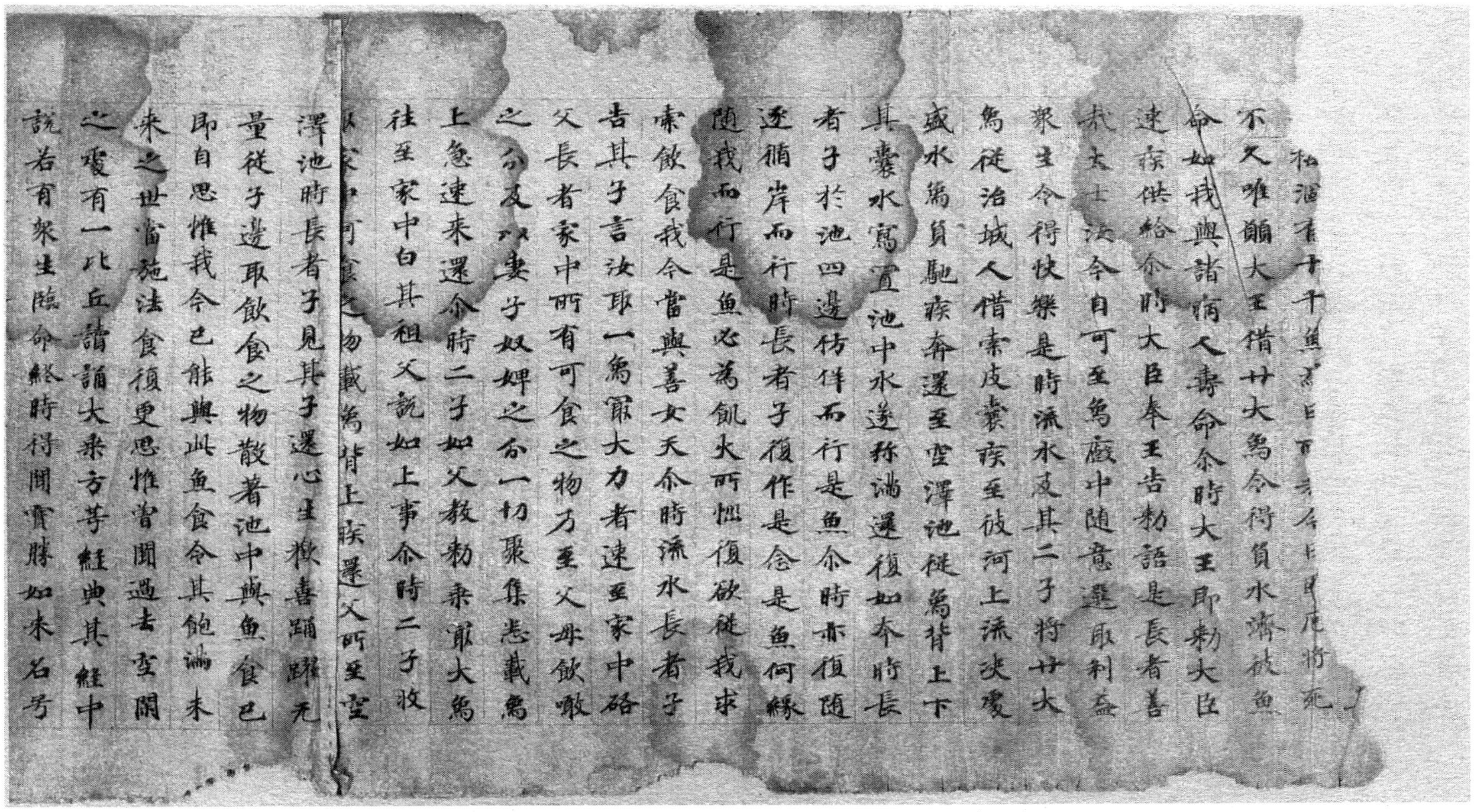

BD00196 號　合部金光明經（異卷）卷八　（20–1）

[illegible]
即自思惟我今已能與此魚食令其飽滿未
來之世當施法食復更思惟曾聞過去空閑
之處有一比丘讀誦大乘方等經典其經中
說若有衆生臨命終時得聞寶勝如來名号
即生天上我今當為是十千魚解說甚深十
二因緣亦當稱說寶勝佛名時閻浮提中有
二種人一者深信大乘方等二者毀呰不生
信樂時長者子作是思惟我今當入池水之
中為是諸魚說深妙法思惟是已即便入水
作如是言南无過去寶勝如來應供正遍知
明行足善逝世間解无上士調御丈夫天人師
佛世尊寶勝如來本往昔時行菩薩道作是
誓願若有衆生於十方界臨命終時聞我名
者當令是輩即命終已尋得上生三十三天
尒時流水復為是魚解說如是甚深妙法所
謂无明緣行行緣識識緣名色名色緣六入
六入緣觸觸緣受受緣愛愛緣取取緣有有
緣生生緣老死憂悲苦聚善女天尒時流水
長者子及其二子說是法已即共還家是長
者子復於後時賓客聚會醉酒而卧尒時其
地卒大震動時十千魚同日命終即命終已
生忉利天既生天已作是思惟我等以何善
業因緣得生於此忉利天中復相謂言我等
先於閻浮提內墮畜生中受於魚身流水長
者與我等水及以飲食復為我等解說甚深
十二因緣并稱寶勝如來名号以是因緣令
我等輩得生此天是故我等今當往至長者

BD00196號　合部金光明經（異卷）卷八　（20–2）

先於閻浮提內墮畜生中受於魚身流水長
者與我等水及以飲食復為我等解說甚深
十二因緣并稱寶勝如來名号以是因緣令
我等輩得生此天是故我等今當往至長者
子所報恩供養尒時十千天子從忉利天下
閻浮提至流水長者子大醫王家時長者子
在樓屋上露卧眠睡是十千天子以十千真
珠天妙瓔珞置其頭邊復以十千置其足邊
復以十千置右脅邊復以十千置左脅邊雨
曼陁羅華摩訶曼陁羅華積至于膝種種天
樂出妙音聲閻浮提中有睡眠者皆悉覺寤
流水長者子亦從睡寤是十千天子於上空
中飛騰遊行於天自在光王國內處處皆雨
天妙蓮華是諸天子復至本處空澤池所復
雨天華便從此沒還忉利宮隨意自在受天
五欲時閻浮提過是夜已天自在光王問諸
大臣今夜何緣示現如是淨妙瑞相有大光明
大臣答王大王當知忉利諸天於流水長者
子家雨四十千真珠瓔珞及不可計曼陁羅
華王即告臣卿可往至彼長者子所善言誘
喻喚令使來大臣受勑即至其家宣王教令
喚是長者是時長者尋至王所王問長者何緣
示現如是瑞相長者子言我必定知是十千
魚其命已終時大王言今可遣人審實是事
尒時流水尋遣其子至彼池所看是諸魚死
活定實尒時其子聞是語已向於彼池既至
池已見其池中多有摩訶曼陁羅華積聚成

BD00196號　合部金光明經（異卷）卷八　（20–3）

示現如是瑞相長者子言我必定知是十千
魚其命已終時大王言尒可遣人審實是事
尒時流水尋遣其子至彼池所看是諸魚死
活定實尒時其子聞是語已向於彼池既至
池已見其池中多有摩訶曼陁羅華積聚成
積其中諸魚悉皆命終見已即還白其父言
彼諸魚等悉已命終尒時流水知是事已復
往王所作如是言是十千魚悉皆命終王聞
是已心生歡喜尒時世尊告道場菩提樹神
善女天欲知尒時流水長者子者今我身是
長子水空今羅睺羅是次子水藏今阿難是
時十千魚者今十千天子是是故我今為其
授阿耨多羅三藐三菩提記尒時樹神現半
身者今汝身是

金光明經捨身品第廿二

尒時道場菩提樹神復白佛言世尊我聞世
尊過去脩行菩薩道時具受无量百千苦行
捐捨身命肉血骨髓唯願世尊少說往昔苦
行因緣為利衆生受諸快樂尒時世尊即現
神足神足力故令此大地六種震動於大講
堂衆會之中有七寶塔從地踊出衆寶羅網
彌覆其上尒時大衆見是事已生希有心尒
時世尊即從座起礼拜是塔恭敬圍遶還就
本坐尒時道場菩提樹神白佛言世尊如來
世雄出現於世常為一切之所恭敬於諸衆
生最勝最尊何因緣故礼拜是塔佛言善女

BD00196號　合部金光明經（異卷）卷八

（20–4）

時世尊即從座起礼拜是塔恭敬圍遶還就
本坐尒時道場菩提樹神白佛言世尊如來
世雄出現於世常為一切之所恭敬於諸衆
生最勝最尊何因緣故礼拜是塔佛言善女
天我本脩行菩薩道時我身舍利安心是塔
因由是身令我早成阿耨多羅三藐三菩提
尒時佛告尊者阿難汝可開塔取中舍利示
此大衆是舍利者乃是无量六波羅蜜功德
所薰尒時阿難聞佛教勅即往塔所礼拜供
養開其塔戶見其塔中有七寶函以手開函
見其舍利色妙紅白而白佛言世尊是中舍
利其色紅白佛告阿難汝持来此是大士真
身舍利尒時阿難即舉寶函還至佛所持以
上佛尒時佛告一切大衆汝等今可礼是
舍利此舍利者是戒定慧之所薰脩甚難可
得最上福田尒時大衆聞是語已心懷歡喜
即從座起合掌恭敬頂礼菩薩大士舍利尒
時世尊欲為大衆斷疑網故說是舍利往昔
因緣阿難過去之世有王名曰摩訶羅陁脩
行善法善治國土无有怨敵時有三子端正
微妙形色殊特威德第一第一太子名摩訶
波那羅次子名曰摩訶提婆小子名曰摩訶
薩埵是三王子於諸園林遊戲觀看次第漸
到一大竹林憩駕止息第一王子作如是言
我於今日心甚怖懼於是林中將无衰損第
二王子復作是言我於今日不自惜身但離
所愛心憂愁耳第三王子復作是言我於今

BD00196號　合部金光明經（異卷）卷八

（20–5）

[illegible]是三王子於諸園林遊戲觀看次第漸
到一大竹林憩駕止息第一王子作如是言
我於今日心甚怖懼於是林中將无衰損第
二王子復作是言我於今日不自惜身但離
所愛心憂愁耳第三王子復作是言我於今
日獨无怖懷亦无愁惱山中空寂神仙所讚
是處閑靜能令行人安隱受樂時諸王子說
是語已轉復前行見有一虎適產七日而有
七子圍遶周帀飢餓窮悴身體羸損命欲
將絕第一王子見是虎已作如是言怪哉此虎
產來七日七子圍遶不得求食若為飢逼必
還噉子第三王子言此虎經常所食何物第
一王子言此虎唯食新熱肉血第三王子言
君等誰能與此虎食第二王子言此虎飢餓
身體羸瘦窮困頓乏餘命无幾不容餘處為
其求食設餘求者命必不濟誰能為此不惜
身命第一王子言一切難捨不過己身第三
王子言我等今者以貪惜故於此身命不能
放捨智慧薄少故於是事而生驚怖若諸大
士欲利益他生大悲心為眾生者捨此身命
不足為難時諸王子心大愁憂久住視之目
未曾捨作是觀已尋便離去尒時第三王子
作是念言我今捨身時已到矣何以故我從
昔來多棄是身都无所為亦常愛護處之屋
宅又復供給衣服飲食卧具醫藥象馬車乘
隨時將養令无所乏而不知恩反生怨害然
復不免无常敗壞復次是身不堅无所利益

BD00196號　合部金光明經（異卷）卷八　（20–6）

作是念言我今捨身時已到矣何以故我從
昔來多棄是身都无所為亦常愛護處之屋
宅又復供給衣服飲食卧具醫藥象馬車乘
隨時將養令无所乏而不知恩反生怨害然
復不免无常敗壞復次是身不堅无所利益
可惡如賊猶若行廁我於今日當使此身作
无上業於生死海中作大橋梁復次若捨此
身則捨无量癰疽瘭疾百千怖畏是身唯有
大小便利是身不堅如水上沫是身不淨多
諸虫戶是身不淨筋纏血塗皮骨髓腦共相
連持如是觀察甚可患猒是故我今應當捨
離以求寂滅无上涅槃永離憂患无常變異
生死休息无諸塵累无量禪定智慧功德具
足成就微妙法身百福莊嚴諸佛所讚證成
如是无上法身與諸眾生无量法樂是時王
子勇猛堪任作是大願以上大悲薰脩其心
慮其二兄心懷怖懼或恐固遮為作留難即
便語言兄等今者可與眷屬還其所止尒時
王子摩訶薩埵還至虎所脫身衣裳置竹枝
上作是誓言我今為利諸眾生故證於最勝
无上道故大悲不動捨難捨故為求菩提智
所讚故欲度三有諸眾生故滅生死怖眾惱
熱故是時王子作是誓已即自放身卧餓虎
前是時王子以大悲力故虎无能為王子復
作如是念言虎今羸瘦身无勢力不能得我
身血肉食即起求刀周遍求之了不能得即
以乾竹刺頸出血於高山上投身虎前是時

BD00196號　合部金光明經（異卷）卷八　（20–7）

勢故是時王子作是誓已即自放身卧餓虎
前是時王子以大悲力故虎无能為王子復
作如是念言虎今羸瘦身无勢力不能得我
身血肉食即起求刀周遍求之了不能得即
以乾竹刺頸出血於高山上投身虎前是時
大地六種震動日无精光如羅睺羅阿脩羅
王捉持鄣蔽又雨雜華種種妙香時虛空中
有諸餘天見是事已心生歡喜未曾有讚言
善哉善哉大士汝今真是行大悲者為衆生
故能捨難捨於諸學人第一勇健汝已為
得諸佛所讚常樂住處不久當證无惱无熱
清涼涅槃是虎尒時見血流出汙王子身即
便舐血噉食其肉唯留餘骨尒時第一王子
見地大動為第二王子而說偈言
震動大地 及以大海 日无精光 如有覆蔽
於上虛空 雨諸華香 必是我弟 捨所愛身
第二王子復說偈言
彼虎產來 已經七日 七子圍遶 窮无飲食
氣力羸損 命不云遠 小弟大悲 知其窮悴
懼不堪忍 還食其子 恐定捨身 以救彼命
時二王子心大愁怖涕泣悲歎容貌憔悴復
共相將還至虎所見弟所著被服衣裳皆悉
在一竹枝之上骸骨髮爪布散狼藉流血處
處遍汙其地見已悶絕不自勝持投身骨上
良久乃寤即起舉手呼天而哭我弟幼稚才
能過人特為父母之所愛念奄忽捨身以飴
餓虎我今還宮父母設問當云何荅我寧在

BD00196號　合部金光明經（異卷）卷八　（20–8）

良久乃寤即起舉手呼天而哭我弟幼稚才
能過人特為父母之所愛念奄忽捨身以飴
餓虎我今還宮父母設問當云何荅我寧在
此并命一處不忍見是骸骨髮爪何心捨離
還見父母妻子眷屬朋友知識時二王子悲
號懊惱漸捨而去時小王子所將侍從各散
諸方手相謂言今者我天為何所在尒時王
妃於睡夢中夢乳被割牙齒墮落得三鴿鶵
一為鷹食尒時王妃大地動時即便驚寤心
大愁怖而說偈言
今日何故 大地大水 一切皆動 物不安所
日无精光 如有覆蔽 我心憂苦 目瞼瞤動
如我今者 所見瑞相 必有災異 不祥苦惱
於是王妃說是偈已時有青衣在外已聞王
子消息心驚惶怖尋即入內咨白王妃作如
是言向者在外聞諸侍從推覓王子不知所
在王妃聞已生大憂苦涕泣滿目至大王所
我於向者傳聞外人失我最小所愛之子大
王聞已而復悶絕悲哽苦惱收淚而言如何
今日失我心中所愛重者尒時世尊欲重宣
此義而說偈言
我於往昔 无量劫中 捨所重身 以求菩提
若為國王 及作王子 常捨難捨 以求菩提
我念宿命 有大國王 其王名曰 摩訶羅陁
是王有子 能大布施 其子名曰 摩訶薩埵
復有二兄 長者名曰 大波那羅 次名大天
三人同遊 至一空山 見新產虎 飢窮无食

BD00196號　合部金光明經（異卷）卷八　（20–9）

我念宿命　有大國王　其王名曰　摩訶羅陁
是王有子　能大布施　其子名曰　摩訶薩埵
復有二兄　長者名曰　大波那羅　次名大天
三人同遊　至一空山　見新產虎　飢窮无食
時勝大士　生大悲心　我今當捨　所重之身
此虎或為　飢餓所逼　儻能還食　自所生子
即上高山　自投虎所　為令虎子　得全性命
是時大地　及諸大山　皆悉震動　驚諸虫獸
虎狼師子　四散馳走　世間皆闇　无有光明
是時二兄　故在竹林　心懷憂惱　愁苦涕泣
漸漸推求　遂至虎所　見虎虎子　血汙其口
又見骸骨　髮毛爪齒　處處迸血　狼藉在地
時二王子　見是事已　心更悶絕　自躃於地
以灰塵土　自塗坌身　忘失正念　生狂癡心
所將侍從　覩見是事　亦生悲慟　失聲號哭
斗以冷水　共相噴灑　然後蘇息　而復得起
是時王子　當捨身時　正值後宮　妃后綵女
眷屬五百　共相娛樂　王妃是時　兩乳汁出
一切枝節　痛如針刺　心生愁惱　以喪愛子
於是王妃　疾至王所　其聲微細　悲泣而言
大王今當　諦聽諦聽　憂愁盛火　今來燒我
我今二乳　俱時汁出　身體苦切　如被針刺
我見如是　不祥瑞相　恐更不復　見所愛子
今以身命　奉上大王　願速遣人　求覓我子
夢三鴿鶵　在我懷抱　其取小者　可適我心
有鷹飛來　奪我而去　夢是事已　即生憂惱
我今悲怖　恐命不濟　唯願遣人　推求我子

今以身命　奉上大王　願速遣人　求覓我子
夢三鴿鶵　在我懷抱　其取小者　可適我心
有鷹飛來　奪我而去　夢是事已　即生憂惱
我今愁怖　恐命不濟　唯願遣人　推求我子
是時王妃　說是語已　即時悶絕　而復躃地
王聞是語　復生憂惱　以不得見　所愛子故
其王大臣　及諸眷屬　悉皆聚集　在王左右
哀哭悲號　聲動天地　尒時城內　所有人民
聞是聲已　驚愕而出　各相謂言　今是王子
為活来耶　為已死亡　如是大士　常出軟語
為衆所愛　今難可見　已有諸人　入林推求
不久自當　得定消息　諸人尒時　憧惶如是
而復悲號　哀動神祇
尒時大王　即從座起　以水灑妃　良久乃穌
還得正念　微聲問王　我子今者　為死活耶
尒時王妃　念其子故　倍復懊惱　心无暫捨
可惜我子　形色端正　如何一旦　捨我終亡
云何我身　不先萎沒　而見如是　諸苦惱事
善子妙色　猶如蓮華　誰壞汝身　使令分離
將非是我　昔日怨讎　俠本業緣　而殺汝耶
我子面目　淨如滿月　不圖一旦　遇斯禍對
寧使我身　碎破如塵　不令我子　喪失身命
我所見夢　已為得報　值我无情　能堪是苦
如我所夢　牙齒墮落　二乳一時　汁自流出
必定是我　失所愛子　夢三鴿鶵　鷹奪一去
三子之中　必定失一
尒時大王　即告夫妃　我今當遣　大臣使者

如我所夢　牙齒墮落　二乳一時　汁自流出
必定是我　失所愛子　夢三鴿鷂　鷹奪一去
三子之中　必定失一
尒時大王　即告其妃　我今當遣　大臣使者
周遍東西　推求覓子　汝今且可　莫大憂惱
大王如是　慰喻妃已　即便嚴駕　出其宮殿
心生愁惱　憂苦所切　雖在大衆　顏貌憔悴
即出其城　覓所愛子　尒時亦有　无量諸人
哀號動地　尋從王後
是時大王　既出城已　四向顧望　求覓其子
煩冤心亂　靡知所在　前後違見　有一信來
頭蒙塵土　血汙其衣　灰糞塗身　悲號而至
尒時大王　摩訶羅陁　見是使已　倍生懊惱
舉手號叫　仰天而哭　先所遣臣　尋復來至
既至王所　作如是言　願王莫愁　諸子猶在
不久當至　令王得見　須臾之項　復有臣來
見王愁苦　顏貌憔悴　身所著衣　垢膩塵汙
大王當知　一子已終　二子雖存　哀悴无賴
第三王子　見虎新產　飢窮七日　恐還食子
見是虎已　深生悲心　發大誓願　當度衆生
於未來世　證成菩提　即上高山　投身餓虎
虎餓所逼　便起啖食　一切血肉　已為都盡
唯有骸骨　狼藉在地　是時大王　聞臣語已
轉復悶絕　失念躃地　憂愁盛大　熾然其身
諸臣眷屬　亦復如是　以水灑王　良久乃穌
復起舉手　號天而哭　復有臣來　而白王言
向於林中　見二王子　愁憂苦毒　悲號啼哭

BD00196 號　合部金光明經（異卷）卷八　（20–12）

諸臣眷屬　亦復如是　以水灑王　良久乃穌
復起舉手　號天而哭　復有臣來　而白王言
向於林中　見二王子　愁憂苦毒　悲號啼哭
迷悶失志　自投於地　臣即求水　灑其身上
良久之頃　乃還穌息　望見四方　大火熾然
扶持暫起　尋復躃地　舉手悲哀　號天而哭
作復讚歎　其弟功德　是時大王　以離愛子
其心迷沒　氣力惙然　憂惱涕泣　并復思惟
是最小子　我所愛重　无常大鬼　奄便吞食
其餘二子　今雖存在　而為憂火　之所焚燒
或能為是　喪失命根　我宜速往　至彼林中
迎載諸子　急還宮殿　其母在後　憂苦逼切
心肝分裂　或能失命　若見二子　慰喻其心
可使終保　餘年壽命　尒時大王　駕乘名象
與諸侍從　欲至彼林　即於中路　見其二子
號天扣地　稱弟名字　時王即前　抱持二子
悲號涕泣　隨路還宮　速令二子　覲見其母
佛告樹神　汝今當知　尒時王子　摩訶薩埵
捨身飴虎　今我身是　尒時大王　摩訶羅陁
於今父王　輸頭檀是　尒時王妃　今摩耶是
第一王子　今弥勒是　第二王子　今調達是
尒時虎者　今瞿夷是　時虎七子　今五比丘
及舍利弗　目揵連是
尒時大王摩訶羅陁及其妃后悲號涕泣悉
皆脫身御服瓔珞與諸大衆往竹林中收其
舍利即於此處起七寶塔是時王子摩訶薩
埵臨捨命時作是誓願願我舍利於未來世

BD00196 號　合部金光明經（異卷）卷八　（20–13）

及舍利弗 目揵連是
尒時大王摩訶羅陁及其妃后悲號涕泣悉
皆脫身御服瓔珞與諸大眾往竹林中收其
舍利即於此處起七寶塔是時王子摩訶薩
埵臨捨命時作是誓願我舍利於未來世
過筭數劫常為眾生而作佛事說是經時无
量阿僧祇天及人發阿耨多羅三藐三菩提
心樹神是名礼塔往昔因緣尒時佛神力
故是七寶塔即沒不現

金光明經讚佛品第廿三

尒時无量百千万億諸菩薩眾從此世界至
金寶蓋山王如來國土到彼土已五體投地
為佛作礼却一面立向佛合掌異口同音而
讚歎佛

如來之身 金色微妙 其明照曜 如金山王
身淨柔軟 如金蓮華 无量妙相 以自莊嚴
隨形之好 光飾其體 淨潔无比 如紫金山
圓足无垢 如淨滿月 其音清徹 妙如梵聲
師子吼聲 大雷震聲 六種清淨 微妙音聲
迦陵頻伽 孔雀之聲 清淨无垢 威德具足
百福相好 莊嚴其身 光明遠照 无有齊限
智慧寂滅 无諸愛習 世尊成就 无量功德
譬如大海 須弥寶山 為諸眾生 生悕隱心
於未來世 能與快樂 如來所說 第一深義
能令眾生 寂滅安隱 能與眾生 无量快樂
能演无上 甘露妙法 能開无上 甘露法門
能入一切 无患屋宅 能令眾生 悉得解脫

BD00196號 合部金光明經（異卷）卷八 （20–14）

譬如大海 須弥寶山 為諸眾生 生悕隱心
於未來世 能與快樂 如來所說 第一深義
能令眾生 寂滅安隱 能與眾生 无量快樂
能演无上 甘露妙法 能開无上 甘露法門
能入一切 无患屋宅 能令眾生 悉得解脫
度於三有 无量苦海 安住正道 无諸憂苦
如來世尊 功德智慧 大慈悲力 精進方便
如是无量 不可稱計 我等今者 不能說喻
諸天世人 於无量劫 盡思度量 不能得知
如來所有 功德智慧 无量大海 一渧少分
我今略讚 如來功德 百千億分 不能宣一
若我功德 得聚集者 迴與眾生 證无上道

尒時信相菩薩即於此會從座而起偏袒右
肩右膝著地合掌向佛而說讚言

世尊百福 相好微妙 功德千數 莊嚴其身
色淨遠照 視之无猒 如日千光 弥滿虛空
光明熾盛 无量无邊 猶如无數 珎寶大聚
其明五色 青紅赤白 琉璃頗梨 如融真金
光明赫奕 通徹諸山 悉能遠照 无量佛土
能滅眾生 无量苦惱 又與眾生 上妙快樂
諸根清淨 微妙第一 眾生見者 无有猒足
髮紺柔軟 猶孔雀項 如諸蜂王 集在蓮華
清淨大悲 功德莊嚴 无量三昧 及以大悲
如是功德 悉已聚集 相好妙色 嚴飾其身
種種功德 助成菩提
如來悉能 調伏眾生 令心柔軟 受諸快樂
種種深妙 功德莊嚴 亦為十方 諸佛所讚

BD00196號 合部金光明經（異卷）卷八 （20–15）

清淨大悲　功德莊嚴　无量三昧　及以大悲
如是功德　悉已聚集　相好妙色　嚴飾其身
種種功德　助成菩提
如来悉能　調伏衆生　令心柔軟　受諸快樂
種種深妙　功德莊嚴　亦爲十方　諸佛所讚
其光遠照　遍於諸方　猶如日月　充滿虛空
功德成就　如須弥山　在在示現　於諸世界
齒白齊整　猶如珂雪　其德如日　處空明顯
眉間毫相　右旋宛轉　光明流出　如琉璃珠
其色微妙　如日處空
尒時道場菩提樹神復說讚曰
南无清淨　无上正覺　甚深妙法　隨順覺了
遠離一切　非法非道　獨拔而出　成佛正覺
知有非有　本性清淨
希有希有　如来功德　希有希有　如来大海
希有希有　如須弥山　希有希有　佛无邊行
希有希有　佛出於世　如優曇華　時一現耳
希有希有　无量大悲　釋迦牟尼　爲人中日
爲欲利益　諸衆生故　宣說如是　妙寶經典
善哉如来　諸根寂滅　而復遊入　善寂大城
无垢清淨　甚深三昧　入於諸佛　所行之處
一切聲聞　身皆空寂　兩足世尊　行處亦空
如是一切　无量諸法　推本性相　亦皆空寂
一切衆生　性相亦空　狂愚心故　不能覺知
我常念佛　樂見世尊　常作誓願　不離佛日
我常於地　長跪合掌　其心戀慕　欲見於佛
我常脩行　最上大悲　哀泣雨淚　欲見於佛

如是一切　无量諸法　推本性相　亦皆空寂
一切衆生　性相亦空　狂愚心故　不能覺知
我常念佛　樂見世尊　常作誓願　不離佛日
我常於地　長跪合掌　其心戀慕　欲見於佛
我常脩行　最上大悲　哀泣雨淚　欲見於佛
我常渴仰　欲見於佛　爲是事故　憂火燋然
唯願世尊　賜我慈悲　清冷法水　以滅是火
世尊慈愍　悲心无量　願使我身　常得見佛
世尊常護　一切人天　是故我今　渴仰欲見
聲聞之身　猶如虛空　焰幻響化　如水中月
衆生之身　如夢所見　如来行處　淨如琉璃
雨於无上　甘露法雨　能與衆生　无量快樂
如来行處　微妙甚深　一切衆生　无能知者
五通神仙　及諸聲聞　一切緣覺　亦不能知
我今不疑　佛所行處　唯願慈悲　爲我現身
尒時世尊　從三昧起　以微妙音　而讚歎言
善哉善哉　樹神善女　汝於今日　快說是言
金光明經付屬品第廿四
尒時世尊告彼大菩薩衆言汝等善丈夫輩
誰能守護此諸如来阿僧祇劫集成菩提於
我滅後以此法本當住廣現令正法久住故
尒時彼菩薩衆中有六十俱致菩薩及六十
俱致天女同以一咽唯聲說如是言世尊我
等堪能守護此諸如来阿僧祇劫集成菩提
於彼後時當作廣現尒時世尊說此伽他
諸佛是實語　安住於實法　彼等實住故　此經增任持
大悲爲鎧甲　大慈爲安住　彼等慈力故　此經增任持
富饒爲鎧甲　智衆所出生　諸衆和合故　此經增任持

於彼後時　當作廣現　尒時世尊　說此伽他
諸佛是實語　安住於實法　彼等實住故　此經增住持
大悲為鎧甲　大慈為安住　彼等慈力故　此經增住持
福聚為鎧甲　智聚所出生　諸聚和合故　此經增住持
降伏諸魔羅　諸論亦破散　已斷於諸見　此經增住持
護世天帝等　諸梵及脩羅　天龍乹闥婆　住持此已作
地住及虛空　所有諸天女　諸佛住持故　已說此行法
梵行相應故　四寶已莊嚴　盡四魔羅故　此經增住持
虛空若作色　或色作非色　諸佛所住持　无有能令動
尒時四大天王同以一咽唯聲說此伽他
我等於此經　守護當如是　及子諸眷屬　亦善作守護
若當持此者　菩提已作緣　我當近彼等　四方作守護
尒時天帝向佛說此伽他
我知諸佛恩　導師亦已證　於此勝經典　已證佛出生
我於彼諸佛　報恩當作護　當護如是經　及彼持經者
尒時娑訶世界主大梵天王向佛說此伽他
諸定及无量　諸乘及解脫　皆由此經出　已說佛出生
我捨梵處樂　此經所在處　至彼聽聞故　守護當如是
尒時删兜率多天子向佛說此伽他
若住於菩提　彼當住兜率　此經佛已說　若當有持者
世尊我當能　捨於天福報　閻浮洲內住　當說此行法
尒時高主魔羅子向佛說此伽他
清淨魔羅業　彼不隨魔羅　若當能持此　脩多羅正義
我等於此經　守護當如是　我發精進欲　如是令廣現
尒時魔羅波卑魔向佛說此伽他
我於彼眾生　當不作障礙　若當持此者　煩惱皆折伏

BD00196 號　合部金光明經（異卷）卷八　（20–18）

我等於此經　守護當如是　我發精進欲　如是令廣現
尒時魔羅波卑魔向佛說此伽他
我於彼眾生　當不作障礙　若當持此者　煩惱皆折伏
魔羅不得便　故說於此經　以佛住持故　我當護彼等
尒時善德天子向佛說此伽他
若諸佛菩提　彼於此經說　若持此經典　彼即供諸尊
我當持此經　為俱致天說　教化向菩提　當聽及敬重
尒時慈氏菩薩向佛說此伽他
不請之朋友　若彼住菩提　守護諸法故　能捨於自體
故我至兜率　如是脩多羅　以佛住持故　我當作廣顯
尒時上座摩訶迦葉波向佛說此伽他
我等少智慧　聲聞眾已說　隨能隨勢力　教師法當持
若有持此經　我當攝受彼　及以堪能辯　與彼作善言
尒時命者阿難陁向佛說此伽他
諸經多千數　我聞教師口　如是等經典　我先未曾聞
我值遇此經　對面已受取　我當作廣顯　欲求於菩提
佛說此時菩提高樹善獅天女及彼大辯天
女等功德天女等諸天女及諸天眾釋梵鞞
沙門等為首諸天王及彼諸大天眾乹闥婆
阿脩羅等世間於佛所說皆大歡喜

金光明經卷第八

BD00196 號　合部金光明經（異卷）卷八　（20–19）

我值遇此經　對面已受取　我當作廣願　欲求於菩提
佛說此時菩提爲樹善獅天女及彼大辯天
女等功德天女等諸天女及諸天衆釋梵鞞
沙門等爲首諸天王及彼諸大天衆乾闥婆
阿脩羅等世間於佛所說皆大歡喜
金光明經卷第八

BD00196 號　合部金光明經(異卷)卷八　(20–20)

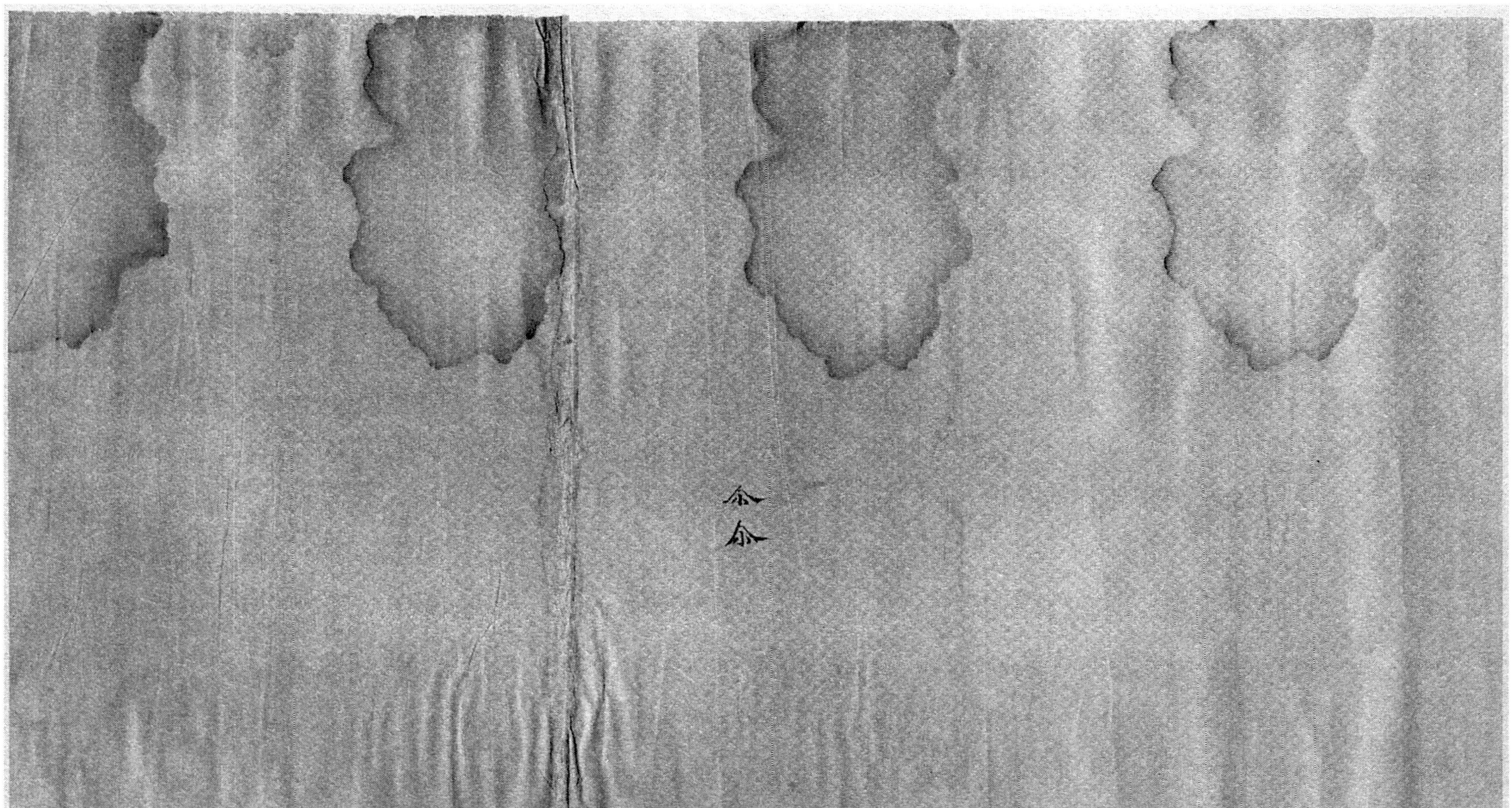
佘
佘

BD00196 號背　雜寫　(1–1)

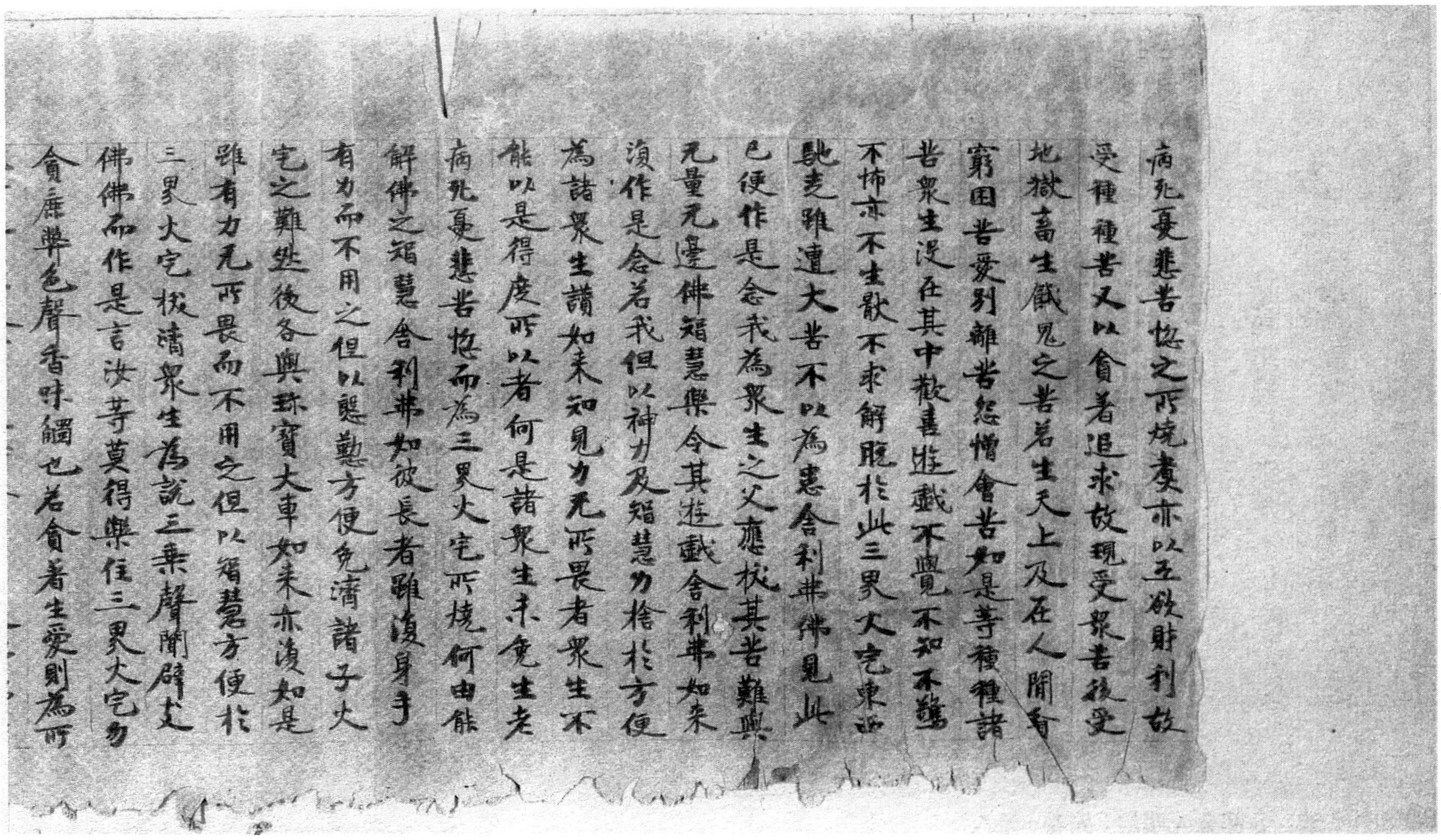
病死憂悲苦惱之所燒煑亦以五欲財利故
受種種苦又以貪著追求故現受衆苦後受
地獄畜生餓鬼之苦若生天上及在人間貧
窮困苦愛別離苦怨憎會苦如是等種種諸
苦衆生没在其中歡喜遊戲不覺不知不驚
不怖亦不生猒不求解脱於此三界火宅東西
馳走雖遭大苦不以為患舍利弗佛見此
已便作是念我為衆生之父應拔其苦難與
无量无邊佛智慧樂令其遊戲舍利弗如來
復作是念若我但以神力及智慧力捨於方便
為諸衆生讚如來知見力无所畏者衆生不
能以是得度所以者何是諸衆生未免生老
病死憂悲苦惱而為三界火宅所燒何由能
解佛之智慧舍利弗如彼長者雖復身手
有力而不用之但以慇懃方便免濟諸子火
宅之難然後各與珎寶大車如來亦復如是
雖有力无所畏而不用之但以智慧方便於
三界火宅拔濟衆生為說三乘聲聞辟支
佛佛乘而作是言汝等莫得樂住三界火宅勿
貪麁弊色聲香味觸也若貪著生愛則為所

BD00197 號　妙法蓮華經卷二　（21–1）

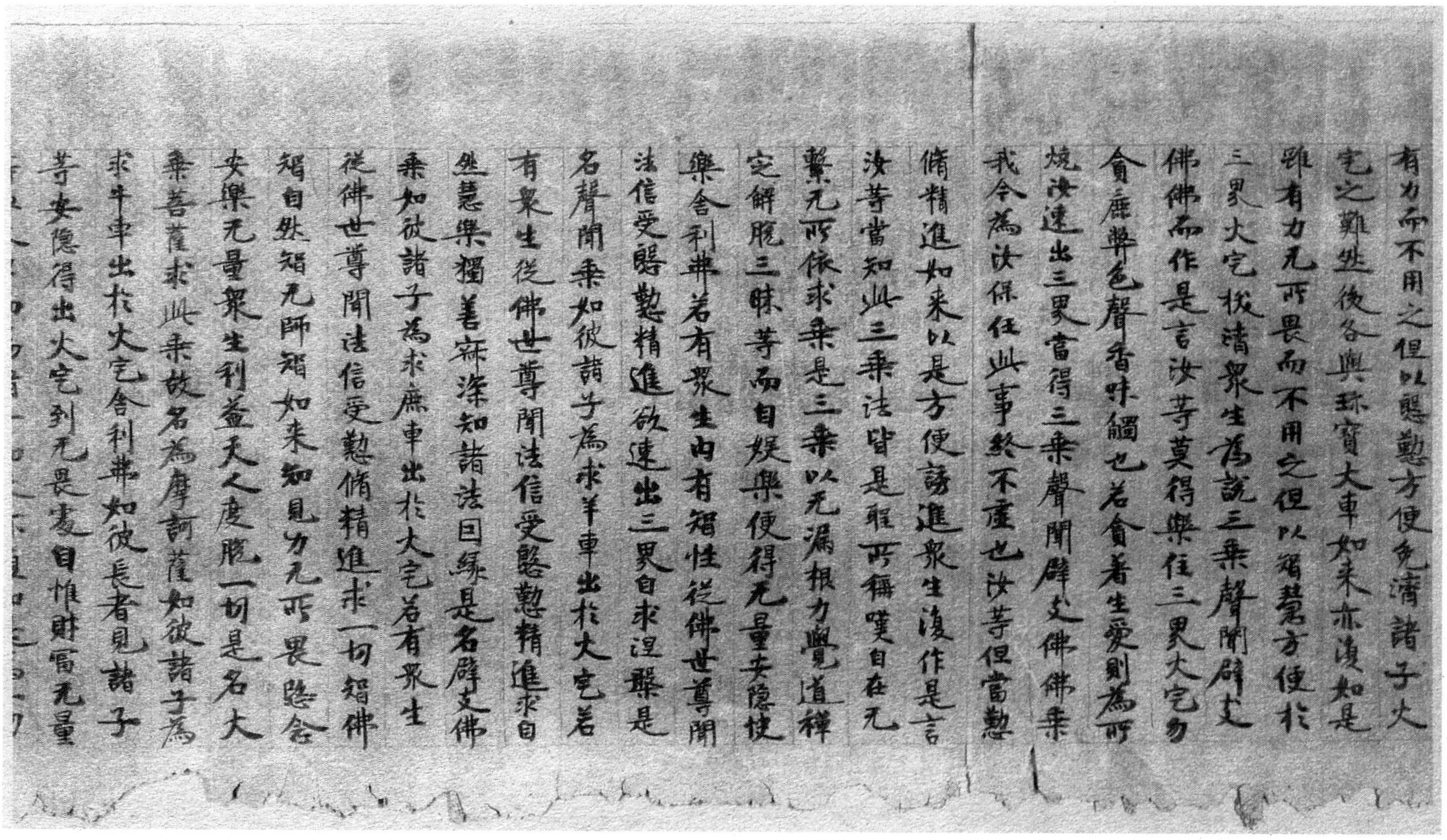
有力而不用之但以慇懃方便免濟諸子火
宅之難然後各與珎寶大車如來亦復如是
雖有力无所畏而不用之但以智慧方便於
三界火宅拔濟衆生為說三乘聲聞辟支
佛佛乘而作是言汝等莫得樂住三界火宅勿
貪麁弊色聲香味觸也若貪著生愛則為所
燒汝速出三界當得三乘聲聞辟支佛佛乘
我今為汝保任此事終不虛也汝等但當勤
脩精進如來以是方便誘進衆生復作是言
汝等當知此三乘法皆是聖所稱嘆自在无
繫无所依求乘是三乘以无漏根力覺道禪
定解脱三昧等而自娛樂便得无量安隱快
樂舍利弗若有衆生内有智性從佛世尊聞
法信受慇懃精進欲速出三界自求涅槃是
名聲聞乘如彼諸子為求羊車出於火宅若
有衆生從佛世尊聞法信受慇懃精進求自
然慧樂獨善寂深知諸法因緣是名辟支佛
乘如彼諸子為求鹿車出於火宅若有衆生
從佛世尊聞法信受懃脩精進求一切智佛
智自然智无師智如來知見力无所畏慇念
安樂无量衆生利益天人度脱一切是名大
乘菩薩求此乘故名為摩訶薩如彼諸子為
求牛車出於大宅舍利弗如彼長者見諸子
等安隱得出火宅到无畏處自惟財富无量

BD00197 號　妙法蓮華經卷二　（21–2）

智自然智无師智如来知見力无所畏愍念
安樂无量衆生利益天人度脱一切是名大
乘菩薩求此乘故名為摩訶薩如彼諸子為
求牛車出於火宅舍利弗如彼長者見諸子
等安隱得出火宅到无畏處自惟財富无量
等以大車而賜諸子如来亦復如是為一切
衆生之父若見无量億千衆生以佛教門出
三界苦怖畏險道得涅槃樂如来尓時便作
是念我有无量无邊智慧力无畏等諸佛法
藏是諸衆生皆是我子等與大乘不令有人
獨得滅度皆以如来滅度而滅度之是諸衆
生脱三界者悉與諸佛禪定解脱等娛樂之
具皆是一相一種聖所稱歎能生淨妙第一
之樂舍利弗如彼長者初以三車誘引諸子
然後但與大車寶物莊嚴安隱第一然彼長
者无虚妄之咎如来亦復如是无有虚妄初
說三乘引導衆生然後但以大乘而度脱之
何以故如来有无量智慧力无所畏諸法之藏
能與一切衆生大乘之法但不盡能受舍
利弗以是因緣當知諸佛方便力故於一佛
乘分別說三佛欲重宣此義而說偈言

譬如長者　有一大宅　其宅久故　而復頓弊
堂舍高危　柱根摧朽　梁棟傾斜　基陛隤毀
牆壁圮坼　泥塗褫落　覆苫亂墜　椽梠差脫

BD00197號　妙法蓮華經卷二　（21–3）

乘分別說三佛欲重宣此義而說偈言
譬如長者　有一大宅　其宅久故　而復頓弊
堂舍高危　柱根摧朽　梁棟傾斜　基陛隤毀
牆壁圮坼　泥塗褫落　覆苫亂墜　椽梠差脫
周障屈曲　雜穢充遍　有五百人　止住其中
鵄梟鵰鷲　烏鵲鳩鴿　蚖蛇蝮蠍　蜈蚣蚰蜒
守宮百足　狖狸鼷鼠　諸惡蟲輩　交橫馳走
屎尿臭處　不淨流溢　蜣蜋諸蟲　而集其上
狐狼野干　咀嚼踐蹋　嚌齧死屍　骨肉狼藉
由是群狗　競來搏撮　飢羸慞惶　處處求食
鬥諍摣掣　啀喍嘷吠　其舍恐怖　變狀如是
處處皆有　魑魅魍魎　夜叉惡鬼　食噉人肉
毒蟲之屬　諸惡禽獸　孚乳產生　各自藏護
夜叉競來　爭取食之　食之既飽　惡心轉熾
鬥諍之聲　甚可怖畏　鳩槃荼鬼　蹲踞土埵
或時離地　一尺二尺　往返遊行　縱逸嬉戲
捉狗兩足　撲令失聲　以腳加頸　怖狗自樂
復有諸鬼　其身長大　裸形黑瘦　常住其中
發大惡聲　叫呼求食　復有諸鬼　其咽如針
復有諸鬼　首如牛頭　或食人肉　或復噉狗
頭髮蓬亂　殘害兇險　飢渴所逼　叫喚馳走
夜叉餓鬼　諸惡鳥獸　飢急四向　窺看窗牖
如是諸難　恐畏無量　是朽故宅　屬于一人
其人近出　未久之間　於後宅舍　忽然火起
四面一時　其焰俱熾　棟梁椽柱　爆聲震裂

BD00197號　妙法蓮華經卷二　（21–4）

夜叉餓鬼　諸惡鳥獸　飢急四向　窺看窓牖
如是諸難　恐畏无量　是朽故宅　屬于一人
其人近出　未久之間　於後宅舍　忽然火起
四面一時　其焰俱熾　棟梁椽柱　爆聲震裂
摧折墮落　墻壁崩倒　諸鬼神等　揚聲大叫
鵰鷲諸鳥　鳩槃荼等　周慞惶怖　不能自出
惡獸毒虫　藏竄孔穴　毗舍闍鬼　亦住其中
薄福德故　為火所逼　共相殘害　飲血噉肉
野干之屬　並已前死　諸大惡獸　競來食噉
臭烟熢㶿　四面充塞　蜈蚣蚰蜒　毒虵之類
為火所燒　爭走出穴　鳩槃荼鬼　隨取而食
又諸餓鬼　頭上火然　飢渴熱惱　周慞悶走
其宅如是　甚可怖畏　毒害火災　衆難非一
是時宅主　在門外立　聞有人言　汝諸子等
先因遊戲　來入此宅　稚小无知　歡娛樂著
長者聞已　驚入火宅　方宜救濟　令无燒害
告喻諸子　說衆患難　惡鬼毒虫　灾火蔓莚
衆苦次第　相續不絕　毒虵蚖蝮　及諸夜叉
鳩槃荼鬼　野干狐狗　鵰鷲鵄梟　百足之屬
飢渴惱急　甚可怖畏　此苦難處　況復大火
諸子无知　雖聞父誨　猶故樂著　嬉戲不已
是時長者　而作是念　諸子如此　益我愁惱
今此舍宅　无一可樂　而諸子等　耽湎嬉戲
不受我教　將為火害　即便思惟　設諸方便

BD00197 號　妙法蓮華經卷二　（21-5）

諸子无知　雖聞父誨　猶故樂著　嬉戲不已
是時長者　而作是念　諸子如此　益我愁惱
今此舍宅　无一可樂　而諸子等　耽湎嬉戲
不受我教　將為火害　即便思惟　設諸方便
告諸子等　我有種種　珍玩之具　妙寶好車
羊車鹿車　大牛之車　今在門外　汝等出來
吾為汝等　造作此車　隨意所樂　可以遊戲
諸子聞說　如此諸車　即時奔競　馳走而出
到於空地　離諸苦難　長者見子　得出火宅
住於四衢　坐師子座　而自慶言　我今快樂
此諸子等　生育甚難　愚小无知　而入險宅
多諸毒虫　魑魅可畏　大火猛焰　四面俱起
而此諸子　貪樂嬉戲　我已救之　令得脫難
是故諸人　我今快樂　尒時諸子　知父安坐
皆詣父所　而白父言　願賜我等　三種寶車
如前所許　諸子出來　當以三車　隨汝所欲
今正是時　唯垂給與　長者大富　庫藏衆多
金銀琉璃　車𤦲馬瑙　以衆寶物　造諸大車
莊校嚴飾　周匝欄楯　四面懸鈴　金繩交絡
真珠羅網　張施其上　金華諸瓔　處處垂下
衆彩雜飾　周匝圍繞　柔軟繒纊　以為茵蓐
上妙細氎　價直千億　鮮白淨潔　以覆其上
有大白牛　肥壯多力　形體姝好　以駕寶車
多諸儐從　而侍衛之　以是妙車　等賜諸子
諸子是時　歡喜踊躍　乘是寶車　遊於四方

BD00197 號　妙法蓮華經卷二　（21-6）

衆采雜飾　周通圍繞　柔軟繒纊　以為茵褥
上妙細氎　價直千億　鮮白淨潔　以覆其上
有大白牛　肥壯多力　形體姝好　以駕寶車
多諸儐從　而侍衛之　以是妙車　等賜諸子
諸子是時　歡喜踊躍　乘是寶車　遊於四方
嬉戲快樂　自在无礙　告舍利弗　我亦如是
衆聖中尊　世間之父　一切衆生　皆是吾子
深著世樂　无有慧心　三界无安　猶如火宅
衆苦充滿　甚可怖畏　常有生老　病死憂患
如是等火　熾然不息　如來已離　三界火宅
寂然閑居　安處林野　今此三界　皆是我有
其中衆生　悉是吾子　而今此處　多諸患難
唯我一人　能為救護　雖復教詔　而不信受
於諸欲染　貪著深故　以是方便　為說三乘
令諸衆生　知三界苦　開示演說　出世間道
是諸子等　若心決定　具足三明　及六神通
有得緣覺　不退菩薩　汝舍利弗　我為衆生
以此譬喻　說一佛乘　汝等若能　信受是語
一切皆當　成得佛道　是乘微妙　清淨第一
於諸世間　為无有上　佛所悅可　一切衆生
所應稱讚　供養礼拜　无量億千　諸力解脫
禪定智慧　及佛餘法　得如是乘　令諸子等
日夜劫數　常得遊戲　與諸菩薩　及聲聞衆
乘此寶乘　直至道場　以是因緣　十方諦求
更无餘乘　除佛方便　告舍利弗　汝諸人等

BD00197 號　妙法蓮華經卷二　（21–7）

所應稱讚　供養礼拜　无量億千　諸力解脫
禪定智慧　及佛餘法　得如是乘　令諸子等
日夜劫數　常得遊戲　與諸菩薩　及聲聞衆
乘此寶乘　直至道場　以是因緣　十方諦求
更无餘乘　除佛方便　告舍利弗　汝諸人等
皆是吾子　我則是父　汝等累劫　衆苦所燒
我皆濟拔　令出三界　我雖先說　汝等滅度
但盡生死　而實不滅　今所應作　唯佛智慧
若有菩薩　於是衆中　能一心聽　諸佛實法
諸佛世尊　雖以方便　所化衆生　皆是菩薩
若人小智　深著愛欲　為此等故　說於苦諦
衆生心喜　得未曾有　佛說苦諦　真實无異
若有衆生　不知苦本　深著苦因　不能暫捨
為是等故　方便說道　諸苦所因　貪欲為本
若滅貪欲　无所依止　滅盡諸苦　名第三諦
為滅諦故　脩行於道　離諸苦縛　名得解脫
是人於何　而得解脫　但離虛妄　名為解脫
其實未得　一切解脫　佛說是人　未實滅度
斯人未得　无上道故　我意不欲　令至滅度
我為法王　於法自在　安隱衆生　故現於世
汝舍利弗　我此法印　為欲利益　世間故說
在所遊方　勿妄宣傳　若有聞者　隨喜頂受
當知是人　阿惟越致　若有信受　此經法者
是人已曾　見過去佛　恭敬供養　亦聞是法
若人有能　信汝所說　則為見我　亦見於汝

BD00197 號　妙法蓮華經卷二　（21–8）

在所遊方　勿妄宣傳　若有聞者　隨喜頂受
當知是人　阿惟越致　若有信受　此經法者
是人已曾　見過去佛　恭敬供養　亦聞是法
若人有能　信汝所說　則為見我　亦見於汝
及比丘僧　并諸菩薩　斯法華經　為深智說
淺識聞之　迷惑不解　一切聲聞　及辟支佛
於此經中　力所不及　汝舍利弗　尚於此經
以信得入　況餘聲聞　其餘聲聞　信佛語故
隨順此經　非己智分　又舍利弗　憍慢懈怠
計我見者　莫說此經　凡夫淺識　深著五欲
聞不能解　亦勿為說　若人不信　毀謗此經
則斷一切　世間佛種　或復顰蹙　而懷疑惑
汝當聽說　此人罪報　若佛在世　若滅度後
其有誹謗　如斯經典　見有讀誦　書持經者
輕賤憎嫉　而懷結恨　此人罪報　汝今復聽
其人命終　入阿鼻獄　具足一劫　劫盡更生
如是展轉　至无數劫　從地獄出　當墮畜生
若狗野干　其形頓瘦　黧黮疥癩　人所觸嬈
又復為人　之所惡賤　常困飢渴　骨肉枯竭
生受楚毒　死被瓦石　斷佛種故　受斯罪報
若作駱駝　或生驢中　身常負重　加諸杖捶
但念水草　餘无所知　謗斯經故　獲罪如是
有作野干　來入聚落　身體疥癩　又无一目
為諸童子　之所打擲　受諸苦痛　或時致死
於此死已　更受蟒身　其形長大　五百由旬

BD00197 號　妙法蓮華經卷二　（21–9）

但念水草　餘无所知　謗斯經故　獲罪如是
有作野干　來入聚落　身體疥癩　又无一目
為諸童子　之所打擲　受諸苦痛　或時致死
於此死已　更受蟒身　其形長大　五百由旬
聾騃无足　宛轉腹行　為諸小虫　之所唼食
晝夜受苦　无有休息　謗斯經故　獲罪如是
若得為人　諸根闇鈍　矬陋攣躄　盲聾背傴
有所言說　人不信受　口氣常臭　鬼魅所著
貧窮下賤　為人所使　多病痟瘦　无所依怙
雖親附人　人不在意　若有所得　尋復忘失
若脩醫道　順方治病　更增他疾　或復致死
若自有病　无人救療　設服良藥　而復增劇
若他反逆　抄劫竊盜　如是等罪　橫羅其殃
如斯罪人　永不見佛　眾聖之王　說法教化
如斯罪人　常生難處　狂聾心亂　永不聞法
於无數劫　如恒河沙　生輒聾瘂　諸根不具
常處地獄　如遊園觀　在餘惡道　如己舍宅
駝驢猪狗　是其行處　謗斯經故　獲罪如是
若得為人　聾盲瘖瘂　貧窮諸衰　以自莊嚴
水腫乾痟　疥癩癰疽　如是等病　以為衣服
身常臭處　垢穢不淨　深著我見　增益瞋恚
婬欲熾盛　不擇禽獸　謗斯經故　獲罪如是
告舍利弗　謗斯經者　若說其罪　窮劫不盡
以是因緣　我故語汝　无智人中　莫說此經
若有利根　智慧明了　多聞強識　求佛道者

BD00197 號　妙法蓮華經卷二　（21–10）

經欲熾盛　不擇禽獸　謗斯經故　獲罪如是
告舍利弗　謗斯經者　若說其罪　窮劫不盡
以是因緣　我故語汝　无智人中　莫說此經
若有利根　智慧明了　多聞强識　求佛道者
如是之人　乃可為說　若人曾見　億百千佛
殖諸善本　深心堅固　如是之人　乃可為說
若人精進　常脩慈心　不惜身命　乃可為說
若人恭敬　无有異心　離諸凡愚　獨處山澤
如是之人　乃可為說　又舍利弗　若見有人
捨惡知識　親近善友　如是之人　乃可為說
若見佛子　持戒清潔　如淨明珠　求大乘經
如是之人　乃可為說　若人无瞋　質直柔軟
常愍一切　恭敬諸佛　如是之人　乃可為說
復有佛子　於大眾中　以清淨心　種種因緣
譬喻言辭　說法无礙　如是之人　乃可為說
若有比丘　為一切智　四方求法　合掌頂受
但樂受持　大乘經典　乃至不受　餘經一偈
如是之人　乃可為說　如人至心　求佛舍利
如是求經　得已頂受　其人不復　志求餘經
亦未曾念　外道典籍　如是之人　乃可為說
告舍利弗　我說是相　求佛道者　窮劫不盡
如是等人　則能信解　汝當為說　妙法華經
妙法蓮華經信解品第四
尒時慧命須菩提摩訶迦旃延摩訶迦葉摩

BD00197號　妙法蓮華經卷二　（21–11）

亦未曾念　外道典籍　如是之人　乃可為說
告舍利弗　我說是相　求佛道者　窮劫不盡
如是等人　則能信解　汝當為說　妙法華經
妙法蓮華經信解品第四
尒時慧命須菩提摩訶迦旃延摩訶迦葉摩
訶目揵連從佛所聞未曾有法世尊授舍利
弗阿耨多羅三藐三菩提記發希有心歡喜
踊躍即從座起整衣服偏袒右肩右膝著地
一心合掌曲躬恭敬瞻仰尊顏而白佛言我
等居僧之首年並朽邁自謂已得涅槃无所
堪任不復進求阿耨多羅三藐三菩提世尊
往昔說法既久我時在座身體疲懈但念空
无相无作於菩薩法遊戲神通淨佛國土成
就眾生心不喜樂所以者何世尊令我等出
於三界得涅槃證又今我等年已朽邁於佛
教化菩薩阿耨多羅三藐三菩提不生一念
好樂之心我等今於佛前聞授聲聞阿耨多
羅三藐三菩提記心甚歡喜得未曾有不謂
於今忽得聞希有之法深自慶幸獲大善
利无量珎寶不求自得世尊我等今者樂說
譬喻以明斯義譬若有人年既幼稚捨父逃
逝久住他國或十二十至五十歲年既長大
加復窮困馳騁四方以求衣食漸漸遊行遇
向本國其父先來求子不得中止一城其家
大富財寶无量金銀琉璃珊瑚虎珀頗梨珠

BD00197號　妙法蓮華經卷二　（21–12）

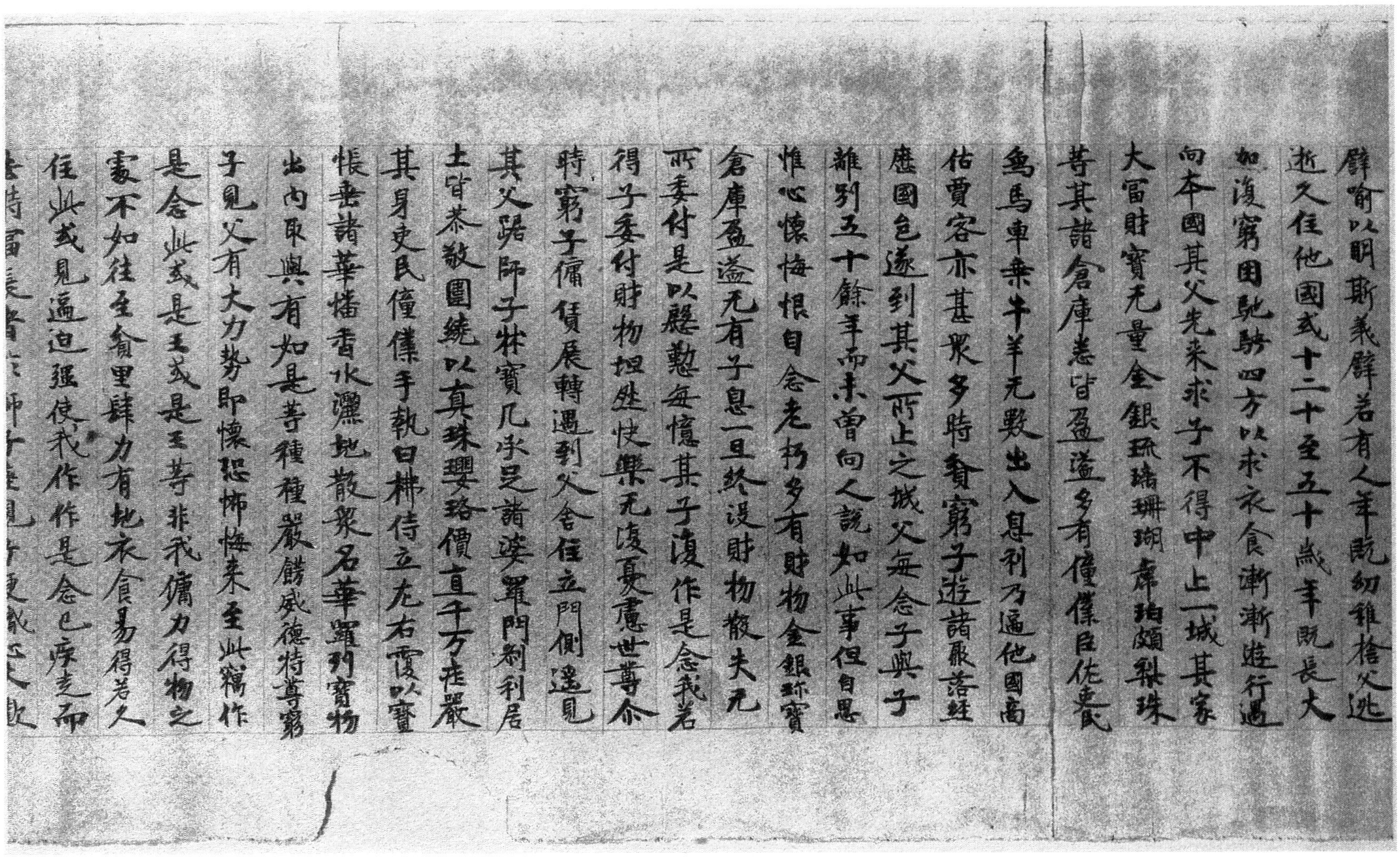
譬喻以明斯義譬若有人年既幼稚捨父逃
逝久住他國或十二十至五十歲年既長大
加復窮困馳騁四方以求衣食漸漸遊行遇
向本國其父先來求子不得中止一城其家
大富財寶无量金銀琉璃珊瑚虎珀頗梨珠
等其諸倉庫悉皆盈溢多有僮僕臣佐吏民
象馬車乘牛羊无數出入息利乃遍他國商
估賈客亦甚眾多時貧窮子遊諸聚落經
歷國邑遂到其父所止之城父每念子與子
離別五十餘年而未曾向人說如此事但自思
惟心懷悔恨自念老朽多有財物金銀珍寶
倉庫盈溢无有子息一旦終沒財物散失无
所委付是以慇懃每憶其子復作是念我若
得子委付財物坦然快樂无復憂慮世尊爾
時窮子傭賃展轉遇到父舍住立門側遙見
其父踞師子床寶几承足諸婆羅門刹利居
士皆恭敬圍繞以真珠瓔珞價直千万莊嚴
其身吏民僮僕手執白拂侍立左右覆以寶
帳垂諸華幡香水灑地散眾名華羅列寶物
出內取與有如是等種種嚴飾威德特尊窮
子見父有大力勢即懷恐怖悔來至此竊作
是念此或是王或是王等非我傭力得物之
處不如往至貧里肆力有地衣食易得若久
住此或見逼迫強使我作作是念已疾走而
[illegible]

BD00197號　妙法蓮華經卷二　（21-13）

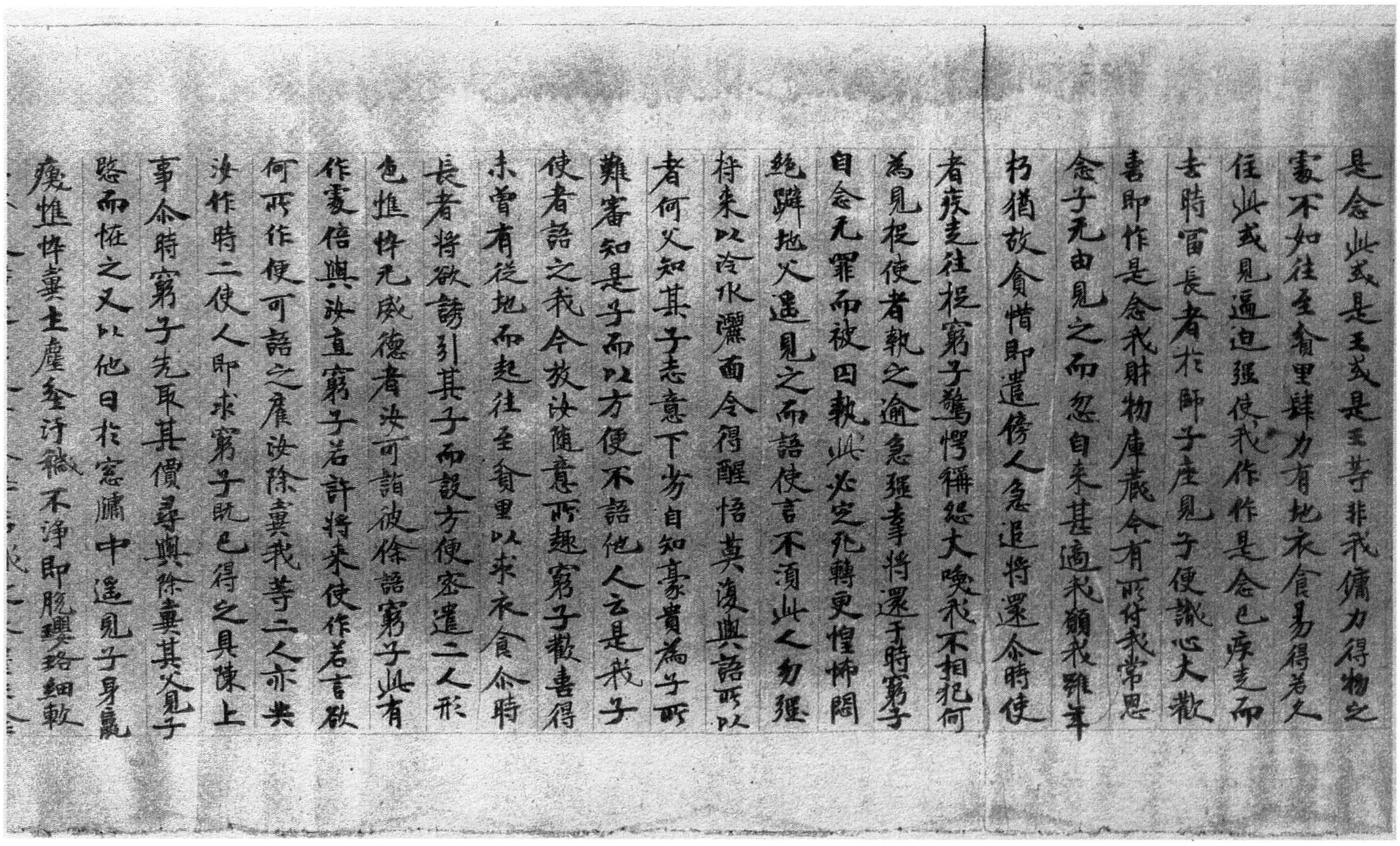
是念此或是王或是王等非我傭力得物之
處不如往至貧里肆力有地衣食易得若久
住此或見逼迫強使我作作是念已疾走而
去時富長者於師子座見子便識心大歡
喜即作是念我財物庫藏今有所付我常思
念此子无由見之而忽自來甚適我願我雖年
朽猶故貪惜即遣傍人急追將還爾時使
者疾走往捉窮子驚愕稱怨大喚我不相犯何
為見捉使者執之逾急強牽將還于時窮子
自念无罪而被囚執此必定死轉更惶怖悶
絕躄地父遙見之而語使言不須此人勿強
將來以冷水灑面令得醒悟莫復與語所以
者何父知其子志意下劣自知豪貴為子所
難審知是子而以方便不語他人云是我子
使者語之我今放汝隨意所趣窮子歡喜得
未曾有從地而起往至貧里以求衣食爾時
長者將欲誘引其子而設方便密遣二人形
色憔悴无威德者汝可詣彼徐語窮子此有
作處倍與汝直窮子若許將來使作若言欲
何所作便可語之雇汝除糞我等二人亦共
汝作時二使人即求窮子既已得之具陳上
事爾時窮子先取其價尋與除糞其父見子
愍而怪之又以他日於窗牖中遙見子身羸
瘦憔悴糞土塵坌污穢不淨即脫瓔珞細軟
[illegible]

BD00197號　妙法蓮華經卷二　（21-14）

何所作便可語之雇汝除糞我等二人亦共
汝作時二使人即求窮子既已得之具陳上
事爾時窮子先取其價尋與除糞其父見子
愍而恠之又以他日於窓牖中遥見子身羸
瘦憔悴糞土塵坌汙穢不淨即脫瓔珞細軟
上服嚴餝之具更著麁弊垢膩之衣塵土坌
身右手執持除糞之器狀有所畏語諸作人
汝等懃作勿得懈息以方便故得近其子後
復告言咄男子汝常此作勿復餘去當加汝
價諸有所須瓫器米麵鹽酢之屬莫自疑難
亦有老弊使人須者相給好自安意我如汝
父勿復憂慮所以者何我年老大而汝少壯
汝常作時无有欺怠瞋恨怨言都不見汝有
此諸惡如餘作人自今已後如所生子即時
長者更與作字名之為兒爾時窮子雖欣
此遇猶故自謂客作賤人由是之故於二十年
中常令除糞過是已後心相體信入出无難
然其所止猶在本處世尊爾時長者有疾自
知將死不久語窮子言我今多有金銀珍寶
倉庫盈溢其中多少所應取與汝悉知之我
心如是當體此意所以者何今我與汝便為
不異宜加用心无令漏失爾時窮子即受教
勑領知衆物金銀珍寶及諸庫藏而无希取
一飡之意然其所止故在本處下劣之心亦
未能捨復經少時父知子意漸以通泰成就

BD00197 號　妙法蓮華經卷二　（21–15）

勑領知衆物金銀珍寶及諸庫藏而无希取
一飡之意然其所止故在本處下劣之心亦
未能捨復經少時父知子意漸以通泰成就
大志自鄙先心臨欲終時而命其子并會親
族國王大臣剎利居士皆悉已集即自宣言
諸君當知此是我子我之所生於某城中捨
吾逃走跉跰辛苦五十餘年其本字某我
名某甲昔在本城懷憂推覓忽於此間遇會
得之此實我子我實其父今我所有一切財物
皆是子有先所出内是子所知世尊是時窮
子聞父此言即大歡喜得未曾有而作是念
我本无心有所希求今此寶藏自然而至世
尊大富長者則是如來我等皆似佛子如來
常說我等為子世尊我等以三苦故於生死
中受諸熱惱迷惑无知樂著小法今日世尊
令我等思惟蠲除諸法戲論之糞我等於中
懃加精進得至涅槃一日之價既得此已心
大歡喜自以為足便自謂於佛法中懃精進
故所得弘多然世尊先知我等心著弊欲樂
於小法便見縱捨不為分別汝等當有如
知見寶藏之分世尊以方便力說如來智慧我
等從佛得涅槃一日之價以為大得於此大
乘无有志求我等又因如來智慧為諸菩薩
開示演說而自於此无有志願所以者何佛
知我等心樂小法以方便力隨我等說而我

BD00197 號　妙法蓮華經卷二　（21–16）

於小法便見縱捨不為分別汝等當有如
知見寶藏之分世尊以方便力說如来智慧我
等從佛得涅槃一日之價以為大得於此大
乘无有志求我等又因如来智慧為諸菩薩
開示演說而自於此无有志願所以者何佛
知我等心樂小法以方便力隨我等說而我
等不知真是佛子今我等方知世尊於佛智
慧无所悋惜所以者何我等昔来真是佛
子而但樂小法若我等有樂大之心佛則為
我說大乘法於此經中唯說一乘而昔於菩
薩前毀呰聲聞樂小法者然佛實以大乘教
化是故我等說本无有心有所希求今法王
大寶自然而至如佛子所應得者皆已得之
尒時摩訶迦葉欲重宣此義而說偈言
我等今日　聞佛音教　歡喜踊躍　得未曾有
佛說聲聞　當得作佛　无上寶聚　不求自得
譬如童子　幼稚无識　捨父逃逝　遠到他土
周流諸國　五十餘年　其父憂念　四方推求
求之既疲　頓止一城　造立舍宅　五欲自娛
其家巨富　多諸金銀　車𤦲馬瑙　真珠琉璃
象馬牛羊　輦輿車乘　田業僮僕　人民衆多
出入息利　乃遍他國　商估賈人　无處不有
千万億衆　圍繞恭敬　常為王者　之所愛念
群臣豪族　皆共宗重　以諸緣故　往来者衆
豪富如是　有大力勢　而年朽邁　益憂念子

象馬牛羊　輦輿車乘　田業僮僕　人民衆多
出入息利　乃遍他國　商估賈人　无處不有
千万億衆　圍繞恭敬　常為王者　之所愛念
群臣豪族　皆共宗重　以諸緣故　往来者衆
豪富如是　有大力勢　而年朽邁　益憂念子
夙夜惟念　死時將至　癡子捨我　五十餘年
庫藏諸物　當如之何　尒時窮子　求索衣食
從邑至邑　從國至國　或有所得　或无所得
飢餓羸瘦　體生瘡癬　漸次經歷　到父住城
傭賃展轉　遂至父舍　尒時長者　於其門內
施大寶帳　處師子座　眷屬圍繞　諸人侍衛
或有計筭　金銀寶物　出內財產　注記券疏
窮子見父　豪貴尊嚴　謂是國王　若國王等
驚怖自怪　何故至此　覆自念言　我若久住
或見逼迫　強驅使作　思惟是已　馳走而去
借問貧里　欲往傭作　長者是時　在師子座
遙見其子　嘿而識之　即勑使者　追捉將来
窮子驚喚　迷悶躃地　是人執我　必當見殺
何用衣食　使我至此　長者知子　愚癡狹劣
不信我言　不信是父　即以方便　更遣餘人
眇目矬陋　无威德者　汝可語之　云當相雇
除諸糞穢　倍與汝價　窮子聞之　歡喜隨来
為除糞穢　淨諸房舍　長者於牖　常見其子
念子愚劣　樂為鄙事　於是長者　著弊垢衣
執除糞器　往到子所　方便附近　語令勤作

眇目矬陋　无威德者　汝可語之　云當相雇
除諸糞穢　倍與汝價　窮子聞之　歡喜隨來
為除糞穢　淨諸房舍　長者於牖　常見其子
念子愚劣　樂為鄙事　於是長者　著弊垢衣
執除糞器　往到子所　方便附近　語令勤作
既益汝價　并塗足油　飲食充足　薦席厚暖
如是苦言　汝當懃作　又以軟語　若如我子
長者有智　漸令入出　經二十年　執作家事
示其金銀　真珠頗梨　諸物出入　皆使令知
猶處門外　止宿草庵　自念貧事　我无此物
父知子心　漸已曠大　欲與財物　即聚親族
國王大臣　剎利居士　於此大眾　說是我子
捨我他行　經五十歲　自見子來　已二十年
昔於某城　而失是子　周行求索　遂來至此
凡我所有　舍宅人民　悉以付之　恣其所用
子念昔貧　志意下劣　今於父所　大獲珍寶
并及舍宅　一切財物　甚大歡喜　得未曾有
佛亦如是　知我樂小　未曾說言　汝等作佛
而說我等　得諸无漏　成就小乘　聲聞弟子
佛勅我等　說最上道　修習此者　當得成佛
我承佛教　為大菩薩　以諸因緣　種種譬喻
若干言辭　說无上道　諸佛子等　從我聞法
日夜思惟　精懃修習　是時諸佛　即授其記
汝於來世　當得作佛　一切諸佛　祕藏之法
但為菩薩　演其實事　而不為我　說斯真要

BD00197 號　妙法蓮華經卷二　　（21–19）

我承佛教　為大菩薩　以諸因緣　種種譬喻
若干言辭　說无上道　諸佛子等　從我聞法
日夜思惟　精懃修習　是時諸佛　即授其記
汝於來世　當得作佛　一切諸佛　祕藏之法
但為菩薩　演其實事　而不為我　說斯真要
如彼窮子　得近其父　雖知諸物　心不希取
我等雖說　佛法寶藏　自无志願　亦復如是
我等內滅　自謂為足　唯了此事　更无餘事
我等若聞　淨佛國土　教化眾生　都无欣樂
所以者何　一切諸法　皆悉空寂　无生无滅
无大无小　无漏无為　如是思惟　不生喜樂
我等長夜　於佛智慧　无貪无著　无復志願
而自於法　謂是究竟　我等長夜　修習空法
得脫三界　苦惱之患　住最後身　有餘涅槃
佛所教化　得道不虛　則為已得　報佛之恩
我等雖為　諸佛子等　說菩薩法　以求佛道
而於是法　永无願樂　導師見捨　觀我心故
初不勸進　說有實利　如富長者　知子志劣
以方便力　柔伏其心　然後乃付　一切財物
佛亦如是　現希有事　知樂小者　以方便力
調伏其心　乃教大智　我等今日　得未曾有
非先所望　而今自得　如彼窮子　得无量寶
世尊我今　得道得果　於无漏法　得清淨眼
我等長夜　持佛淨戒　始於今日　得其果報
法王法中　久脩梵行　今得无漏　无上大果

BD00197 號　妙法蓮華經卷二　　（21–20）

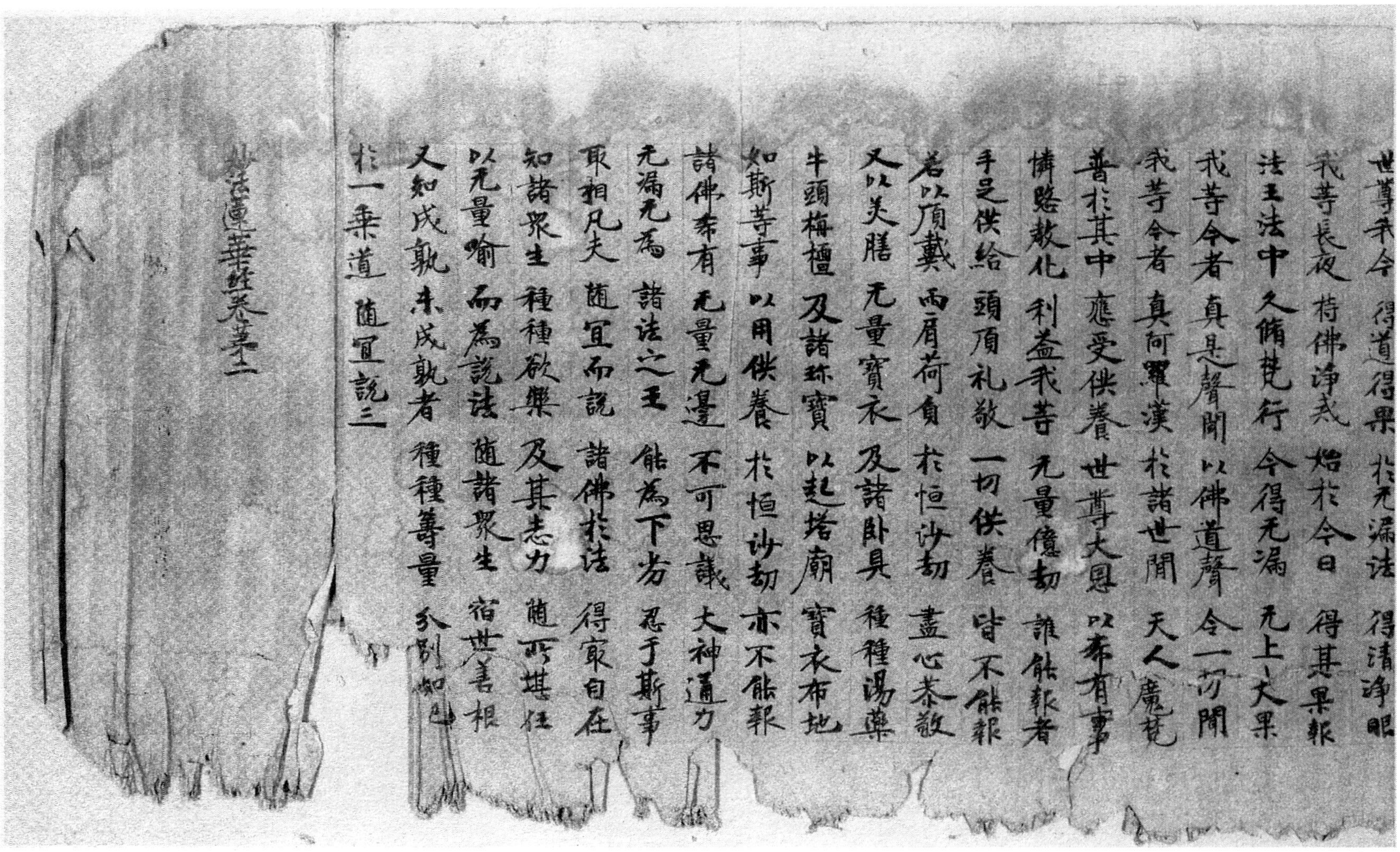
世尊我今　得道得果　於无漏法　得清淨眼
我等長夜　持佛淨戒　始於今日　得其果報
法王法中　久脩梵行　今得无漏　无上大果
我等今者　真是聲聞　以佛道聲　令一切聞
我等今者　真阿羅漢　於諸世間　天人魔梵
普於其中　應受供養　世尊大恩　以希有事
憐愍教化　利益我等　无量億劫　誰能報者
手足供給　頭頂礼敬　一切供養　皆不能報
若以頂戴　兩肩荷負　於恒沙劫　盡心恭敬
又以美膳　无量寶衣　及諸卧具　種種湯藥
牛頭栴檀　及諸珎寶　以起塔廟　寶衣布地
如斯等事　以用供養　於恒沙劫　亦不能報
諸佛希有　无量无邊　不可思議　大神通力
无漏无為　諸法之王　能為下劣　忍于斯事
取相凡夫　隨宜而說　諸佛於法　得最自在
知諸衆生　種種欲樂　及其志力　隨所堪任
以无量喻　而為說法　隨諸衆生　宿世善根
又知成熟　未成熟者　種種籌量　分別知已
於一乘道　隨宜說三

妙法蓮華經卷第二

BD00197 號　妙法蓮華經卷二　（21–21）

[illegible]法九初得罪八乃至諫諸罪[illegible]
於二部僧中[illegible]應半月行摩那埵若於二部僧中半月
行摩那埵已次到阿浮呵那當稱可二部僧意二部僧各廿眾中應
出罪二部僧中若少一人除是比丘尼不名為除罪二部僧　呵是
諸大姊今問比丘尼善女是事中清淨不第二第三亦如是問是事中
淨不諸善女是事中清淨默然故是事如是持
諸善女卅尼薩耆波逸提半月々々戒經中說
若比丘尼三衣具足訖迦絺那衣時長衣乃至十日應畜若過十日畜尼
薩耆波逸提
若比丘尼三衣具足訖迦絺那衣時五衣中若離一々餘處宿尼薩耆波逸提
若比丘尼衣具足訖迦絺那衣時若得非時衣是比丘尼若欲須此衣自手應
作衣著若得足者好若不足更有得處為補足故是比丘尼是衣乃至
一月應畜若過一月畜尼薩耆波逸提
若比丘尼從非親理居士若居士婦乞衣得衣者尼薩耆波逸提　除
因緣因緣者若比丘尼奪衣失衣燒衣漂衣是名因緣
若比丘尼奪衣失衣燒衣漂衣從非親理居士若居士若居士婦乞衣若
非親理居士若居士婦自恣多與衣是比丘尼於此衣中乃至內外衣
應受若過受尼薩耆波逸提
若比丘尼非親理居士若居士婦為辦衣賈念言我等如々是々衣賈
如々是々衣與某甲比丘尼是中比丘尼先不自恣為好衣故少作因
緣便到非親理居士若居士婦所作如是言汝等善哉如是衣賈買
如々是々衣與我若得是衣尼薩耆波逸提
若比丘尼非親理居士若居士婦為比丘尼各々辦衣念言我等如々

非親里居士若居士婦自恣多與衣是比丘尼於此衣中乃至內外衣
應受若過受尼薩耆波逸提
若比丘尼非親里居士若居士婦為辦衣價念言我等如々是々衣價
如々是々衣與某甲比丘尼是中比丘尼先不自恣為好衣故少作因
緣便到非親里居士若居士婦所作如是言汝等善哉如是衣價買
如々是々衣與我若得是衣尼薩耆波逸提
若比丘尼非親里居士若居士婦為比丘尼各々辦衣念言我等如々
是々衣價買如々是々衣與某甲比丘尼是中是比丘尼先不自恣為
好衣故少作因緣便到非親里居士若居士婦所如是如是言汝等
善哉辦如々是々衣價買合作一衣與我為好故若得是衣尼薩耆波逸提
為比丘尼故若王臣若婆羅門若居士所遣使送衣價是使到是比
丘尼所語是比丘尼善女知不是衣價若王若臣若婆羅門若居士
所送善女受是衣價是比丘尼應語使如是言汝使諸比丘尼不
應受衣價我若須依時若得清淨衣自手受庚作衣畜是使語是
比丘尼言善女汝等有執事人常能為諸比丘尼執事者不須衣
比丘尼應示使執事人若守僧房人若優婆塞應語言是人等能
為諸比丘尼執事使回是執事人所語執事人言善哉執事知々是
々衣價買如々是々衣與某甲比丘尼是比丘尼須衣時至當來汝便
與衣是使若自勸喻若使人勸喻已還到比丘尼所到已如是言善
女所示執事人我勸喻作已善女須衣時至往取當與衣善女衣比
丘尼應到執事人所索衣應如是言我々須々衣々第二第三亦如
是索若得衣者好若不得衣第四第五極至第六在執事前默然
立第四第五極至第 得衣者好若不得為得衣故過是求若得是
衣尼薩耆波逸提若不得衣隨衣價來處若自去若遣使應如是
汝為其甲比尼丘送衣價是比丘尼於汝衣價竟不得用汝自知財
莫使失是事應尒
若比丘尼自取金銀若使人取若語汝取尼薩耆波逸提
若比丘尼以金銀種々買物尼薩耆波逸提

BD00198號　比丘尼戒　　（17–2）

是棄若得衣者好若不得衣第四第五極至第六在執事前默然
立第四第五極至第 得衣者好若不得爲得衣故過是求若得是
衣尼薩耆波逸提若不得衣隨衣價來處若自去若遣使應如是
汝爲某甲比丘尼送衣價是比丘尼於汝衣價竟不得用汝自知耶
莫使失是事法尒
若比丘尼自取金銀若使人取若語汝取尼薩耆波逸提
若比丘尼以金銀種種買物尼薩耆波逸提
若比丘尼種種販買尼薩耆波逸提
若比丘尼所受鉢不滿五綴更求新鉢爲好故尼薩耆波逸提
是比丘尼是鉢應比丘尼衆中捨是比丘尼衆中最下鉢應与應如
是教汝比丘尼應受是鉢乃至破是事法尒
若比丘尼自乞縷使非親理織師織尼薩耆波逸提
若比丘尼非親理居士居士婦使織師爲比丘尼織作衣是比丘
尼先不自恣爲好衣故少作因緣往到語織師言汝知不是爲我作
汝好織令緻廣當与汝少物是比丘尼若自勸喻若使人勸喻已
後時少与物若一食若一食具若一食直爲得衣故若得是衣尼薩
耆波逸提
若比丘尼与他比丘尼衣後瞋恚心不喜若自奪若使人奪作是
言比丘尼還我衣来不与汝尼薩耆波逸提 是比丘尼應諸比丘尼
前捨是衣
若比丘尼十日未至自恣得急施衣是比丘尼受是衣時應畜若過
畜尼薩耆波逸提
若比丘尼知種趣許僧物自迴向己尼薩耆波逸提
佛聽諸病比丘尼服四種含消藥蘇油蜜石蜜是之病比丘尼
殘共宿極至七日應服若過七日尼薩耆波逸提
若比丘尼畜長鉢乃至一夜過是畜者尼薩耆波逸提
若比丘尼時衣作非時分尼薩耆波逸提
若比丘尼非時衣作時分尼薩耆波逸提

殘共宿極至七日應服若過七日尼薩耆波逸提
若比丘尼畜長鉢乃至一夜過是畜者尼薩耆波逸提
若比丘尼時衣作非時分尼薩耆波逸提
若比丘尼非時衣作時分尼薩耆波逸提
若比丘尼共比丘尼貿衣後時到邊作如是語若自持衣本去持
我衣未着我前還歸汝衣尼薩耆波逸提
若比丘尼故衆多非親理居士婦各各辦衣各各念言我等如是衣
價買如是衣與某甲比丘尼是中比丘尼先不自恣爲好衣
故少作因緣使到非親理居士若居士婦所作如是言汝等善哉
具辦如是衣價買作一衣與我爲好故若得衣尼薩耆波逸提
若比丘尼自爲身故乞金銀尼薩耆波逸提
若比丘尼所索者受已不用還得更索者尼薩耆波逸提
若比丘尼爲此事乞物作異用者尼薩耆波逸提
若比丘尼爲僧故乞此物作異用尼薩耆波逸提
若比丘尼爲多人事乞作餘事用尼薩耆波逸提
若比丘尼乞厚衣極至四罽利沙直應乞若過乞尼薩耆波逸提
若比丘尼乞薄衣極至二罽利沙半直應乞若過乞尼薩耆波逸提
諸善女我已說卅尼薩耆波逸提法今問諸善女是中清淨嘿然
故是事如是持
諸善女是百七十八波逸提法半月半月戒經中來
若比丘尼故忘語波逸提
若比丘尼毀呰語波逸提
若比丘尼兩舌鬪他比丘尼波逸提
若比丘尼知僧如法斷事還更發起波逸提
若比丘尼爲男子說法過五六語波逸提
若比丘尼以闡陀偈句教未受具戒人者波逸提
若比丘尼未受具戒人前自說得過人法若知若見我如是知如是

BD00198 號　比丘尼戒

若比丘尼知僧如法斷事還更發起波逸提
若比丘尼為男子說法過五六語波逸提
若比丘尼以闡樞連陁竭句教未受具戒人者波逸提
若比丘尼未受具戒人前自說得過人法若知若見我知是知如是
見乃至實波逸提
若比丘尼知餘比丘麁罪於未受具戒前說波逸提除僧羯磨
若比丘尼先歡喜聽後如是說隨親厚迴僧物与波逸提
若比丘尼說戒時如是言何用說是雜碎戒輩半月半月說戒經中來諸
比丘尼心生悔懷惱心熱憂愁不樂生遮戒心作是輕呵戒者波逸提 十事竟
若比丘尼壞衆草木波逸提
若比丘尼知比丘尼僧一心如法羯磨若輕呵者波逸提
若比丘尼不隨問答惱他波逸提
若比丘尼僧臥具若坐牀若臥牀若被褥句執露地若自敷若使人
敷是中若坐若臥去時不自舉不教人舉波逸提
若比丘尼房舍中瞋恚急心不喜若自急出若使人急出如是言汝出去
滅去不應是中住是因緣故不異波逸提
若比丘尼知他比丘尼先安住敷臥具竟後來强以臥具若自敷若使人
敷作是念若不樂者自當出去是因緣故不異波逸提
若比丘尼重閣上若尖腳坐牀若臥牀用力若坐若臥波逸提
若比丘尼知水有虫若自澆草土若使人澆波逸提
若比丘尼共比丘獨屏覆坐波逸提 十事竟
若比丘尼施一食處无病比丘尼應一食若過一食波逸提
諸比丘尼到白衣家自恣多与食若餅若麨是比丘尼若須二若須三鉢
應取若過取波逸提二三鉢取已出外与餘善比丘尼是事法尒
若比丘尼別衆食波逸提除因緣因緣者病時作衣時行道時船上行時
大會時沙門施食是名因緣
若比丘尼不受食著口中波逸提除水及楊支

BD00198號　比丘尼戒　（17–5）

若比丘尼到衆食波逸提除因緣因緣者病時作衣時行道時船上行時
大會時沙門施食是名因緣
若比丘尼不受食著口中波逸提除水及楊支
若比丘尼知水中有虫取用波逸提
若比丘尼於食家中臥處坐波逸提
若比丘尼於食家中獨一男子臥處坐波逸提
若比丘尼軍發行往觀波逸提除餘因緣
若比丘尼有因緣到軍中極至二夜應宿若過宿者波逸提 卅事竟
若比丘尼極至二宿軍中住觀軍發行主將幢麾軍陣合戰波逸提
若比丘尼瞋他比丘尼恚怒不喜打波逸提
若比丘尼瞋他比丘恚忿不喜手搏波逸提
若比丘尼知彼比丘尼殘麁罪覆藏極至一宿波逸提
若比丘尼語彼比丘尼善女來至諸家使與多美飲食是比丘尼不使
與使比丘尼食如是言善女汝去我與汝共坐共語不樂我獨坐語樂欲
令惱故作是念使是比丘尼乃至少許時得惱是因緣故不異波逸提
若比丘尼无病欲炙身故露地然火若草木牛屎糞掃若自然若使人然波逸提
若比丘尼知法僧事與欲竟後更呵波逸提
若比丘尼未受具戒人共一房舍宿過二夜波逸提
若比丘尼作是言我知是知佛法義行鄣道法不能鄣道是比丘尼
諸比丘尼應如是教汝比丘尼莫作是語我知是知佛法義行鄣道法不
能鄣道汝莫謗佛莫語佛謗佛不善佛不作是語佛種種因緣說行
鄣道法實能鄣道汝比丘尼捨是惡邪見是比丘尼諸比丘尼如是教時
若受是事堅持不捨諸比丘尼應第二第三教捨是事故第二第三
教時能捨是事好若不捨波逸提
若比丘尼知是人如是語不如法悔不捨是惡邪見故擯若畜使共事共一房
舍宿波逸提 卅事竟
若有沙彌尼作是言我知是知佛法義行諸欲不能鄣道是沙彌尼諸比丘

教時能捨是事好若不捨波逸提
若比丘尼知是人如是語不如法悔不捨是惡邪見故儐若畜使共事共一房
舍宿波逸提 卌事竟
若有沙弥尼作是言我知是知佛法義行諸欲不能鄣道是沙弥尼諸比丘
尼應如是教汝沙弥尼莫作是語我知是知佛法義行諸欲不能鄣道
汝莫謗佛莫輕佛謗佛不善是沙弥尼諸比丘尼應如是教汝沙弥尼捨
是惡邪見語是沙弥尼如是教時若更是事堅持不捨諸比丘尼應第
二第三教捨是事故第二第三教時能捨是事好若不捨是沙弥尼
諸比丘尼應如是語從今日沙弥尼不應言佛是我師亦不應隨諸比丘
尼行諸餘沙弥尼得共比丘尼乃至一房再宿汝亡汝无是事出去滅人滅
去莫此中住若比丘尼知是儐沙弥尼若畜若使共語若共一房舍宿波逸提
若比丘尼若寶若名寶若自手取若使人取若語使取是物波逸提除僧坊內
住處內比丘尼若寶若名寶僧坊內住處知是主心是誰有是主取是事法尒
若比丘尼得新衣應三種壞色中一一壞色若青若泥若木蘭若比丘尼三
種壞色若青若泥若木蘭著新衣波逸提
若比丘尼半月內欲波逸提除因緣因緣者熱時春後殘半月夏初月是
一月半名熱除病時風時雨時作時行路時是名因緣
若比丘尼故奪畜生命波逸提
若比丘尼故令他比丘尼悔作是念令是比丘尼乃至少許時得惱是因緣
故不異六波逸提
若比丘尼水中戲波逸提
若比丘尼共男子一房舍宿波逸提
若比丘尼自恐怖他比丘尼若使人恐怖乃至戲咲波逸提 五十事竟
若比丘尼取他比丘尼若鉢若衣尸句畚若革屣如是一一生活具若自
藏若使人藏乃至戲波逸提
若比丘尼与他比丘比丘尼式叉摩尼沙弥沙弥尼衣無還取用波逸提
若比丘尼无根僧伽婆尸沙法謗他比丘尼波逸提
若比丘尼与男子義共道行乃至一聚落波逸提
若比丘尼自手掘地若使人掘若指言掘是地波逸提

藏若使人藏乃至戲笑波逸提
若比丘尼与他比丘比丘尼式叉摩尼沙弥沙弥尼衣輒還取用波逸提
若比丘尼无根僧伽婆尸沙法謗他比丘尼波逸提
若比丘尼与男子義共道行乃至一聚落波逸提
若比丘尼自手掘地若使人掘若指言掘是地波逸提
若比丘尼受四月自恣請過是受者波逸提除常自恣請數數自恣請
若比丘尼說戒時如是言我今未學是戒先當問諸比丘誦循多羅者誦
比丘尼者誦阿毗曇者欲得法利是戒中應之應問諸比丘誦循多羅者
比丘者阿毗曇者應知是言諸大德是事云何是法何義是法應尒
若比丘尼諸比丘尼鬬亂諍訟屏處嘿然立聽作是念諸比丘尼所說
我當憶持波逸提
若比丘尼僧斷事時嘿然起去波逸提 三十事竟
若比丘尼輕他者波逸提　若比丘尼飲酒波逸提
若比丘尼過日中入聚落不白善比丘尼波逸提除大因緣
若比丘尼刹利王水澆頭夜未曉未藏寶若門門閾閾過波逸提除大因緣
若比丘尼說戒時如是言我今始知是比丘尼乃至若二若三說戒經中坐何
況多是比丘尼是法入戒中半月半月
若比丘尼說戒時如是言我今始知是法入戒經中半月半月戒經中說
諸比丘尼實知是比丘尼乃至若二若三說戒經中坐何況多是比丘尼
不可以不知故得脫隨所犯罪如法治應呵令厭善女汝失无利汝
不善汝說戒時不敬說戒時不敬說戒不作是念實有是事不貴重
戒不着心中不攝耳聽法從是事過波逸提
若比丘尼若骨若牙若角作針筩者波逸提
若比丘尼作坐牀若臥牀足應高八指除入陛若過波逸提
若比丘尼以兜羅綿貯蓐若使人著波逸提
若比丘尼佛衣等量作衣過佛衣波逸提
是中佛衣量長九修伽陀磔手廣六修伽陀磔手是名佛衣量 七十事竟
若比丘尼剃隱處毛波逸提　若比丘尼以指蓋女根中過指二節波逸提

若比丘尼作坐牀若用牀足應量八指除入陛若過波逸提

若比丘尼以兜羅綿貯褥若使人著波逸提

若比丘尼佛衣等量作衣過佛衣波逸提

是中佛衣量長九脩伽陀搩手廣六脩伽陀搩手是名佛衣量 七事竟

若比丘尼剃陰處毛波逸提 ・若比丘尼以指著女根中過指二節波逸提除病

若比丘尼嚼生蒜熟蒜波逸提 ・若比丘尼以手掌拍女根波逸提

若比丘尼煮生烏麨食波逸提 ・若比丘尼放大小便著壁外波逸提

若比丘尼着大小便著淨草上者波逸提

若比丘尼与一比丘尼露處住共語波逸提 八事竟

若比丘尼獨与一比丘於屏處若共語波逸提

若比丘尼獨与一比丘於露地若住共語波逸提

若比丘尼獨与一白衣屏處若共住語波逸提

若比丘尼獨与一白衣若住若共語波逸提

若比丘尼闇室中燈獨与男子若立若坐波逸提

若比丘尼以種種作男子著女根中波逸提

若比丘尼語彼比丘尼言善女來於我舍住後瞋恨嫌恐不喜若自擯

出若使人擯出作是言速去滅去莫此中住是因緣故不異波逸提

若比丘尼共一牀臥波逸提 ・若比丘尼共一敷臥波逸提

若二比丘尼共一褥臥波逸提

若比丘尼入白衣舍遣伴比丘尼令去屏處獨与比丘共語互共竊語波逸提 九十竟

若比丘尼入白衣舍遣伴比丘尼令去獨屏處与一白衣共語竊語波逸提

若比丘尼鬪諍相言自打哭啼波逸提

若比丘尼共諸比丘尼鬪諍相打相言以法以地獄呪咀者波逸提

若比丘尼不審諦著抑憋恨波逸提

若比丘尼夏安居於夏內无因緣遊行餘處波逸提

若比丘尼自恣已竟不能乃至一宿遊行他處者波逸提

若比丘尼國內怖畏疑處遊行者波逸提 ・若比丘尼故往觀綵畫舍波逸提

若比丘尼先安住觸惱後來者波逸提 百事竟

若比丘尼不審諦著抑强恨波逸提
若比丘尼夏安居於夏中无因緣遊行餘處波逸提
若比丘尼自恣已後不能乃至一宿遊行他處者波逸提
若比丘尼國內怖畏疑處遊行者波逸提　若比丘尼故往觀綵畫堂波逸提
若比丘尼先安住觸惱後來者波逸提　百事竟
若比丘尼後來觸惱先來者波逸提　若比丘尼共比丘尼住有苦惱不看視者波逸提
若比丘尼見他比丘尼來不起迎者波逸提
若比丘尼不白比丘尼便坐者波逸提
若比丘尼不語白衣便自敷臥坐若使人敷者波逸提
若比丘尼不滿十二歲畜眷屬者波逸提
若比丘尼滿十二歲不作畜眷屬羯磨若畜者波逸提
若比丘尼未滿十二歲已嫁女為眷屬者波逸提
若比丘尼已嫁女人滿十二歲不作眷屬羯磨畜者波逸提
若比丘尼畜眷屬不教者波逸提
若比丘尼僧作止汝羯磨竟若畜羯磨者波逸提　百十事竟
若比丘尼苐子不滿十二學六法畜眷屬者波逸提
若比丘尼苐子滿二歲學六法不作畜羯磨者波逸提
若比丘尼畜眷屬已不以財法供給者波逸提
若比丘尼受具足戒已不二歲隨和上尼波逸提
若比丘尼畜婬女為眷屬不即至餘處若五若六由旬者波逸提
若比丘尼不滿廿童女畜為眷屬者波逸提
若比丘尼滿廿童女不作眷屬羯磨而畜者波逸提
若比丘尼褁思憂惱女人作眷屬者波逸提
若比丘尼女人將男子自隨畜為眷屬者波逸提　百廿事竟
若比丘尼畜性女人為眷屬者波逸提
若比丘尼滿廿歲童女不二歲學六法眷屬者波逸提
若比丘尼雖滿廿童女二歲學六法不作畜眷屬羯磨而畜者波逸提

若比丘尼女人持男子自通畜為眷屬者波逸提　百卅事竟
若比丘尼畜姓女人為眷屬者波逸提
若比丘尼滿廿歲童女不二歲學六法眷屬者波逸提
若比丘尼誰滿廿童女二歲學六法不作畜眷屬羯磨而畜者波逸提
若比丘尼語弟子言與我衣鉢戶鈎時藥夜分七日盡形壽藥當度汝波逸提
若比丘尼女人不調伏者畜為眷屬者波逸提
若比丘尼語弟子言汝二歲六法畜汝為眷屬後不畜者波逸提
若比丘尼別住而畜眷屬者波逸提
若比丘尼若作欲衣應量作是中量長六脩迦陀縣手廣二脩伽
陀縣手半若過作波逸提
若比丘尼多畜衣波逸提　百卅事竟
若比丘尼作衣時過久聽五夜若過者波逸提
若比丘尼自病休已病浣衣與在家眼者波逸提
若比丘尼自病休已病浣淨已不起者波逸提
若比丘尼遮與衆衣者波逸提
若比丘尼瞋不作五衣而受迦絺那衣者波逸提
若比丘尼僧絺迦絺那衣時聽捨者波逸提
若比丘尼僧斷事時不聽者波逸提
若比丘尼不捨所住房而遠遊行者波逸提　百卌事竟
若比丘尼誦種種呪術波逸提
若比丘尼種種呪術者若教白衣若裸形外道者波逸提
若比丘尼男白衣家作波逸提
若比丘尼坐白衣坐去時不還白衣者波逸提
若比丘尼不語白衣輒坐其坐者波逸提
若比丘尼无病騎乘者波逸提
若比丘尼紡績者波逸提
若比丘尼持蓋入白衣舍波逸提
若比丘尼不比丘住處安居者波逸提　百五十事竟
若比丘尼竟不於二部僧中以三事見聞疑求自恣波逸提
若比丘尼半半月月日不語比丘僧所求布薩教者波逸提

若比丘尼持盖入白衣舍波逸提
若比丘尼不比丘住處安居者波逸提　百五十　事竟
若比丘尼竟不於二部僧中以三事見聞疑求自恣波逸提
若比丘尼半月半月不語比丘僧所求布薩教者波逸提
若比丘尼眾集受教時无病不來聽者波逸提
若比丘尼僧坊中比丘住不白輒入門者波逸提
若比丘尼瞋心嗜嗑訶比丘者波逸提
若比丘尼共比丘尼鬪諍相言惡口呰切語者波逸提
若比丘尼妬惜白衣舍波逸提
若比丘尼不問而問難者循多羅毗尼阿毗曇者波逸提
、若比丘尼受檀越請都不食者波逸提
若比丘尼露地裸形浴者波逸提　百六十　事竟
若比丘尼白衣藏者波逸提
、若比丘尼往觀伎歌儛伎樂者波逸提
若比丘尼若癰若創若使男子若裹若解者波逸提
若比丘尼以耶念共男子行步視瞻者波逸提
若比丘尼以末香澡胡麻滓若津塗身者波逸提
若比丘尼知世閒法著初生樹花者波逸提
若比丘尼於比丘尼僧坊出門不語同上者波逸提
若比丘尼以諸果汁治飯者波逸提
若比丘尼使人以諸果汁治飯者波逸提
若比丘尼以縣了頭者波逸提　百七十　事竟
若比丘尼使人縣了頭了了者波逸提
若比丘尼剃了頭者波逸提　、若比丘尼使人以剃了頭者波逸提
若比丘尼生草上大小便者波逸提
若比丘尼故出精波逸提除夢中　、若比丘尼飲男子精波逸提
若比丘尼於男子澆浴水澆浴者波逸提
若比丘尼於門後猥住者波逸提　百七十八　事竟
諸善女我說百七十八波逸提法今問諸善女是中清淨不第二第三
之問是中清淨不諸善女是中清淨嘿然故是事如是持

若比丘尼於男子浣浴水浣浴者波逸提
若比丘尼於門後猥住者波逸提 百七十八 事竟
諸善女我說百七十八波逸提法今問諸善女是中清淨不第二第三
之問是中清淨不諸善女是中清淨嘿然故是事如是持
諸善女是八出罪法半月半月戒經中來
白衣舍有如是美飲食乳酪蘇熟蘇油魚肉脯若比丘尼无病自為
乞乾是比丘尼前出罪作是言諸善女我墮可呵法所不應作是
應出法我今出罪是名初可出法
若比丘尼无病自為乞酪生蘇熟蘇油魚肉脯應諸比丘尼前出
罪作是言諸善女我墮可呵法所不應作是事應出法我今出是
是名第八出法諸善女我已說八出罪法今問諸善女是中清
淨不第二第三之如是問是中清淨不諸善女是中清淨嘿然
故是事如是持
諸善女是眾學法半月半月戒經中來
不高著內衣應當學　不下著內衣應當學
不參差著內衣應當學　不如斫頭著內衣應當學
不如多羅葉著內衣應當學　不如象鼻著內衣應當學
不如麨團著內衣應當學　不如細攝著內衣應當學
不蒲耳著內衣應當學　不生起著內衣應當學
不細生疏著內衣應當學　不紆渀令入應當學
周脊著內衣應當學　不高被衣應當學
不下被衣應當學　不參差被衣應當學
脊勢被衣應當學　好覆身入白衣舍應當學
好覆身白衣舍坐應當學　善好入白衣舍應當學
善好白衣舍坐應當學　不盼視入白衣舍應當學
不盼視白衣舍坐應當學　小聲入白衣舍應當學
小聲白衣舍坐應當學　不自大入白衣舍應當學
不自大白衣舍坐應當學　不阴懸入白衣舍應當學

善好白衣舍坐應當學
不眄視入白衣舍應當學
不眄視白衣舍坐應當學
小聲入白衣舍應當學
小聲白衣舍坐應當學
不自大入白衣舍應當學
不自大白衣舍坐應當學
不胡懸入白衣舍應當學
不胡懸白衣舍坐應當學
不覆頭入白衣舍應當學
不覆頭白衣舍坐應當學
不搩頭入白衣舍應當學
不搩頭白衣舍坐應當學
不扠腰入白衣舍應當學
不扠腰白衣舍坐應當學
不現胸入白衣舍應當學
不現胸白衣舍坐應當學
不現脇入白衣舍應當學
不現脇白衣舍坐應當學
不返抄衣入白衣舍應當學
不返抄衣白衣舍坐應當學
不左右返抄衣入白衣舍應當學
不左右返抄衣白衣舍坐應當學
不放衣拋入白衣舍應當學
不放衣拋白衣舍坐應當學
不挑髆入白衣舍應當學
不挑髆白衣舍坐應當學
不挃肩入白衣舍應當學
不挑肩白衣舍坐應當學
不搖頭入白衣舍應當學
不搖頭白衣舍坐應當學
不搖身入白衣舍應當學
不搖身白衣舍坐應當學
不掉手入白衣舍應當學
不掉手白衣舍坐應當學
不擗行入白衣舍應當學
不擗行白衣舍坐應當學
不累腳入白衣舍應當學
不累腳白衣舍坐應當學
不掌扶頰白衣舍坐寫白衣故來者
一心受食應當學
一心受羹應當學
不溢鉢受食應當學
羹飯等食應當學
不覆羹食應當學
不鉢中擇好食應當學
不大團飯食應當學
圓飯可口食應當學
大張口待食應當學
不含飯語應當學
不嗛半食應當學
不嚙食作聲應當學
不含吞食應當學
不噏咽食應當學
不吐舌食應當學
不嗅食食應當學

大張口待食應當學　不含飯語應當學
不嚙半食應當學　不嚼食作聲應當學
不含吞食應當學　不味咽食應當學
不吐舌食應當學　不嗅食食應當學
不舐手食應當學　不指鉢食應當學
不棄飯食應當學　不振手食應當學
不污手受食器應當學　不病不得爲身索若飯羹應當學
不應以飯覆羹更望得應當學　不得恚看比坐鉢中食應當學
次第食應當學　不應以洗食鉢水棄白衣舍內除詣檀越應當學
騎乘人不應爲說法除病應當學　人在前比丘尼在後不應爲說法除病應當學
人在道中比丘尼在外不應爲說法除病應當學　人在高坐比丘尼在下坐不應爲說法除病應當學
人坐比丘尼立不應爲說法除病應當學　人臥比丘尼坐不應爲說法除病應當學
人覆頭不應爲說法除病應當學　人裹頭不應爲說法除病應當學
人叉腰不應爲說法除病應當學　人現胸不應爲說法除病應當學
人現脇不應爲說法除病應當學　人返抄衣不應爲說法除病應當學
人左右返抄衣不應爲說法除病應當學　人敢衣拖不應爲說法除病應當學
人著木屐不應爲說法除病應當學　人捉杖不應爲說法除病應當學
人著革屣不應爲說法除病應當學　人捉蓋不應爲說法除病應當學
人捉五尺刀不應爲說法除病應當學　人捉小刀不應爲說法除病應當學
人捉弓箭種種兵杖不應爲說法除病應當學　不應生草上大小便涕唾除病應當學
不應淨用水處大小便涕唾除病應當學　樹高人不應上除大因緣應當學
諸善女已說衆學法今問諸善女是中清淨不第二第三亦問是中
清淨不諸善女是中清淨默然故是事如是持
諸善女是七滅諍法半月半月戒經中來
應與現前毗尼當與現前毗尼　應與憶念毗尼人當與憶念毗尼
應與不癡毗尼人當與不癡毗尼　應與自言治人當與自言治
應與覓罪相當與覓罪相　應與多覓罪人當與多覓罪
種種僧中諍事生如草布地除滅應當學

BD00198號　比丘尼戒　（17–15）

諸善女是七滅諍法半月半月說戒經中來
應與現前毗尼人當與現前毗尼　應與憶念毗尼人當與憶念毗尼
應與不癡毗尼人當與不癡毗尼　應與自言治人當與自言治
應與覓罪相當與覓罪相　應與多覓罪人當與多覓罪
種種僧中諍事生如草布地除滅　應當學
諸善女已說七滅諍法今問諸善女是中清淨不第二第三亦如是問
諸善女是中清淨默然故是事如是持
諸善女已說戒序法已說八波羅夷法已說十七僧伽婆尸沙法已說
卅尼薩耆波逸提法已說百七十八波逸提法已說八波羅提提舍尼法已
說眾學法已說七滅諍法是事入佛經中半月半月戒經中說及餘
隨道戒法是中諸善女一心歡喜不諍一學一道和合安樂應當學
忍辱第一道　涅槃佛稱最　出家惱他人　不名為沙門
譬如明眼人　能避嶮惡道　世有聰明人　能遠離諸惡
不惱不說過　如戒所說行　飲食知節量　常樂在空閑
心淨樂精進　是名諸佛教　譬如蜂採花　不壞色與香
但取其味去　比丘出聚落　不破壞他事　不觀作不作
但自觀身行　諦視善不善　欲得好心　莫放逸
聖人善法當懃學　若有智慧一心人　乃能无復憂惱患　一切惡莫作
當具足善法　自淨其志意　是則諸佛教　護身為善哉
能護口亦善　護意為善哉　護一切亦善　若人護一切
便得離眾苦　比丘守口意　身不犯眾惡　是三業道淨
得聖所行道　若人撾罵不還報　於嫌恨人心不恨　於瞋人中心常淨
見他為惡自不作　七佛為世尊　能救護世間　所說是戒經
我已廣說竟　諸佛及弟子　恭敬是戒經　恭敬戒經已
各各相恭敬　慚愧得具足　能得无為道　已說戒經竟
僧一心作布薩

比丘尼戒經卷

但取其味去　比丘出聚然　不破壞他事　不觀作不作
但自觀身行　諦視善不善　欲得好心　莫放逸
聖人善法當勤學　若有智慧一心人　乃能无復憂惱患　一切惡莫作
當具足善法　自淨其志意　是則諸佛教　護身為善哉
能護口之善　護意為善哉　護一切之善　若人護一切
便得離眾苦　比丘守口意　身不犯眾惡　是三業道淨
得聖所行道　若人撾罵不還報　於搵恨人心不恨　於瞋人中心常淨
見他為惡自不作　七佛為世尊　能救護世間　所說是戒經
我已廣說竟　諸佛及弟子　恭敬是戒經　恭敬戒經已
各各相恭敬　慚愧得具足　能得无為道　已說戒經竟
僧一心作布薩

比丘尼戒壹卷

BD00198號　比丘尼戒　（17–17）

經
人悉見
成就[illegible]功德
須菩提若有善男子善女人初日分以恒河
沙等身布施中日分復以恒河沙等身布施
後日分亦以恒河沙等身布施如是無量百
千万億劫以身布施若復有人聞此經典信
心不逆其福勝彼何況書寫受持讀誦為人
解說須菩提以要言之是經有不可思議不
可稱量無邊功德如來為發大乘者說為發
最上乘者說若有人能受持讀誦廣為人說
如來悉知是人悉見是人皆得成就不可量
不可稱無有邊不可思議功德如是人等則
為荷擔如來阿耨多羅三藐三菩提何以故
須菩提若樂小法者著我見人見眾生見壽
者見則於此經不能聽受讀誦為人解說須
菩提在在處處若有此經一切世間天人阿
脩羅所應供養當知此處則為是塔皆應恭
敬作禮圍繞以諸華香而散其處
復次須菩提善男子善女人受持讀誦此經
若為人輕賤是人先世罪業應墮惡道以今
世人輕賤故先世罪業則為消滅當得阿耨
多羅三藐三菩提須菩提我念過去無量阿
僧祇劫於然燈佛前得值八百四千万億那
由他諸佛悉皆供養承事無空過者若復有

BD00199號　金剛般若波羅蜜經　（5–1）

若為人輕賤是人先世罪業應墮惡道以今
世人輕賤故先世罪業則為消滅當得阿耨
多羅三藐三菩提須菩提我念過去無量阿
僧祇劫於然燈佛前得值八百四千万億那
由他諸佛悉皆供養承事無空過者若復有
人於後末世能受持讀誦此經所得功德於
我所供養諸佛功德百分不及一千万億分
乃至筭數譬喻所不能及須菩提若善男子
善女人於後末世有受持讀誦此經所得功
德我若具說者或有人聞心則狂亂狐疑不
信須菩提當知是經義不可思議果報亦不
可思議
尒時須菩提白佛言世尊善男子善女人發
阿耨多羅三藐三菩提心云何應住云何降
伏其心佛告須菩提善男子善女人發阿耨
多羅三藐三菩提者當生如是心我應滅度
一切眾生滅度一切眾生已而無有一眾生
實滅度者何以故若菩薩有我相人相眾生
相壽者相則非菩薩所以者何須菩提實无
有法發阿耨多羅三藐三菩提者須菩提於
意云何如來於然燈佛所有法得阿耨多羅
三藐三菩提不不也世尊如我解佛所說義
佛於然燈佛所无有法得阿耨多羅三藐三
菩提佛言如是如是須菩提實无有法如來
得阿耨多羅三藐三菩提須菩提若有法如
來得阿耨多羅三藐三菩提者然燈佛則不
與我受記汝於來世當得作佛號釋迦牟尼

BD00199號　金剛般若波羅蜜經　（5–2）

阿耨多羅三藐三菩提心云何應住云何降
伏其心佛告須菩提善男子善女人發阿耨
多羅三藐三菩提者當生如是心我應滅度
一切衆生滅度一切衆生已而無有一衆生
實滅度者何以故若菩薩有我相人相衆生
相壽者相則非菩薩所以者何須菩提實无
有法發阿耨多羅三藐三菩提者須菩提於
意云何如來於然燈佛所有法得阿耨多羅
三藐三菩提不不也世尊如我解佛所說義
佛於然燈佛所无有法得阿耨多羅三藐三
菩提佛言如是如是須菩提實无有法如來
得阿耨多羅三藐三菩提須菩提若有法如
來得阿耨多羅三藐三菩提者然燈佛則不
與我受記汝於來世當得作佛号釋迦牟尼
以實无有法得阿耨多羅三藐三菩提是故
然燈佛與我受記作是言汝於來世當得作
佛号釋迦牟尼何以故如來者即諸法如義
若有人言如來得阿耨多羅三藐三菩提須
菩提實无有法佛得阿耨多羅三藐三菩提
須菩提如來所得阿耨多羅三藐三菩提於
是中无實无虛是故如來說一切法皆是佛
法須菩提所言一切法者即非一切法是故
名一切法須菩提譬如人身長大須菩提言
世尊如來說人身長大則為非大身是名大
身須菩提菩薩亦如是若作是言我當滅度
無量衆生則不名菩薩何以故須菩提無有
法名為菩薩是故佛說一切法無我無人無

BD00199號　金剛般若波羅蜜經　（5–3）

是中无實无虛是故如來說一切法皆是佛
法須菩提所言一切法者即非一切法是故
名一切法須菩提譬如人身長大須菩提言
世尊如來說人身長大則為非大身是名大
身須菩提菩薩亦如是若作是言我當滅度
無量衆生則不名菩薩何以故須菩提無有
法名為菩薩是故佛說一切法無我無人無
衆生無壽者須菩提若菩薩作是言我當莊
嚴佛土是不名菩薩何以故如來說莊嚴佛
土者即非莊嚴是名莊嚴須菩提若菩薩通
達無我法者如來說名真是菩薩
須菩提於意云何如來有肉眼不如是世尊
如來有肉眼須菩提於意云何如來有天眼
不如是世尊如來有天眼須菩提於意云何
如來有慧眼不如是世尊如來有慧眼須菩
提於意云何如來有法眼不如是世尊如來
有法眼須菩提於意云何如來有佛眼不如
是世尊如來有佛眼須菩提於意云何恒河
中所有沙佛說是沙不如是世尊如來說是
沙須菩提於意云何如一恒河中所有沙有
如是等恒河是諸恒河所有沙數佛世界如
是寧為多不甚多世尊佛告須菩提尒所國
土中所有衆生若干種心如來悉知何以故
如來說諸心皆為非心是名為心所以者何
須菩提過去心不可得現在心不可得未來
心不可得須菩提於意云何若有人滿三千
大千世界七寶以用布施是人以是因緣得

BD00199號　金剛般若波羅蜜經　（5–4）

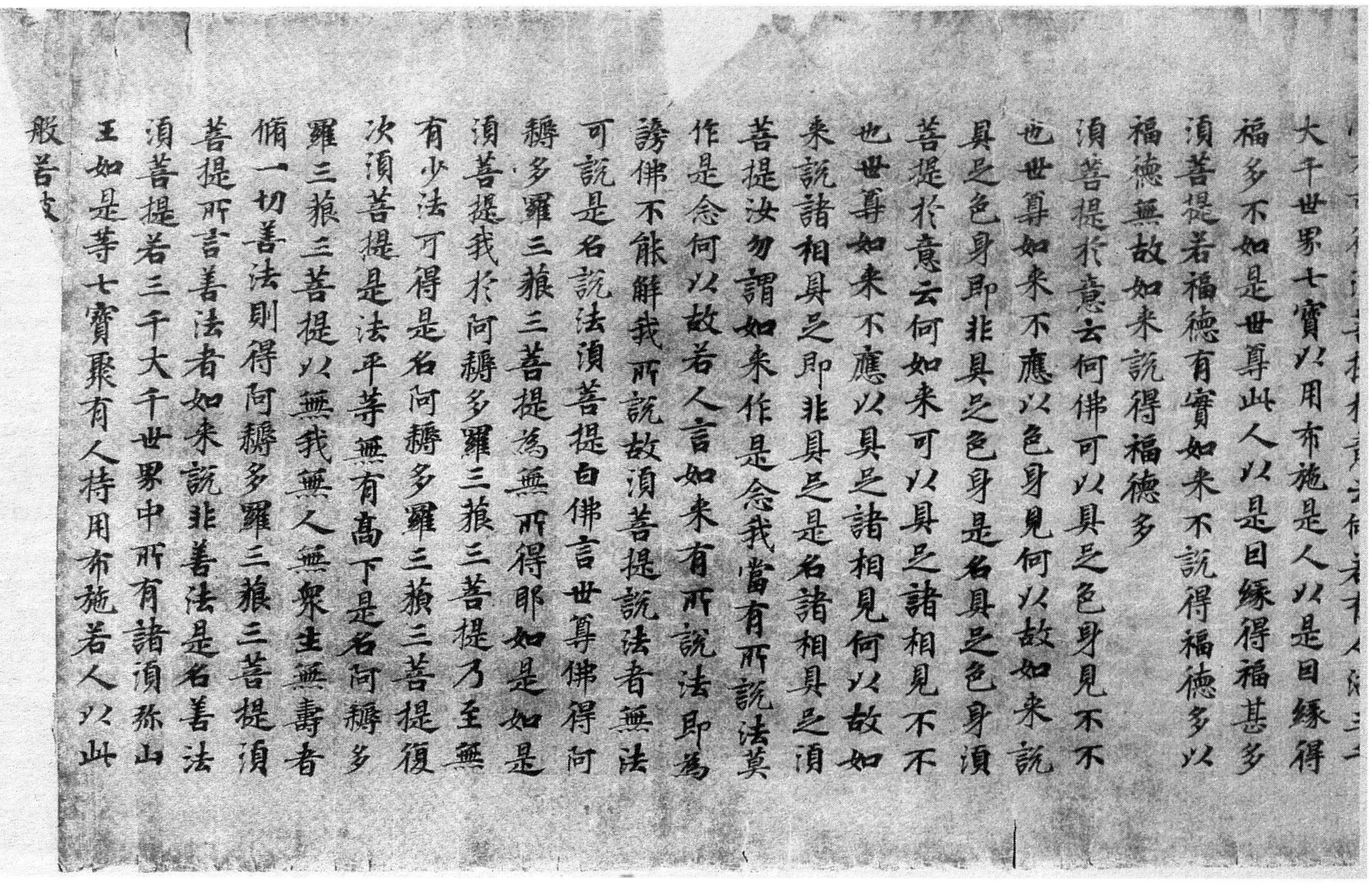
大千世界七寶以用布施是人以是因緣得
福多不如是世尊此人以是因緣得福甚多
須菩提若福德有實如來不說得福德多以
福德無故如來說得福德多
須菩提於意云何佛可以具足色身見不不
也世尊如來不應以色身見何以故如來說
具足色身即非具足色身是名具足色身須
菩提於意云何如來可以具足諸相見不不
也世尊如來不應以具足諸相見何以故如
來說諸相具足即非具足是名諸相具足須
菩提汝勿謂如來作是念我當有所說法莫
作是念何以故若人言如來有所說法即為
謗佛不能解我所說故須菩提說法者無法
可說是名說法須菩提白佛言世尊佛得阿
耨多羅三藐三菩提為無所得耶如是如是
須菩提我於阿耨多羅三藐三菩提乃至無
有少法可得是名阿耨多羅三藐三菩提復
次須菩提是法平等無有高下是名阿耨多
羅三藐三菩提以無我無人無衆生無壽者
脩一切善法則得阿耨多羅三藐三菩提須
菩提所言善法者如來說非善法是名善法
須菩提若三千大千世界中所有諸須彌山
王如是等七寶聚有人持用布施若人以此
般若波

BD00199 號　金剛般若波羅蜜經　（5–5）

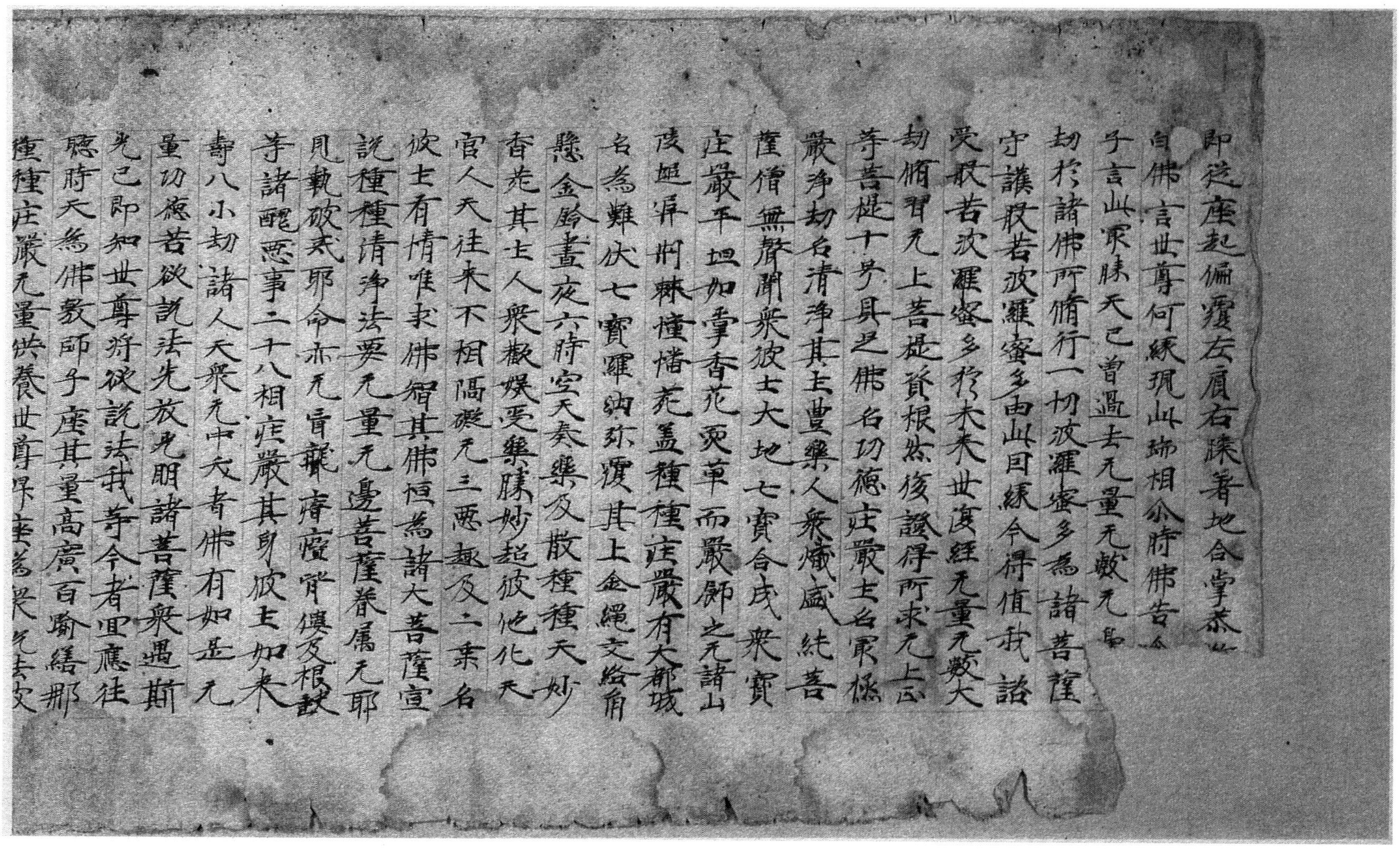
即從座起偏覆左肩右膝著地合掌恭敬
白佛言世尊何緣現此瑞相爾時佛告舍
子言此衆勝天已曾過去无量无數无邊
劫於諸佛所脩行一切波羅蜜多為諸菩薩
守護般若波羅蜜多由此因緣今得值我諮
受般若波羅蜜多於未來世復經无量无數大
劫脩習无上菩提資根然後證得所求无上正
等菩提十号具足佛名功德莊嚴土名衆極
嚴淨劫名清淨其土豐樂人衆熾盛純菩
薩僧無聲聞衆彼土大地七寶合成衆寶
莊嚴平坦如掌香花柔草而嚴飾之无諸山
陵堆阜荊棘幢幡花蓋種種莊嚴有大都城
名為難伏七寶羅納弥覆其上金繩交絡角
懸金鈴晝夜六時空天奏樂及散種種天妙
香花其土人衆歡娛受樂勝妙超彼他化天
宮人天往來不相隔礙无三惡趣及二乘名
彼土有情唯求佛智其佛恒為諸大菩薩宣
說種種清淨法要无量无邊菩薩眷屬无耶
見執破戒耶命亦无聾盲瘖瘂背僂及根缺
等諸醜惡事二十八相莊嚴其身彼土如來
壽八小劫諸人天衆无中夭者佛有如是无
量功德若欲說法先放光明諸菩薩衆遇斯
光已即知世尊將欲說法我等今者皆應往
聽時天為佛敷師子座其量高廣百踰繕那
種種莊嚴无量供養世尊昇座為衆宣說

BD00200 號　大般若波羅蜜多經卷五七〇　（14–1）

諸□□□□八種□嚴其身彼土如來
壽八小劫諸人天衆无中夭者佛有如是无
量功德若欲說法先放光明諸菩薩衆遇斯
光已即知世尊將欲說法我等今者宜應往
聽時天爲佛敷師子座其量高廣百踰繕那
種種莊嚴无量供養世尊昇座爲衆說法彼
諸菩薩聰明利根一聞領悟離我我所資具
飲食應念即至佛說衆勝受記法時五万天
人深心歡喜俱發无上正等覺心咸願未來
生彼佛土尒時衆勝聞佛所說喜踊躍得
未曾有上昇虛空七多羅樹時三千界六種
變動諸天彼樂不鼓自鳴散衆天花以供養
佛及大菩薩衆勝天王時彼天王從空而下
礼佛雙足退坐一面
第六分現相品第八
時舍利子問衆勝言菩薩脩行甚深般若波
羅蜜多方便善巧通達法性尒時即應坐菩
提座證得无上正等菩提轉妙法輪度有情
衆何緣先現苦行六年降伏天魔後成正覺
衆勝答曰大德當知菩薩脩行甚深般若波
羅蜜多方便善巧通達法性實无苦行爲伏
外道故亦現之而彼天魔是欲界主稟性調善
實不應壞爲化有情故亦降伏謂諸外道自
稱能脩苦行第一是故菩薩亦現能脩過彼
苦行謂諸有情或見菩薩屈一膝立或見菩
薩舉兩手立或見菩薩視日而立或見菩薩
五熱炙身或見菩薩倒懸其身或見菩薩卧
棘刺或卧牛糞或坐於石或復卧地或卧

苦行謂諸有情或見菩薩屈一膝立或見菩
薩舉兩手立或見菩薩視日而立或見菩薩
五熱炙身或見菩薩倒懸其身或見菩薩卧
棘刺或卧牛糞或坐於石或復卧地或卧
其杖或卧杵上或卧灰土或見菩薩唯著杖衣
或著莛衣或著草衣或著樹皮或著弊衣
或復露形或面向日隨日而轉或見菩薩唯食
樹子或復食麦或食草根或食樹茎或花
或果或食暑預或芋或藕或豆或穀或麻或
米或六日一食或飲水度日或於一日食一滴
蘇或一滴蜜或一滴乳或无所食或恒熱
眠現如是等種種苦行經於六年一无虧失
然實菩薩无斯苦行應度有情而自見有菩
薩如是現苦行時有六十那庾多諸天人衆
因見此事安住三乘復有天人宿善根力深
樂大乘則見菩薩坐七寶臺身心不動寂
頌合笑入勝等持時經六年方從起有天
人衆深樂大乘欲聽聞者則見菩薩端坐說
法經六年大德當知如是菩薩方便善巧行
深般若波羅蜜多能降天魔伏諸外道大
悲化度一切有情既經六年從定而起隨順世
法詣無駱河洗浴出已於河邊立有牧牛女
構百乳牛以飲一牛構此牛乳用作乳糜奉
獻菩薩復有六億天龍藥叉健達縛等各
持種種香美飲食而來奉獻咸作是言大士
今上唯願受我飲食供養菩薩受之皆悉為
受時牧牛女天龍藥叉健達縛等互不相見

獻菩薩復有六億天龍藥叉健達縛等各
持種種香美飲食而來奉獻咸作是言大士
大士唯願受我飲食供養菩薩皆悉為
受時牧牛女天龍藥叉健達縛等互不相見
各見菩薩獨受其供時有無量諸天人等同
見受供咸得悟道是故菩薩為示現之菩薩
爾時實不洗浴亦不受彼人天等供大德當知
如是菩薩行深般若波羅蜜多方便善巧示
現行詣菩提座時有地居天名曰妙地與天
神衆周遍掃飾灑以香水散以妙花時此三
千大千世界四大天王領自天衆雨天妙花
供養菩薩天主帝釋將乃天王領自天衆恠
虛空中奏天樂音讚歎菩薩善足天王領自
天衆持七寶網彌覆世界其網四角懸此金
鈴符雨衆寶供養菩薩善化天王領自天衆
持紫金網彌覆世界住諸天樂雨種種花供
養菩薩自在天王領自天衆諸龍藥叉健達
縛等各持種種上妙供具供養菩薩堪忍
界主大梵天王既見菩薩詣菩提座即告一
切梵天衆言汝等當知今此菩薩堅固甲胄
而自莊嚴不違本誓心無厭息諸菩薩行皆已
滿足通達無量化有情法諸菩薩地皆得自
在於諸有情其心清淨善知一切根性差別
通達如來甚深祕藏超覺一切魔之事業集
諸善本不待外緣一切如來共所護念普為
含識開解脫門大將導師摧伏魔軍於
大千界獨稱勇猛善施法藥為大醫王解

BD00200號　大般若波羅蜜多經卷五七〇　（14–4）

通達如來甚深祕藏超覺一切魔之事業集
諸善本不待外緣一切如來共所護念普為
含識開解脫門大將導師摧伏魔軍於
大千界獨稱勇猛善施法藥為大醫王解
脫甚深法王位放智慧光普照一切法不染
辟如蓮花諸總持門無不通達深廣難測猶
若大海安固不動妙高山智慧清淨无諸
垢濁內外皎潔如末尼珠於諸法相皆得自
在梵行清白已到究竟如是菩薩行深般若
波羅蜜多方便善巧為度有情詣菩提座結
跏趺坐降伏魔怨為成十力四无所畏四无礙
解及十八佛不共法等无量无邊諸佛功德轉
大法輪作師子吼以法普施一切有情各隨
所宜皆令滿足為諸有情法眼清淨以无上
法降伏外道欲示諸佛本願成就於一切法
而得自在汝等可往供養菩薩大德當知如
是菩薩行深般若波羅蜜多方便善巧示現
行詣菩提座時於雙足下千輻輪相各放
无量微妙光明普照地獄傍生鬼界其中有
情遇斯光者即皆離苦身心安樂時龍宮內
有大龍王名迦履迦遇斯光已生大歡喜告
諸龍言此妙光明來照我等令我等輩身心
安樂我於往昔曾見此光時有如來出興于
世今既有此微妙光明定知世間有佛出現
宜共嚴辦種種香花衆妙珍財幢幡蓋往
諸彼彝往詣供養於是龍王將諸眷屬賫持
供具普興大雲降灑香雨往詣菩薩住諸彼
[illegible]

BD00200號　大般若波羅蜜多經卷五七〇　（14–5）

世令所有山後妙光明定知世間有佛出現
宜共嚴飾種種香花衆妙珍財幢幡花蓋往
諸彼樂往詣供養於是龍王并諸眷屬齎持
供具普興大雲降灑香雨往詣菩薩住諸彼
樂施設供養右遶菩薩而讚歎言彼妙光明
普令歡樂決定最勝佛出无疑種種奇珍莊
嚴大地所生草木悉變成寶江河皆靜无風
浪聲難山定知佛出於世釋梵日月光明不
現惡趣清淨佛出无疑譬如有人少失父母
年既長大忽然還得歡喜踊躍不能自勝一
切世間覩佛出現各共歡慶亦復如是我等
過去曾供諸佛今值法王人中師子是則我
等生不空過大德當知如是菩薩行深般若
波羅蜜多方便善巧菩提樹下受草敷座右
遶七帀正念端坐下劣有情見如是相諸大
菩薩見有八万四千天子各別敷一大師子
座諸師子座衆寶合成七寶羅納珍寶覆其
上各於四角懸妙金鈴幢幡繒蓋處處羅列
菩薩遍此八万四千師子座上俱各安坐而諸
天子手不相見各謂菩薩獨坐我座證得无
上正等菩提以是因緣深生歡喜於无上覺
皆得不退大德當知如是菩薩行深般若波
羅蜜多方便善巧眉間毫相放大光明普照
三千大千世界諸魔宮殿皆失威光時諸魔
王咸作是念以何緣故有此光明映蔽我等
威光宮殿詎非菩薩坐菩提座將證无上正
等菩提念已共觀方見菩薩菩提樹下坐金
剛座見已驚怖召集魔軍无量百千種形貌

BD00200 號　大般若波羅蜜多經卷五七〇　（14–6）

王咸作是念以何緣故有此光明映蔽我等
威光宮殿詎非菩薩坐菩提座將證无上正
等菩提念已共觀方見菩薩菩提樹下坐金
剛座見已驚怖召集魔軍无量百千種形貌
持種種仗種幢幡出種種聲能令聞者
驚忙毛孔並皆流血菩薩尒時以大悲力令
魔軍衆不能出聲是名菩薩行深般若波羅
蜜多方便善巧大德當知如是菩薩行深般
若波羅蜜多方便善巧憶念過去无量億劫
精進修行布施淨戒安忍精進靜慮般若
慈悲喜捨念住正斷神足根力覺支道支寂
止妙觀三明八解皆悉圓滿念已即申金色右
手自摩其頂乃至遍身作如是言我欲濟拔
有情衆苦而起大悲時諸魔王及彼眷屬聞
菩薩語即皆顛仆菩薩尒時以大悲力令諸
魔衆聞空中聲汝可歸依能施无畏救護一
切淨戒大仙魔及眷屬聞此聲已猶伏在地
作如是言唯願大仙救濟我命是時菩薩依
深般若波羅蜜多方便善巧放大光明其有
遇者皆離怖畏魔及眷屬覩斯神變怖懼
喜二事交懷大德當知如是菩薩行深般若
波羅蜜多方便善巧令諸有情所見各別謂
或有見如是降魔或有有情不見斯事或見
菩薩但居草座或見菩薩處師子臺或見菩
薩在地而坐或見空中坐師子座見菩提樹
其相亦別謂或見是樺鉢羅樹或有見是天
圓彩樹或見此樹衆寶合成或見此樹高七

BD00200 號　大般若波羅蜜多經卷五七〇　（14–7）

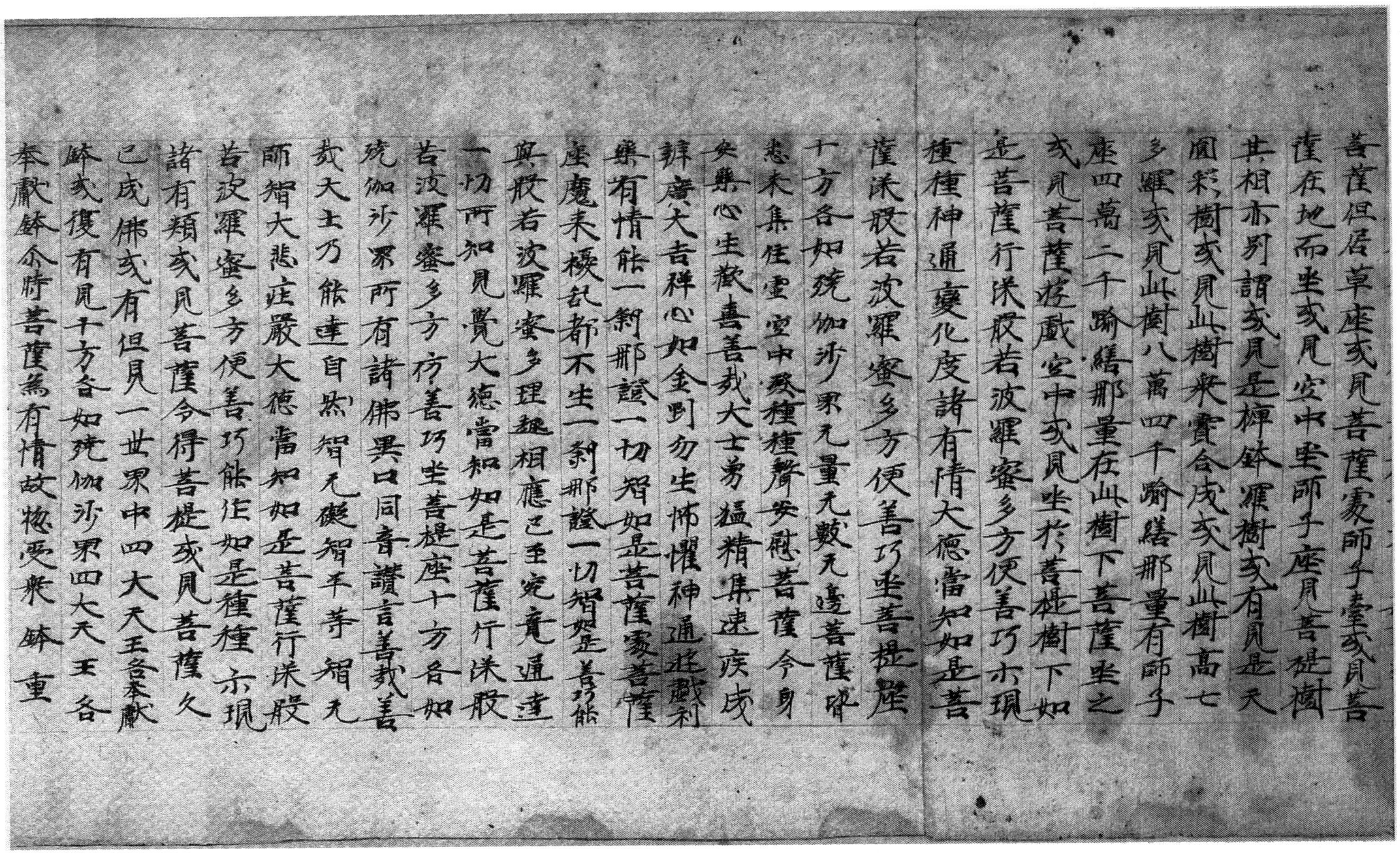
菩薩但居草座或見菩薩處師子臺或見菩
薩在地而坐或見空中坐師子座見菩提樹
其相亦別謂或見是畢鉢羅樹或有見是天
圓彩樹或見此樹衆寶合成或見此樹高七
多羅或見此樹八萬四千踰繕那量有師子
座四萬二千踰繕那量在此樹下菩薩坐之
或見菩薩遊戲空中或見坐於菩提樹下如
是菩薩行深般若波羅蜜多方便善巧亦現
種種神通變化度諸有情大德當知如是菩
薩行深般若波羅蜜多方便善巧坐菩提座
十方各如殑伽沙界无量无數无邊菩薩皆
悉來集住虛空中發種種聲安慰菩薩令身
安樂心生歡喜善哉大士勇猛精進速疾成
辦廣大吉祥心如金剛勿生怖懼神通遊戲利
樂有情能一剎那證一切智如是菩薩處菩提
座魔來擾亂都不生一剎那證一切智如是善巧能
與般若波羅蜜多理趣相應已至究竟通達
一切所知見覺大德當知如是菩薩行深般
若波羅蜜多方便善巧坐菩提座十方各如
殑伽沙界所有諸佛異口同音讚言善哉善
哉大士乃能達自然智无礙智平等智无
師智大悲莊嚴大德當知如是菩薩行深般
若波羅蜜多方便善巧能作如是種種亦現
諸有類或見菩薩令得菩提或見菩薩久
已成佛或有但見一世界中四大天王各奉獻
鉢或復有見十方各如殑伽沙界四大天王各
奉獻鉢尒時菩薩為有情故總受衆鉢重

BD00200號 大般若波羅蜜多經卷五七〇 （14–8）

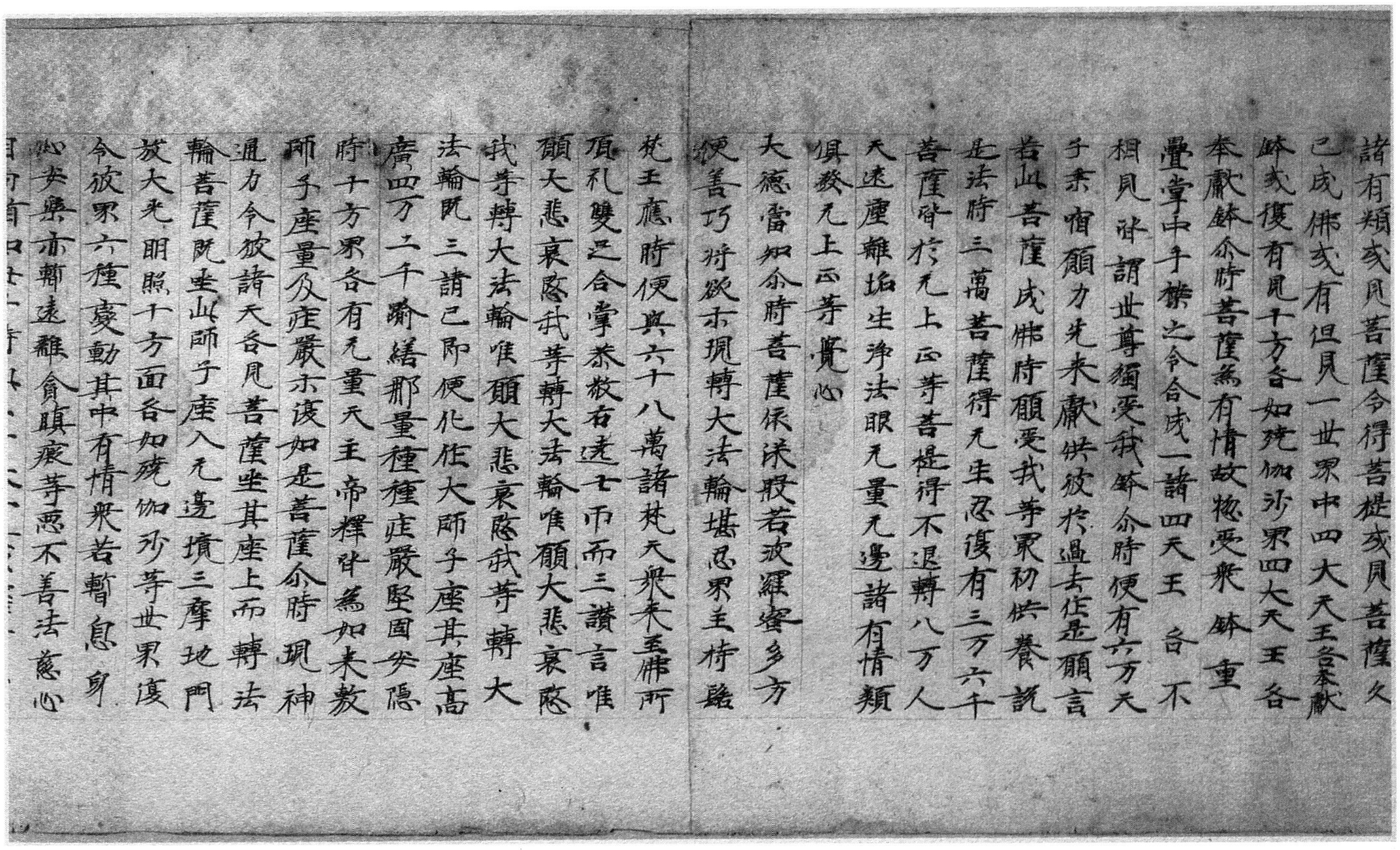
諸有類或見菩薩令得菩提或見菩薩久
已成佛或有但見一世界中四大天王各奉獻
鉢或復有見十方各如殑伽沙界四大天王各
奉獻鉢尒時菩薩為有情故總受衆鉢重
疊掌中手按之令合成一諸四天王各不
相見皆謂世尊獨受我鉢尒時便有六万天
子宿願力先來獻供彼於過去作是願言
若此菩薩成佛時願受我等最初供養說
是法時三萬菩薩得无生忍復有三万六千
菩薩皆於无上正等菩提得不退轉八万人
天遠塵離垢生淨法眼无量无邊諸有情類
俱發无上正等覺心
大德當知尒時菩薩依深般若波羅蜜多方
便善巧將欲示現轉大法輪堪忍界主持髻
梵王應時便與六十八萬諸梵天衆來至佛所
頂禮雙足合掌恭敬右遶七帀而三讚言唯
願大悲哀愍我等轉大法輪唯願大悲哀愍
我等轉大法輪唯願大悲哀愍我等轉大
法輪既三請已即便化作大師子座其座高
廣四万二千踰繕那量種種莊嚴堅固安隱
時十方界各有无量天主帝釋皆為如來敷
師子座量及莊嚴亦復如是菩薩尒時現神
通力令彼諸天各見菩薩坐其座上而轉法
輪菩薩既坐此師子座入无邊境三摩地門
放大光明照十方面各如殑伽沙等世界復
令彼界六種變動其中有情衆苦暫息身
心安樂亦轉遠離貪瞋癡等惡不善法慈心

BD00200號 大般若波羅蜜多經卷五七〇 （14–9）

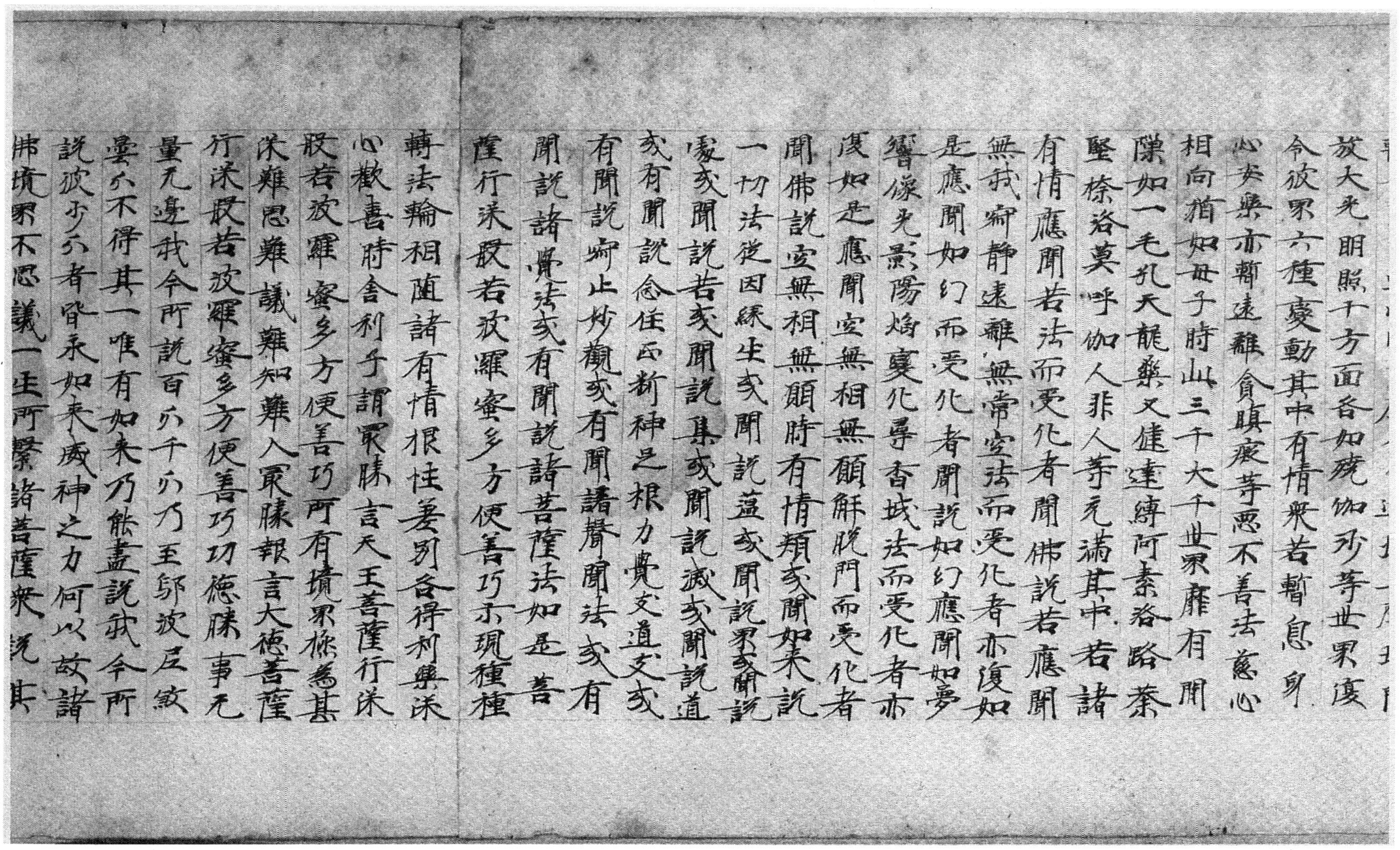
放大光明照十方面各如殑伽沙等世界度
令彼界六種變動其中有情衆若暫息身
心安樂亦暫遠離貪瞋癡等惡不善法慈心
相向猶如母子時山三千大千世界靡有聞
隟如一毛孔天龍藥叉健達縛阿素洛路荼
緊捺洛莫呼伽人非人等充滿其中若諸
有情應聞若法而受化者聞佛說若應聞
無我寂靜遠離無常空法而受化者亦復如
是應聞如幻而受化者聞說如幻應聞如夢
響像光影陽焰變化尋香城法而受化者亦
復如是應聞空無相無願解脫門而受化者
聞佛說空無相無願時有情類或聞如來說
一切法從因緣生或聞說蘊或聞說界或聞說
處或聞說苦或聞說集或聞說滅或聞說道
或有聞說念住正斷神足根力覺支道支或
有聞說寂止妙觀或有聞讚聲聞法或有
聞說諸覺法或有聞說諸菩薩法如是菩
薩行深般若波羅蜜多方便善巧示現種種
轉法輪相隨諸有情根性差別各得利樂深
心歡喜時舍利子謂最勝言天王菩薩行深
般若波羅蜜多方便善巧所有境界極為甚
深難思難議難知難入最勝報言大德菩薩
行深般若波羅蜜多方便善巧功德勝事无
量无邊我今所說百分千分乃至鄔波尼殺
曇分不得其一唯有如來乃能盡說我今所
說彼少分者皆承如來威神之力何以故諸
佛境界不思議一生所繫諸菩薩衆說其

BD00200 號　大般若波羅蜜多經卷五七〇　（14–10）

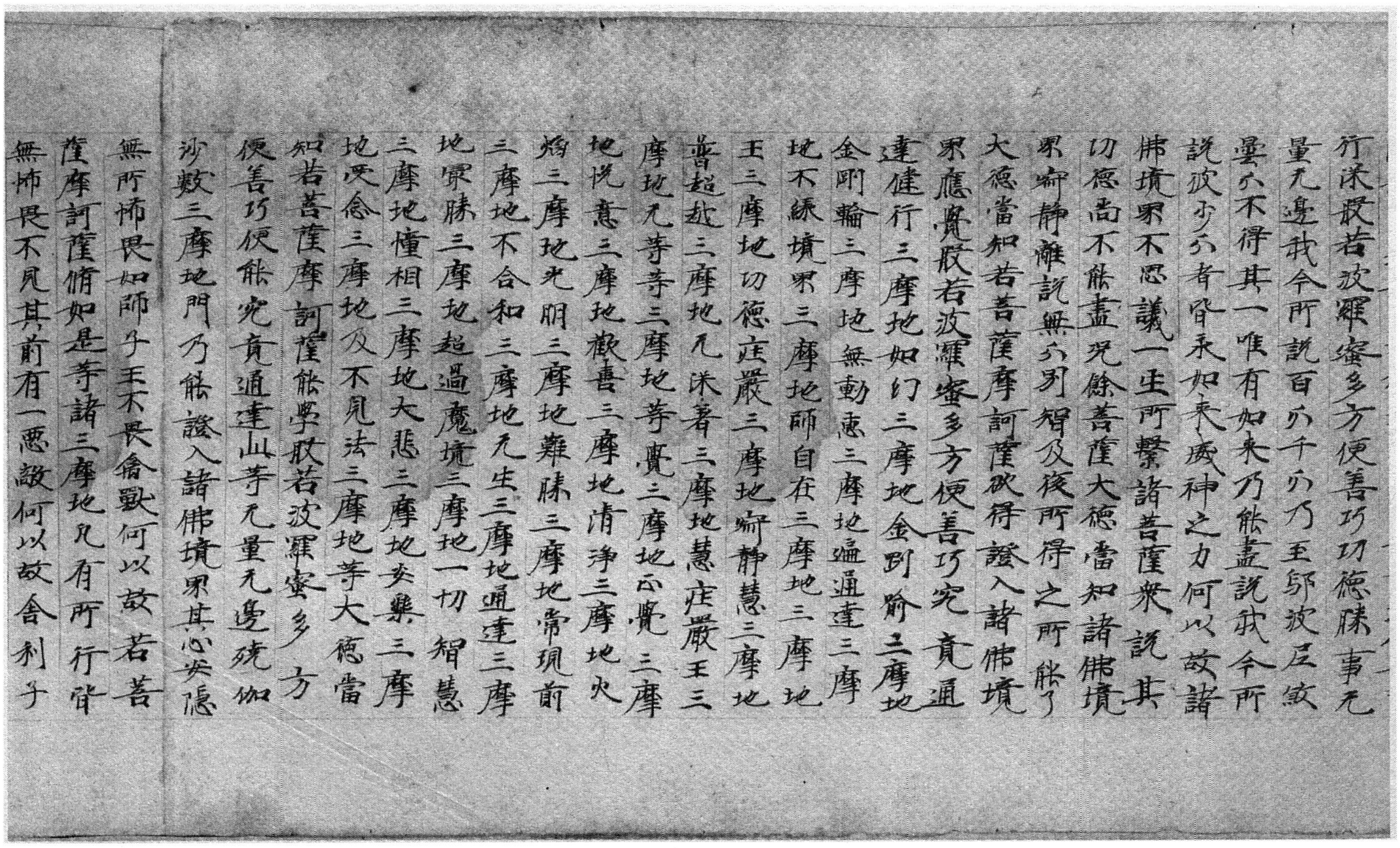
行深般若波羅蜜多方便善巧功德勝事无
量无邊我今所說百分千分乃至鄔波尼殺
曇分不得其一唯有如來乃能盡說我今所
說彼少分者皆承如來威神之力何以故諸
佛境界不思議一生所繫諸菩薩衆說其
功德尚不能盡況餘菩薩大德當知諸佛境
界寂靜離說無分別智及後所得之所能了
大德當知若菩薩摩訶薩欲得證入諸佛境
界應覺般若波羅蜜多方便善巧究竟通
達健行三摩地如幻三摩地金剛喻三摩地
金剛輪三摩地無動惠三摩地遍通達三摩
地不緣境界三摩地師自在三摩地三摩地
王三摩地功德莊嚴三摩地寂靜慧三摩地
普超越三摩地無染著三摩地慧莊嚴王三
摩地无等等三摩地等覺三摩地正覺三摩
地悅意三摩地歡喜三摩地清淨三摩地火
焰三摩地光明三摩地難勝三摩地常現前
三摩地不合和三摩地无生三摩地通達三摩
地最勝三摩地超過魔境三摩地一切智慧
三摩地幢相三摩地大悲三摩地安樂三摩
地受念三摩地及不見法三摩地等大德當
知若菩薩摩訶薩能學般若波羅蜜多方
便善巧便能究竟通達山等无量无邊殑伽
沙數三摩地門乃能證入諸佛境界其心安隱
無所怖畏如師子王不畏禽獸何以故若菩
薩摩訶薩修如是等諸三摩地凡有所行皆
無怖畏不見其前有一惡敵何以故舍利子

BD00200 號　大般若波羅蜜多經卷五七〇　（14–11）

沙數三摩地門乃能證入諸佛境界其心安隱
無所怖畏如師子王不畏禽獸何以故若菩
薩摩訶薩猶如是等諸三摩地凡有所行皆
無怖畏不見其前有一惡敵何以故舍利子
是菩薩摩訶薩行深般若波羅蜜多方便
善巧心無所緣亦無所住譬如有人生無色
界八万大劫唯有一識无有住處亦无所緣
如是菩薩行深般若波羅蜜多方便善巧
心無所緣亦無所住何以故是諸菩薩心不行
無行處心不想無想處心不緣无緣處心不
著無著處心不亂无亂處心无高下心无違
順無憂无喜无分別離分別離奢摩他毗
鉢舍那心不隨智心不自住亦不住他不依眼
住不依耳鼻舌身意住不依色住不依聲香
味觸法住心不在內亦不在外不在兩間心
不緣法亦不緣智不住三世不住離世大德當
知是諸菩薩行深般若波羅蜜多方便善巧
不取一法而於諸法智見无礙心行淨故見
一切法皆悉无垢不取見相見无分別離諸
戲論大德當知是諸菩薩行深般若波羅蜜
多方便善巧不與一切肉眼天眼慧眼法眼
佛眼相應非不相應亦復不與一切天耳他
心宿住神境漏盡諸智相應非不相應大
德當知甚深般若波羅蜜多方便善巧與一
切法皆非相應非不相應諸菩薩摩訶薩行
深般若波羅蜜多方便善巧於一切法得平
等智能觀一切有情心行一切染淨皆如實

BD00200號　大般若波羅蜜多經卷五七〇　（14–12）

心宿住神境漏盡諸智相應非不相應大
德當知甚深般若波羅蜜多方便善巧與一
切法皆非相應非不相應諸菩薩摩訶薩行
深般若波羅蜜多方便善巧於一切法得平
等智能觀一切有情心行一切染淨皆如實
知於佛十力四无所畏四无礙解及十八佛不
共法等无量无邊諸佛功德皆不失念是諸
菩薩行深般若波羅蜜多方便善巧无功
用心達一切法无心意識常在寂定不起寂
定教化有情施作佛事常不休息於諸佛法
得无礙智心无染著譬如化佛化作如來所
化如來无心意識无身无身業无語无語業
无意无意業而能施作一切佛事饒益有情
何以故佛神力故如是菩薩行深般若波羅
蜜多方便善巧之所化住无身无身業无語
無語業无意无意業无功用心常作佛事
饒益有情何以故舍利子諸菩薩摩訶薩
行深般若波羅蜜多方便善巧通達諸法皆
如幻等心无分別而諸有情恒聞說法大德
當知是諸菩薩所有智慧不住有為不住无為
不住諸蘊及諸界處不住內外及兩中間不住
善惡及世出世不住染淨有漏无漏有為无為
不住三世及離三世不住虛空擇非擇滅是
諸菩薩行深般若波羅蜜多方便善巧雖
常如是心无所住而能通達諸法相以无礙智
无功用心為諸有情宣說諸法常在寂靜而
教化事无有休息是諸菩薩宿願力强无功

BD00200號　大般若波羅蜜多經卷五七〇　（14–13）

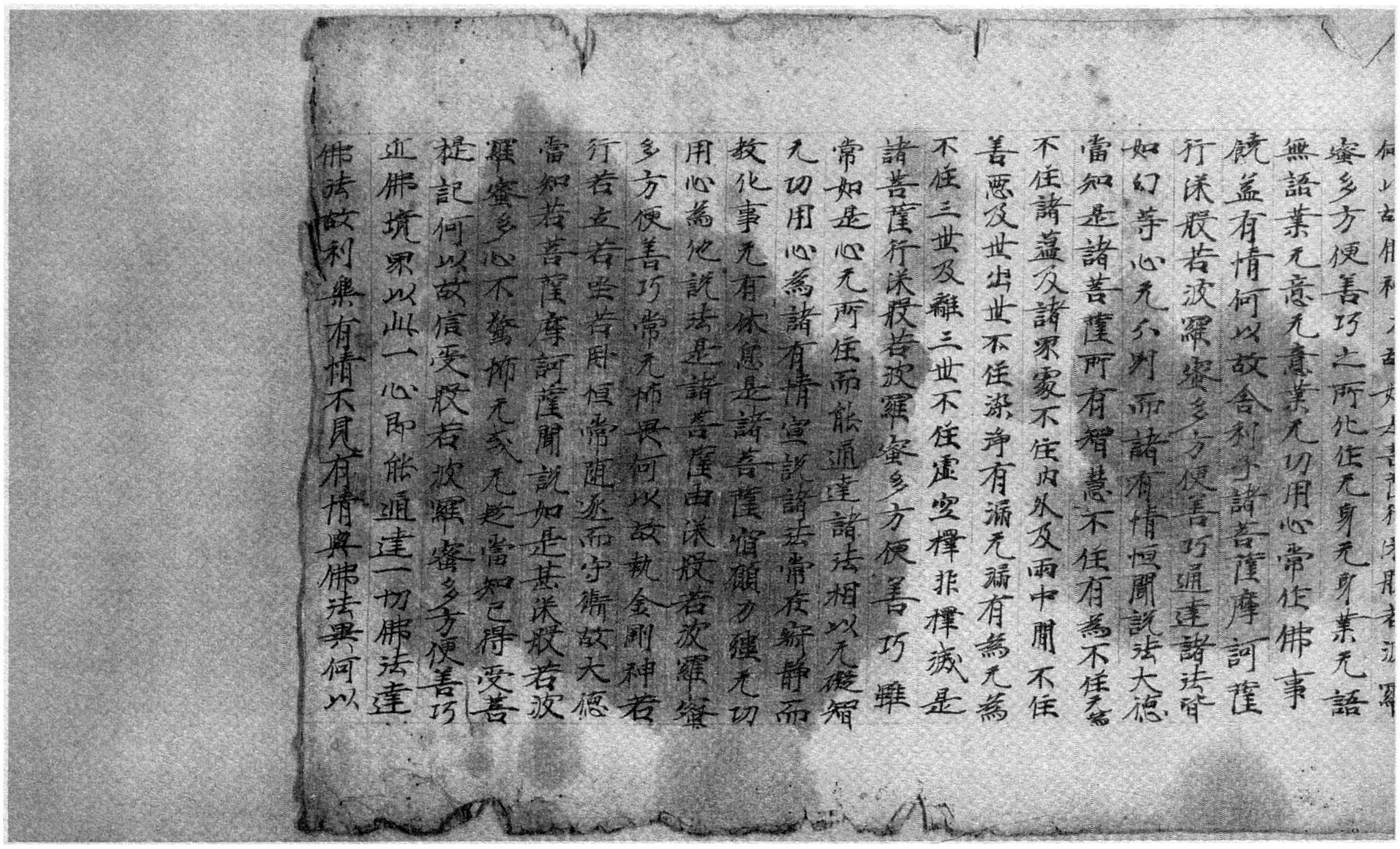
蜜多方便善巧之所化作无身无身業无語
無語業无意无意業无切用心常作佛事
饒益有情何以故舍利子諸菩薩摩訶薩
行深般若波羅蜜多方便善巧通達諸法皆
如幻等心无分別而諸有情恒聞說法大德
當知是諸菩薩所有智慧不住有為不住无為
不住諸蘊及諸界處不住內外及兩中間不住
善惡及世出世不住染淨有漏无漏有為无為
不住三世及離三世不住虛空擇非擇滅是
諸菩薩行深般若波羅蜜多方便善巧雖
常如是心无所住而能通達諸法相以无礙智
无切用心為諸有情宣說諸法常在寂靜而
教化事无有休息是諸菩薩宿願力纏无切
用心為他說法是諸菩薩由深般若波羅蜜
多方便善巧常无怖畏何以故執金剛神若
行若立若坐若臥恒常隨逐而守衛故大德
當知若菩薩摩訶薩聞說如是甚深般若波
羅蜜多心不驚怖无惑无疑當知已得受菩
提記何以故信受般若波羅蜜多方便善巧
近佛境界以此一心即能通達一切佛法達
佛法故利樂有情不見有情與佛法異何以

BD00200號　大般若波羅蜜多經卷五七〇　　（14–14）

著 録 凡 例

本目録採用條目式著録法。諸條目意義如下：

1.1 著録編號。用漢語拼音首字“BD”表示，意為“北京圖書館藏敦煌遺書”，簡稱“北敦號”。文獻寫在背面者，標註為“背”。一件遺書上抄有多個文獻者，用數字 1、2、3 等標示小號。一號中包括幾件遺書，且遺書形態各自獨立者，用字母 A、B、C 等區別。

1.2 著録分類號。本條記目録暫不分類，該項空缺。

1.3 著録文獻的名稱、卷本、卷次。

1.4 著録千字文編號。

1.5 著録縮微膠卷號。

2.1 著録遺書的總體數據。包括長度、寬度、紙數、正面抄寫總行數與每行字數、背面抄寫總行數與每行字數。如該遺書首尾有殘破，則對殘破部分單獨度量，用加號加在總長度上。凡屬這種情況，長度用括弧標註。

2.2 著録每紙數據。包括每紙長度及抄寫行數或界欄數。

2.3 著録遺書的外觀。包括：(1) 裝幀形式。(2) 首尾存況。(3) 護首、軸、軸頭、天竿、縹帶，經名是書寫還是貼簽，有無經名號，扉頁、扉畫。(4) 卷面殘破情況及其位置。(5) 尾部情況。(6) 有無附加物（蟲繭、油污、線繩及其他）。(7) 有無裱補及其年代。(8) 界欄。(9) 修整。(10) 其他需要交待的問題。

2.4 著録一件遺書抄寫多個文獻的情況。

3.1 著録文獻首部文字與對照本核對的結果。

3.2 著録文獻尾部文字與對照本核對的結果。

3.3 著録録文。

3.4 著録對文獻的説明。

4.1 著録文獻首題。

4.2 著録文獻尾題。

5 著録本文獻與對照本的不同之處。

6.1 著録本遺書首部可與另一遺書綴接的編號。

6.2 著録本遺書尾部可與另一遺書綴接的編號。

7.1 著録題記、題名、勘記等。

7.2 著録印章。

7.3 著録雜寫。

7.4 著録護首及扉頁的內容。

8 著録年代。

9.1 著録字體。如有武周新字、合體字、避諱字等，予以説明。

9.2 著録卷面二次加工的情況。包括句讀、點標、科分、間隔號、行間加行、行間加字、硃筆、墨塗、倒乙、刪除、兑廢等。

10 著録敦煌遺書發現後，近現代人所加內容，裝裱、題記、印章等。

11 備註。著録揭裱互見、圖版本出處及其他需要説明的問題。

上述諸條，有則著録，無則空缺。

為避文繁，上述著録中出現的各種參考、對照文獻，暫且不列版本説明。全目結束時，將統一編制本條記目録出現的各種參考書目。

本條記目録為農曆年份標註其公曆紀年時，未經行歲頭年末之換算，請讀者使用時注意自行换算。

條　記　目　録

BD00135—BD00200

1.1　BD00135 號
1.3　金剛般若波羅蜜經
1.4　黄 035
1.5　094：3509
2.1　（190.9+37）×28.3 厘米；6 紙；122 行，行 17 字。
2.2　01：40.0，21；　02：44.5，24；　03：44.3，24；
04：44.1，24；　05：18.0+26.0，24；　06：11.0，05。
2.3　卷軸裝。首全尾殘。第 1 紙有破洞，第 5 紙、第 6 紙上方殘破嚴重。有烏絲欄。已修整。
3.1　首全→大正 235，8/748C17。
3.2　尾 16 行上殘→8/750A10～25。
4.1　金剛般若波羅蜜經（首）。
5　與《大正藏》本相比，本號卷首有《啓請八金剛》6 行。録文如下：
凡人欲轉念《金剛般若經》，先至心請八金剛名，/
功德無量。其名如是：/
奉請青除災金剛，　奉請辟毒金剛，/
奉請黄隨求金剛，　奉請白淨水金剛，/
奉請赤聲火金剛，　奉請定除災金剛，/
奉請紫賢金剛，　奉請大神力金剛。/
（録文完）
7.3　背有古代雜寫殘字，無法辨認。
8　10 世紀。歸義軍時期寫本。
9.1　楷書。
9.2　有刮改。
11　圖版：《敦煌寶藏》，78/373B～376B。

1.1　BD00136 號
1.3　妙法蓮華經卷一
1.4　黄 036
1.5　105：4492
2.1　（1.8+916.1）×25.5 厘米；19 紙；509 行，行 17 字。
2.2　01：1.8+42.7，25；　02：50.0，28；　03：50.0，28；
04：50.0，28；　05：50.0，28；　06：50.0，28；
07：49.2，28；　08：49.5，28；　09：49.5，28；
10：49.6，28；　11：49.8，28；　12：50.0，28；
13：49.6，28；　14：49.6，28；　15：49.6，28；
16：49.5，28；　17：49.0，28；　18：49.5，28；
19：29.0，08。
2.3　卷軸裝，首尾均殘。經黄紙，打紙。卷首有古代褙補。卷尾有蟲繭。有燕尾。有烏絲欄。
3.1　首行殘→大正 262，9/1C19。
3.2　尾全→9/10B21。
4.2　妙法蓮華經卷第一（尾）。
8　7 世紀。唐寫本。
9.1　楷書。
9.2　有行間校加字。
11　《敦煌劫餘録》將本件著録於第四冊第 270 頁《妙法蓮華經》條内第 5 號，按照先後次序，其縮微膠卷號應為 105：4496。但拍攝縮微膠卷時，本件與 BD05817 號（菜 17 號，《敦煌劫餘録》第四冊第 270 頁，《妙法蓮華經》條内第 1 號）錯卷。本件的縮微膠卷號被錯編爲“105：4492”，菜 17 號的縮微膠卷號被錯編為 105：4496。《敦煌寶藏》亦誤：現《敦煌寶藏》編入 105：4492 號中的圖版，註為菜 17 號，實為黄 39 號；而編入 105：4496 號的圖版，註為黄 39 號，實為菜 17 號。參見 BD05817 號目録。
圖版：《敦煌寶藏》，83/332B～346B。

1.1　BD00137 號
1.3　維摩詰所說經卷下
1.4　黄 037
1.5　070：1247
2.1　（331.5+2）×25 厘米；6 紙；171 行，行 17 字。
2.2　01：11.5，護首；　02：78.0，40；　03：78.0，42；
04：78.0，42；　05：78.0，42；　06：08.0+2，05。
2.3　卷軸裝。首全尾殘。有護首，存竹製天竿，已殘斷。第 1

紙下邊撕裂，中間橫向撕裂；第 2 紙有豎撕裂。有烏絲欄。
3.1　首全→大正 475，14/552A6。
3.2　尾行上中殘→14/554A11 ~ 12。
7.4　護首墨書經名“維摩詰經卷下”，上有經名號。
8　9 ~ 10 世紀。歸義軍時期寫本。
9.1　楷書。
9.2　有行間校加字。有刮改。有刪除號。
11　圖版：《敦煌寶藏》，66/314A ~ 318A。

1.1　BD00138 號
1.3　金剛般若波羅蜜經
1.4　黃 038
1.5　094：3868
2.1　（9.5 + 433.5 + 2.5）× 25.5 厘米；10 紙；245 行，行 17 字。
2.2　01：9.5 + 32.7，22；　02：50.6，28；　03：50.5，28；
04：49.5，28；　05：50.0，28；　06：50.6，28；
07：50.1，28；　08：50.0，28；　09：45.0，26；
10：04.5 + 2.5，01。
2.3　卷軸裝。首尾均殘。經黃紙。第 2 紙橫裂，第 3 紙豎裂，第 6 至 9 紙各紙間接縫處開裂。第 3 紙背有古代裱補。有燕尾。有烏絲欄。已修整。
3.1　首 4 行上下殘→大正 235，8/749B26—29。
3.2　尾全→8/752C3。
4.2　金剛般若波羅蜜經（尾）。
7.3　卷面有一雜寫“司”字。
8　7 ~ 8 世紀。唐寫本。
9.1　楷書。
11　圖版：《敦煌寶藏》，80/664B ~ 670A。

1.1　BD00139 號
1.3　金剛般若波羅蜜經
1.4　黃 039
1.5　094：3510
2.1　87.5 × 27.7 厘米；2 紙；正面 52 行，行 17 字。背面 2 行。
2.2　01：47.0，28；　02：40.5，24。
2.3　卷軸裝。首全尾殘。本件通卷殘破，泥污嚴重。2 紙背有古代裱補。有烏絲欄。已修整。
2.4　本遺書包括 2 個文獻：（一）《金剛般若波羅蜜經》，52 行，抄寫在正面，今編為 BD00139 號。（二）《妙法蓮華經》卷二，2 行，抄寫在背面的古代裱補紙上，今編為 BD00139 號背。
3.1　首全→大正 235，8/748C17。
3.2　尾殘→8/749B18。
4.1　金剛般若波羅蜜經（首）。
8　9 ~ 10 世紀。歸義軍時期寫本。
9.1　楷書。
11　圖版：《敦煌寶藏》，78/377A ~ 378A，但缺少卷背裱補紙上殘存《妙法蓮華經》之圖版。

1.1　BD00139 號背
1.3　妙法蓮華經卷二
1.4　黃 039
1.5　094：3510
2.4　本遺書由 2 個文獻組成，本號為第 2 個，2 行，殘片。餘參見 BD00139 號之第 2 項、第 11 項。
3.4　說明：
此乃用廢舊寫經作爲裱補紙修補另一種寫經之一例。用作裱補紙的是《妙法蓮華經》卷二，現存經文 2 行 6 字“□…□我如/□…□而汝少壯/”，可參見大正 262，9/17A22 ~ 23。
8　7 ~ 8 世紀。唐寫本。
9.1　楷書。

1.1　BD00140 號
1.3　大般涅槃經（北本異卷）卷三四
1.4　黃 040
1.5　115：6495
2.1　291.8 × 26.4 厘米；6 紙；166 行，行 17 字。
2.2　01：46.5，26；　02：48.9，28；　03：49.0，28；
04：49.2，28；　05：49.2，28；　06：49.0，28。
2.3　卷軸裝。首全尾脫。經黃紙。首紙殘破，第 3 紙有破裂，第 3、4 紙接縫中部開裂。背有古代裱補。有烏絲欄。
3.1　首全→大正 374，12/562C21。
3.2　尾殘→12/564C19。
4.1　大般涅槃經迦葉菩薩品第十二，三十四（首）。
5　與《大正藏》本對照，分卷不同。經文相當於卷三十三《迦葉菩薩品》第十二之一至卷三十四《迦葉菩薩品》第十二之二。
8　7 ~ 8 世紀。唐寫本。
9.1　楷書。
11　圖版：《敦煌寶藏》，99/549B ~ 553A。

1.1　BD00141 號
1.3　妙法蓮華經卷二
1.4　黃 041
1.5　105：4791
2.1　429.3 × 25.6 厘米；9 紙；231 行，行 17 字。
2.2　01：50.9，28；　02：50.8，28；　03：50.5，28；
04：50.5，28；　05：50.6，28；　06：50.5，28；
07：50.5，28；　08：50.4，28；　09：24.6，07。
2.3　卷軸裝。首脫尾全。經黃紙。第 1、2 紙接縫處下開裂。有燕尾。有烏絲欄。
3.1　首殘→大正 262，9/15C23。
3.2　尾全→9/19A12。
4.2　妙法蓮華經卷第二（尾）。

8　7～8 世紀。唐寫本。
9.1　楷書。
11　圖版：《敦煌寶藏》，86/592B～598B。

1.1　BD00142 號
1.3　維摩詰所説經卷中
1.4　黄 042
1.5　070：1161
2.1　563×25.5 厘米；12 紙；307 行，行 17 字。
2.2　01：49.0，28；　02：49.0，28；　03：49.0，28；
04：49.0，28；　05：49.0，28；　06：49.0，28；
07：49.0，28；　08：49.0，28；　09：49.0，28；
10：49.0，28；　11：49.0，27；　12：24.0，拖尾。
2.3　卷軸裝。首脱尾全。卷末有蟲繭。有烏絲欄。
3.1　首殘→大正 475，14/547C8。
3.2　尾全→14/551C27。
4.2　維摩詰經卷中（尾）。
8　8～9 世紀。吐蕃統治時期寫本。
9.1　楷書。
9.2　有刮改。
11　圖版：《敦煌寶藏》，65/507A～514B。

1.1　BD00143 號
1.3　妙法蓮華經卷六
1.4　黄 043
1.5　105：5694
2.1　（6+327.9）×25 厘米；8 紙；160 行，行 17 字。
2.2　01：6+35.5，20；　02：41.7，20；　03：41.7，20；
04：41.9，20；　05：41.8，20；　06：41.7，20；
07：41.8，20；　08：41.8，20。
2.3　卷軸裝。首殘尾脱。經黄紙。第 2 紙下邊殘損。有烏絲欄。上下邊方格欄。
3.1　首 3 行上下殘→大正 262，9/46C12～15。
3.2　尾殘→9/49B14。
8　7～8 世紀。唐寫本。
9.1　楷書。
11　圖版：《敦煌寶藏》，94/320A～324B。

1.1　BD00144 號
1.3　維摩詰所説經卷下
1.4　黄 044
1.5　070：1280
2.1　（2+336.5）×26.5 厘米；8 紙；180 行，行 17 字。
2.2　01：2+48.5，28；　02：50.0，28；　03：50.0，28；
04：50.0，28；　05：50.0，28；　06：50.0，28；
07：24.0，12；　08：14.0，拖尾。
2.3　卷軸裝。首脱尾全。第 1 紙中間有豎向撕裂，有殘洞；第 2 紙下邊有撕裂。背有古代裱補。護首紙質與其他紙不同，乃後補。有烏絲欄。
3.1　首殘→大正 475，14/555B11。
3.2　尾全→14/557B26。
4.2　維摩詰經卷下（尾）。
8　7～8 世紀。唐寫本。
9.1　楷書。
9.2　有行間校加字。
11　圖版：《敦煌寶藏》，66/398A～402A。

1.1　BD00145 號
1.3　佛名經（二十卷本）卷一七
1.4　黄 045
1.5　062：0592
2.1　（1.5+1009.3）×27 厘米；22 紙；548 行，行 17 字。
2.2　01：1.5+42.0，24；　02：47.5，26；　03：47.5，26；
04：47.2，26；　05：47.2，26；　06：47.2，26；
07：47.5，26；　08：47.5，26；　09：47.5，26；
10：47.5，26；　11：47.5，26；　12：47.5，26；
13：47.4，26；　14：47.5，26；　15：47.2，26；
16：47.2，26；　17：47.2，26；　18：47.2，26；
19：47.5，26；　20：45.5，25；　21：26.5，14；
22：42.5，17。
2.3　卷軸裝。首殘尾全。第 1、2 紙上下撕裂，第 1、2、3 紙接縫上下均斷開，第 7、8 紙接縫下開裂，第 8、9 紙接縫中下方開裂。有燕尾。有烏絲欄。已修整。
3.4　説明：
本件首行上下殘，尾全。爲二十卷本《佛説佛名經》卷十七，未爲我國歷代大藏經所收，至今亦未發表過有關錄文。
4.2　佛説佛名經卷第十七（尾）。
8　8 世紀。唐寫本。
9.1　楷書。
11　圖版：《敦煌寶藏》，60/184A～196A。

1.1　BD00146 號
1.3　妙法蓮華經卷五
1.4　黄 046
1.5　105：5462
2.1　（5+981.7）×25.6 厘米；22 紙；594 行，行 17 字。
2.2　01：5+37.5，26；　02：46.2，28；　03：46.2，28；
04：46.2，28；　05：46.3，28；　06：46.3，28；
07：46.2，28；　08：46.4，28；　09：46.2，28；
10：46.2，28；　11：46.3，28；　12：46.2，28；
13：46.3，28；　14：46.3，28；　15：46.2，28；
16：46.4，28；　17：46.4，28；　18：46.4，28；
19：46.4，28；　20：46.3，28；　21：46.3，28；
22：18.5，08。

2.3　卷軸裝。首殘尾全。打紙。第 1 紙上下有破損處。有古代裱補。有烏絲欄。
3.1　首 3 行上殘→大正 262，9/37B10～13。
3.2　尾全→9/46B14。
4.2　妙法蓮華經卷第五（尾）。
8　7～8 世紀。唐寫本。
9.1　楷書。
11　圖版：《敦煌寶藏》，92/171A～186A。

1.1　BD00147 號
1.3　妙法蓮華經卷二
1.4　黃 047
1.5　105：4763
2.1　742.1×26.6 厘米；16 紙；428 行，行 17 字。
2.2　01：47.9，28；　02：48.5，28；　03：48.6，28；
04：48.5，28；　05：48.6，28；　06：48.5，28；
07：48.4，28；　08：48.5，28；　09：48.5，28；
10：48.5，28；　11：48.6，28；　12：48.5，28；
13：48.5，28；　14：48.3，28；　15：48.6，28；
16：15.1，08。
2.3　卷軸裝。首脫尾全。打紙，砑光上蠟。各紙接縫處上方多有開裂，第 5、10、15 紙上邊有撕裂，12、13 紙接縫處下開裂。有烏絲欄。
3.1　首殘→大正 262，9/13A10。
3.2　尾全→9/19A12。
4.2　妙法蓮華經卷第二（尾）。
8　7 世紀。唐寫本。
9.1　楷書。
11　品相較好。
圖版：《敦煌寶藏》，86/402A～412A。

1.1　BD00148 號
1.3　四分律卷四四
1.4　黃 048
1.5　155：6809
2.1　978.3×26 厘米；21 紙；584 行，行 17 字。
2.2　01：46.0，26；　02：46.5，28；　03：46.5，28；
04：46.5，28；　05：46.8，28；　06：46.8，28；
07：46.5，28；　08：46.5，28；　09：46.7，28；
10：46.5，28；　11：46.7，28；　12：46.5，28；
13：46.5，28；　14：46.5，28；　15：46.7，28；
16：46.7，28；　17：47.0，28；　18：47.0，28；
19：46.7，28；　20：46.7，28；　21：46.0，26。
2.3　卷軸裝。首尾均全。未入潢。卷面殘破。第 10、11 紙接縫斷開，尾紙中部有殘洞。紙幅大小略異。有烏絲欄。
3.1　首全→大正 1428，22/885A10。
3.2　尾全→22/893C26。
4.1　四分律藏卷第卌四，第三分卷第八，瞻波健（犍）度第七，初（首）。
4.2　四分律藏卷第卌四，第三分卷第八，呵責揵（犍）度初（尾）。
5　與《大正藏》本相比，本文獻首部文字“瞻波犍度第七”當為“瞻波犍度第十”之誤，行文亦略有參差。
8　9～10 世紀。歸義軍時期寫本。
9.1　楷書，字體工整。
11　圖版：《敦煌寶藏》，102/55A～67A。

1.1　BD00149 號
1.3　正法念處經卷四二
1.4　黃 049
1.5　134：6657
2.1　144.5×27 厘米；3 紙；77 行，行 17 字。
2.2　01：48.5，27；　02：48.0，28；　03：48.0，22。
2.3　卷軸裝。首全尾脫。尾有餘空，文字未抄完。有烏絲欄。
3.1　首全→大正 721，17/247B2。
3.2　尾缺→17/248B4。
4.1　正法念處經天品之廿一，夜摩之七，卌二（首）。
7.3　卷尾背部上端有一雜寫“之”字。
8　9～10 世紀。歸義軍時期寫本。
9.1　楷書。
11　圖版：《敦煌寶藏》，101/86A～87B。

1.1　BD00150 號
1.3　大乘稻芉經
1.4　黃 050
1.5　058：0464
2.1　420.5×26.8 厘米；9 紙；246 行，行 17 字。
2.2　01：46.0，26；　02：46.7，28；　03：46.5，28；
04：46.7，28；　05：46.8，28；　06：46.8，28；
07：47.0，28；　08：47.0，28；　09：47.0，24。
2.3　卷軸裝。首尾均全。首紙背有古代裱補。卷尾有蟲繭。有烏絲欄。
3.1　首全→大正 712，16/823B20。
3.2　尾全→16/826A27。
4.1　佛說大乘稻芉（芉）經一卷（首）。
4.2　佛說大乘稻芉（芉）經一卷（尾）。
7.3　卷背有雜寫“逆遠還通南北東西”一行。
8　8～9 世紀。吐蕃統治時期寫本。
9.1　楷書。
9.2　有行間校加字及加行。有倒乙。有刮改。
11　圖版：《敦煌寶藏》，59/262B～268B。

1.1　BD00151 號 1
1.3　大乘密嚴經（地婆訶羅本）卷上

1.4 黄 051
1.5 040：0375
2.1 （5.5 + 1220.5 + 2.5）× 27 厘米；26 紙；920 行，行 26 ~ 28 字不等。
2.2 01：5.5 + 12.5，14； 02：49.5，39； 03：50.0，39；
04：49.5，39； 05：50.0，39； 06：50.5，39；
07：50.2，39； 08：50.0，39； 09：50.2，37；
10：49.5，38； 11：50.0，38； 12：50.0，38；
13：50.0，39； 14：50.0，39； 15：50.5，39；
16：50.4，39； 17：38.6，28； 18：45.0，31；
19：49.5，35； 20：49.5，35； 21：49.5，35；
22：49.3，35； 23：49.5，35； 24：49.5，35；
25：49.3，35； 26：28.0 + 2.5，22。
2.3 卷軸裝。首尾皆殘。有烏絲欄。
2.4 本遺書包括 3 個文獻：（一）《大乘密嚴經》卷上，292 行，今編爲 BD00151 號 1。（二）《大乘密嚴經》卷中，330 行，今編爲 BD000151 號 2。（三）《大乘密嚴經》卷下，298 行，今編爲 BD00151 號 3。
3.1 首 4 行中下殘→大正 681，16/723C1 ~ C6。
3.2 尾全→16/730C14。
4.2 大乘密嚴經卷上（尾）。
7.3 卷背有硃筆字跡三處，甚淡，除"南無"二字外，餘字無法辨認。
8 8 ~ 9 世紀。吐蕃統治時期寫本。
9.1 楷書。
11 圖版：《敦煌寶藏》，58/417B ~ 434B。

1.1 BD00151 號 2
1.3 大乘密嚴經（地婆訶羅本）卷中
1.4 黄 051
1.5 040：0375
2.4 本遺書由 3 個文獻組成，本號為第 2 個，330 行。餘參見 BD00151 號 1 之第 2 項、第 11 項。
3.1 首全→大正 681，16/730C17。
3.2 尾全→16/738C16。
4.1 大乘密嚴經妙身生品之餘，中（首）。
4.2 大乘密嚴經卷中（尾）。
8 8 ~ 9 世紀。吐蕃統治時期寫本。
9.1 楷書。

1.1 BD00151 號 3
1.3 大乘密嚴經（地婆訶羅本）卷下
1.4 黄 051
1.5 040：0375
2.4 本遺書由 3 個文獻組成，本號為第 3 個，298 行。餘參見 BD00151 號 1 之第 2 項、第 11 項。
3.1 首全→大正 681，16/738C19。
3.2 尾行下殘→16/747B15。
4.1 大乘密嚴經自識境界品第七，卷下（首）。
4.2 大乘密嚴經卷下（尾）。
8 8 ~ 9 世紀。吐蕃統治時期寫本。
9.1 楷書。

1.1 BD00152 號
1.3 妙法蓮華經卷五
1.4 黄 052
1.5 105：5484
2.1 （2 + 600.6）× 26.2 厘米；12 紙；336 行，行 17 字。
2.2 01：2 + 48.0，28； 02：50.2，28； 03：50.2，28；
04：50.2，28； 05：50.5，28； 06：50.3，28；
07：50.2，28； 08：50.2，28； 09：50.2，28；
10：50.2，28； 11：50.2，28； 12：50.2，28。
2.3 卷軸裝。首殘尾脱。經黄紙。第 7、8 紙及第 10、11 紙接縫處有下開裂，第 4、5 紙接縫處全開裂。有烏絲欄。
3.1 首行殘→大正 262，9/37B9。
3.2 尾殘→9/42B5。
7.3 卷背有藏文雜寫 3 處。
8 7 世紀。唐寫本。
9.1 楷書。
11 圖版：《敦煌寶藏》，92/472B ~ 481B。

1.1 BD00153 號
1.3 金剛般若波羅蜜經
1.4 黄 053
1.5 094：4006
2.1 （2.7 + 353.1）× 26.2 厘米；10 紙；206 行，行 17 字。
2.2 01：02.7，01； 02：47.5，28； 03：47.5，28；
04：47.3，28； 05：39.1，23； 06：10.0，06；
07：45.0，27； 08：46.5，27； 09：46.5，27；
10：23.7，11。
2.3 卷軸裝。首殘尾全。第 2 紙有横豎裂，第 3、5 紙有豎裂，卷背有污痕及鳥糞污跡。有烏絲欄。
3.1 首 2 行下殘→大正 235，8/750A15 ~ 17。
3.2 尾全→8/752C3。
4.2 金剛般若波羅蜜經一卷（尾）。
8 8 ~ 9 世紀。吐蕃統治時期寫本。
9.1 楷書。
9.2 有硃筆斷句及行間校加字。
11 圖版：《敦煌寶藏》，81/483A ~ 491B。

1.1 BD00154 號
1.3 大般若波羅蜜多經卷五三八
1.4 黄 054
1.5 084：3309

2.1　750×26 厘米；17 紙；441 行，行 17 字。
2.2　01：20.6，12；　02：46.7，28；　03：46.8，28；
04：46.8，28；　05：46.8，28；　06：46.9，28；
07：46.8，28；　08：46.9，28；　09：46.7，28；
10：46.8，28；　11：46.5，28；　12：46.6，28；
13：46.7，28；　14：46.5，28；　15：46.7，28；
16：46.6，28；　17：28.6，09。
2.3　卷軸裝。首殘尾全。首紙前方下有撕裂殘損，下邊殘破；第 11 紙有 1 殘洞。有燕尾。有烏絲欄。
3.1　首殘→大正 220，7/763B19。
3.2　尾全→7/768B23。
4.2　大般若波羅蜜多經卷第五百卅八（尾）。
8　8～9 世紀。吐蕃統治時期寫本。
9.1　楷書。
9.2　有行間校加字。
11　圖版：《敦煌寶藏》，77/191A～200B。

1.1　BD00155 號
1.3　維摩詰所説經卷下
1.4　黃 055
1.5　070：1263
2.1　442×26 厘米；9 紙；236 行，行 17 字。
2.2　01：51.5，28；　02：51.5，28；　03：51.5，28；
04：51.5，28；　05：51.5，28；　06：51.0，28；
07：51.0，28；　08：51.0，18；　09：31.5，12。
2.3　卷軸裝。首脱尾全。經黃紙。有原軸，兩端裝蓮蓬形軸頭，塗醬色漆。第 1 紙下邊有撕裂。上下邊殘破。
3.1　首殘→大正 475，14/554C8。
3.2　尾全→14/557B26。
4.2　維摩詰經卷下（尾）。
8　7 世紀。隋唐寫本。
9.1　楷書。
11　圖版：《敦煌寶藏》，66/345B～351A。

1.1　BD00156 號
1.3　妙法蓮華經卷一
1.4　黃 056
1.5　105：4533
2.1　（3.4＋785.6）×26.4 厘米；19 紙；468 行，行 17 字。
2.2　01：3.4＋37.7，25；　02：41.5，25；　03：41.5，25；
04：41.6，25；　05：41.7，25；　06：41.5，25；
07：41.2，25；　08：41.3，25；　09：41.3，25；
10：41.7，25；　11：41.6，25；　12：41.6，25；
13：41.7，25；　14：41.6，25；　15：41.5，25；
16：41.7，25；　17：41.7，25；　18：41.7，25；
19：41.5，18。
2.3　卷軸裝。首殘尾全。卷首中部有殘洞，背面有古代裱補。卷背有鳥糞污跡。有燕尾。有烏絲欄。
3.1　首 2 行上殘→大正 262，9/2B11～12。
3.2　尾全→9/10B21。
4.2　妙法蓮華經卷第一（尾）。
8　8～9 世紀。吐蕃統治時期寫本。
9.1　楷書。
11　圖版：《敦煌寶藏》，84/178B～190B。

1.1　BD00157 號
1.3　維摩詰所説經卷上
1.4　黃 057
1.5　070：0974
2.1　（4＋630.5）×26 厘米；15 紙；正面 359 行，行 17 字。背面 5 行藏文，每行字母不等。
2.2　01：36.0，20；　02：44.5，25；　03：44.5，25；
04：44.5，24；　05：44.5，24；　06：44.5，24；
07：44.5，24；　08：44.5，26；　09：44.5，26；
10：44.5，26；　11：44.5，26；　12：44.5，26；
13：44.5，26；　14：44.5，26；　15：20.0，11。
2.3　卷軸裝。首殘尾脱。通卷下邊有等距離燒損。第 14 紙中間有殘洞。第 9、10 紙背有古代裱補。下部有水漬。卷尾殘破。
2.4　本遺書包括 2 個文獻：（一）《維摩詰所説經》卷上，359 行，抄寫在正面，今編為 BD00157 號。（二）《便物歷》（藏文），5 行，抄寫在背面裱補紙上，今編為 BD00157 號背。
3.1　首 2 行下殘→大正 475，14/539C8～11。
3.2　尾殘→14/544A18。
8　9～10 世紀。歸義軍時期寫本。
9.1　楷書。
9.2　有行間校加字。
11　圖版：《敦煌寶藏》，64/213A～221A。

1.1　BD00157 號背
1.3　藏文便物歷（擬）
1.4　黃 057
1.5　070：0974
2.4　本遺書由 2 個文獻組成，本號為第 2 個，5 行，抄寫在背面裱補紙上。餘參見 BD00157 號之第 2 項、第 11 項。
3.3　錄文（拉丁轉寫）：
□…□nas－bre－fevi－bang□…□dacn－chevu－chevu－gi－khy-im－du－phnl□…□chis－na－chad－pa－cha－ai－kag－gis－da－kyis－gcod－do. theb－yig－lting－sa－pa－zhi□…□yeng－vdi－yang－ga□…□。
3.4　説明：
抄寫在原卷第 9、10 紙背古代裱補紙上。是一份社會經濟文書，應為便物歷。其中提到每升青稞、大丹銀朱、本金等，還提到中止借貸等等。詳情待考。
8　8～9 世紀。吐蕃統治時期寫本。

1.1 BD00158 號
1.3 維摩詰所說經卷上
1.4 黄 058
1.5 070：0867
2.1 （3.5+970）×24.5 厘米；14 紙；575 行，行 17 字。
2.2 01：3.5+34.5，23； 02：72.5，43； 03：72.0，43；
04：72.0，43； 05：72.5，43； 06：72.5，43；
07：72.5，43； 08：72.5，43； 09：72.5，43；
10：72.5，43； 11：72.5，43； 12：72.5，43；
13：72.5，43； 14：66.5，36。
2.3 卷軸裝。首殘尾全。卷中多處有撕裂和殘洞，自第 14 紙第 20 行間斷爲 2 截。曾脱落 1 塊殘片，已與第 14 紙尾 9 行相綴接。有油污。背有古代裱補。有烏絲欄。已修整。
3.1 首 2 行上下殘→大正 475，14/537A17～18。
3.2 尾全→14/544A19。
4.2 維摩詰經卷上（尾）。
8 8～9 世紀。吐蕃統治時期寫本。
9.1 楷書。
11 從背面揭下古代裱補紙一塊，今編為 BD16454 號。
圖版：《敦煌寶藏》，63/251A～264A。

1.1 BD00159 號
1.3 妙法蓮華經（兑廢稿）卷一
1.4 黄 059
1.5 105：4600
2.1 391.9×26.8 厘米；9 紙；225 行，行 17 字。
2.2 01：48.4，27； 02：48.4，28； 03：48.4，28；
04：48.4，28； 05：48.3，28； 06：48.3，28；
07：48.3，28； 08：48.2，28； 09：05.2，02。
2.3 卷軸裝。首全尾殘。有烏絲欄。尾有餘空。
3.1 首全→大正 262，9/1C14。
3.2 尾缺→9/5A13。
4.1 妙法蓮華經序品第一（首）。
8 9～10 世紀。歸義軍時期寫本。
9.1 楷書。
9.2 有刮改。
11 圖版：《敦煌寶藏》，85/594～64B。

1.1 BD00160 號
1.3 大般涅槃經（北本）卷一九
1.4 黄 060
1.5 115：6406
2.1 （7.5+71.5+8.5）×26 厘米；3 紙；56 行，行 17 字。
2.2 01：7.5+29.0，24； 02：42.5+04.5，30；
03：04.0，02。
2.3 卷軸裝。首尾均殘。全卷殘碎。有烏絲欄，墨色極淡。
3.1 首 2 行中上殘→大正 374，12/477B4～6。
3.2 尾 5 行下殘→12/478A4～8。
8 5～6 世紀。南北朝寫本。
9.1 隸書。
11 圖版：《敦煌寶藏》，98/645B～646B。

1.1 BD00161 號
1.3 摩訶般若波羅蜜經卷三
1.4 黄 061
1.5 088：3427
2.1 （4.8+1022.5）×25.6 厘米；20 紙；536 行，行 17 字。
2.2 01：4.8+43.0，25； 02：52.7，28； 03：52.7，28；
04：52.6，28； 05：52.6，28； 06：50.4，28；
07：52.8，28； 08：52.8，28； 09：52.6，28；
10：52.6，28； 11：52.6，28； 12：52.7，28；
13：52.6，28； 14：52.7，28； 15：52.6，28；
16：52.7，28； 17：52.8，28； 18：52.7，28；
19：52.8，28； 20：33.5，07。
2.3 卷軸裝。首殘尾全。卷尾有原軸，兩端塗黑漆，頂端點硃漆。首紙前部上下撕裂殘缺，第 4 紙上下各有 1 處撕損。有劃界欄針孔。有烏絲欄。
3.1 首 2 行上下殘→大正 223，8/232C22～23。
3.2 尾全→8/239B9。
4.2 摩訶般若波羅蜜卷第三（尾）。
8 5～6 世紀。南北朝寫本。
9.1 隸書。
9.2 有刮改。
11 紙黄墨黑，字體佳，品相較好。
圖版：《敦煌寶藏》，77/572B～585B。

1.1 BD00162 號 A
1.3 妙法蓮華經卷五
1.4 黄 062
1.5 105：5638
2.1 （1.5+43.5）×26.2 厘米；1 紙；26 行，行 17 字。
2.2 卷軸裝。首殘尾斷。經黄紙，打紙。第 4 至 15 行上方殘缺嚴重，卷尾上下邊殘缺，卷面有殘洞。有烏絲欄。
3.1 首殘→大正 262，9/44A7。
3.2 尾殘→9/44B4。
8 7～8 世紀。唐寫本。
9.1 楷書。
11 圖版：《敦煌寶藏》，93/473B～474A。

1.1 BD00162 號 B
1.3 妙法蓮華經卷五
1.4 黄 062
1.5 105：5639
2.1 （74.0+1.5）×25.3 厘米；2 紙；43 行，行 17 字。

2.2　01：40.0，23；　　02：34.0+1.5，20。
2.3　卷軸裝。首斷尾殘。第1紙卷端下殘，第1、2紙接縫處上方開裂，第2紙前有殘缺破損。原卷自第2紙中部斷裂爲兩段。有烏絲欄。
3.1　首殘→大正262，9/45A1。
3.2　尾行中殘→9/45C6。
8　7~8世紀。唐寫本。
9.1　楷書。
11　圖版：《敦煌寶藏》，93/474B~475B。本件原斷為兩截，拍攝縮微膠卷時誤將兩截前後倒置。《敦煌寶藏》次序亦誤。

1.1　BD00163號
1.3　佛名經（十六卷本）卷一六
1.4　黃063
1.5　063：0826
2.1　（1.8+503.6）×31.5厘米；11紙；229行，行19字。
2.2　01：01.8+46.0，24；　02：48.0，24；　03：47.6，23；
04：48.0，23；　05：48.0，23；　06：48.0，23；
07：48.0，23；　08：48.0，23；　09：48.0，23；
10：48.0，20；　11：26.0，拖尾。
2.3　卷軸裝。首脫尾全。第6、7紙接縫下部開裂，第8、9、10紙接縫上部開裂。有蟲繭。有燕尾。有上下邊欄。
3.1　首行下殘→《七寺古逸經典研究叢書》，3/第825頁第403行。
3.2　尾全→《七寺古逸經典研究叢書》，3/第839頁第595行。
4.2　佛說佛名經卷第十六（尾）。
5　與七寺本對照，本件卷尾發願懺悔文的文字不同，並多出《佛說罪業報應教化地獄經》。其他行文亦略有出入，可供校勘。
8　10世紀。歸義軍時期寫本。
9.1　楷書。
11　圖版：《敦煌寶藏》，62/579B~585A。

1.1　BD00164號A
1.3　大方廣佛華嚴經（唐譯八十卷本　兌廢稿）卷一五
1.4　黃064
1.5　002：0040
2.1　48.5×26厘米；1紙；27行，行14字。
2.2　卷軸裝。首尾均脫。有烏絲欄。已修整。
3.1　首殘→大正279，10/76C13。
3.2　尾殘→10/77A8。
8　8世紀。唐寫本。
9.1　楷書。
9.2　卷中有2行錯抄，文字右側用墨筆標示刪除。
11　圖版：《敦煌寶藏》，56/205A~205B。

1.1　BD00164號B
1.3　大方廣佛華嚴經（唐譯八十卷本　兌廢稿）卷四二
1.4　黃064
1.5　002：0053
2.1　48×26.3厘米；1紙；28行，行17字。
2.2　卷軸裝，首尾均脫。有烏絲欄。已修整。
3.1　首殘→大正279，10/220B19。
3.2　尾殘→10/220C16。
8　8世紀。唐寫本。
9.1　楷書。
11　圖版：《敦煌寶藏》，56/252B~253A。

1.1　BD00164號C
1.3　大方廣佛華嚴經（唐譯八十卷本　兌廢稿）卷四三
1.4　黃064
1.5　002：0054
2.1　46.8×26.2厘米；1紙；27行，行17字。
2.2　卷軸裝。首尾均脫。有烏絲欄。已修整。
3.1　首全→大正279，10/223C2。
3.2　尾殘→10/224A4。
4.1　大方廣佛華嚴經十定品第廿七之四，卷卌三，新譯（首）。
7.2　卷端下有殘存5×1厘米長方形硃印，尚可辨識“藏經”二字，從形態看，應爲“報恩寺藏經印”殘文。
8　8世紀。唐寫本。
9.1　楷書。
9.2　有行間加行一處。
11　圖版：《敦煌寶藏》，56/253B~254A。

1.1　BD00164號D
1.3　大方廣佛華嚴經（唐譯八十卷本　兌廢稿）卷四三
1.4　黃064
1.5　002：0055
2.1　47.5×26.2厘米；1紙；28行，行17字。
2.2　卷軸裝。首尾均脫。有烏絲欄。已修整。
3.1　首殘→大正279，10/225B1。
3.2　尾殘→10/225C1。
8　8世紀。唐寫本。
9.1　楷書。
9.2　有行間加行及行間校加字。
11　圖版：《敦煌寶藏》，56/254B~255A。

1.1　BD00164號E
1.3　大方廣佛華嚴經（唐譯八十卷本　兌廢稿）卷四四
1.4　黃064
1.5　002：0056
2.1　47.5×26.2厘米；1紙；28行，行17字。
2.2　卷軸裝。首尾均脫。有烏絲欄。已修整。
3.1　首殘→大正279，10/232B9。
3.2　尾殘→10/232C9。

8　8 世紀。唐寫本。
9.1　楷書。
9.2　有行間加行。
11　圖版：《敦煌寶藏》，56/255B～256A。

1.1　BD00164 號 F
1.3　大方廣佛華嚴經（唐譯八十卷本　兑廢稿）卷四四
1.4　黄 064
1.5　002：0057
2.1　48×26.2 厘米；1 紙；26 行，行 20 字。
2.2　卷軸裝。首尾均脱。有烏絲欄。已修整。
3.1　首殘→大正 279，10/236B10。
3.2　尾殘→10/237A9。
8　8 世紀。唐寫本。
9.1　楷書。
9.2　有行間加行。
11　圖版：《敦煌寶藏》，56/256B～257A。

1.1　BD00164 號 G
1.3　大方廣佛華嚴經（唐譯八十卷本　兑廢稿）卷四五
1.4　黄 064
1.5　002：0058
2.1　48.5×26 厘米；1 紙；26 行，行 17 字。
2.2　卷軸裝。首尾均脱。有烏絲欄。已修整。
3.1　首殘→大正 279，10/237C28。
3.2　尾殘→10/238A26。
8　8 世紀。唐寫本。
9.1　楷書。
9.2　有行間加行一處。
11　圖版：《敦煌寶藏》，56/257B～258A。

1.1　BD00164 號 H
1.3　大方廣佛華嚴經（唐譯八十卷本　兑廢稿）卷四六
1.4　黄 064
1.5　002：0060
2.1　46.3×25.9 厘米；1 紙；28 行，行 17 字。
2.2　卷軸裝。首尾均脱。有烏絲欄。
3.1　首殘→大正 279，10/244A28。
3.2　尾殘→10/244B28。
8　8 世紀。唐寫本。
9.1　楷書。
11　圖版：《敦煌寶藏》，56/259B～260A。

1.1　BD00164 號 I
1.3　大寶積經卷一
1.4　黄 064
1.5　461：8713
2.1　47.5×26.1 厘米；1 紙；28 行，行 17 字。
2.2　卷軸裝。首尾均脱。卷背有古代裱補。有烏絲欄。
3.1　首殘→大正 310，11/5B15。
3.2　尾殘→11/5C14。
8　8 世紀。唐寫本。
9.1　楷書。
11　圖版：《敦煌寶藏》，111/259B～260A。

1.1　BD00165 號
1.3　大般若波羅蜜多經卷二九六
1.4　黄 065
1.5　084：2822
2.1　（2.7+38+6.8）×26.1 厘米；2 紙；29 行，行 17 字。
2.2　01：0.9，01；　02：1.9+38.0+6.8，28。
2.3　卷軸裝。首殘尾脱。有烏絲欄。
3.1　首 2 行下殘→大正 220，6/507B24～25。
3.2　尾 3 行中殘→6/507C20～22。
6.1　首→BD08464 號。
8　7～8 世紀。唐寫本。
9.1　楷書。
11　圖版：《敦煌寶藏》，75/177A。

1.1　BD00166 號
1.3　妙法蓮華經卷二
1.4　黄 066
1.5　105：4722
2.1　（9.3+1053.1）×25.2 厘米；22 紙；579 行，行 16～17 字。
2.2　01：09.3+10.9，11；　02：50.7，28；　03：50.3，28；
04：50.9，28；　05：50.9，28；　06：50.8，28；
07：51.1，28；　08：50.9，28；　09：50.8，28；
10：50.5，28；　11：50.6，28；　12：50.7，28；
13：50.8，28；　14：50.7，28；　15：50.5，28；
16：50.5，28；　17：50.8，28；　18：50.6，28；
19：50.7，28；　20：50.7，28；　21：50.2，28；
22：28.5，08。
2.3　卷軸裝。首殘尾全。卷尾有原軸，下軸頭已脱落，僅存蓮蓬形上軸頭，鑲嵌雕花。第 2、3 紙接縫處上撕裂，第 6、7 紙接縫處上下撕裂。背有古代裱補。有烏絲欄。
3.1　首 6 行上下殘→大正 262，9/10C15～25。
3.2　尾全→9/19A12。
4.2　妙法蓮華經卷第二（尾）
8　8～9 世紀。吐蕃統治時期寫本。
9.1　楷書。
9.2　有刮改。
11　圖版：《敦煌寶藏》，85/572A～586B。

1.1　BD00167 號
1.3　妙法蓮華經卷四
1.4　黄 067
1.5　105：5243
2.1　(0.9+548.6)×25.5 厘米；12 紙；317 行，行 17 字。
2.2　01：0.9+16.0，10；　02：48.0，28；　03：48.0，28；
04：48.5，28；　05：48.0，28；　06：48.7，28；
07：48.7，28；　08：48.7，28；　09：48.7，28；
10：48.7，28；　11：48.8，28；　12：47.8，27。
2.3　卷軸裝。首殘尾殘。第 1、2 紙有上開裂，2 紙有殘洞。有烏絲欄。
3.1　首行殘→大正 262，9/27C4。
3.2　尾殘→9/32B26。
7.1　卷首背面有勘記"第四"。
8　8～9 世紀。吐蕃統治時期寫本。
9.1　楷書。
9.2　有行間校加字。
11　圖版：《敦煌寶藏》，90/267B～276B。

1.1　BD00168 號
1.3　般若第分中略集義
1.4　黄 068
1.5　326：8379
2.1　492.7×26.8 厘米；11 紙；289 行，行 24～26 字。
2.2　01：40.8，26；　02：40.6，25；　03：40.7，25；
04：40.8，25；　05：40.7，25；　06：48.5，31；
07：46.5，28；　08：48.2，29；　09：48.6，30；
10：48.7，30；　11：48.6，15。
2.3　卷軸裝。首脱尾全。尾有蟲繭。有烏絲欄。
3.4　説明：
本經未爲我國歷代大藏經所收。
4.2　般若第分中略集義一卷（尾）。
8　7～8 世紀。唐寫本。
9.1　行楷。有合體字"菩薩"、"菩提"、"涅槃"。
11　圖版：《敦煌寶藏》，110/129A～135A。

1.1　BD00169 號
1.3　無量壽宗要經
1.4　黄 069
1.5　275：7692
2.1　210×30 厘米；5 紙；142 行，行 30 餘字。
2.2　01：43.5，28；　02：43.5，30；　03：43.5，30；
04：43.5，30；　05：36.0，24。
2.3　卷軸裝。首全尾殘。卷中多處撕裂。上邊有等距離油污。有烏絲欄。
3.1　首全→大正 936，19/82A3。
3.2　尾全→19/84C28。
4.1　大乘無量壽經（首）。
8　8～9 世紀。吐蕃統治時期寫本。
9.1　楷書。
11　圖版：《敦煌寶藏》，107/331A～333B。

1.1　BD00170 號
1.3　金剛般若波羅蜜經
1.4　黄 070
1.5　094：4366
2.1　113.4×26.3 厘米；3 紙；57 行，行 17 字。
2.2　01：50.7，28；　02：44.0，25；　03：18.7，04。
2.3　卷軸裝。首脱尾全。麻紙。卷中有開裂。三紙紙質不同，第 1、3 紙有烏絲欄，第 2 紙無烏絲欄。
3.1　首殘→大正 235，8/751C29。
3.2　尾全→8/752C3。
4.2　金剛般若波羅蜜經（尾）。
8　7～8 世紀。唐寫本。
9.1　楷書。
11　圖版：《敦煌寶藏》，83/63B～64B。

1.1　BD00171 號
1.3　妙法蓮華經卷四
1.4　黄 071
1.5　105：5411
2.1　(4.5+164.6+2)×25.8 厘米；4 紙；98 行，行 17 字。
2.2　01：4.5+19.2，14；　02：49.2，28；　03：49.2，28；
04：47.0+2，28。
2.3　卷軸裝。首尾殘。有烏絲欄。
3.1　首 3 行下殘→大正 262，9/35A8～11。
3.2　尾行下殘→9/36A29。
6.1　首→BD00265 號。
8　7～8 世紀。唐寫本。
9.1　楷書。
9.2　有刮改。
11　圖版：《敦煌寶藏》，9/419B～421B。

1.1　BD00172 號
1.3　佛名經（二十卷本）卷三
1.4　黄 072
1.5　062：0556
2.1　(9+875.5)×28 厘米；23 紙；472 行，行 17 字。
2.2　01：9+18.0，15；　02：38.5，21；　03：38.5，21；
04：40.5，22；　05：40.5，22；　06：40.5，22；
07：40.5，22；　08：40.5，22；　09：40.5，22；
10：41.0，22；　11：41.0，22；　12：41.0，22；
13：41.0，22；　14：41.0，22；　15：40.5，22；
16：40.5，22；　17：41.0，22；　18：40.5，22；

19：40.5，22；　20：40.5，22；　21：40.5，22；
22：40.0，19；　23：08.5，拖尾。
2.3　卷軸裝。首殘尾全。首紙上下部殘破。尾有蟲繭。有燕尾。有烏絲欄。
3.4　説明：
本號首5行上中殘，尾殘。爲二十卷本《佛名經》，未爲我國歷代大藏經所收，亦無錄文發表。
4.2　佛名經卷第三（尾）。
7.3　尾端上部有雜寫“依願佛名”四字，字迹模糊。
8　7～8世紀。唐寫本。
9.1　楷書。
11　圖版：《敦煌寶藏》，60/55A～66A。

1.1　BD00173號
1.3　妙法蓮華經（八卷本）卷七
1.4　黄073
1.5　105：5782
2.1　（16.5+735.5）×24.5厘米；17紙；458行，行17字。
2.2　01：16.5，10；　02：45.5，28；　03：46.0，28；
04：46.0，28；　05：46.0，28；　06：46.0，28；
07：46.0，28；　08：46.0，28；　09：46.0，28；
10：46.0，28；　11：46.0，28；　12：46.0，28；
13：46.0，28；　14：46.0，28；　15：46.0，28；
16：46.0，28；　17：46.0，28。
2.3　卷軸裝。首殘尾脱。麻紙。第2紙上下邊殘損，中間有2處殘洞；第17紙中間有2處殘洞。卷背多污漬，似鳥糞。下部有油污。有烏絲欄。
3.1　首10行中上殘→大正262，9/50C12～21。
3.2　尾殘→9/56C1。
5　與《大正藏》本對照，分卷不同，相當於本經卷第六《常不輕菩薩品第二十》起至卷第七《妙音菩薩品第二十四》。
8　7～8世紀。唐寫本。
9.1　楷書。
11　圖版：《敦煌寶藏》，95/49A～59A。

1.1　BD00174號
1.3　妙法蓮華經卷一
1.4　黄074
1.5　105：4506
2.1　（1.3+870.7）×25厘米；19紙；504行，行17字。
2.2　01：1.3+16.2，11；　02：48.1，28；　03：48.2，28；
04：48.2，28；　05：48.3，28；　06：48.3，28；
07：48.3，28；　08：48.3，28；　09：48.2，28；
10：48.3，28；　11：48.3，28；　12：48.3，28；
13：48.3，28；　14：48.2，28；　15：48.2，28；
16：48.3，28；　17：48.3，28；　18：48.1，28；
19：34.3，17。
2.3　卷軸裝。首殘尾全。經黄紙，打紙。有烏絲欄。
3.1　首2行殘→大正262，9/2A6。
3.2　尾全→9/10B21。
4.2　妙法蓮華經卷第一（尾）。
8　7～8世紀。唐寫本。
9.1　楷書。
9.2　有倒乙。
11　圖版：《敦煌寶藏》，83/506A～519A。

1.1　BD00175號
1.3　金光明最勝王經卷七
1.4　黄075
1.5　083：1827
2.1　（18.5+599.7）×24.2厘米；14紙；372行，行17字。
2.2　01：18.5+21.0，25；　02：45.0，28；　03：45.0，28；
04：45.2，28；　05：45.2，28；　06：44.8，28；
07：47.5，28；　08：47.8，28；　09：47.6，28；
10：47.5，28；　11：47.5，28；　12：46.5，29；
13：44.5，28；　14：24.6，10。
2.3　卷軸裝。首殘尾全。卷首、卷尾破碎嚴重，第12、13紙接縫處斷裂。卷尾繫麻繩。背有古代裱補。有燕尾。有烏絲欄。
3.1　首12行上下殘→大正665，16/433A17～28。
3.2　尾全→16/437C13。
4.2　金光明經卷第七（尾）。
5　尾附音義。
8　8～9世紀。吐蕃統治時期寫本。
9.1　楷書。
9.2　有倒乙。
11　圖版：《敦煌寶藏》，70/237B～245B。

1.1　BD00176號
1.3　金光明最勝王經卷一〇
1.4　黄076
1.5　083：1977
2.1　（11.5+467.4）×26.5厘米；13紙；正面268行，行17字。背面1行，殘片。
2.2　01：09.8，04；　02：1.7+41.1，25；　03：42.7，25；
04：43.0，25；　05：42.6，25；　06：42.6，25；
07：42.7，25；　08：42.7，25；　09：42.6，25；
10：42.0，24；　11：41.6，25；　12：35.0，15；
13：08.8，拖尾。
2.3　卷軸裝。首殘尾全。背有古代裱補。有燕尾。有烏絲欄。
2.4　本遺書包括2個文獻：（一）《金光明最勝王經》卷一〇，268行，抄寫在正面，今編為BD00176號。（二）便粟歷，1行，抄寫在背面古代裱補紙上，殘片，今編為BD00176號背。
3.1　首5行上殘→大正665，16/452C2～6。
3.2　尾全→16/456C19。

4.2　金光明最勝王經卷第十（尾）。
5　尾附音義。
7.3　卷尾有兩字，墨甚淡，似爲反字，因紙破損，無法辨認。
8　7～8 世紀。唐寫本。
9.1　楷書。
9.2　有刮改。
11　圖版：《敦煌寶藏》，71/231B～237B。

1.1　BD00176 號背
1.3　便粟歷（擬）
1.4　黄 076
1.5　083：1977
2.4　本遺書由 2 個文獻組成，本號為第 2 個，1 行，抄寫在背面古代裱補紙上，殘片。餘參見 BD00176 號之第 2 項　第 11 項。
3.4　説明：
卷背有一塊的 4.3×4.5 厘米的古代裱補紙，存殘字 3 行，僅中間一行數字可辨認，作“□…□五㪷，至□…□”。
另有古代裱補紙，字向裏粘貼，甚難辨認，似存“五㪷”等字，或亦爲經濟文書。
8　9～10 世紀。歸義軍時期寫本。
9.1　楷書。

1.1　BD00177 號
1.3　大般若波羅蜜多經卷六〇
1.4　黄 077
1.5　084：2171
2.1　（17.1+73.6）×24.9 厘米；2 紙；54 行，行 17 字。
2.2　01：17.1+28.1，26；　02：45.5，28。
2.3　卷軸裝。首全尾脱。第 2 紙背面有古代裱補。有烏絲欄。
3.1　首 9 行下殘→大正 220，5/337B7～18。
3.2　尾殘→5/338A4。
4.1　大般若波羅蜜多經卷第六十/初分讚大乘品第十六之五□…□/（首）。
8　8～9 世紀。吐蕃統治時期寫本。
9.1　楷書。
11　圖版：《敦煌寶藏》，72/169B～170B。

1.1　BD00178 號
1.3　金剛般若波羅蜜經
1.4　黄 078
1.5　094：3958
2.1　（19.0+370）×25.4 厘米；8 紙；231 行，行 17 字。
2.2　01：14.5，09；　02：4.5+69，45；　03：75.5，45；
04：73.5，45；　05：41.0，26；　06：42.0，26；
07：42.0，26；　08：27.0，09。
2.3　卷軸裝。首殘尾全。紙張綿軟。本件通卷殘損嚴重，有霉斑。第 1、2 紙有等距離大小殘洞若干，第 7 紙斷裂爲兩截。第 1、2、4、5、6 紙背有古代裱補。有燕尾。有烏絲欄。已修整。
3.1　首 3 行下殘→大正 235，8/749C13～17。
3.2　尾全→8/752C3。
4.2　金剛般若波羅蜜經（尾）。
8　7～8 世紀。唐寫本。
9.1　楷書。
11　圖版：《敦煌寶藏》，81/327B～332B。

1.1　BD00179 號
1.3　大方等大集經（兑廢稿）卷二三
1.4　黄 079
1.5　461：8714
2.1　47×27.4 厘米；1 紙；27 行，行 17 字。
2.2　卷軸裝。首尾均脱。有黴斑，有油污、殘洞。有烏絲欄。
3.1　首殘→大正 397，13/166A22。
3.2　尾殘→13/166B18。
5　与《大正藏》本相比，尾行經文重複抄寫。
8　7～8 世紀。唐寫本。
9.1　楷書。
9.2　卷中上方有“兑”字。
11　圖版：《敦煌寶藏》，111/260B～261A。

1.1　BD00180 號
1.3　維摩詰所說經卷中
1.4　黄 080
1.5　070：1063
2.1　（7.5+1050.5）×25.5 厘米；22 紙；576 行，行 17 字。
2.2　01：7.5+14.5，12；　02：49.5，27；　03：49.0，27；
04：49.5，27；　05：49.5，27；　06：49.5，28；
07：49.5，28；　08：49.5，27；　09：49.0，27；
10：49.5，27；　11：49.5，27；　12：49.5，27；
13：49.5，27；　14：49.5，27；　15：49.5，27；
16：49.5，27；　17：47.5，26；　18：49.5，28；
19：49.0，28；　20：49.5，28；　21：49.5，27；
22：49.5，20。
2.3　卷軸裝。首殘尾全。第 2、3 紙中間有等距離殘洞，第 2、3 紙接縫處上下部有開裂，第 16、17 紙接縫處下部有開裂。有烏絲欄。
3.1　首 4 行中上殘→大正 475，14/544B10～13。
3.2　尾全→14/551C27。
4.2　維摩詰經卷第二（尾）。
8　9～10 世紀。歸義軍時期寫本。
9.1　楷書。
9.2　有行間硃筆加行。有行間校加字。有刮改。
11　圖版：《敦煌寶藏》，64/607A～621B。

1.1　BD00181 號

1.3　維摩詰所說經卷中
1.4　黄 081
1.5　070：1094
2.1　（3 +245 +11.5）×25.5 厘米；7 紙；124 行，行 17 字。
2.2　01：3 +7.5，05；　02：48.0，07；　03：48.0，27；
　04：48.0，27；　05：48.0，27；　06：45.5 +2.5，27；
　07：09.0，04。
2.3　卷軸裝。首尾均殘。第 1 紙有橫撕裂，第 2、5 紙上下邊有撕殘，第 4 紙上邊有撕裂。上邊變色。卷尾殘破嚴重。有烏絲欄。
3.1　首行上殘→大正 475，14/545C17。
3.2　尾 5 行上下殘→14/547B21 ~26。
6.1　首→BD00189 號。
7.3　卷背有古代裱補紙 2 處，上有殘存文字若干，但文字向裏粘貼，模糊難以辨識。
8　8 ~9 世紀。吐蕃統治時期寫本。
9.1　楷書。
11　圖版：《敦煌寶藏》，65/304B ~308A。

1.1　BD00182 號
1.3　金剛般若波羅蜜經
1.4　黄 082
1.5　094：3602
2.1　（12 +516.7）×25.5 厘米；13 紙；299 行，行 17 字。
2.2　01：12 +21.6，21；　02：46.5，28；　03：46.3，28；
　04：46.7，27；　05：48.5，28；　06：49.2，28；
　07：48.5，28；　08：14.6，09；　09：32.2，18；
　10：50.2，28；　11：50.5，28；　12：49.9，27；
　13：12.0，拖尾。
2.3　卷軸裝。首殘尾全。第 7 紙豎裂 2 處，第 9 紙有橫裂。第 1 ~4 紙、第 5 ~7 紙、第 8 紙、第 9 ~13 紙的紙質、字體各不相同。第 5 ~7 紙、9 ~13 紙爲 7 ~8 世紀寫本。但字跡不同，非一人所書；第 1 ~4 紙及第 8 紙爲 9 ~10 世紀寫本。顯然爲 9 ~10 世紀修補殘損經卷時抄配。第 1 紙背有古代裱補。有燕尾。有烏絲欄。已修整。
3.1　首 8 行下殘→大正 235，8/748C25 ~749A4。
3.2　尾全→8/752C3。
4.2　金剛般若波羅蜜經（尾）。
7.3　背面有雜寫“舍”、“吉”、“月（?）”、“廣”等字。
8　7 ~8 世紀。唐寫本。
9.1　楷書。
11　圖版：《敦煌寶藏》，79/81A ~87B。

1.1　BD00183 號
1.3　妙法蓮華經（八卷本）卷六
1.4　黄 083
1.5　105：5635
2.1　（3 +242.2 +4.9）×26.2 厘米；6 紙；143 行，行 17 字。
2.2　01：3 +29.3，19；　02：49.8，28；　03：49.0，28；
　04：49.0，28；　05：49.1，28；　06:16.0 +04.9,12。
2.3　卷軸裝。首尾均殘。經黄紙，砑光。第 1、2 紙上邊有等距離殘破。所用紙張爲打紙。有烏絲欄。
3.1　首 2 行上下殘→大正 262，9/46A23 ~26。
3.2　尾 3 行上殘→9/48B21 ~24。
5　與《大正藏》本對照，分卷不同，相當於卷五《分別功德品第十七》後部至卷六《法師功德品第十九》後部。
8　7 世紀。唐寫本。
9.1　楷書。紙字俱佳。
11　圖版：《敦煌寶藏》，93/463A ~466A。

1.1　BD00184 號
1.3　妙法蓮華經卷四
1.4　黄 084
1.5　105：5222
2.1　（9.5 +1033）×26 厘米；23 紙；631 行，行 17 字。
2.2　01：9.5 +44.0，27；　02：44.5，28；　03：45.0，28；
　04：45.0，28；　05：45.0，28；　06：45.0，28；
　07：45.0，28；　08：45.0，28；　09：45.0，28；
　10：45.0，28；　11：45.0，28；　12：45.0，28；
　13：45.0，28；　14：45.0，28；　15：45.0，28；
　16：45.0，28；　17：45.0，28；　18：45.0，28；
　19：45.0，28；　20：45.0，28；　21：45.0，28；
　22：45.0，28；　23：44.5，16。
2.3　卷軸裝。首殘尾全。打紙，砑光上蠟。尾有原軸，褐漆軸頭，被鋸斷。下端軸頭已斷。第 4 紙有殘洞，4、5 紙接縫處上開裂。通卷上邊油污，卷中有燒灼殘洞。卷背有古代裱補。有烏絲欄。
3.1　首 5 行中上殘→大正 262，9/27C17 ~21。
3.2　尾全→9/37A2。
4.2　妙法蓮華經卷第四（尾）。
8　7 ~8 世紀。唐寫本。
9.1　楷書。
11　圖版：《敦煌寶藏》，89/642A ~656A。

1.1　BD00185 號
1.3　大般若波羅蜜多經卷二三七
1.4　黄 085
1.5　084：2613
2.1　159.8 ×25.3 厘米；4 紙；82 行，行 17 字。
2.2　01：21.5，護首；　02：45.3，26；　03：46.0，28；
　04：47.0，28。
2.3　卷軸裝。首全尾脱。護首端書經名，有竹製天竿。卷首撕裂，第 2、3、4 紙多處破裂。背有古代裱補。有烏絲欄。
3.1　首全→大正 220，6/193B9。

3.2　尾殘→6/194B7。
4.1　大般若波羅蜜多經卷第二百卌七/初分難信解品第卅四之五十六，三藏法師玄奘奉詔譯/（首）。
7.4　護首墨書經名“大般若波羅蜜多經卷第二百卅七，廿四”。經名上有經名號，“廿四”為所屬袟次。
8　8～9世紀。吐蕃統治時期寫本。
9.1　楷書。
9.2　有刮改。
11　圖版：《敦煌寶藏》，74/239B～241B。

1.1　BD00186號
1.3　金光明最勝王經卷一
1.4　黃086
1.5　083：1492
2.1　（2.3＋73.5）×24.5厘米；2紙；正面39行，行17字。背面10行，行字不等。
2.2　01：2.3＋31.5，20；　　02：42.0，19。
2.3　卷軸裝。首殘尾全。尾破碎嚴重。兩紙均有古代裱補，有烏絲欄。已修整。
2.4　本遺書包括2個文獻：（一）《金光明最勝王經》卷一，39行，抄寫在正面，今編爲BD00186號。（二）《便粟歷》，10行，抄寫在背面裱補紙上，今編爲BD00186號背。
3.1　首行上下殘→大正665，16/407C15～16。
3.2　尾全→16/408A28。
4.2　金光明最勝王經卷第一（尾）。
8　8～9世紀。吐蕃統治時期寫本。
9.1　楷書。
11　圖版：《敦煌寶藏》，68/100B～101B。

1.1　BD00186號背
1.3　便粟歷（擬）
1.4　黃086
1.5　083：1492
2.4　本遺書由2個文獻組成，本號為第2個，10行，抄寫在背面裱補紙上。餘參見BD00186號之第2項、第11項。
3.3　錄文：

□…□便粟兩石□…□/
□…□王安三便□…□/
□…□至秋三□…□/
□…□仰百姓□…□/
□…□李富□…□/
□…□左弟□…□/
□…□十□…□/
□…□石五十□…□/
□…□字為滉□…□/
□…□便□…□/
（錄文完）

8　9～10世紀。歸義軍時期寫本。
9.1　楷書。書法極拙。

1.1　BD00187號
1.3　太玄真一本際經卷一
1.4　黃087
1.5　372：8455
2.1　（42.5＋3）×26.3厘米；2紙；25行，行17字。
2.2　01：01.0，護首；　　02：44.2，25。
2.3　卷軸裝。首斷尾殘。麻紙。有護首。有殘洞。上下邊殘缺。有烏絲欄。
3.1　首殘→伯3371號203行。
3.2　尾殘→伯3371號227行。
3.4　說明：

本文獻《道藏》未收，敦煌遺書存有多號，本件可以伯2392號及伯2827號對勘。有關本經的圖版、錄文與研究，可見吳其昱《本際經》（巴黎，1960），萬毅《敦煌道教文獻〈本際經〉錄文及解說》（載陳鼓應主編《道家文化研究》第十三輯，敦煌道教文獻研究專號第377頁至378頁。北京，三聯書店1998年4月第1版）。王卡《敦煌道教文獻研究》第195頁謂本號與BD6918號＋BD8246號＋BD8639號（先後綴接）筆跡紙質皆相同，原當為同抄本。

8　7～8世紀。唐寫本。
9.1　楷書。
11　圖版：《敦煌寶藏》，110/365B～366A。

1.1　BD00188號
1.3　中阿含經鈔（擬）
1.4　黃088
1.5　125：6631
2.1　479.7×31厘米；11紙；308行，行20餘字。
2.2　01：43.7，31；　02：43.7，33；　03：44.2，32；
04：43.6，30；　05：43.2，29；　06：43.5，29；
07：43.5，28；　08：43.8，26；　09：43.8，27；
10：43.7，23；　11：43.0，20。
2.3　卷軸裝。首全尾斷。
3.4　說明：

本件共鈔四段《中阿含經》：
第1段：首全→大正26，1/499A6；尾殘→1/500A22。
第1段首題：中阿含經卷第十二，王相應品婆麗陵耆耆經第六（首）。
第2段：首全→大正26，1/506A4；尾全→1/508C8。
第2段首題：中阿含經卷第十三，王相應品烏鳥喻經第一（首）。
第2段尾題：烏鳥喻經第一竟（尾）。
第3段：首全→大正26，1/540C18；尾全→1/542B2。
第3段首題：中阿含經卷十八，中阿含長壽王品八念經第

三（首）。
第3段尾題：八念經第三竟（尾）。
第4段：首全→大正26，1/544B21；尾殘→1/545C7。
第4段首題：中阿含經長壽王品娑羅帝三族姓子經第六（首）。
8　7～8世紀。唐寫本。
9.1　楷書。卷中“天”、“地”、“日”、“年”、“國”、“臣”、“證”、“正”、“人”、“聖”均爲武周字。除“日”字外，餘皆使用周遍。
9.2　有行間加行。有塗抹。有行間校加字。
11　圖版：《敦煌寶藏》，101/5A～11A。

1.1　BD00189號
1.3　維摩詰所說經卷中
1.4　黄089
1.5　070：1116
2.1　(21+133+3.5)×25厘米；4紙；90行，行17字。
2.2　01：21.0，13；　02：48.0，27；　03：48.0，27；
04：37.0+3.5，23。
2.3　卷軸裝。首尾殘。第1、2、3紙殘破嚴重，第4紙下邊有撕裂。有1殘片可與第1紙首行相綴接。有烏絲欄。
3.1　首13行上下殘→大正475，14/544C10～23。
3.2　尾2行下殘→14/545C16～17。
6.2　尾→BD00181（黄81，北1094）。
8　8～9世紀。吐蕃統治時期寫本。
9.1　楷書。
11　圖版：《敦煌寶藏》，65/375B～377B。

1.1　BD00190號
1.3　金剛般若波羅蜜經
1.4　黄090
1.5　094：4252
2.1　(8.8+208.3)×26厘米；5紙；118行，行17字。
2.2　01：8.8+40.2，28；　02：49.5，28；　03：49.7，28；
04：49.9，27；　05：19.0，07。
2.3　卷軸裝。首脱尾全。尾有原軸，兩端塗硃漆。卷首上部殘破。有烏絲欄。
3.1　首5行上殘→大正235，8/751A18～22。
3.2　尾全→8/752C3。
4.2　金剛般若波羅蜜經（尾）。
8　9～10世紀。歸義軍時期寫本。
9.1　楷書。
11　圖版：《敦煌寶藏》，82/515A～517B。

1.1　BD00191號
1.3　佛名經（十六卷本）卷六
1.4　黄091
1.5　063：0660
2.1　1349.6×24.5厘米；29紙；618行，行16字。
2.2　01：20.0，01；　02：38.2，19；　03：49.0，24；
04：49.0，24；　05：49.0，24；　06：49.0，24；
07：49.5，24；　08：49.4，24；　09：49.4，24；
10：49.5，24；　11：49.5，24；　12：49.5，24；
13：49.5，24；　14：49.4，24；　15：49.5，24；
16：49.5，24；　17：49.5，24；　18：49.7，24；
19：49.5，24；　20：49.4，24；　21：49.5，24；
22：49.5，24；　23：49.5，24；　24：49.4，24；
25：49.5，24；　26：49.0，24；　27：49.2，24；
28：49.0，22；　29：08.0，拖尾。
2.3　卷軸裝。首尾均全。有護首，其紙張時代略晚。護首上下殘損，中部有殘洞。存竹製天竿，中部繫有灰白色絲綢飄帶，0.9×28.9厘米。通卷多處破損撕裂，第17、18紙接縫全斷開。第2、3、19、20紙背有古代裱補。有燕尾。有烏絲欄。已修整。
3.1　首殘→《七寺古逸經典研究叢書》，3/第272頁第27行。
3.2　尾全→《七寺古逸經典研究叢書》，3/第319頁第649行。
4.2　佛名經卷第六（尾）。
7.1　第15紙上方有一勘記“重”，指示其下有錯後重抄行。第28紙背有硃筆勘記“勘了，隱（?），洗了”。
7.4　護首墨書經名“大佛名，新”，其上有經名號。扉頁有“佛說佛名經第六”一行。
8　7～8世紀。唐寫本。
9.1　楷書。
9.2　有行間校加字。有行間加行。
11　圖版：《敦煌寶藏》，61/53A～72A。

1.1　BD00192號
1.3　妙法蓮華經卷五
1.4　黄092
1.5　105：5549
2.1　(36.2+74.8)×25.2厘米；3紙；60行，行17字。
2.2　01：06.0，04；　02：30.2+29.8，28；　03：45.0，28。
2.3　卷軸裝。首殘尾脱。打紙。第2紙有3個殘洞，上方有3處殘缺。有烏絲欄。已修整。
3.1　首14行下殘→大正262，9/37C10～27。
3.2　尾殘→9/38B26。
8　7～8世紀。唐寫本。
9.1　楷書。
11　圖版：《敦煌寶藏》，93/7A～8A。

1.1　BD00193號
1.3　妙法蓮華經卷三
1.4　黄093
1.5　105：5125
2.1　593.6×25.9厘米；13紙；334行，行17字。

2.2 01：48.6，28； 02：48.3，28； 03：48.2，28；
04：48.4，28； 05：48.0，28； 06：48.1，28；
07：48.1，28； 08：47.8，28； 09：47.8，28；
10：48.1，28； 11：48.3，28； 12：48.0，26；
13：15.9，拖尾。
2.3 卷軸裝。首脫尾全。有燕尾。有烏絲欄。
3.1 首殘→大正 262，9/22A24。
3.2 尾全→9/27B9。
4.2 妙法蓮華經卷第三（尾）。
8 9～10 世紀。歸義軍時期寫本。
9.1 楷書。
11 圖版：《敦煌寶藏》，89/87B～96B。

1.1 BD00194 號
1.3 無量壽宗要經
1.4 黄 094
1.5 275：7693
2.1 183×31 厘米；4 紙；124 行，行 30 餘字。
2.2 01：47.5，32； 02：45.5，33； 03：47.5，30；
04：42.5，29。
2.3 卷軸裝。首全尾脫。第 2 紙上邊撕裂，第 3 紙下邊撕裂，第 3、4 紙接縫處下開裂。有烏絲欄。
3.1 首全→大正 936，19/82A3。
3.2 尾全→19/84C29。
4.1 大乘無量壽經（首）。
4.2 佛說無量壽宗要經（尾）。
7.1 第 4 紙末有題記：“張略沒藏寫”一行。卷首背面下方墨書“金”，爲寺院題名，說明本遺書爲金光明寺藏經。
7.3 卷面有一雜寫“空”。
8 8～9 世紀。吐蕃統治時期寫本。
9.1 楷書。
11 圖版：《敦煌寶藏》，107/334A～336A。

1.1 BD00195 號
1.3 金剛般若波羅蜜經
1.4 黄 095
1.5 094：4381
2.1 （9.8＋72.3）×24.8 厘米；2 紙；46 行，行 17 字。
2.2 01：9.8＋22.3，20； 02：50.0，26。
2.3 卷軸裝。首尾均殘，卷首 6 至 7 行經文下半部缺。2 紙近卷尾處中、下部有缺損，通卷殘破嚴重。下部油污。卷尾有蟲蛀。有燕尾。有烏絲欄。
3.1 首 6 行下殘→大正 235，8/752A11～18。
3.2 尾全→235，8/752C2。
8 7～8 世紀。唐寫本。
9.1 楷書。
11 圖版：《敦煌寶藏》，83/85A～86A。

1.1 BD00196 號
1.3 合部金光明經（異卷）卷八
1.4 黄 096
1.5 082：1434
2.1 （2.3＋711.8）×25 厘米；16 紙；426 行，行 17 字。
2.2 01：2.3＋9，18； 02：46.8，28； 03：47.0，28；
04：46.8，28； 05：46.8，28； 06：46.8，28；
07：46.8，28； 08：46.8，28； 09：46.8，28；
10：46.8，28； 11：46.8，28； 12：47.0，28；
13：46.8，28； 14：47.0，28； 15：46.8，28；
16：47.0，16。
2.3 卷軸裝。首殘尾全。經黄紙，打紙。上部有等距離水漬。有烏絲欄。
3.1 首行上中殘→大正 664，16/395C26。
3.2 尾全→16/401C24。
4.2 金光明經卷第八（尾）。
5 與《大正藏》本經對照，分卷不同，相當於《流水長者子品第二十一》至《付囑品第二十四》。又本件《付囑品》缺末尾 26 行，參見 16/401C25～402A21，與《思溪藏》、《普寧藏》、《嘉興藏》等相同。
7.3 第 2 紙背有雜寫“爾爾”2 字。
8 7～8 世紀。唐寫本。
9.1 楷書。
11 圖版：《敦煌寶藏》，67/521B～530B。

1.1 BD00197 號
1.3 妙法蓮華經卷二
1.4 黄 097
1.5 105：4765
2.1 782.9×27.1 厘米；20 紙；419 行，行 17 字。
2.2 01：41.2，22； 02：41.2，22； 03：41.2，22；
04：41.0，22； 05：41.1，22； 06：40.7，22；
07：40.5，22； 08：40.7，22； 09：40.5，22；
10：40.6，22； 11：40.5，22； 12：40.5，22；
13：40.5，22； 14：40.6，22； 15：40.4，22；
16：39.8，22； 17：39.7，22； 18：40.7，22；
19：40.6，22； 20：10.9，01。
2.3 卷軸裝。首脫尾全。首紙上邊有 1 處撕裂，前 7 紙下邊碎殘，第 5、6 紙接縫處脫爲 2 截，12 紙下邊有 1 處殘損，15 紙下有 2 處殘損，18 紙尾下及 19 紙下部有殘損。首紙與 15 至 18 紙背面有古代裱補。有烏絲欄。
3.1 首殘→大正 262，9/13A19。
3.2 尾全→9/19A12。
4.2 妙法蓮華經卷第二（尾）。
8 9～10 世紀。歸義軍時期寫本。
9.1 楷書。
11 圖版：《敦煌寶藏》，86/420B～430B。

1.1 BD00198 號
1.3 比丘尼戒
1.4 黃 098
1.5 175：7088
2.1 （3.5 +613.5）×27.3 厘米；16 紙；369 行，行 27 字。
2.2 01：3.5 +21，16； 02：40.5，25； 03：40.5，25；
04：40.5，25； 05：41.0，25； 06：40.5，25；
07：41.0，25； 08：40.5，25； 09：41.0，25；
10：40.5，25； 11：40.5，25； 12：40.5，25；
13：41.0，25； 14：41.0，25； 15：41.0，25；
16：22.5，03。
2.3 卷軸裝。首殘尾全。首紙上下殘破，中部有殘洞。有烏糞污漬。有燕尾。有烏絲欄。
3.4 説明：
本文獻首 2 行上下殘，尾全。内容與《大正藏》所收《十誦比丘尼波羅提木叉戒本》卷一之“淨眾章”相近，但行文有較大差別。可參見大正 1437，23/481B21 ~488B21。
4.2 比丘尼戒壹卷（尾）。
8 5 ~6 世紀。南北朝寫本。
9.1 隸書。
9.2 上邊有墨筆點標。
11 圖版：《敦煌寶藏》，104/119B ~127B。

1.1 BD00199 號
1.3 金剛般若波羅蜜經
1.4 黃 099
1.5 094：4144
2.1 （4.3 +166.7 +2）×27 厘米；6 紙；103 行，行 17 字。
2.2 01：4.3 +25.7，18； 02：32.0，19； 03：30.0，18；
04：32.0，19； 05：47.0，28； 06：02.0，01。
2.3 卷軸裝。首尾均殘。打紙，研光上蠟。第 1、3 紙有橫裂，1、2、5、6 紙背有古代裱補。第 3 紙為後補，紙質、字跡與前後各紙不同。有烏絲欄。
3.1 首 3 行上下殘→大正 235，8/750C4 ~6。
3.2 尾行下殘→8/752A2。
8 7 ~8 世紀。唐寫本。
9.1 楷書。
11 圖版：《敦煌寶藏》，82/225A ~227B。

1.1 BD00200 號
1.3 大般若波羅蜜多經卷五七〇
1.4 黃 100
1.5 084：3364
2.1 （5.6 +507.9）×27.1 厘米；11 紙；308 行，行 17 字。
2.2 01：5.6 +41.4，28； 02：46.6，28； 03：46.7，28；
04：46.7，28； 05：46.6，28； 06：46.6，28；
07：46.6，28； 08：46.7，28； 09：46.6，28；
10：46.6，28； 11：46.8，28。
2.3 卷軸裝。首尾均脱。首部右下殘缺，有殘洞，多斑點。第 3 紙上有撕裂，尾紙上邊下邊有殘損。有烏糞、油污。背有古代裱補。有烏絲欄。
3.1 首 3 行下殘→大正 220，7/943C26 ~944A1。
3.2 尾殘→7/947B16。
6.1 首→BD05893。
8 8 ~9 世紀。吐蕃統治時期寫本。
9.1 楷書。硬筆書寫。
11 圖版：《敦煌寶藏》，77/404A ~410B。

新舊編號對照表

一、千字文號與北敦號、縮微膠卷號對照表

千字文號	北敦號	縮微膠卷號
黄 035	BD00135 號	094:3509
黄 036	BD00136 號	105:4492
黄 037	BD00137 號	070:1247
黄 038	BD00138 號	094:3868
黄 039	BD00139 號	094:3510
黄 039	BD00139 號背	094:3510
黄 040	BD00140 號	115:6495
黄 041	BD00141 號	105:4791
黄 042	BD00142 號	070:1161
黄 043	BD00143 號	105:5694
黄 044	BD00144 號	070:1280
黄 045	BD00145 號	062:0592
黄 046	BD00146 號	105:5462
黄 047	BD00147 號	105:4763
黄 048	BD00148 號	155:6809
黄 049	BD00149 號	134:6657
黄 050	BD00150 號	058:0464
黄 051	BD00151 號 1	040:0375
黄 051	BD00151 號 2	040:0375
黄 051	BD00151 號 3	040:0375
黄 052	BD00152 號	105:5484
黄 053	BD00153 號	094:4006
黄 054	BD00154 號	084:3309
黄 055	BD00155 號	070:1263
黄 056	BD00156 號	105:4533
黄 057	BD00157 號	070:0974
黄 057	BD00157 號背	070:0974
黄 058	BD00158 號	070:0867
黄 059	BD00159 號	105:4600
黄 060	BD00160 號	115:6406
黄 061	BD00161 號	088:3427
黄 062	BD00162 號 A	105:5638
黄 062	BD00162 號 B	105:5639
黄 063	BD00163 號	063:0826
黄 064	BD00164 號 A	002:0040
黄 064	BD00164 號 B	002:0053
黄 064	BD00164 號 C	002:0054
黄 064	BD00164 號 D	002:0055
黄 064	BD00164 號 E	002:0056
黄 064	BD00164 號 F	002:0057
黄 064	BD00164 號 G	002:0058
黄 064	BD00164 號 H	002:0060
黄 064	BD00164 號 I	461:8713
黄 065	BD00165 號	084:2822
黄 066	BD00166 號	105:4722
黄 067	BD00167 號	105:5243
黄 068	BD00168 號	326:8379
黄 069	BD00169 號	275:7692
黄 070	BD00170 號	094:4366
黄 071	BD00171 號	105:5411
黄 072	BD00172 號	062:0556
黄 073	BD00173 號	105:5782
黄 074	BD00174 號	105:4506
黄 075	BD00175 號	083:1827
黄 076	BD00176 號	083:1977
黄 076	BD00176 號背	083:1977
黄 077	BD00177 號	084:2171
黄 078	BD00178 號	094:3958
黄 079	BD00179 號	461:8714
黄 080	BD00180 號	070:1063
黄 081	BD00181 號	070:1094
黄 082	BD00182 號	094:3602
黄 083	BD00183 號	105:5635
黄 084	BD00184 號	105:5222
黄 085	BD00185 號	084:2613
黄 086	BD00186 號	083:1492
黄 086	BD00186 號背	083:1492
黄 087	BD00187 號	372:8455

黄 088	BD00188 號	125:6631	黄 095	BD00195 號	094:4381
黄 089	BD00189 號	070:1116	黄 096	BD00196 號	082:1434
黄 090	BD00190 號	094:4252	黄 097	BD00197 號	105:4765
黄 091	BD00191 號	063:0660	黄 098	BD00198 號	175:7088
黄 092	BD00192 號	105:5549	黄 099	BD00199 號	094:4144
黄 093	BD00193 號	105:5125	黄 100	BD00200 號	084:3364
黄 094	BD00194 號	275:7693			

二、縮微膠卷號與北敦號、千字文號對照表

縮微膠卷號	北敦號	千字文號	縮微膠卷號	北敦號	千字文號
002:0040	BD00164 號 A	黄 064	084:2822	BD00165 號	黄 065
002:0053	BD00164 號 B	黄 064	084:3309	BD00154 號	黄 054
002:0054	BD00164 號 C	黄 064	084:3364	BD00200 號	黄 100
002:0055	BD00164 號 D	黄 064	088:3427	BD00161 號	黄 061
002:0056	BD00164 號 E	黄 064	094:3509	BD00135 號	黄 035
002:0057	BD00164 號 F	黄 064	094:3510	BD00139 號	黄 039
002:0058	BD00164 號 G	黄 064	094:3510	BD00139 號背	黄 039
002:0060	BD00164 號 H	黄 064	094:3602	BD00182 號	黄 082
040:0375	BD00151 號 1	黄 051	094:3868	BD00138 號	黄 038
040:0375	BD00151 號 2	黄 051	094:3958	BD00178 號	黄 078
040:0375	BD00151 號 3	黄 051	094:4006	BD00153 號	黄 053
058:0464	BD00150 號	黄 050	094:4144	BD00199 號	黄 099
062:0556	BD00172 號	黄 072	094:4252	BD00190 號	黄 090
062:0592	BD00145 號	黄 045	094:4366	BD00170 號	黄 070
063:0660	BD00191 號	黄 091	094:4381	BD00195 號	黄 095
063:0826	BD00163 號	黄 063	105:4492	BD00136 號	黄 036
070:0867	BD00158 號	黄 058	105:4506	BD00174 號	黄 074
070:0974	BD00157 號	黄 057	105:4533	BD00156 號	黄 056
070:0974	BD00157 號背	黄 057	105:4600	BD00159 號	黄 059
070:1063	BD00180 號	黄 080	105:4722	BD00166 號	黄 066
070:1094	BD00181 號	黄 081	105:4763	BD00147 號	黄 047
070:1116	BD00189 號	黄 089	105:4765	BD00197 號	黄 097
070:1161	BD00142 號	黄 042	105:4791	BD00141 號	黄 041
070:1247	BD00137 號	黄 037	105:5125	BD00193 號	黄 093
070:1263	BD00155 號	黄 055	105:5222	BD00184 號	黄 084
070:1280	BD00144 號	黄 044	105:5243	BD00167 號	黄 067
082:1434	BD00196 號	黄 096	105:5411	BD00171 號	黄 071
083:1492	BD00186 號	黄 086	105:5462	BD00146 號	黄 046
083:1492	BD00186 號背	黄 086	105:5484	BD00152 號	黄 052
083:1827	BD00175 號	黄 075	105:5549	BD00192 號	黄 092
083:1977	BD00176 號	黄 076	105:5635	BD00183 號	黄 083
083:1977	BD00176 號背	黄 076	105:5638	BD00162 號 A	黄 062
084:2171	BD00177 號	黄 077	105:5639	BD00162 號 B	黄 062
084:2613	BD00185 號	黄 085	105:5694	BD00143 號	黄 043

105:5782	BD00173 號	黄 073
115:6406	BD00160 號	黄 060
115:6495	BD00140 號	黄 040
125:6631	BD00188 號	黄 088
134:6657	BD00149 號	黄 049
155:6809	BD00148 號	黄 048
175:7088	BD00198 號	黄 098
275:7692	BD00169 號	黄 069
275:7693	BD00194 號	黄 094
326:8379	BD00168 號	黄 068
372:8455	BD00187 號	黄 087
461:8713	BD00164 號 I	黄 064
461:8714	BD00179 號	黄 079